Grant's
ATLAS OF ANATOMY
FIFTEENTH EDITION

グラント解剖学図譜 第8版

1	背部	1
2	上肢	65
3	胸郭	193
4	腹部	291
5	骨盤と会陰	391
6	下肢	471
7	頭部	585
8	頸部	725
9	脳神経	787
	文献	821
	索引	823

Grant's グラント解剖学図譜 第8版

ATLAS OF ANATOMY
FIFTEENTH EDITION

ANNE M. R. AGUR
ARTHUR F. DALLEY

（原書 第15版）

監訳
坂井　建雄
順天堂大学保健医療学部　特任教授

訳
小林　靖
防衛医科大学校　教授

小林　直人
愛媛大学大学院医学系研究科　教授

市村浩一郎
順天堂大学大学院医学研究科　教授

西井　清雅
防衛医科大学校　准教授

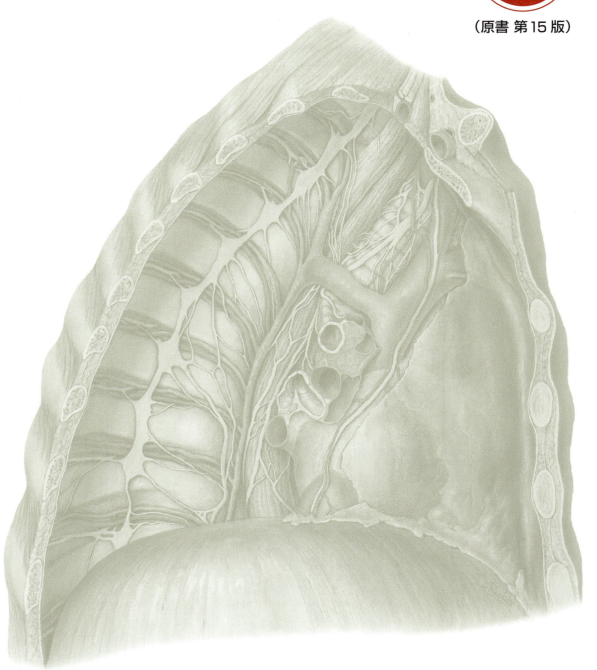

医学書院

Anne M.R. Agur, B.Sc.（OT）, M.Sc., Ph.D, FAAA
Professor, Division of Anatomy, Department of Surgery, Faculty of Medicine
Division of Physical Medicine and Rehabilitation, Department of Medicine
Department of Physical Therapy, Department of Occupational Science and
Occupational Therapy
Division of Biomedical Communications, Institute of Medical Science
Rehabilitation Sciences Institute, Graduate Department of Dentistry
University of Toronto
Toronto, Ontario, Canada

Arthur F. Dalley II, Ph.D, FAAA
Professor Emeritus and Research Professor, Department of Cell & Developmental Biology
Adjunct Professor, Department of Orthopaedic Surgery
Vanderbilt University School of Medicine
Adjunct Professor for Anatomy
Belmont University School of Physical Therapy
Nashville, Tennessee, USA

Authorized translation of the original English language edition,
Anne M. R. Agur, Arthur F. Dalley II : "Grant's Atlas of Anatomy, Fifteenth Edition"
Copyright Ⓒ 2021 Wolters Kluwer
Ⓒ Eighth Japanese edition 2022 by Igaku-Shoin Ltd., Tokyo
Published by arrangement with Wolters Kluwer Health Inc., USA
Wolters Kluwer Health did not participate in the translation of this title and therefore
it does not take any responsibility for the inaccuracy or errors of this translation.

Printed and bound in Japan

免責事項

本書には，薬の正確な指示，副作用および投与スケジュールが提供されていますが，これらは変更する可能性があります．読者は，記載されている薬についてメーカーのパッケージ情報データを確認することが強く求められます．著者，編集者，出版社，販売業者は本書の情報の適用によって生じた過失や不作為，またはいかなる結果に対しても責任を負うことはなく，本書の内容に関しては，明示あるいは黙示を問わず，一切の保証をいたしません．著者，編集者，出版社，販売業者は本書に起因する対人または対物の傷害および損害について，一切責任を負いません．

グラントの解剖学図譜

発　行	1977年 9月 1日	第1版第1刷
	1980年 8月 1日	第2版第1刷
	1984年11月 1日	第3版第1刷
	2002年11月15日	第3版第18刷
	2004年 2月25日	第4版第1刷
	2005年12月 1日	第4版第2刷
	2007年 4月 1日	第5版第1刷
	2009年11月15日	第5版第3刷
	2011年 3月15日	第6版第1刷
	2016年 1月 1日	第7版第1刷
	2021年 3月15日	第7版第3刷
	2022年 7月 1日	第8版第1刷

監訳者　坂井建雄
発行者　株式会社　医学書院
　　　　代表取締役　金原　俊
　　　　〒113-8719　東京都文京区本郷1-28-23
　　　　電話　03-3817-5600（社内案内）
印刷・製本　三美印刷

本書の複製権・翻訳権・上映権・譲渡権・貸与権・公衆送信権（送信可能化権を含む）は株式会社医学書院が保有します．

ISBN978-4-260-04730-2

本書を無断で複製する行為（複写，スキャン，デジタルデータ化など）は，「私的使用のための複製」など著作権法上の限られた例外を除き禁じられています．大学，病院，診療所，企業などにおいて，業務上使用する目的（診療，研究活動を含む）で上記の行為を行うことは，その使用範囲が内部的であっても，私的使用には該当せず，違法です．また私的使用に該当する場合であっても，代行業者等の第三者に依頼して上記の行為を行うことは違法となります．

JCOPY〈出版者著作権管理機構　委託出版物〉
本書の無断複製は著作権法上での例外を除き禁じられています．複製される場合は，そのつど事前に，出版者著作権管理機構（電話 03-5244-5088，FAX 03-5244-5089，info@jcopy.or.jp）の許諾を得てください．

訳者　序

　本書は"Grant's Atlas of Anatomy"第15版の日本語訳である．原著の初版はカナダのトロント大学のJ. C. B. Grant教授により1943年に出版された．人体解剖標本を忠実に描いた本格派の解剖図譜として定評があり，世界の医学・医療関係者に愛用され，版を重ねている．

　日本語版は，森田茂，楠豊和両氏の翻訳により原書第6版が『グラント解剖学図譜』として1977年に，原書第7版が『グラント解剖学図譜　第2版』として1980年に，原書第8版が『グラント解剖学図譜　第3版』として1984年に発行された．原書第9版に基づく『グラント解剖学図譜　第4版』は，山下廣，岸清，楠豊和，岸田令次の4氏の翻訳により2004年に発行された．原書第11版に基づく『グラント解剖学図譜　第5版』からは坂井が監訳を担当し，翻訳は小林靖，小林直人，市村浩一郎の3名に担当していただき，前回の第7版では，新たに西井清雅が訳者として加わった．いずれも，解剖学をこよなく愛しており，その実力をよく承知している人たちである．

　『グラント解剖学図譜』は，人体解剖をよく知る人がこよなく愛する解剖図譜である．なんといっても，人体解剖の奥深さと，本物だけがもつ迫真の力がそこにある．J. C. B. Grant教授が繊細な解剖を行って剖出した多数の解剖標本をもとに，忠実に描いた解剖図がもとになっているのだから，当たり前といえば当たり前である．本物の解剖図を作り上げることがいかに大変なことであるか，またいかに得がたいものであるかは，人体解剖の専門家であればよく理解している．世の中に満ちあふれている解剖図の多くは，美と理想を求めて再構成されており，見方を変えれば知識をもとに頭の中で組み立てられたものになっている．さらにそこから引き写されて，著しく変形したものも少なくない．画像を通して伝えられる情報は，見る人に単なる知識を与えるだけではない．図には，構造の意味を理解し判断する枠組みをつくる力がある．どのようにすぐれた解剖図であれ，頭の中で作られたものには，描いた人の理解の限界とバイアスとが埋め込まれている．解剖学を学ぶ人たちには，できるかぎり人体そのものから，少なくとも本物から学ぶことを願う由縁である．

　今回翻訳した原書第15版では，解剖標本を写実的に描いた古典的な解剖図の価値を高め，現代の学生たちのニーズに合わせた改訂が行われている．たとえば解剖図の彩色をより鮮やかなものにして臨場感を高めること，模式図と表を増補して知識の理解を助けること，各章の最後にMRIやCTなどの医用画像を集めて画像診断と関連づけること，などである．とくに臨床との関連を重視して，図の説明の中で臨床にかかわりのある部分を青の地色で示している．また表については筋だけでなく，神経，血管の表を付け加えて，知識の整理に役立てている．改訂を積み重ねて，本書は単に解剖図を見るだけのアトラスから，解剖学の学習に役立つ総合的な教材として，さらに臨床でも役立つ医師の伴侶として，その価値を高めている．

　訳の分担は，小林靖が第1章と第8章を，小林直人が第2章を，市村浩一郎が第3-6章を，西井清雅が第7章と第9章を担当し，用語の統一と全体の調整を坂井が行った．

　訳出にあたっては，日本解剖学会監修『解剖学用語』（改訂13版）を用いた．また『解剖学用語』にない用語は，臨床各科の辞典，教科書などを参考にして和訳した．

　本書が，広く医学・医療関係者が解剖学を学習するための座右の書として，大いに活用されることを願うものである．

2022年5月
八王子の寓居にて
坂井　建雄

DR. JOHN CHARLES BOILEAU GRANT(1886–1973)

by Dr. Carlton G. Smith, M.D., Ph.D. (1905–2003)
Professor Emeritus, Division of Anatomy, Department of Surgery
Faculty of Medicine, University of Toronto, Toronto, Ontario, Canada

J. C. B. Grant 博士，1946年トロント大学 McMurrich 棟の自室にて．Grant 博士は著書を通じて世界の解剖学教育に不滅の功績を成し遂げた（写真は Dr. C. G. Smith の好意による提供である）．

　J. C. Boileau Grant の生涯は，頭蓋から伸び出す第Ⅶ脳神経の走行に似ている．すなわち込み入ってはいるが，確かな目的をもっている[1]．

　Dr. Grant は 1886 年 2 月 6 日，スコットランド，エディンバラのラスウェイド行政区に生まれ，1903-08 年までエディンバラ大学で医学を学んだ．ここで高名な解剖学者 Dr. Daniel John Cunningham（1850-1909）の研究室で解剖助手を務め，その技術により数々の賞を受賞した．

　卒業後，Dr. Grant はカンバーランド州のホワイトヘヴン病院で住み込みの医師になった．1909-11 年にはエディンバラ大学で解剖実習の授業を行い，その後 2 年間を，英国のニューキャッスルにあるダーラム大学にて，"Gray's Anatomy" の編者である Professor Robert Howden の研究室で過ごした．

　1914 年，第 1 次世界大戦が勃発すると，Dr. Grant は英国陸軍医療部隊に入り，功績をあげ，1916 年 9 月の殊勲者公式報告書に名前が載り，1917 年 9 月に「戦闘の際の目覚ましい勇敢さと貢献」により，戦功十字章を授与された．また，1918 年 8 月には戦功十字章に線章を与えられた[1]．1919 年 10 月に英国陸軍を除隊し，カナダのウィニペグにあるマニトバ大学の解剖学教授に就任した．第一線の医療職を志してはいたが，解剖学を教えることで，次代の外科医が「手術を始めた際に自分が何をしているかを正確に知るように育てる」努力をした[1]．解剖学の研究と教育に専念したが，1920 年代には北マニトバにいるインディアン種族の人類学的な計測を行うなど，他の課題にも関心を向けた．Dr. Grant はウィニペグで Catriona Christie と知り合い，1922 年に結婚した．

　Dr. Grant は機械的な記憶よりも，論理，分析，推論を信頼することで知られていた．マニトバ大学在職中に "A Method of Anatomy: Descriptive and Deductive" の執筆を始め，1937 年に出版した[2]．

　1930 年，Dr. Grant はトロント大学の解剖学主任教授に就任した．彼は「清潔な」解剖で構造を明確に見せる意義を強調した．そのためには鋭利なピンセットを用いて遺体を繊細に扱う必要があり，学生たちは鈍重な道具が邪魔になることをただちに学んだ．解剖学博物館に展示するために教育的な解剖標本を作り，それを学生たちに見せることに，Dr. Grant は高い価値を置いた．それらの図の多くが，"Grant's Atlas of Anatomy" に収載されている．本書の初版は 1943 年に出版され[3]，北米で出版された初めての解剖図譜となった．これに先立って 1940 年に "Grant's Dissector" が出版された[4]．

　1956 年，Dr. Grant はトロント大学を退職し，大学の解剖学博物館の館長になった．またカリフォルニア大学ロサンゼルス校の解剖学の客員教授も務め，10 年間にわたって教鞭をとった．

　1973 年，Dr. Grant は癌で亡くなった．彼の教育方法は，その著書の中に今なお受け継がれ，彼の生涯の研究テーマであった人体解剖は，それを通して生き続けている．彼の同僚であり友人であった Ross MacKenzie と J. S. Thompson は，彼を賞賛してこう述べている．

　「Dr. Grant の解剖学的事実に関する広範な知識は，百科事典のようであった．自分の知識を人と分かち合うことを何よりも喜び，それは相手が年若い学生であろうと年配の教員であろうと変わらなかった．教師としてやや厳格になるときでも，物静かな機知と限りない人間愛によって，感銘を与えずにいられなかった．彼は，最も優れた意味で，学者であり紳士であった」[1]

---

[1] Robinson C. *Canadian Medical Lives: Grant JCB: Anatomist Extraordinary.* Ontario, Canada: Associated Medical Services Inc/Fitzhenry & Whiteside, 1993.

[2] Grant JCB. *A Method of Anatomy: Descriptive and Deductive.* Baltimore, MD: Williams & Wilkins Co, 1937.

[3] Grant JCB. *Grant's Atlas of Anatomy.* Baltimore, MD: Williams & Wilkins Co, 1943.

[4] Grant JCB, Cates HA. *Grant's Dissector (A Handbook for Dissectors).* Baltimore, MD: Williams & Wilkins Co, 1940.

査読者

放射線画像の査読者

Joel A. Vilensky, PhD
Professor Emeritus of Anatomy and Cell Biology
Indiana University School of Medicine
Fort Wayne, Indiana

Edward C. Weber, DO
The Imaging Center
Fort Wayne, Indiana

専門の査読者

Abduelmenem Alashkham, PhD, MSc (Distinction), MBBCh
School of Biomedical Sciences
University of Edinburgh
Edinburgh, Scotland, United Kingdom

William S. Brooks, PhD
University of Alabama at Birmingham
Birmingham, Alabama

Sandra J. Colello, PhD
Department of Anatomy and Neurobiology
Virginia Commonwealth University
Richmond, Virginia

James D. Foster, PhD
Associate Dean of Anatomy, Molecular Medicine
Alabama College of Osteopathic Medicine
Dothan, Alabama

Warwick Gorman, PhD, BSc
Anatomy Lecturer
RMIT University
Melbourne, Australia

Noah Harper
Associate Lab Manager, Bioskills Lab Supervisor
Idaho State University
Pocatello, Idaho

Robert J. Hillwig, MD
University of Pikeville-Kentucky College of Osteopathic Medicine
Pikeville, Kentucky

学生の査読者

Pamela Brearey
Burrell College of Osteopathic Medicine

Andrew Kelada
Philadelphia College of Osteopathic Medicine

Allison Loy
Jefferson College

Jonathan White
South College

Shanna Williams
University of South Caroline School of Medicine Greenville

序   PREFACE

"Grant's Atlas of Anatomy"の今版では，前版までと同様に強力な調査，市場投入，創造性が必要であった．手堅い評判に頼るだけでは不十分であり，私たちは新版ごとにアトラスの多くの側面を修正・変更しながら，本書の長い歴史を豊かにしてきた教育面での卓越性と解剖学的な写実性への責務を保持してきた．医学および健康科学の教育，およびそこにおける解剖学の教育と応用の役割は，新しい教育方法や教育モデルを反映して，不断に発展している．医療システムそのものも変化し続けており，未来の医療従事者が習得しなければならない技術と知識もそれとともに変化し続けている．最後に，出版とくにネット情報と電子メディアの技術的進歩により，学生たちが内容を利用するやり方や教師が内容を教える方法が変化してきた．これらすべての進歩が，この"Grant's Atlas of Anatomy"第15版の構想を形づくり，製作の方向を決めた．その特徴は以下の通りである．

木炭粉による"Grant's Atlas of Anatomy"の原画の高解像度スキャンによる再彩色：木炭粉による原画のすべてについて，新たな原画作成と鮮やかな色調での彩色を第14版で行った．Grantの原画のとても魅力的な精細さと明暗比を保ちながら，器官の輝きととりわけ組織の透明さを新たな水準で加えて，単に彩色した多階調では達成できない深い関係性を示すことが可能になり，学生の学習経験が強化された．学生は新たに現れた構造の関係性を可視化し理解することができ，身体のすべての部位にわたって3次元の構築を形作ることができる．現代の画像処理により可能となった再彩色は，画像―印刷版と電子版の両方で―をこれまでにない高解像度と忠実性で再生し視認することを可能にし，将来の医学と医療の提供者たちに人体の構造と機能を教えるという重要な役割を果たし続けることができる．

"Grant's Atlas of Anatomy"の独自の特徴は，人体解剖の理想化された像ではなく，実際の解剖を具現する古典的な解剖図を提供し，実習室で学生たちが標本と直接見比べられるようにすることである．これらの解剖図のために用いた素材は実際の遺体であるので，これらの解剖図の正確さは比類ないものであり，学生たちに解剖学の最良の手引きを与えてくれる．

模式図：第15版では現代的な統一スタイルと一貫した色使いで更新し，フルカラーの模式図を解剖体の図に加えて解剖学的な概念を明確にし，構造の関係を示し，該当する身体の部位を概観できるようにした．図版はDr. Grantの「簡潔さを保つ」という訓示に従った．余分なラベル文字を削除し，重要な構造を指示するラベル文字を加え，図が学生にとって可能な限り有用になるようにした．

図の説明で臨床応用が見つかりやすい：よく知られているように，図版はあらゆるアトラスの焦点である．しかし"Grant's Atlas of Anatomy"の図の説明は，このアトラスの独自で価値ある特徴だと長らく見なされてきた．図に付属する観察と説明により，見落とされがちな顕著な特徴や意味ある構造に注意が引き寄せられる．その目的は，過剰な記述をすることなく，解剖図を解釈することである．読みやすさ，明快さ，実用性を，この版の編集において強調した．解剖学的特徴と医療実地における意義を結びつける実際的な「珠玉」を伝える臨床コメントを，図の説明の中で青の地色で区別した．現在の医療に基づく新しい臨床コメントをこの版で加えており，学生が解剖学的概念の臨床応用を探すのに役立つだろう．

画像診断，体表解剖学の強化：医用画像は外傷と疾病の診断と治療において重要性を増してきているので，医用画像を各章を通じて豊富に使用し，全体的にまた各章末に特別に画像を扱う頁をつくった．臨床に役立つ100枚以上の磁気共鳴画像（MRI），コンピューター断層像（CT），超音波像と，対応する位置取り図を今版で採用した．指示文字をつけた体表解剖写真は人種による多様性を示しており，この新版でも重要な特徴になっている．筋肉を原位置で示す体表解剖のすべての図は，学習体験を強化するために新しい図に置き換えた．

表を一新し，改善した：表は，学生が複雑な情報を簡単に使える形にするのを助け，総括や学習にぴったりである．筋の表に加え，神経，動脈，および他の関係する構造を含めた．表の価値を高めるために，図を計画的に同じ頁に置き，表に書かれた構造と関係性を図示した．

論理的な構成と割付：アトラスの構成と割付は，いつも使いやすさを目標に決められてきた．解剖実習に役立つように，身体の部位の配列は，"Grant's Dissector"の最新版に揃えた．各章の中での図版の順番は論理的で教育に役立つことを確保するために精査した．

みなさんに"Grant's Atlas of Anatomy"のこの第15版を喜んで使っていただき，教育場面において信頼できる伴侶となることを願っている．われわれはこの新版が，アトラスの歴史的な強みを守りながら，今日の学生にとっての有用性を強めるものと確信している．

Anne M.R. Agur
Arthur F. Dalley II

グラント解剖学図譜の再彩色

"Grant's Atlas of Anatomy"（アトラス）の主要な図版は1940-50年代に制作され，木炭粉ないし淡彩画の古典的な技法を用いて単色で描かれた．単色の木炭粉の画像の精細さは傑出している（下段左の図）が，彩色の必要性がすぐに明らかになった．アトラスの初期の版では，単色の作品の上に濃い色の層を重ねて，静脈・動脈・神経などの重要な構造の存在や関係性を強調した．この教育的な方法と技術は，第8版まで踏襲された．

1990年代の初めにアトラスでは，煩雑な初期デジタル技術を用いて，原画を撮影し印画紙に印刷された．印刷紙に写真染料を使って手作業で彩色し，できあがったカラー用紙を再び撮影して印刷された．この処理により画像は著しく豊かなものになったが，この技術により精細さが失われ明暗比が損なわれることもあった．その後しばらくの版では，デジタル画像の色彩を調整して強化が行われた（下段中央の図）．

1990年代末に，トロント大学は原画の保護を取り決めた．図版はそれまで長年にわたり乱暴に扱われ，多くのものが文書保存に適さない台紙のために劣化していた．2008年に，情報流通学者，画家，資料保存者からなる学際的チーム[5]が，カナダ社会・人文科学研究会議に申請して，図版の研究と全図版のデジタル記録のための補助金を受けた．このチームは作品の目録と資料を作り，高解像度でスキャンした．この努力により，1,000を超える画像の中に「失われた」図版が少なからずあることも明らかになった．その一部は今回の版で復元された．

高精細の画像データベースが編纂されて，"Grant's Atlas of Anatomy"

[5]Robinson C. Canadian Medical Lives: J. C. Boileau Grant: Anatomist Extraordinary. Ontario, Canada: Associated Medical Services Inc/Fitzhenry & Whiteside, 1993.

第14版のために画像を「原画複製」し再彩色する可能性が浮かび上がった．画像をきれいにして新しい彩色層を作り上げるシステムが準備された．

- ほぼすべての原画に，手書きのラベル文字や引き出し線があり，取り除かねばならなかった．これは，デジタル複製と修正道具を慎重に用いて成し遂げられた．
- 階調の幅と明暗を調整して，明瞭さと明度範囲を最大限まで向上させた．
- きれいにしたスキャン画像に，色彩を慎重に選んで作られた複数の彩色層を重ねた．ほとんどの彩色層は色転写モードにしたが，これを選んだのは下層のスキャン画像の明暗バランスを変化させないためである．
- 再彩色した図版は，著者たちによって何度も改訂され，正確さを確保し，アトラスの教育的な必要性を反映させた．

この作業は，Nicholas Woolridgeが監修し，Biomedical Communications（MScBMC）プログラムの科学修士課程の2人の卒業生（Nicole Clough, Marissa Webber）が行った．画像修正の過程は，原画作品の精細さ，質感，明暗比を保持するよう設計され（下段右の図），これにより人体の構造と機能について学生たちに今後何十年にもわたって伝え続けることが可能になった．

Nicholas Woolridge
Director, Master of Science in Biomedical Communications Program
University of Toronto
September 2015

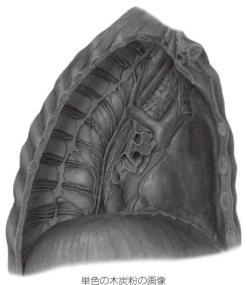

単色の木炭粉の画像

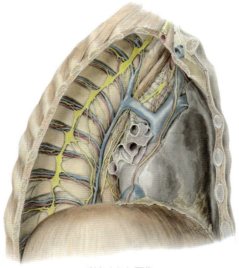

彩色された画像
（第13版）

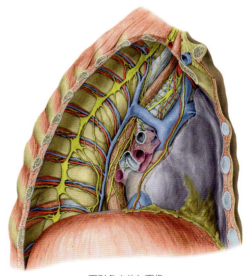

再彩色された画像
（第14版）

*To my husband Enno and to my family Kristina, Erik, and Amy
for their support and encouragement*
(A.M.R.A.)

*In loving memory of Muriel
My bride, best friend, and counselor, and
devoted mother and grandmother;
And to my family
Tristan, Lana, Elijah, Finley, Sawyer and Dashiell,
Denver and Samantha, and Skyler, Sara, Dawson, and Willa
With great appreciation for their support, humor, and patience*
(A.F.D.)

*And with sincere appreciation for the anatomical donors and
their supporting families
Without whom our studies would not be possible*

謝辞　ACKNOWLEDGEMENTS

　1943年に本書の初版が出版されたときから，数多くの人々に，その才能と専門知識を惜しみなく提供していただいた．その協力と貢献に心から感謝する．

　本書の基礎となった木炭粉によるハーフトーンの原図の大部分を描いたDorothy Foster Chubbは，Max Brödelの弟子であり，カナダにおいて最初に専門教育を受けた医学画家の1人である．彼女は後にNancy Joyとともに仕事をした．Mrs. Chubbは，主に第1版と第2版および第6版の図を担当した．Joy教授は第3-5版の図を担当した．それ以後の版で加えられた線画とハーフトーンの原図は，Elizabeth Blackstock, Elia Hopper Ross, Marguerite Drummondによって描かれた．ヴァンダービルト大学医学センター医用美術グループのAnne Raynerの写真は，本図譜の全体にわたって体表解剖を強化した．さらにNick Woolridgeとavid Mazerskiの両教授が木炭粉画の再彩色方法を開発されたこと，ならびにNicole CloughとMarissa Webberは第14版のために木炭粉画像のすべてに着色されたことに感謝を捧げたい．

　Charles E. Stortonにはさらに多くの謝意を捧げたい．彼は元になった解剖の大部分を行い，準備のための写真撮影を行ってくれた．またDr. James Andersonは，Dr. Grantの弟子であり，第7版と第8版の出版において編集に携わった．

　下記の方たちは，本書のこれまでの版において貴重な貢献をされた．謝意を表する．

　C. A. Armstrong, P. G. Ashmore, D. Baker, D. A. Barr, J. V. Basmajian, S. Bensley, D. Bilbey, J. Bottos, W. Boyd, J. Callagan, H. A. Cates, S. A. Crooks, M. Dickie, C. Duckwall, R. Duckwall, J. W. A. Duckworth, F. B. Fallis, J. B. Francis, J. S. Fraser, P. George, R. K. George, M. G. Gray, B. L. Guyatt, C. W. Hill, W. J. Horsey, B. S. Jaden, M. J. Lee, G. F. Lewis, I. B. MacDonald, D. L. MacIntosh, R. G. MacKenzie, S. Mader, K. O. McCuaig, D. Mazierski, W. R. Mitchell, K. Nancekivell, A. J. A. Noronha, S. O'Sullivan, V. Oxorn, W. Pallie, W. M. Paul, D. Rini, C. Sandone, C. H. Sawyer, A. I. Scott, J. S. Simpkins, J. S. Simpson, C. G. Smith, I. M. Thompson, J. S. Thompson, N. A. Watters, R. W. Wilson, B. Vallecoccia, K. Yu.

第15版

　われわれは，学生と同僚と前任教授たちからの励ましに感謝する．とくにWarwick Gorman, Joel Vilensky, Sherry Downie, Ryan Splittgerber, Mitchell T. Hayes, Edward Weber, Douglas J. Gouldからかけがえのない情報をいただいた．

　Dr. Joel A. VilenskyとDr. Edward C. Weberからこの版の画像部分を更新し強化するための新しい図に援助をいただいた．

　われわれはまた，Wolters Kluwer美術監督のJennifer Clementsがこの版の美術計画を運用していただいたことに感謝したい．さらに，Wolters Kluwerのすべての人たち―とりわけ先任取得編集者のCrystal Taylorとフリー開発編集者のGreg Nicholl―に感謝したい．また先任開発編集者のAmy Millholenにも感謝したい．皆さんの努力と専門知識に感謝する．

　何百名もの教師と学生が，長年にわたって，本書を改善するための助言を，出版社を通してあるいは直接に，編集者に伝えていただいたことに感謝したい．最後に，過去に本書を査読していただいた方々と同様に，第14版を査読していただき，とくに今版の発展のため専門的な意見を提供していただいた方々に感謝したい．

目次

訳者　序　*iii*
Dr. Grant への賛辞　*iv*
査読者　*v*
序　*vi*
グラント解剖学図譜の再彩色　*vii*
謝辞　*ix*
表一覧　*xiv*
図表出典一覧　*xvi*

第1章　背部　　1

脊柱と椎骨の概観　2
頸椎　8
頭蓋頸椎移行部　12
胸椎　14
腰椎　16
靱帯と椎間円板　18
下肢帯の骨，関節，靱帯　23
椎骨の異常　29
背部の体表解剖　30
背部の筋　33
後頭下領域　42
脊髄と髄膜　44
椎骨静脈叢　52
脊髄神経の成分　53
皮膚分節と筋分節　56
自律神経　58
断層解剖と断層画像　62

第2章　上肢　　65

上肢の系統的概観　66
　骨　66
　神経　72
　動脈　80
　静脈とリンパ管　82
　筋膜区画　86
胸筋の領域　88
腋窩，腋窩の血管，腕神経叢　95
肩甲骨の領域と背部浅層　106
上腕と回旋筋腱板　110
上肢帯の関節と肩関節　124
肘の領域　132
肘関節　138
前腕の前面　144
手根部の前面と手掌　152
前腕の後面　168
手根部の後面と手背　171
手根部と手の外側面　176
手根部と手の内側面　179
手根部と手の骨と関節　180
手の機能：つかむ，つまむ　186
断層解剖と断層画像　187

第3章　胸郭　　193

胸部　194
乳房　196
骨性胸郭と関節　204
胸壁　211
胸郭の内容　219
胸膜腔　222
縦隔　223
肺と胸膜　224
区域気管支と肺区域　230
肺の神経支配とリンパ流路　236
心臓の外観　238
心臓の動静脈　250
刺激伝導系　254
心臓の内観と弁　255
上縦隔と大血管　262
横隔膜　269
胸郭の後部　270
自律神経支配の概観　280
胸郭のリンパ流路の概観　282
断層解剖と断層画像　284

第4章　腹部　　291

腹部内臓の概観　292
前腹壁と側腹壁　294
鼡径部　304
精巣　314
腹膜と腹膜腔　316
消化器系　326
胃　327
膵臓，十二指腸と脾臓　330
腸　334
肝臓と胆嚢　344
胆管　354
門脈系　358
後腹部内臓　360
腎臓　363
後外側腹壁　367
横隔膜　372
腹大動脈と下大静脈　373
自律神経の神経支配　374
リンパ流路　380
断層解剖と断層画像　384

第5章　骨盤と会陰　391

- 下肢帯　392
- 下肢帯の靱帯　399
- 骨盤底と側壁　400
- 仙骨神経叢と尾骨神経叢　404
- 骨盤の腹膜反転部　406
- 直腸と肛門管　408
- 男性の骨盤内臓　414
- 男性骨盤の血管　420
- 男性骨盤と会陰のリンパ流路　422
- 男性骨盤内臓の神経支配　424
- 女性の骨盤内臓　426
- 女性骨盤の血管　436
- 女性骨盤と会陰のリンパ流路　438
- 女性骨盤内臓の神経支配　440
- 骨盤の腹膜下領域　444
- 会陰の体表解剖学　446
- 会陰の概観　448
- 男性の会陰　453
- 男性の骨盤と会陰の画像　460
- 女性の会陰　462
- 女性の骨盤と会陰の画像　468
- 骨盤の血管造影　470

第6章　下肢　471

- 下肢の系統的概観　472
  - 骨　472
  - 神経　476
  - 血管　484
  - リンパ　488
  - 筋膜と筋膜区画　490
- 鼠径部と大腿三角　492
- 大腿の前面と内側面　496
- 大腿の外側面　503
- 大腿の骨と筋付着部　504
- 殿部と大腿の後面　506
- 股関節　516
- 膝の領域　522
- 膝関節　528
- 下腿の前面，側面，足背　542
- 下腿の後面　552
- 脛腓関節　562
- 足底　563
- 距腿関節，距踵関節，足関節　568
- 断層解剖と断層画像　581

第7章　頭部　585

- 頭蓋　586
- 顔面と頭皮　606
- 髄膜と髄膜腔　615
- 頭蓋底と脳神経　620
- 脳の血管分布　626
- 眼窩と眼球　630
- 耳下腺部　642
- 側頭部と側頭下窩　644
- 顎関節　652
- 舌　656
- 口蓋　662
- 歯　665
- 鼻，副鼻腔，翼口蓋窩　670
- 耳　683
- 頭部のリンパ流路　696
- 頭部の自律神経支配　697
- 頭部の断層解剖と断層画像　698
- 神経解剖：概観と脳室系　702
- 終脳と間脳　705
- 脳幹と小脳　714
- 脳の断層解剖と断層画像　720

第8章　頸部　725

- 皮下構造と頸筋膜　726
- 頸部の骨格　730
- 頸部の領域　732
- 側頸部（後頸三角）　734
- 前頸部（前頸三角）　738
- 頸部の神経と血管　742
- 頸部の内臓区画　748
- 頸の基部と椎前部　752
- 下顎と口腔底　758
- 咽頭　762
- 口峡峡部　768
- 喉頭　774
- 断層解剖と断層画像　782

第9章　脳神経　787

- 脳神経の概観　788
- 脳神経核　792
- 第 I 脳神経：嗅神経　794
- 第 II 脳神経：視神経　795
- 第 III・IV・VI 脳神経：動眼神経，滑車神経，外転神経　797
- 第 V 脳神経：三叉神経　800
- 第 VII 脳神経：顔面神経　806
- 第 VIII 脳神経：内耳神経　808
- 第 IX 脳神経：舌咽神経　810
- 第 X 脳神経：迷走神経　812
- 第 XI 脳神経：副神経　814
- 第 XII 脳神経：舌下神経　815
- 頭部の自律神経節　816
- 脳神経障害　817
- 断層画像　818

文献　821

欧文索引　823

和文索引　847

表一覧　　　　　　　　　　　　　　　　　　　　　　　　　　　LIST OF TABLES

第1章　背部
- 表 1.1　頸椎の典型例（C3-C7）　8
- 表 1.2　胸椎　14
- 表 1.3　腰椎　16
- 表 1.4　触知可能な目印，棘突起，重要な構造の関係　30
- 表 1.5　固有背筋の浅層・中間層　40
- 表 1.6　固有背筋の深層　41

第2章　上肢
- 表 2.1　上肢の皮神経　77
- 表 2.2　脊髄神経の根が圧迫された際の臨床的な徴候：上肢　78
- 表 2.3　上肢の皮膚分節（デルマトーム）　79
- 表 2.4　体幹から起こって上肢に停止する前方の筋群　93
- 表 2.5　上肢近位部（肩の領域と上腕）の動脈　98, 99
- 表 2.6　腕神経叢の枝　101
- 表 2.7　背部の浅層（体幹から起こって上肢に終わる後面の筋群）　107
- 表 2.8　肩甲骨の運動　109
- 表 2.9　肩甲骨から起こって上腕骨に停止する肩の深部の筋　111
- 表 2.10　上腕の筋　114
- 表 2.11　前腕の動脈　144
- 表 2.12　前腕屈側の筋群　147
- 表 2.13　手の筋群　159
- 表 2.14　手の動脈　167
- 表 2.15　前腕の伸筋群　169

第3章　胸郭
- 表 3.1　胸壁の筋　215
- 表 3.2　呼吸筋　218
- 表 3.3　体表における胸膜嚢と肺の輪郭　225

第4章　腹部
- 表 4.1　腹壁の筋　302
- 表 4.2　鼡径管の壁をつくる構造　306
- 表 4.3　鼡径ヘルニアの特徴　313
- 表 4.4　腹膜各部の用語　318
- 表 4.5　十二指腸の各部とその周辺構造　331
- 表 4.6　肝臓の区分　349
- 表 4.7　後腹壁の主要な筋　370
- 表 4.8　内臓の自律神経支配　377

第5章　骨盤と会陰
- 表 5.1　骨盤の性差　396, 397
- 表 5.2　骨盤壁と骨盤底の筋　402
- 表 5.3　仙骨神経叢と尾骨神経叢の枝　405
- 表 5.4　男性の骨盤に分布する動脈　421
- 表 5.5　男性の骨盤と会陰におけるリンパ流路　423
- 表 5.6　泌尿生殖器・直腸における交感神経と副交感神経の機能　424
- 表 5.7　女性の骨盤に分布する動脈（内腸骨動脈の枝）　437
- 表 5.8　女性の骨盤と会陰におけるリンパ流路　439
- 表 5.9　会陰の筋　449

第6章　下肢
- 表 6.1　下肢の皮神経　481
- 表 6.2　神経根損傷　482
- 表 6.3　大腿前面の筋群　499
- 表 6.4　大腿内側の筋群　500
- 表 6.5　殿部の筋群　508
- 表 6.6　大腿後面の筋群（膝窩腱筋群）　509
- 表 6.7　殿部の神経　514
- 表 6.8　殿部と大腿後面の動脈　515
- 表 6.9　膝関節周囲の滑液包　535
- 表 6.10　下腿前区画の筋群　543
- 表 6.11　総腓骨神経，浅腓骨神経，深腓骨神経　544
- 表 6.12　足背の動脈　547
- 表 6.13　下腿外側区画の筋群　549
- 表 6.14　下腿後区画の筋群　552
- 表 6.15　下肢と足の動脈　561
- 表 6.16　足底の筋群（第1層）　564
- 表 6.17　足底の筋群（第2層）　565
- 表 6.18　足底の筋群（第3層）　566
- 表 6.19　足底の筋群（第4層）　567
- 表 6.20　足の関節　576

第7章　頭部
- 表 7.1　頭蓋底の孔と通るもの　594, 595
- 表 7.2　主な表情筋　609
- 表 7.3　顔面と頭皮の神経　611
- 表 7.4　顔面と頭皮の動脈　612
- 表 7.5　顔面の静脈　613
- 表 7.6　脳神経が頭蓋腔から出る開口部　621
- 表 7.7　脳の動脈分布　627
- 表 7.8　眼窩の筋　633
- 表 7.9　眼窩の筋の作用（第1眼位からの作用）　636
- 表 7.10　眼窩の動脈　639
- 表 7.11　咀嚼筋（顎関節に作用する筋）　652
- 表 7.12　顎関節の運動　653
- 表 7.13　舌筋群　658
- 表 7.14　軟口蓋の筋　664
- 表 7.15　乳歯と永久歯　669

第8章 頸部

- 表 8.1　広頸筋　726
- 表 8.2　頸部の三角とその中にある構造　732
- 表 8.3　胸鎖乳突筋と僧帽筋　733
- 表 8.4　舌骨上筋群と舌骨下筋群　741
- 表 8.5　頸部の動脈　744, 745
- 表 8.6　椎前筋群と斜角筋群　754, 755
- 表 8.7　脊柱の外側の筋群　757
- 表 8.8　咽頭筋　764
- 表 8.9　喉頭の筋　779

第9章 脳神経

- 表 9.1　脳神経のまとめ　791
- 表 9.2　嗅神経(第I脳神経)　794
- 表 9.3　視神経(第II脳神経)　795
- 表 9.4　動眼神経(第III脳神経)，滑車神経(第IV脳神経)，外転神経(第VI脳神経)　798
- 表 9.5　三叉神経(第V脳神経)　800
- 表 9.6　眼神経(第V脳神経第1枝)の枝　801
- 表 9.7　上顎神経(第V脳神経第2枝)の枝　802
- 表 9.8　下顎神経(第V脳神経第3枝)の枝　804
- 表 9.9　顔面神経(第VII脳神経)：中間神経を含む　806
- 表 9.10　内耳神経(第VIII脳神経)　808
- 表 9.11　舌咽神経(第IX脳神経)　810
- 表 9.12　迷走神経(第X脳神経)　813
- 表 9.13　副神経(第XI脳神経)　814
- 表 9.14　舌下神経(第XII脳神経)　815
- 表 9.15　頭部の自律神経節　816
- 表 9.16　脳神経障害　817

図表出典一覧 — FIGURE AND TABLE CREDITS

第1章　背部

1.3D&E, 1.4, 1.6B&D, 1.7A,D,&E, 1.9A,B,D&E, 1.13B&H, 1.14B, 1.15C, 1.17B, 1.18A–C, 1.19A&B, 1.21A&B, 1.24A–D, 1.33A–E, 1.34B–D, 1.40C, 1.43A&C, 1.44A&B, 1.48A–E, 1.49, 1.50 および 1.51A&B. Modified from Moore KL, Dalley AF, Agur AMR. *Clinically Oriented Anatomy*, 8th ed. Philadelphia, PA: Wolters Kluwer, 2018.

1.7B&C, 1.34A および 1.47B. Modified from Moore KL, Agur AMR, Dalley AF. *Moore's Essential Clinical Anatomy*, 6th ed. Philadelphia, PA: Wolters Kluwer, 2019.

1.8A&B. Courtesy of J. Heslin, University of Toronto, Ontario, Canada.

1.8C&D および 1.52C. Courtesy of D. Armstrong, University of Toronto, Ontario, Canada.

1.9C および 1.55A–D. Courtesy of D. Salonen, University of Toronto, Ontario, Canada.

1.21C&D および 1.22G. Courtesy of E. Becker, University of Toronto, Ontario, Canada.

1.23 および 1.45A–E. Modified from Gest TR. *Lippincott Atlas of Anatomy*, 2nd ed. Philadelphia, PA: Wolters Kluwer, 2020.

1.47A. Based on Foerster O. The dermatomes in man. *Brain*. 1933;56:1.

1.52A&B, 1.53A&B および 1.54A&B. Courtesy of the U.S. National Library of Medicine; Visible Human Project; Visible Man 1805.

第2章　上肢

2.2L, 2.24C, 2.79C および 2.90F. Courtesy of D. Armstrong, University of Toronto, Ontario, Canada.

2.3A,B,D,&E, 2.4A, 2.5A&B, 2.6, 2.7A–D, 2.8A&G–I, 2.9A&B, 2.12A&B, 2.13A–C, 2.19, 2.22B, 2.23B&C, 2.24A&B, 2.34F, 2.36C, 2.44B, 2.45C, 2.47B&D, 2.48B, 2.53D, 2.54A&D, 2.61A&B, 2.66A&C, 2.67B, 2.68B, 2.69A–C, 2.70B, 2.72D, 2.73, 2.76A, 2.80, 2.81A&B, 2.82, 2.86C&D および 2.87D. Modified from Moore KL, Dalley AF, Agur AMR. *Clinically Oriented Anatomy*, 8th ed. Philadelphia, PA: Wolters Kluwer, 2018.

2.4B–E, 2.8B–F, 2.10A&B, 2.25B, 2.29B, 2.75B, 2.97A および Table 2.8. Modified from Moore KL, Agur AMR, Dalley AF. *Moore's Essential Clinical Anatomy*, 6th ed. Philadelphia, PA: Wolters Kluwer, 2019.

2.48C, 2.55B, 2.96A–C, 2.97B–D および 2.98A–C. Courtesy of D. Salonen, University of Toronto, Ontario, Canada.

2.48D および 2.99B. Courtesy of R. Leekam, University of Toronto and West End Diagnostic Imaging, Ontario, Canada.

2.54B&C. Courtesy of J. Heslin, University of Toronto, Ontario, Canada.

2.60A. Courtesy of K. Sniderman, University of Toronto, Ontario, Canada.

2.90C&D. Courtesy of E. Becker, University of Toronto, Ontario, Canada.

第3章　胸郭

3.4B, 3.14C, 3.15A&B, 3.20A–C, 3.27A&B, 3.28B, 3.34B–F, 3.36B, 3.43C, 3.48A–C, 3.49A&D, 3.50A&C, 3.51A&C–E, 3.52A&B, 3.53A–D, 3.54B, 3.55B, 3.56A–C, 3.57C, 3.58B, 3.60C, 3.64C–F, 3.65A, 3.69C, 3.70, 3.71A&B, 3.72B, 3.77E および 3.78A. Modified from Moore KL, Dalley AF, Agur AMR. *Clinically Oriented Anatomy*, 8th ed. Philadelphia, PA: Wolters Kluwer, 2018.

3.7B&D, 3.14A&B, 3.19, 3.27C, 3.28A,C&D, 3.29C, 3.36C, 3.41B–G, 3.42B–E, 3.65B&C および 3.78F&H. Modified from Moore KL, Agur AMR, Dalley AF. *Moore's Essential Clinical Anatomy*, 6th ed. Philadelphia, PA: Wolters Kluwer, 2019.

3.42F. Modified from Bickley LS. *Bates' Guide to Physical Examination and History Taking*, 10th ed. Philadelphia, PA: Wolters Kluwer Health, 2009.

3.43B&E, 3.49C, 3.57B および 3.82A–E. Courtesy of I. Verschuur, Joint Department of Medical Imaging, UHN/Mount Sinai Hospital, Toronto, Ontario, Canada.

3.50B&D. Courtesy of I. Morrow, University of Manitoba, Canada.

3.51B. Courtesy of Dr. J. Heslin, Toronto, Ontario, Canada.

3.52C. Feigenbaum H, Armstrong WF, Ryan T. *Feigenbaum's Echocardiography*, 5th ed. Philadelphia, PA: Lippincott Williams & Wilkins, 2005:116.

3.64B. Courtesy of Dr. E. L. Lansdown, University of Toronto, Ontario, Canada.

3.79A–E, 3.80A&B および 3.81A&B. Courtesy of Dr. M. A. Haider, University of Toronto, Ontario, Canada.

第4章　腹部

4.3A&B, 4.5 および 4.80A. Modified from Moore KL, Agur AMR, Dalley AF. *Moore's Essential Clinical Anatomy*, 6th ed. Philadelphia, PA: Wolters Kluwer, 2019.

4.7A, 4.10A,B,D,&E, 4.17A–E, 4.18, 4.20C, 4.22B, 4.24A–C, 4.27B, 4.31A–C, 4.32A, 4.33A, 4.35A, 4.42C–E, 4.43B, 4.44 (囲み図), 4.51B&C, 4.54A–E, 4.55, 4.58B–D, 4.62A–H, 4.66A, 4.72A, 4.73A–E, 4.76B, 4.79C, 4.80B–D, 4.81, 4.83A&B, 4.85A–C, 4.87A, 4.89A,B,D–F, 4.91A&C, 4.92D および 4.93A–C (シェーマ). Modified from Moore KL, Dalley AF, Agur AMR. *Clinically Oriented Anatomy*, 8th ed. Philadelphia, PA: Wolters Kluwer, 2018.

4.32C (写真) および 4.34A. Dudek RW, Louis TM. *High-Yield Gross Anatomy*, 4th ed. Baltimore, MD: Lippincott Williams & Wilkins, 2010.

4.34B, 4.36, 4.45B および 4.61A&B. Courtesy of Dr. J. Heslin, Toronto, Ontario, Canada.

4.34C&D, 4.42B, 4.45A, 4.66B (*MRI*) および 4.72B. Courtesy of Dr. E. L. Lansdown, University of Toronto, Ontario, Canada.

4.42A. Courtesy of Dr. C. S. Ho, University of Toronto, Ontario, Canada.

4.47. Courtesy of Dr. K. Sniderman, University of Toronto, Ontario, Canada.

4.53B. Courtesy of A. M. Arenson, University of Toronto, Ontario, Canada.

4.66B (写真). Courtesy of Mission Hospital Regional Center, Mission Viejo, California.

4.73B (*MRI*). Courtesy of M. Asch, University of Toronto, Ontario, Canada.

4.91B&D, 4.92B&C および **4.93A–C** (*MRIs*). Courtesy of Dr. M. A. Haider, University of Toronto, Ontario, Canada.

第5章　骨盤と会陰

5.3C, 5.16C&D, 5.33A&B および **5.41.** Modified from Moore KL, Agur AMR, Dalley AF. *Moore's Essential Clinical Anatomy*, 6th ed. Philadelphia, PA: Wolters Kluwer, 2019.

5.4B&C, 5.16B, 5.18A–D, 5.19, 5.26C, 5.27A&B, 5.28A–D, 5.29A&B, 5.30E&G, 5.33C, 5.38A&B, 5.39A–D, 5.40, 5.47B–E, 5.48A–F, 5.51B, 5.52B, 5.54C および **5.59B.** Modified from Moore KL, Dalley AF, Agur AMR. *Clinically Oriented Anatomy*, 8th ed. Philadelphia, PA: Wolters Kluwer, 2018.

5.7A&B. Snell R. *Clinical Anatomy by Regions*, 9th ed. Baltimore, MD: Lippincott Williams & Wilkins, 2012.

5.24A&B (*MRIs*), **5.30B, 5.57B&E–H** および **5.64A–D,F,&H.** Courtesy of Dr. M. A. Haider, University of Toronto, Ontario, Canada.

5.24C. Modified from Bickley LS. *Bates' Guide to Physical Examination and History Taking*, 12th ed. Philadelphia, PA: Wolters Kluwer Health, 2017.

5.30C および **5.34A&B.** Courtesy of A. M. Arenson, University of Toronto, Ontario, Canada.

5.35D. Reprinted with permission from Stuart GCE, Reid DF. Diagnostic studies. In: Copeland LJ. *Textbook of Gynecology*. Philadelphia, PA: WB Saunders, 1993.

5.36D. Reprinted with permission from Sadler TW. *Langman's Medical Embryology*, 14th ed. Philadelphia, PA: Wolters Kluwer, 2019.

5.43B および **5.57C.** Courtesy of the U.S. National Library of Medicine; Visible Human Project; Visible Woman Image Numbers 1870 and 1895.

第6章　下肢

6.2A&B, 6.7A, 6.12A&B, 6.13A–C, 6.15A&B, 6.17B, 6.19C, 6.22F&G, 6.24B&C, 6.29A&B, 6.30A, 6.32B&C, 6.33B, 6.34B, 6.38A, 6.47D, 6.48B&C, 6.53A,D,&F, 6.58A&B, 6.59A&E, 6.61A&B, 6.63D, 6.65A, 6.66D, 6.67B&E, 6.68B, 6.71A&B, 6.73C, 6.74A, 6.75A, 6.76A, 6.77A, 6.80B&C, 6.81D および **6.87A.** Modified from Moore KL, Dalley AF, Agur AMR. *Clinically Oriented Anatomy*, 8th ed. Philadelphia, PA: Wolters Kluwer, 2018.

6.3A. Courtesy of P. Babyn, University of Toronto, Ontario, Canada.

6.3C. Reprinted with permission from Dean D, Herbener TE. *Cross-Sectional Human Anatomy*. Baltimore, MD: Lippincott Williams & Wilkins, 2007.

6.5A–D, 6.7B, 6.9A–F, 6.67D および **6.72A–C.** Modified from Moore KL, Agur AMR, Dalley AF. *Moore's Essential Clinical Anatomy*, 6th ed. Philadelphia, PA: Wolters Kluwer, 2019.

6.6C および **6.34A&B.** Modified from Gest TR. *Lippincott Atlas of Anatomy*, 2nd ed. Philadelphia, PA: Wolters Kluwer, 2020.

6.8A&B. Based on Foerster O. The dermatomes in man. *Brain*. 1933;56(1):1–39.

6.8C&D. Based on Keegan JJ, Garrett FD. The segmental distribution of the cutaneous nerves in the limbs of man. *Anat Rec*. 1948;102:409–437.

6.14B. Courtesy of Dr. E. L. Lansdown, University of Toronto, Ontario, Canada.

6.39A. Courtesy of E. Becker, University of Toronto, Ontario, Canada.

6.39C, 6.56C&D, 6.92D&E (*MRIs*) および **6.94A–D** (*MRIs*). Courtesy of Dr. D. Salonen, University of Toronto, Ontario, Canada.

6.49C. Courtesy of Dr. Robert Peroutka, Cockeysville, MD.

6.65B. Reprinted with permission from Cordasco FA, Green DW. *Pediatric and Adolescent Knee Surgery*. Philadelphia, PA: Wolters Kluwer, 2015.

6.70A. Courtesy of Dr. D. K. Sniderman, University of Toronto, Ontario, Canada.

6.82B. Courtesy of E. Becker, University of Toronto, Ontario, Canada.

6.85B および **6.86B.** Courtesy of Dr. W. Kucharczyk, University of Toronto, Ontario, Canada.

6.90E. Courtesy of Dr. P. Bobechko, University of Toronto, Ontario, Canada.

第7章　頭部

7.1B,E,&F, 7.77B, 7.104A–F, 7.108A–E (*MRIs*), **7.109A–F** および **7.110A–C.** Courtesy of Dr. D. Armstrong, University of Toronto, Ontario, Canada.

7.3C, 7.6B, 7.14A, 7.15A&B, 7.17A&B, 7.18A&B, 7.19, 7.21B&C, 7.22A–D, 7.24B, 7.25A&B, 7.29, 7.30C, 7.31B, 7.33B&C, 7.38B, 7.39B&C, 7.40C, 7.41A–D, 7.42A, 7.43, 7.44A&B, 7.45B&D, 7.46B, 7.48A&D, 7.51, 7.52A, 7.55B&C, 7.56A–C (イラスト), **7.57A–D, 7.58A&B, 7.59A&C, 7.60B, 7.63C, 7.64A&C, 7.67A–C, 7.68B, 7.69A–C, 7.71A&B, 7.72A&B, 7.73** (*top*), **7.79A&C, 7.83A&B, 7.85D, 7.86A, 7.87A, 7.91D&E, 7.92A&B, 7.93A,B,&D** および **7.99A&C.** Modified from Moore KL, Dalley AF, Agur AMR. *Clinically Oriented Anatomy*, 8th ed. Philadelphia, PA: Wolters Kluwer, 2018.

7.12B&C, 7.20A&B, 7.21A, 7.41E, 7.52B, 7.80D&E, 7.90B および **7.93C.** Modified from Moore KL, Agur AMR, Dalley AF. *Moore's Essential Clinical Anatomy*, 6th ed. Philadelphia, PA: Wolters Kluwer, 2019.

7.34A–C. Courtesy of I. Verschuur, Joint Department of Medical Imaging, UHN/Mount Sinai Hospital, Toronto, Ontario, Canada.

7.35A&B, 7.38D, 7.95B&C および **7.96B.** Courtesy of Dr. W. Kucharczyk, University of Toronto, Ontario, Canada.

7.46A. Courtesy of J. R. Buncic, University of Toronto, Ontario, Canada.

7.56 (*MRIs*). Langland OE, Langlais RP, Preece JW. *Principles of Dental Imaging*, 2nd ed. Baltimore, MD: Lippincott Williams & Wilkins, 2002.

7.65D. Courtesy of M. J. Phatoah, University of Toronto, Ontario, Canada.

7.66E. Courtesy of Dr. B. Libgott, Division of Anatomy/Department of Surgery, University of Toronto, Ontario, Canada.

7.77C および **7.78B.** Courtesy of E. Becker, University of Toronto, Ontario, Canada.

7.79B. Paff GH. *Anatomy of the Head and Neck*. Philadelphia, PA: W.B. Saunders Company, 1973.

7.97A&B. Courtesy of the U.S. National Library of Medicine; Visible Human Project; Visible Man 1107 and 1168.

7.100A–F, 7.101A–E, 7.102A&B, 7.103A&B, 7.105A–C, 7.106A–C, 7.107A–D および **7.109G&H.** Colorized from photographs provided courtesy of Dr. C. G. Smith, which appears in Smith CG. *Serial Dissections of the Human Brain*. Baltimore, MD: Urban & Schwarzenberg, Inc Toronto, Canada: Gage Publishing Ltd, 1981. (© Carlton G. Smith)

第 8 章　頸部

8.2A–C, 8.3A, 8.4A&B, 8.5A,C,D,G,&H, 8.6A–C, 8.8D&E, 8.12B, 8.23A, 8.28C, 8.31C, 8.36B,D–F,&H–J および 8.39. Modified from Moore KL, Dalley AF, Agur AMR. *Clinically Oriented Anatomy*, 8th ed. Philadelphia, PA: Wolters Kluwer, 2018.

8.5B. Courtesy of J. Heslin, University of Toronto, Ontario, Canada.

8.5E&F, 8.8B, 8.15A–C, 8.17B, 8.19A および 8.37D. Modified from Moore KL, Agur AMR, Dalley AF. *Moore's Essential Clinical Anatomy*, 6th ed. Philadelphia, PA: Wolters Kluwer, 2019.

8.15D. Courtesy of Dr. D. Armstrong, University of Toronto, Ontario, Canada.

8.28A および 8.43B. Modified from Gest TR. *Lippincott Atlas of Anatomy*, 2nd ed. Philadelphia, PA: Wolters Kluwer, 2020.

8.30B. From Liebgott B. *The Anatomical Basis of Dentistry*. Philadelphia, PA: Mosby, 1982.

8.37A. Rohen JW, Yokochi C, Lütjen-Drecoll E. *Anatomy: A Photographic Atlas*, 8th ed. Stuttgart, Germany: Schattauer GmbH and Philadelphia, PA: Wolters Kluwer, 2016.

8.37C および 8.40A–C. Courtesy of Dr. D. Salonen, University of Toronto, Ontario, Canada.

8.42A. Courtesy of Dr. E. Becker, University of Toronto, Ontario, Canada.

8.43A. Siemens Medical Solutions USA, Inc.

第 9 章　脳神経

9.3, 9.6A–C, 9.8C&D, 9.9A, 9.11B, 9.13B–E, 9.14A&B, 9.15B&C, 9.16B–D, 9.17A, 9.18A,B,&D, 9.19A, 9.20B および 9.21. Modified from Moore KL, Dalley AF, Agur AMR. *Clinically Oriented Anatomy*, 8th ed. Philadelphia, PA: Wolters Kluwer, 2018.

9.5A&B, 9.7, 9.9B および 9.10A. Modified from Moore KL, Agur AMR, Dalley AF. *Moore's Essential Clinical Anatomy*, 6th ed. Philadelphia, PA: Wolters Kluwer, 2019.

9.23A–F および 9.24A–C. Courtesy of Dr. W. Kucharczyk, University of Toronto, Ontario, Canada.

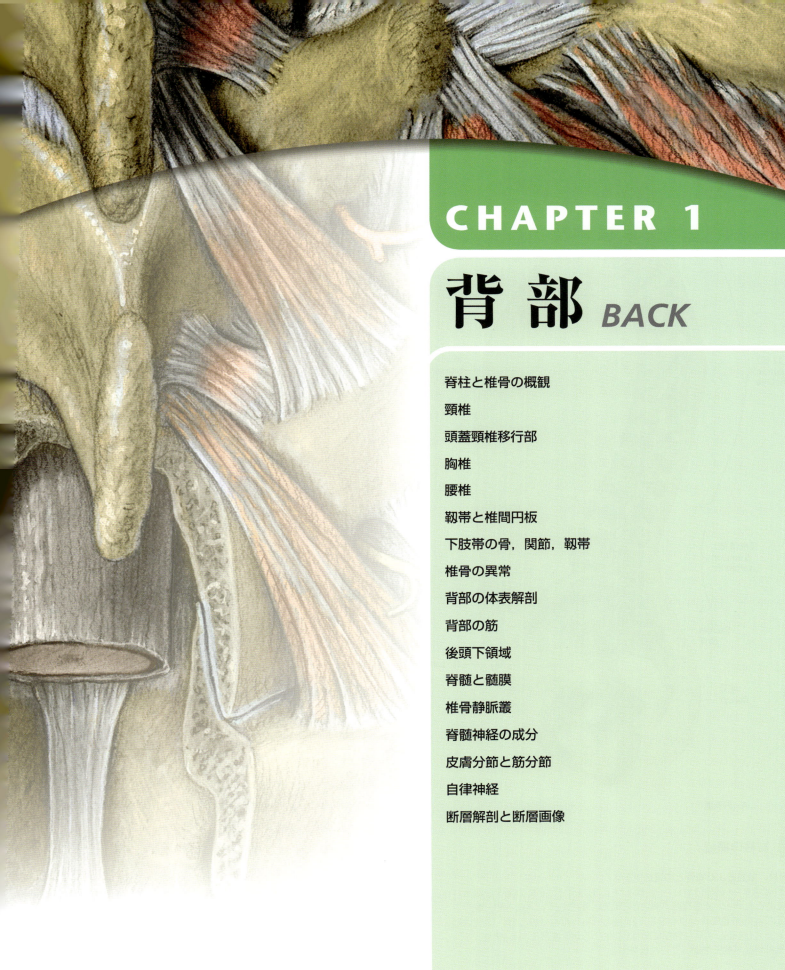

CHAPTER 1

背部 BACK

脊柱と椎骨の概観	2
頸椎	8
頭蓋頸椎移行部	12
胸椎	14
腰椎	16
靱帯と椎間円板	18
下肢帯の骨，関節，靱帯	23
椎骨の異常	29
背部の体表解剖	30
背部の筋	33
後頭下領域	42
脊髄と髄膜	44
椎骨静脈叢	52
脊髄神経の成分	53
皮膚分節と筋分節	56
自律神経	58
断層解剖と断層画像	62

2 背部　脊柱と椎骨の概観

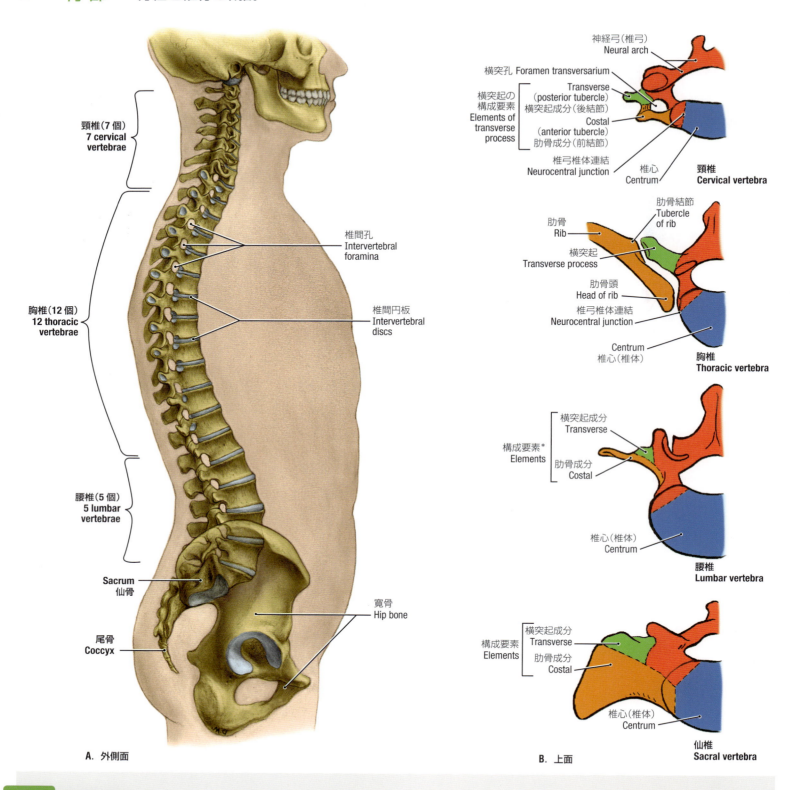

A. 外側面

B. 上面

1.1 脊柱の概観

A 脊柱．頭蓋および寛骨との連結を示す．
- 脊柱は通常24個の分離した（仙椎より上の）椎骨と，5個の椎骨が融合してできた仙骨と，4個程度で個数が不定な，融合していることも分離していることもある尾骨とからなる．24個の分離した椎骨のうち，12個は肋骨を支え（胸椎），7個は頸部にあり（頸椎），5個は腰部にある（腰椎）．
- 脊髄神経は椎間孔を通って脊柱管を出る．

B 椎骨の相同部分．肋骨は，肋骨成分が胸椎領域において分離したものである．頸椎および腰椎領域では肋骨成分が横突起の前部となり，仙骨では外側部（仙骨翼）の前部となる．

*訳注：解剖学用語では腰椎の肋骨成分を肋骨突起，横突起成分を副突起と呼んでいる．

脊柱と椎骨の概観　　背部　　3

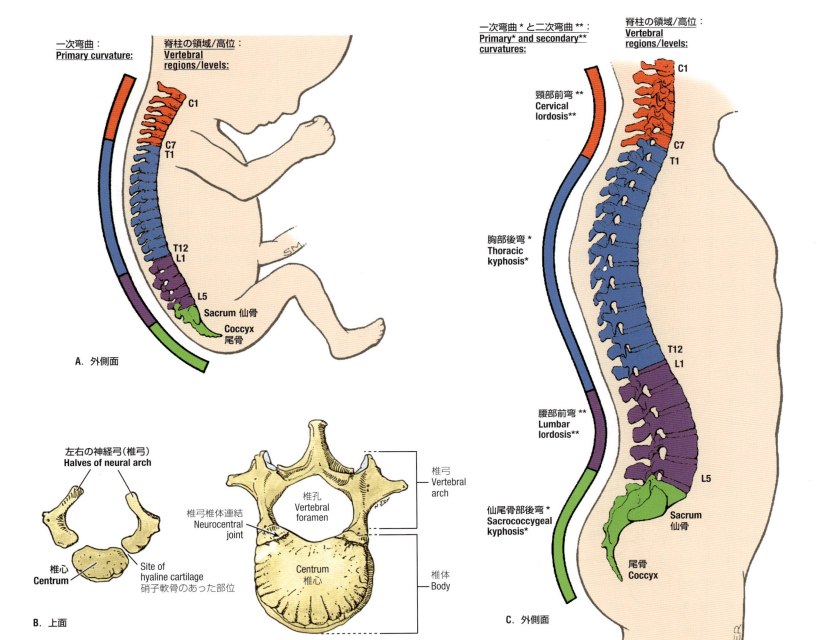

1.2　脊柱の弯曲

A　胎児．胎児の脊柱はC字型に曲がっていて，全長にわたって前方が窪んでいる．

B　椎骨の発達．出生時には椎骨は3つの部分（左右半分ずつの神経弓と椎心）が硝子軟骨で連結している．2歳になると左右の神経弓が融合し始める．これは腰椎から頸椎に向かって進行する．およそ7歳になると神経弓（椎弓）は椎心と融合し始める．こちらは頸椎から腰椎に向かって進行する．

C　成体．成体の脊柱には4つの弯曲がみられる．頸部前弯は前方に凸で第1頸椎から第2胸椎までを占め，胸部後弯は後方に凸で第2–12胸椎を占める．腰部前弯は前方に凸で第12胸椎から腰仙関節までを占め，仙骨部後弯は後方に凸で腰仙関節から尾骨の先端までを占める．胸部後弯と仙骨部後弯は一次弯曲であり，頸部前弯と腰部前弯は生後にできる二次弯曲である．頸部前弯は小児が頭を持ち上げ始めるときに生じ，腰部前弯は小児が歩き始めるときに生じる．

4 背部　脊柱と椎骨の概観

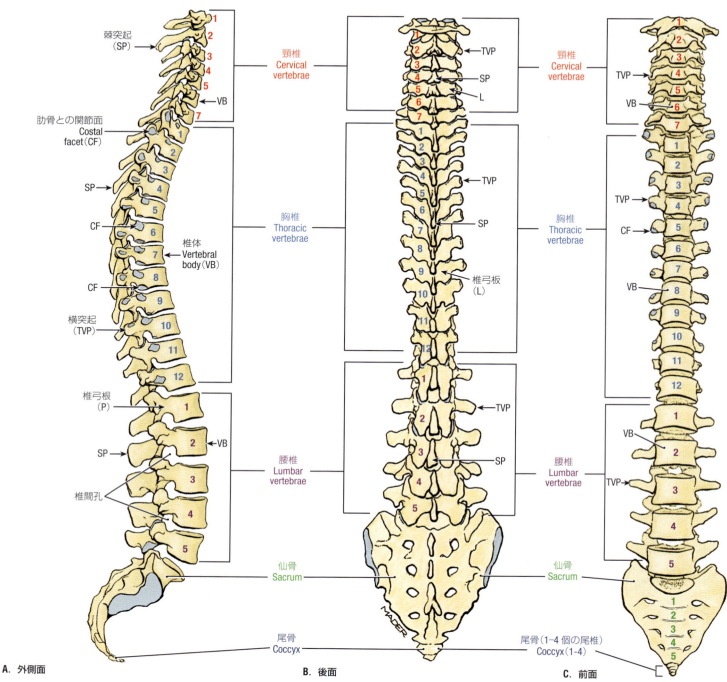

A. 外側面

B. 後面

C. 前面

1.3 脊柱の面と部分

A 外側面．椎間孔は脊髄神経の出口となる．**B 後面**．胸椎の棘突起は，下位の椎骨と重なる．**C 前面**．椎間円板は（**A**でみられるような）椎体間に見える隙間に位置する．**D, E** 典型的な椎骨の部分（例：第2腰椎）．

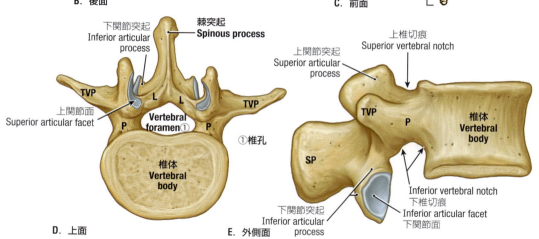

D. 上面

E. 外側面

脊柱と椎骨の概観　背部

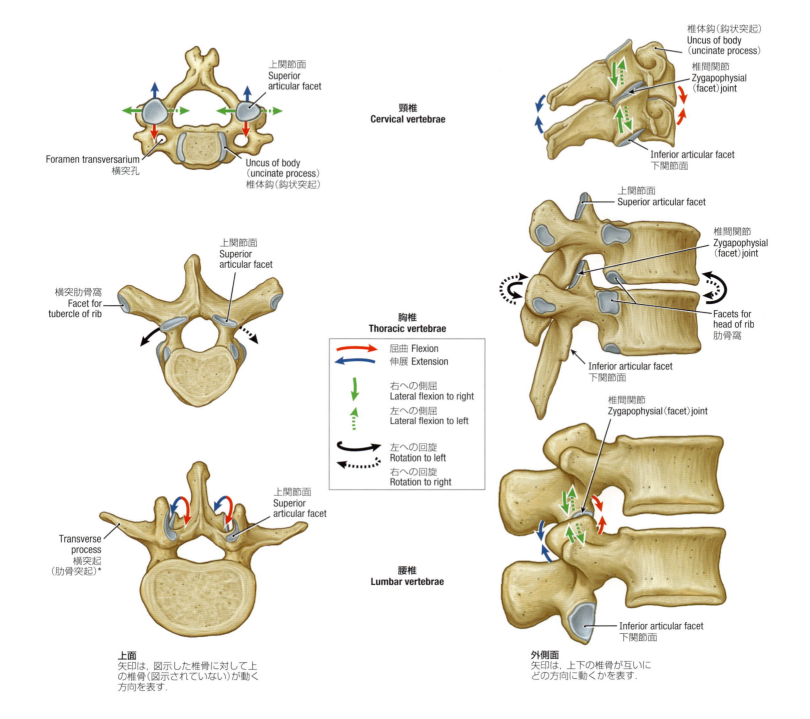

1.4 椎骨の特徴と運動

- 胸椎領域と腰椎領域では関節突起と関節面が椎体の後方に位置するが，頸椎領域では後外側に位置する．上関節面は，頸椎領域では主に上方を向き，胸椎領域では主に後方を向き，腰椎領域では主に内側を向く．方向の変化は，頸椎から胸椎にかけては徐々に起こるが，胸椎から腰椎へは急に変化する．
- 隣り合う椎骨の間の運動は比較的小さく，特に胸椎領域においてそうであるが，その小さな運動の合計は，脊柱全体のかなり広範な運動を可能にする．
- 脊柱の運動は，胸椎領域よりも，頸椎領域や腰椎領域のほうが自由度が高い．側屈は頸椎領域と腰椎領域で最も自由に行うことができる．脊柱の屈曲は頸椎領域で最大であり，伸展は腰椎領域で最大である．しかしながら腰椎領域においては，関節突起の嵌合によって回旋が妨げられている．
- 胸椎領域は脊柱外から支えられているため，最も可動性が小さい．この外からの補強は肋骨と肋軟骨が胸骨と連結していることによる．関節面の方向によって胸椎間の回旋は可能であるが，屈曲・伸展・側屈は著しく制限されている．

＊訳注：腰椎の横突起は肋骨成分に由来する（2頁参照）ため，解剖学用語では肋骨突起と呼んでいる．

6　背部　脊柱と椎骨の概観

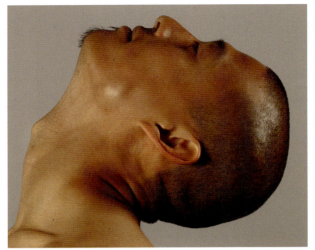

A. 外側面

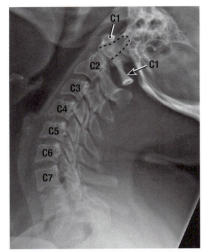

B. 側面 X 線像

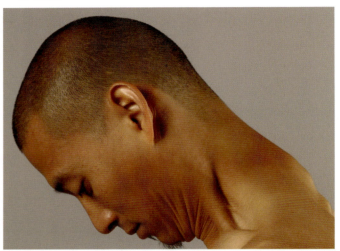

C. 外側面

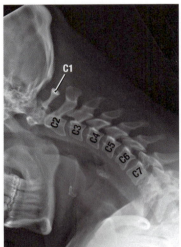

D. 側面 X 線像

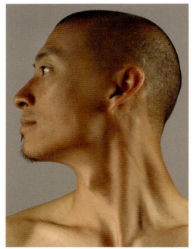

E. 前面

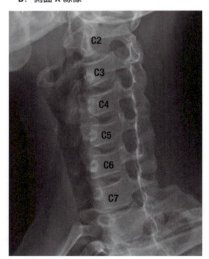

F. 斜位 X 線像

1.5　頸椎の運動：体表解剖と X 線像の比較

A　頸部の伸展．B　伸展位の頸椎の X 線像．C　頸部の屈曲．D　屈曲位の頸椎の X 線像．E　頸部の右への回旋．F　右回旋位の頸椎の X 線像．

脊柱と椎骨の概観　背部

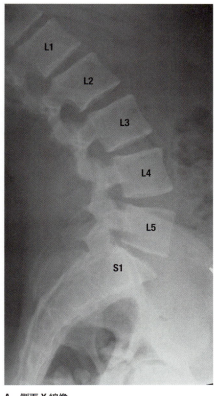

A．側面 X 線像

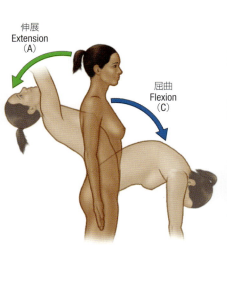

B．外側面

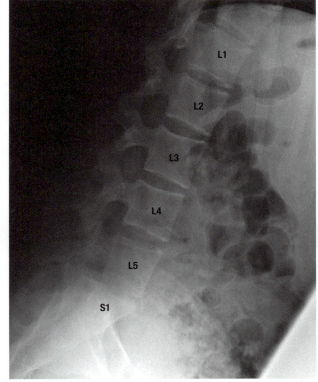

C．側面 X 線像

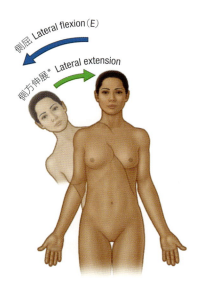

D．前面

*訳注：日本語の用語としては通常使用されない

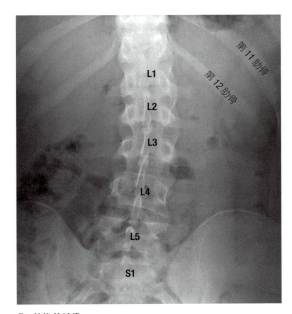

E．前後 X 線像

1.6　腰椎の運動：体表解剖とX線像の比較

A　伸展位の腰椎のX線像．B　体幹の屈曲と伸展．C　屈曲位の腰椎のX線像．D　体幹の側屈．E　側屈位の腰椎のX線像．
　脊柱の可動域は椎間円板の厚さ，弾力性，圧縮可能性，椎間関節の形状と方向，椎間関節の関節包の張力，靱帯と背筋の抵抗，胸郭との連結，ならびに周囲の組織の量によって制約を受ける．

8　背部　頸椎

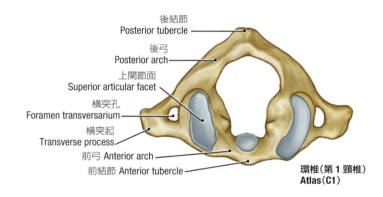

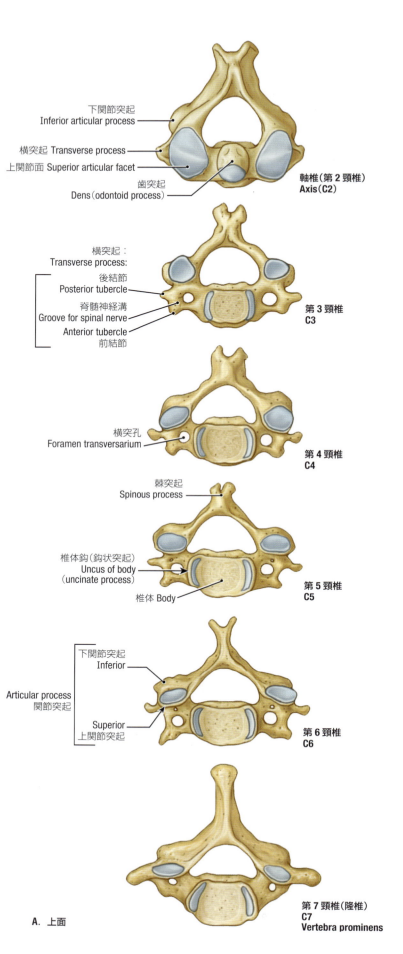

A．上面

1.7　頸椎-I

A　分離した頸椎． 頸部の外傷の際に，頸椎の椎体は骨折に要するよりも小さな力で脱臼することがある．頸椎領域では脊柱管が広いので，わずかな脱臼ならば脊髄を損傷しないこともある．頸椎が著しく脱臼すると脊髄も損傷される．脱臼しても，関節突起が相対する関節突起を乗り越えて嵌頓（脱臼した位置で固定されてしまうこと）を起こさなければ，頸椎が自然に元の位置に戻ってしまい，X線では脊髄の損傷が起こったように見えないことがある．MRIならば軟部組織の損傷が明らかになる可能性がある．

椎間円板の老化は椎骨の形態変化と相まって，椎間円板が付着する椎体周縁部において圧力の増大を招く．それに反応して**骨棘**が，通常は椎体の周縁部に，特に椎間円板の外周が付着する部分に沿って生じる．同様に，機械的な力が変化して椎間関節にかかる力が増大するので，関節包の付着部位に沿って，とりわけ上関節突起への付着部に沿って骨棘が生じる．

表1.1　頸椎の典型例（C3-C7）[a]

部分	特徴
椎体	小型で前後より左右に広い．上面は椎体鈎（鈎状突起）があって凹面をなし，下面は凸面をなす．
椎孔	大きな三角形
横突起	C7では横突孔は小さいか欠如している．椎骨動静脈と交感神経叢は，C7以外の横突孔を通る．C7の横突孔は，細い副椎骨静脈のみが通る．前結節と後結節があり，脊髄神経溝で隔てられている．
関節突起	上関節面は上後方を向き，下関節面は下前方を向く．この領域では関節面が傾斜しているものの，ほぼ水平に近い．
棘突起	C3-C5では短く，二分している．C6の棘突起は長いが，C7はさらに長いので，C7を隆椎と呼ぶ．

[a] C1とC2は非典型的

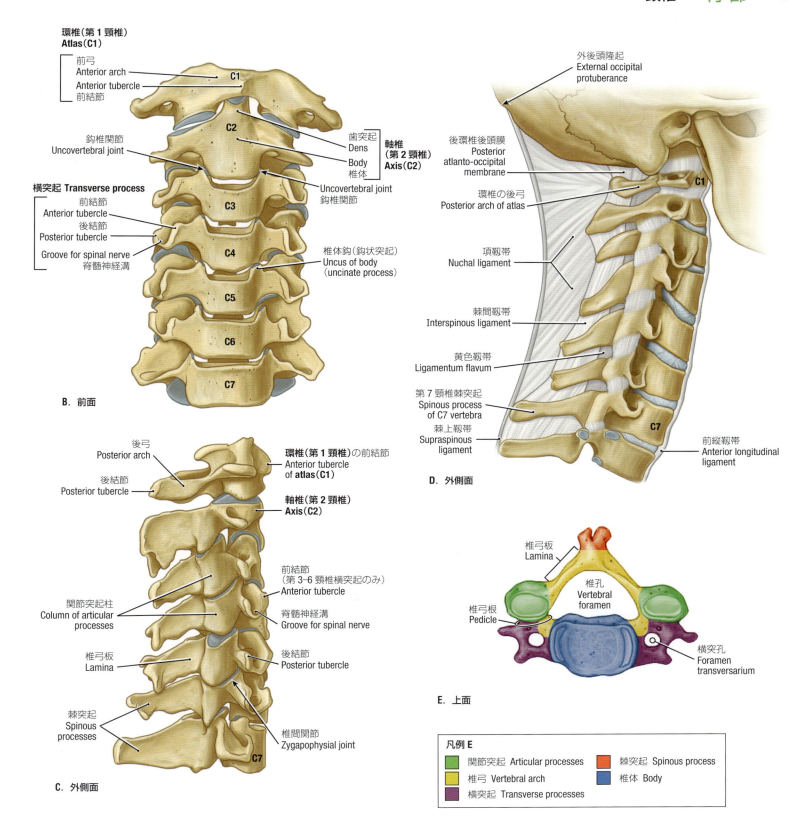

1.7 頸椎-II（続き）

B, C 関節で互いに連結した頸椎. D 靱帯. E 典型的な頸椎の部分.

10 背部　頸椎

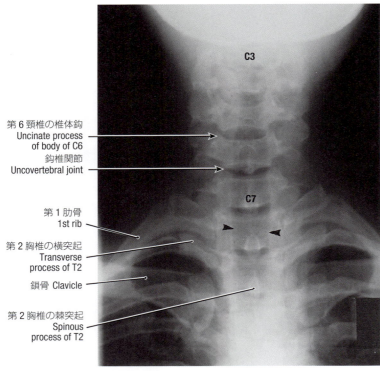

A. 前後X線像

- 第6頸椎の椎体鈎 Uncinate process of body of C6
- 鈎椎関節 Uncovertebral joint
- 第1肋骨 1st rib
- 第2胸椎の横突起 Transverse process of T2
- 鎖骨 Clavicle
- 第2胸椎の棘突起 Spinous process of T2

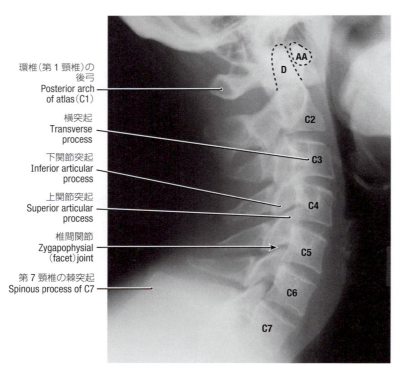

B. 側面X線像

- 環椎（第1頸椎）の後弓 Posterior arch of atlas (C1)
- 横突起 Transverse process
- 下関節突起 Inferior articular process
- 上関節突起 Superior articular process
- 椎間関節 Zygapophysial (facet) joint
- 第7頸椎の棘突起 Spinous process of C7

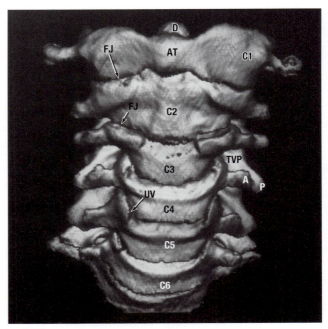

C. 前面像

A	横突起の前結節	PA	環椎の後弓
AA	環椎の前弓	PT	環椎の後結節
AT	環椎の前結節	SF	環椎の上関節面
C1–C7	椎骨	SP	棘突起
D	軸椎の歯突起	T	横突孔
FJ	椎間関節	TVP	横突起
La	椎弓板	UV	鈎椎関節（ルシュカ関節）
P	横突起の後結節	VC	脊柱管

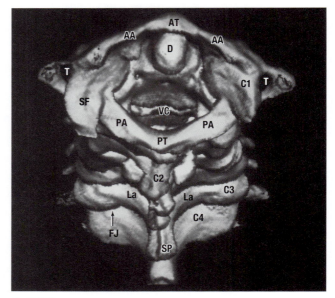

D. 後面像

1.8　頸椎のX線像とCT像

A, B　X線像．矢じりは気管内の空気の辺縁を示す．
C, D　コンピューター断層（CT）像を3次元（3D）再構築したもの．

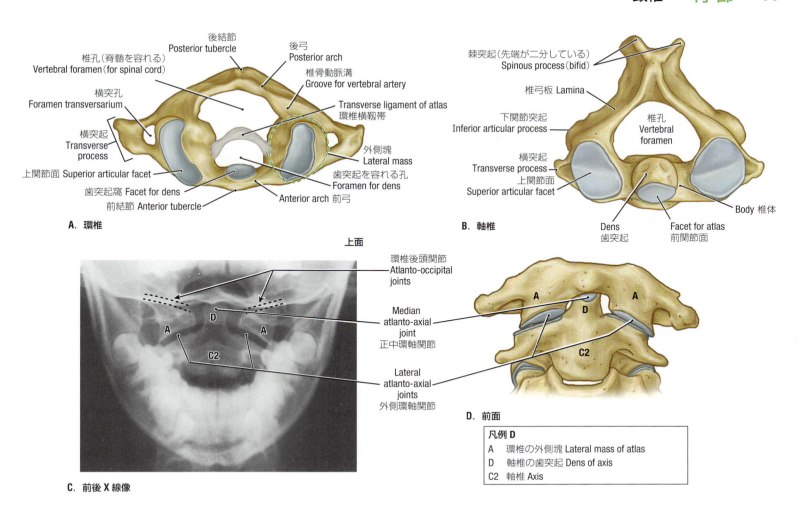
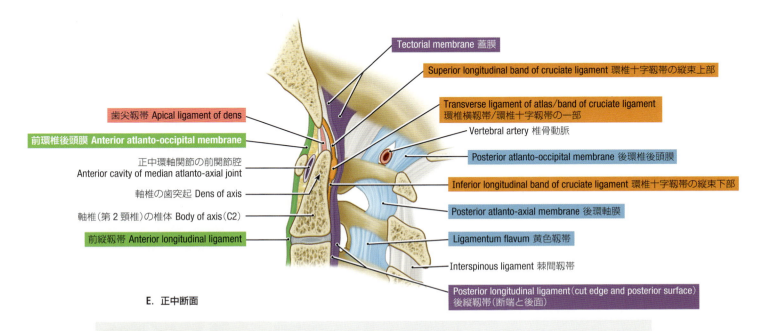

1.9 環椎と軸椎ならびに環軸関節

A 環椎．B 軸椎．C 開いた口を通して撮影したX線像．D 関節で連結した環椎と軸椎．E 靱帯も含めた正中断．（同じ色で示した構造はつながっている）

12 背部　頭蓋頸椎移行部

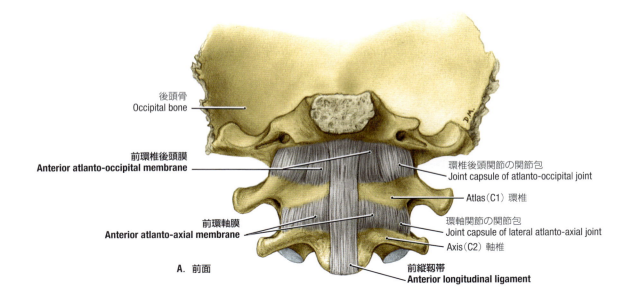

A. 前面

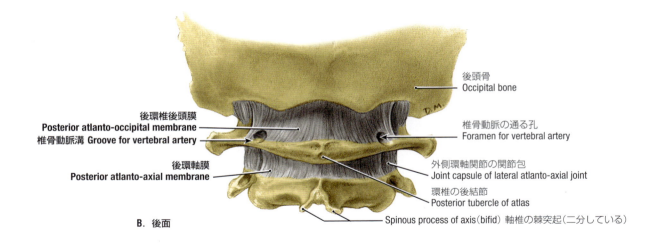

B. 後面

1.10　環椎後頭関節と椎骨動脈

A **前環軸膜と前環椎後頭膜**．上行してきた前縦靱帯は，前環椎後頭膜と前環軸膜に移行して中央の肥厚部をつくる．

B **後環軸膜と後環椎後頭膜**．軸椎(C2)より下位ではこの部分に黄色靱帯が存在する．

C **蓋膜と椎骨動脈**．蓋膜は後縦靱帯が軸椎の椎体より上へ連続したものである．椎骨動脈はC6からC1の横突孔を通ったのち，内側に曲がって環椎後弓の上面にある溝を通り，後環椎後頭膜を貫く(B)．左右の椎骨動脈は大後頭孔を通ると，頭蓋内で合流して脳底動脈となる．

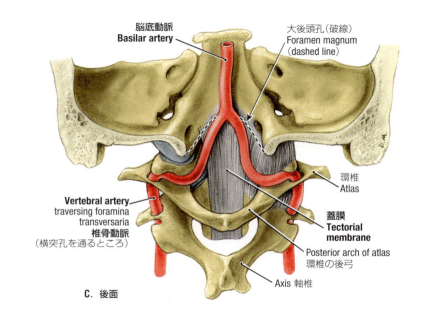

C. 後面

頭蓋頸椎移行部　背部

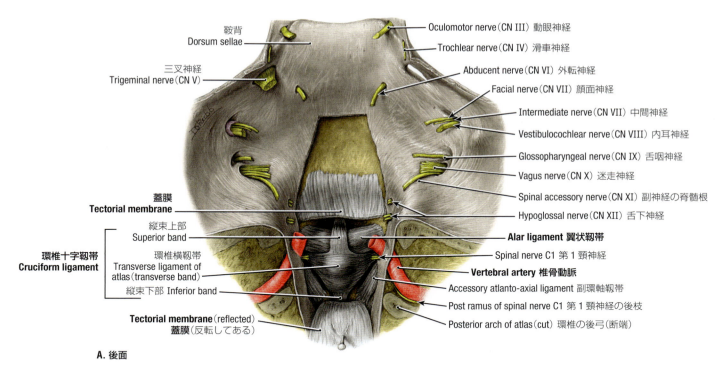

A. 後面

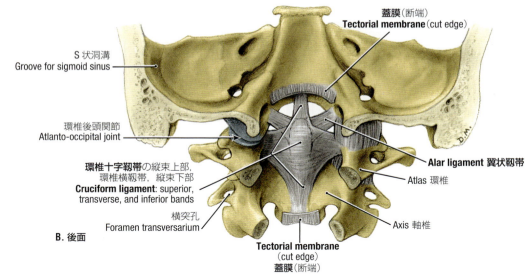

B. 後面

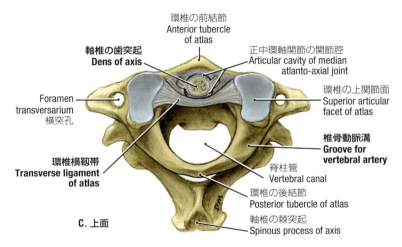

C. 上面

1.11 環椎後頭関節と環軸関節の靱帯

A 後頭蓋窩の脳神経と硬膜．硬膜と蓋膜を切除して内側環軸関節が見えるようにしたところ．**B** 翼状靱帯は環軸関節が回旋運動する際に制動靱帯として働く．**B, C** 環椎横靱帯は軸椎歯突起のはまるソケットの後壁をつくり，それによって車軸関節が形成される．

環椎の骨折．環椎は，1対の外側塊が比較的薄い前弓と後弓と環椎横靱帯でつながった，環状の骨である（図1.7A参照）．垂直方向の力（例えばプールの底に頭部を打ち付けるなど）が外側塊を前弓と後弓のいずれか，あるいは両方から離断するように骨折させることがある．力が大きいと環椎横靱帯の断裂も起こす．

14　背部　胸椎

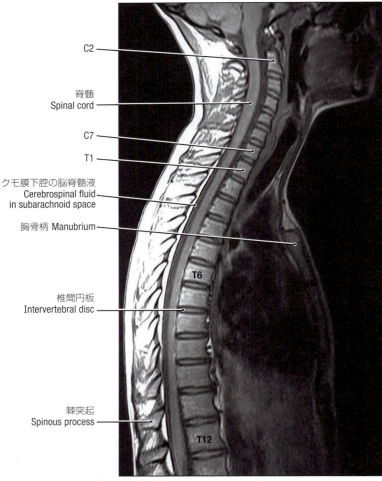

A. 正中断面

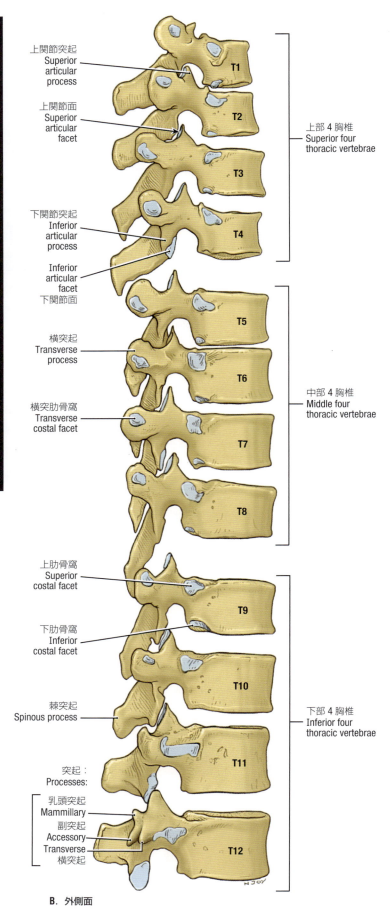

B. 外側面

1.12　胸椎

A MRI．**B** 各部位．

胸椎の骨折．第12胸椎の上面は明らかに胸椎の特徴を示すが，その下面は第1腰椎と関節をつくるために腰椎の特徴を持つ．第11胸椎との間は主に回旋運動が可能であるのに，第1腰椎との間は回旋運動ができないという急激な変化のために，第12胸椎は特に骨折を起こしやすい．

表1.2　胸椎

部分	特徴
椎体	上から見るとハート形．肋骨頭との関節面が1個ないし2個ある．
椎孔	円形で，頸椎と腰椎のものに比べて小さい．
横突起（肋骨突起）	長くて頑丈．後外側に伸びる．長さはT1からT12に向かうにつれて短くなる．T1-T10には肋骨結節と関節をつくる肋横突関節面がある（第11, 12肋骨は肋骨結節がなく，横突起と関節をつくらない）．
関節突起	上関節面は後方やや外側を向き，下関節面は前方やや内側を向く．
棘突起	長く，後下方に傾斜している．先端は下の椎体の高さに達する．

胸椎　背部　15

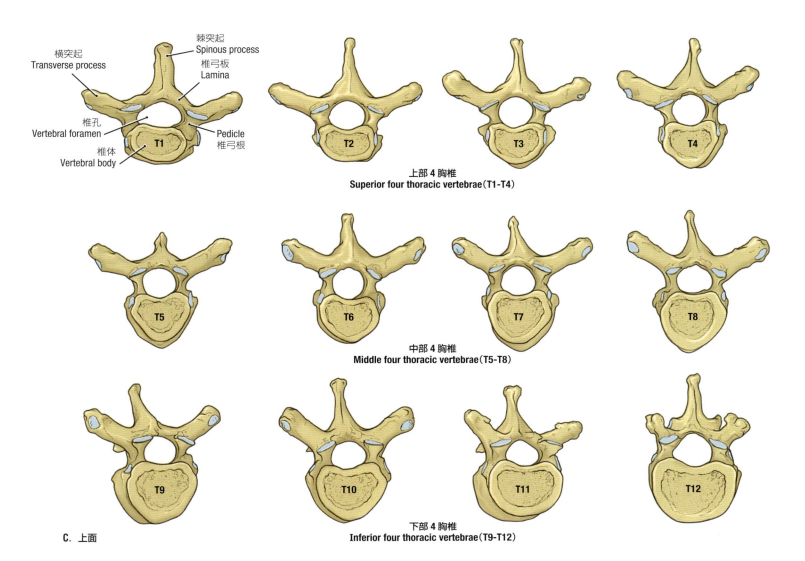

上部4胸椎
Superior four thoracic vertebrae (T1-T4)

中部4胸椎
Middle four thoracic vertebrae (T5-T8)

下部4胸椎
Inferior four thoracic vertebrae (T9-T12)

C. 上面

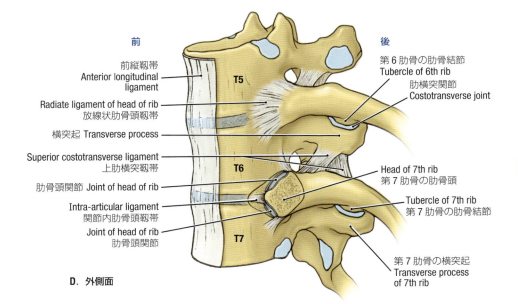

D. 外側面

1.12 胸椎（続き）

C 分離した胸椎．椎体の大きさは，上位の椎骨からかかる重量を支えるために，脊柱の下位にいくほど大きくなる．**D** 肋骨と椎骨の関節の内部と外部にある靱帯．肋骨頭は2つの隣接する椎骨とその間の椎間円板に連結するのが普通である．それに対して肋骨結節は下位の椎骨の横突起と関節をつくる．

16 背部　腰椎

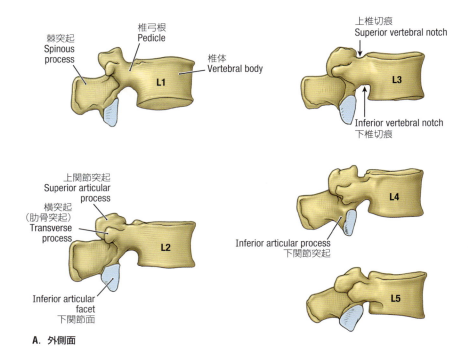

A. 外側面

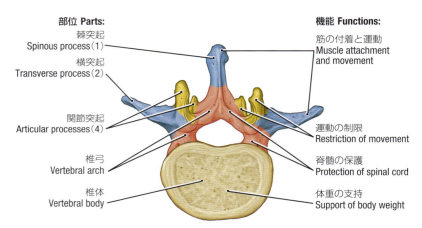

B. 上面

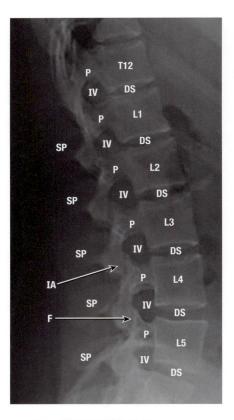

C. 側面 X 線像

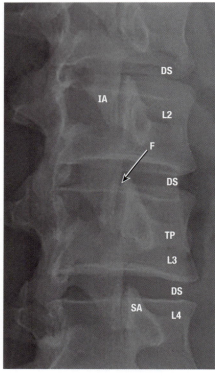

D. 斜位 X 線像

1.13　腰椎

A, B, E, F　各部位．C, D, G　X 線像．H　椎弓切除．

表 1.3　腰椎

部分	特徴
椎体	大きい．上から見るとソラマメ形．
椎孔	三角形で胸椎のものより大きく頸椎のものより小さい．
横突起（肋骨突起）*	細長い．基部の後面に副突起がある．
関節突起	上関節面は後内側（あるいは内側）を向き，下関節面は前外側（あるいは外側）を向く．上関節突起の後面に乳頭突起がある．
棘突起	短く頑丈．厚くて幅広く長方形．

*訳注：腰椎の横突起は肋骨成分に由来する（2 頁参照）ため，解剖学用語では肋骨突起と呼んでいる．

凡例 C, D, G

DS	椎間円板の空間 Intervertebral disc space	P	椎弓根 Pedicle
F	椎間関節 Zygapophysial（facet）joint	L	椎弓板 Lamina
IA	下関節突起 Inferior articular process	SP	棘突起 Spinous process
IV	椎間孔 Intervertebral foramen	T12–L5	椎体 Vertebral bodies
SA	上関節突起 Superior articular process	TP	横突起 Transverse process

腰椎　背部　17

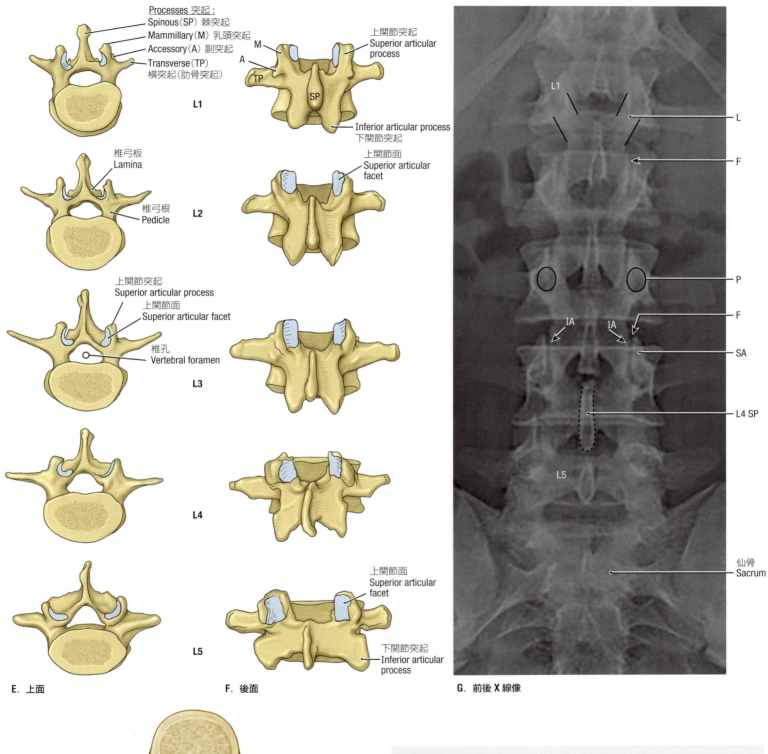

E. 上面　　F. 後面　　G. 前後 X 線像

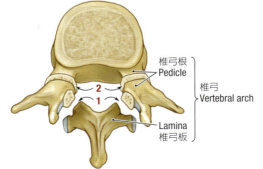

H. 上面, 椎弓切除術の位置(1, 2)

1.13　腰椎(続き)

　脊柱のある領域において，1個あるいはそれ以上の棘突起とそれを支える椎弓板を外科的に切除することを**椎弓切除**と呼ぶ(図 1.13H の **1**)．また，この用語は一般的に椎弓根を切断して椎弓の大部分を除去する場合にも使われる(図 1.13H の **2**)．椎弓切除によって脊柱管に到達して，脊髄や神経根への圧迫を取り除くことができる．こうした圧迫は，ふつう腫瘍や椎間円板のヘルニアによって起こる．

18 背部　靱帯と椎間円板

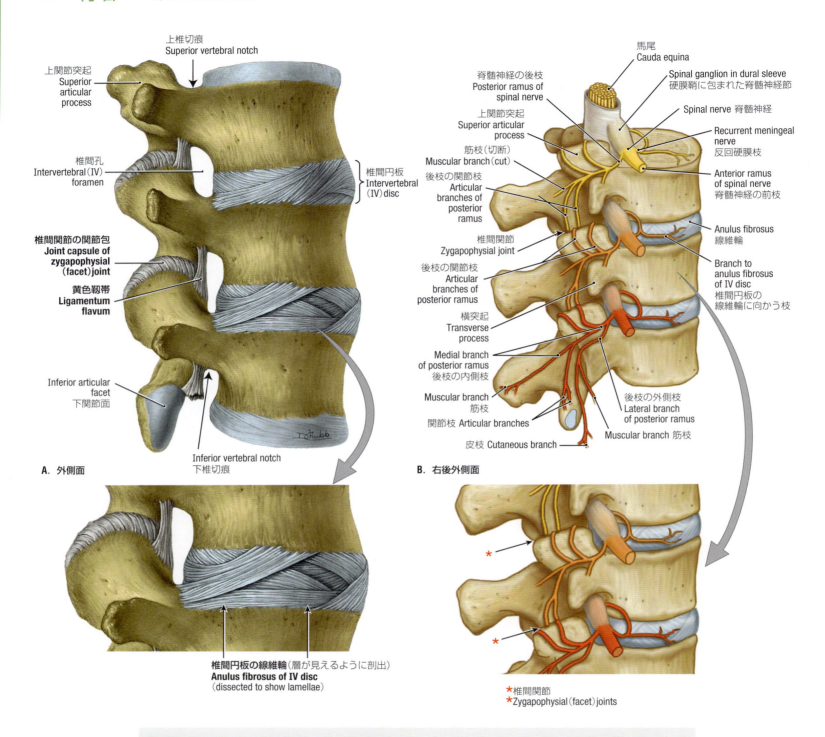

A. 外側面

B. 右後外側面

*椎間関節
*Zygapophysial (facet) joints

1.14　椎間円板と椎間関節の構造と神経支配

A　線維輪と椎間孔．下の方の椎間円板を覆う線維輪の一部を薄く剥がして，線維輪の同心円状の層によって線維の方向が異なることを示す．椎間円板が椎間孔前縁の下半分を形成することに注目．

B　椎間関節と椎間円板の線維輪の神経支配．

椎間関節が損傷されたり加齢によって骨棘ができたりすると，その部位の脊髄神経が影響を受ける．すなわちその神経の皮膚分節に沿って痛みが生じたり，その神経の筋分節に痙縮を起こしたりする（筋分節とはある脊髄神経によって支配される筋や筋の一部を総称したものである）．椎間関節の障害で起こる腰痛の治療として，腰椎椎間関節の除神経が行われることがある．その場合，神経をこの関節の近くで切断したり，高周波によって経皮的に神経根剥離術を行うことで破壊したりする．除神経術は2つの隣接する脊髄神経後枝の関節枝を狙って行われる．1つの椎間関節はそのレベルから出る脊髄神経と，1つ上位の脊髄神経の両方の支配を受けるからである．

靱帯と椎間円板　背部

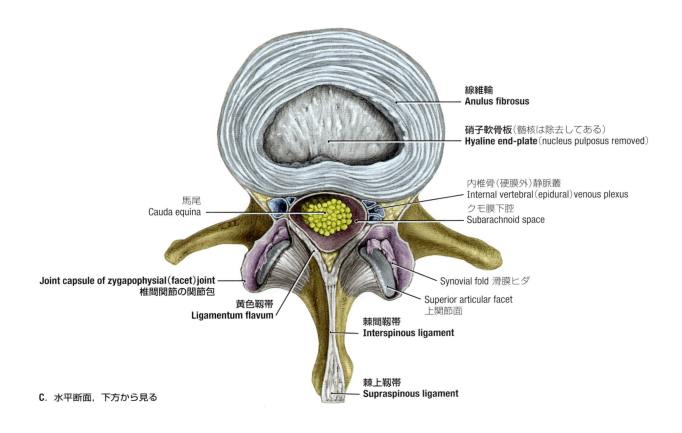

C. 水平断面，下方から見る

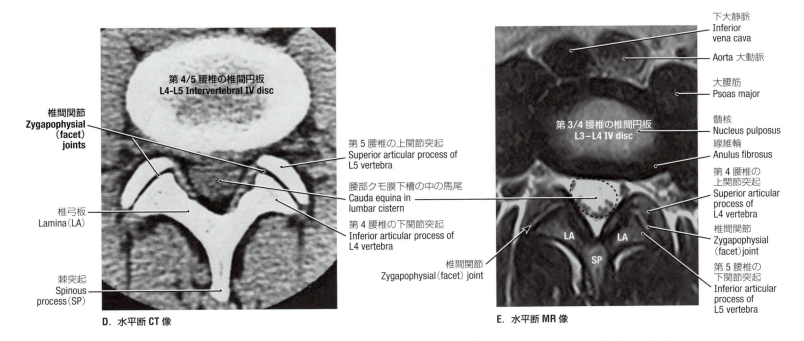

D. 水平断CT像　　E. 水平断MR像

1.14 椎間円板と椎間関節の構造と神経支配（続き）

C　円板と関節の内部構造．髄核を除去して椎体上面の軟骨板を露出してある．線維輪の層は後方で少ないため，この部分の線維輪は薄い．黄色靱帯，棘間靱帯，棘上靱帯は連続している．
D　第4/5腰椎椎間円板のCT像．E　第3/4腰椎椎間円板のMR像．

20　背部　靭帯と椎間円板

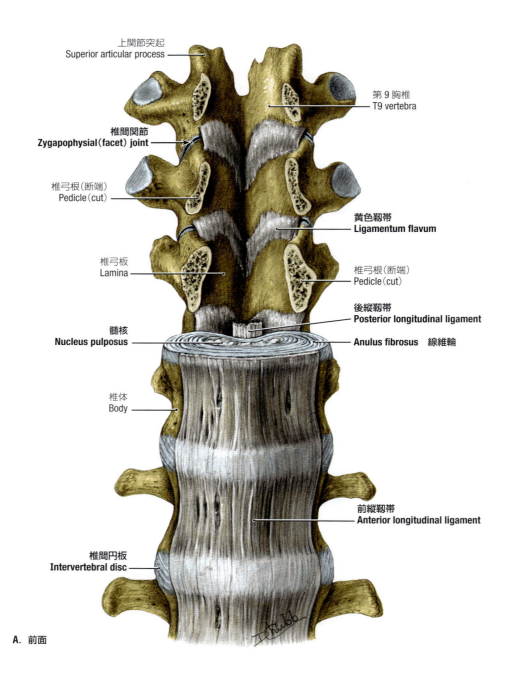

A．前面

1.15　椎間円板：靭帯と運動

A　前縦靭帯と黄色靭帯．上位椎骨の椎弓根は，黄色靭帯を示すために切断してある．
- 前縦靭帯と後縦靭帯は椎体に付着する靭帯であり，黄色靭帯は椎弓に付着する靭帯である．
- 前縦靭帯は幅の広い強力な線維の帯でできていて中央部が厚く，椎間円板と椎体の前面に付着している．前縦靭帯には孔があいており，椎体に出入りする動静脈がそこを通る．
- 黄色靭帯は弾性線維からなり，隣り合う椎弓板の間に広がる．左右の黄色靭帯は正中面で融合している．黄色靭帯は外側では関節突起まで広がり，そこで椎間関節の関節包と融合する．

靱帯と椎間円板　背部

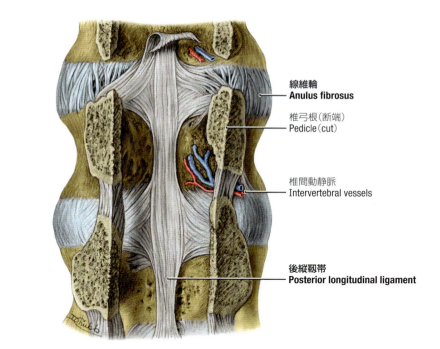

B. 後面

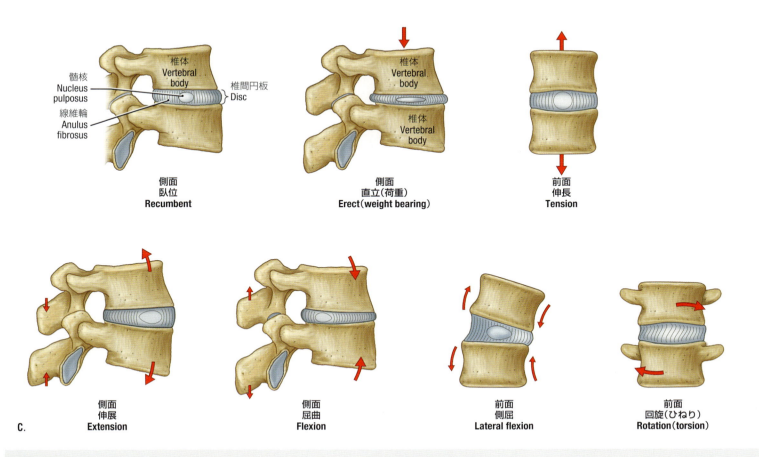

C.

1.15　椎間円板：靱帯と運動（続き）

B　後縦靱帯．椎体の後面を示すために，第9〜11胸椎の椎弓根は切断され，椎弓は取り除かれている．後縦靱帯は狭い帯状で椎間円板と椎体の後面に沿って走る．**C　荷重や運動時の椎間円板**．椎間円板は，動いたり荷重がかかったりすると，その形と髄核の位置を変える．

22 背部　靭帯と椎間円板

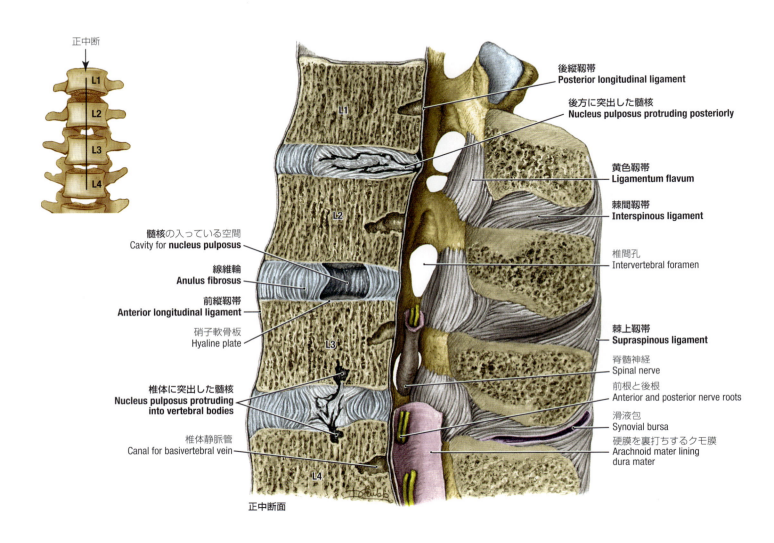

1.16　脊柱の腰部

正常な椎間円板と変性（加齢と疲弊）した椎間円板．第2腰椎と第3腰椎の間にある正常な椎間円板の髄核を，線維輪から取り除いてある．第3腰椎と第4腰椎の棘突起の間にある滑液包は，腰椎が日常的に過伸展されて棘突起が接触する結果，生じるとされている．

第1腰椎と第2腰椎の間の髄核が線維輪を貫いて，後方にヘルニアを起こしている．**ゼラチン状の髄核**が線維輪を通して**ヘルニアを起こす**，すなわち**突出する**というのは，腰痛や下肢痛のよく知られている原因である．後縦靭帯の変性や線維輪の疲弊があると，髄核が脊柱管の中にヘルニアを起こして脊髄や神経根，馬尾を圧迫することがある．ヘルニアはふつう，線維輪が比較的薄く後縦靭帯や前縦靭帯の支持を受けていない後外側に向かって起こる．

下肢帯の骨，関節，靱帯　背部

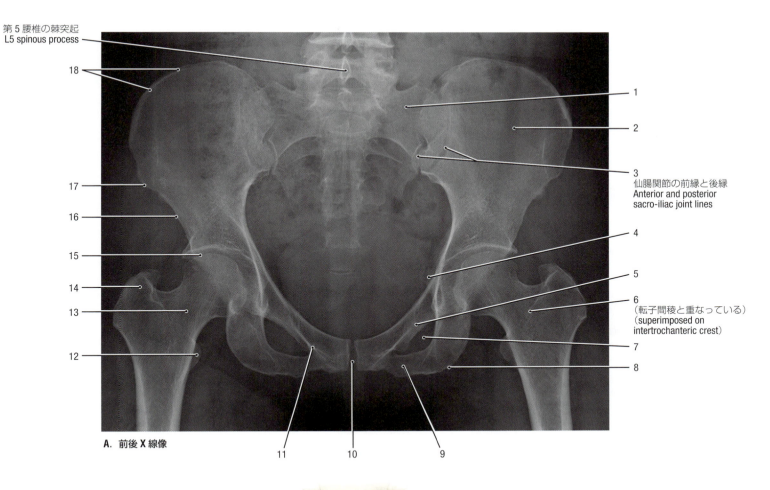

A. 前後X線像

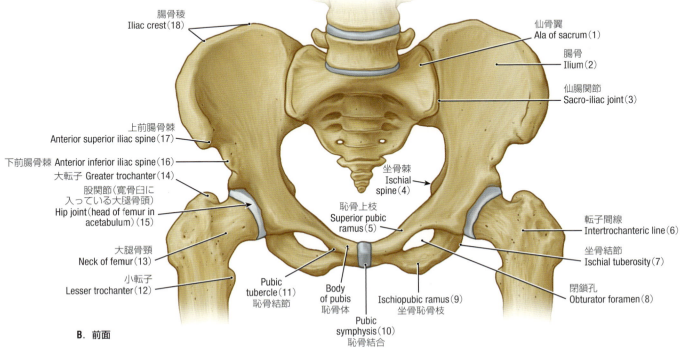

B. 前面

1.17　骨盤

A　男性の骨盤のX線像．　B　男性の骨盤と大腿骨．

背部　下肢帯の骨，関節，靱帯

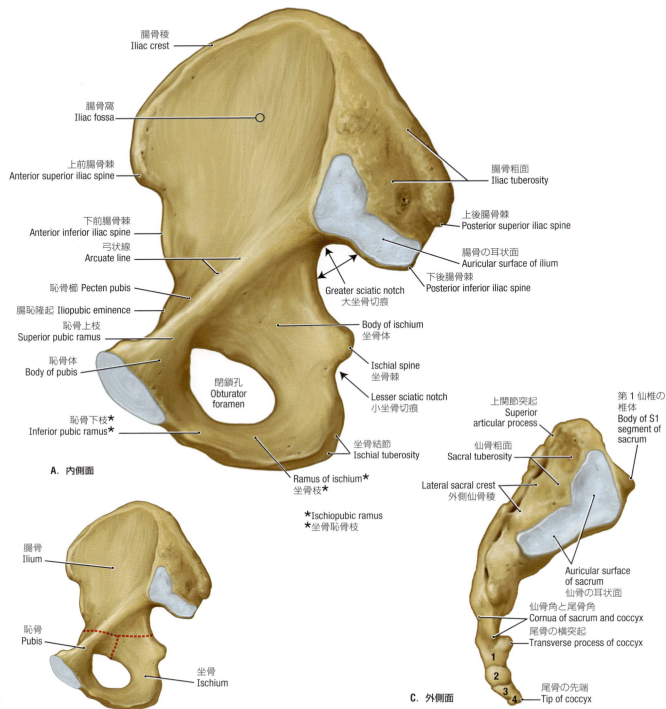

1.18　寛骨，仙骨，尾骨

A　寛骨の各部位．B　腸骨・坐骨・恥骨．C　仙骨と尾骨（仙骨に融合している）．
- 寛骨は腸骨，坐骨，恥骨の3つの骨からなる．
- 仙骨の前上部にある耳状面は，腸骨の後上部にある耳状面と関節する．仙骨と寛骨の粗面には後仙腸靱帯と骨間仙腸靱帯が付着する．
- 5つの仙椎が融合して仙骨をつくる．
- 遠位の尾椎は融合する場合もある．

下肢帯の骨，関節，靱帯　　背部　25

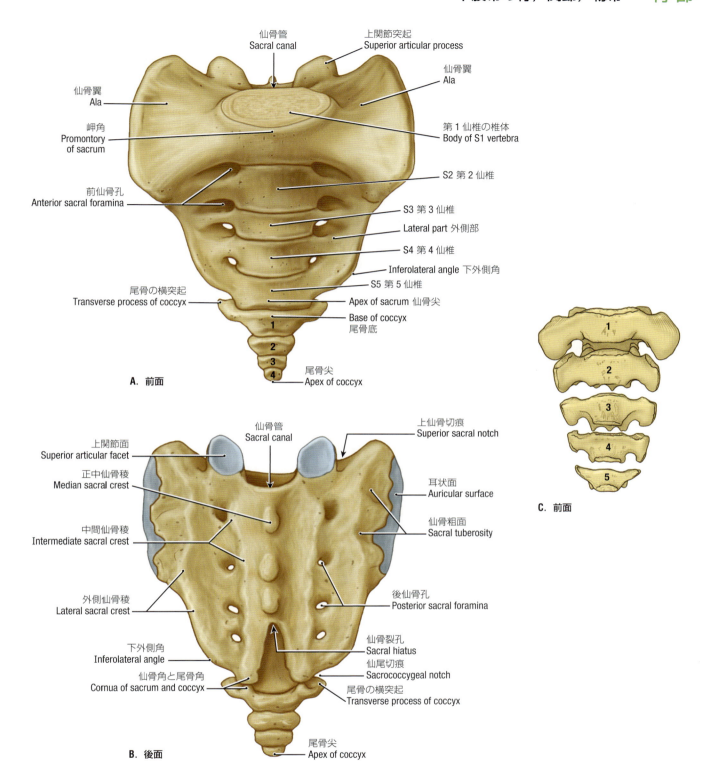

A. 前面
B. 後面
C. 前面

| 1.19 | 仙骨と尾骨 |

A 前面（骨盤面）．B 後面（背側面）．C 若年の仙骨．
- 成熟した仙骨では，5つの仙椎椎体の境界が横線によって区切られている（A）．横線は外側では4対の前仙骨孔まで達する．尾骨は4つの尾椎からなり，第1尾椎には1対の横突起と1対の尾骨角がある．
- 仙椎の骨化と融合は35歳まで完了しない場合がある．

26　背部　下肢帯の骨，関節，靱帯

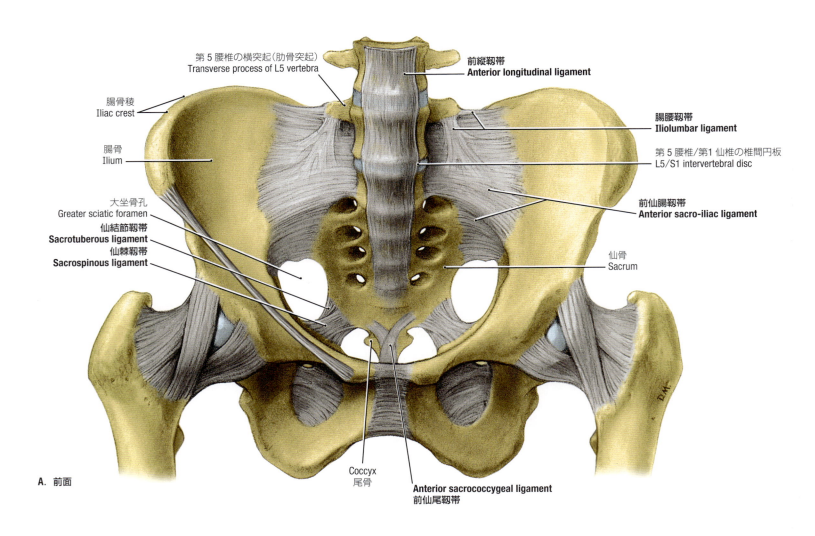

A．前面．

1.20　腰部と骨盤の靱帯

A 前面．
前仙腸靱帯は仙腸関節包の線維の一部をなし，耳状面の前方で仙骨外側面と腸骨の間にわたっている．
妊娠中は骨盤の関節と靱帯が緩んでおり，骨盤の可動性が増す．仙腸骨間の固定機構が弱まるのは，弛緩によって骨盤がより大きく回転可能となり，妊娠中に重心が変化することによって前弯位をとることが多くなることに対応できるからである．仙腸関節と恥骨結合の弛緩によって，骨盤径が 10-15% も（大部分は横径が）拡大し，胎児が骨盤腔を通過しやすくなる．尾骨も後方へ動けるようになる．

下肢帯の骨，関節，靱帯　背部　27

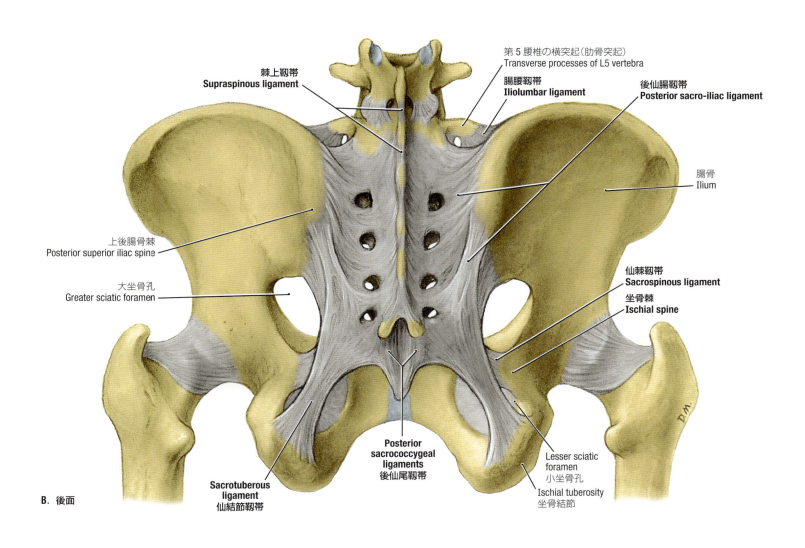

B. 後面．

1.20 腰部と骨盤の靱帯（続き）

B 後面．
- 仙結節靱帯は仙骨，腸骨，尾骨と坐骨結節とを結ぶ．仙棘靱帯は仙骨，尾骨と坐骨棘とを結ぶ．仙結節靱帯と仙棘靱帯によって，寛骨の大・小坐骨切痕がそれぞれ大・小坐骨孔になる．
- 後仙腸靱帯の線維は角度がさまざまである．上部の線維は短くて，腸骨と仙骨上部の間にわたっている．より長くて斜走している下部の線維は上後腸骨棘と仙骨下部の間を走り，仙結節靱帯に移行する．
- 腸腰靱帯は腸骨と第5腰椎肋骨突起の間を結ぶ．

28 背部 下肢帯の骨，関節，靱帯

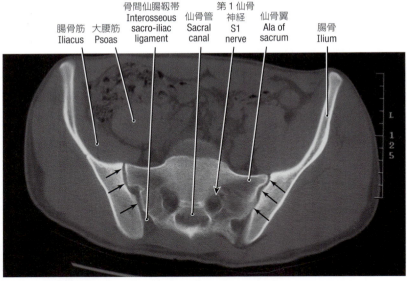

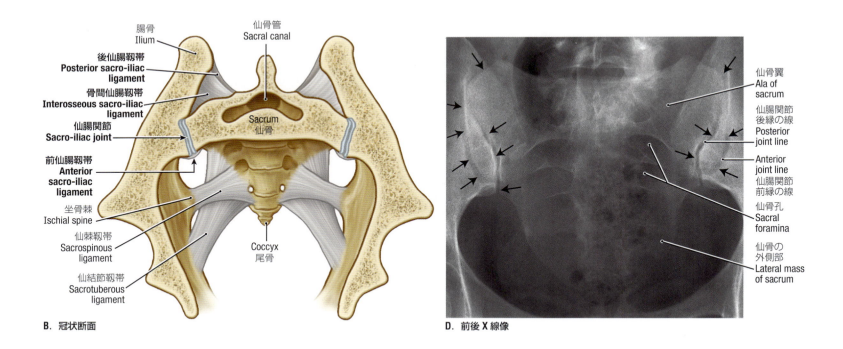

1.21 仙腸関節の関節面と靱帯

A　関節面． 仙骨と寛骨の耳状面（関節面，青色）と，耳状面の上と後ろにある粗面が骨間仙腸靱帯の付着部をなす．

B　仙腸靱帯． 骨間仙腸靱帯は，後仙腸靱帯の前方と下方に位置し，短い線維が仙骨粗面と腸骨粗面を連結している．

C　CT像． 矢印は仙腸関節を示す．腸骨と仙骨の関節面は不規則な形をしているため，骨と骨とが一部嵌合している．**D　X線像．** 仙腸関節は斜めなので，その前縁の線と後縁の線が別々に見える（矢印）．

椎骨の異常　背部

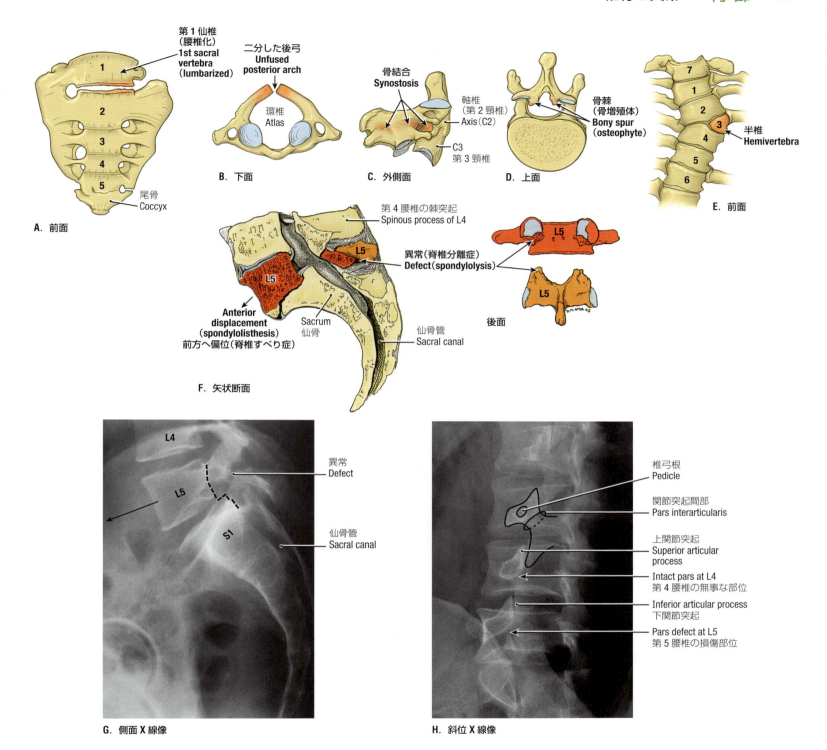

1.22　椎骨の異常と脊椎分離症と脊椎すべり症

A　腰仙椎の移行．ここでは第1仙椎が一部分離している（腰椎化）．第5腰椎が仙骨に一部融合すること（仙椎化）もまれではない．**B　環椎の融合していない後弓**．**C　軸椎（C2）と第3頸椎の骨結合**．**D　骨棘**．骨の鋭い棘が，椎弓板から下に向かって黄色靱帯の中へと伸びることがある．**E　半椎**．第3胸椎の右側全体と右肋骨が欠けている．左の椎弓板と棘突起は第4胸椎のそれらと融合しており，左の椎間孔が小さくなっている．側弯（椎骨の側方への屈曲）を伴う．**F　第5腰椎（L5）が分離し，偽関節を形成してつながっ**たもの．椎骨が関節突起間部で斜めに分離している（**脊椎分離症**）．また，L5の椎体が前方に偏位している（**脊椎すべり症**）．**G, H　X線像**．**G**の破線はL5と仙骨の椎体後縁を表し，L5が前方に偏位していることを示す（矢印）．**H**には犬の形をした輪郭が描かれている．犬の鼻は横突起（肋骨突起），目は椎弓根，首は関節突起間部，耳は上関節突起にあたる．関節突起間部の骨折（犬の「折れた頸」）による暗い隙間が**分離症**の部分である．

30　背部　背部の体表解剖

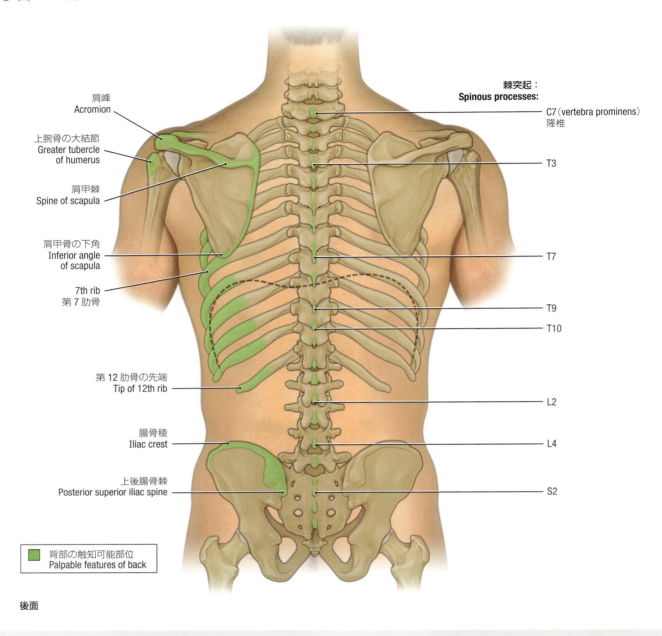

後面

1.23 背部の体表解剖：触知可能部位と目印

表1.4　触知可能な目印，棘突起，重要な構造の関係

触知可能な目印	棘突起	重要性（近似）
隆椎	C7	肺尖，甲状腺峡部
肩甲棘	T3	上大静脈の形成
	T4	第4，5胸椎間の椎間円板．胸部横断面（胸骨角，大動脈弓，気管分岐部，奇静脈弓を横切る）．
肩甲骨の下角	T7	前胸壁の乳頭の高さ
	T9-T10	横隔膜の腱中心，肺底
第12肋骨の先端	L2	脊髄の下端
腸骨稜	L4	大動脈の分岐部．一般に腰椎穿刺は第4，5腰椎の椎弓板の間で行われる．
上後腸骨棘に重なる窪み	S2	硬膜腔・クモ膜下腔の下部

背部の体表解剖　　背部　　31

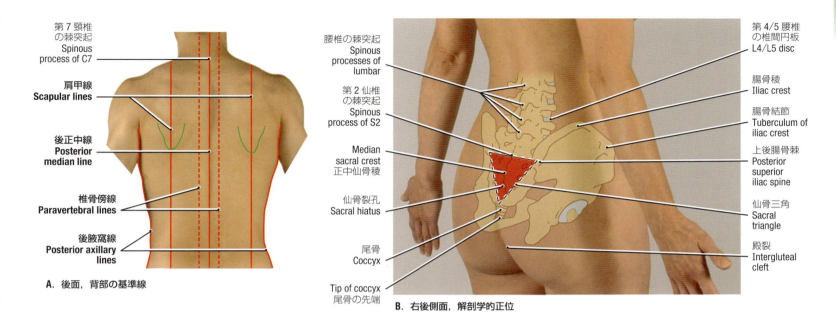

A. 後面，背部の基準線

B. 右後側面，解剖学的正位

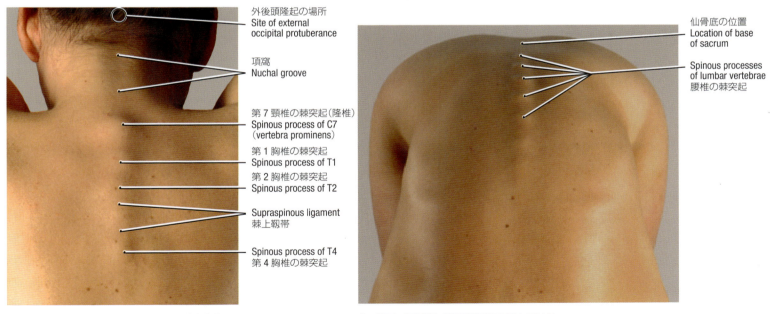

C. 後面．頸部と背部は屈曲し，肩甲骨は前方移動している

D. 前面．股関節と背部が完全に屈曲している

1.24　背部の体表解剖：基準線と検査手技

A　背部の基準線．垂直の線は，解剖学的目印から外挿される．後部の正中線は棘突起に重なり，肩甲線は肩甲骨下角（緑）と交わり，後部の腋窩線は，腋窩の後壁から下方にまっすぐ走る．**B　原位置での骨盤**．視点を変えることで体表の特徴が見えやすくなる場合がある．**C, D　屈曲時の体表解剖**．上肢を曲げながら背部を屈曲することで，棘突起がより顕著に見える．

32 背部　背部の体表解剖

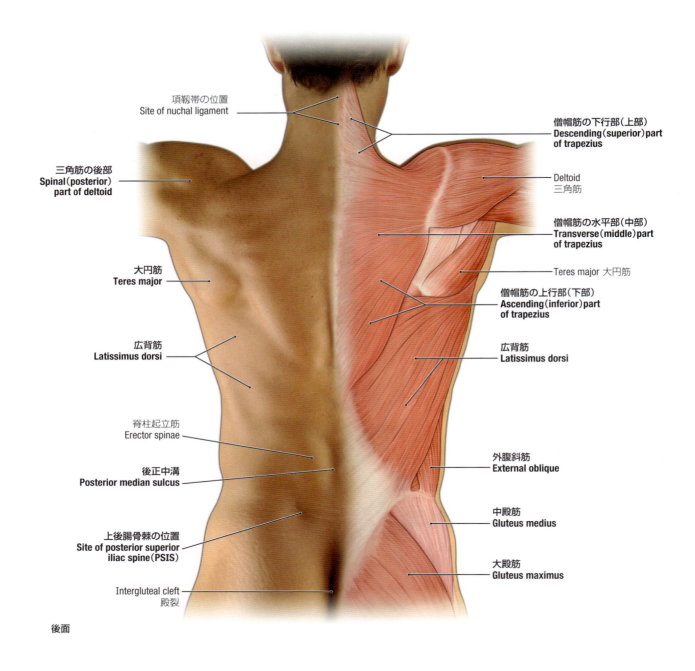

後面

1.25 背部の体表解剖：背部の筋

- 上肢を挙上しているため，肩甲骨が胸郭上を外側上方に回転している．
- 広背筋と大円筋は，腋窩の後壁をつくる．
- 僧帽筋は上部（筋線維が外側下方に向かう），中部（筋線維が水平に外側へ向かう），下部（筋線維が外側上方に向かう）の3つの部分からなる．
- 左右の脊柱起立筋によってできる縦方向の高まりの間に，深い後正中溝がある．
- 上後腸骨棘の位置は窪んでいる．これは通常仙腸関節の高さにある．

背部の筋　背部

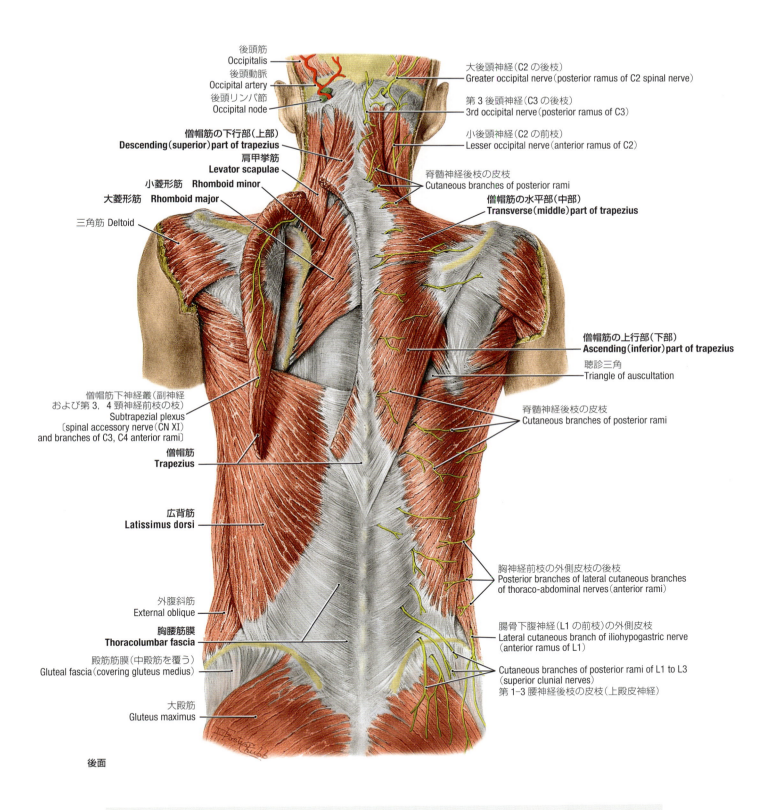

1.26　背部表層の筋

左側では僧帽筋が反転されている．背部表層の筋には2層あり，浅層には僧帽筋と広背筋が，深層には肩甲挙筋と大・小菱形筋が含まれる．これらの体幹-体肢筋は上肢を体幹につなぎとめる役割を果たす．

34 背部　背部の筋

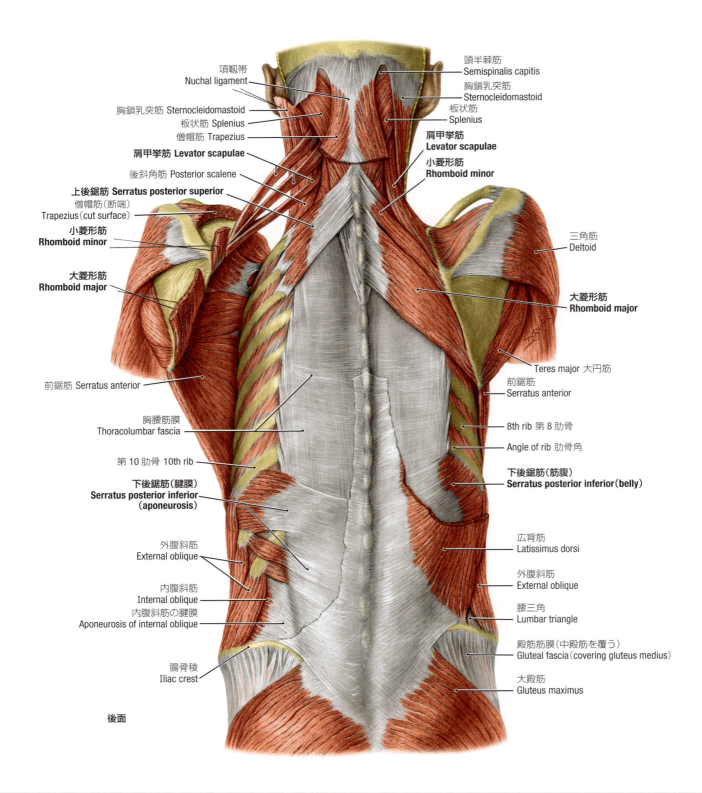

1.27 背部中間層の筋

僧帽筋と広背筋が両側とも大部分切除されている．左側では大・小菱形筋も切断されて，肩甲骨内側縁が胸郭から持ち上げられている．中間層には上・下後鋸筋があり，椎骨の棘突起から起こり，肋骨に停止する．上・下後鋸筋は異なる向きに走行しているが，どちらも呼吸に働く筋である．胸腰筋膜は外側では肋骨角に至り，上方では薄くなって上後鋸筋の下層を通る．胸腰筋膜は広背筋と下後鋸筋の付着部となる（図1.32参照）．

背部の筋　背部

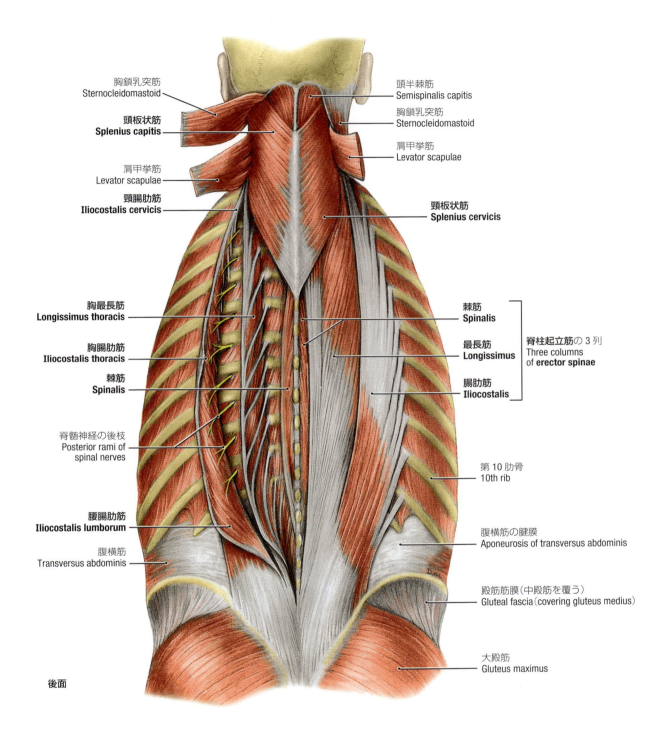

1.28　背部深層の筋-I：板状筋と脊柱起立筋

　右側では脊柱起立筋が本来の位置にあり，内側は棘突起で，外側は肋骨角で境されている．脊柱起立筋は内側から外側に向かって棘筋，最長筋，腸肋筋の3列に分かれる．左側では最長筋（中間の列）が外側に牽引されて，横突起と肋骨への停止部位が見えるようしてある．頸部と頭部へ続く頸最長筋と頭最長筋は，ここには示されていない．

背部　背部の筋

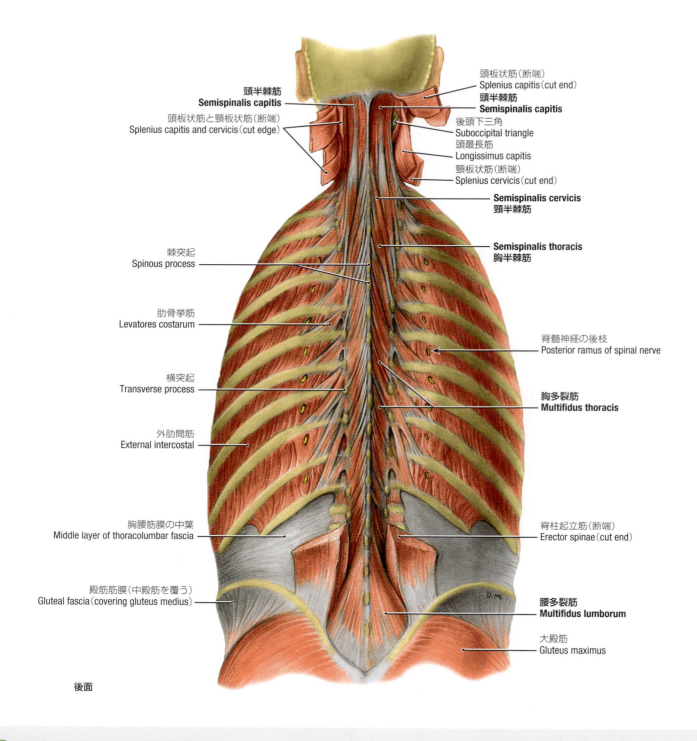

後面

1.29 背部深層の筋-II：半棘筋と多裂筋

- 半棘筋，多裂筋，回旋筋は背部深層の筋のうち横突棘筋群と呼ばれる．一般にこれらの筋束は，横突起から上位の棘突起に至り，上内側に向かって斜めに走行する．近くの棘突起に向かうものほど深層を通る．半棘筋は約5個上の，多裂筋は約3個上の，回旋筋は直上か2個上の棘突起に停止する．
- （胸，頸，頭）半棘筋は下部胸椎から頭蓋にかけて存在する．
- 多裂筋は仙骨から軸椎の棘突起にかけて存在する．多裂筋は腰仙骨部では脊柱起立筋の腱膜，仙骨，腰椎の乳頭突起から起こり，約3個上の椎骨の棘突起に停止する．

背部の筋　**背部**　37

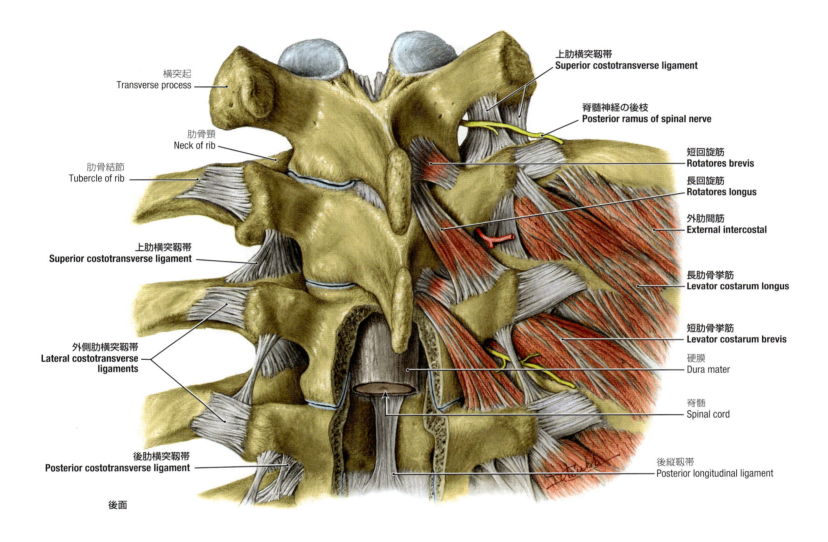

後面

1.30 回旋筋と肋横突靱帯

- 横突棘筋（半棘筋，多裂筋，回旋筋）の3層のうち，回旋筋は最も深い層に位置し最も短い．回旋筋は横突起の基部から起こって上内側に向かい，上の椎骨の横突起と椎弓板の境に停止する．1個上の椎骨に停止するものを短回旋筋，2個上の椎骨に停止するものを長回旋筋と呼ぶ．
- 肋骨挙筋は横突起の先端から起こり，下方に向かって下位の肋骨に停止する．1個下の肋骨に停止するものを短肋骨挙筋，2個下の肋骨に停止するものを長肋骨挙筋と呼ぶ．
- 胸神経の後枝は上肋横突靱帯の後ろを通る．
- 外側肋横突靱帯は強力で，肋骨結節と横突起の先端を連結する．この靱帯が肋横突関節包の後面をつくる．

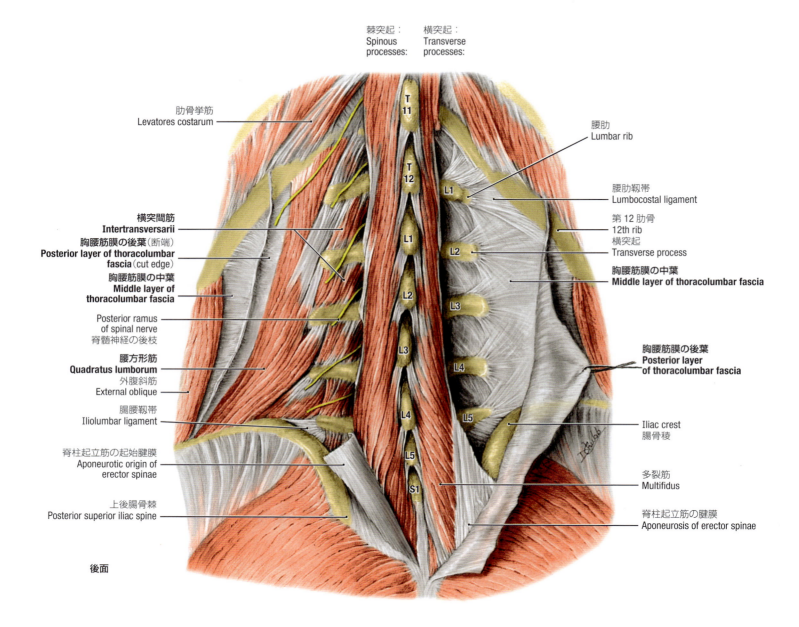

1.31 背部：多裂筋，腰方形筋，胸腰筋膜

右：第1腰椎レベルで脊柱起立筋を除去してある．胸腰筋膜の中葉が各腰椎の横突起から扇形に広がっている．この標本では第1腰椎に短い腰肋が認められる．

左：胸腰筋膜の後葉と中葉を除去してある．腰方形筋の外側縁は斜めに走り，内側縁は横突間筋に接している．

背部の筋　背部

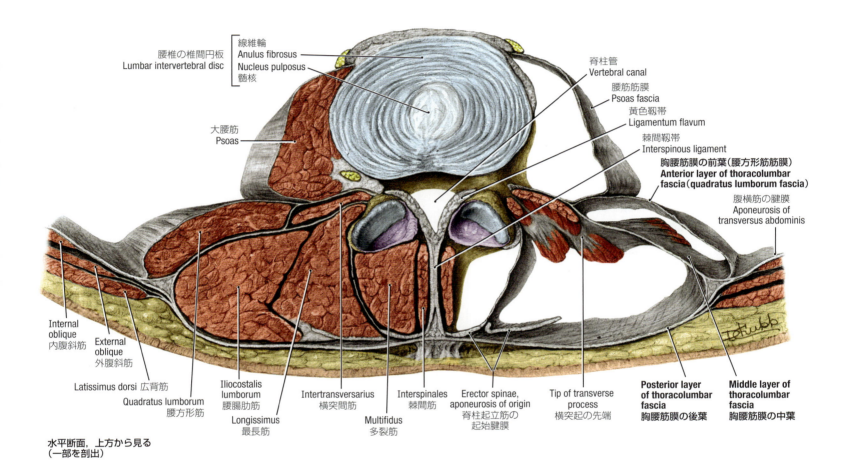

1.32 背筋と胸腰筋膜，水平断面

- 左側では，筋とそれを包む筋膜の鞘（区画）がみられる．右側では，筋がその鞘から除去されている．
- 腹横筋の腱膜と内腹斜筋の後部の腱膜が，2枚の厚いシートに分かれて胸腰筋膜の中葉と後葉となる．胸腰筋膜の前葉は，腰方形筋の深部にある筋膜である．胸腰筋膜の後葉は，広背筋と下後鋸筋の起始部となる．下後鋸筋のほうが広背筋よりも上（頭側）から起こる．

腰痛は腰部によくみられる障害で，脊柱の極端な運動（伸展や回旋）によって起こることが多い．腰痛は腰部の筋線維や靱帯の過伸展や顕微鏡レベルの断裂によるとされる．ふつう障害を受ける筋は腰部の椎間関節を動かす筋である．

40 背部　背部の筋

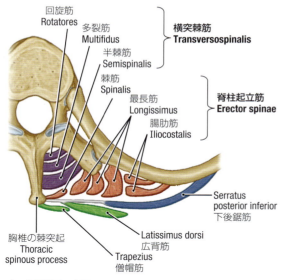

A. 水平断面，上面

凡例
- 背部表層の筋 Superficial extrinsic
- 背部中間層の筋 Intermediate extrinsic
- 脊柱起立筋（固有背筋中間層）Erector spinae (intermediate intrinsic)
- 横突棘筋（固有背筋深層）Transversospinalis (deep intrinsic)

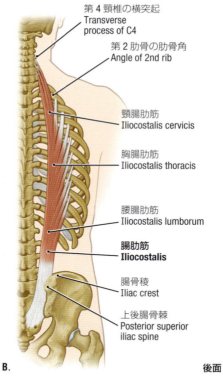

B. 後面

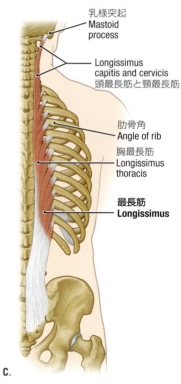

C.

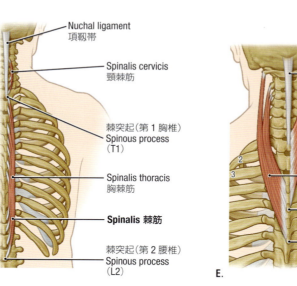

D.　　E.

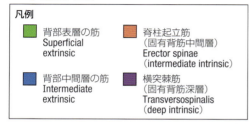

1.33 固有背筋の浅層と中間層

A 脊柱起立筋(3列)と横突棘筋(3層)．B-D 脊柱起立筋の層．E 頭板状筋と頸板状筋．

表1.5　固有背筋の浅層・中間層

筋	下方の付着部	上方の付着部	神経支配	主な作用
浅層 板状筋	項靱帯とC7-T6の棘突起に起始	頭板状筋：筋線維は上外側に向かい，側頭骨乳様突起，後頭骨上項線の外側1/3に停止　頸板状筋：C1-C3ないしC4の横突起後結節に停止	脊髄神経後枝	片側が収縮すると頸部がその側に側屈し，頭部がその側に回旋する．両側が収縮すると頭部と頸部が伸展する．
中間層 脊柱起立筋	腸骨稜の後部，仙骨後面，正中仙骨稜，腰椎棘突起，棘上靱帯から幅広い腱として起始	腸肋筋（腰・胸・頸腸肋筋がある）：筋線維は上に向かい，肋骨角と頸椎横突起に停止　最長筋（胸・頸・頭最長筋がある）：筋線維は上に向かい，肋骨のうち肋骨角と肋骨結節の間の部分，胸椎と頸椎の横突起，側頭骨の乳様突起に停止　棘筋（胸・頸・頭棘筋がある）：筋線維は上方に向かい，上部胸椎の棘突起と頭蓋に停止		片側が収縮すると脊柱がその側に側屈する．両側が収縮すると脊柱と頭部が伸展する．脊柱が屈曲する場合には，脊柱起立筋がその筋線維を徐々に弛緩させることで運動を制御する．

背部の筋

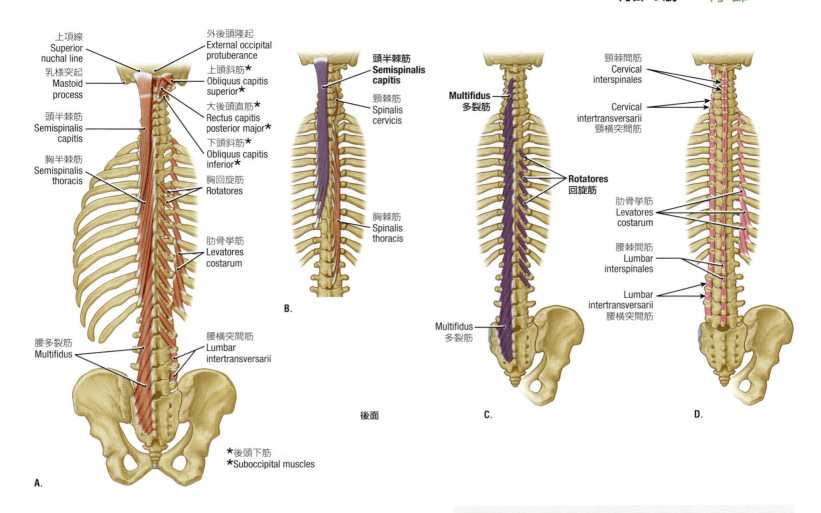

1.34 固有背筋の深層

A 概観. B 半棘筋. C 多裂筋と回旋筋. D 棘間筋, 横突間筋, 肋骨挙筋.

表1.6 固有背筋の深層

筋	下方の付着部	上方の付着部	神経支配[a]	主な作用
深層 横突棘筋	半棘筋：胸椎と頸椎の横突起に起始	半棘筋(胸・頸・頭半棘筋がある)：筋線維は上内側に向かい, 後頭骨, 胸椎と頸椎の棘突起に停止. 4-6個上の椎骨に至る.	脊髄神経後枝	半棘筋：片側が収縮すると頭部と頸部が対側に回旋する. 両側が収縮すると頭部と胸椎・頸椎領域の脊柱が伸展する.
	多裂筋：仙骨と腸骨, T1-L5の横突起, C4-C7の関節突起に起始	多裂筋(腰・胸・頸多裂筋がある)：筋線維は上内側に向かい, 棘突起に停止. 2-4個上の椎骨に至る.		多裂筋：脊柱が局所的に動くときに椎骨を固定する.
	回旋筋：椎骨の横突起に起始. 胸椎領域で最もよく発達	回旋筋(胸・頸回旋筋がある)：筋線維は上内側に向かい, 椎弓板と横突起の境界部や棘突起に停止. 1-2個上の椎骨に至る.		回旋筋：椎骨を固定する. また脊柱が局所的に伸展・回旋するときに, その動きを補助する.
深層の小筋群 棘間筋	頸椎ないし腰椎の棘突起上面に起始	直上の椎骨の棘突起下面に停止		脊柱の伸展と回旋を補助
横突間筋	頸椎ないし腰椎の横突起に起始	直上の椎骨の横突起	脊髄神経後枝と前枝	片側が収縮すると脊柱の側屈を補助し, 両側が収縮すると脊柱を固定
肋骨挙筋	C7およびT1-T11の横突起先端に起始	下外側に向かい, 肋骨の肋骨結節と肋骨角の間の部分に停止	C8-T11脊髄神経後枝	肋骨を挙上し吸息を補助 脊柱の側屈を補助

[a] ほとんどの背筋は脊髄神経後枝に支配されるが, 一部は前枝に支配される. 頸椎領域の横突間筋は前枝支配である.

42 背部　後頭下領域

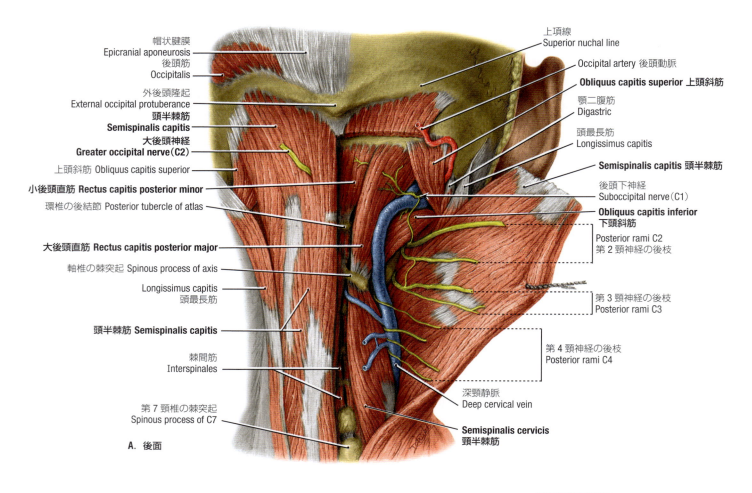

A. 後面

1.35 後頭下領域-I

A 浅層（左）と深層（右）の解剖．
僧帽筋，胸鎖乳突筋，板状筋は取り除いてある．右の頭半棘筋は切断して外側に反転してある．

B 軸椎（C2）の高さでの水平断面．

- 頭半棘筋は頭部と頸部の強力な伸筋であり，後頭下領域の後壁をなす．頭半棘筋の頭側部は，大後頭神経（C2の後枝）によって貫かれる．この頭側部では，頭半棘筋の外側縁・内側縁ともに骨や靱帯に付着していない．
- 大後頭神経を尾側（近位側）にたどると，下頭斜筋の下縁に至る．そこで大後頭神経は屈曲している．下頭斜筋の下縁をそこから内側にたどると軸椎の棘突起があり，外側にたどると環椎の横突起がある．

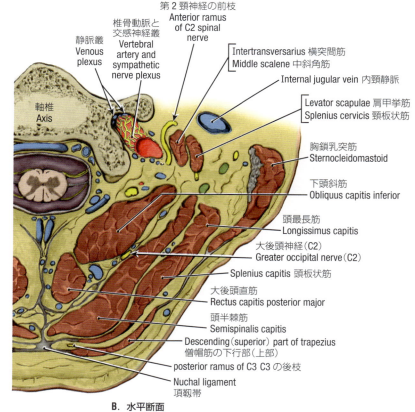

B. 水平断面

後頭下領域　背部

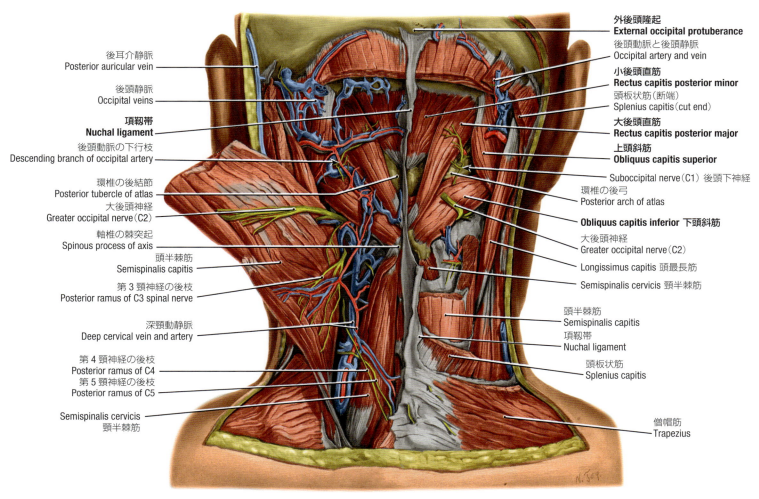

A. 後面

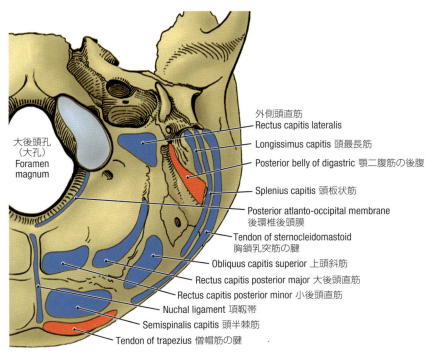

B. 下面

1.36　後頭下領域-II

A　両側の深層の解剖.
　左側では頭半棘筋が反転され，右側では除去されている．頸部は屈曲位.

B　頭蓋下面の筋の停止部位.

- 後頭下領域には4組の構造がある．2つの直筋（大・小後頭直筋），2つの斜筋（上・下頭斜筋），2つの神経（C1由来の後頭下神経[運動性]とC2由来の大後頭神経[感覚性]），2つの動脈（後頭動脈，椎骨動脈）である．
- 項靱帯は頸部の棘上靱帯にあたる．項靱帯は正中の薄い線維性構造で，頸椎の棘突起と外後頭隆起に付着している．

44 背部　脊髄と髄膜

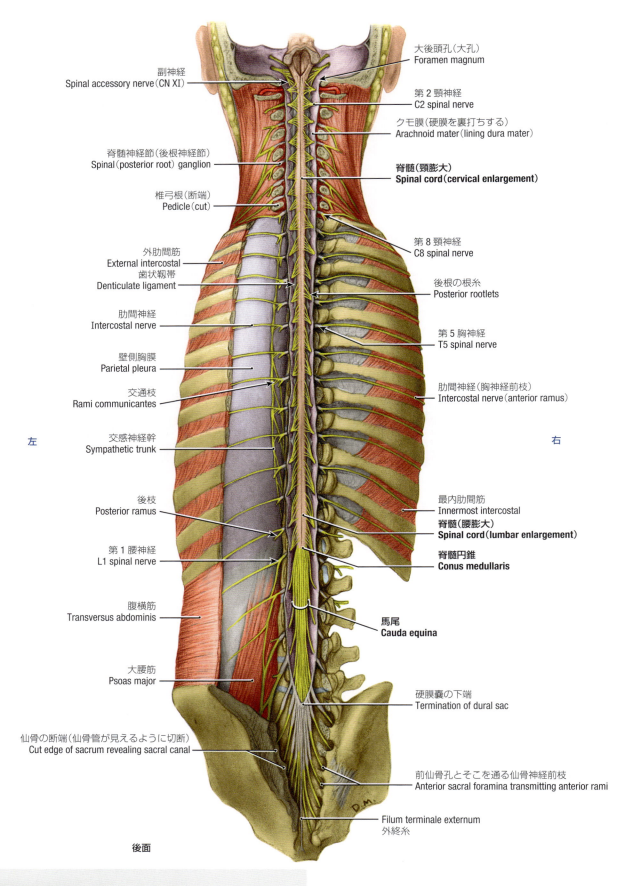

1.37 原位置での脊髄

脊髄と髄膜　背部

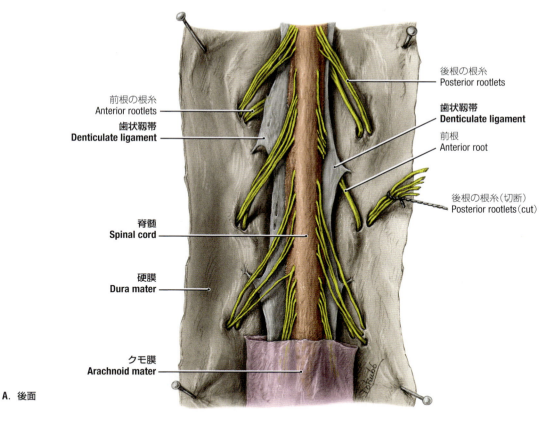

A. 後面

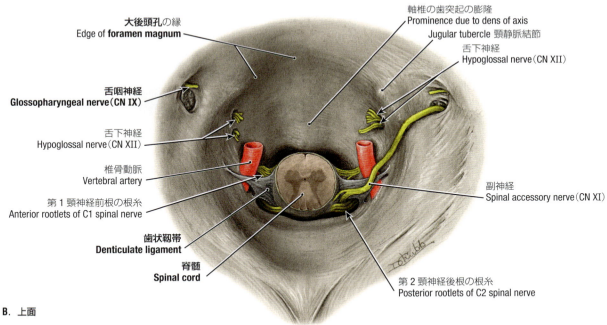

B. 上面

1.38 脊髄と髄膜

A 硬膜嚢を切開したところ．歯状靱帯は脊髄を，各脊髄神経根の間の高さで歯のような突起によって硬膜嚢につなぎ留める．脊髄神経前根の根糸は歯状靱帯より前にあり，後根の根糸は後ろにある．

B 大後頭孔から見た脊柱管の構造．脊髄・椎骨動脈・副神経（XI）・歯状靱帯の最上部は大後頭孔の硬膜の中を通る．

*訳注：副神経については，814 頁を参照．

46 背部　脊髄と髄膜

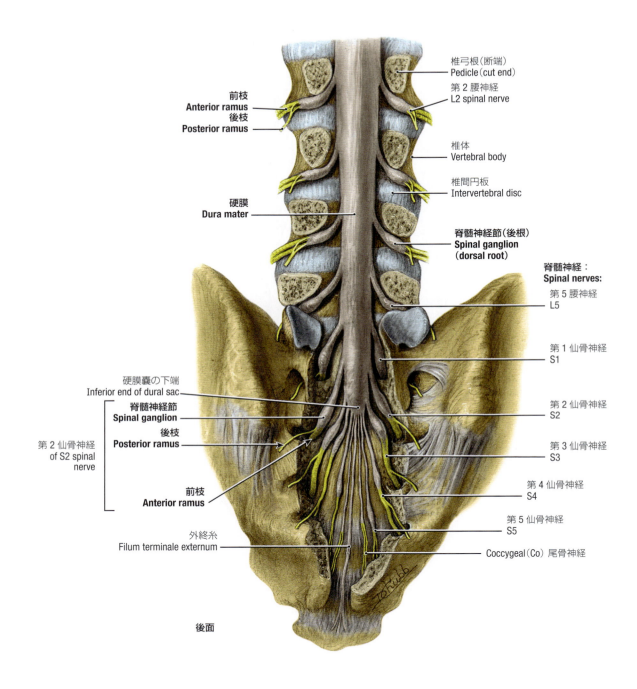

後面

1.39　硬膜嚢の下端-I

腰椎と仙骨の後部を取り除いたところ．硬膜上腔を占める脂肪と硬膜静脈叢も取り除いてある．硬膜嚢の下端は，上後腸骨棘の高さ（S2レベル）にある．硬膜は外終糸としてさらに続く．

硬膜外麻酔（ブロック）．硬膜上腔内に麻酔薬を注射することができる．麻酔薬は硬膜上腔内の脊髄神経根に直接影響を及ぼす．患者はブロック注射の高さより下の感覚を失う（図 1.40C 参照）．

脊髄と髄膜　背部

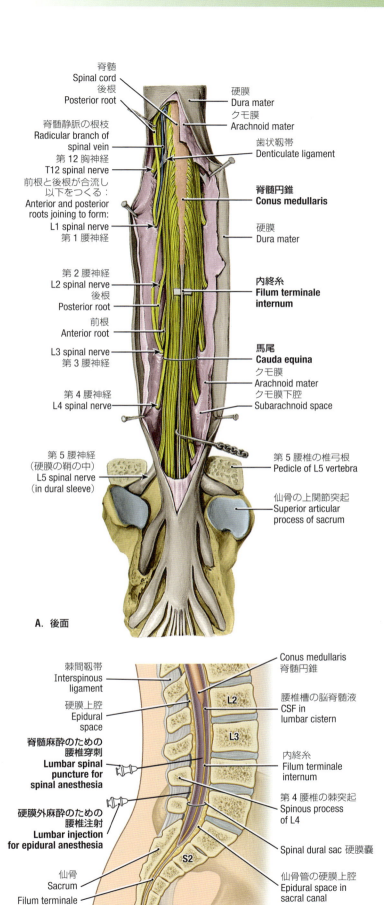

A. 後面

B. 脊髄腔造影像

C. 矢状断面

1.40　硬膜嚢の下端-II

A　硬膜嚢の下端と腰部のクモ膜下腔（腰椎槽）を開放したところ．
B　腰部の脊柱の脊髄腔造影像．造影剤がクモ膜下腔に注入されている．
C　腰椎穿刺と硬膜外麻酔．

- 脊髄円錐，すなわち円錐状の脊髄下端は，つやのある糸状の内終糸となって，脊髄神経前根や後根とともに下行する．内終糸と前根，後根が馬尾を構成する．
- 成人の場合，脊髄は通常第1・2腰椎間の椎間円板の高さで終わる．変異：95%の脊髄は第1・2腰椎の椎体の範囲で終わるが，3%は第12胸椎の下半分の高さで，2%は第3腰椎の高さで終わる．
- クモ膜下腔は通常第1・2仙椎間の椎間円板の高さで終わるが，これより下まで達することもある．

腰椎槽から脳脊髄液を採取するために，スタイレットの入った腰椎穿刺針をクモ膜下腔に挿入する．脊柱を屈曲させると，黄色靱帯が牽引されて上下の椎弓板と棘突起の間が開くので針を挿入しやすい．穿刺針は，正中線上でL3とL4ないしL4とL5の棘突起の間に刺入する．成人の場合このレベルで脊髄を損傷する可能性はほとんどない．

48 背部 脊髄と髄膜

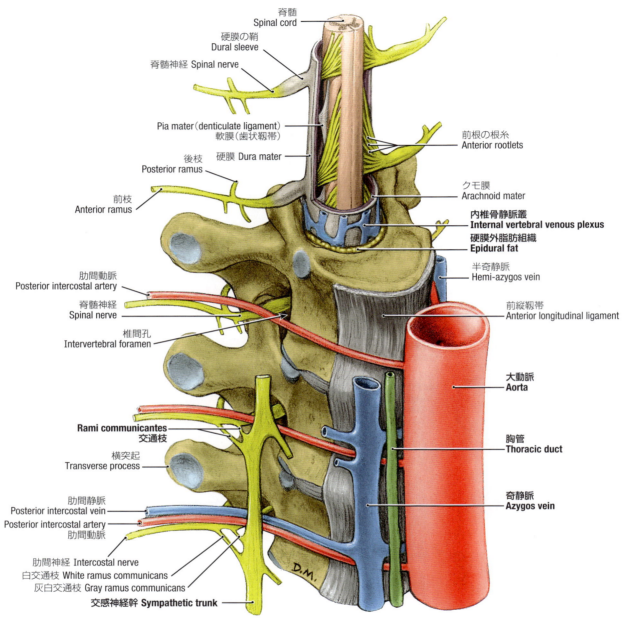

1.41 脊髄と椎骨前面の構造

上のほうの椎骨を取り除いて，脊髄と髄膜を露出してある．
- 大動脈は正中のすぐ左を下行する．正中の右側には胸管と奇静脈がある．
- 典型例において，奇静脈は椎体の右側にあり，半奇静脈は左側にある．
- 胸部交感神経幹とその神経節は，胸椎の外側にあり，神経節は交通枝によって脊髄神経と連絡している．
- 硬膜の鞘が脊髄神経を包み，そのまま神経上膜に移行する．
- 硬膜と脊柱管の壁との間には，硬膜外（上）脂肪組織と内椎骨静脈叢がある．

脊髄と髄膜　背部　49

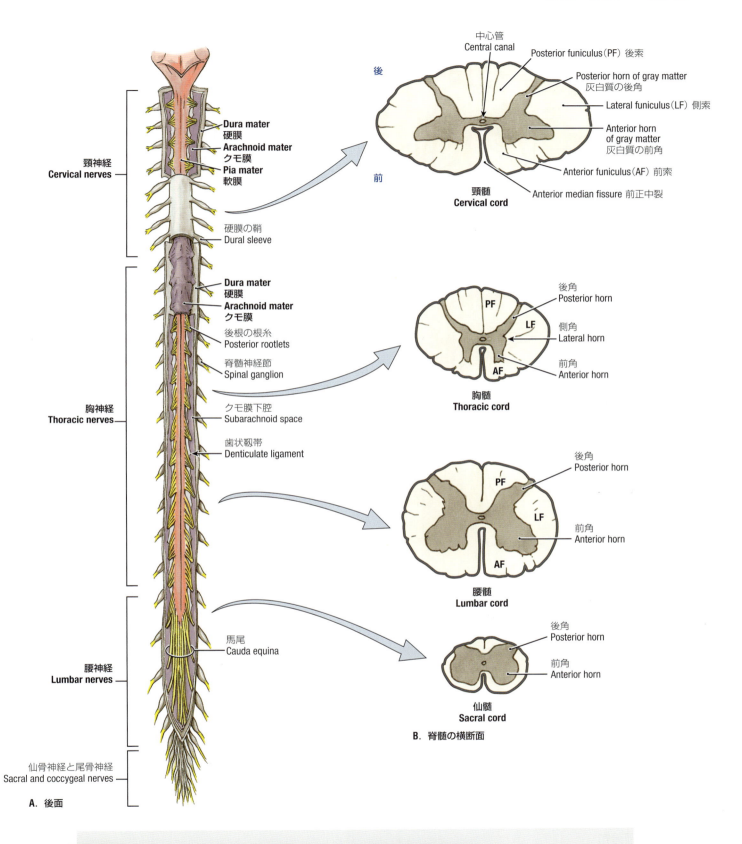

1.42 取り出した脊髄と脊髄神経根ならびにその被覆，各部の断面

A 脊髄と硬膜嚢．硬膜嚢が開かれており，クモ膜，軟膜，脊髄，後根の根糸が見える．
B 頸髄，胸髄，腰髄，仙髄．

50 背部　脊髄と髄膜

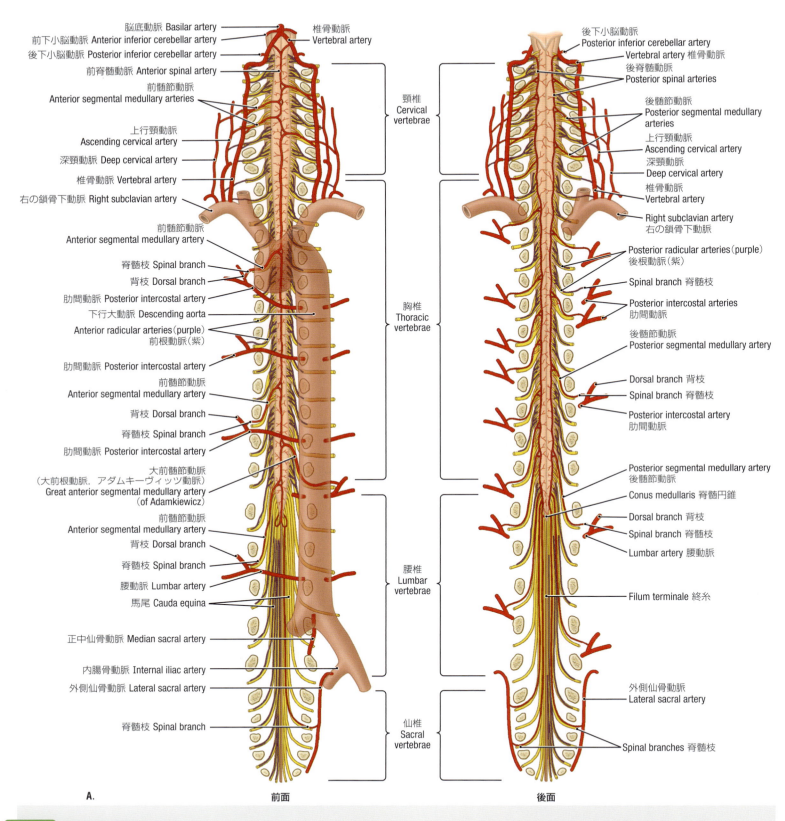

A. 前面　　　後面

1.43 脊髄の血管分布

A　脊髄の動脈． 髄節動脈からいくつかの髄節へもたらされる血流が，前・後脊髄動脈への血液供給に重要である．

背部損傷． 骨折・脱臼ならびに脱臼骨折によって，これらの動脈から脊髄への血液供給が妨げられる場合がある．

*訳注：本書では，前・後根動脈のうち，前・後脊髄動脈に接続するものを特に前・後髄節動脈と呼んでいる．

脊髄と髄膜　背部

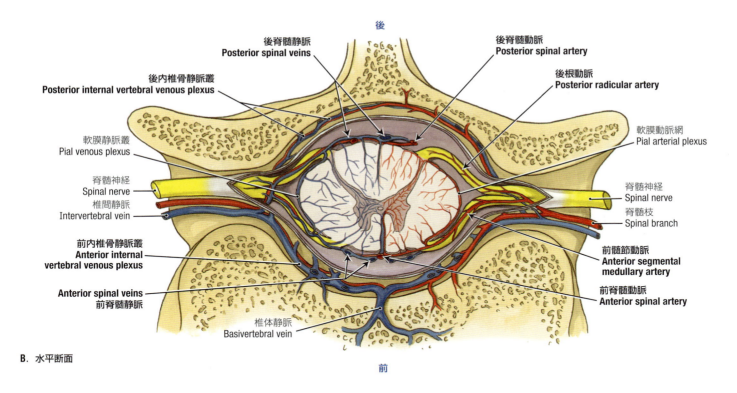

B. 水平断面

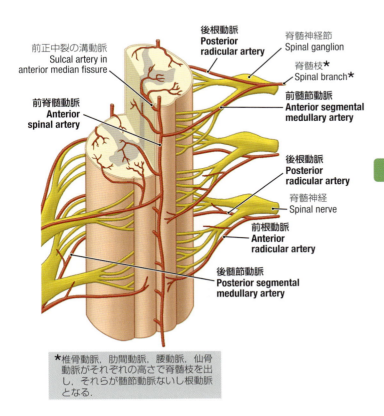

C. 前外側面

*椎骨動脈，肋間動脈，腰動脈，仙骨動脈がそれぞれの高さで脊髄枝を出し，それらが髄節動脈ないし根動脈となる．

1.43　脊髄の血管分布（続き）

B　動脈と静脈の分布．**C**　髄節動脈と根動脈．

- 脊髄動脈は延髄から脊髄円錐まで縦走する．前・後脊髄動脈の起始部からの血流は脊髄の上部の短い区間を栄養するのみである．脊髄の残り大部分の血流は髄節動脈と根動脈による．
- 前・後髄節動脈は椎間孔から脊柱管に入り，脊髄動脈に合流して脊髄に血液を供給する．大前髄節動脈〔大前根動脈，アダムキーヴィッツ(Adamkiewicz)動脈〕は 65％ の割合で左側にある．この動脈は脊髄の 2/3 の血液を供給する．
- 脊髄神経の後根・前根とその被覆には後根動脈と前根動脈が分布する．それらの根動脈は脊髄神経根に沿って走行するが，前・後髄節動脈には合流しない．
- 前脊髄静脈と後脊髄静脈は 3 本ずつ縦走する．それらの間には吻合が多くみられ，12 本程度まで存在する髄節静脈と根静脈に注ぐ．脊髄からの血液を通すこれらの静脈は，硬膜外腔の内椎骨静脈叢に合流する．

虚血．脊髄への血液供給の不全（虚血）は脊髄の機能に影響を与え，筋力の低下や麻痺を引き起こすことがある．脊髄はまた，動脈の閉塞性疾患や手術中の大動脈クランプによって髄節動脈，とりわけ大前髄節動脈（アダムキーヴィッツ動脈）が狭くなった場合にも循環障害を呈することがある．

52 背部　椎骨静脈叢

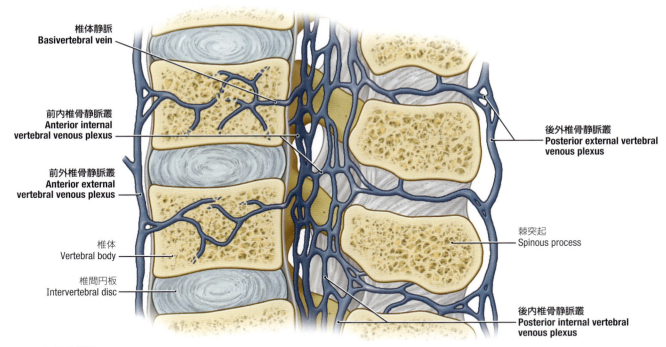

A. 正中断面

1.44 椎骨静脈叢

A 腰椎の正中断面．**B** 腰椎の椎体の水平断面，上方から見る．

- 内・外2種類の椎骨静脈叢があり，互いに交通している以外に，他の体循環系の静脈や門脈系の静脈とも交通がある．そのため，**感染や腫瘍**は体循環系や門脈系から椎骨静脈叢に流れて，椎骨，脊髄，脳，または頭蓋に至ることがある．
- 脊柱管の内部にある内椎骨静脈叢は，硬膜の周りを取り囲む，壁が薄くて弁のない静脈叢で形成される．内椎骨静脈叢は上方では大後頭孔を通って後頭静脈洞や脳底静脈洞と交通している．また脊髄の各髄節において，内椎骨静脈叢は脊髄からの静脈や椎体からの椎体静脈の血液を受ける．これらの静脈叢の血液は，椎間孔や仙骨孔を通る椎間静脈を経由して，椎骨静脈，肋間静脈，腰静脈，外側仙骨静脈に注ぐ．
- 前外椎骨静脈叢は，各椎体からの静脈によって形成される．黄色靭帯を貫く静脈は後外椎骨静脈叢を形成する．頸部において，これらの静脈叢は後頭静脈や深頸静脈と交通している．後頭静脈と深頸静脈は，S状静脈洞，乳突導出静脈，顆導出静脈から血液を受ける．胸部，腰部，骨盤領域では，それぞれ奇静脈と半奇静脈，上行腰静脈，外側仙骨静脈が縦方向に異なる高さを連絡している．

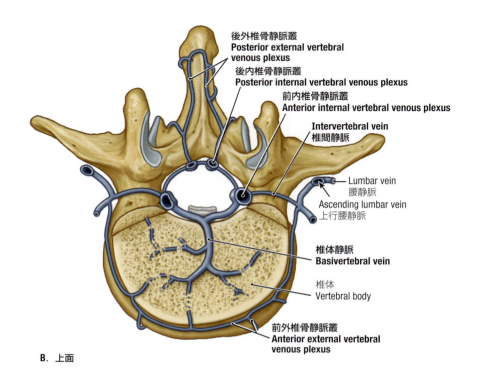

B. 上面

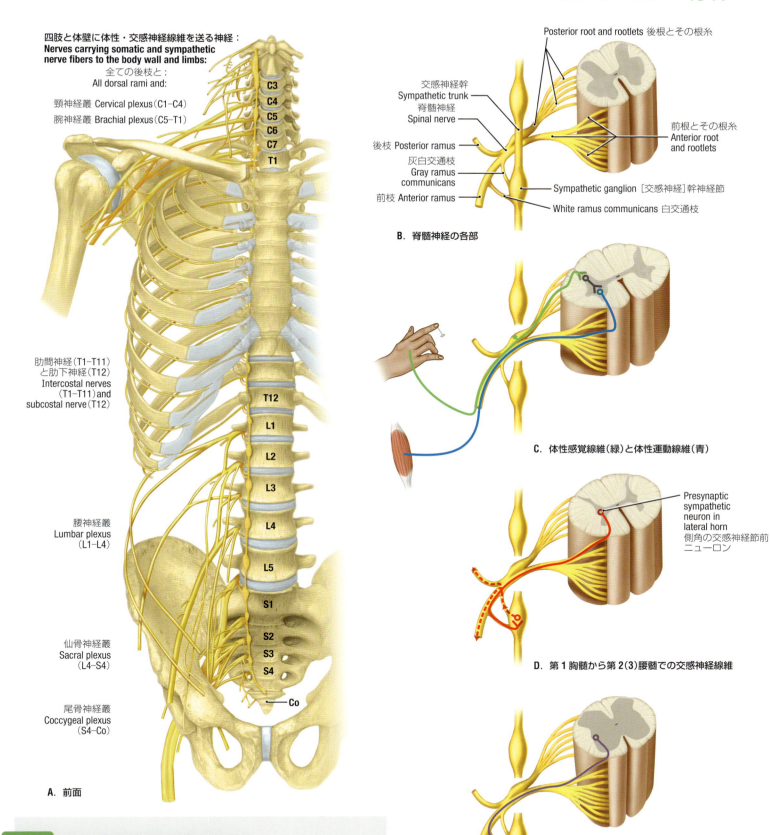

1.45 四肢と体壁の神経支配の概観

A 概観． B 脊髄神経の各部． C 体性感覚線維と体性運動線維． D 中枢神経系（CNS）を出る，交感神経節前線維の経路． E 仙髄を出る，副交感神経節前線維の経路．

54 背部　脊髄神経の成分

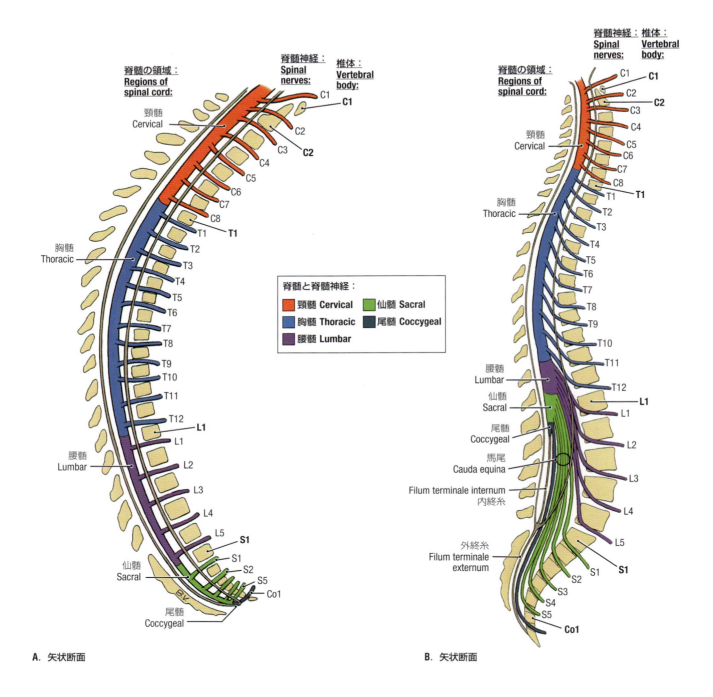

A. 矢状断面

B. 矢状断面

> **1.46　脊髄と脊髄神経**
>
> A　胎生12週の脊髄．B　成人の脊髄．
> - 発生早期の脊髄と脊柱管はほぼ同じ長さである．脊柱管がより長く成長するので，脊髄神経はもともとの椎間孔を出て行くために，長い距離を走行しなければならない．成人の脊髄は第1から第2腰椎レベルで終わるが，残りの脊髄神経は出口となる椎間孔に至る途中で馬尾を形成する．
> - 31対の脊髄神経〔8対の頸神経（C），12対の胸神経（T），5対の腰神経（L），5対の仙骨神経（S），1対の尾骨神経（Co）〕は脊髄から起こると椎間孔を通って脊柱管を出る．

脊髄神経の成分　背部　55

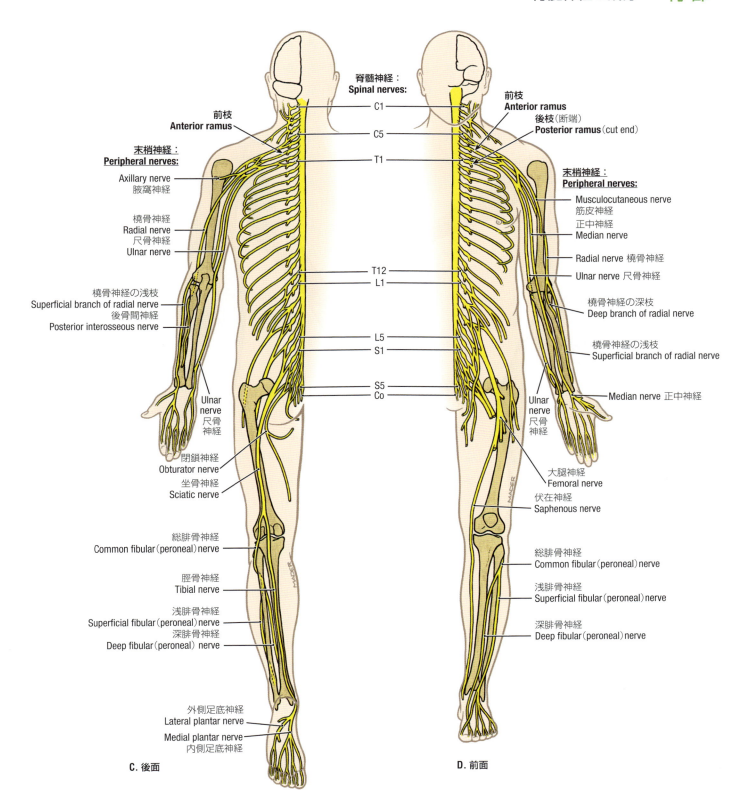

1.46 脊髄と脊髄神経（続き）

C, D　末梢神経.
- 脊髄神経前枝は体幹の前部と外側部ならびに上肢と下肢に神経線維を送る．
- 脊髄神経後枝は脊柱の関節，固有背筋ならびにその表層の皮膚に神経線維を送る．

56 背部　皮膚分節と筋分節

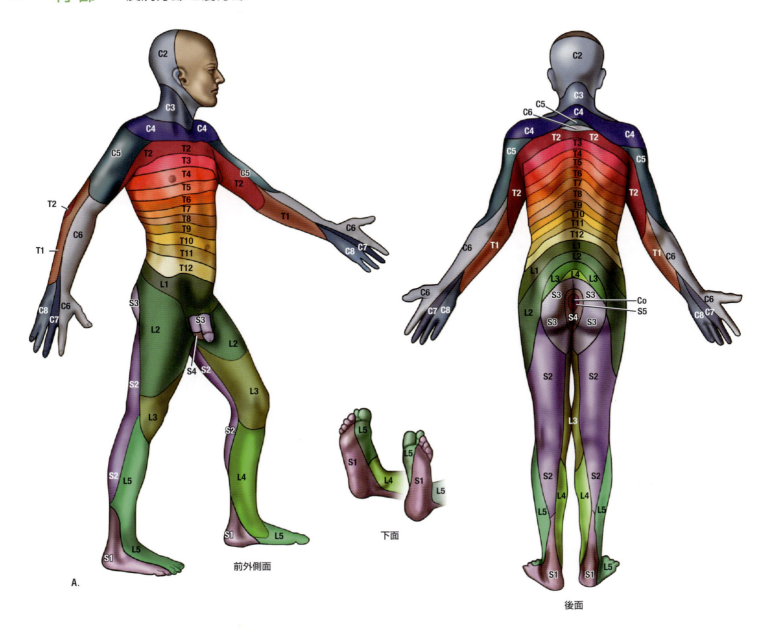

A. 前外側面　　下面　　後面

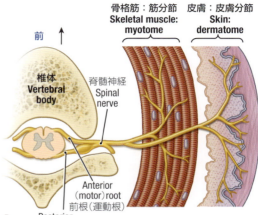

1.47　皮膚分節（デルマトーム）

A　皮膚分節の地図．後根や脊髄神経の損傷の臨床研究より，特定の脊髄神経による皮膚支配の典型的なパターンを示す，皮膚分節の地図が考案された〔Foerster O. The dermatomes in man. Brain. 1933；56：1. より〕．

B　皮膚分節と筋分節の模式図．1本の脊髄神経に由来する一般感覚線維（体性感覚線維）によって支配される片側の皮膚の範囲を皮膚分節（デルマトーム）と呼ぶ．

皮膚分節と筋分節　**背部**

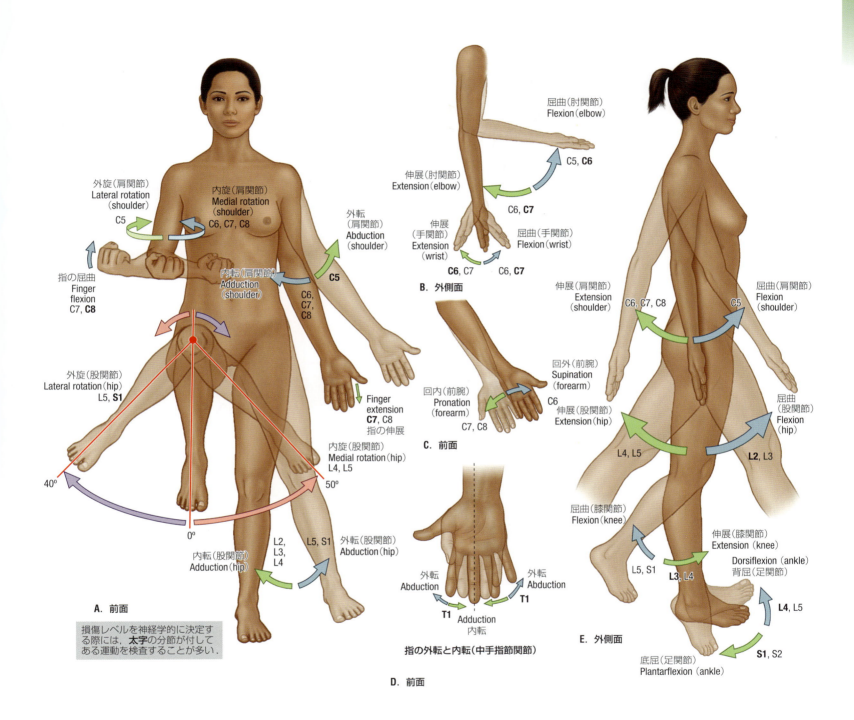

1.48　筋分節（ミオトーム）

体性運動（一般体性遠心性）線維は骨格筋（随意筋）に指令を送る．1本の脊髄神経を通る体性運動線維によって支配される片側の一群の筋を筋分節（ミオトーム）と呼ぶ．それぞれの骨格筋は複数の脊髄神経からの体性運動線維で支配されるので，1つの筋に複数の筋分節が存在することになる．臨床検査を容易にするために，筋分節は関節運動ごとにグループ化されている．手の内在筋はT1のみの筋分節で構成されている．

58　背部　自律神経

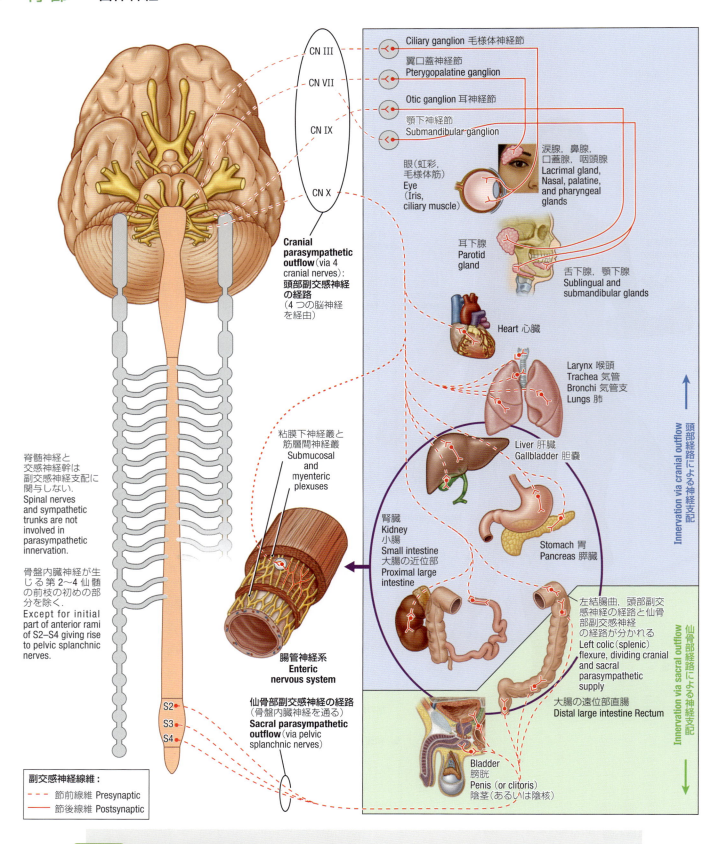

1.49 副交感神経線維の分布

副交感神経系の節前線維の細胞体は2つの場所に局在する．1つは脳幹の灰白質（頭部副交感神経の経路）で，もう1つは仙髄の灰白質（仙骨部副交感神経の経路）である．

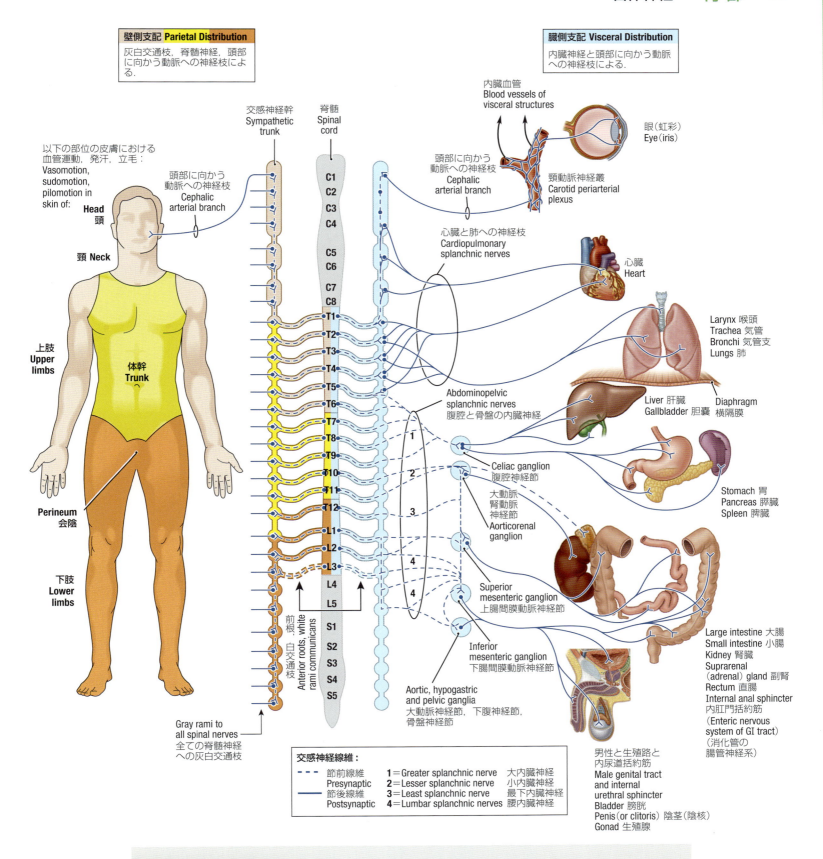

1.50 交感神経線維の分布

交感神経系の節前線維の細胞体は中間外側細胞柱（側角）にあり，脊髄の第1胸髄から第2腰髄にかけて分布する．

60　背部　自律神経

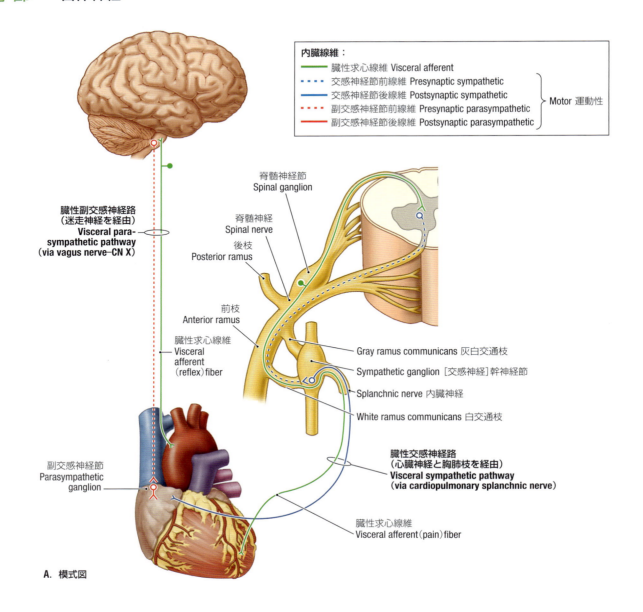

A. 模式図

1.51　臓性求心(感覚)性と臓性遠心(運動)性の神経支配

A　概観．臓性求心線維は解剖学的にも機能的にも中枢神経系と重要な関係にある．こうした線維からの入力に私たちはふつう気がつかないが，そこから身体の内部環境の状態に関する情報がもたらされる．この情報は中枢神経系において統合されて，臓性反射，体性反射あるいはそれら両方を引き起こすことが多い．臓性反射は，心臓の機能や呼吸数や血管抵抗を変化させることで血圧や血液の化学組成を制御する．臓性感覚が意識に上るときは，痛みとして認識されることがふつうである．その痛みは通常局在がはっきりせず，空腹や吐き気として認識されることがある．しかし，本来の痛覚刺激で痛みを生じることもある．臓性の反射性(意識に上らない)感覚や一部の痛みは副交感神経線維とともに走る臓性感覚線維を通って中枢に向かって伝えられる．心臓や腹膜腔にある多くの器官からの臓性痛覚刺激は，交感神経線維とともに走る臓性感覚線維を通って伝えられることが多い．

臓性遠心(運動)性神経支配．遠心性神経線維や自律神経系(ANS)神経節は2系統に分かれている．

1. **交感(胸腰)神経系**．一般に交感神経系の刺激は異化作用をもつ(「闘争と逃走」の状態に身体を準備する)．
2. **副交感(頭仙)神経系**．一般に副交感神経系の刺激は同化作用をもつ(安静時の機能を促進しエネルギーを温存する)．

交感神経系においても副交感神経系においても，中枢神経系から効果器への刺激の伝導には直列に2つのニューロンが関与する．節前ニューロン(第1ニューロン)の細胞体は中枢神経系の灰白質にある．そこから出た軸索(節前線維)は節後ニューロン(第2ニューロン)の細胞体にシナプスをつくる．節後ニューロンの細胞体は末梢にある自律神経系の神経節にあり，そこから出た節後線維は効果器(すなわち平滑筋，心筋，腺)に終止する．

自律神経　背部

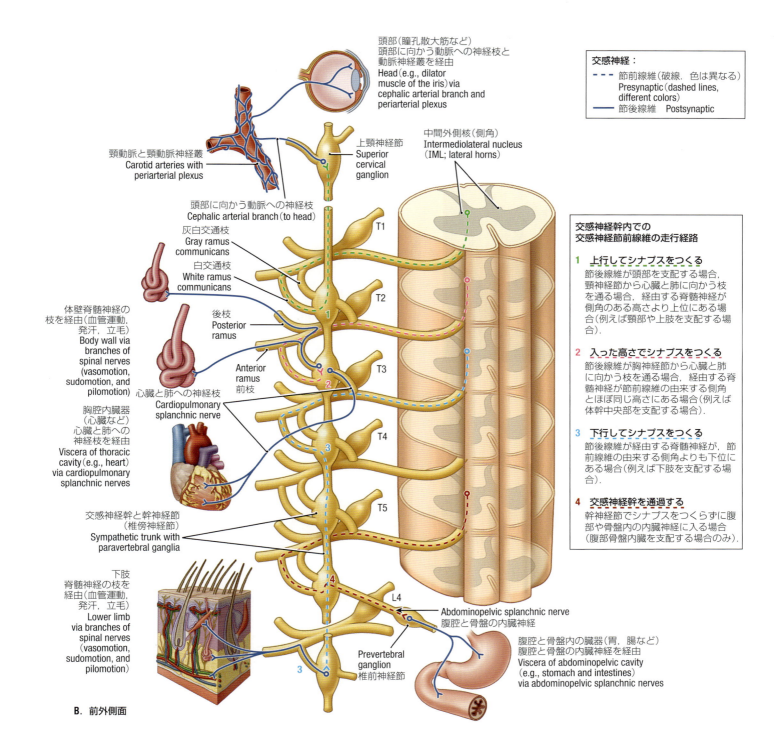

1.51　臓性求心(感覚)性と臓性遠心(運動)性の神経支配(続き)

B　交感神経線維の経路． 節前線維は交感神経幹に至るまでは同じ経路を通る．交感神経幹の中では4種類ある経路の1つをとる．体壁・上下肢・横隔膜より上の内臓を支配する交感神経線維は経路1-3をとる．それらの線維は交感神経幹神経節(幹神経節/椎傍神経節)においてシナプスをつくる．腹部と骨盤腔の内臓を支配する線維は経路4をとり，腹部や骨盤の内臓神経を経て椎前神経節においてシナプスをつくる．節後線維は通常交感神経幹内部で上行したり下行したりせず，そのレベルで交感神経幹を離れる．

62 背部 断層解剖と断層画像

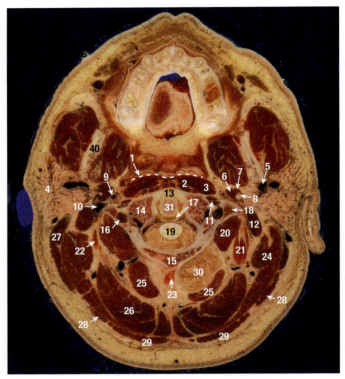

A. 下面

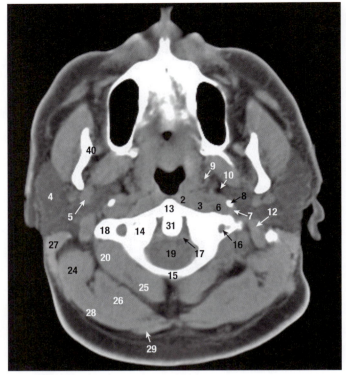

B. 水平断CT像

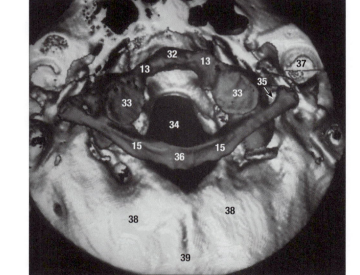

C. 3次元再構成CT像

1	咽頭後隙の位置 Site of retropharyngeal space
2	頸長筋 Longus colli
3	頭長筋 Longus capitis
4	耳下腺 Parotid gland
5	下顎後静脈 Retromandibular vein
6	茎突咽頭筋 Stylopharyngeus
7	茎突舌筋 Styloglossus
8	茎突舌骨筋と茎突舌骨靱帯 Stylohyoid muscle and ligament/process
9	内頸動脈 Internal carotid artery
10	内頸静脈 Internal jugular vein
11	外側頭直筋 Rectus capitis lateralis
12	顎二腹筋の後腹 Posterior belly of digastric
13	環椎の前弓 Anterior arch of atlas (C1)
14	環椎の外側塊 Lateral mass of atlas (C1)
15	環椎の後弓 Posterior arch of atlas (C1)
16	椎骨動脈 Vertebral artery
17	環椎横靱帯 Transverse ligament of atlas (C1)
18	環椎の横突起 Transverse process of atlas (C1)
19	脊髄 Spinal cord
20	大後頭直筋 Rectus capitis posterior major
21	下頭斜筋 Obliquus capitis inferior
22	上頭斜筋 Obliquus capitis superior
23	項靱帯 Nuchal ligament
24	頭最長筋 Longissimus capitis
25	小後頭直筋 Rectus capitis posterior minor
26	頭半棘筋 Semispinalis capitis
27	胸鎖乳突筋 Sternocleidomastoid
28	頭板状筋 Splenius capitis
29	僧帽筋 Trapezius
30	脂肪塊 Fatty mass
31	軸椎の歯突起 Dens of axis (C2)
32	環椎の前結節 Anterior tubercle of atlas (C1)
33	環椎の下関節面 Inferior articular facet of atlas (C1)
34	大後頭孔(大孔) Foramen magnum
35	横突孔 Foramen transversarium
36	環椎の後結節 Posterior tubercle of atlas (C1)
37	乳様突起 Mastoid process
38	後頭骨 Occipital bone of skull
39	外後頭隆起 External occipital protuberance
40	下顎枝 Ramus of mandible

1.52 環椎の高さにおける上頸部の画像

A 標本の水平断面. B 水平断CT像. C 頭蓋底と環椎の3次元再構成CT像.

断層解剖と断層画像　背部

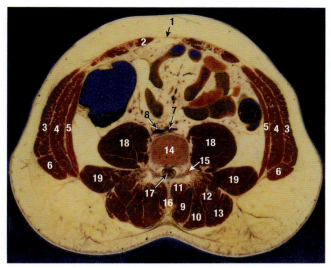
A. 下面

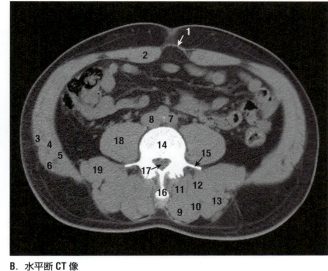
B. 水平断CT像

1	白線 Linea alba	6	広背筋 Latissimus dorsi	11	回旋筋 Rotatores	16	棘突起 Spinous process
2	腹直筋 Rectus abdominis	7	下行大動脈 Descending aorta	12	腸肋筋 Iliocostalis	17	馬尾 Cauda equina
3	外腹斜筋 External oblique	8	下大静脈 Inferior vena cava	13		18	大腰筋 Psoas major
4	内腹斜筋 Internal oblique	9	多裂筋 Multifidus	14	第4腰椎 4th lumbar vertebra	19	腰方形筋 Quadratus lumborum
5	腹横筋 Transversus abdominis	10	最長筋 Longissimus	15	横突起(肋骨突起) Transverse process		

1.53　第4腰椎の位置の画像

A　標本の水平断面．B　水平断CT像．

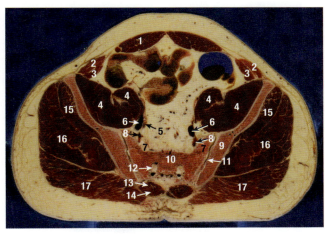
A. 下面

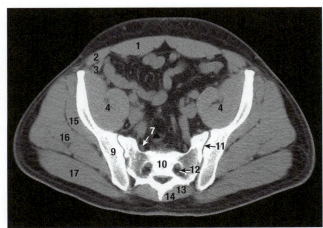
B. 水平断CT像

1	腹直筋 Rectus abdominis	6	内腸骨静脈 Internal iliac vein	10	第2仙椎 2nd sacral vertebra	14	脊柱起立筋 Erector spinae
2	外腹斜筋 External oblique	7	前枝 Anterior rami	11	仙腸関節 Sacro-iliac joint	15	小殿筋 Gluteus minimus
3	内腹斜筋 Internal oblique	8	上殿動静脈 Superior gluteal vessels	12	仙骨神経根 Sacral nerve root	16	中殿筋 Gluteus medius
4	腸腰筋 Iliopsoas	9	腸骨体 Body of ilium	13	多裂筋 Multifidus	17	大殿筋 Gluteus maximus
5	内腸骨動脈 Internal iliac artery						

1.54　仙腸関節の画像

A　標本の水平断面．B　水平断CT像．

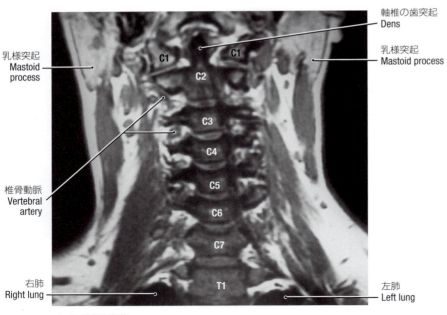

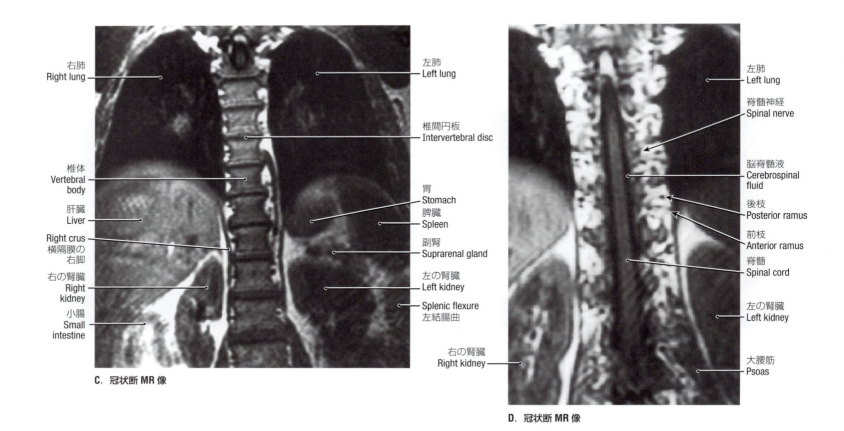

1.55 頸椎と胸椎の冠状断 MR 像

A, B 頸椎. C, D 胸椎.

CHAPTER 2

上肢 Upper Limb

上肢の系統的概観	66
骨	66
神経	72
動脈	80
静脈とリンパ管	82
筋膜区画	86
胸筋の領域	88
腋窩，腋窩の血管，腕神経叢	95
肩甲骨の領域と背部浅層	106
上腕と回旋筋腱板	110
上肢帯の関節と肩関節	124
肘の領域	132
肘関節	138
前腕の前面	144
手根部の前面と手掌	152
前腕の後面	168
手根部の後面と手背	171
手根部と手の外側面	176
手根部と手の内側面	179
手根部と手の骨と関節	180
手の機能：つかむ，つまむ	186
断層解剖と断層画像	187

66　上　肢　　上肢の系統的概観：骨

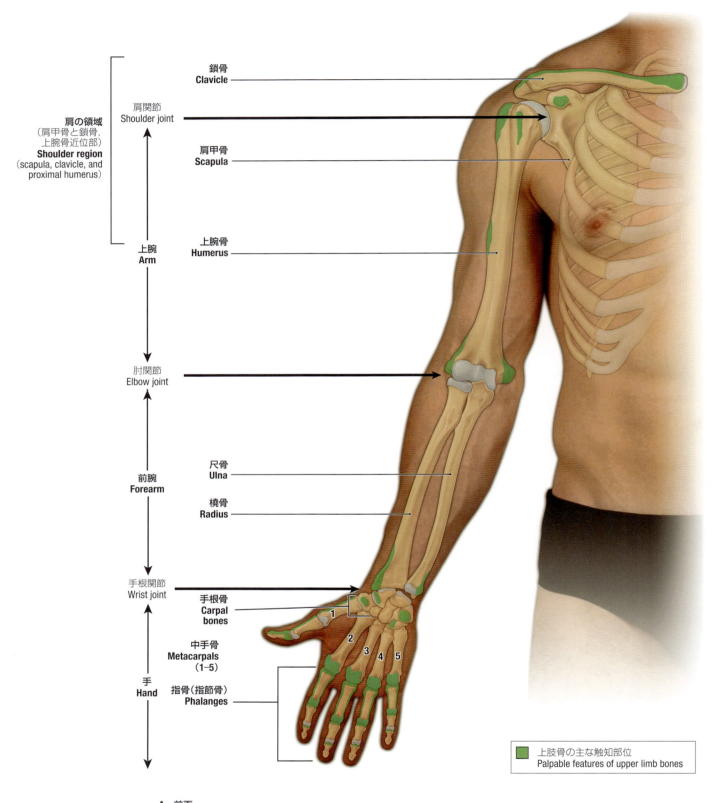

A. 前面

2.1　上肢の各領域と骨および主要な関節

上肢は各関節によって，肩（上肢帯）・上腕・前腕・手の4つの領域に分けられる．

上肢の系統的概観：骨　上肢

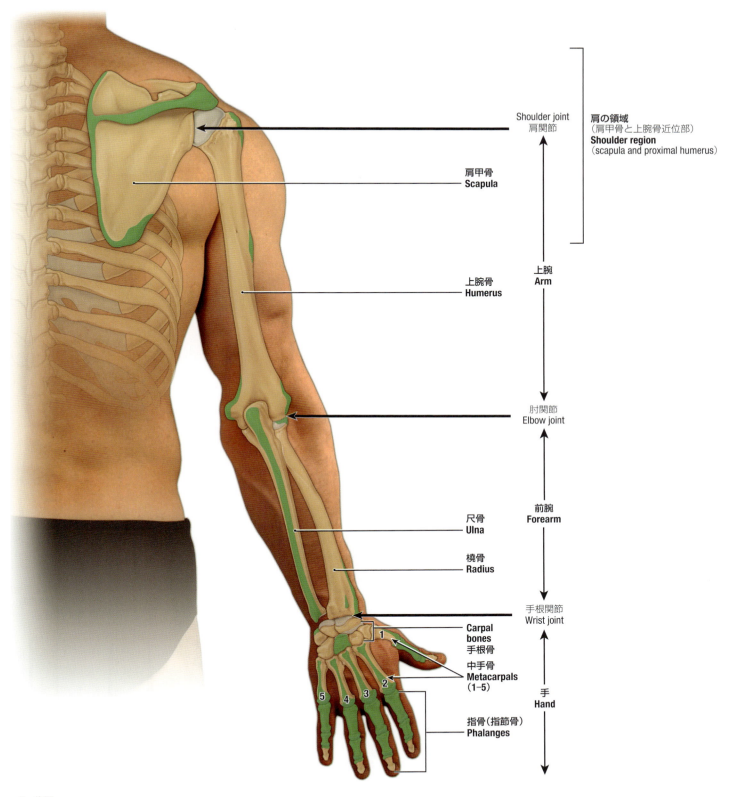

B. 後面

2.1 上肢の各領域と骨および主要な関節（続き）

上肢　上肢の系統的概観：骨

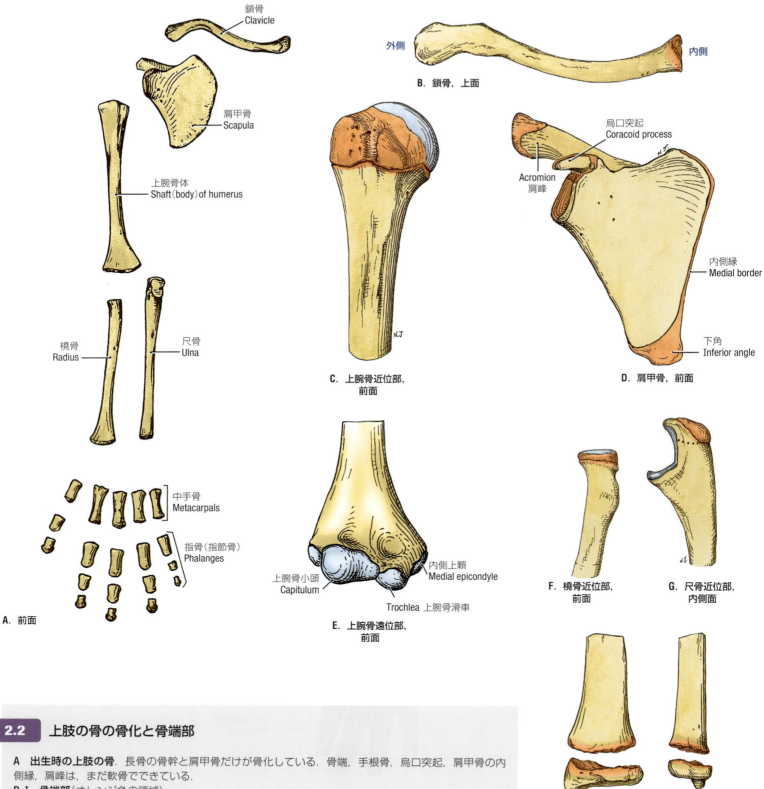

A. 前面
B. 鎖骨，上面
C. 上腕骨近位部，前面
D. 肩甲骨，前面
E. 上腕骨遠位部，前面
F. 橈骨近位部，前面
G. 尺骨近位部，内側面
H. 橈骨遠位部，前面
I. 尺骨遠位部，前面

2.2 上肢の骨の骨化と骨端部

A　出生時の上肢の骨．長骨の骨幹と肩甲骨だけが骨化している．骨端，手根骨，烏口突起，肩甲骨の内側縁，肩峰は，まだ軟骨でできている．

B–I　骨端部（オレンジ色の領域）．
- 長骨の骨端部では，1つかそれ以上の二次骨化中心によって骨化が起こる．鎖骨，上腕骨，橈骨，尺骨，中手骨，指節骨では，このような骨端は出生時からおよそ20歳までの間に発達する．

骨端．骨の成長についての知識や，X線像や他の画像診断におけるさまざまな年齢での骨の様子についての知識がないと，骨端板が融合していない状態を骨折と間違うことがある．骨端板が分離している状態が，骨が折れて外れていると解釈されてしまうのである．患者の年齢を知り骨端の位置がわかっていればこのような間違いは起こさない．

上肢の系統的概観：骨　**上肢**　69

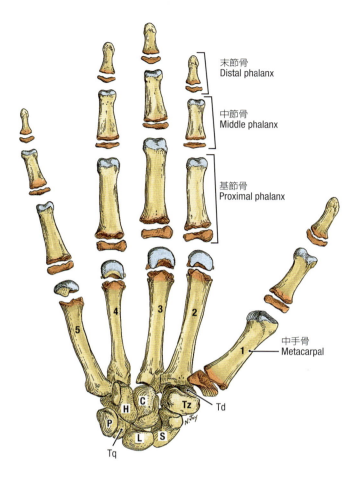

J. 前面（右手）

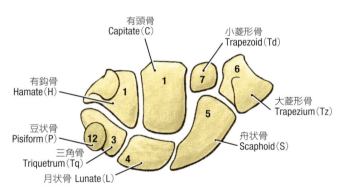

番号は骨化するおおよその年齢を示す

K. 前面

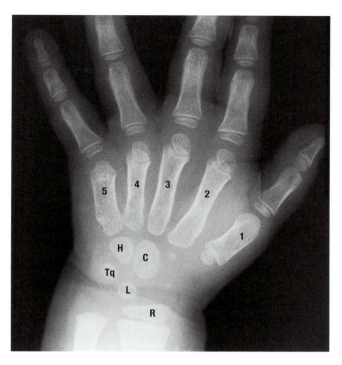

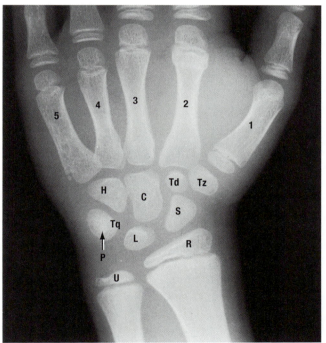

L. 前後方向のX線像，右手
X線写真上，骨化していない骨端部（骨端軟骨）は
X線を透過する（白く写らない）線として写る．

2.2　上肢の骨の骨化と骨端部（続き）

J　手の骨の骨化． 指節骨にはそれぞれ近位部に1つずつ骨端があり，第2から第5中手骨には遠位部にそれぞれ1つずつ骨端があることに注目すること．第1中手骨には，指節骨と同じように近位部に1つ骨端がある．第1・第2中手骨の一方ないし両方で，反対側の端にも短期間骨端が現れることがある．骨化の順序と経過時間には個人差や性差がある．

K　手根骨の骨化の順序．

L　手根部と手の骨化の時期を示すX線像． 上，2歳半の幼児．月状骨が骨化しつつあり，橈骨（R）遠位部の骨端が写っている（C：有頭骨，H：有鈎骨，Tq：三角骨，L：月状骨）．下，11歳の小児．手根骨はすべて骨化しており（S：舟状骨，Td：小菱形骨，Tz：大菱形骨，矢印：豆状骨），尺骨（U）遠位部の骨端も骨化している．

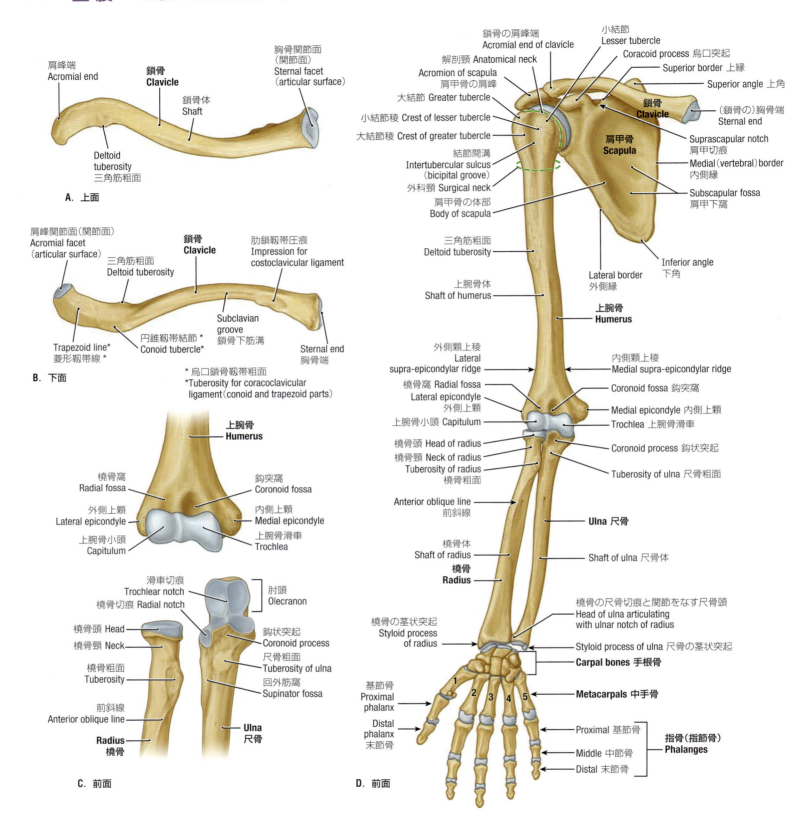

2.3 上肢の骨の特徴

A, B 鎖骨. C 肘関節を外した状態の上腕骨遠位部と，橈骨および尺骨の近位部の前面. D 関節をなした状態での上肢の骨の前面.

上肢の系統的概観：骨　上肢

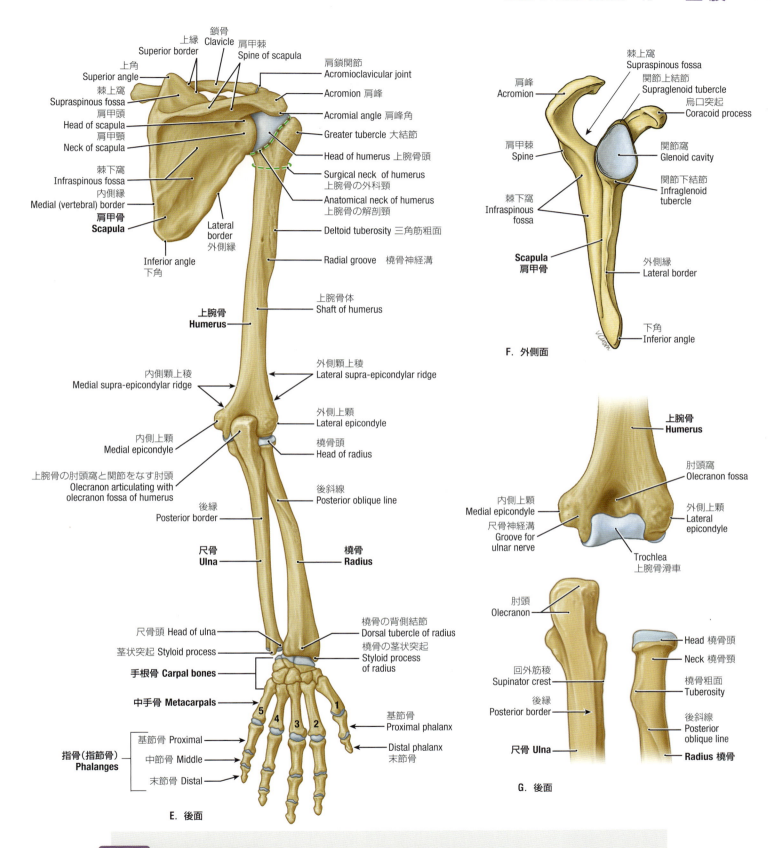

2.3 上肢の骨の特徴（続き）

E 関節をなした状態での上肢の骨の後面．F 肩甲骨の外側面．G 肘関節を外した状態の上腕骨遠位部と，橈骨および尺骨の近位部の後面．

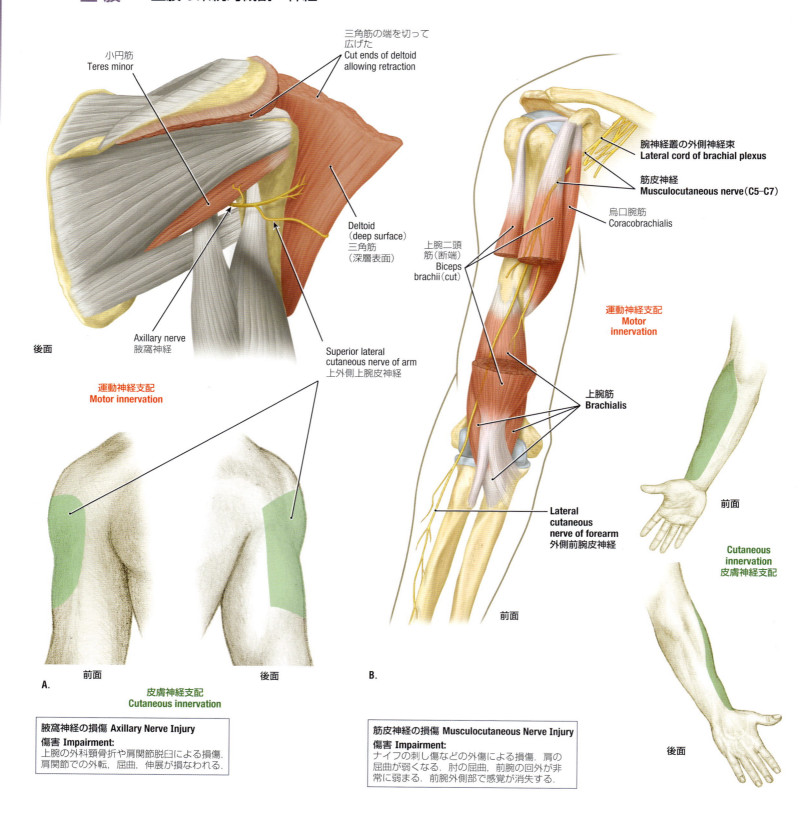

2.4 上肢の神経支配の概観-I

A 腋窩神経. B 筋皮神経.

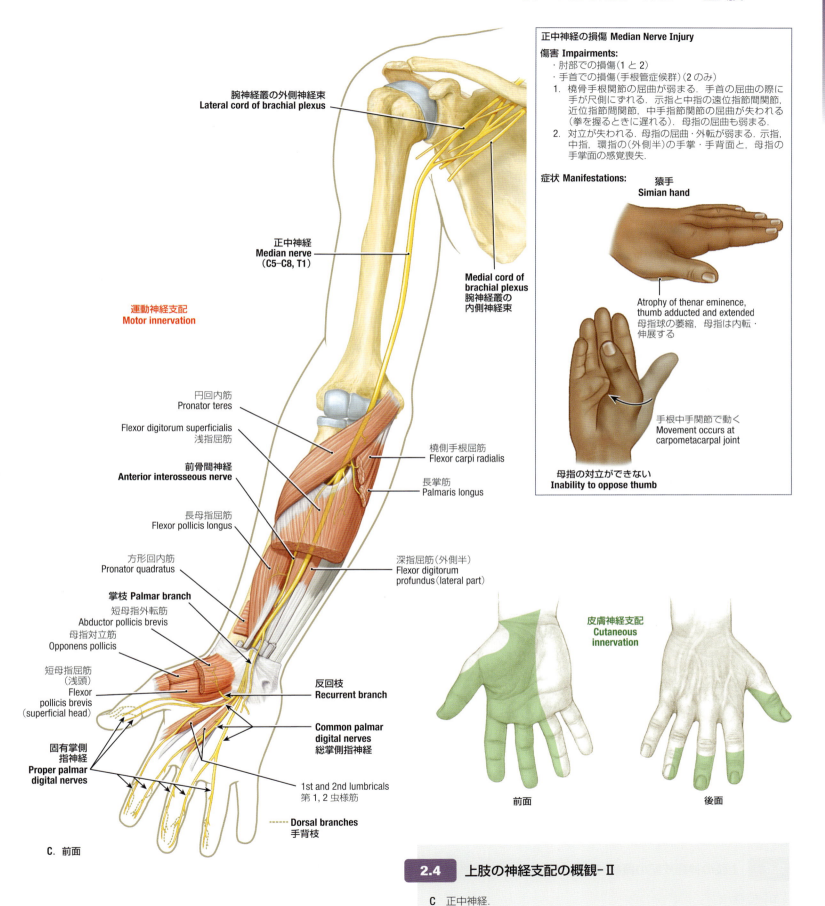

2.4 上肢の神経支配の概観-II

C 正中神経.

74　上肢　上肢の系統的概観：神経

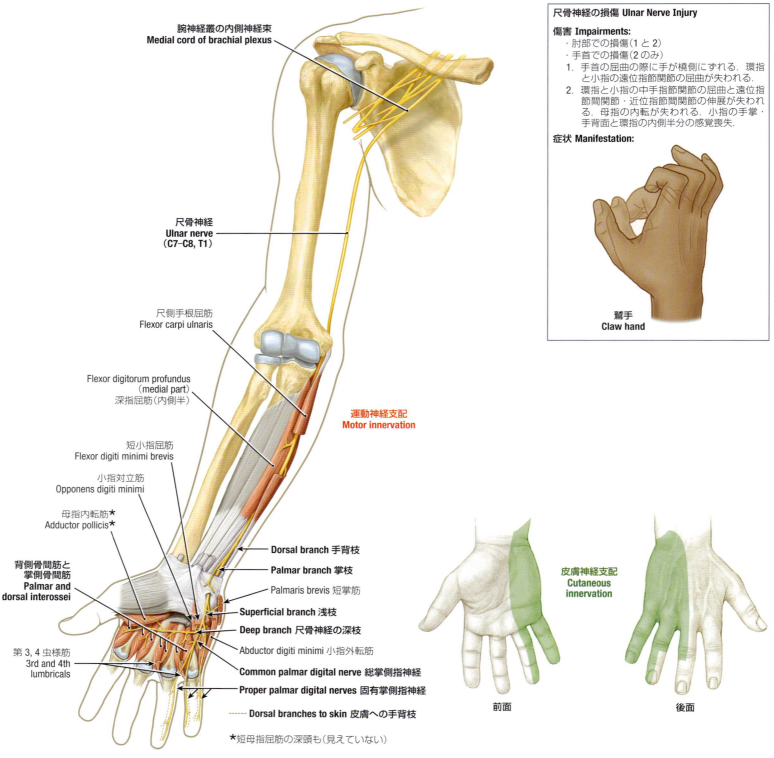

2.4 上肢の神経支配の概観-Ⅲ

D　尺骨神経.

上肢の系統的概観：神経

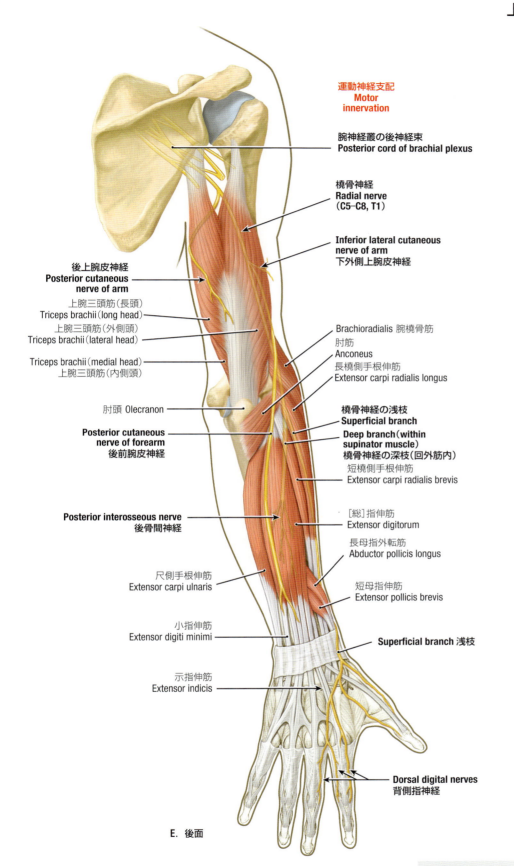

E. 後面

橈骨神経の損傷 Radial Nerve Injury

傷害 Impairments:
上腕骨幹部での骨折や全く合っていない松葉杖による，近位部の損傷，完全な下垂手（手首の伸展が失われる）．回外が弱まり，中手指節関節の伸展が失われる．上腕遠位部の後面，前腕，手背側面の感覚喪失．

症状 Manifestation:

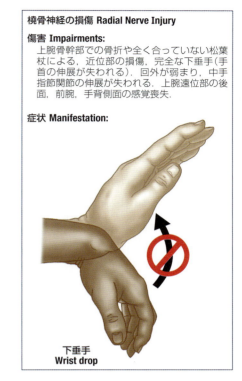

下垂手 Wrist drop

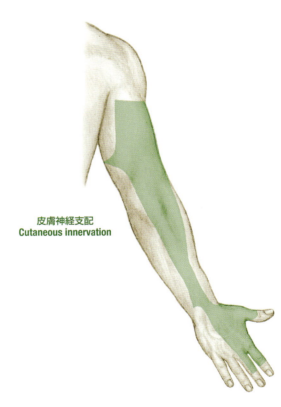

皮膚神経支配 Cutaneous innervation

2.4 上肢の神経支配の概観-Ⅳ

E 橈骨神経.

76 上肢　上肢の系統的概観：神経

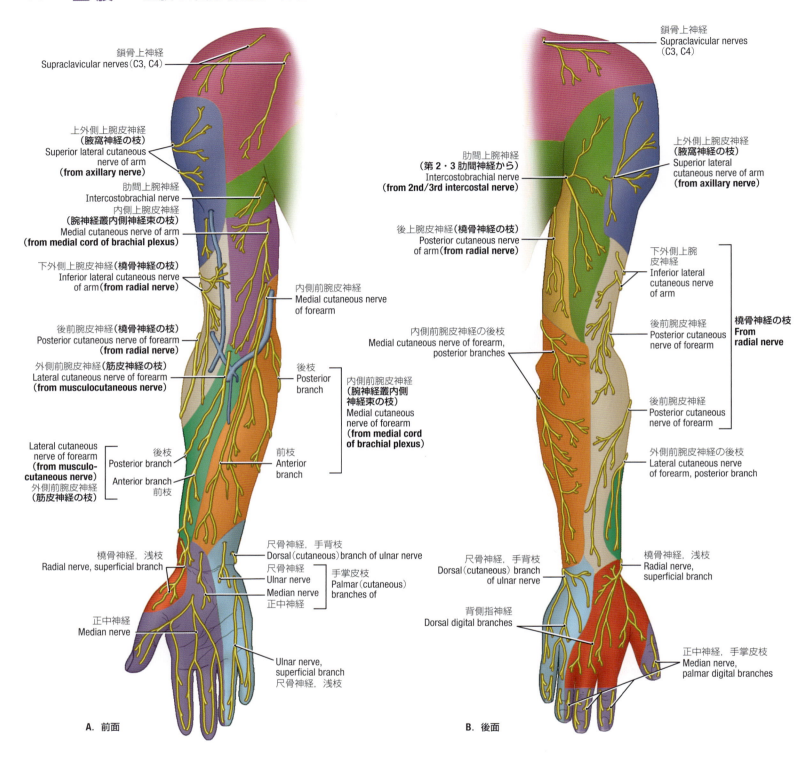

A. 前面　　B. 後面

2.5　上肢の皮神経

上肢における末梢皮神経の分布のまとめ．大半の神経は神経叢からの分枝であり，そのため1つ以上の脊髄神経に由来する神経線維を含む．

表2.1 上肢の皮神経

神経	脊髄分節	起始	走行/分布
鎖骨上神経	C3-C4	頸神経叢	鎖骨前面で広頸筋の直下を通過し，鎖骨を覆う皮膚と大胸筋の上外側面の皮膚とを支配する．
上外側上腕皮神経	C5-C6	腋窩神経（腕神経叢の後神経束）	三角筋の後縁から現れ，三角筋下部を覆う皮膚と上腕中央部の外側面の皮膚とを支配する．
下外側上腕皮神経		橈骨神経（腕神経叢の後神経束）	後前腕皮神経とともに分岐し，上腕三頭筋の外側頭を貫いて，上腕の下外側面の皮膚を支配する．
後上腕皮神経	C5-C8		腋窩で分岐し，上腕後面から肘頭にかけての皮膚を支配する．
後前腕皮神経			下外側上腕皮神経とともに分岐し，上腕三頭筋の外側頭を貫いて，上腕の後面の皮膚を支配する．
橈骨神経の浅枝	C6-C7		肘窩で分岐し，手背の外側半（橈側半）と母指，示指と中指の背側面，および環指の背側面の外側半（橈側半）の皮膚を支配する．
外側前腕皮神経		筋皮神経（腕神経叢の外側神経束）	上腕二頭筋と上腕筋の間で，筋皮神経の上腕筋枝の分岐部より遠位で同神経の直接の延長として起こる．上腕二頭筋腱と肘正中皮静脈との間で肘窩に現れ，前腕の外側縁（橈側縁）から母指球基部にかけての皮膚を支配する．
正中神経	C6-C7（外側神経束から）；C8-T1（内側神経束から）	腕神経叢の外側および内側神経束	上腕では上腕動脈と伴行し，前腕では浅指屈筋の深部を走行する．掌側皮枝を分岐した後で手根管を通過し，橈側（外側）3本半の指の掌側面とそれに対応する部分の手掌面との皮膚，および同じ指の遠位では爪床を含む背側面の皮膚とを支配する．
尺骨神経	(C7)，C8-T1	腕神経叢の内側神経束	上腕動脈，上尺側側副動脈，および尺骨動脈と伴行し，尺側（内側）1本半の指の背側面の皮膚と，これらの指に対応する手背の皮膚とを支配する．
内側前腕皮神経	C8-T1		上腕中央部で尺側皮静脈とともに深部筋膜を貫いて，前枝と後枝とに分かれ，前腕から手根部にかけての前面および内側面の皮膚を支配する．
内側上腕皮神経	C8-T2		腕神経叢で最も細く最も内側にある枝である．肋間上腕神経と交通した後，上腕動脈と尺側皮静脈との内側を下行して，上腕遠位部内側面の皮膚を支配する．
肋間上腕神経	T2	第2肋間神経の外側皮枝	第2肋骨の肋骨角の遠位で分岐し，腋窩と上腕近位部の皮膚を支配する．

78　上肢　上肢の系統的概観：神経

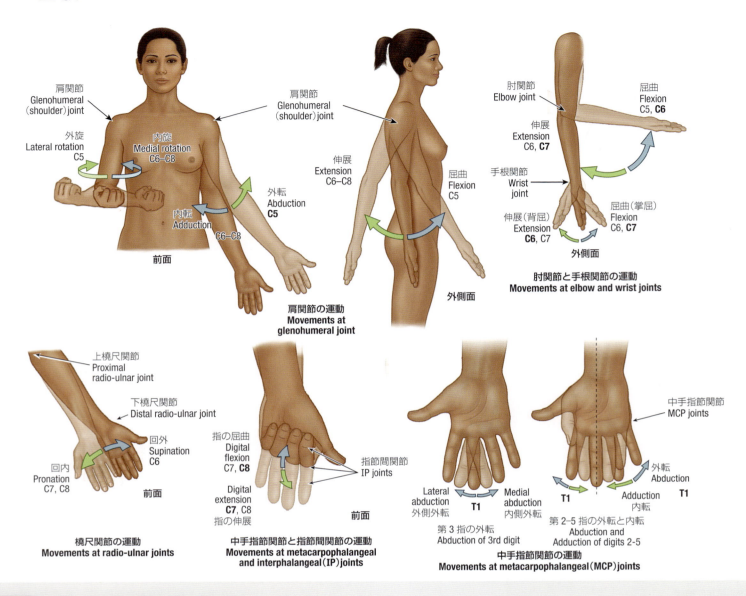

2.6 筋分節と深部腱反射（筋伸張反射）

筋分節．体性運動神経（一般体性遠心性神経）の線維は骨格筋（随意筋）に刺激を伝える．一対の脊髄神経に由来する体性運動神経から刺激を受ける両側の筋の分節構造を筋分節と呼ぶ．表2.2に示されている脊髄の分節に関係する筋の運動は，神経が障害された分節のレベルを持定するために最もしばしば検査される．

深部腱反射．深部腱反射（あるいは筋伸張反射）とは，突然の伸展刺激に対する筋の不随意な収縮のことである．深部腱反射は打腱器で腱を勢いよく叩いたときに引き起こされる．腱反射はそれぞれ特定の脊髄神経によって仲介される．深部腱反射（筋伸張反射）は筋緊張を調節する．

表2.2　脊髄神経の根が圧迫された際の臨床的な徴候：上肢

椎間板ヘルニアを起こしている部位	圧迫（絞扼）されている神経の根	影響される皮膚分節（デルマトーム）	影響される筋	力が弱くなる運動	関与する神経と深部腱反射（筋伸展反射）
C4とC5の間	C5	C5 肩 上肢の外側面	三角筋	肩関節の外転	腋窩神経 ↓上腕二頭筋反射
C5とC6の間	C6	C6 母指	上腕二頭筋 上腕筋 腕橈骨筋	肘関節の屈曲 前腕の回外・回内	筋皮神経 ↓上腕二頭筋反射 ↓腕橈骨筋反射
C6とC7の間	C7	C7 上肢の後面（背面） 中指と示指	上腕三頭筋 手根関節の伸筋群	肘関節の伸展 手根関節の伸展	橈骨神経 ↓上腕三頭筋反射

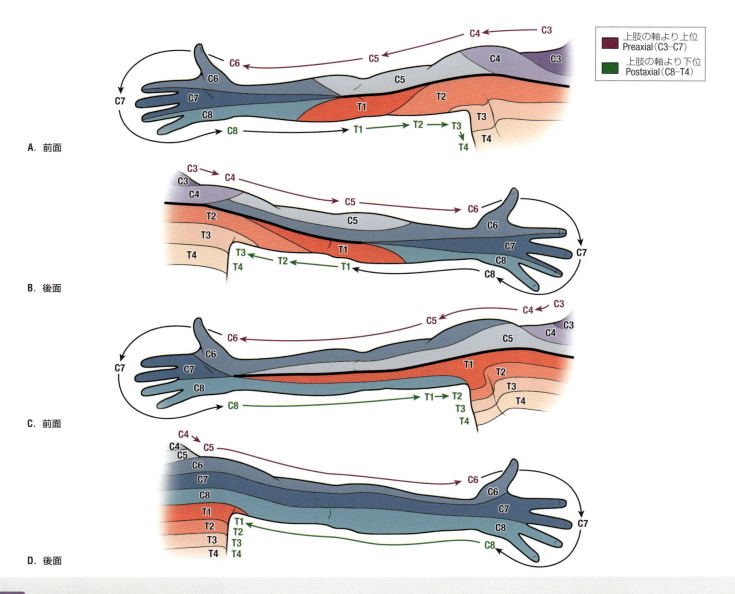

2.7 上肢の皮膚分節（デルマトーム）

2つの異なる皮膚分節の図が用いられている．

A, B　Foerster（1933）による皮膚分節パターン．この図は臨床所見との整合性から好まれて用いられている．Foersterによる模式図では，C6-T1の皮膚分節が体幹から上肢へとはつながっていない．

C, D　KeeganとGarrett（1948）による皮膚分節パターン．この図は発生学的所見との整合性から好まれて用いられている．別の領域に分けて表現されているが，上肢の軸に沿う線上を除き，隣接する皮膚分節にはかなりの重複がありうる．

表 2.3　上肢の皮膚分節（デルマトーム）

脊髄の分節/脊髄神経	デルマトームの記述
C3, C4	頸の下部から外側に肩まで広がる
C5	上腕外側（外転回外位の上腕の上側）
C6	前腕外側と母指
C7	中指と環指（示指を含むことも），および前腕後面の中央部
C8	小指，および手と前腕の内側（外転回外位の前腕の下側）
T1	前腕と上腕遠位部の内側
T2	上腕近位部の内側と腋窩[a]の皮膚

[a] KeeganとGarrettによる皮膚分節では記載されていない．しかしながら，心臓発作の際には，おそらくはT1とT2の枝によって伝えられる痛みがあり，これは"左腕の内側に放散する"と表現されることが一般的である．

80 上肢　上肢の系統的概観：動脈

A．前面

- 肩甲上動脈 Suprascapular artery
- 頸横動脈 Transverse cervical artery
- 右鎖骨下動脈 Right subclavian artery
- 甲状頸動脈 Thyrocervical trunk
- 右の総頸動脈 Right common carotid artery
- Brachiocephalic artery 腕頭動脈
- **Axillary artery**（begins lateral to border of 1st rib）腋窩動脈（第1肋骨外側縁より）
- Thoraco-acromial artery 胸肩峰動脈
- 外側腋窩隙 Quadrangular space
- 後上腕回旋動脈 Posterior circumflex humeral artery
- 前上腕回旋動脈 Anterior circumflex humeral artery
- 肩甲下動脈 Subscapular artery
- 肩甲回旋動脈 Circumflex scapular artery
- 上腕動脈（大円筋下縁より）**Brachial artery**（begins at inferior border of teres major muscle）
- （上行）三角筋枝 Deltoid (ascending) branch
- 胸背動脈 Thoracodorsal artery
- 上腕深動脈 Profunda brachii artery (deep artery of arm)
- Radial collateral artery 橈側側副動脈
- 中側副動脈 Medial collateral artery
- 橈側反回動脈 Radial recurrent artery
- 橈骨動脈 **Radial artery**
- 反回骨間動脈 Recurrent interosseous artery
- Posterior interosseous artery 後骨間動脈
- 橈骨動脈 Radial artery
- 掌側手根枝 Palmar carpal arch
- 深掌動脈弓 **Deep palmar arch**
- Lateral thoracic artery 外側胸動脈
- Superior and inferior ulnar collateral arteries 上尺側側副動脈と下尺側側副動脈
- Superior thoracic artery (branch of axillary artery) 最上胸動脈（腋窩動脈の枝）
- Brachial artery 上腕動脈
- Anterior and posterior ulnar recurrent arteries 尺側反回動脈の前枝と後枝
- **Ulnar artery** 尺骨動脈
- Common interosseous artery 総骨間動脈
- Anterior interosseous artery 前骨間動脈
- Ulnar artery 尺骨動脈
- Palmar carpal branch of ulnar artery 尺骨動脈の掌側手根枝
- **Superficial palmar arch** 浅掌動脈弓

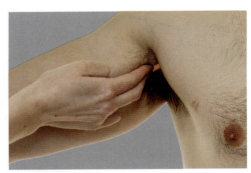

B．腋窩での腋窩動脈の脈拍
Axillary Pulse in Axilla

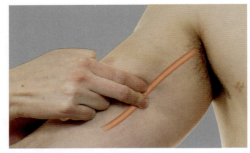

C．結節間溝での上腕動脈の脈拍
Brachial Pulse in Bicipital Groove

D．手首での尺骨動脈の脈拍
Ulnar Pulse at Wrist

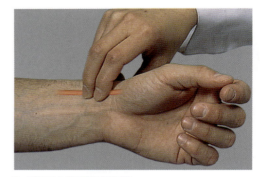

E．手首での橈骨動脈の脈拍
Radial Pulse at Wrist

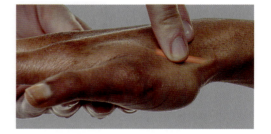

F．解剖学的嗅ぎタバコ入れでの橈骨動脈の脈拍
Radial Pulse in Anatomical Snuff Box

2.8　上肢の動脈，動脈網，脈拍の触知部位

A　概観．B–F　上肢の動脈の触知部位．

上肢の系統的概観：動脈　上肢

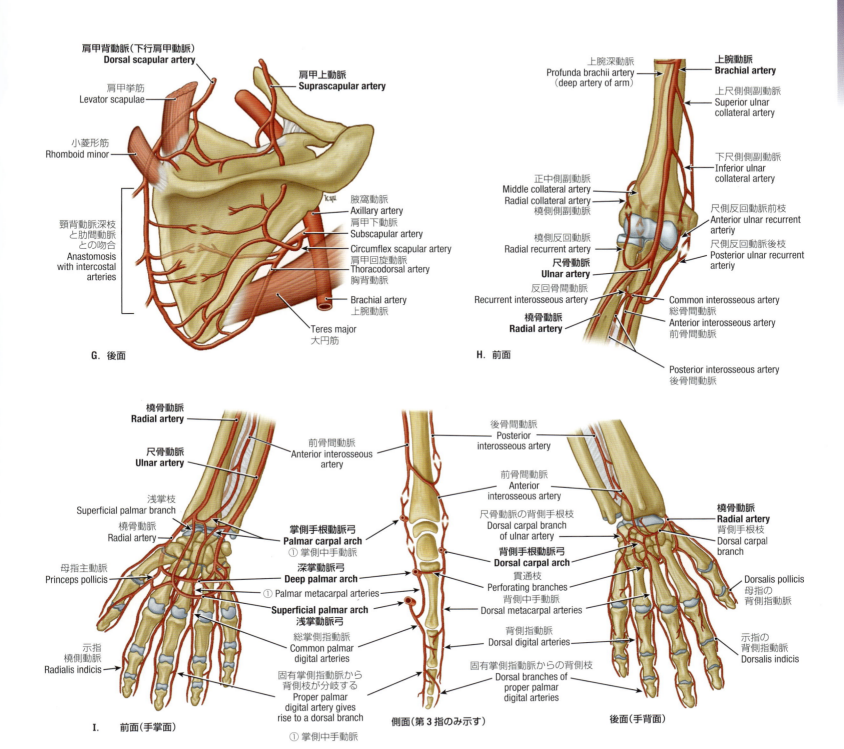

2.8 上肢の動脈，動脈網，脈拍の触知部位（続き）

G 肩甲骨周辺の動脈網．**H** 肘周辺の動脈網．**I** 手の動脈網．
関節周辺の動脈から枝分かれした複数の枝が，関節へ血液を供給する．動脈はしばしば分岐したり相互に吻合したりして血管を形成し，関節がどのように動いても常に関節部より遠位へ血液を送る．

動脈の閉塞．主要な動脈が閉塞すると，より細い血管が太くなって利用され，閉塞部位よりも遠位の構造への血流を確保するための側副血行路を形成する．しかし，側副血行路が形成されるには時間がかかり，突然の閉塞を埋め合わせるには不十分であることが多い．

82　上肢　上肢の系統的概観：静脈とリンパ管

A. 前面

- 肩甲上静脈 Suprascapular vein
- 外頸静脈 External jugular vein
- Internal jugular vein 内頸静脈
- 鎖骨下静脈 **Subclavian vein**
- 右・左腕頭静脈 **Right and left brachiocephalic veins**
- 橈側皮静脈 Cephalic vein
- 胸肩峰静脈 Thoraco-acromial vein
- **腋窩静脈 Axillary vein**
- Posterior circumflex humeral vein 後上腕回旋静脈
- Anterior circumflex humeral vein 前上腕回旋静脈
- 肩甲下静脈 Subscapular vein
- **Basilic vein（cut end）尺側皮静脈（断端）**
- Thoracodorsal vein 胸背静脈
- 上腕深静脈 Profunda brachii vein
- **Superior vena cava 上大静脈**
- Dorsal scapular vein 肩甲背静脈（背側肩甲静脈）
- Lateral thoracic vein 外側胸静脈
- Superior thoracic vein 最上胸静脈
- **Brachial veins 上腕静脈**
- 肘関節の側副静脈 Collateral veins of elbow joint
- 橈側反回静脈 Radial recurrent vein
- 前枝 Anterior
- 後枝 Posterior
- 尺側反回静脈 Ulnar recurrent veins
- 前骨間静脈 Anterior interosseous vein
- **橈骨静脈 Radial veins**
- 尺骨静脈 **Ulnar veins**
- **Deep venous palmar arch 深掌静脈弓**
- **Superficial venous palmar arch 浅掌静脈弓**
- Palmar digital vein 掌側指静脈
- Proper palmar digital veins 固有掌側指静脈

B. 後面

- 内頸静脈 Internal jugular vein
- External jugular vein 外頸静脈
- Suprascapular vein 肩甲上静脈
- **Axillary vein 腋窩静脈**
- 後上腕回旋静脈 Posterior circumflex humeral vein
- 前上腕回旋静脈 Anterior circumflex humeral vein
- Subscapular vein 肩甲下静脈
- **Subclavian vein 鎖骨下静脈**
- Circumflex scapular vein 肩甲回旋静脈
- **Basilic vein（cut end）尺側皮静脈（断端）**
- Dorsal scapular vein 肩甲背静脈（背側肩甲静脈）
- Thoracodorsal vein 胸背静脈
- Profunda brachii vein 上腕深静脈
- **Brachial veins 上腕静脈**
- 肘関節の側副静脈 Collateral veins of elbow joint
- 後骨間静脈 Posterior interosseous veins
- 手背静脈網 **Dorsal venous network of hand**
- 橈骨静脈 **Radial veins**
- 固有掌側指静脈 Proper palmar digital veins

2.9　上肢の深静脈の概観

深静脈は深筋膜より内部に位置し，2本で走行して，伴行する同名の動脈を取り囲むようにお互いに交通し合っている．

上肢の系統的概観：静脈とリンパ管　上肢

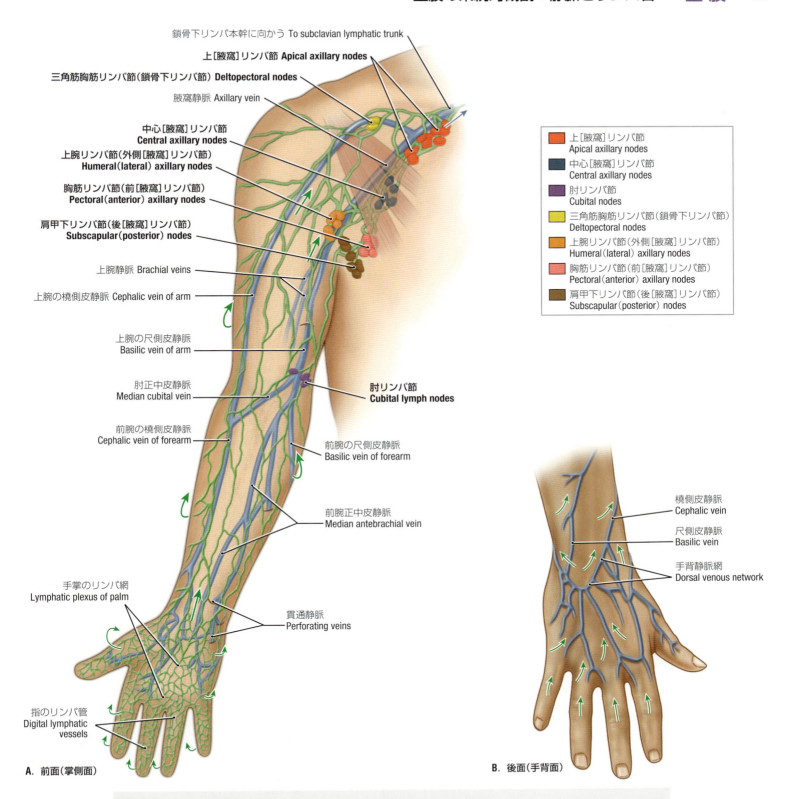

2.10　上肢の浅静脈（皮静脈）とリンパの流れ

A　上肢．B　手背．

　浅リンパ管は，指・手掌・手背のリンパ網に由来し，上肢の浅静脈（皮静脈）に沿って上行する．浅リンパ管は前腕と上腕を通って上行し，橈側皮静脈および特に尺側皮静脈に合流して腋窩リンパ節に至る．一部のリンパは肘窩で肘リンパ節を，さらに肩領域で三角筋胸筋リンパ節（鎖骨下リンパ節）を通過する．深リンパ管は上肢の神経と血管の束に沿って走行し，主に上腕リンパ節（外側［腋窩］リンパ節）と中心［腋窩］リンパ節に終わる．

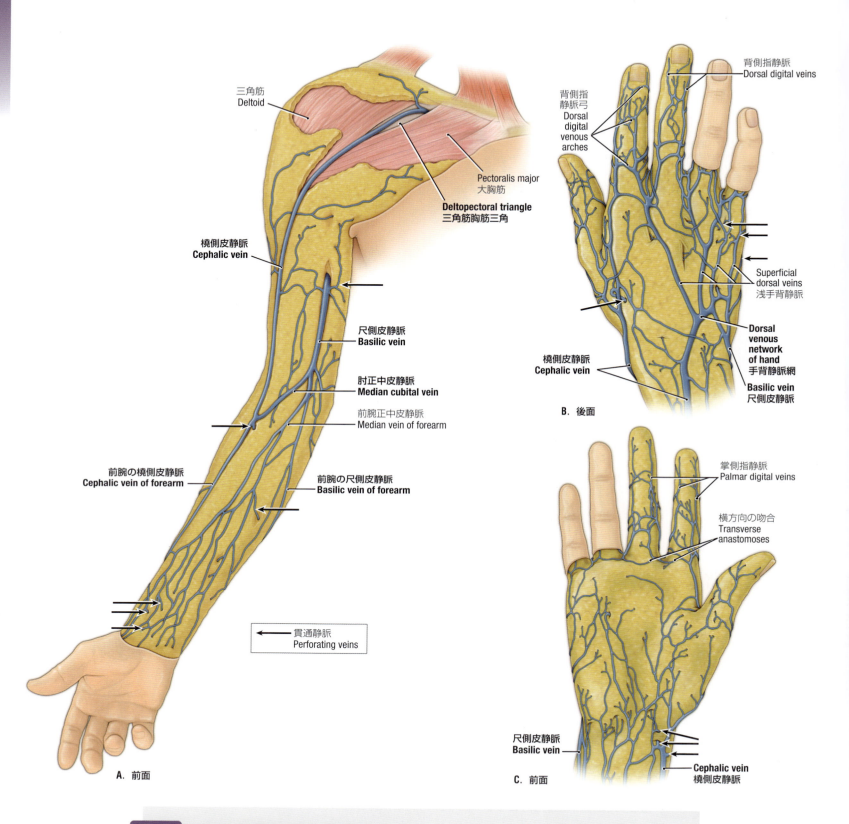

2.11 上肢の浅静脈（皮静脈）の流れ

A 前腕，上腕，および胸筋領域．B 手背．C 手掌．
矢印は静脈が上肢の深筋膜を貫通する部位を示す．血液は，筋膜を貫通する静脈を通って，皮下の浅静脈から深部の静脈へと常に流れ込んでいる．

上肢の系統的概観：静脈とリンパ管　　上肢

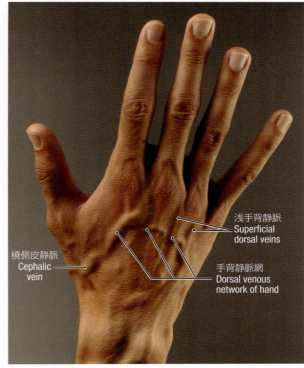

D. 前面

E. 後面

2.11　上肢の浅静脈（皮静脈）の流れ（続き）

D 前腕と上腕の皮静脈の体表解剖．**E** 手背の皮静脈の体表解剖．

浅静脈（皮静脈）は目立っていて到達しやすいため，**静脈穿刺**（血液を採取したり液体を注入したりするために静脈に針を刺すこと）によく用いられる．上腕部にマンシェットを巻くことによって，静脈は圧迫され，拡張して視認や触知ができるようになる．静脈が穿刺されたらマンシェットを外し，針を抜く際に血液が静脈から漏れすぎないようにする．肘正中皮静脈は，静脈穿刺に多く用いられる．手背静脈網とそれに由来する橈側皮静脈および尺側皮静脈は，長時間の**点滴**によく用いられる．肘部の皮静脈はまた，大血管や心房・心室からの血液試料を確保するための**心カテーテルを刺入**する部位でもある．

上肢の系統的概観：筋膜区画

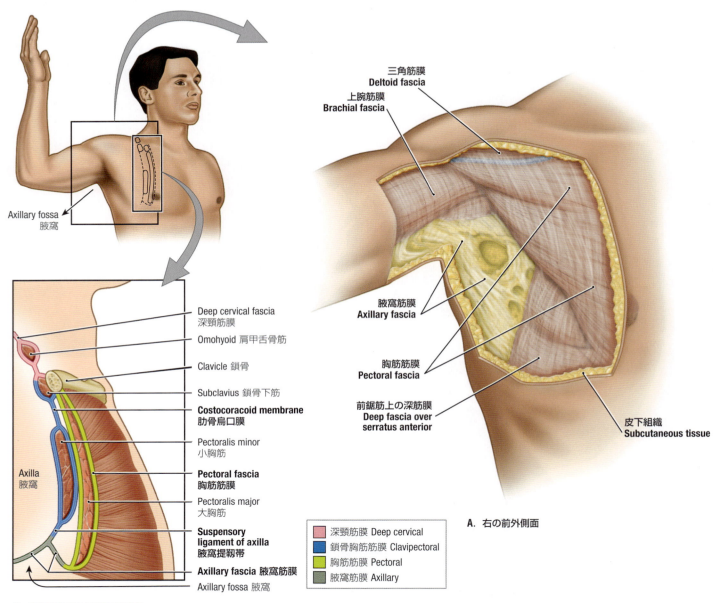

2.12 上肢の筋膜：腋窩筋膜と鎖骨胸筋筋膜

A　腋窩筋膜．腋窩筋膜は腋窩の天井をつくっており，大胸筋を包む胸筋筋膜や上腕の上腕筋膜と連続している．

B　鎖骨胸筋筋膜．鎖骨胸筋筋膜は腋窩筋膜から広がり，小胸筋と鎖骨下筋を覆って鎖骨に付着する．鎖骨胸筋筋膜のうち，小胸筋より上の部分は肋骨烏口膜，小胸筋より下の部分は腋窩提靱帯とも呼ばれる．腋窩提靱帯は，腋窩筋膜の延長で，腋窩筋膜を支持し，上腕の外転時に腋窩筋膜およびそれより下方の皮膚を上方に引くため，腋窩という窪みができる．

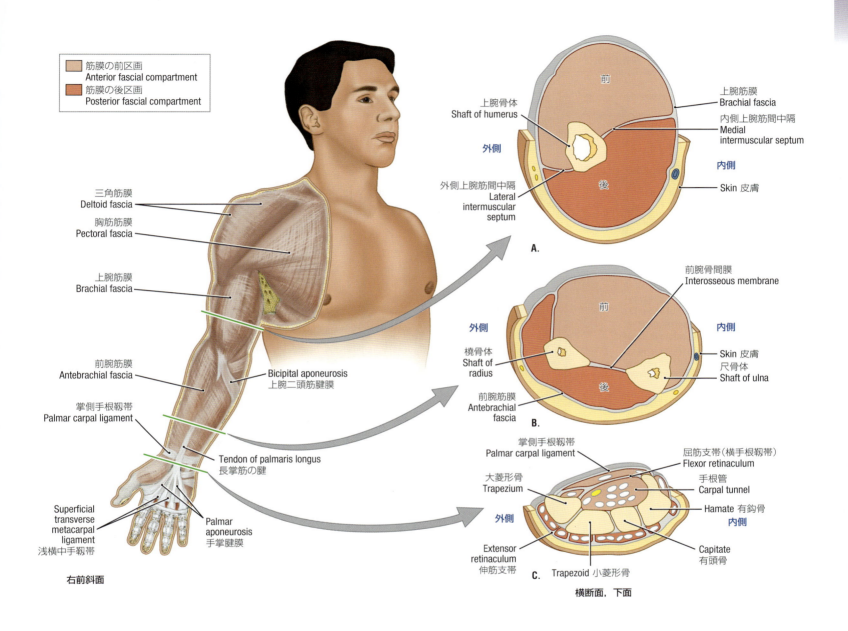

2.13 上肢の筋膜：上腕筋膜と前腕筋膜

A 上腕筋膜．上腕筋膜は上腕深部の筋膜で，上方では胸筋筋膜や腋窩筋膜と連続している．内側・外側上腕筋間中隔が上腕筋膜深部から広がって上腕骨に付着していて，上腕を前区画（筋筋膜区画）と後区画とに分けている．

B 前腕筋膜．前腕筋膜は前腕を覆い，上腕筋膜や手の筋膜と連続している．前腕骨間膜が前腕を前区画（筋筋膜区画）と後区画に分けている．遠位部では上腕筋膜は肥厚して掌側手根靱帯を形成するが，これは屈筋支帯や背側の指背腱膜と連続している．手の筋膜は前腕筋膜の続きで，手掌側では肥厚して手掌腱膜を形成する．

C 手の屈筋支帯（横手根靱帯）．屈筋支帯は内側と外側の手根骨の間に張っていて，手根管を形成する．

88　上肢　胸筋の領域

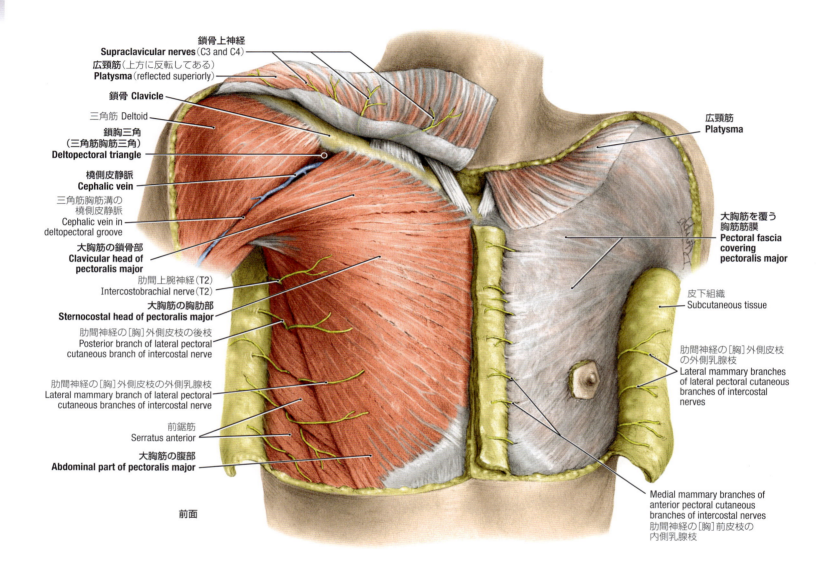

2.14 男性における胸部の浅部解剖

- 広頸筋は通常，第2・3肋骨の位置まで下方へ広がっているが，ここでは左では短く切り取られ，右では鎖骨上神経とともに上方へ反転してある．
- 鎖骨のうち，筋が付着していない骨表面を露出してある．これは本来，皮下にあり，かつ広頸筋より深部にある．
- 橈側皮静脈が深部へ走行し，鎖胸三角（三角筋胸筋三角）で腋窩静脈に合流する．
- 胸部の皮神経は，鎖骨上神経（C3，C4）および上位の胸神経（T2-T6）である．腕神経叢（C5-T1）は胸部へは皮神経を送らない．

胸筋の領域　　上　肢　　89

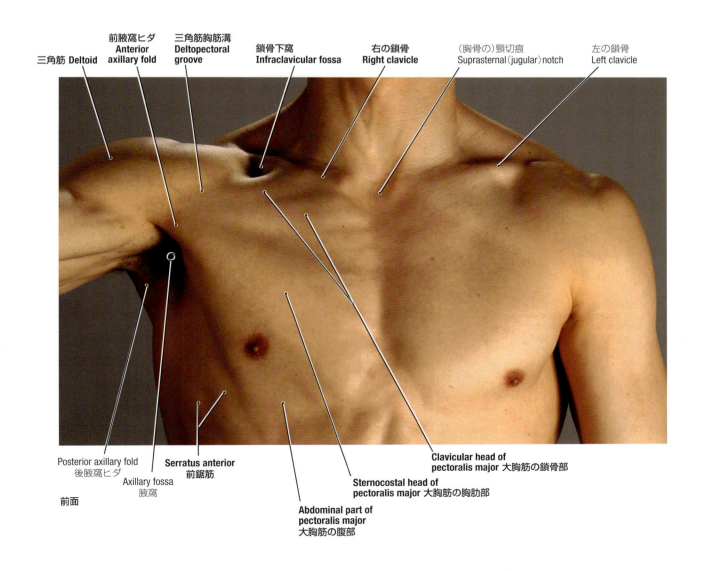

2.15 男性における胸部の体表解剖

鎖胸三角（三角筋胸筋三角）は，鎖骨外側部直下の窪んだ領域である．鎖胸三角は上方では鎖骨，外側では三角筋，内側では大胸筋の鎖骨部に囲まれている．鎖胸三角とその下端から広がる三角筋胸筋溝は，腋窩，肩関節，あるいは上腕骨近位部にアプローチする外科的な前方切開ないし三角筋胸筋間切開のための「神経間平面」（運動神経が横切ることのない平面）を示している．
上肢を外転しさらに外力に抗して内転したとき，大胸筋の三部のうち二部（鎖骨部と胸肋部）を視認し触知できる．大胸筋は胸壁から起こって上腕に終わるため，腋窩の前壁（前腋窩ヒダ）を構成している．前鋸筋起始部が手の指の分岐のようにギザギザになっているのが，大胸筋の外側下部に見えている．肩甲骨の烏口突起は三角筋前部（鎖骨部）に覆われているが，烏口突起の先端部は鎖胸三角の奥に触知できる．三角筋は肩の輪郭をなしている．

90　上肢　胸筋の領域

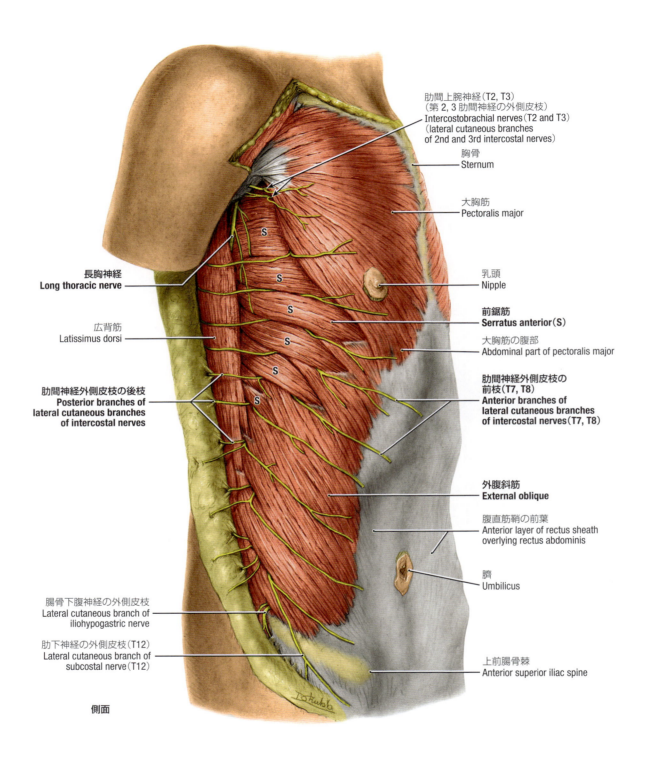

側面

2.16　体幹浅部の解剖

- 前鋸筋の起始部が外腹斜筋の起始部と噛み合っている．
- 長胸神経（前鋸筋の支配神経）は前鋸筋の浅部（ないし外部）を走行する．この神経は刺創や手術（例えば拡大乳房切除術）によって損傷を受けやすい．
- 胸腹部の肋間神経外側皮枝の前枝と後枝とが剖出されている．

胸筋の領域　上肢

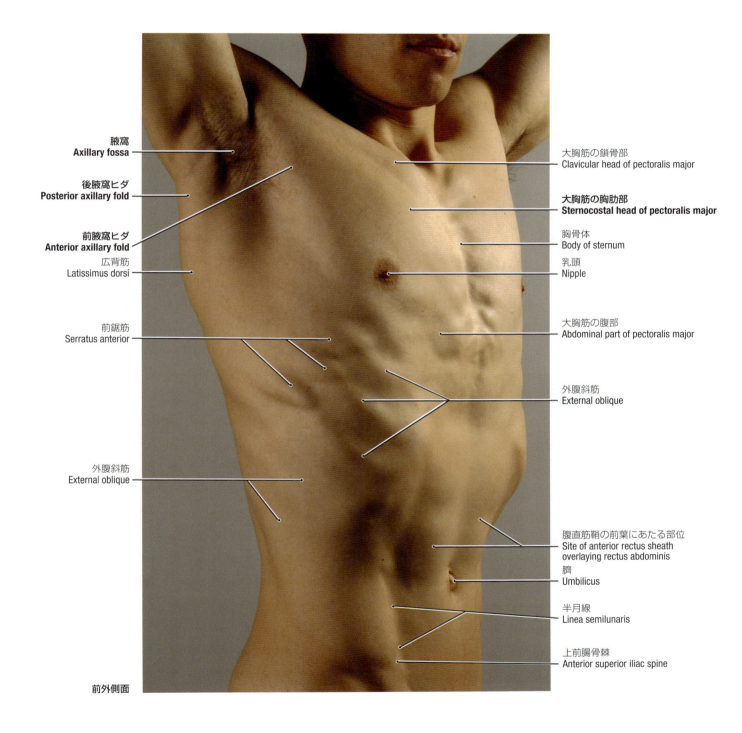

2.17 体幹前外側部の体表解剖

上腕を外転しさらに外力に抗して内転したとき，大胸筋の胸肋部を視認し触知できる．腋窩を境している前腋窩ヒダを母指とそれ以外の指とでつかめば，大胸筋の胸肋部の下縁を触知できる．前鋸筋起始部の分岐のいくつかが前腋窩ヒダの下に見えている．後腋窩ヒダは腋窩の後壁をつくる皮膚と筋（広背筋と大円筋）とからなる．

92 上肢 胸筋の領域

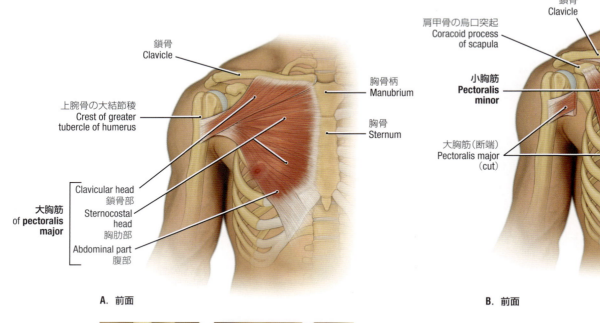

A. 前面

B. 前面

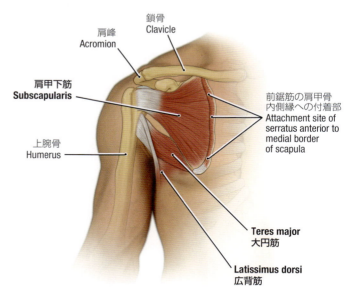

C. 右の前外側面

D. 前面

2.18 腋窩の壁の筋

A, B 腋窩の前壁の筋．大胸筋(A)，小胸筋，鎖骨下筋(B)． C 腋窩の内側壁の筋．前鋸筋． D 腋窩の後壁の筋．肩甲下筋，大円筋，広背筋．

胸筋の領域　上肢

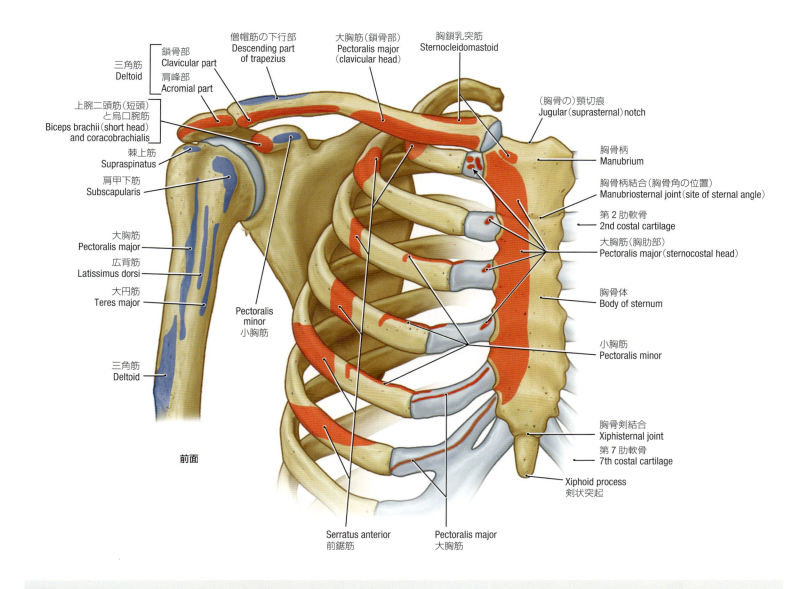

2.19 体幹から起こって上肢に停止する前方と後方の筋群，ならびに肩甲骨から起こって上腕骨に停止する前方の筋群の骨への付着部（前面）

表2.4 体幹から起こって上肢に停止する前方の筋群

筋	起始（赤色部分）	停止（青色部分）	神経支配[a]	主な作用
大胸筋	鎖骨部：鎖骨内側半の前面 胸肋部：胸骨前面，上位6つの肋軟骨 腹　部：外腹斜筋腱膜	結節間溝の大結節稜	内側・外側胸筋神経，鎖骨部（C5，**C6**），胸肋部（**C7**，**C8**，T1）	肩関節における上腕骨の内転と内旋，肩甲骨を前方と下方に引く．鎖骨部単独では上腕骨を屈曲，胸肋部単独では屈曲位から上腕骨を伸展
小胸筋	第3-5肋骨の肋軟骨に近い部位	肩甲骨烏口突起の内側縁と上面	内側・外側胸筋神経（C8，T1）	肩甲骨を胸壁に対して前方および下方に引くことによって肩甲骨を安定化する．
鎖骨下筋	第1肋骨とその肋軟骨の接合部	鎖骨中央1/3の下面	鎖骨下筋神経（**C5**，C6）	胸鎖関節の位置で鎖骨をつなぎ留め下制する．
前鋸筋	第1から第8，9肋骨の外側部の外表面	肩甲骨内側縁の前面	長胸神経（C5，**C6**，**C7**）	肩甲骨を前方へ引き，胸壁に対して保持，肩甲骨の回旋

[a] 数字は支配神経の脊髄のレベルを示す（例えば，"C5，C6"とは，大胸筋鎖骨部は脊髄の第5・6頸髄分節から由来する神経に支配される，という意味）．**太字**は支配神経の主な脊髄レベルを示す．脊髄やそこに由来する運動神経の根への障害は，当該筋の麻痺を引き起こす．

94 上肢　胸筋の領域

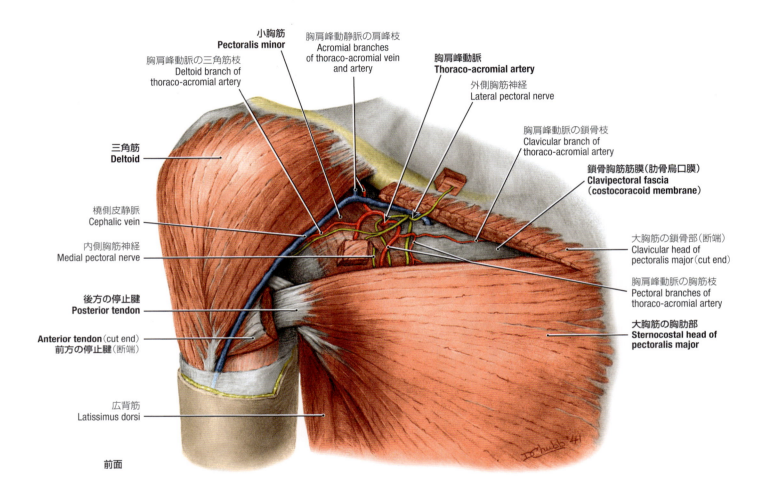

前面

2.20 腋窩前壁と鎖骨胸筋筋膜

腋窩の前壁．大胸筋の鎖骨部は，外側胸筋神経の枝による筋支配を示すために残した2つの立方体を除いて，切り取られている．

- 鎖骨胸筋筋膜の小胸筋より上の部分（肋骨烏口膜）を，橈側皮静脈，外側胸筋神経，胸肩峰動静脈が貫いている．
- 小胸筋と鎖骨胸筋筋膜を内側胸筋神経が貫いている．
- 大胸筋の腱が，胸肋部下部（腹部），胸肋部上部（狭義の胸肋部）（後方の停止腱），鎖骨部（前方の停止腱）の順に深部から浅部へと停止することに注目すること．

腋窩，腋窩の血管，腕神経叢　　上肢

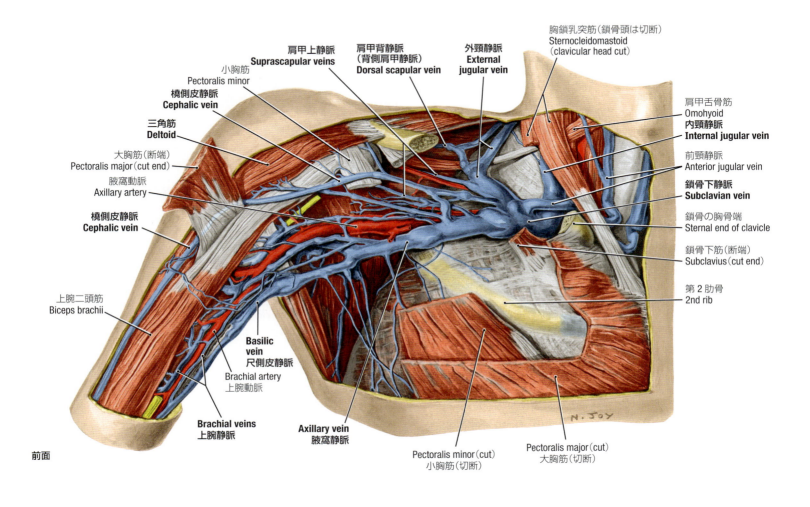

2.21　腋窩の静脈

- 橈側皮静脈は上腕静脈と合流して大円筋の下縁付近で腋窩静脈となり，腋窩静脈は第1肋骨外側縁で鎖骨下静脈となり，鎖骨下静脈は内頸静脈と合流して鎖骨の胸骨端の後方で腕頭静脈となる．
- 多数の静脈弁（静脈が膨らんでいる部分）を示す．
- この標本では橈側皮静脈は二分して腋窩静脈と外頸静脈とに注いでいる．

96 上肢　腋窩，腋窩の血管，腕神経叢

A. 下面

- 第2・3肋間神経の外側皮枝の前枝 Anterior branches of lateral cutaneous branches of 2nd and 3rd intercostal nerves
- 腋窩鞘 Axillary sheath
- 烏口腕筋 Coracobrachialis
- 上腕二頭筋，短頭 Biceps brachii, short head
- 正中神経 Median nerve
- 筋皮神経 Musculocutaneous nerve
- 橈側皮静脈 Cephalic vein
- 上腕二頭筋，長頭 Biceps brachii, long head
- 三角筋 Deltoid
- 上腕筋 Brachialis
- 烏口腕筋 Coracobrachialis
- 橈骨神経 Radial nerve
- 上腕深動脈 Profunda brachii artery
- 上腕三頭筋 Heads of triceps brachii／外側頭 Lateral／内側頭 Medial／長頭 Long
- 尺骨神経 Ulnar nerve
- 尺側皮静脈 Basilic vein
- 上腕動脈 Brachial artery
- 大胸筋 Pectoralis major
- 小胸筋 Pectoralis minor
- 第3肋間神経の外側皮枝 Lateral cutaneous branch of 3rd intercostal nerve
- 外側胸動脈 Lateral thoracic artery
- 前鋸筋 Serratus anterior
- 上肩甲下神経 Upper subscapular nerve
- 長胸神経 Long thoracic nerve
- 肩甲下筋 Subscapularis
- 胸背神経 Thoracodorsal nerve
- 広背筋 Latissimus dorsi
- 胸背動脈 Thoracodorsal artery
- 下肩甲下神経 Lower subscapular nerve
- 肩甲回旋動脈 Circumflex scapular artery
- 第3・4肋間神経の外側皮枝の後枝 Posterior branches of lateral cutaneous branches of 3rd and 4th intercostal nerves
- 大円筋 Teres major
- 上腕三頭筋長頭枝（橈骨神経の枝） Nerve to long head of triceps (from radial nerve)
- 肋間上腕神経 Intercostobrachial nerves

B. 前面

- 腋窩頂（頸腋窩管） Apex of axilla (cervico-axillary canal)
- 第1肋骨 1st rib
- 鎖骨 Clavicle
- 結節間溝 Intertubercular sulcus
- 腋窩の外側壁 Lateral wall
- 腋窩の後壁 Posterior wall
- 腋窩の前壁 Anterior wall
- 腋窩底 Base of axilla
- 腋窩の内側壁 Medial wall

凡例 B 腋窩の壁：
- 腋窩頂 Apex
- 腋窩底 Base
- 前壁 Anterior wall
- 外側壁 Lateral wall
- 内側壁 Medial wall
- 後壁 Posterior wall

2.22 腋窩の壁と内部構造

- A 解剖図．B 腋窩の位置とその壁を示す模式図．
- 腋窩の壁はそれぞれ，前壁が大・小胸筋と鎖骨下筋，後壁が肩甲下筋・広背筋・大円筋，内側壁が前鋸筋，外側壁が上腕骨（上腕二頭筋と烏口腕筋が覆う）の結節間溝（上腕二頭筋長頭が通る）で構成される．
- 腋窩鞘が上肢の神経と動静脈の束（神経血管束）を包んでいる．

腋窩，腋窩の血管，腕神経叢　　上　肢　　97

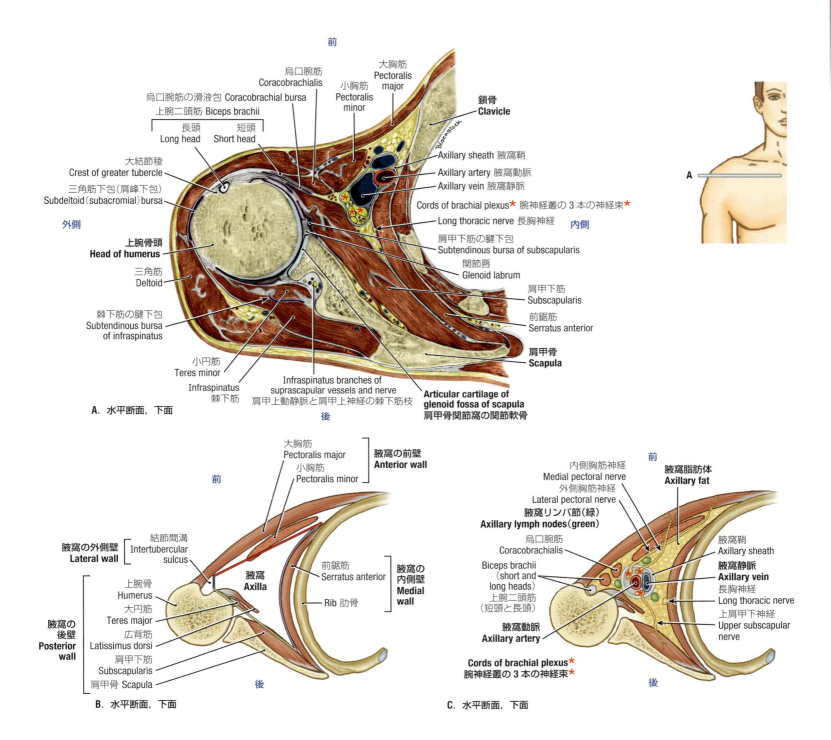

2.23 肩関節と腋窩を通る水平断面

A 解剖図. B 腋窩の壁を示す模式図. C 腋窩の壁と内部の構造を示す模式図.

- 上腕二頭筋長頭腱が通る上腕骨の結節間溝は前方を向いている．上腕二頭筋短頭および烏口腕筋と小胸筋が，これらの筋の烏口突起への付着のすぐ下方で切断されている．
- 肩関節の浅い関節窩は関節唇によって深められている．
- 肩周辺の滑液包として，三角筋と上腕骨大結節との間に三角筋下包（肩峰下包），肩甲下筋腱と肩甲骨との間に肩甲下筋の腱下包，烏口腕筋と肩甲下筋との間に烏口腕筋の腱下包がある．
- 腋窩鞘が，腋窩動静脈と腕神経叢の 3 本の神経束を包んで神経血管束を形成し，腋窩脂肪体に覆われている．

98　上肢　腋窩，腋窩の血管，腕神経叢

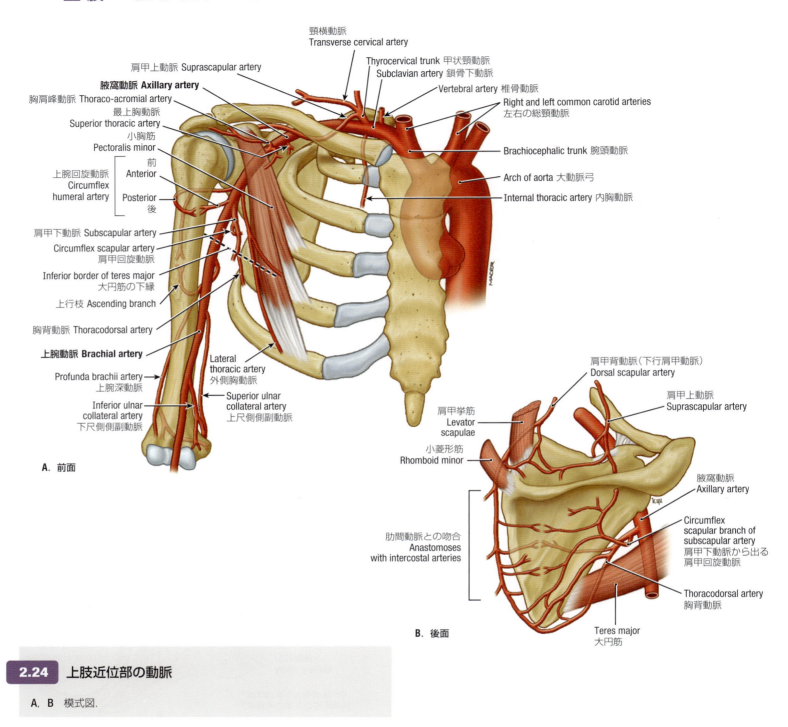

2.24 上肢近位部の動脈

A, B 模式図.

表2.5 上肢近位部（肩の領域と上腕）の動脈

動脈	起始	走行
甲状頸動脈	鎖骨下動脈	短いが太い共通幹として上行し，しばしば肩甲上動脈と頸横動脈の一方ないし両方を出した後，上行頸動脈と下甲状腺動脈とに分岐して終わる．
肩甲上動脈	鎖骨下動脈 甲状頸動脈/鎖骨下動脈	前斜角筋と横隔神経との前方，さらに鎖骨と平行に後外側方へ走行する鎖骨下動脈と腕神経叢との前方を，下外側方に横切った後，肩甲横靱帯の上を通過して棘上窩に入り，肩甲棘の外側（肩峰の深部）で棘下窩に入る．
肩甲背動脈	鎖骨下動脈の第3部（まれに第2部）から直接，独立して	鎖骨下動脈の枝としては，肩甲背動脈は中斜角筋の前方で腕神経叢の神経幹を外側方に横切る．起始部にかかわらず，遠位部は肩甲挙筋や菱形筋の深部を走行し，これらに血液を供給して，肩甲骨周辺の動脈網の一部となる．

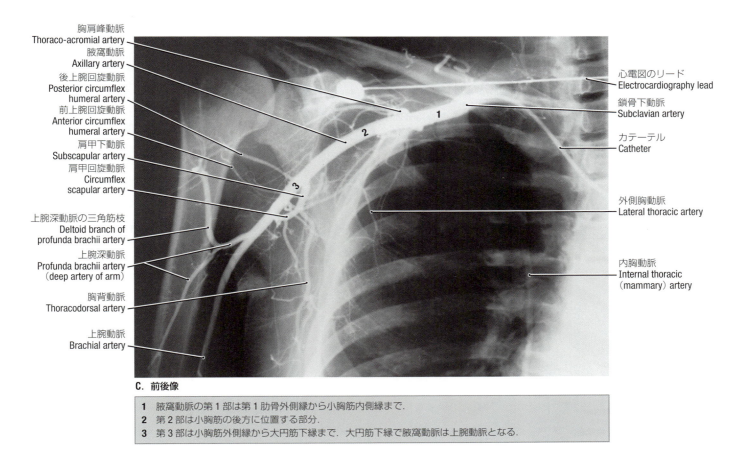

C. 前後像

1 腋窩動脈の第1部は第1肋骨外側縁から小胸筋内側縁まで．
2 第2部は小胸筋の後方に位置する部分．
3 第3部は小胸筋外側縁から大円筋下縁まで．大円筋下縁で腋窩動脈は上腕動脈となる．

2.24 上肢近位部の動脈（続き）

C 腋窩動脈とその枝の血管造影像．

表 2.5 上肢近位部（肩の領域と上腕）の動脈（続き）

動脈	起始		走行
最上胸動脈	腋窩動脈の第1部（第1部の唯一の枝）	腋窩動脈	小胸筋の上縁に沿って前内側方へ走行した後，小胸筋と大胸筋との間を通って胸壁に至り，他の動脈とともに第1および第2肋間と前鋸筋上部とを栄養する．
胸肩峰動脈	腋窩動脈の第2部（内側枝）		小胸筋の上内側縁を回り込んで肋骨烏口膜（鎖骨胸筋筋膜）を貫いて，胸筋枝・三角筋枝・肩峰枝・鎖骨枝の4本に分岐する．
外側胸動脈	腋窩動脈の第2部（外側枝）		小胸筋の腋窩縁に沿って下行しつつ胸壁に達し，乳房の外側部を栄養する．
前・後上腕回旋動脈	腋窩動脈の第3部（時には他の動脈との共通幹を介して分岐）		上腕骨外科頸の前後をそれぞれ回り込んで外側部でお互いに吻合する．より太い後方への枝は外側腋窩隙を通る．
肩甲下動脈	腋窩動脈の第3部（第3部の最大の枝）		肩甲下筋の下縁の高さからは肩甲骨の外側縁に沿って下行し，そこから2-3 cm走行するうちに最終枝である肩甲回旋動脈と胸背動脈とに分岐する．
肩甲回旋動脈	上腕動脈の枝の肩甲下動脈	上腕動脈	肩甲骨の外側縁を回り込んで棘下窩に入り，肩甲下動脈と吻合する．
胸背動脈	上腕動脈の起始部付近で分岐		肩甲下動脈から分岐してそのまま走行し，胸背神経と伴行し広背筋に入る．
上腕深動脈	上腕の中央付近で上腕動脈から分岐		上腕骨の橈骨神経溝の中で橈骨神経と伴行し，上腕伸側（後区画）を栄養する．とくに肘関節周囲の動脈網に参加する．
上尺側側副動脈	大円筋の下方で上腕動脈から分岐		肘の後方で尺骨神経と伴行し，後尺側反回動脈と吻合する．
下尺側側副動脈	上腕骨の内側上顆の近位部で上腕動脈から分岐		上腕骨の内側上顆の前方を通過し，肘関節の周囲で前尺側側副動脈と吻合する．

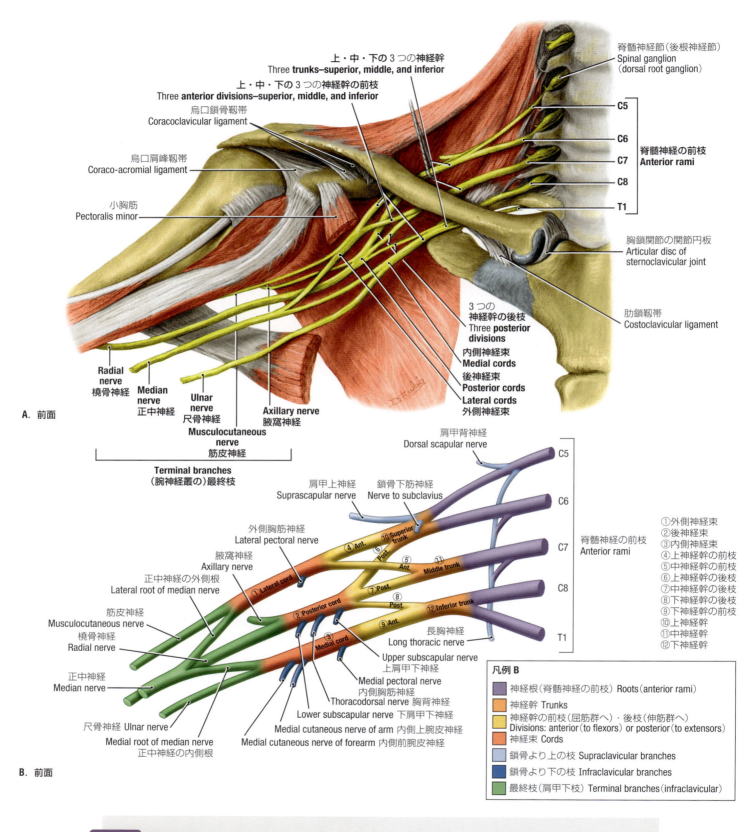

2.25 腕神経叢

A 解剖図. B 模式図.

表 2.6 腕神経叢の枝

神経	起始	走行	分布（神経支配）
鎖骨より上の枝			
肩甲背神経	C5 の前枝，しばしば C4 の枝も入る．	中斜角筋を貫き，下行して菱形筋の裏面に入る．	菱形筋，場合によっては肩甲挙筋も
長胸神経	C5-C7 の前枝	C8 および T1 の根の後方を下行し，前鋸筋の外側面に沿って下行する．	前鋸筋
鎖骨下筋神経	C5 と C6 の線維（しばしば C4 からも）を受ける上神経幹	鎖骨の後方で腕神経叢および鎖骨下動脈の前方を下行する．	鎖骨下筋と胸鎖関節
肩甲上神経		後頸三角を横切って外側へ走行し，上肩甲横靱帯の下を通って肩甲切痕を通過する．	棘上筋，棘下筋，肩関節
鎖骨より下の枝			
外側胸筋神経	C5-C7 の線維を受ける外側神経束	鎖骨胸筋筋膜を貫いて胸筋の深部へ達する．	主に大胸筋，小胸筋を支配する内側胸筋神経へも枝を送ってワナ（胸筋神経ワナ）をつくる
筋皮神経		烏口腕筋を貫き，上腕二頭筋と上腕筋の間を下行する．	烏口腕筋，上腕二頭筋，上腕筋；外側前腕皮神経を出す
正中神経	外側根は外側神経束からで C6 と C7 の線維を受ける．内側根は内側神経束からで C8 と T1 の線維を受ける．	腋窩動脈の外側で，外側根と内側根が合流して正中神経となる．上腕動脈の前方を横切り肘窩では動脈の内側に至る．	前腕の屈筋群（尺側手根屈筋および深指屈筋の尺側半を除く），母指球の 3 つ半の筋，外側の 2 つの虫様筋，手掌の皮膚，環指の長軸を通る線より外側（橈側）にある指 3 本半分の掌側の皮膚，およびこれらの指の遠位半の背側の皮膚
内側胸筋神経		腋窩動脈と腋窩静脈との間を通過して，小胸筋の裏面に入る．	小胸筋，および大胸筋の一部
内側上腕皮神経	C8 と T1 の線維を受ける内側神経束	腋窩静脈の内側に沿って下行し，肋間上腕神経と交通する．	上腕内側の皮膚
内側前腕皮神経		腋窩動脈と腋窩静脈との間を走行する．	前腕内側の皮膚
尺骨神経	C8 と T1 の線維（しばしば C7 からも）を受ける内側神経束の最終枝	上腕の内側面を下行し，上腕骨内側上顆の後方を通って前腕に入る．	前腕の 1 つ半の屈筋（尺側手根屈筋，深指屈筋の尺側半），母指球の 1 つ半の筋，内側の 2 つの虫様筋，すべての背側・掌側骨間筋，環指の長軸を通る線より内側（尺側）にある指 1 本半分の掌側および背側の皮膚
上肩甲下神経	C5 の線維を受ける後神経束の枝	後方へ走って肩甲下筋に入る．	肩甲下筋の上部
胸背神経	C6-C8 の線維を受ける後神経束の枝	上・下肩甲下神経の間を上行して下外側方へ走り広背筋に至る．	広背筋
下肩甲下神経	C6 の線維を受ける後神経束の枝	肩甲下動静脈の深部を下外側方へ走り，肩甲下筋と大円筋に至る．	肩甲下筋の下部，大円筋
腋窩神経	C5 と C6 の線維を受ける後神経束の最終枝	後上腕回旋動脈とともに外側腋窩隙[a]を通過して上腕後面に達し，そこで上腕骨外科頸を回り込む．外側上腕皮神経を出す．	小円筋，三角筋，肩関節，上腕の上外側部の皮膚
橈骨神経	C5-T1 の線維を受ける後神経束の最終枝	腋窩動脈の後方を下行し，橈骨神経溝に入って上腕三頭筋の長頭と内側頭の間を通過する．	上腕三頭筋，肘筋，腕橈骨筋，前腕の伸筋群，上腕と前腕の後面の皮膚および第 4 指の長軸を通る線より外側（橈側）にある手背の皮膚

[a] 外側腋窩隙を囲む構造は，上方では肩甲下筋と小円筋，下方では大円筋，内側では上腕三頭筋の長頭，外側では上腕骨である．

102 上肢　腋窩，腋窩の血管，腕神経叢

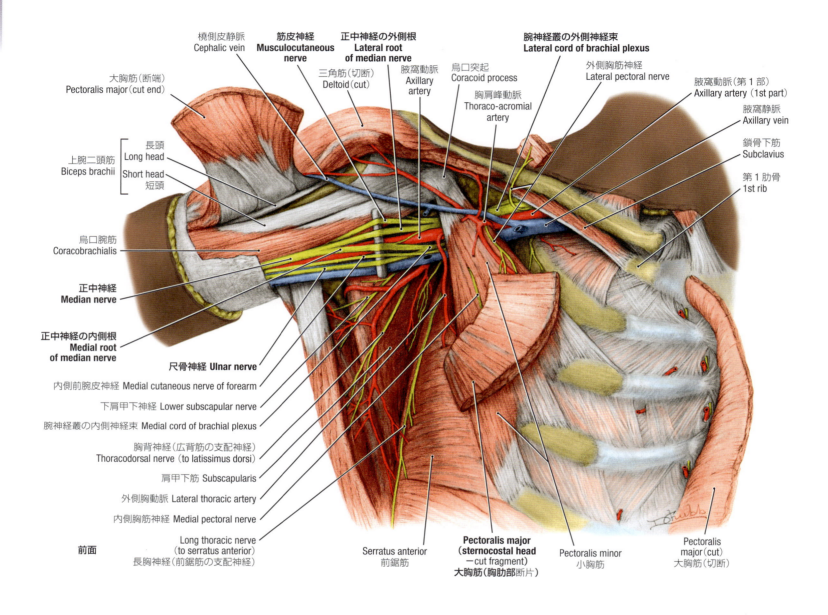

2.26 腋窩の深部-I：腋窩の構造

- 大胸筋を反転し，鎖骨胸筋筋膜は切り取ってある．鎖骨の上にある立方体に切り取られた筋は大胸筋鎖骨部の一部である．
- 鎖骨下筋と小胸筋は前胸壁深部の2つの筋である．
- 腋窩動脈の第2部は小胸筋の後方で烏口突起先端より1横指下を通過する．腋窩静脈は腋窩動脈の前方に，後に内側に位置する．
- 正中神経を近位方向へたどると，その外側根を通じて外側神経束と筋皮神経に至り，その内側根を通じて内側神経束と尺骨神経に至る．これらの4本の神経と内側前腕皮神経は腕神経叢の前半部から起こり，図中では短い棒で持ち上げられている．正中神経の外側根は数本の束からなることもある．
- 筋皮神経は烏口腕筋を貫いて上腕の前区画（屈筋群）に入る．

腋窩，腋窩の血管，腕神経叢　　**上 肢**　103

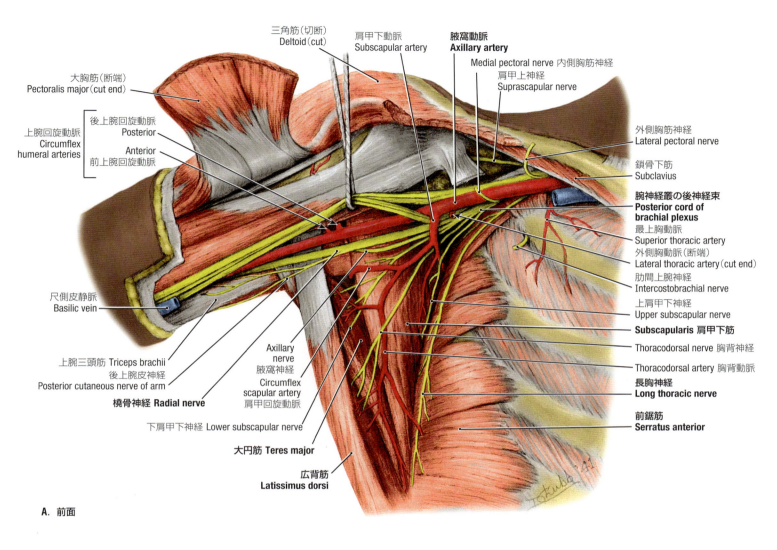

A. 前面

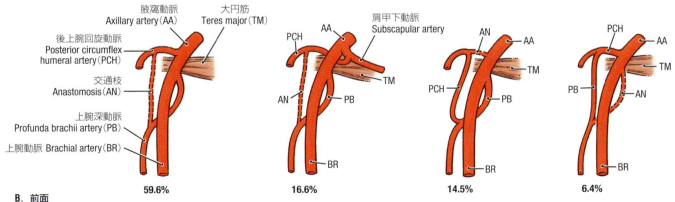

B. 前面

| 2.27 | 腋窩の深部-II：腋窩の後壁と内側壁 |

A　解剖図．小胸筋は切り取り，腕神経叢の外側・内側神経束は引き上げられ，腋窩静脈は除去されている．
B　後上腕回旋動脈と上腕深動脈の変異．比率はGrant博士の研究室による235例の解析に基づく．

104 上肢　腋窩，腋窩の血管，腕神経叢

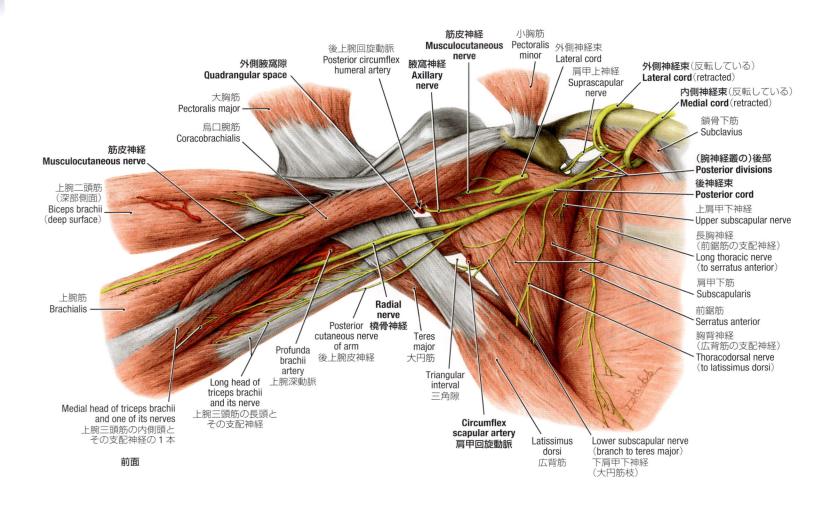

| 2.28 | 腋窩の深部-III：腋窩の後壁，筋皮神経，後神経束 |

- 大・小胸筋は外側へ反転し，腕神経叢の外側・内側神経束は上方へ反転，動静脈と正中・尺骨両神経は取り除いてある．
- 烏口腕筋は上腕二頭筋短頭とともに烏口突起の先端から起こり，上腕骨内側面の中ほどに停止する．
- 筋皮神経は烏口腕筋を貫き，烏口腕筋・上腕二頭筋・上腕筋を支配した後，外側前腕皮神経となって終わる．
- 腕神経叢の後神経束は3つの神経幹の後枝が合流してできる．後神経束は腋窩後壁の3つの筋を支配した後，橈骨神経と腋窩神経に分かれる．
- 腋窩では，橈骨神経は上腕三頭筋長頭と皮膚とに枝を出すが，この標本では上腕三頭筋内側頭へも枝を送っている．このあと橈骨神経は上腕深動脈とともに上腕骨の橈骨神経溝に入る．
- 腋窩神経は後上腕回旋動脈とともに外側腋窩隙を通過する．外側腋窩隙は，上方では肩甲骨の外側縁，下方では大円筋，外側では上腕骨（外科頸），内側では上腕三頭筋の長頭に囲まれている．肩甲回旋動脈は三角隙（内側腋窩隙）を通過する．

腋窩, 腋窩の血管, 腕神経叢　　上肢　105

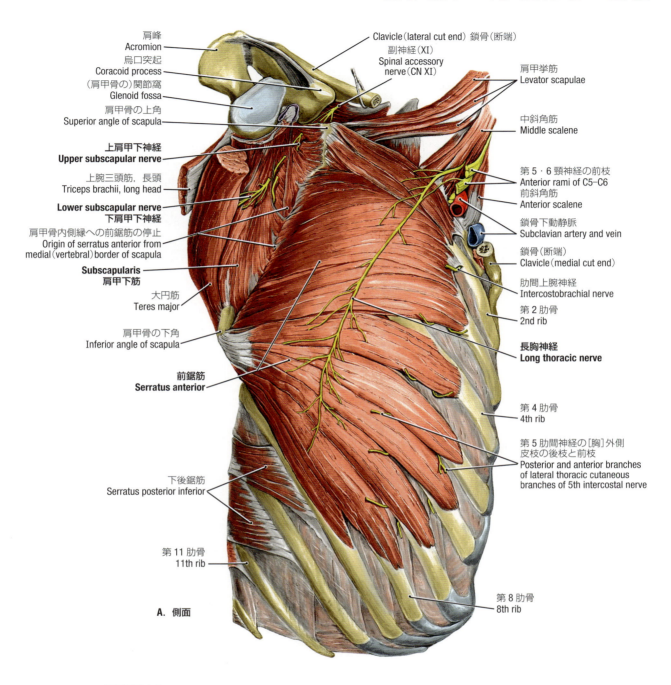

A. 側面

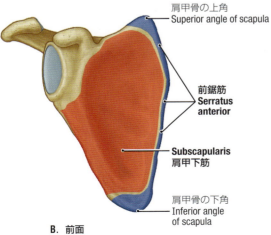

B. 前面

2.29 前鋸筋と肩甲下筋

A 前鋸筋．**B** 前鋸筋と肩甲下筋の肩甲骨への筋付着部．前鋸筋は腋窩の内側壁を構成し，上位8ないし9本の肋骨の鎖骨中線上から起こり，肩甲骨内側縁に停止する．

翼状肩甲．長胸神経の障害によって前鋸筋が麻痺すると，肩甲骨の内側縁が後外側方へ移動して胸壁から離れる．上腕を外転すると，肩甲骨の内側縁と下角とが後胸壁から引き離され，翼状肩甲と呼ばれる異常を呈する．さらに，前鋸筋が肩甲骨の関節窩を上方に回旋できなくなるため，上腕を水平位より上に挙上（上方挙上）できなくなる．

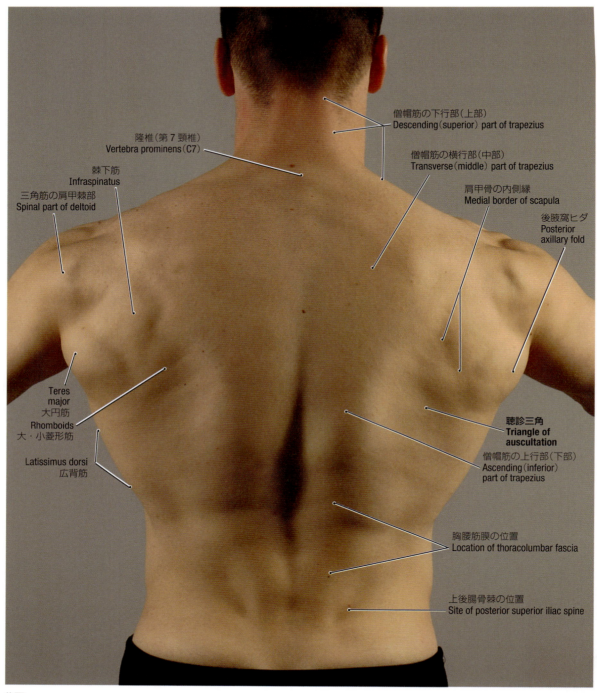

後面

2.30 背部の体表解剖

広背筋の上縁と菱形筋の一部は僧帽筋に覆われている．広背筋の上縁，肩甲骨の内側縁，および僧帽筋の下外側縁によって囲まれている領域は**聴診三角**と呼ばれる．分厚い背筋群にあるこの隙間は肺の後方の区画を聴診器で調べるのに都合がよい．上腕を前方で組んで体幹を前屈することにより肩甲骨を前方に引くと，聴診三角は拡大する．上腕を外力に抗して内転したとき，大円筋は肩甲骨後方の下外側1/3の楕円形の領域で盛り上がって見える．後腋窩ヒダは大円筋と広背筋腱からなる．

肩甲骨の領域と背部浅層　上肢

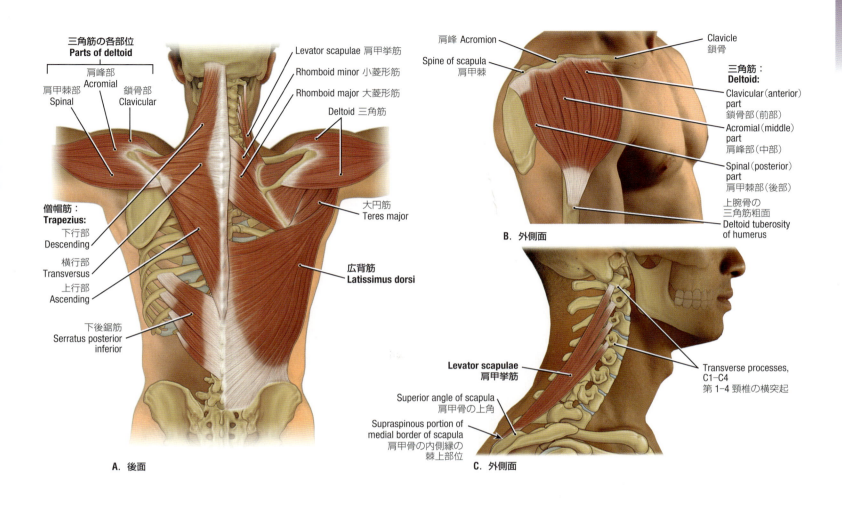

A. 後面
B. 外側面
C. 外側面

2.31 背部浅層の筋

A 概観．B 三角筋．C 肩甲挙筋．

表2.7 背部の浅層（体幹から起こって上肢に終わる後面の筋群）

筋	起始	停止	神経支配	主な作用
僧帽筋	上項線の内側1/3，外後頭隆起，項靱帯，C7-T12の棘突起	鎖骨の外側1/3，肩峰，肩甲棘	副神経（XI；運動性）の脊髄根と頸神経（C3，C4；感覚性）	肩甲骨を挙上し，後方に引き，回旋する．上部筋線維束（下行部）は肩甲骨を挙上し，中部筋線維束（横行部）は後方に引き，下部筋線維束（上行部）は下制する．上部と下部の筋線維束は，協働して上肢を挙上する際の肩甲骨の回旋を行う．
広背筋	下位6つの胸椎の棘突起，胸腰筋膜，腸骨稜，下位の3ないし4対の肋骨	上腕骨結節間溝の底	胸背神経（**C6**，**C7**，C8）	上腕骨の伸展，内転，内旋．よじ登るときには上腕に対して体幹を引き上げる．
肩甲挙筋	C1-C4横突起の後結節	肩甲骨内側縁の上部	肩甲背神経（C5）と頸神経（C3，C4）	肩甲骨の挙上，および肩甲骨の回旋によって肩関節の関節窩を下方へ向ける．
大・小菱形筋	小菱形筋：項靱帯の後部およびC7とT1の棘突起 大菱形筋：T2-T5の棘突起	肩甲骨内側縁のうち肩甲棘と下角の間	肩甲背神経（C4，**C5**）	肩甲骨を後方に引きかつ回旋することによって肩関節の関節窩を下方へ向ける．肩甲骨を胸壁に固定する．

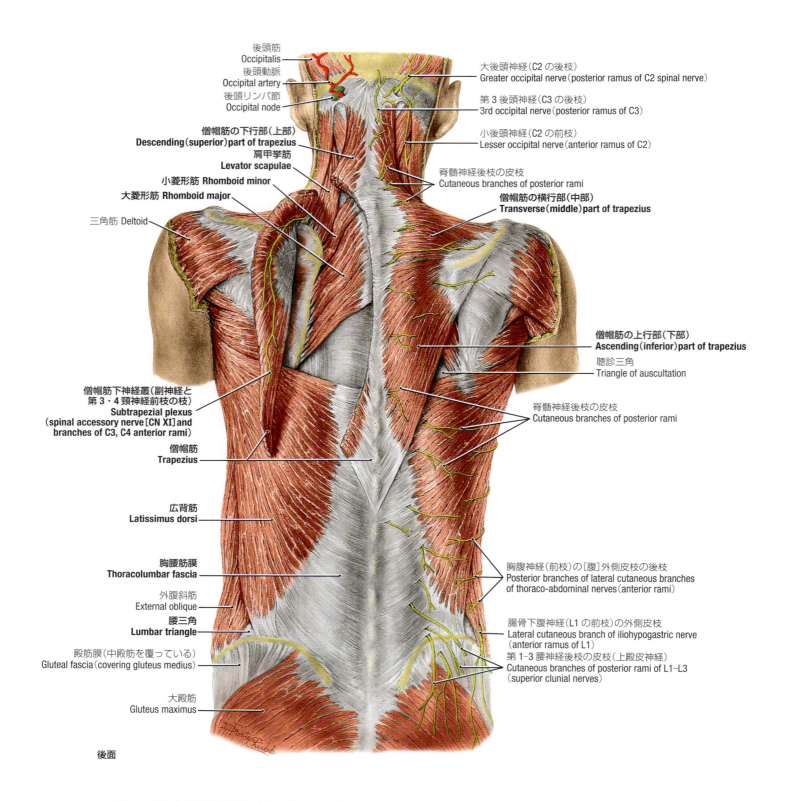

2.32 背部の皮神経と体幹から起こって上肢に終わる後面の筋群

左側では僧帽筋を切って反転してある．浅層あるいは第1層の筋は僧帽筋と広背筋，第2層の筋は肩甲挙筋と菱形筋である．脊髄神経後枝に由来する皮枝は浅層の筋を貫くがこれらの筋を支配はしないことに注目すること．

肩甲骨の領域と背部浅層　上肢

表 2.8　肩甲骨の運動

肩甲骨は，概念的な「肩甲胸部関節」によって胸壁の上を動く．点線はそれぞれの運動の開始時の位置を示す．

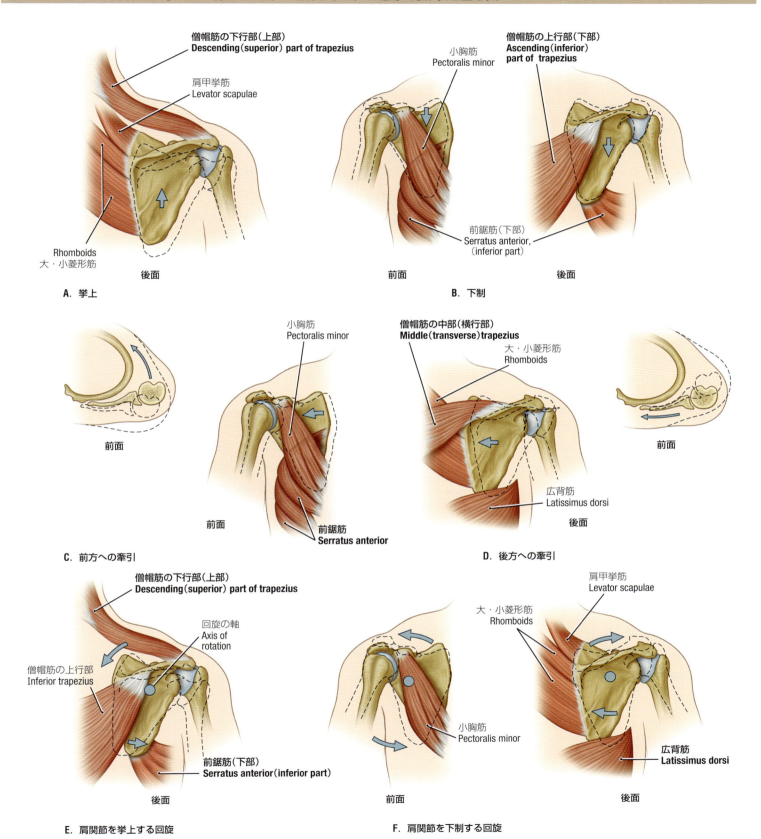

A. 挙上　　B. 下制　　C. 前方への牽引　　D. 後方への牽引　　E. 肩関節を挙上する回旋　　F. 肩関節を下制する回旋

110 上肢　上腕と回旋筋腱板

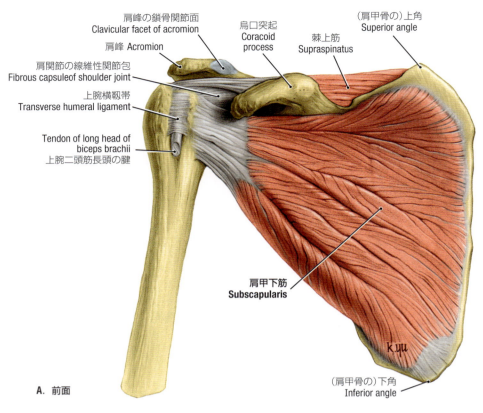

A. 前面

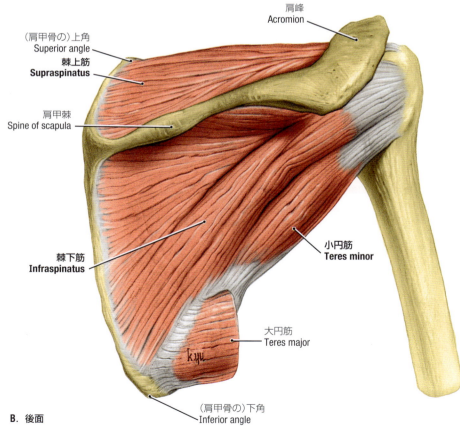

B. 後面

2.33 回旋筋腱板の筋

A　肩甲下筋．B　棘上筋，棘下筋，小円筋．
　肩甲骨から起こって上腕骨に停止する4つの筋，すなわち棘上筋，棘下筋，小円筋および肩甲下筋は，肩関節周囲を囲む回旋筋腱板を形成するために，回旋筋腱板の筋と呼ばれる．棘上筋以外は上腕骨を回旋する．

上腕と回旋筋腱板　上肢

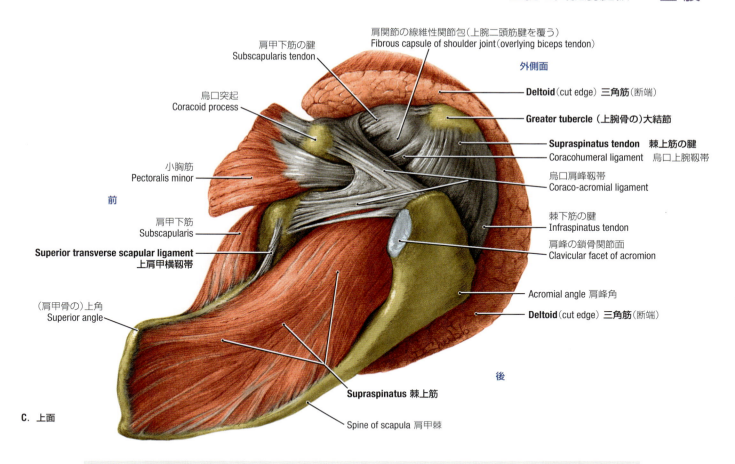

C.　上面

> **2.33**　回旋筋腱板の筋（続き）
>
> **C　棘上筋.**
>
> 　棘上筋は，回旋筋腱板の筋の一部としての作用に加え，肩関節の外転を開始するとともに，外転に際して三角筋を補助する．回旋筋腱板筋群の腱は肩関節の関節包と融合して肩関節の関節包を補強し，関節を保護し安定させる．
>
> 　外傷や疾患によって回旋筋腱板が障害されると，肩関節が不安定になる．**棘上筋腱が断裂したりちぎれたりする**ことが，回旋筋腱板の傷害で最も多い．とくに高齢者では，**回旋筋腱板の退行性の炎症**が多い．

表2.9　肩甲骨から起こって上腕骨に停止する肩の深部の筋

筋	起始	停止	神経支配	主な作用
三角筋	鎖骨の外側1/3（鎖骨部），肩峰（肩峰部），肩甲棘（肩甲棘部）	上腕骨の三角筋粗面	腋窩神経（**C5**, C6）	鎖骨部（前部）：肩関節の屈曲（前方挙上）と内旋 肩峰部（中部）：肩関節の外転 肩甲棘部（後部）：肩関節の伸展（後方挙上）と外旋
棘上筋	肩甲骨の棘上窩	上腕骨大結節の上部	肩甲上神経（C4, **C5**, C6）	肩関節の外転を開始．他の回旋筋腱板の筋と協働する[a]．
棘下筋	肩甲骨の棘下窩	上腕骨大結節の中部	肩甲上神経（**C5**, C6）	肩関節の外旋，上腕骨頭の肩甲骨関節窩での保持
小円筋	肩甲骨外側縁の上部	上腕骨大結節の下部	腋窩神経（**C5**, C6）	
肩甲下筋	肩甲下窩	上腕骨小結節	上・下肩甲下神経（C5, **C6**, C7）	肩関節の内旋と内転，上腕骨頭の肩甲骨関節窩での保持
大円筋[b]	肩甲骨下角の背側面	上腕骨小結節稜（上腕二頭筋長頭腱が通る結節間溝の内側唇）	下肩甲下神経（**C6**, C7）	肩関節の内転と内旋

[a] 棘上筋・棘下筋・小円筋・肩甲下筋の4筋を総称して回旋筋腱板（肩回旋筋腱板）の筋と呼ぶ．回旋筋腱板筋群の主要な作用として，肩関節がどのような肢位にあるときにも肩甲骨の関節窩に上腕骨頭を保持する働きがある．
[b] 大円筋は回旋筋腱板の筋には含まれない．

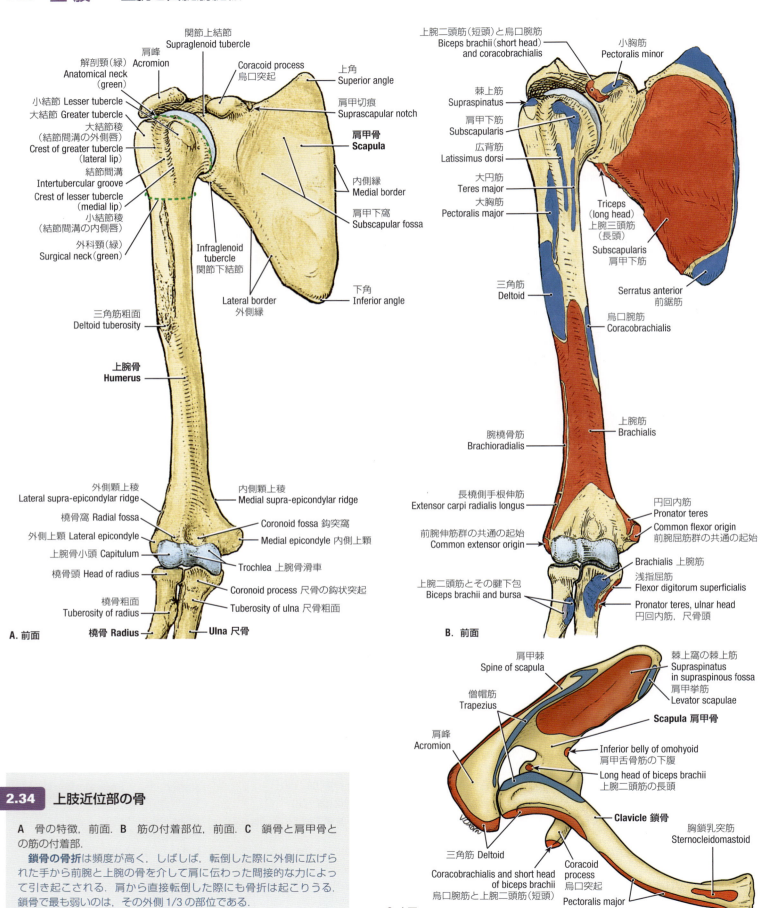

2.34 上肢近位部の骨

A 骨の特徴，前面．B 筋の付着部位，前面．C 鎖骨と肩甲骨と の筋の付着部．

鎖骨の骨折は頻度が高く，しばしば，転倒した際に外側に広げら れた手から前腕と上腕の骨を介して肩に伝わった間接的な力によっ て引き起こされる．肩から直接転倒した際にも骨折は起こりうる． 鎖骨で最も弱いのは，その外側1/3の部位である．

上腕と回旋筋腱板　上肢

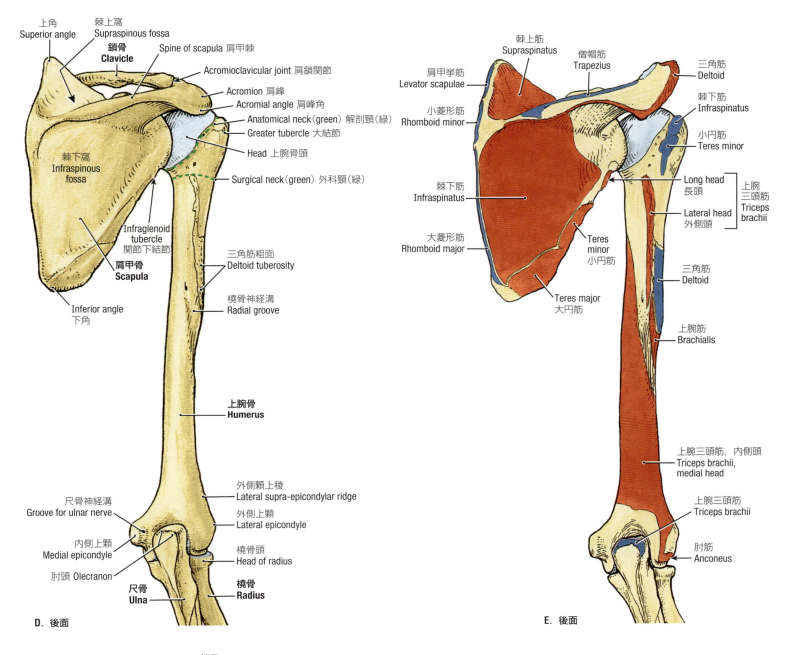

D. 後面

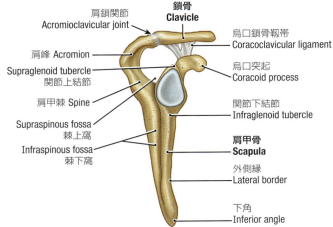

F. 外側面

E. 後面

2.34 上肢近位部の骨（続き）

D 骨の特徴，後面．E 筋の付着部，後面．F 鎖骨と肩甲骨，外側面．
上腕骨外科頸の骨折は，特に骨粗鬆症（骨の変性）を患う高齢者に多くみられる．軽く転倒して手をついただけでも，伸展位の上肢の前腕を介して伝わった力によって骨折が起こることがある．**上腕骨骨幹部の骨折**はしばしば上腕への直接的な殴打によって起こる．上腕骨の遠位部で，内側・外側顆上稜付近の骨折は，**顆上骨折**と呼ばれる．

上肢　上腕と回旋筋腱板

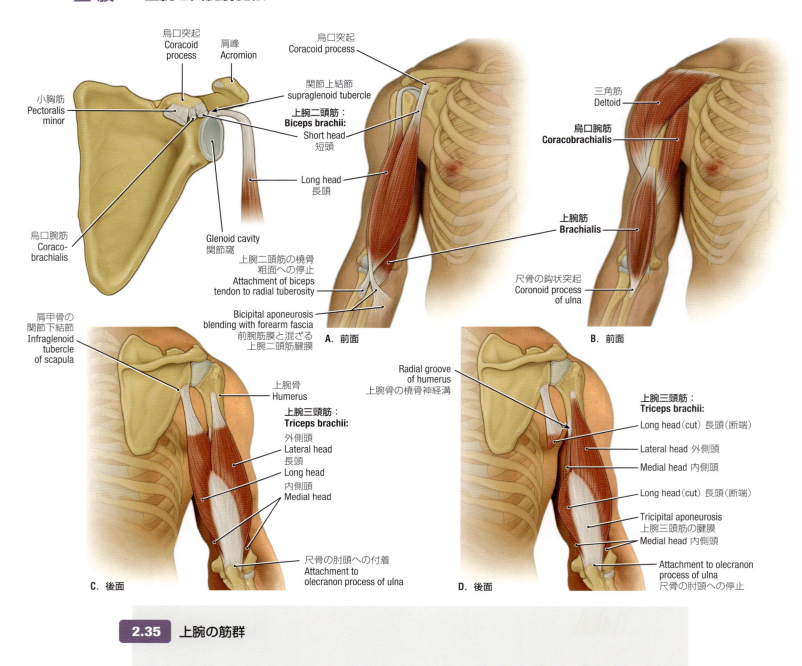

2.35　上腕の筋群

表2.10　上腕の筋

筋	起始	停止	神経支配	主な作用
上腕二頭筋	短頭：肩甲骨烏口突起の先端 長頭：肩甲骨の関節上結節と関節唇	橈骨粗面，および上腕二頭筋腱膜を介して前腕筋膜	筋皮神経（C5，**C6**，C7）	前腕の回外，そして前腕が回外位のときは肘関節を屈曲，短頭は肩関節を屈曲，長頭は外転時に肩関節を固定にするのを補助
上腕筋	上腕骨前面の遠位半	尺骨の鉤状突起と尺骨粗面	筋皮神経（C5-C7）と橈骨神経（C5-C7）	すべての肢位で肘関節の屈曲
烏口腕筋	肩甲骨烏口突起の先端	上腕骨内側面の中央1/3	筋皮神経（C5，**C6**，C7）	肩関節の屈曲と内転の補助
上腕三頭筋	長頭：肩甲骨の関節下結節 外側頭：上腕骨後面で橈骨神経溝より上 内側頭：上腕骨後面で橈骨神経溝より下	尺骨肘頭の近位端および前腕筋膜	橈骨神経（C6，**C7**，**C8**）	肘関節の伸展（前腕の主要な伸筋），長頭は肩関節外転位で上腕骨頭を固定
肘筋	上腕骨の外側上顆	尺骨肘頭の外側面および尺骨後面の上部	橈骨神経（C7-T1）	上腕三頭筋が肘関節を伸展するのを補助，肘関節の固定，回内時に尺骨を外転

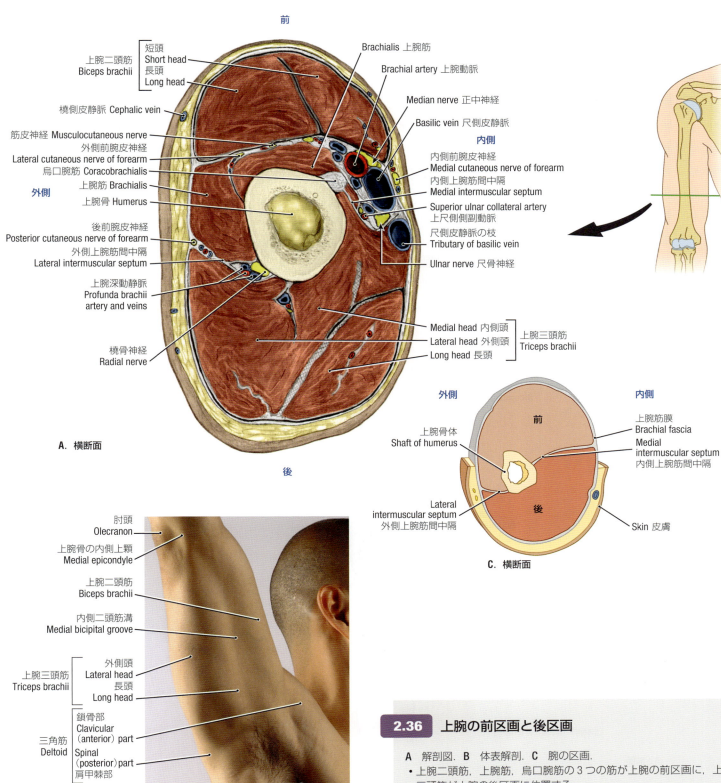

2.36 上腕の前区画と後区画

A 解剖図. B 体表解剖. C 腕の区画.

- 上腕二頭筋，上腕筋，烏口腕筋の3つの筋が上腕の前区画に，上腕三頭筋が上腕の後区画に位置する．
- 内側および外側上腕筋間中隔がこれら2つの筋群を隔てる．
- 上腕の後区画に至る橈骨神経と上腕深動静脈は上腕骨の橈骨神経溝に沿って走行している．
- 上腕の前区画に至る筋皮神経は上腕二頭筋と上腕筋との間を走行している．
- 正中神経は上腕動脈の内側でこの動脈と交叉している．
- 尺骨神経は上腕三頭筋の内側に沿って後方へ至る．

116 上肢　上腕と回旋筋腱板

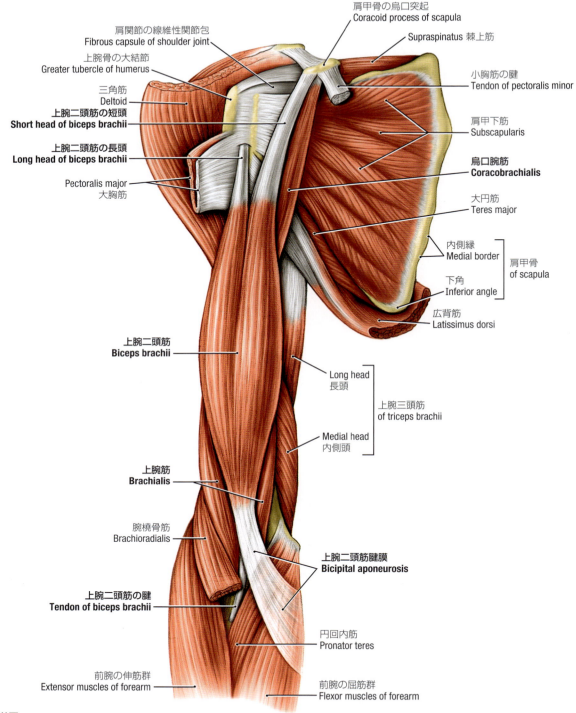

A. 前面

2.37　上腕前面（屈側）の筋群

- 上腕二頭筋には長頭と短頭とがある．
- 肘をほぼ90°屈曲した状態では，前腕が回外位にあるときには上腕二頭筋は屈筋だが，回内位にあるときには前腕を強力に回外する筋となる．
- 三角形の膜状の帯である上腕二頭筋腱膜は，上腕二頭筋腱から伸び出して肘窩を走行し，前腕の内側にある屈筋群を覆う前腕筋膜と融合する．

上腕と回旋筋腱板　上肢　117

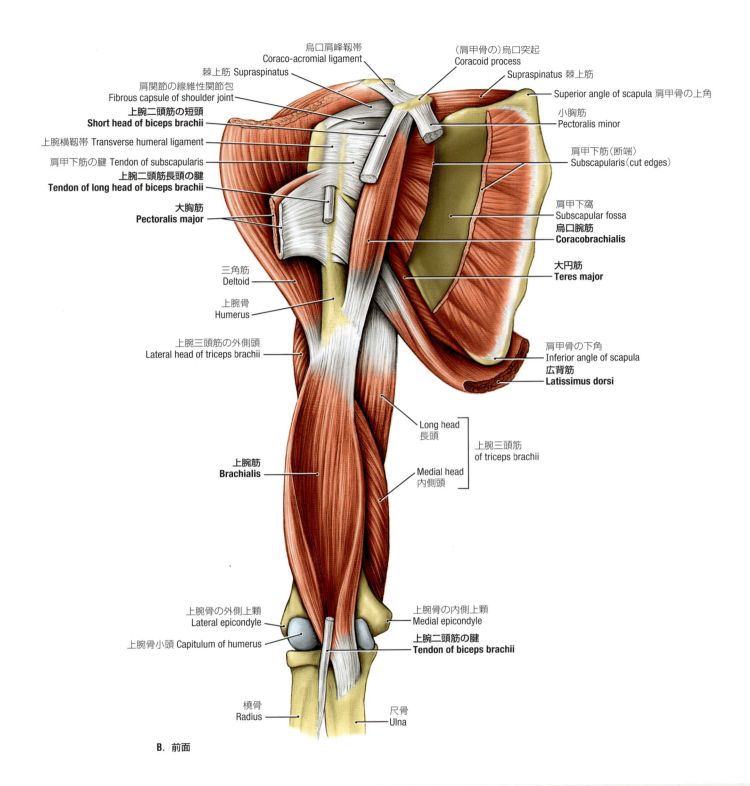

B. 前面

2.37 上腕前面（屈側）の筋群（続き）

- 上腕筋は平たい紡錘形の筋で，上腕二頭筋の後方（深部）にあり，最も強い屈曲力を発生する．
- 烏口腕筋は上腕の上内側部にある長い筋で，この筋を筋皮神経が貫いている．烏口腕筋は上腕の屈曲と内転を補助する．

- **上腕二頭筋長頭腱の断裂**は通常，炎症（**上腕二頭筋腱炎**）を起こした腱の摩耗や断裂による．上腕二頭筋長頭腱は常に，肩甲骨の関節上結節への停止から引き離されようとしている．腱が引き剥がされるとその筋腹が上腕の前面遠位部の中央付近にボール状に盛り上がる．

118　上肢　上腕と回旋筋腱板

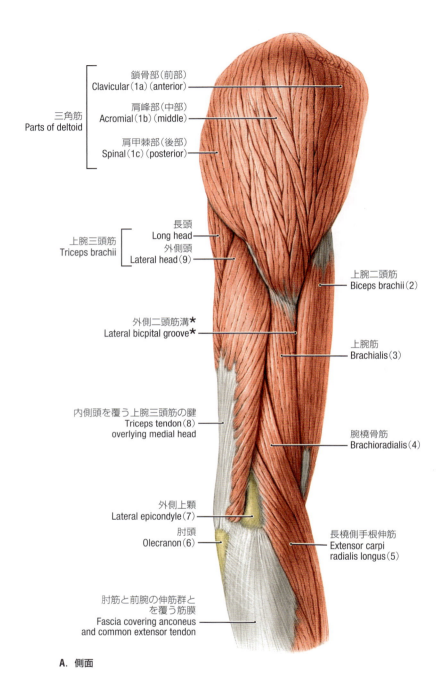

A. 側面

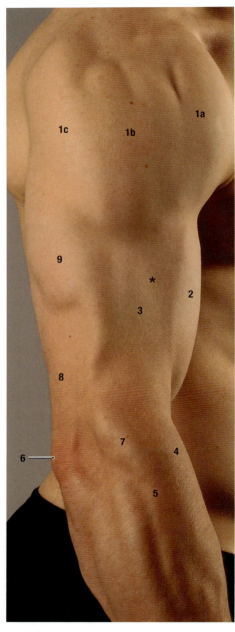

B. 側面

2.38　上腕の外側面

A 解剖図（番号は **B** の構造に対応する）．**B** 体表解剖．

腋窩神経（C5, C6）が重度に障害される（例えば，上腕骨外科頸の骨折によって）と**三角筋の萎縮**が起こる．三角筋が萎縮すると肩の丸い輪郭が失われてしまう．この結果，肩は平べったく見え，肩峰の下部に小さな窪みが生じる．上腕近位部の外側部の皮膚に感覚障害が起こることもあるが，この部位は上外側上腕皮神経の支配域である．三角筋（あるいは腋窩神経の機能）の検査のためには外力に抗して約15°肩関節を外転させる．肩関節の外転の開始は棘上筋による．

上腕と回旋筋腱板　上肢

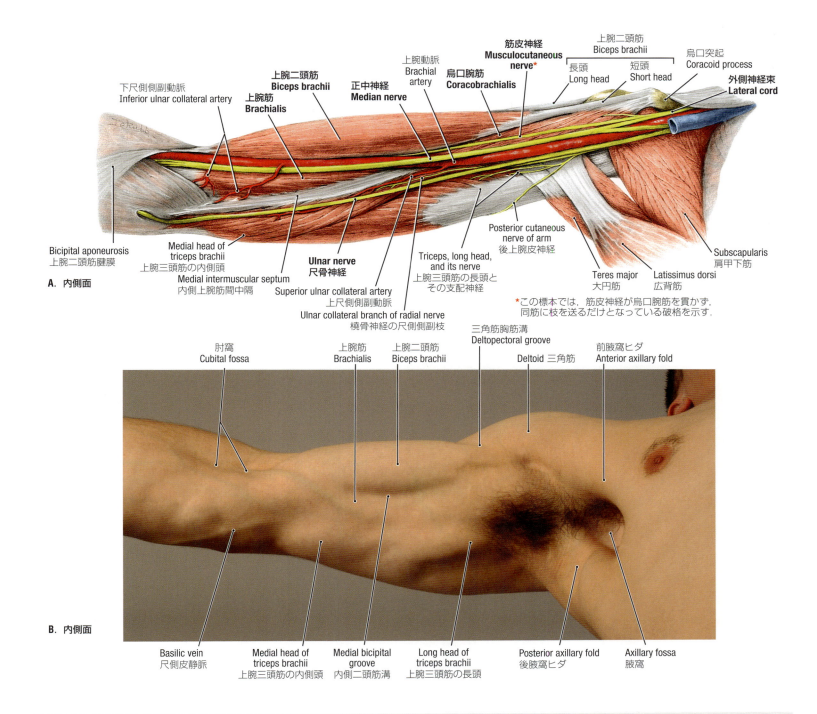

2.39 上腕の内側面

A 解剖図．B 体表解剖．

- 腋窩動脈は烏口突起の先端の1横指下を通過し，烏口腕筋の後方を通る．大円筋下縁で腋窩動脈は名前を変えて上腕動脈となり，上腕筋の前面を下行する．
- 徐々に進行する一過性で部分的な閉塞であれば側副血行路によってある程度保護されうるが，**上腕動脈の急激で完全な閉塞や断裂の場合**は，数時間以内に虚血によって生じる筋の麻痺を防ぐために緊急外科手術が必要である．
- 正中神経は腋窩動脈ならびに上腕動脈に伴行し，外側から内側へ動脈と交叉する．
- 近位部では，尺骨神経は上腕動脈の内側に沿って走行し，内側上腕筋間中隔の後方を通り，上腕三頭筋の内側頭の表面を下行して上腕骨内側上顆の後方を通過する．この部位で尺骨神経は触知可能である．
- 上尺側側副動脈と橈骨神経の尺側側副枝（上腕三頭筋内側頭への枝）は，上腕では尺骨神経と伴行する．

120 上肢　上腕と回旋筋腱板

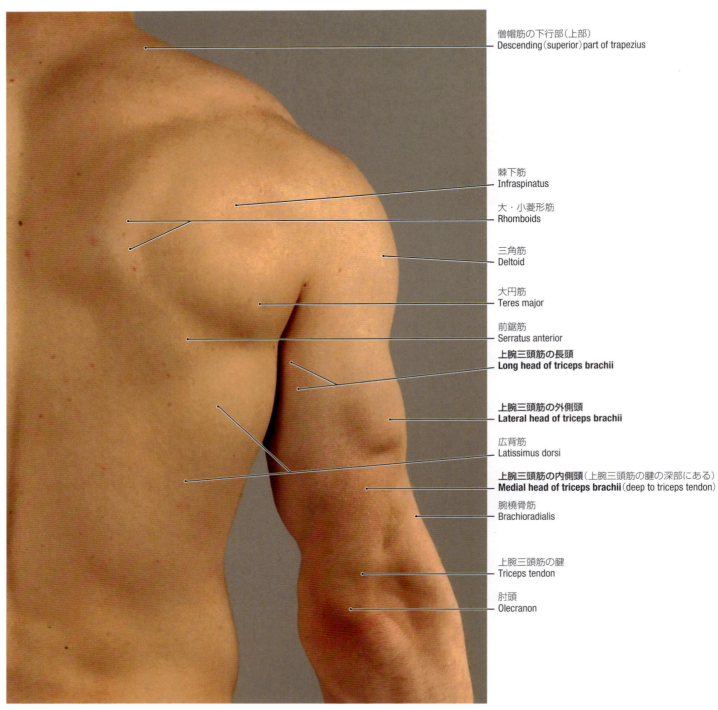

後面

2.40 肩甲骨領域と上腕後面の体表解剖

上腕三頭筋の3つの頭は上腕の後面の膨らみをつくる．また，やせた人であれば，屈曲位から外力に抗して肘関節を伸展する際に視認できる．

上腕と回旋筋腱板　上肢

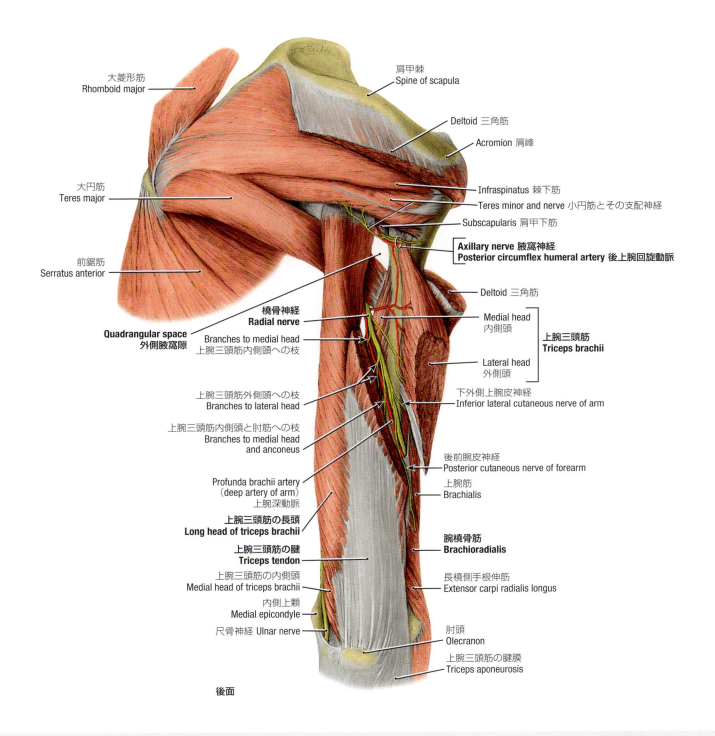

2.41 上腕三頭筋とその周囲の神経

- 上腕三頭筋の外側頭は外側に反転されている．内側頭は，肘頭に停止する上腕三頭筋腱の深部表面に付着している．
- 橈骨神経と上腕深動脈は，上腕骨の橈骨神経溝に沿いながら上腕の中央1/3のところで上腕三頭筋の長頭と内側頭の起始部の間を通過する．
- **上腕骨骨幹部の骨折**．上腕の中央1/3は上腕骨の骨折の好発部位であり，この部位での骨折にはしばしば**橈骨神経の障害**を伴う．橈骨神経が橈骨神経溝で傷害されると，典型的には上腕三頭筋は，その内側頭のみが影響されて筋力が低下するのにとどまる．しかし，前腕の後区画の筋群は，橈骨神経のより遠位での枝に支配されているために麻痺する．橈骨神経の傷害による特徴的な症状は**下垂手**（手根関節と指の中手指節関節を伸展できない）である．
- 腋窩神経は後上腕回旋動脈とともに外側腋窩隙を通る．
- 尺骨神経は上腕三頭筋の内側縁に沿って走行し，上腕骨内側上顆の後方を通過する．

122 上肢　上腕と回旋筋腱板

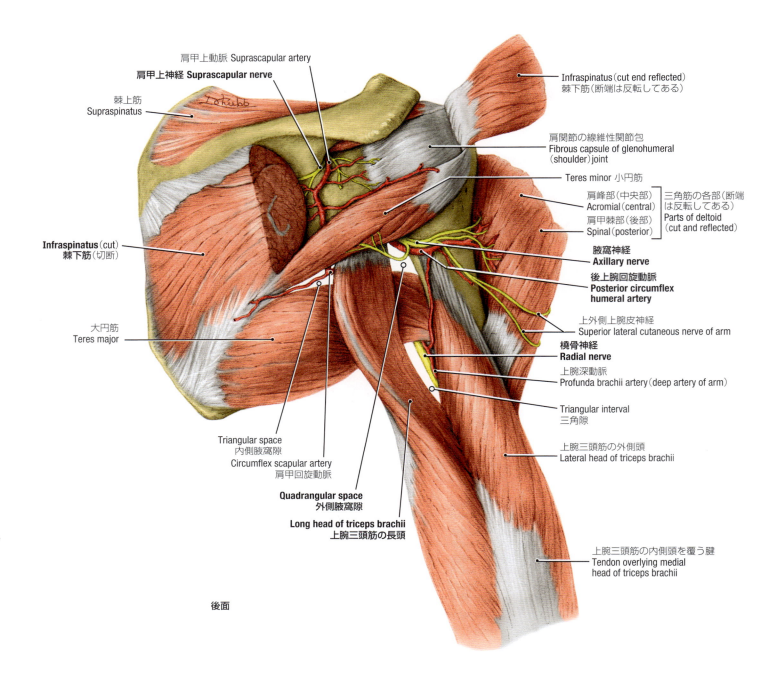

後面

2.42 肩甲骨背側部と三角筋深部

- 棘下筋は，小円筋および三角筋の後部（肩甲棘部）の筋線維に補助されながら肩関節を外旋する．
- 上腕三頭筋の長頭は小円筋と大円筋に挟まれ，外側腋窩隙と内側腋窩隙を画する．
- 肩甲上神経と腋窩神経はともに C5 と C6 の脊髄神経に由来し，それぞれ 2 つずつの筋，すなわち肩甲上神経は棘上筋と棘下筋，腋窩神経は小円筋と三角筋とを支配する．両神経は肩関節に枝を送るが，腋窩神経のみが皮枝を出す．
- **腋窩神経の障害は**，肩関節の関節包の下部に近接しているため，肩関節の脱臼時に起こりやすい．上腕骨頭が脱臼して関節窩の下方で外側腋窩隙の中へ偏位すると，腋窩神経が障害される．腋窩神経の障害は三角筋の麻痺と上腕近位部の外側での皮膚感覚の喪失によって診断できる．

上腕と回旋筋腱板　上肢

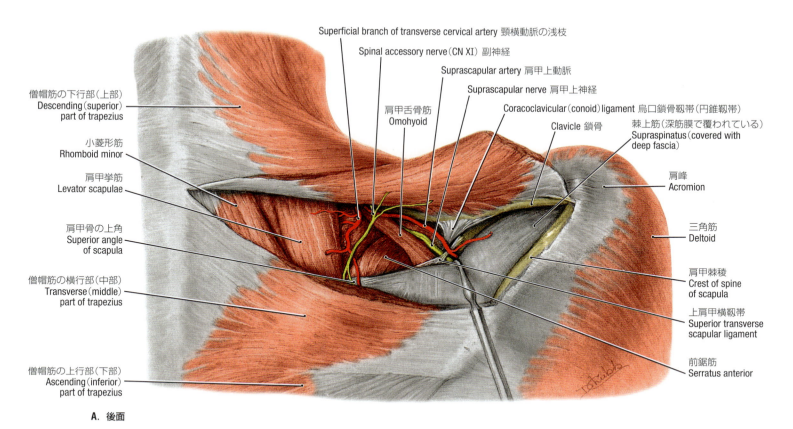

A. 後面

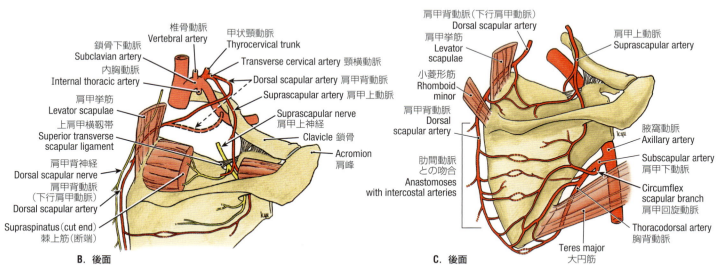

B. 後面

C. 後面

2.43　肩甲骨上部の領域

A　解剖図．肩甲骨上角の高さで僧帽筋の中部（横行部）を反転してある．
B　肩甲上動脈と肩甲背動脈．
C　肩甲骨周辺の動脈網．

肩甲骨の前面と後面とで数本の動脈が交通し動脈網を形成する．このような動脈網による側副血行路の利点が明らかになるのは，**断裂した鎖骨下動脈**や腋窩動脈を縫合することが必要な場合やこれらの血管に閉塞がある場合などである．この場合，肩甲下動脈の血流は逆行し，血液が腋窩動脈の第3部へ到達できる．突然の閉塞とは対照的に，徐々に進行する動脈の閉塞の場合には**虚血**を防ぐための十分な側副血行路が形成されうる．

124 上肢　上肢帯の関節と肩関節

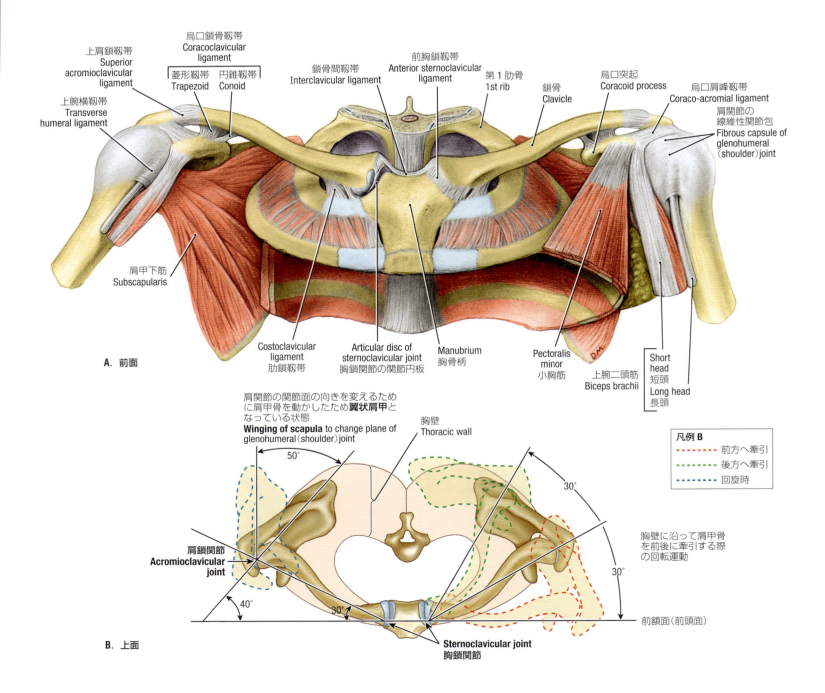

A. 前面
B. 上面

2.44 上肢帯

A 上肢帯の靭帯．**B** 胸鎖関節と肩鎖関節とにおける鎖骨と肩甲骨の運動．胸壁に沿った肩甲骨の回旋と前後への牽引，翼状肩甲になった場合の動きを示す．挙上と下制もこれらの関節がかかわる．

- 肩の領域には胸鎖関節，肩鎖関節，肩関節がある．鎖骨の可動性が上肢の運動にとって不可欠である．
- 胸鎖関節は上肢（肢骨格）を体幹（中軸骨格）に結合する唯一の関節である．
- 胸鎖関節の関節円板は関節腔を二分し，上方では鎖骨に，下方では第1肋軟骨に付着している．関節円板は鎖骨が上方と内側方へ偏位するのを防ぐ．

前鋸筋の麻痺．**B** では前鋸筋が長胸神経の傷害によって麻痺したとき，肩甲骨の内側縁が後外側方へ偏位して胸壁から離れ，肩甲骨が翼のように突出する**翼状肩甲**の状態を呈していることに注目すること．図 2.29 の臨床事項を参照．

上肢帯の関節と肩関節　上肢

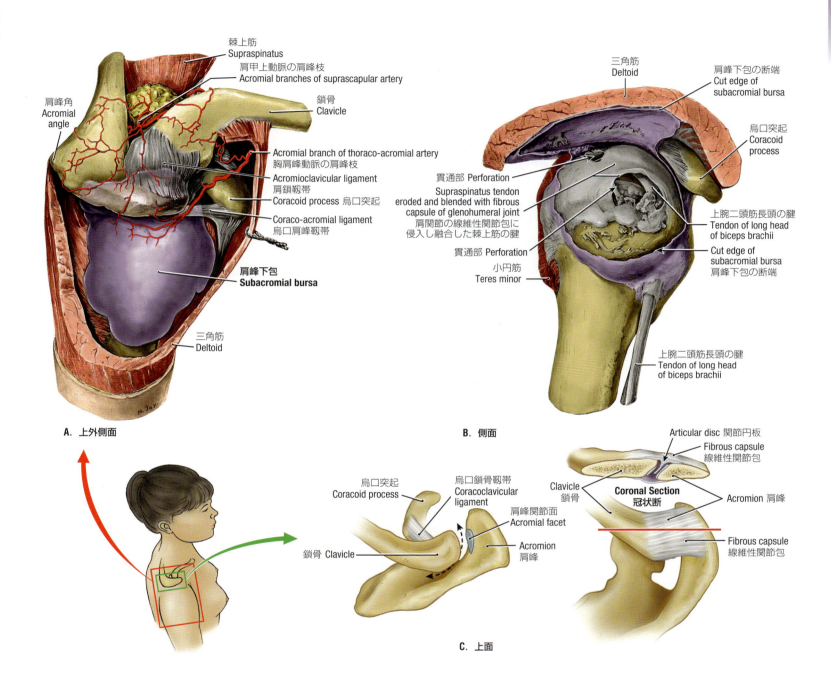

2.45　肩峰下包と肩鎖関節の外側面

A　肩峰下包．滑液包に紫色のラテックス樹脂が注入されている．**B　棘上筋腱の摩滅**．棘上筋腱とその下部の関節包が摩耗した結果，肩峰下包と肩関節が交通してしまう．上腕二頭筋長頭腱の関節内を走行する部分が，結節間溝に接したまますり減ってしまう．Grant 博士の研究室による 95 例の解剖例のうち，50 歳より若い 18 例には穿孔はなかったが，50 歳から 60 歳までの 19 例中 4 例，60 歳以上の 57 例中 23 例に，穿孔による交通が認められた．両側性の穿孔は 11 例，一側性は 14 例であった．**C　肩鎖関節**．

126　上肢　上肢帯の関節と肩関節

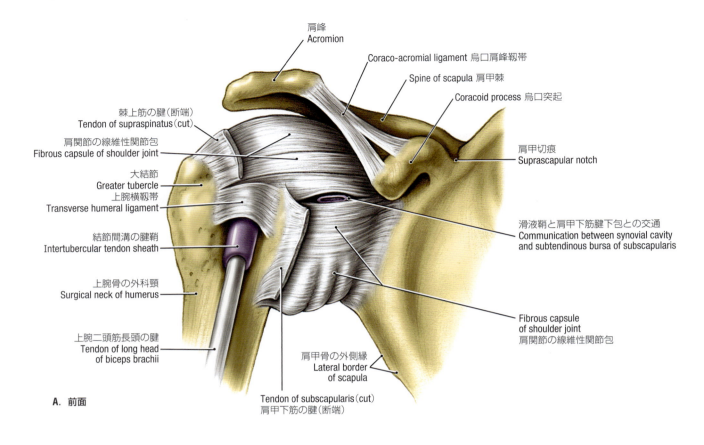

A. 前面

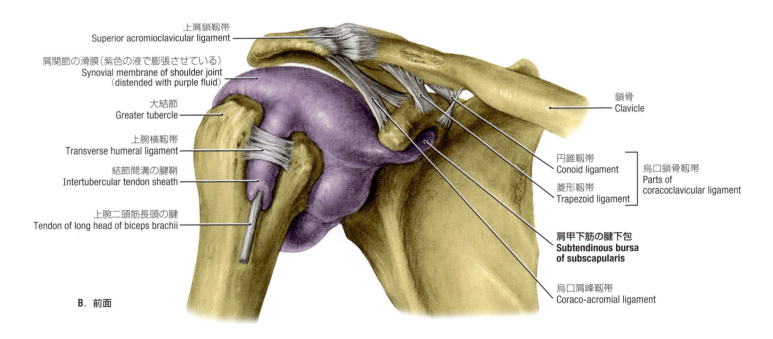

B. 前面

2.46　肩関節の靱帯と関節包

A　線維性関節包．
- 粗い線維による関節包が肩甲骨関節窩の縁と上腕骨の解剖頸に付着している．
- 強靱な烏口鎖骨靱帯が肩鎖関節を安定化させ，肩甲骨が内側に動いたり肩峰が鎖骨の下に動いたりするのを防いでいる．
- 烏口肩峰靱帯は上腕骨頭が上方へ偏位するのを防いでいる．

上肢帯の関節と肩関節　上肢

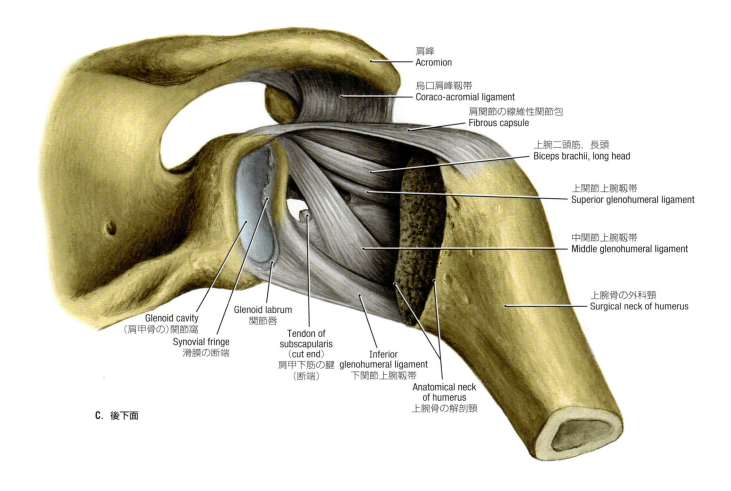

C. 後下面

2.46 肩関節の靱帯と関節包（続き）

B 関節包の滑膜．滑膜は線維性関節包を裏打ちしているほか，延長部が2か所ある：(1)骨線維性のトンネルの中を走る上腕二頭筋長頭腱の滑液鞘をつくる部分，(2)烏口突起の下方で，肩甲下筋腱と関節腔の縁との間にある肩甲下筋腱下包を形成する部分．

C 肩関節の下方から見た関節上腕靱帯．
- 肩関節の後面を剖出するために，関節包が薄くなっている後下方の部位を切り取り，上腕骨頭を離断している．
- 関節上腕靱帯は関節腔の内側からは視認できるが，外側からはわかりにくい．
- 関節上腕靱帯と上腕二頭筋長頭腱はともに肩甲骨の関節上結節に付いている．

- 上関節上腕靱帯は細く，上腕二頭筋長頭腱と平行に走っている．肩甲下筋腱下包と肩関節の関節包が交通しているため，中関節上腕靱帯の内側縁は自由縁となっている．通常，交通部位は1つしかないことが多いが，この標本では中関節上腕靱帯の両側に交通部位がある．

運動の自由度が高く不安定なため，直接的あるいは間接的な障害によって肩関節はしばしば脱臼する．**上腕骨頭の脱臼**のほとんどは下方に起こるが，臨床的には前方脱臼，さらにまれには後方への脱臼と表現される．これは上腕骨頭が関節下結節と上腕三頭筋長頭腱の前方に下行したか後方に下行したかを示している．肩関節の前方脱臼は若い成人で起こることが多く，特にアスリートに多い．多くの場合，上腕骨の過度の伸展と外旋によって引き起こされる．

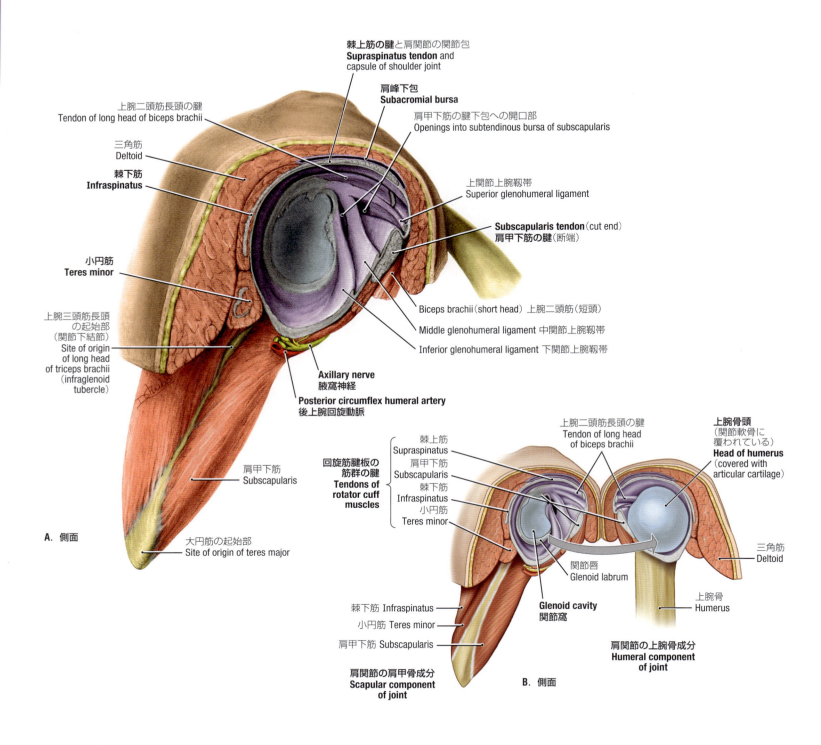

2.47 肩関節の内面と回旋筋腱板との関係

A 関節と腱板の肩甲骨成分．B 関節と腱板の概観．
- 肩峰下包は，上方を肩峰と三角筋に，下方を棘上筋腱に挟まれている．
- 4つの回旋筋腱板の筋（棘上筋，棘下筋，小円筋，肩甲下筋）は肩関節を横切って関節包と融合している．
- 腋窩神経と後上腕回旋動脈は下方で関節包と接しており，肩関節が脱臼したときには障害されうる．
- 肩峰下包の炎症や石灰化によって，肩関節の痛み，圧痛，運動制限が起こる．この状態は，肩関節周囲の**石灰性滑液包炎**として知られている．棘上筋腱の石灰化はそれを覆っている肩峰下包の炎症性反応である**肩峰下包炎**を引き起こしうる．

上肢帯の関節と肩関節　　上　肢　　129

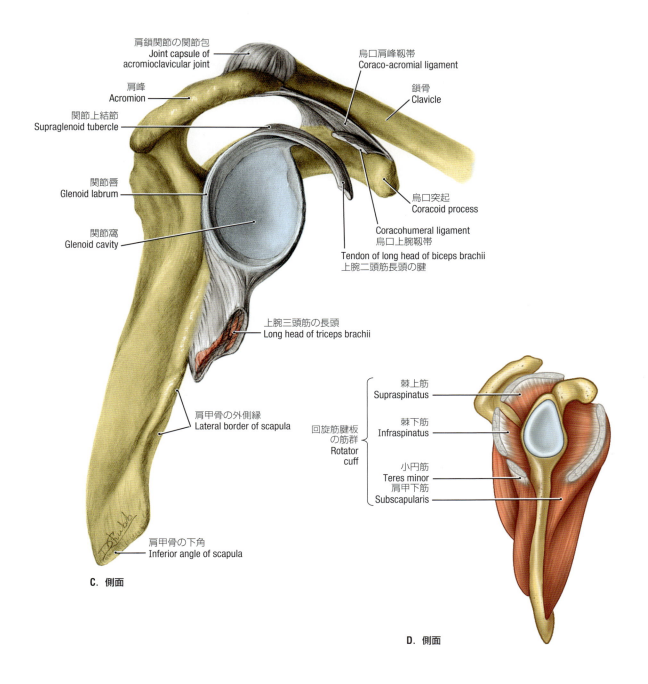

2.47　肩関節の内面と回旋筋腱板との関係(続き)

C 肩甲骨成分．**D** 回旋筋腱板の筋群と，関節窩との関係．

- 烏口肩峰弓(烏口突起，烏口肩峰靱帯，肩峰)は上腕骨頭が上方に脱臼するのを防ぐ．
- 上腕三頭筋の長頭は関節窩のすぐ下から，上腕二頭筋の長頭はそのすぐ上から起こる．
- 筋と腱からなる回旋筋腱板の主な機能は，弛緩時(筋の収縮時)にも能動的な外転時にも，大きな上腕骨頭を小さく浅い肩甲骨関節窩に保持することである．

肩甲骨関節窩の線維軟骨でできた関節唇の摩耗は，物を投げるアスリート(例えば野球選手)や肩関節が不安定で亜脱臼を起こしている患者でよく起こる．摩耗はしばしば，上腕二頭筋の急激な収縮や，関節唇を越えて上腕骨頭が強力に亜脱臼させられることによる．通常，関節唇の上前方が摩耗する．

130　上 肢　上肢帯の関節と肩関節

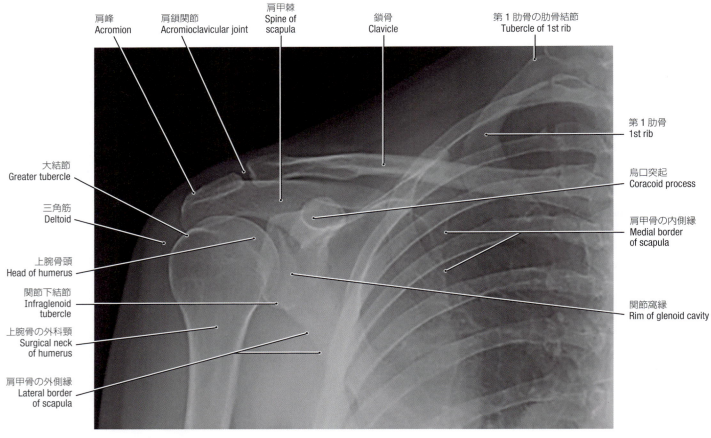

A．前後方向の X 線像

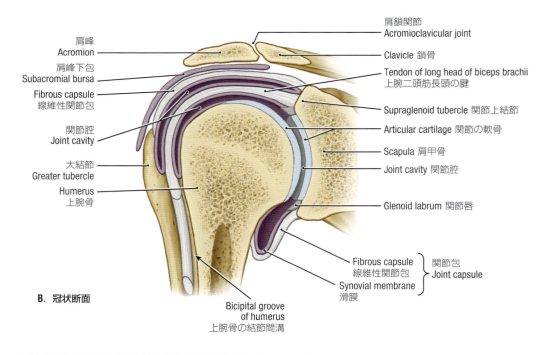

B．冠状断面

2.48 肩関節の画像診断

A　X 線像．B　肩峰下包と関節腔の位置を示す断面図．

上肢帯の関節と肩関節　　上肢　131

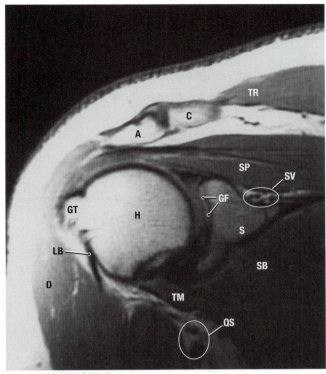

C. 冠状断（前頭断）MR像

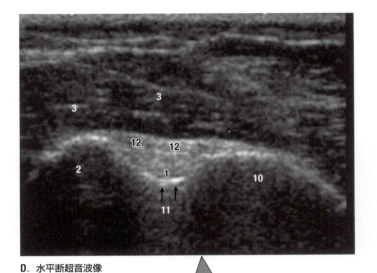

D. 水平断超音波像

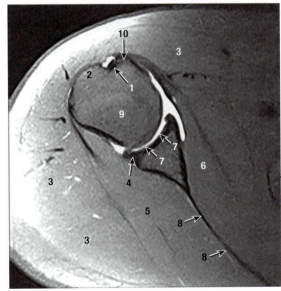

E. 水平断MR像

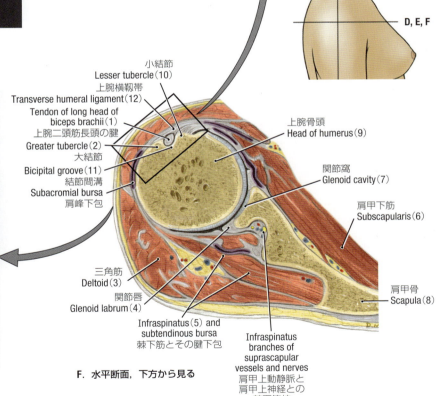

小結節　Lesser tubercle (10)
上腕横靱帯　Transverse humeral ligament (12)
上腕二頭筋長頭の腱　Tendon of long head of biceps brachii (1)
大結節　Greater tubercle (2)
結節間溝　Bicipital groove (11)
肩峰下包　Subacromial bursa
三角筋　Deltoid (3)
関節唇　Glenoid labrum (4)
棘下筋とその腱下包　Infraspinatus (5) and subtendinous bursa
上腕骨頭　Head of humerus (9)
関節窩　Glenoid cavity (7)
肩甲下筋　Subscapularis (6)
肩甲骨　Scapula (8)
肩甲上動静脈と肩甲上神経との棘下筋枝　Infraspinatus branches of suprascapular vessels and nerves

F. 水平断面，下方から見る

2.48　肩関節の画像診断（続き）

C　冠状断（前頭断）MR像．A：肩峰，C：鎖骨，D：三角筋，GF：肩甲骨の関節窩，GT：上腕骨の大結節稜，H：上腕骨頭，LB：上腕二頭筋の長頭，QS：外側腋窩裂隙，S：肩甲骨，SB：肩甲下筋，SP：棘上筋，SV：肩甲上動静脈と肩甲上神経，TM：小円筋，TR：僧帽筋．
D　Fに示されている領域の水平断超音波像．E　水平断MR像．F　水平断面の解剖図（Fの番号はDとEの構造に対応する）．

132 上肢 肘の領域

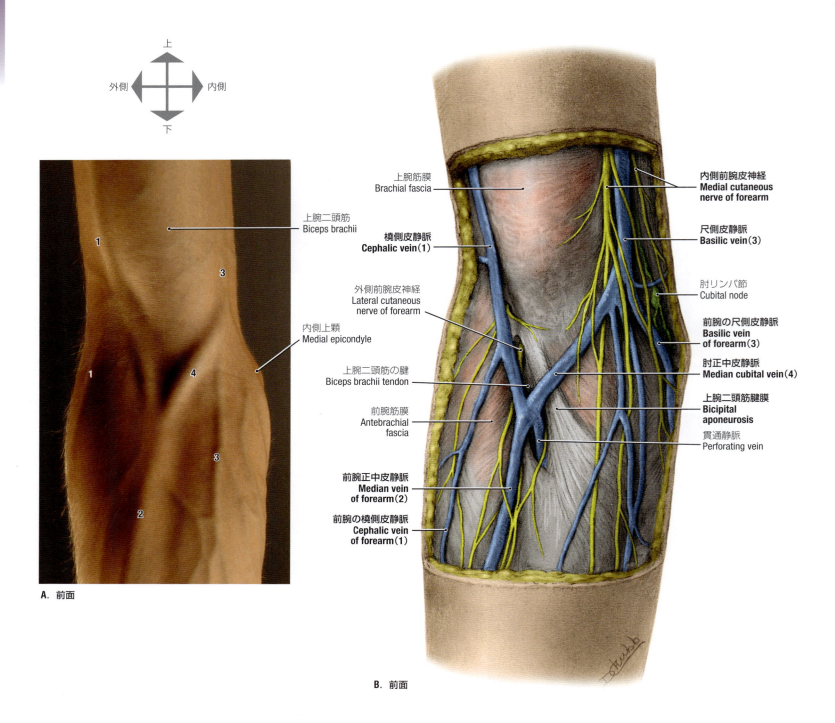

A. 前面

B. 前面

2.49 肘窩：体表解剖と浅部の解剖

A 体表解剖．**B** 皮神経と浅静脈（皮静脈）（番号はAの構造に対応する）．

- 肘窩とは，肘部分の皮膚ヒダの深部にあって筋膜に覆われている三角形の領域（あるいは区画）である．
- 前腕では，浅静脈（皮静脈；橈側皮静脈，前腕正中皮静脈，尺側皮静脈，およびそれらの交通枝）がさまざまなM字型のパターンをつくっている．
- 橈側皮静脈と尺側皮静脈は上腕二頭筋溝を埋めており，それぞれ上腕二頭筋腱の外側と内側を走行する．外側二頭筋溝では外側前腕皮神経が肘の皮膚ヒダのすぐ上方で現れるのに対し，内側二頭筋溝では内側前腕皮神経が上腕の中ほどで皮下に現れる．
- 肘窩は，静脈が目立っていて到達しやすいため，**採血と静脈注射**のためによく用いられる部位である．通常，肘正中皮静脈か尺側皮静脈が選ばれる．

肘の領域　上肢

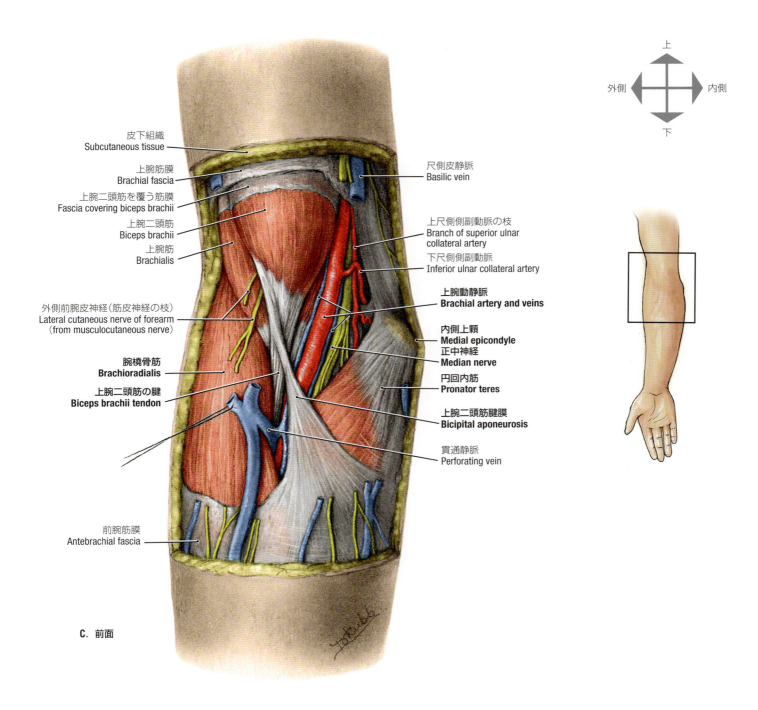

2.49　肘窩：深部の解剖

C　肘窩の境界とその中の構造．
- 肘窩の外側は腕橈骨筋，内側は円回内筋，上方は内側上顆と外側上顆を結ぶ線で画されている．
- 肘窩にある主な3つの構造は，上腕二頭筋の腱，上腕動脈，正中神経である．
- 上腕二頭筋の腱は停止に近づくにつれて90°ねじれ，上腕二頭筋腱膜が腱の近位部から内側方へ伸び出している．
- 上腕骨の遠位部，内側・外側顆上稜の付近での骨折は，顆上骨折と呼ばれる．骨折の遠位骨片は前方ないし後方に変位することがある．上腕骨に近いいずれかの神経や上腕動静脈の枝は変位した骨片によって傷害されうる．

134 上肢　肘の領域

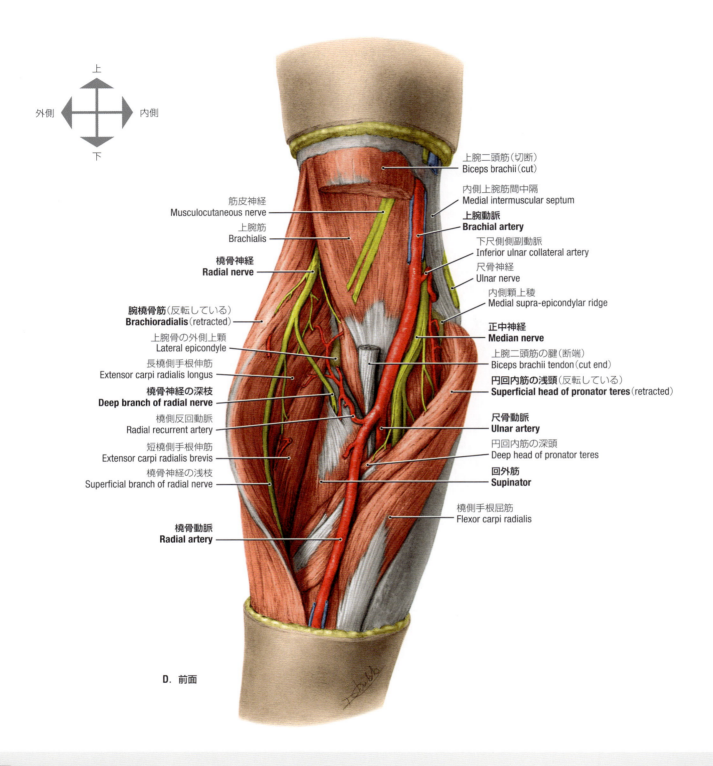

D．前面

2.49　肘窩：深部の解剖（続き）

D　肘窩の底．
- 上腕二頭筋の一部を切り取って肘窩を大きく広げ，上腕筋や回外筋などの肘窩の底にある筋群を剖出してある．
- 橈骨神経の深枝が回外筋を貫いている．
- 上腕動脈は上腕二頭筋腱と正中神経との間を走行し，尺骨動脈と橈骨動脈の2本の枝に分かれる．
- 正中神経は前腕の屈筋群を支配する．円回内筋の深頭への小枝以外は，筋枝は正中神経の内側縁から出る．
- 橈骨神経は伸筋群を支配する．腕橈骨筋への小枝以外は，筋枝は橈骨神経の外側縁から出る．この標本では，橈骨神経は外側に引き出してあるため，外側の枝もここでは内側を走っているように見えている．

肘の領域　上肢

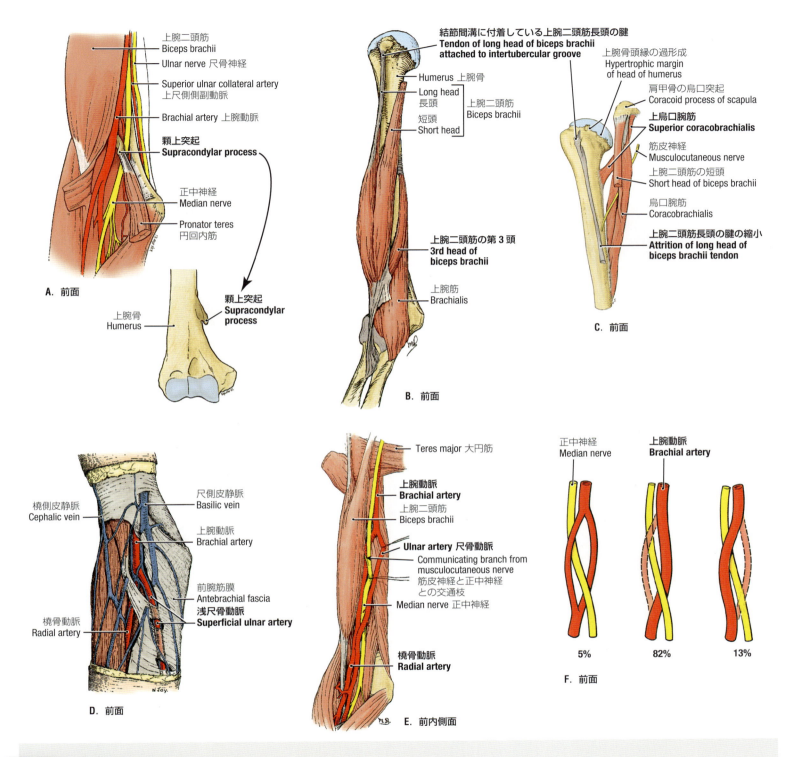

2.50 上肢各部の変異

A　上腕骨の顆上突起．円回内筋の起始となる帯状の線維性結合組織が，この顆上突起と内側上顆をつないでいる．正中神経はしばしば上腕動脈とともに，この帯によってできた孔を通過している．この変異は絞扼性神経障害の原因になりうる．

B　上腕二頭筋の過剰頭（第3頭）．この例では，上腕二頭筋腱が通常より弱くなっている．

C　上腕二頭筋長頭腱の縮小と，上烏口腕筋（変異）の出現．

D　浅尺骨動脈．

E　上腕動脈の分岐の変異．この例では，尺骨動脈と橈骨動脈の分岐が上腕の高い位置にあり，正中神経が両動脈の間を通過している．

F　正中神経と上腕動脈との関係．これら2つの構造の位置関係がさまざまに変化しうるという事実は，発生学的な理由で説明できる．Grant博士の研究室による上肢307例の解析結果では，5%で原始的上腕動脈の双方が部分的に残り，82%で後方に，13%で前方に残っていた．

136　上肢　肘の領域

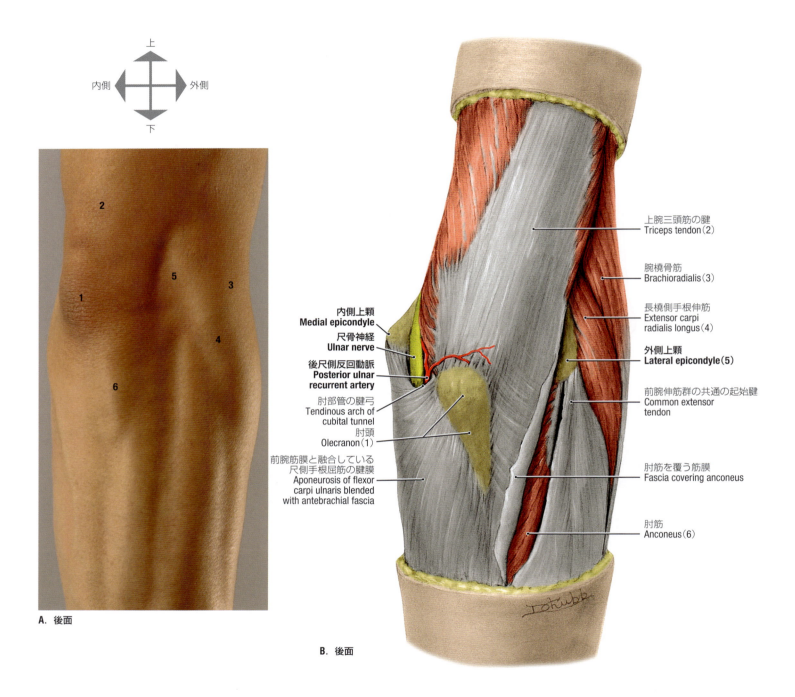

A. 後面

B. 後面

2.51　肘の後面-I

A 体表解剖．**B** 浅部の解剖（数字は**A**の構造に対応する）．
- 上腕三頭筋は肘頭の上面に停止し，肘筋の筋膜を介して肘頭の外側面にも停止する．
- 内側上顆，外側上顆，肘頭の後面は皮下にあって触知可能である．
- 尺骨神経も触知可能で，内側上顆の後方で筋膜下（肘部管の中）を走行し，そのあと尺側手根屈筋の2頭間の深部に消える．

肘の領域　上肢　137

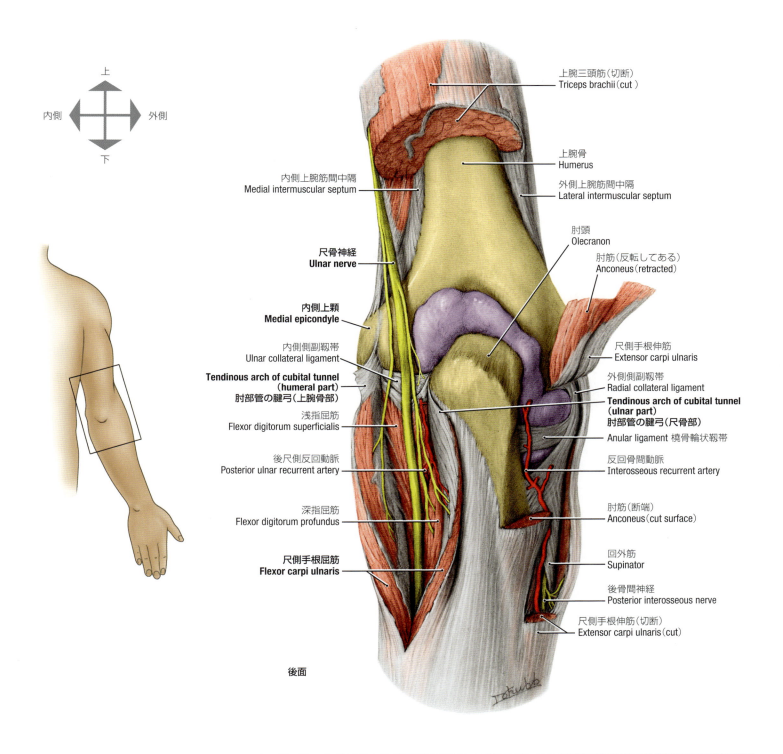

2.52 肘の後面-II

深部の解剖． 上腕三頭筋の遠位部は切除してある．尺骨神経は上腕の後区画の中で筋膜下を下行し，内側上顆の後方で尺骨神経溝の中を通過する．そのあと肘関節の内側側副靱帯の後方を，さらに尺側手根屈筋と深指屈筋の間を通過する．

尺骨神経の傷害は神経が上腕骨内側上顆の後方を走行する部位で最も起こりやすい．肘の内側部を固い表面に打ち付けたときや内側上顆の骨折によって障害が起こる．尺骨神経は肘部管の中で絞扼され，**肘部管症候群**を生じうる．肘部管とは，上腕骨頭と尺骨頭とをつなぐ尺側手根屈筋起始の腱性弓によって形成されるトンネルである．尺骨神経の傷害によって，手の広範囲で運動麻痺と感覚喪失が起こる．

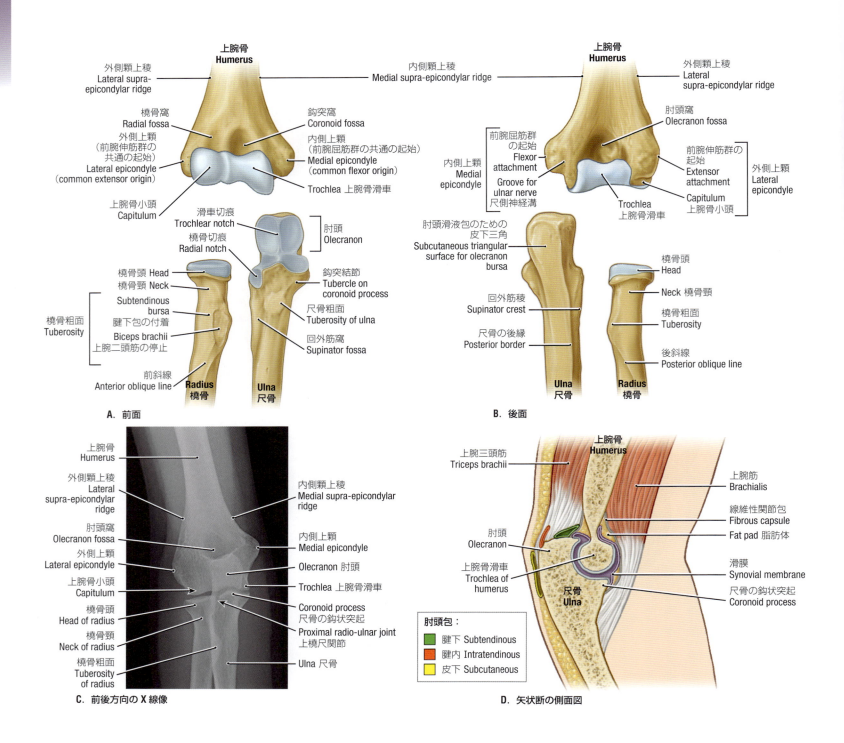

2.53 肘領域の骨と画像

A 骨の前面の特徴．B 骨の後面の特徴．C 肘関節のX線像．D 尺骨の肘頭に関する滑液包．

肘頭皮下包は，肘を打ち付けたときに傷害されたり，肘頭を覆う皮膚を擦過したことにより感染を起こしたりしやすい．肘をついて肘頭を繰り返し過剰に圧迫したり摩擦したりすると，**摩擦性肘頭皮下包炎**（"学生の肘"）が起こる．**肘頭腱下包炎**は上腕三頭筋腱と肘頭との間の過剰な摩擦によって引き起こされる．例えば，組み立て工場での作業のように，前腕の屈曲と伸展を繰り返すことによる．痛みは前腕の屈曲時に強いが，これは上腕三頭筋腱が炎症を起こした肘頭腱下包を強く押すためである．

肘関節　上肢　139

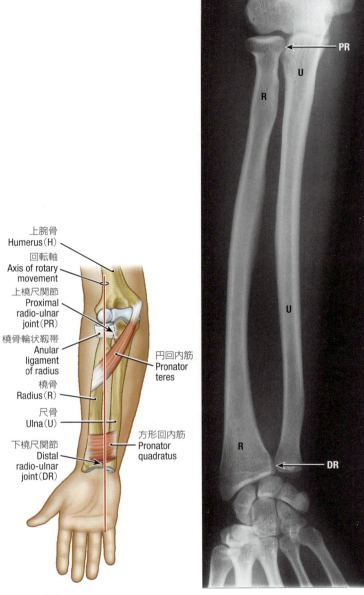
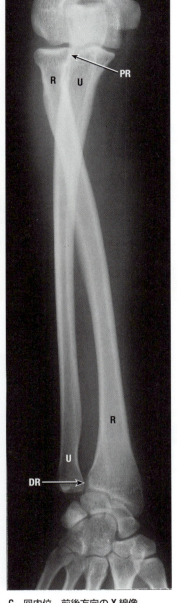
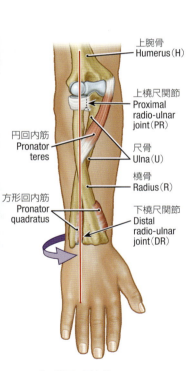

A. 前面，回外位　　B. 回外位，前後方向の X 線像　　C. 回内位，前後方向の X 線像　　D. 前面，回内位

2.54 上・中・下橈尺関節での回外と回内

A, B　回外位の前腕．C, D　回内位の前腕．前腕を回内するとき橈骨が尺骨と交叉する．上・下橈尺関節は滑膜性（可動性）の関節である．中橈尺関節は，骨間靱帯（前腕骨間膜）が前腕の 2 つの骨をつないでいる靱帯結合（線維性の関節）である．

140 上肢　肘関節

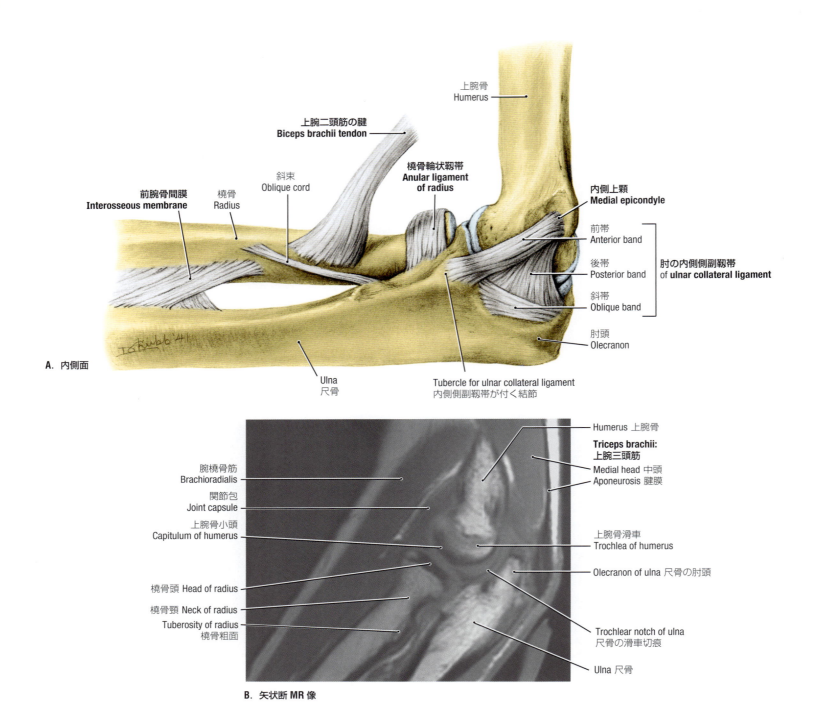

A. 内側面

B. 矢状断 MR 像

2.55 肘の骨と靱帯の内側面

A　靱帯．肘の内側側副靱帯の前帯は強靱で断面の丸い帯状の結合組織で，肘関節の伸展時に緊張する．後帯は弱い扇状の結合組織で，肘関節の屈曲時に緊張する．**B**　やや屈曲した肘関節．

肘関節　上肢　141

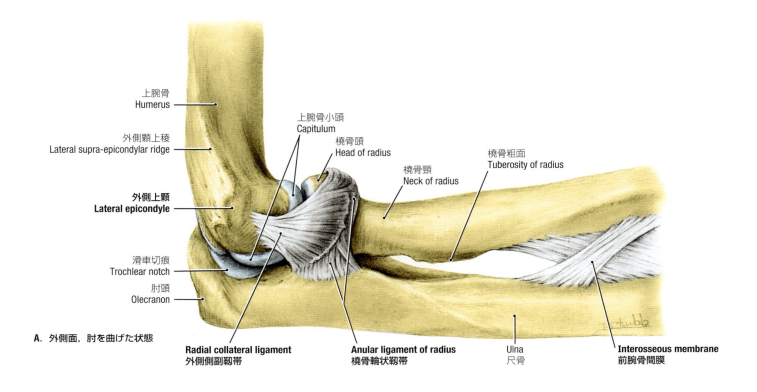

A. 外側面，肘を曲げた状態

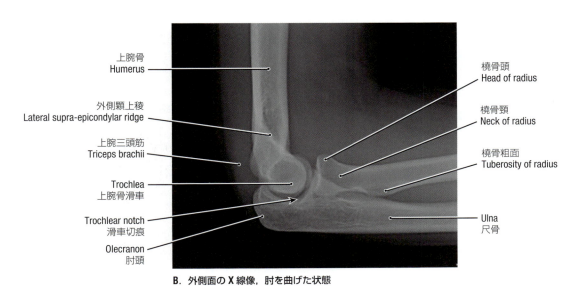

B. 外側面のX線像，肘を曲げた状態

2.56　肘の骨と靱帯の外側面

A　靱帯．扇状の外側側副靱帯は主に橈骨輪状靱帯に結合しているが，その浅部の線維は肘関節の線維性関節包に融合し，そのまま橈骨へと伸びている．**B　骨性の構造．**

142 上肢　肘関節

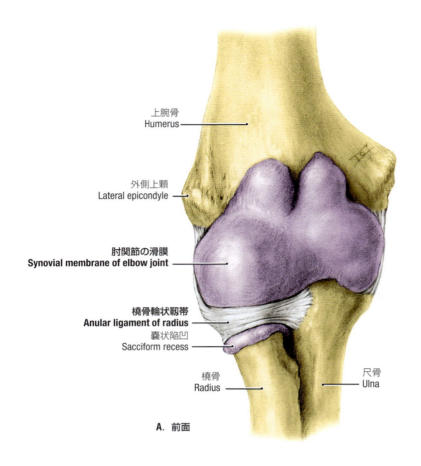

A. 前面

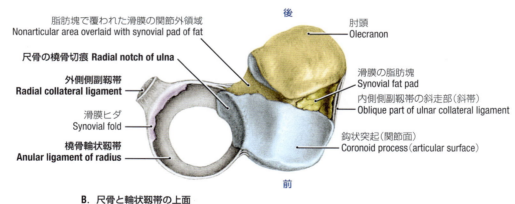

B. 尺骨と輪状靱帯の上面

2.57 肘関節の滑膜性関節包と橈骨輪状靱帯

A 肘関節と上橈尺関節の滑膜の滑膜性関節包．肘関節の関節腔にラテックス樹脂を注入してある．線維性の関節包は除去し，滑膜を残してある．
B 橈骨輪状靱帯．
- 橈骨輪状靱帯は橈骨頭を尺骨の橈骨切痕に確実に保持し，橈骨輪状靱帯と橈骨切痕とで上に広く下に狭い形の窪みを形成する．
- 橈骨輪状靱帯は肘の外側側副靱帯を介して上腕骨に結合している．

小児期によくみられる外傷として，前腕が回内位で引っ張られること（例えば，子供をバスに引き上げようとするとき）による**橈骨頭の亜脱臼や脱臼（肘内障）**がある．子供の場合は窪みの形がよりまっすぐなので，上肢を突然引っ張ると橈骨輪状靱帯の下部の付着部が引きちぎられたり伸ばされたりする．その際，橈骨頭が遠位に，部分的には橈骨輪状靱帯から外に外れる．ちぎれた橈骨輪状靱帯の一部が橈骨頭と上腕骨小頭の間に挟まれることもある．痛みは橈骨輪状靱帯が挟まれるために起こる．

肘関節　上肢

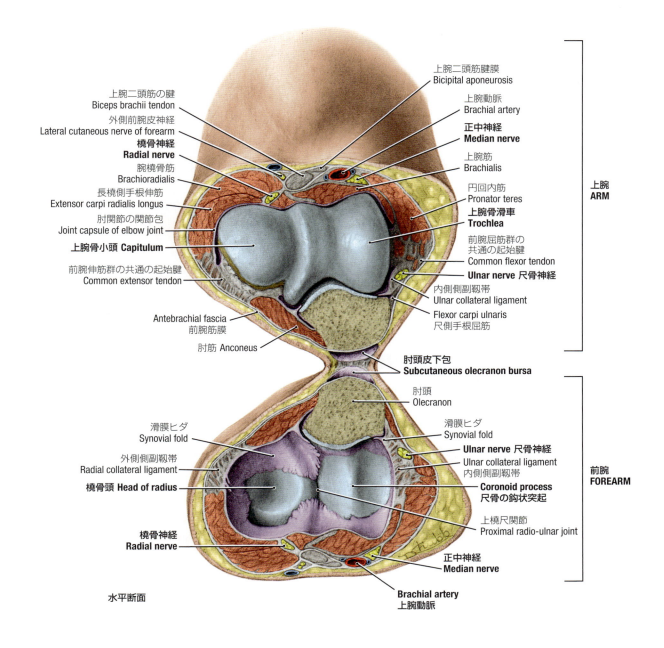

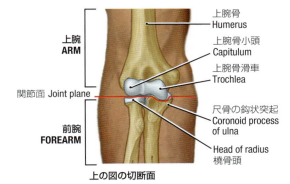

2.58 肘関節の関節面

上腕骨の内顆と外顆とを包む組織を水平断し，肘関節を離断して関節面をあらわにしている．下の図に示す上腕の構造を図2.57Bと比較すること．

- 脂肪を含む滑膜ヒダが，橈骨頭の辺縁部と，尺骨の滑車切痕のうち関節に関係しない部分とを覆っている．
- 橈骨神経は肘関節の関節包と，尺骨神経は内側側副靱帯とそれぞれ接しているが，正中神経と関節包とは上腕筋が隔てている．

144 上肢　前腕の前面

表2.11　前腕の動脈

橈骨動脈

起始：
肘窩で，上腕動脈の細い方の最終枝として．

走行と分布：
腕橈骨筋に覆われながら橈側手根屈筋の外側で屈筋区画と伸筋区画の境界を遠位方向へ走行し，両区画の筋の橈側部分を栄養する．橈骨手根関節の近傍で浅掌枝を出した後，"解剖学的嗅ぎタバコ入れ"を横断して第1背側骨間筋の両頭の間を通り，尺骨動脈深枝とともに深掌動脈弓を形成する．

尺骨動脈

起始：
肘窩で，上腕動脈の太い方の最終枝として．

走行と分布：
前腕屈筋群の第2層と第3層の間を通って遠位方向に走行し，屈筋区画（前区画）の尺側部分を栄養する．手根部では屈筋支帯より浅部を通り，深掌動脈弓に参加する深枝を出した後，橈骨動脈浅枝とともに浅掌動脈弓を形成する．

橈側反回動脈

起始：
肘窩で，橈骨動脈の第1の枝（外側枝）として．

走行と分布：
近位側へ反回し，腕橈骨筋と上腕筋の間で回外筋の浅部を通り，橈側側副動脈と吻合する．

前・後尺側反回動脈

起始：
肘窩とそのすぐ遠位で，尺骨動脈の第1と第2の内側枝として．

走行と分布：
近位側へ反回し，それぞれ下・上尺側側副動脈と吻合して，上腕骨内側上顆の前方と後方で側副路を形成する．

総骨間動脈

起始：
肘窩のすぐ遠位で，尺骨動脈の第1の外側枝として．

走行と分布：
すぐに前・後骨間動脈に分かれて終わる．

前・後骨間動脈

起始：
橈骨粗面のすぐ遠位で総骨間動脈の最終枝として．

走行と分布：
前腕骨間膜のそれぞれの側を，前骨間動脈は前腕骨間膜に沿って，後骨間動脈は伸筋群の浅層と深層の間を伸筋区画（後区画）の主要な動脈として，走行する．

骨間反回動脈

起始：
後骨間動脈の起始部から．

走行と分布：
近位側へ反回し，外側上顆と肘頭の間で肘筋の深部を通り，中側副動脈と吻合する．

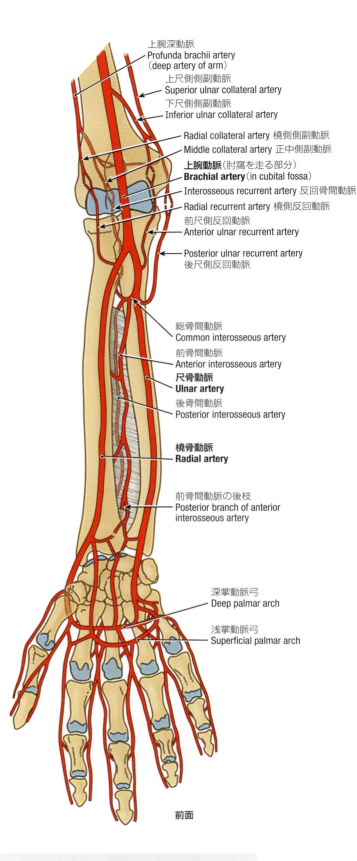

前面

2.59 前腕の動脈

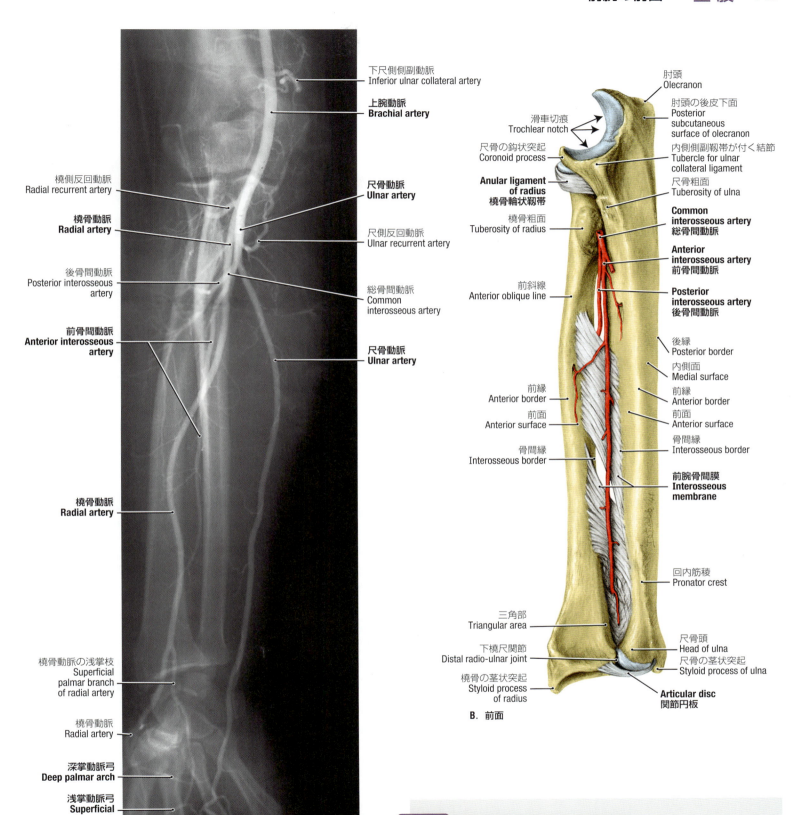

2.60 前腕の動脈と橈尺関節の靱帯

A 上腕動脈造影像. B 前腕骨間膜と骨間動脈. 上橈尺関節を保持している靱帯が橈骨輪状靱帯, 下橈尺関節を保持するのは関節円板, 中橈尺関節を保持するのは前腕骨間膜である. 前腕骨間膜は橈骨と尺骨の骨間縁に付着するが, 2本の骨の表面にも広がっている.

146 上肢　前腕の前面

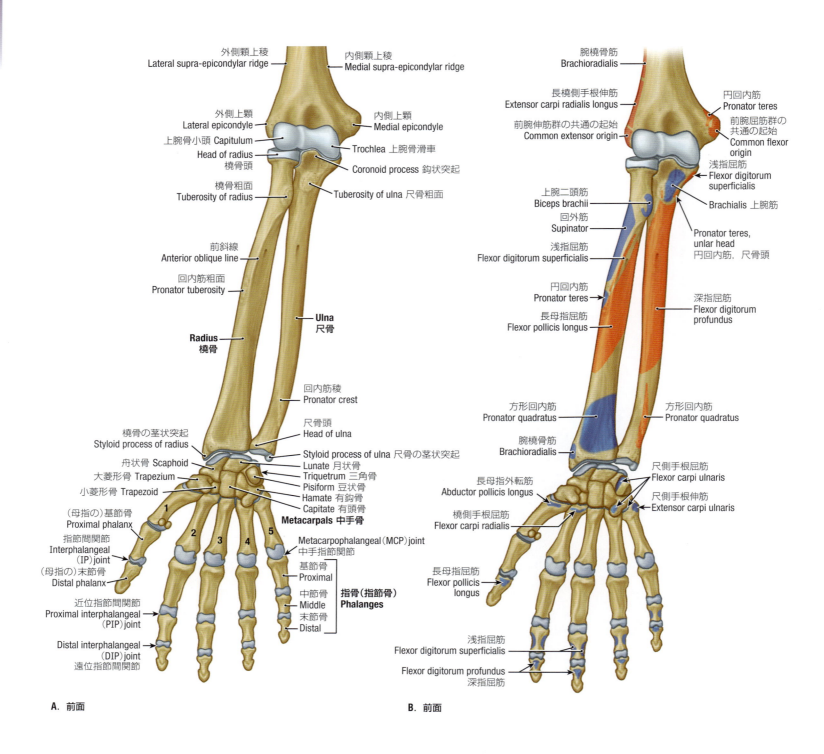

2.61 前腕と手の骨および前腕の筋の付着部

A　骨の特徴．B　筋の付着部．

前腕の前面　上肢

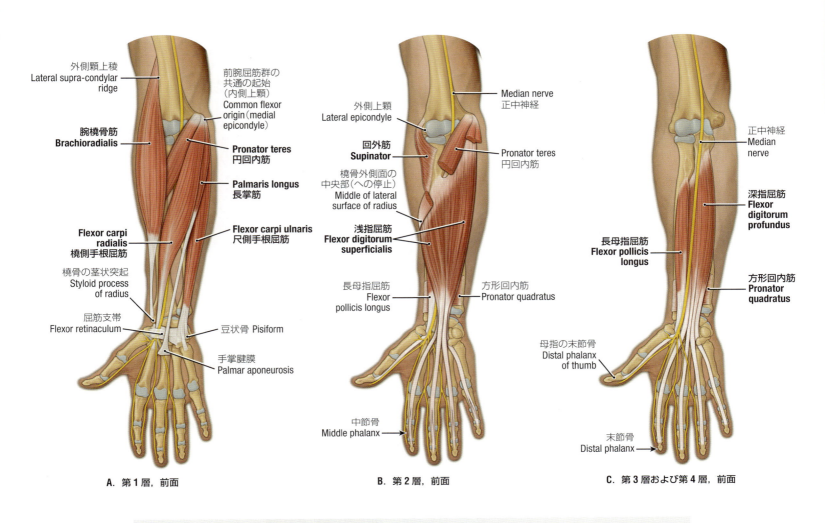

2.62 前腕の筋

前腕屈側（前面）の筋群を3層に分けて示した．

表2.12　前腕屈側の筋群

筋	起始	停止	神経支配	主な作用
円回内筋	上腕骨の内側上顆と尺骨の鉤状突起	橈骨外側面の中央部（回内筋結節）	正中神経（C6-**C7**）	前腕の回内と肘の屈曲
橈側手根屈筋	上腕骨の内側上顆	第2・第3中手骨底		手根関節の屈曲と外転
長掌筋		屈筋支帯の遠位半と手掌腱膜	正中神経（C7-**C8**）	手根関節の屈曲と手掌腱膜の緊張
尺側手根屈筋	上腕頭：上腕骨の内側上顆 尺骨頭：尺骨の肘頭と後縁	豆状骨，有鉤骨鉤，第5中手骨	尺骨神経（C7-**C8**）	手根関節の屈曲と内転
浅指屈筋	上腕尺骨頭：上腕骨内側上顆，内側側副靱帯と尺骨の鉤状突起 橈骨頭：橈骨前縁の近位半	母指を除く4指の中節骨体	正中神経（C7，**C8**，T1）	母指を除く4指の近位指節間関節（PIP関節）の屈曲，強く収縮したときには中手指節関節（MCP関節）と手根関節の屈曲
深指屈筋	尺骨内側縁および前縁の近位3/4と前腕骨間膜	母指を除く4指の末節骨底	尺側半：尺骨神経（**C8**-T1） 橈側半：正中神経（**C8**-T1）	母指を除く4指の遠位指節間関節（DIP関節）の屈曲と手根関節の屈曲の補助
長母指屈筋	橈骨前面と，近接する部分の前腕骨間膜	母指末節骨底	正中神経の枝の前骨間神経（**C8**-T1）	母指の指節間関節（IP関節）の屈曲と手根関節の屈曲の補助
方形回内筋	尺骨前面の遠位1/4	橈骨前面の遠位1/4		前腕の回内，深部の筋線維は尺骨と橈骨を結びつける．

148 上肢　前腕の前面

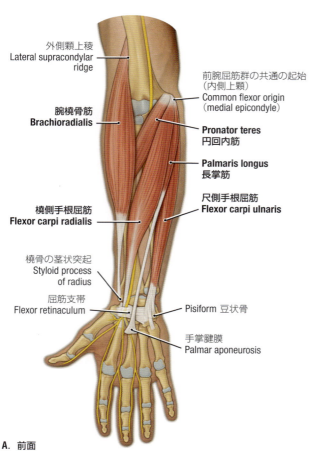

A. 前面

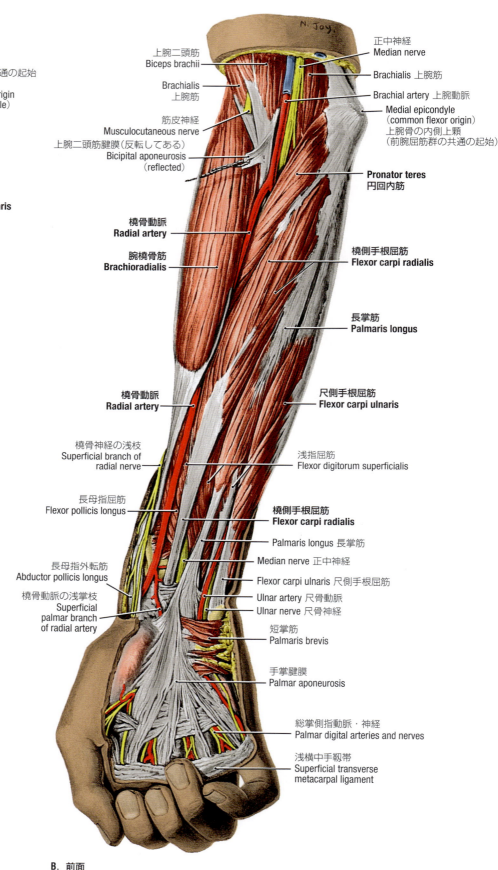

B. 前面

2.63 前腕浅層の筋群と手掌腱膜

A 筋．**B** 解剖図．

- 肘部では，上腕動脈は上腕二頭筋腱と正中神経の間にあり，その後，橈骨動脈と尺骨動脈に分かれる．
- 手根部では，橈骨動脈は橈側手根屈筋腱の橈側にあり，尺骨動脈は尺側手根屈筋腱の橈側にある．
- 前腕では，橈骨動脈は屈筋区画と伸筋区画の間にある．橈骨動脈より橈側にある筋は橈骨神経に，尺側にある筋は正中神経と尺骨神経に支配される．したがって，神経の筋枝が橈骨動脈を横切ることはない．
- 腕橈骨筋は橈骨動脈を少し覆っているが，それ以外の部位ではこの動脈は皮下にある．
- 浅部の4つの屈筋はすべて上腕骨内側上顆（前腕屈筋群の共通の起始）から起こる．
- 長掌筋は，この標本（**B**）では遠位部に過剰な筋腹を持つ．通常長掌筋は，前腕屈筋群の共通の起始の部分の小さな筋腹と長い腱を持ち，その腱は手掌腱膜として手掌に広がっている．長掌筋はおよそ14％の割合で一側性ないし両側性に欠損する．

前腕の前面　上肢

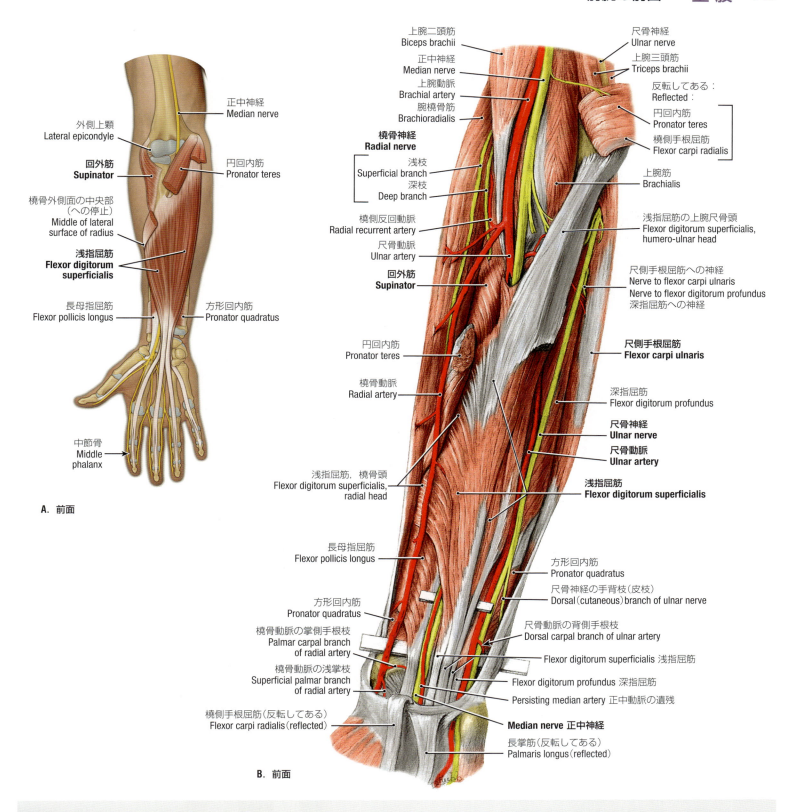

2.64 浅指屈筋と関連する構造

A 筋．B 解剖図．
- 浅指屈筋は上腕骨・尺骨・橈骨から起こる．
- 尺骨動脈は浅指屈筋の深部を斜めに横切り，この筋の尺側縁から先は尺骨神経と伴行する．
- 正中神経は浅指屈筋の深部をまっすぐに下行し，この筋の橈側縁で皮下に現れる．
- この標本では，通常は消失する正中動脈が胎生期の遺残として走行している．

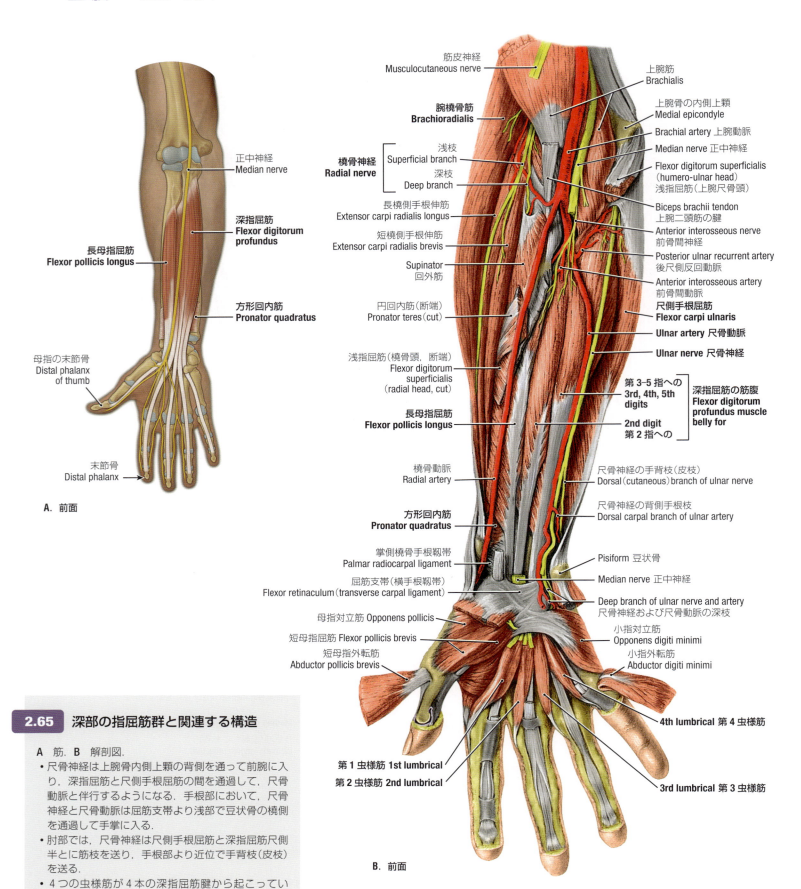

2.65 深部の指屈筋群と関連する構造

前腕の前面　　上肢　　151

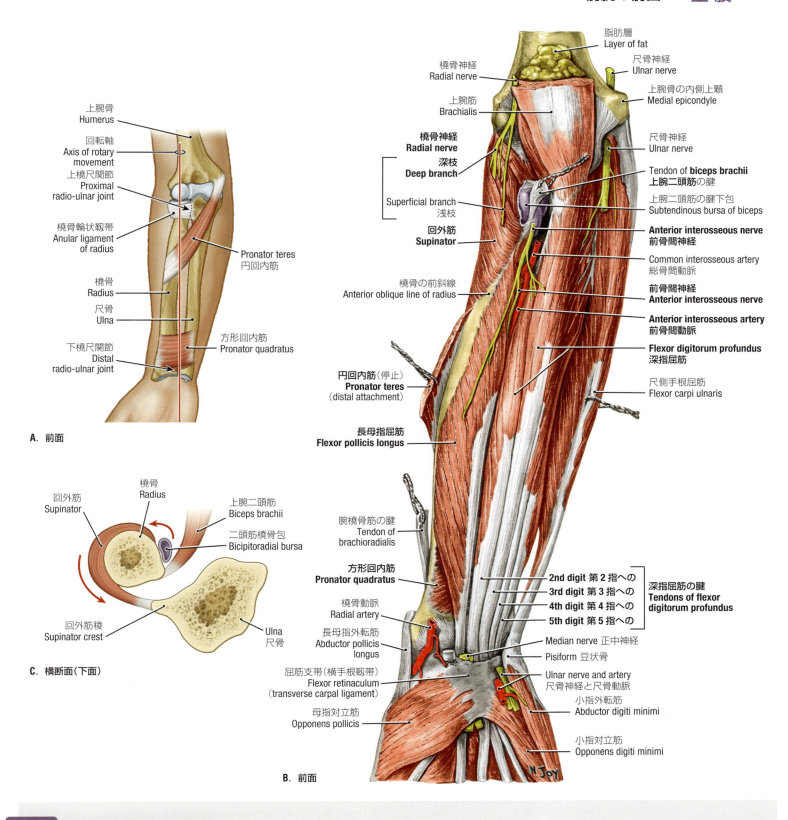

| 2.66 | 深部の指屈筋群と回外筋 |

A 方形回内筋． B 解剖図． C 前腕の回内を生じさせる筋肉．
- 前骨間神経と前骨間動脈は長母指屈筋と深指屈筋との間の深部で，前腕骨間膜に接して走行する．
- 橈骨神経の深枝は，回外筋を貫きこの筋を支配する．

橈骨神経の深枝が断絶すると，親指と，その他の指の中手指節（MCP）関節を伸展できなくなる．深枝は筋と関節のみに分布するので，感覚の喪失は起こらない．

152 上肢　手根部の前面と手掌

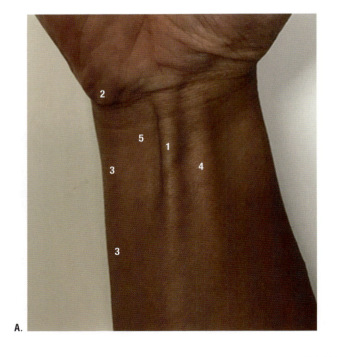

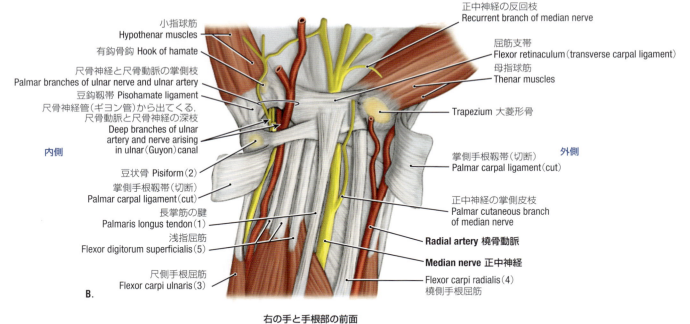

右の手と手根部の前面

2.67 手根部屈側の構造

A　体表解剖．数字はBの括弧内の数字に対応している．B　模式図．C　解剖図．
- 皮膚の横切開線のうち遠位のほうの切開は，手根部を横走する皮線に沿っている．この皮線は豆状骨と舟状骨結節を横切っている．豆状骨（訳注：尺側手根屈筋腱の中に生じた種子骨）は尺側手根屈筋の停止部位であり，舟状骨は橈側手根屈筋腱のガイドとなる．
- 長掌筋腱は手根部の横切開線の中央を横切っている．長掌筋腱の橈側には正中神経がある．
- 豆状骨の橈側で尺骨動静脈と尺骨神経が通過する尺骨神経管〔ギヨン（Guyon）管〕に注目すること．
- 橈骨動脈は長母指外転筋腱の深部を走行する．
- 浅指屈筋腱のうち中指と薬指（環指）へ向かう腱は，示指と小指へ向かう腱よりも浅部にある．
- 母指球筋を支配する正中神経の反回枝は，舟状骨結節より2.5-4 cm遠位の点を中心とする円の中に剖出できる．

手根部の前面と手掌　上肢　153

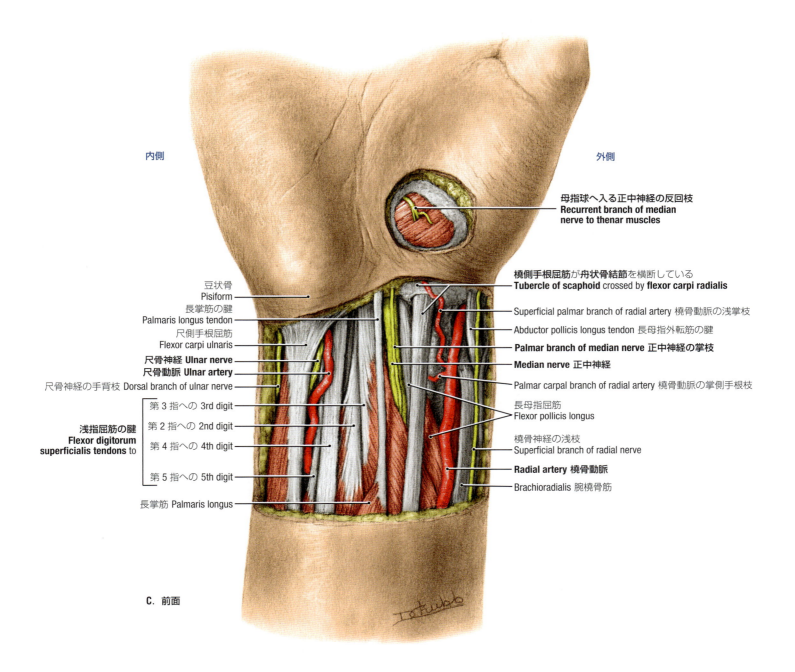

C. 前面

2.67　手根部屈側の構造(続き)

　正中神経の傷害は主に前腕と手根部との2か所で起こる．最も傷害の多いのは正中神経が手根管を通過する部位である．手根部の裂傷はしばしば正中神経の傷害を引き起こすが，それは正中神経が皮下の比較的浅部を走行するからである．その結果，母指球筋と橈側の2つの虫様筋とが麻痺し，母指の対立が不能となり，示指および中指の運動の微妙なコントロールができなくなる．このときには母指と示指・中指および環指の橈側半の皮膚感覚も失われる．

　正中神経は肘の領域を貫通するような傷でも傷害され，示指と中指との近位および遠位指節間関節の屈曲ができなくなる．正中神経が第1および第2虫様筋を支配するために，示指と中指との中手指節関節(MCP関節)での屈曲も影響を受ける．正中神経の掌枝は手根管を通過せず，手掌の中心部に皮枝を送るが，この部位は手根管症候群でも感覚が維持される．

154 上肢　手根部の前面と手掌

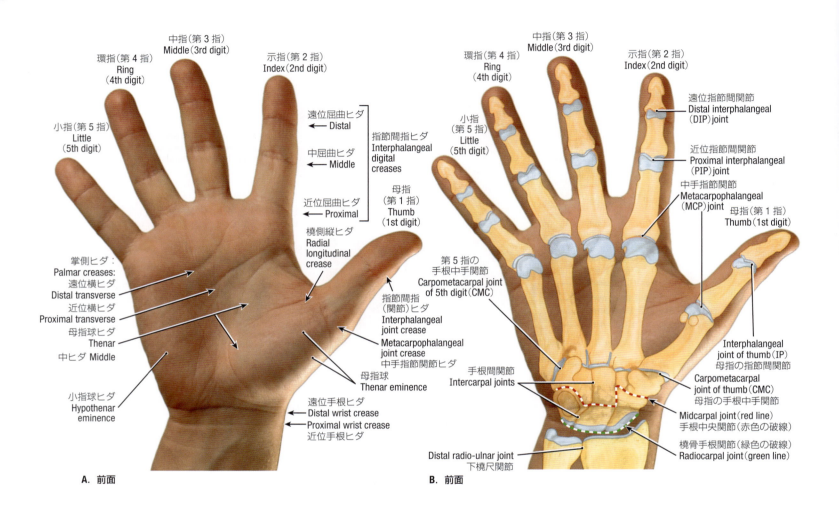

2.68 手掌と手根部の体表解剖

A　手根部と手掌の皮線．B　手根部と手の関節を体表に投影した図．骨や関節と手掌の特徴との関係に注意すること．

手掌の皮膚には，いくつかのほぼ一定な屈曲ヒダがあり，そこで皮膚は深筋膜に固く結合している．
- **手根ヒダ**．**近位**，**中位**，**遠位**．遠位手根ヒダは屈筋支帯の近位境界を示す．
- **手掌ヒダ**．**橈側縦ヒダ**（手相における「生命線」），近位横ヒダ，遠位横ヒダ．
- **横指屈曲ヒダ**．**近位屈曲ヒダ**は，指の根元にあり，中手指節関節から約2cm遠位にある．母指の近位屈曲ヒダは斜行し，第1中手指節関節の近位にある．**中屈曲ヒダ**は近位指節間関節に重なり，**遠位屈曲ヒダ**は遠位指節間関節の近位にある．2つの指節を持つ母指には屈曲ヒダが2つだけある．

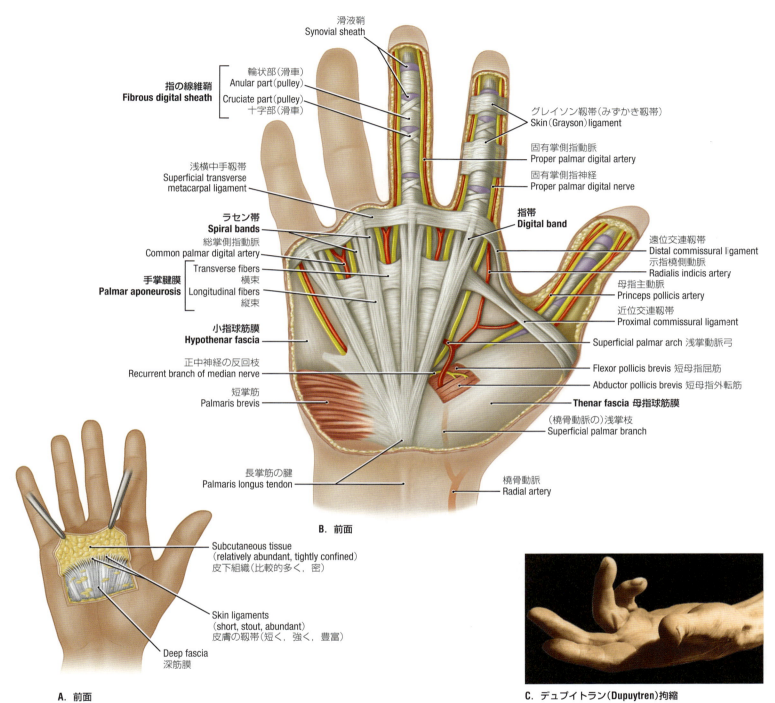

A. 前面
B. 前面
C. デュプイトラン(Dupuytren)拘縮

2.69 手掌の(深部)筋膜：手掌腱膜と母指球および小指球の筋膜

A 手掌の皮膚と皮下組織． これらの層は深筋膜に固く結合している．
B 浅層． 手掌の筋膜は，母指球と小指球の高まりを覆う部分では薄いが，中央部で手掌腱膜を形成する部分と，指で線維鞘を形成している部位とでは肥厚している．手掌腱膜は遠位端で4組の指帯とラセン帯とに分かれており，第2指から第5指の基部およびこれらの指の線維鞘へとつながっている．
C デュプイトラン(Dupuytren)拘縮は，手掌部の筋膜と手掌腱膜とが進行性に短縮・肥厚し線維化することによって起こる疾患である．手の尺側にある腱膜から伸びる縦に長い指帯が線維化により変性すると，第4指と第5指とが中手指節関節(MCP関節)と近位指節間関節(PIP関節)とで部分的に曲がってしまう．拘縮はしばしば両側性に起こる．デュプイトラン拘縮の治療には，曲がった指が動くようにするために手掌の腱膜の線維化した部分すべてを切開する手術などがある．

156 上肢　手根部の前面と手掌

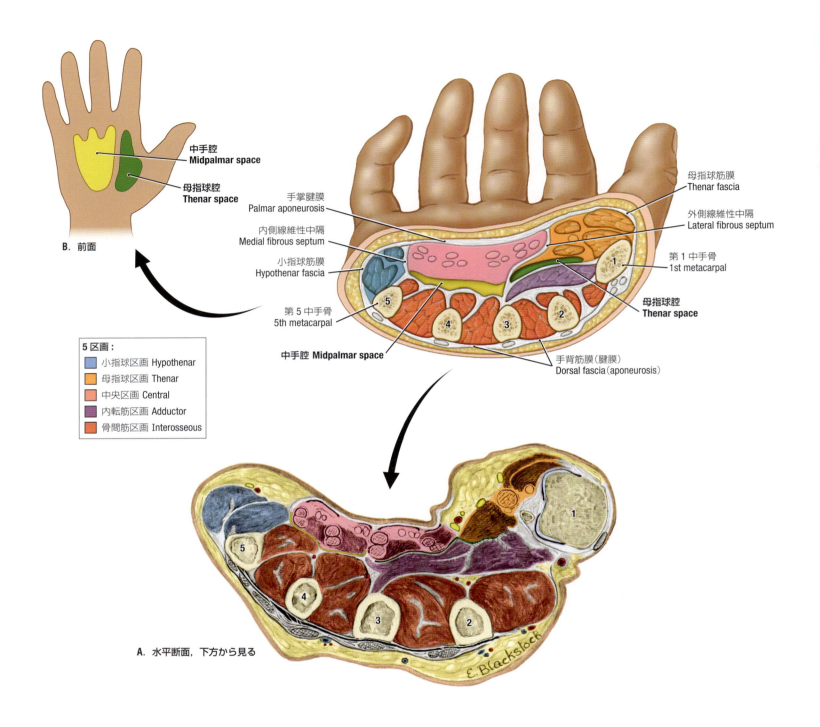

2.70 手掌の区画，手掌腔，筋膜

A 手掌の筋膜区画．手掌中央部の水平断面．**B** 内部に隠れている筋膜に囲まれた手掌腔．

- 中手腔（黄色の部分）は中央区画の深部に隠れており，尺側は小指球区画で画され，遠位では中指・薬指（環指）・小指の滑液鞘と連絡している．
- 母指球腔（緑色の部分）は母指球区画の深部に隠れており，遠位では示指の滑液鞘と連絡している．
- 中手腔と母指球腔とは，手掌腱膜から第3中手骨へと伸びる筋間中隔によって画されている．

手掌の筋膜は厚くて長いため，**手の感染症による腫脹**は通常，筋膜の薄い手背側に現れる．手掌に隠れている手掌腔は感染を起こすことがあるため，臨床的に重要である．手掌腔によって，感染部位で生じた膿が広がる量や方向が決まる．感染部位の違いによって，膿は母指球区画や小指球区画，あるいは内転筋区画に集まる．感染がある1つの手掌腔を越えて広がった場合には抗菌薬療法が用いられるが，治療しない場合には感染は手根管を通して近位方向に拡大し，前腕部の方形回内筋やその筋膜にまで達する．

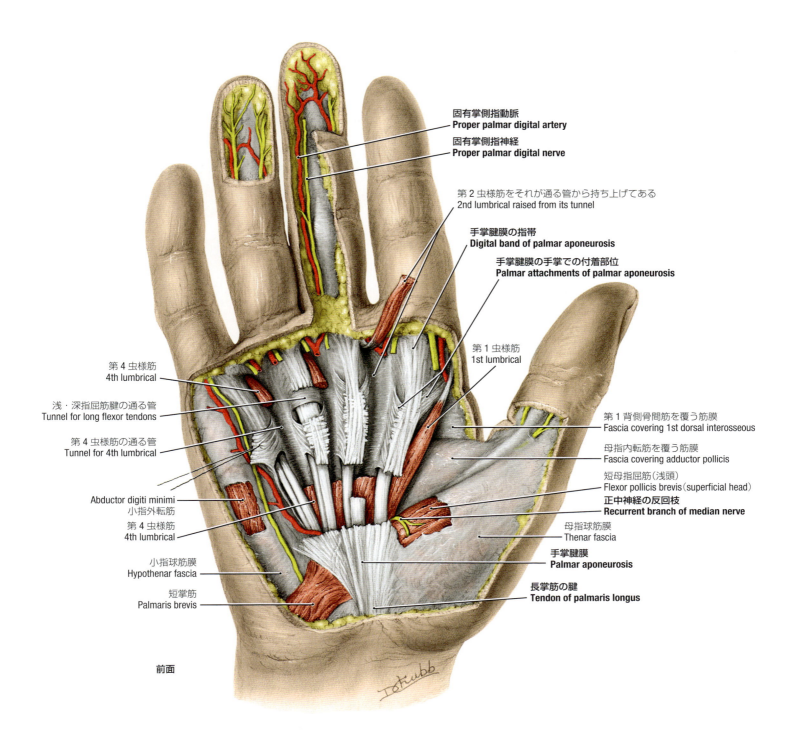

| 2.71 | 手掌腱膜 |

- 手掌腱膜から，縦方向の線維（指帯）が4本，それぞれの指に伸びている．その他の線維は広範囲で粗い線維性の中隔を形成し，手掌靱帯の深部（図2.78を参照）や，より近位では骨間筋を覆う筋膜の深部を通る．したがって，手掌の遠位半には2種類のトンネルが形成される：(1)長い屈筋腱のためのトンネル，(2)虫様筋と指の血管・神経のためのトンネル．
- 図で剖出されている中指で，指節間皮線に対応する部位の深部には皮下脂肪がないことに注目すること．

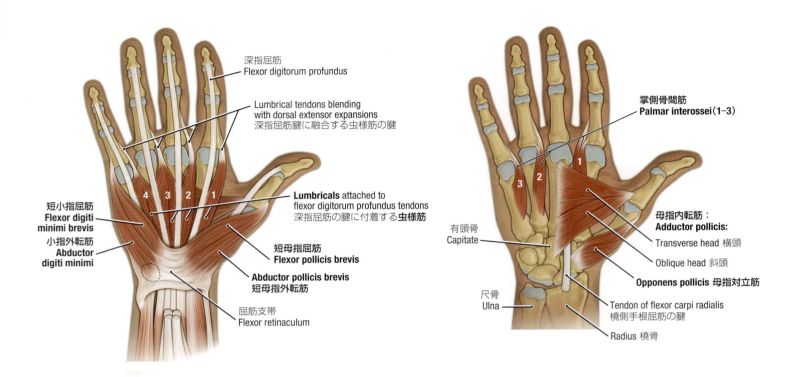
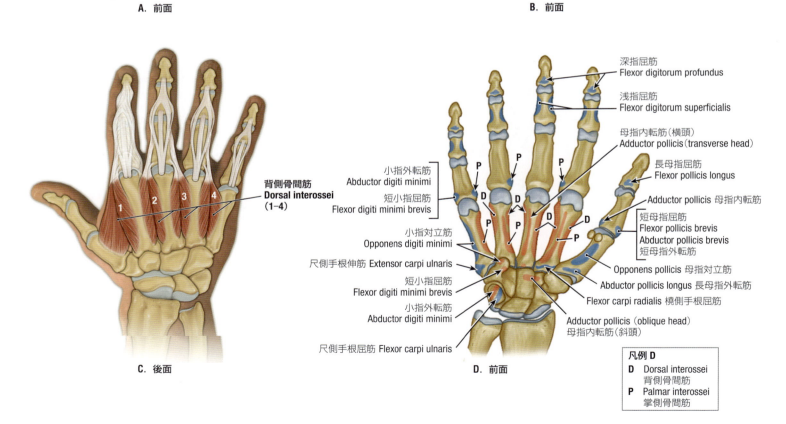

2.72 手掌の筋層

A 虫様筋． B 母指内転筋と掌側骨間筋（P）． C 背側骨間筋（D）． D 骨への付着部．

手根部の前面と手掌　上肢

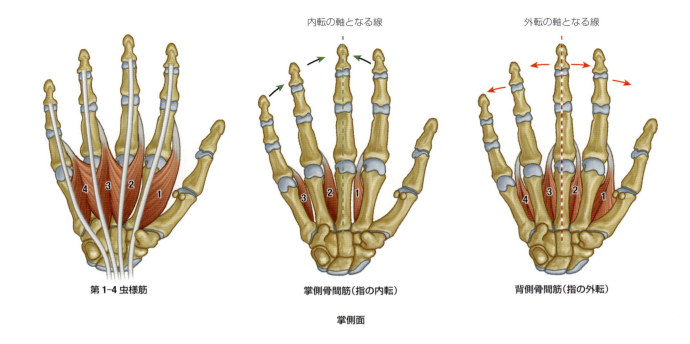

第1-4虫様筋　　掌側骨間筋（指の内転）　　背側骨間筋（指の外転）

掌側面

2.73　虫様筋と骨間筋

虫様筋と骨間筋は手の深層の筋である．掌側骨間筋（内転）と背側骨間筋（外転）の作用を矢印で示している．

表2.13　手の筋群

筋	起始	停止	神経支配	主な作用
短母指外転筋	屈筋支帯（横手根靱帯），舟状骨結節，大菱形骨結節	母指の基節骨底の外側面	正中神経反回枝（C8, T1）	母指の外転，対立の補助
短母指屈筋	屈筋支帯（横手根靱帯）と大菱形骨結節			母指の屈曲
母指対立筋		第1中手骨の外側面		母指を手掌中央へ向かって対立，母指の内旋
母指内転筋	斜頭：第2・3中手骨底，有頭骨とその周囲の手根骨 横頭：第3中手骨体の前面	母指の基節骨底の内側面	尺骨神経深枝（C8, T1）	母指を中指の方向へ内転
小指外転筋	豆状骨	小指の基節骨底の内側面	尺骨神経深枝（C8, T1）	小指の外転，小指の近位指節間関節（PIP関節）の屈曲の補助
短小指屈筋	有鈎骨鈎と屈筋支帯（横手根靱帯）	第5中手骨の内側面		小指の近位指節間関節（PIP関節）を屈曲
小指対立筋				第5中手骨を前方に引き回旋，小指を母指と対立させる．
第1・2虫様筋	第2・3指の深指屈筋腱	第2-5指の指背腱膜の外側面	正中神経（C8, T1）	第2-5指を中手指節関節（MCP関節）で屈曲し，指節間関節（IP関節）で伸展
第3・4虫様筋	第2-5指の深指屈筋腱			
第1-4背側骨間筋	隣接する2つの中手骨の相対する面	第2-4指の指背腱膜および基節骨底	尺骨神経深枝（C8, T1）	第2-4指を中手指節関節（MCP関節）で外転，虫様筋を補助して中手指節関節（MCP関節）で屈曲し指節間関節（IP関節）で伸展
第1-3掌側骨間筋	第2・4・5中手骨の手掌面	第2・4・5指の指背腱膜および基節骨底		第2・4・5指を中手指節関節（MCP関節）で内転，虫様筋を補助して，中手指節関節（MCP関節）で屈曲し指節間関節（IP関節）で伸展

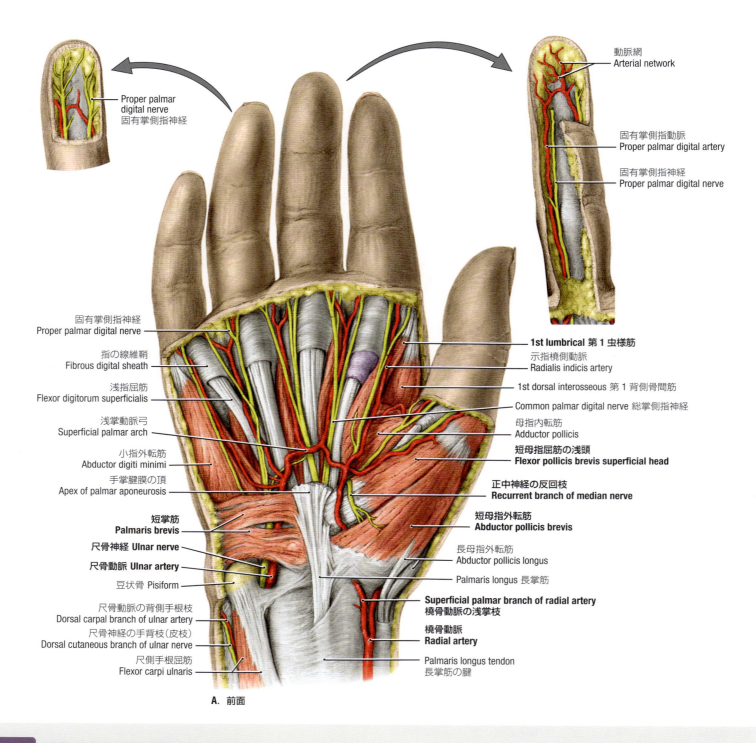

2.74 手掌の浅部，尺骨神経と正中神経

A 浅掌動脈弓および指神経と指動静脈．
- 皮膚，浅部筋膜，手掌腱膜，母指球と小指球の筋膜は取り除いてある．
- 浅掌動脈弓は主に尺骨動脈から形成され，橈骨動脈浅掌枝に補完される．
- 4つの虫様筋は指の血管や神経の後方にある．虫様筋は深指屈筋腱の外側面から起こり，それぞれの指の指背腱膜の外側に停止する．内側の2つの虫様筋の起始は二叉に分かれており，隣接する深指屈筋腱の内側面からも起始する．
- 指では，固有掌側指動脈と固有掌側指神経が指の線維鞘のそれぞれの側を走行する．
- 豆状骨の橈側で尺骨動静脈と尺骨神経が通るトンネル〔尺骨神経管，ギヨン(Guyon)管〕に注目すること．

手掌動脈弓の断裂．手掌動脈弓が断裂すると通常大出血となる．動脈弓が断裂した場合には前腕部の動脈の一方を結紮しただけでは止血に不十分であるが，それは前腕部や手掌において橈骨動脈と尺骨動脈との間に通常数多くの交通枝があるため断裂部の両側で出血しているからである．

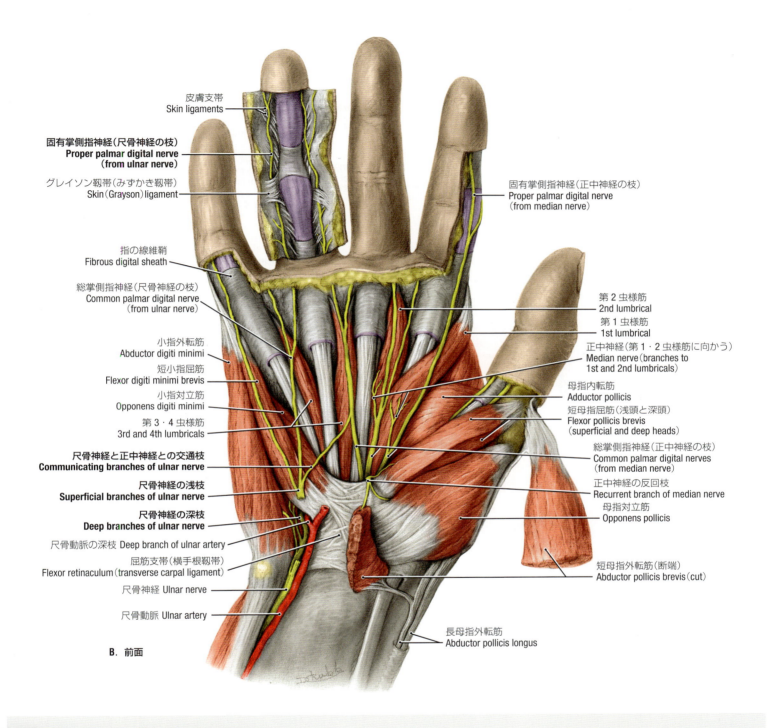

2.74 手掌の浅部，尺骨神経と正中神経（続き）

B 尺骨神経と正中神経．

手根管症候群は，手根管を明らかに狭くする病変や，あるいはもっと頻繁には，手根管を通過する構造（あるいはそれらを覆う構造）を太くする病変（例えば滑液鞘の炎症）によって引き起こされる．正中神経は手根管の中で最も障害を受けやすい構造である．正中神経の最終枝には，手掌の皮膚を支配する2つの皮枝がある．そのため手根管症候群では，異常感覚（原因がないのにひりひり痛むこと），感覚鈍麻（皮膚感覚が低下すること），あるいは感覚麻痺（感覚が消失すること）が，橈側3本半の指（訳注：母指，第2指，第3指，および第4指橈側半）で生じる．しかしながら，正中神経の皮枝のうち掌枝は手根管より近位で分岐し手根管を通過しないことを思い出してほしい．このため手掌の中心部では感覚が維持される．正中神経の最終枝には3つの母指球筋を支配する筋枝である反回枝もある．このため手根管症候群では，母指球の隆起が萎縮したり母指の運動の協調性や筋力が失われたりすることがある．神経への圧迫を解放しそれによる症状を減弱するには，屈筋支帯を部分的にあるいはその全体を切開する**手根管開放術**と呼ばれる外科手術が必要となることもある．手根管開放術では，正中神経反回枝への傷害を避けるために，手根部と屈筋支帯との尺側に向かって切開が入れられる．

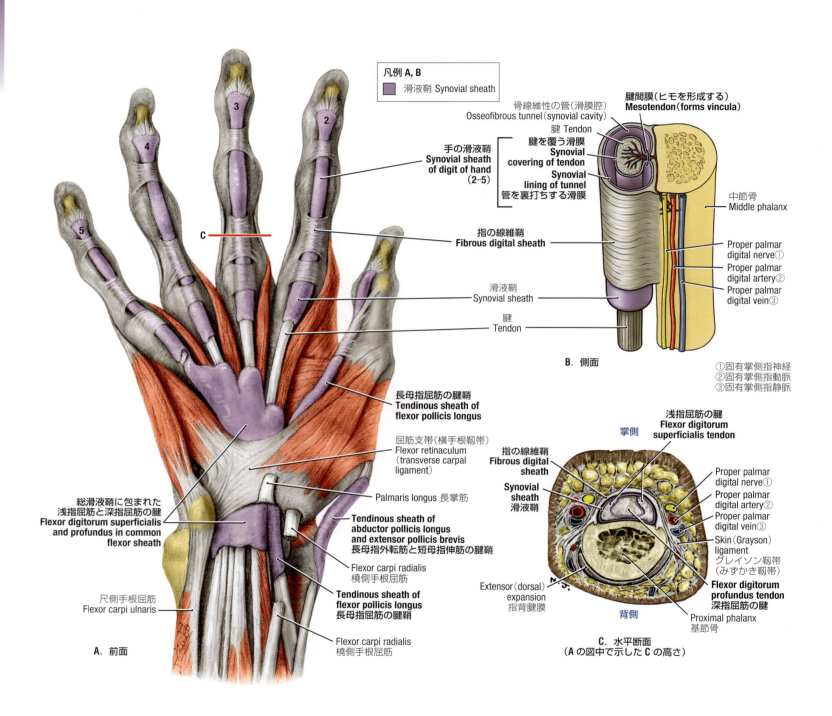

2.75 手掌の滑液鞘

A 指の屈筋腱の滑液鞘．**B** 骨線維性の管と腱の滑液鞘．**C** 基節骨を通る指の水平断面．

錆びた釘で刺してしまうなどの外傷によって**指の滑液鞘の感染**が起こりうる．**腱や滑液鞘の炎症（腱鞘滑膜炎）**が起こると，指が腫れ上がり，動かすと痛みが生じる．第2指から第4指の腱の滑液鞘は常に分離しているため，感染の広がりはその指に限定される．しかしながら，感染を治療しないとこれらの滑液鞘の近位部が破裂し，感染が中手腔まで波及してしまう．小指の滑液鞘は通常指屈筋の総滑液鞘に連続しているため，小指の腱鞘滑膜炎は総滑液鞘に波及して手掌や手根管経由で前腕まで広がることがある．同様に母指の腱鞘滑膜炎も，連続している長母指屈筋の滑液鞘へと波及することがある．

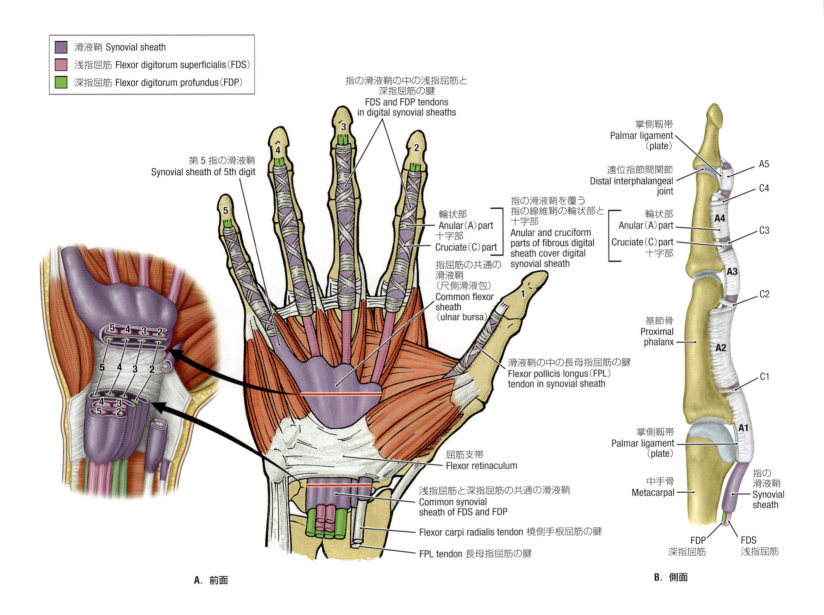

A．前面

B．側面

2.76　指の線維鞘

A　指の線維鞘と滑液鞘．B　指の線維鞘の輪状部と十字部（滑車）．
　指の線維鞘は強靭な靱帯でできた管であり，その中を屈筋の腱とその滑液鞘が通る．線維鞘は中手骨頭から末節骨底まで広がっている．線維鞘は腱が指から浮き上がる（弓のつるのように）のを防いでいる．指の線維鞘は指節骨とともに骨線維性のトンネルをつくり，その中を腱が通って指に達する．輪状部と十字部は，臨床的にはしばしば"滑車"と呼ばれているが，これらは線維鞘を補強する肥厚部である．

164 上肢　手根部の前面と手掌

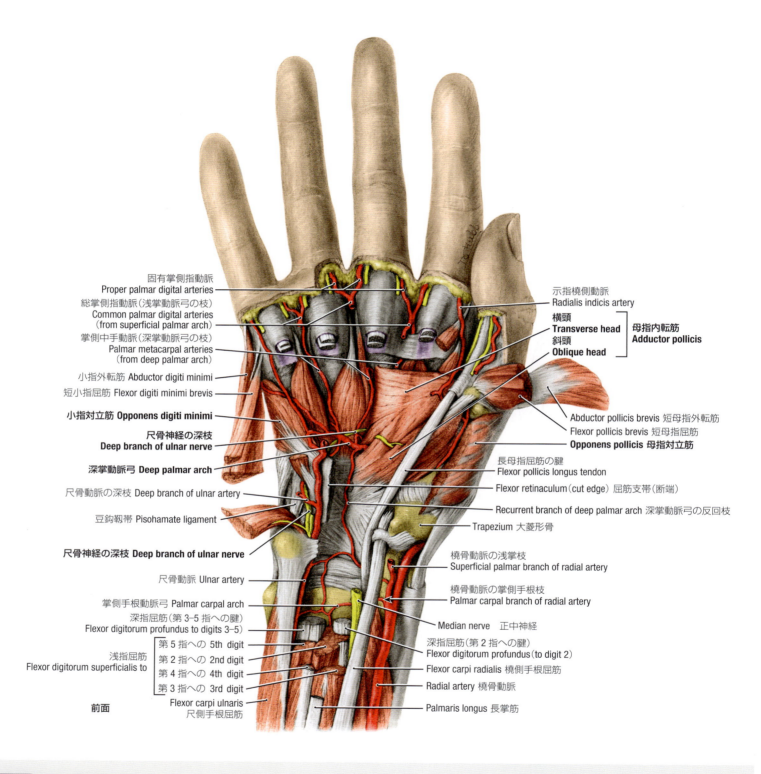

2.77 手掌深部の解剖

- 尺骨動脈の深枝は橈骨動脈と吻合して深掌動脈弓を形成する．
- 豆鈎靱帯はしばしば，尺側手根屈筋腱の延長とみなされる．これは，豆状骨が種子骨と考えられるからである．
- **尺骨神経の圧迫**が，豆状骨と有鈎骨鈎との間を通過する手根部で起こることがある．この2つの骨の間の窪みは，豆鈎靱帯によって骨線維性の尺骨神経管〔ギヨン（Guyon）管〕となる．**尺骨神経管症候群**の症状は，尺側1本半の指（訳注：小指，および第4指尺側半）の感覚鈍麻と手内筋の筋力低下である．第4指と第5指のかぎ爪状の変形が起こることもあるが，近位部での尺骨神経の傷害と異なり，これらの指の屈曲は影響を受けず，また手根関節が橈側に偏位することもない．

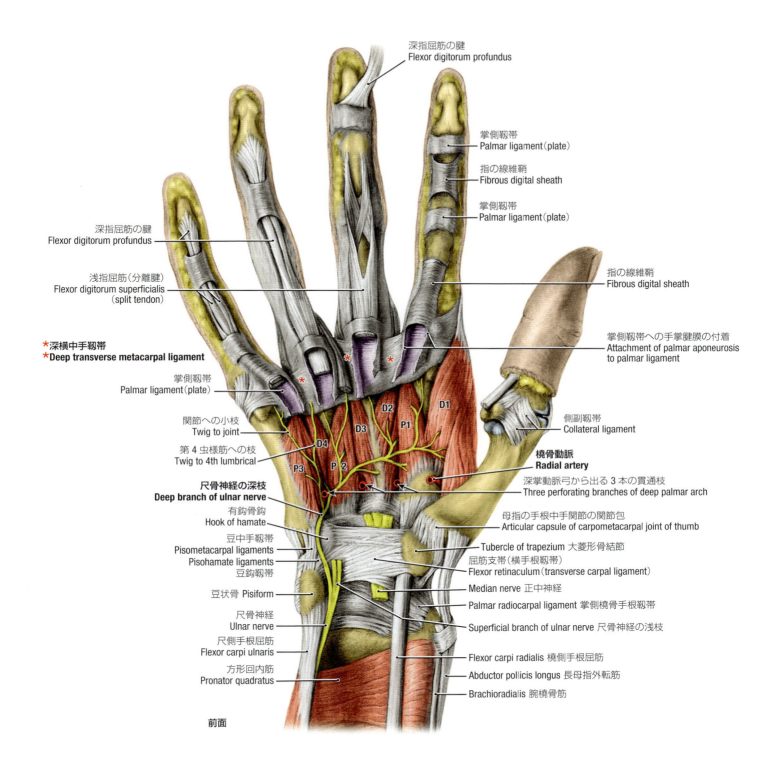

2.78 手掌と指の深部と尺骨神経深枝

- 分岐していない3つの掌側骨間筋（P1-P3）および二分している4つの背側骨間筋（D1-D4）が描かれている．中指の長軸を通る仮想的な直線を軸として，掌側骨間筋は指を内転し，背側骨間筋は指を外転する（表2.13参照）．
- 深横中手靱帯は掌側靱帯を結びつける．虫様筋は深横中手靱帯の浅部を，骨間筋はその深部を通過する．
- 豆鈎靱帯と豆中手靱帯は尺側手根屈筋の停止腱となる．

166 上肢　手根部の前面と手掌

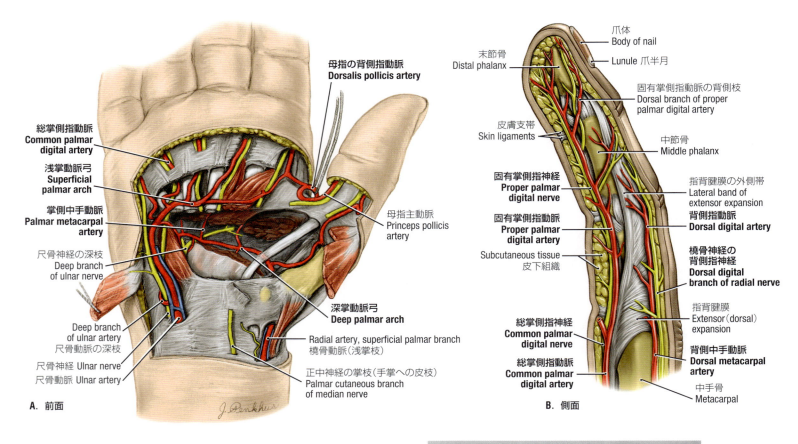

A. 前面
B. 側面

2.79 手の動脈-I

A　手掌の動脈弓．B　指の動静脈と神経．C　手の動脈造影像．

浅掌動脈弓は通常，橈骨動脈の浅掌枝によって補完されるが，この標本では母指の背側指動脈が補完している．

浅掌動脈弓や深掌動脈弓では脈拍を感知することはできないが，これらの動脈弓の皮膚表面のマーカーは視認できる．浅掌動脈弓は，最大限伸展した母指（訳注：母指の伸展については図 2.82 を参照）の遠位側の縁の高さにある．深掌動脈弓は浅掌動脈弓より約 1 cm 近位にある．これらの動脈弓の部位は，手掌部の外傷や手掌に切開を入れる際によく覚えておかなければならない．

指の虚血が断続的に両側性に生じるのは，チアノーゼとして認められ，しばしば麻痺と疼痛を伴うが，寒冷刺激や情緒的な刺激によって起こるのが特徴的である．このような状態は，解剖学的な異常か潜在的な疾患によって引き起こされうる．原因が特発性（原因不明）や原発性である場合，**レイノー(Raynaud)症候群**（レイノー病）と呼ばれる．動脈は交感神経の節後線維の支配を受けるので，指の動脈を拡張させるために頸背部の前シナプス的交感神経切断術が必要になることもある．

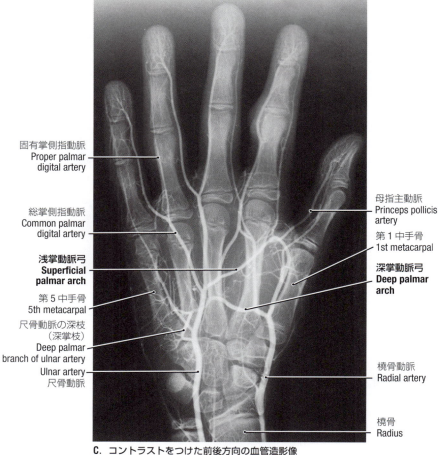

C. コントラストをつけた前後方向の血管造影像

手根部の前面と手掌　上肢

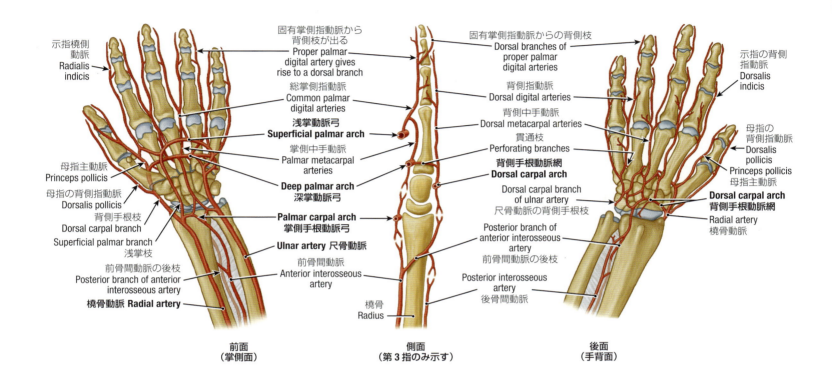

前面（掌側面）　　側面（第3指のみ示す）　　後面（手背面）

2.80　手の動脈-II

手はさまざまな位置に置かれ保持されるので，どの位置でも酸素化された血液が供給されるように，よく分枝した動脈網が豊富に必要とされる．

表2.14　手の動脈

動脈	起始	走行
浅掌動脈弓	尺骨動脈の直接の延長，動脈弓の橈側部は橈骨動脈の浅掌枝あるいは他の1枝によって補完される．	手掌腱膜と長い指屈筋腱との間で橈側に曲がり，伸展した母指の遠位端の高さで手掌を横切っている．
深掌動脈弓	橈骨動脈の直接の延長，動脈弓の尺側部は尺骨動脈深枝によって補完される．	指の屈筋腱の深部で中手骨基部に接しながら尺側に曲がる．
総掌側指動脈	浅掌動脈弓	虫様筋のすぐ上を指に向かう．
固有掌側指動脈	総掌側指動脈	第2-5指の両側を走行
母指主動脈	橈骨動脈が手掌に向かって曲がる部位	第1中手骨の掌側面を下行し，母指の基節骨底の高さで母指の両側を走行する2枝に分岐する．
示指橈側動脈	橈骨動脈，ただし母指主動脈から分かれることもある．	示指の橈側縁に沿って指先まで
背側手根動脈網	橈骨動脈と尺骨動脈	手背筋膜の下で動脈弓を形成

168 上肢　前腕の後面

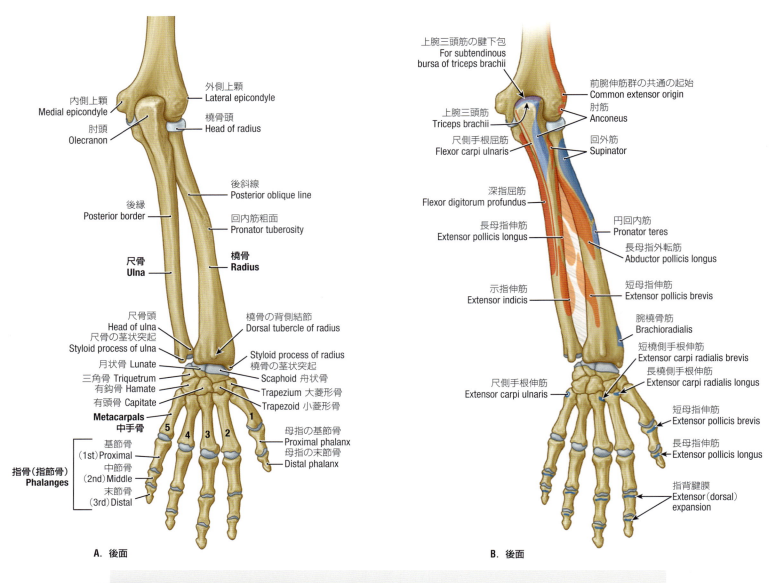

A. 後面

B. 後面

2.81 前腕と手の後面（背側面）における骨と筋の付着部

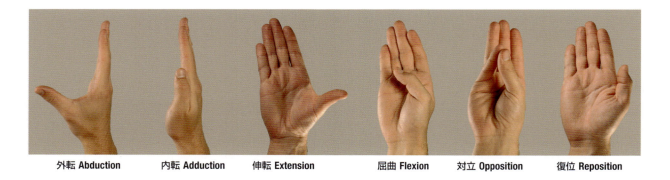

外転 Abduction　　内転 Adduction　　伸展 Extension　　屈曲 Flexion　　対立 Opposition　　復位 Reposition

2.82 母指の運動

他の指と異なり，母指は90°回旋が可能である．中手指節関節（MCP関節）での外転と内転は矢状面内で起こる．中手指節関節（MCP関節）と指節間関節（IP関節）での屈曲と伸展は前頭面（前額面）内で起こるが，これは他の指の同様の運動とは逆向きである．

前腕の後面　上肢

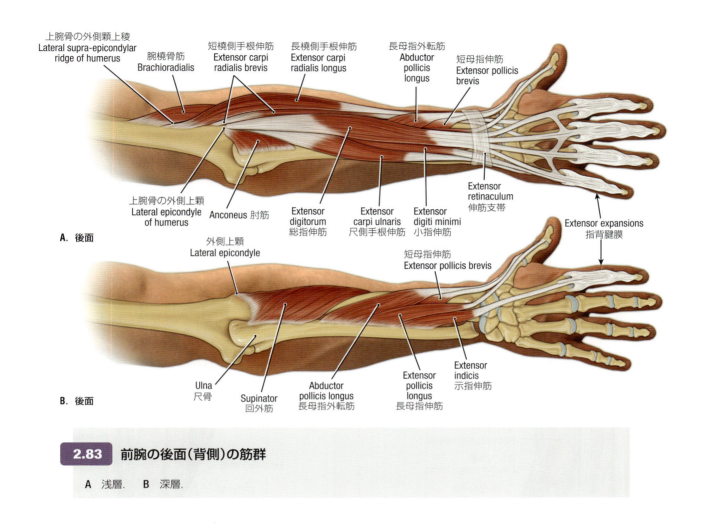

2.83 前腕の後面（背側）の筋群

A 浅層． B 深層．

表 2.15 前腕の伸筋群

筋	起始	停止	神経支配	主な作用
腕橈骨筋	上腕骨外側顆上稜の近位 2/3	橈骨遠位端の外側面	橈骨神経（C5，**C6**，C7）	肘関節の屈曲
長橈側手根伸筋	上腕骨の外側顆上稜	第 2 中手骨底	橈骨神経（C6-C7）	手根関節で手を伸展し外転（橈屈）
短橈側手根伸筋	上腕骨の外側上顆	第 3 中手骨底	橈骨神経深枝（**C7** と C8）	
総指伸筋		第 2-5 指の指背腱膜	橈骨神経の枝である後骨間神経（C7-C8）	中手指節関節（MCP 関節）での第 2-5 指の伸展，手根関節の伸展
小指伸筋		小指の指背腱膜		中手指節関節（MCP 関節）と指節間関節（IP 関節）での小指の伸展
尺側手根伸筋	上腕骨外側上顆と尺骨後縁	第 5 中手骨底		手根関節で手を伸展し内転（尺屈）
肘筋	上腕骨の外側上顆	肘頭の外側面と尺骨後面の上部	橈骨神経（C7-C8，T1）	肘関節の伸展時に上腕三頭筋を補助，肘関節の安定化，回内時に尺骨を外転
回外筋	上腕骨の外側上顆，外側側副靱帯および橈骨輪状靱帯，回外筋窩，尺骨稜	橈骨近位 1/3 の外側面・後面・前面	橈骨神経深枝（C6 と **C7**）	前腕を回外
長母指外転筋	尺骨・橈骨・前腕骨間膜の後面	第 1 中手骨底	後骨間神経（C7 と **C8**）	母指を手根中手関節（CM 関節）で伸展
短母指伸筋	橈骨と前腕骨間膜の後面	母指基節骨底		母指を中手指節関節（MCP 関節）で外転・伸展
長母指伸筋	尺骨と前腕骨間膜の中央 1/3 の後面	母指末節骨底		母指を中手指節関節（MCP 関節）と指節間関節（IP 関節）で伸展
示指伸筋	尺骨と前腕骨間膜の後面	示指の指背腱膜		示指を中手指節関節（MCP 関節）と近位・遠位指節間関節（IP 関節）で伸展，手根関節の伸展を補助

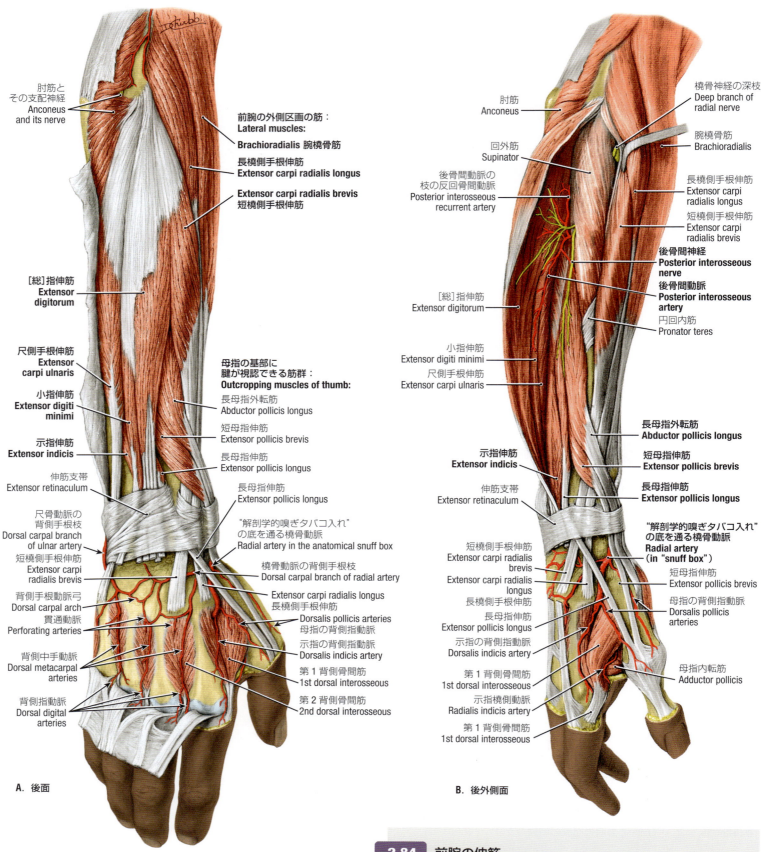

2.84 前腕の伸筋

A 浅層． B 深層．

手根部の後面と手背　上肢

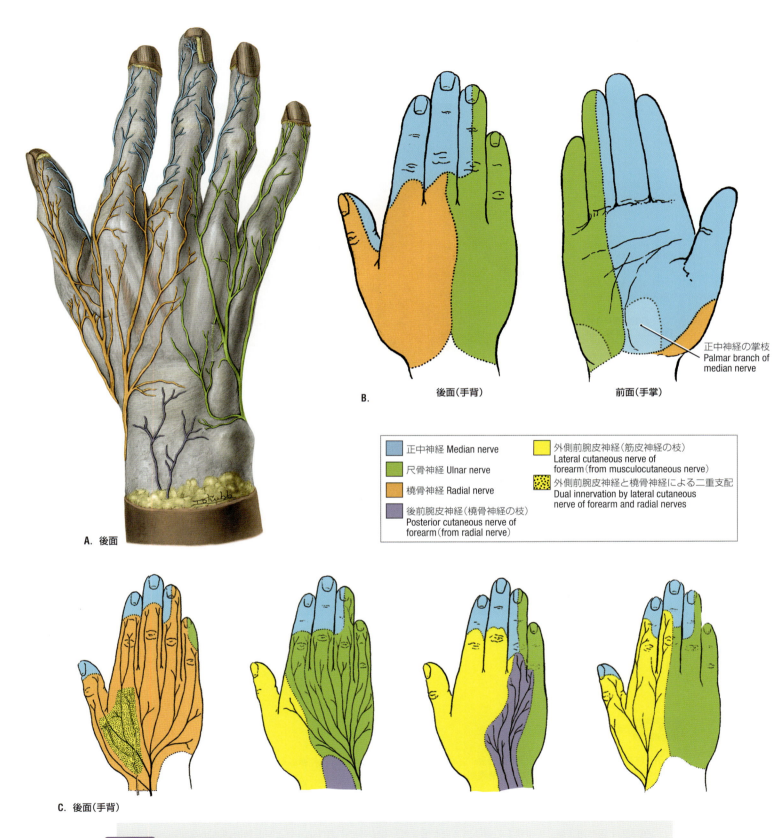

正中神経 Median nerve	外側前腕皮神経（筋皮神経の枝） Lateral cutaneous nerve of forearm (from musculocutaneous nerve)
尺骨神経 Ulnar nerve	外側前腕皮神経と橈骨神経による二重支配 Dual innervation by lateral cutaneous nerve of forearm and radial nerves
橈骨神経 Radial nerve	
後前腕皮神経（橈骨神経の枝） Posterior cutaneous nerve of forearm (from radial nerve)	

正中神経の掌枝 Palmar branch of median nerve

A. 後面
B. 後面（手背）　前面（手掌）
C. 後面（手背）

2.85　手の皮神経

A　手背の皮神経の解剖図．B　手掌と手背の皮神経の分布を示す模式図．C　手背の皮神経の分布パターンにみられる変異．

172 上肢　手根部の後面と手背

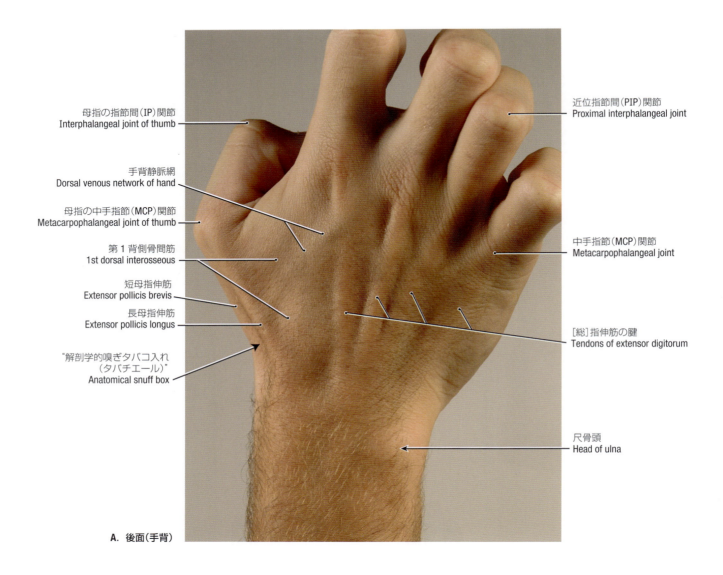

A. 後面（手背）

2.86 手背

- **A** 体表解剖．指節間関節（IP関節）を屈曲し中手指節関節（MCP関節）を過伸展して，［総］指伸筋の腱を示す．
- **B** 青い液体を注入して広げてある滑液鞘．
- **C** 前腕遠位部の断面（数字はBの構造に対応する）．
- **D** 骨への付着部．

- 6つの滑液鞘が伸筋支帯の深部にある6つの骨線維性の管に収まっている．ここには9本の腱がある．母指への腱は第1管と第3管，手根伸筋の腱は第2管と第6管，指の伸筋の腱は第4管と第5管を通過する．
- 長母指伸筋腱は橈骨の背側結節を回り込んで，長・短橈側手根伸筋の母指に向かう腱の上を斜めに横切る．
  長母指外転筋と短母指伸筋との腱は手根部の背側では共通の滑液鞘を通る．これらの腱が過度に摩擦されると腱鞘が肥厚して骨線維性のトンネルが狭窄し，**狭窄性ドゥ・ケルヴァン (de Quervain) 腱鞘炎**となる．本症では，手根部の痛みが近位では前腕に，遠位では母指にそれぞれ放散する．

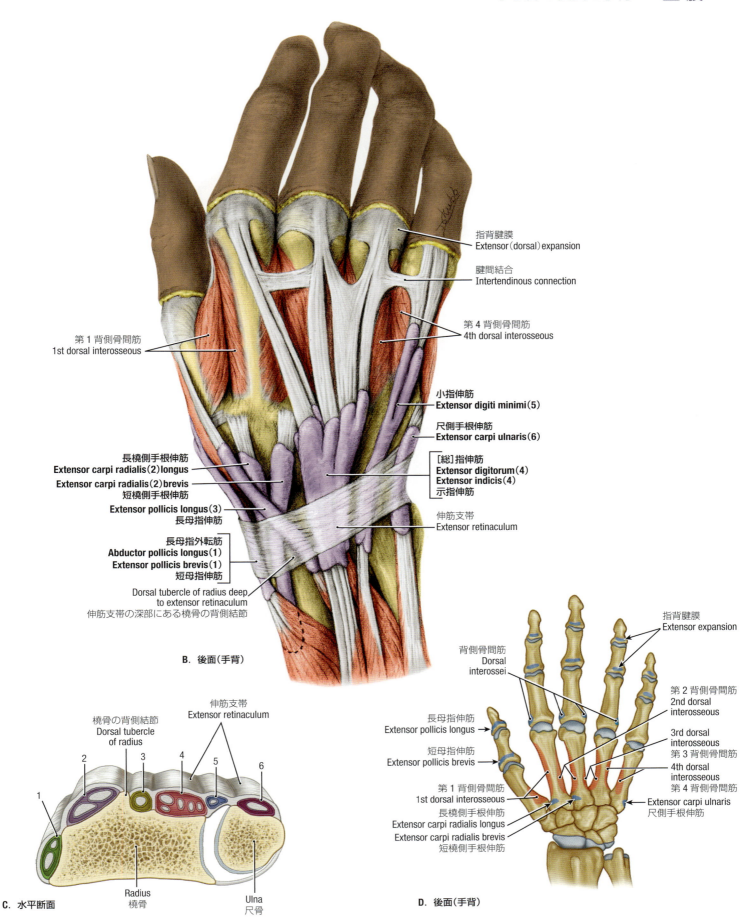

174 上肢　手根部の後面と手背

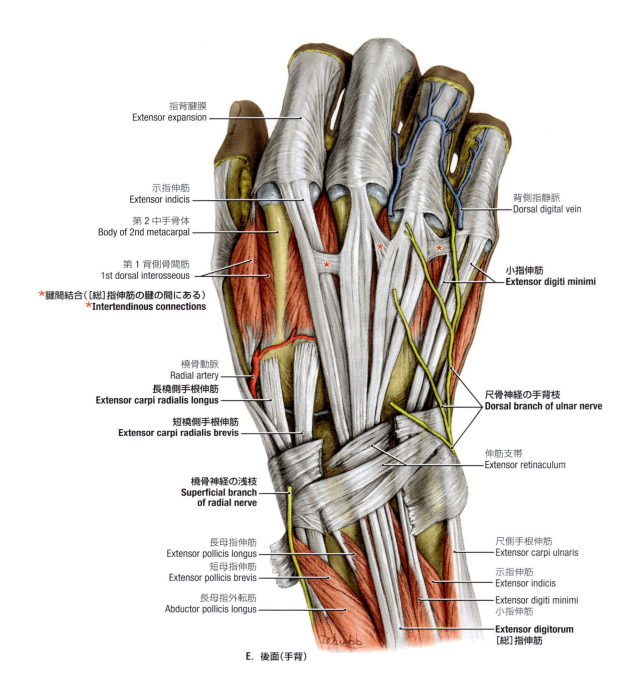

E. 後面（手背）

2.86 手背（続き）

E　手背の腱と伸筋支帯．
- 深筋膜は肥厚して伸筋支帯を形成する．
- 中手指節関節（MCP関節）の近位では，［総］指伸筋の腱の間に腱間結合があり，指の独立した運動を制限している．

ガングリオン嚢胞． 軟らかくはない袋状の膨隆が手根の背面に生じるときがある．壁の薄い嚢胞には透明な粘液状の液体が含まれている．臨床的には，この種の膨隆はガングリオン（膨らみや結び目を表す言葉から）と呼ばれる．このような滑液性の嚢胞は滑液鞘に近接し，時には交通している．短橈側手根伸筋腱の停止にはこのような嚢胞がしばしば生じる．

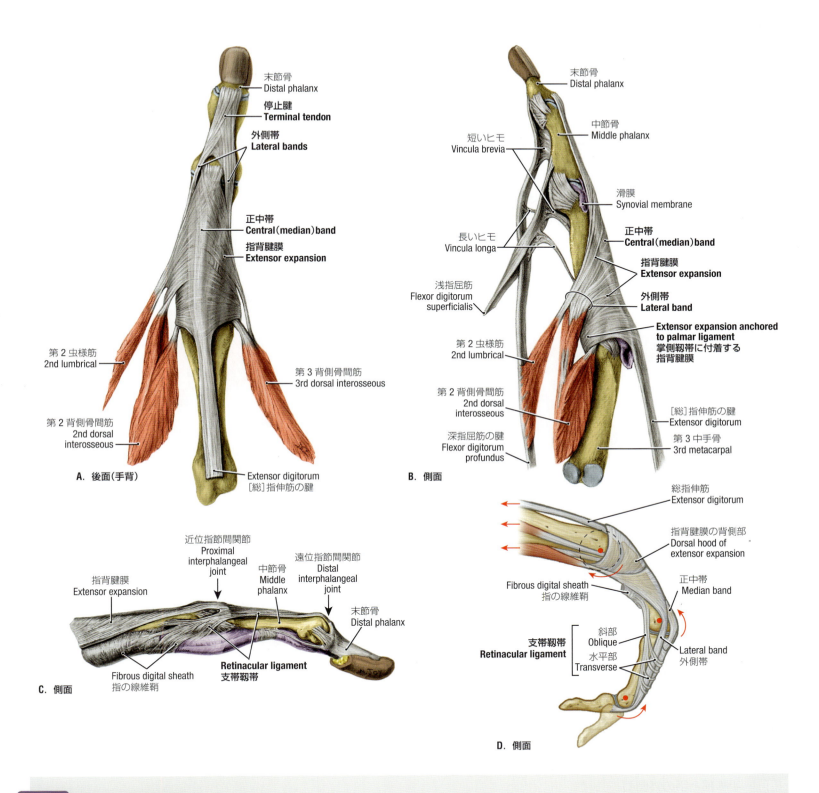

2.87 第3指の指背腱膜

A 後面(手背)．B 側面．C 伸展した指の支帯靭帯．D 屈曲した指の支帯靭帯．

- 中手骨頭の覆いは手掌靭帯に付着している．
- 外側帯に停止する筋が収縮すると，中手指節関節(MCP関節)が屈曲し，指節間関節(IP関節)が伸展する．
- 支帯靭帯は線維性の帯で，基節骨と線維鞘から起こり，中節骨と2つの指節間関節を斜めに横切って指背腱膜に加わり，末節骨に付着する．
- 遠位指節間関節(DIP関節)を曲げる際，支帯靭帯は緊張して近位指節間関節(PIP関節)を引いて屈曲させる．近位指節間関節を伸ばす際，遠位指節間関節は支帯靭帯によって引かれ，ほぼ完全に伸展位となる．

176　上肢　手根部と手の外側面

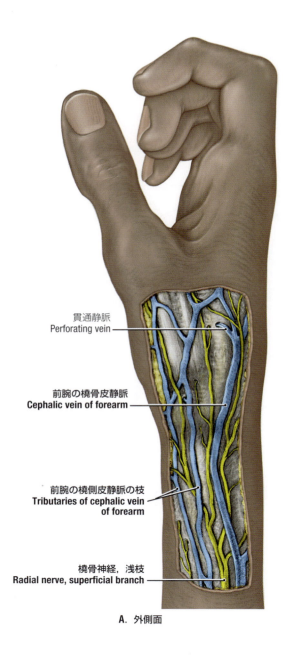

A. 外側面

B. 外側面

2.88　手根部と手の外側面

A　解剖学的嗅ぎタバコ入れ-I.
- 母指の基部にみられる窪みである"解剖学的嗅ぎタバコ入れ(タバチエール)"の名は古い習慣に由来する.
- 前腕の橈側皮静脈とその枝を含む浅静脈(皮静脈)および皮神経が"解剖学的嗅ぎタバコ入れ"を横切ることに注目すること.

B　解剖学的嗅ぎタバコ入れ-II.
- 母指へ向かう3本の長い腱が"解剖学的嗅ぎタバコ入れ"の境界を形成する.長母指伸筋腱が尺側縁を,長母指外転筋と短母指伸筋の腱が橈側縁をつくる.
- 橈骨動脈が"解剖学的嗅ぎタバコ入れ"の底を通過し,第1背側骨間筋の2頭の間を通過する.

手根部と手の外側面　上肢

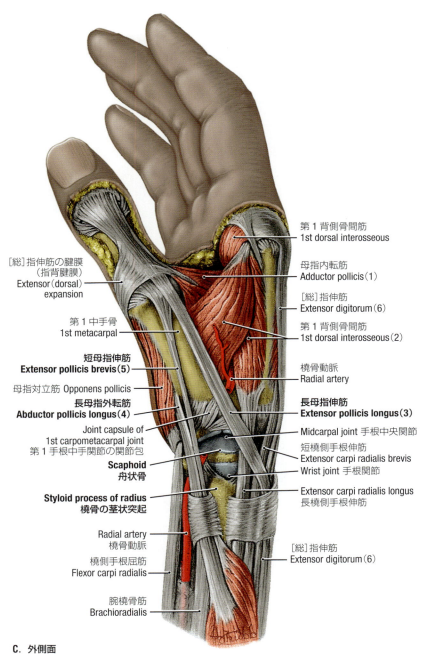

C. 外側面

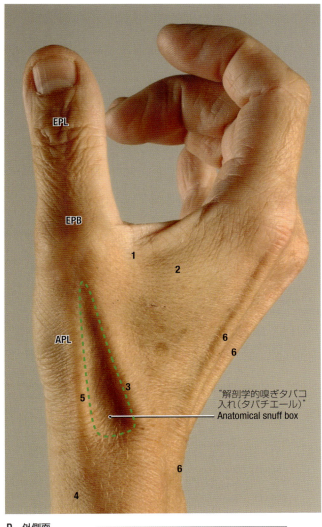

D. 外側面

凡例 D
遠位端：

APL　長母指外転筋　Abductor pollicis longus
EPB　短母指伸筋　Extensor pollicis brevis
EPL　長母指伸筋　Extensor pollicis longus

2.88 手根部と手の外側面（続き）

C 解剖学的嗅ぎタバコ入れ-III．舟状骨の近位の手根関節，その遠位の手根中央関節に注目すること．

D 体表解剖．
手首を外転した状態で手掌を地面に打ち付けると，しばしば**舟状骨が骨折**する．骨折は，舟状骨の細い部分（"ウエスト"の部分）で起こる．主に手根部の橈側に，特に手根関節の背屈と外転の際に痛みを感じる．受傷直後の手根部のX線像では骨折が見つからないこともあるが，受傷後10-14日経った後のX線像では骨の吸収が起こっているため骨折が見つかりやすい．舟状骨の近位部への血流が乏しいため，骨折部位の融合には数か月かかることもある．**舟状骨の近位側の破片の虚血性壊死**（骨への血流が乏しくなった結果の病理学的な死）が生じて，手根関節の変性疾患を起こすことがある．

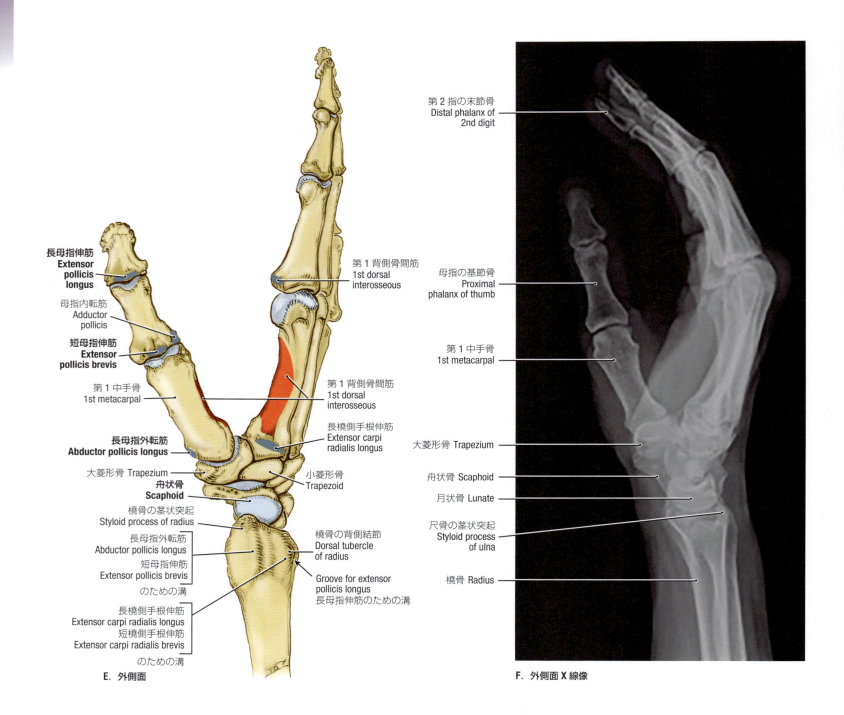

2.88 手根部と手の外側面（続き）

E 筋の付着を示す手の骨の図． F 手と手根部の骨．
- "解剖学的嗅ぎタバコ入れ"の境界は，近位側では橈骨の茎状突起が，遠位側では第1中手骨底がつくっている．
2つの外側手根骨（舟状骨，大菱形骨）の面が"嗅ぎタバコ入れ"の底になる．

手根部と手の内側面 上肢

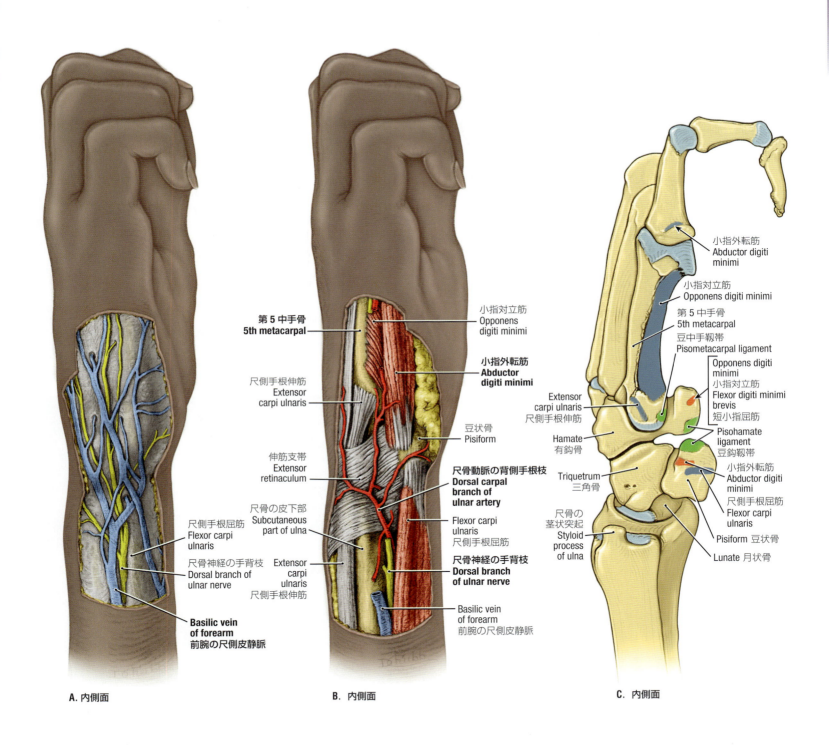

| 2.89 | 手根部と手の内側面 |

A 浅部の解剖．B 深部の解剖．C 筋と靱帯との付着を示す手の骨の図．
　尺側手根伸筋は第5中手骨底に直接停止するが，尺側手根屈筋は豆状骨と豆中手靱帯および豆鉤靱帯を介して第5中手骨底に間接的に停止する．これらの靱帯はしばしば，尺側手根屈筋の停止腱の遠位部とみなされる．

180　上肢　手根部と手の骨と関節

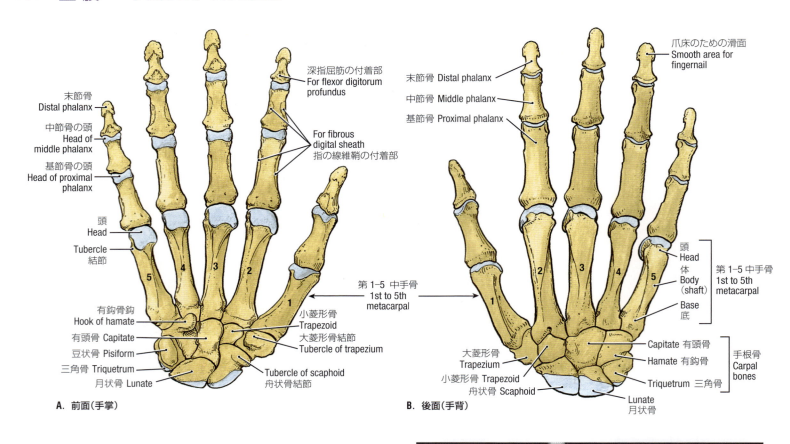

A. 前面（手掌）　　B. 後面（手背）

2.90 手根部と手の骨と画像

A　手掌面．B　手背面．C　コンピューターで作製した手根部と手の3次元画像（略号はDの構造に対応する）．

　8つの手根骨は2列に並んでいる．遠位列には，有鈎骨，有頭骨，小菱形骨，大菱形骨が含まれる．大菱形骨は第1中手骨との間で鞍関節を形成している．近位列には，舟状骨，月状骨，豆状骨が含まれる．豆状骨は三角骨の上に重なって描かれている．

　手がひどく潰れるような外傷では，複数の手根骨が骨折し，手の安定性が失われることがある．同様の外傷は末節骨では頻繁に起こる（例えば指を車のドアに挟んだとき）．

　末節骨の骨折では通常粉砕骨折となり，痛みを伴う**血腫**（血液のかたまり）ができる．**基節骨や中節骨の骨折**の多くは，破砕したり高い圧力がかかったりする際の外傷による．

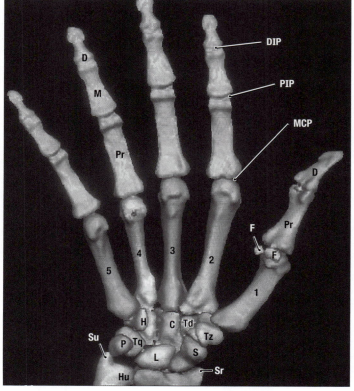

C. 前面 3D CT 画像

手根部と手の骨と関節　上肢

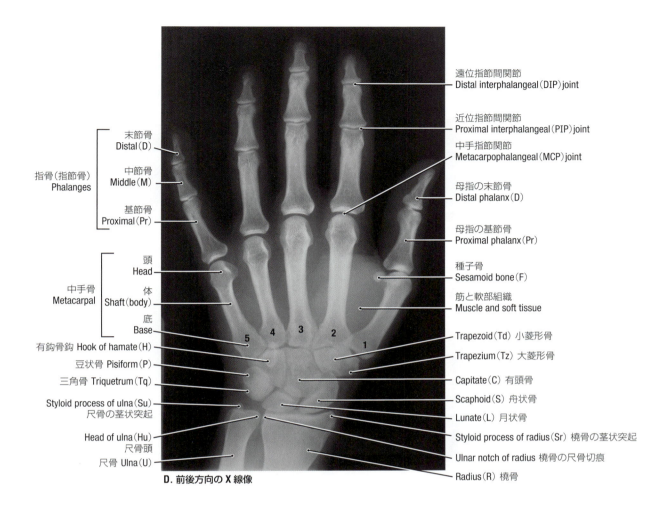

D. 前後方向のX線像

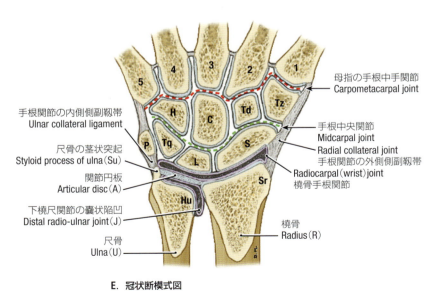

E. 冠状断模式図

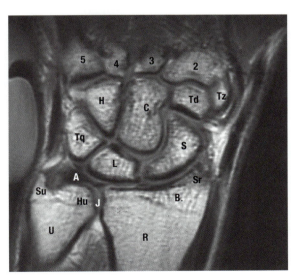

F. 冠状断MR像

2.90 手根部と手の骨と画像（続き）

D 手根部と手の骨と関節．E, F 手根部の骨と関節の断面（略号はDとEの構造に対応する）．

182 上肢　手根部と手の骨と関節

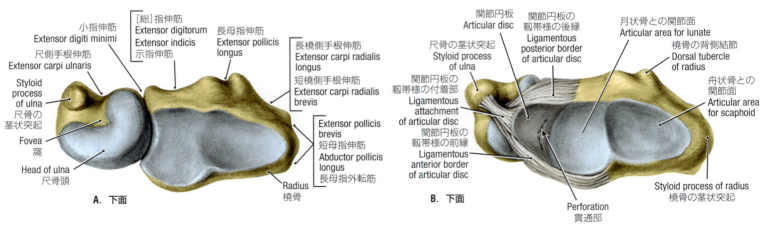

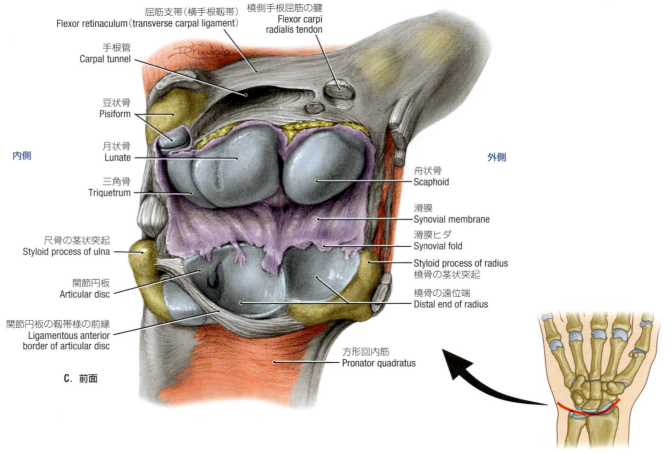

2.91　橈骨手根関節

A　**橈骨と尺骨との遠位端**．両骨の背面を腱が通るための溝を示す．
B　**関節円板**．関節円板は橈骨と尺骨との遠位端に付着している．尺骨頭と月状骨の間の三角形の部分では関節軟骨は線維軟骨であるが，その他の部分では靱帯様でしなやかである．この図で示すように，関節円板の軟骨の部分には月状骨の粗面と関連して通常裂け目や孔が認められる．
C　**橈骨手根関節の関節面**．この関節を前方（屈側）から開いて示す．月状骨は，橈骨および関節円板と関節をなす．三角骨は手首の内転時にのみ関節円板と関節をなす．

手根部と手の骨と関節　上肢　183

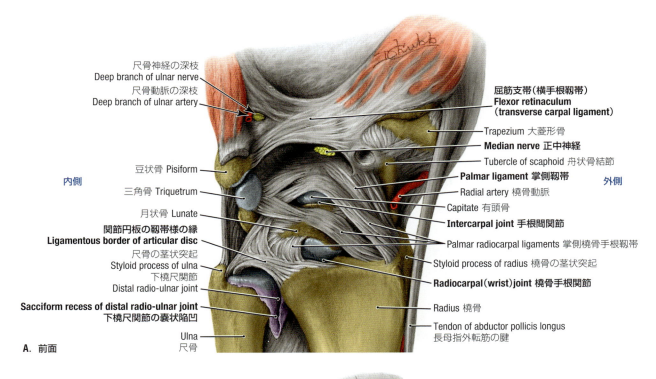

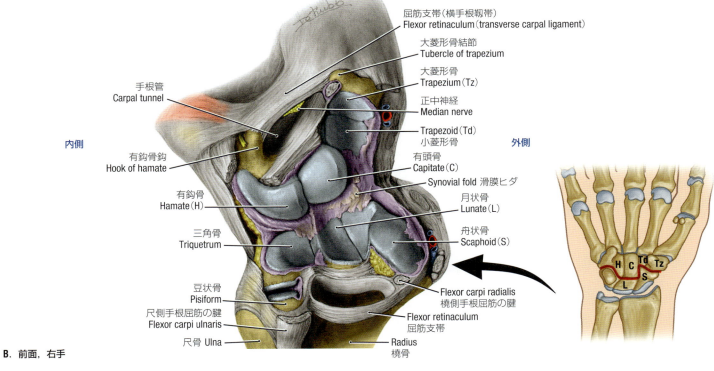

2.92　橈骨手根関節と手根中央関節

A　靱帯．手は過伸展されている．橈骨から2列に並んでいる手根骨へと張っている掌側橈骨手根靱帯に注目すること．これらの靱帯は強靱で線維の指向性が高いため，回外の際に橈骨とともに手が回旋する．

B　手根中央関節（横手根関節）の関節面，前方から開いてある．
　屈筋支帯（横手根靱帯）は切断してある．豆状骨と舟状骨の間に張っている同靱帯の近位部はやや弱いが，有鈎骨鈎と大菱形骨結節の間に張っている同靱帯の遠位部は強靱である．

184 上肢　手根部と手の骨と関節

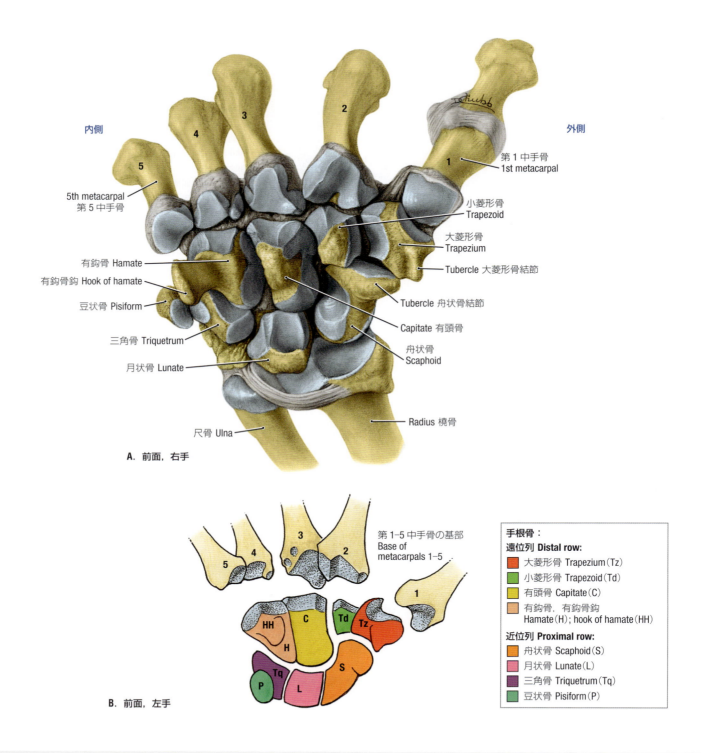

A．前面，右手

B．前面，左手

手根骨：
遠位列 Distal row:
- 大菱形骨 Trapezium（Tz）
- 小菱形骨 Trapezoid（Td）
- 有頭骨 Capitate（C）
- 有鈎骨，有鈎骨鈎 Hamate（H）; hook of hamate（HH）

近位列 Proximal row:
- 舟状骨 Scaphoid（S）
- 月状骨 Lunate（L）
- 三角骨 Triquetrum（Tq）
- 豆状骨 Pisiform（P）

2.93　手根骨と中手骨の基部

A　手根間関節と手根中手関節（CM関節）を開いている．関節面の観察のため，手背の靱帯は温存してすべての関節を過伸展してある．

B　手根中手関節（CM関節）の関節面の図．
　第1手根中手関節（CM関節）は鞍関節で特に可動性が高く，母指の対立を可能にしている．第2・第3手根中手関節は実際に動かすことはできない．第4・第5手根中手関節は蝶番関節であり動きは限定されている．
　月状骨の前方への脱臼は重症の外傷で，手首を背屈した状態で地面に打ち付ける際に起こることが多い．月状骨は手根部で掌側に押し出され，正中神経を圧迫して手根管症候群となることもある．血流に乏しいため，**月状骨の虚血性壊死**が起こることもある．

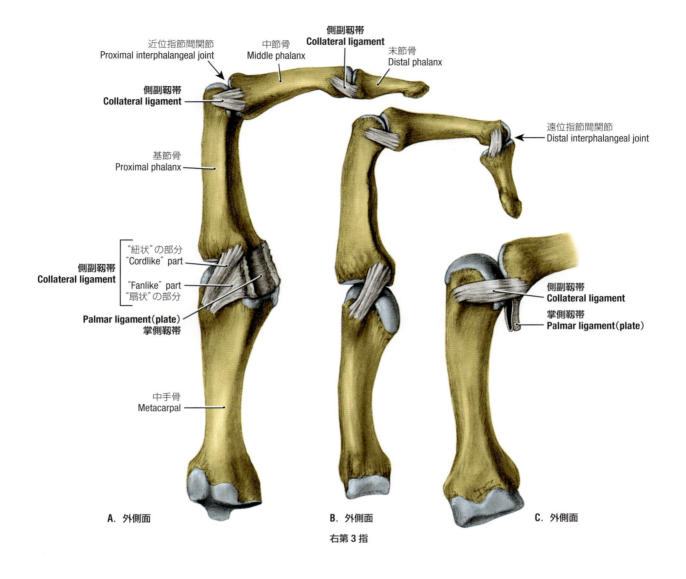

A. 外側面　　B. 外側面　　C. 外側面
右第3指

2.94 第3指の中手指節関節と指節間関節の側副靱帯

- **A** 中手指節関節（MCP関節）と遠位指節間関節（DIP関節）とが伸展されている．
- **B** 近位指節間関節（PIP関節）と遠位指節間関節（DIP関節）とが屈曲されている．
- **C** 中手指節関節（MCP関節）が屈曲されている．

- 板状の線維軟骨様の掌側靱帯が基節骨底から起こって，側副靱帯のやや薄い扇状の部分を介して中手骨頭に付着しており（**A**），あたかも中手骨頭の"日よけ板"のように動く（**C**）．指節間関節（IP関節）にも同様の掌側靱帯がある．
- 中手指節関節（MCP関節）の側副靱帯のうちできわめて強靱な紐状の部分（**A**，**B**）は，一風変わった様相で中手骨頭に付着している．この部分は伸展時には弛緩し屈曲時には緊張するため（**C**），指を伸ばして手を広げない限り指を開く（外転する）ことはできない．指節間関節（IP関節）にも類似の側副靱帯がある．
- "**スキーヤーの親指**"とは，第1中手指節関節の側副靱帯の断裂ないし慢性的な弛緩状態のことを指す．この外傷は，母指がスキーのポールに引っかかり手の他の部分が地面に叩き付けられるか雪の中に入ってしまう際に，関節を過伸展することによって起こる．

186　上肢　手の機能：つかむ，つまむ

A. 外側面

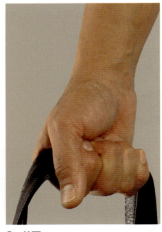

B. 前面

C. 内側面

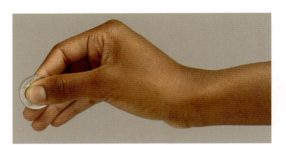

D. 内側面

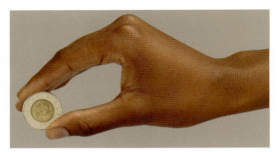

E. 内側面

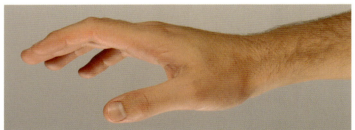

F. 内側面

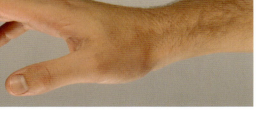

G. 前面

H. 前面

I. 外側面

2.95　手の機能的なポジション

A　力強くしっかりと棒を握る．物をつかむときには中手指節関節（MCP関節）と指節間関節（IP関節）が屈曲し，橈骨手根関節は伸展している．手根関節を伸展しないと，つかむ力は弱く不安定である．**B**　物を引っ掛けて握る．この握り方は主に長い指屈筋群によって起こり，握る物の大きさに応じてさまざまな程度に指が曲がる．**C，D**　三脚のようにつまむ．**E**　指先でつまむ．**F**　休息時の手．骨折を治療するためのギプスは，この肢位で手につけられることが最も多い．**G**　弱く棒をつかむ．**H**　しっかり棒をつかむ．**I**　円板状の物をしっかりと握る．

断層解剖と断層画像　上肢

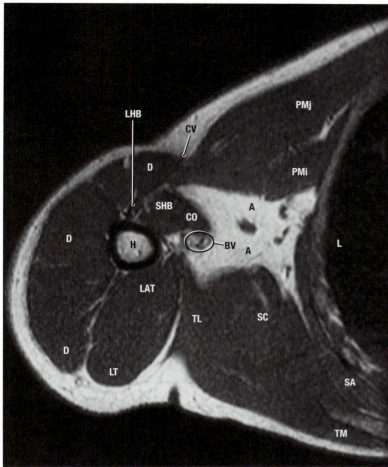

A. 水平断 MR 像

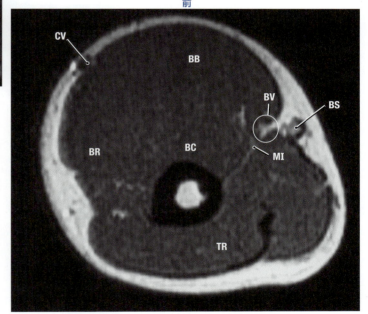

B. 水平断 MR 像

C. 水平断 MR 像

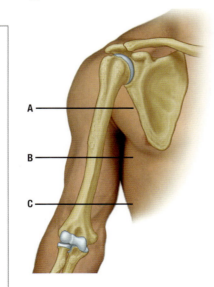

A	腋窩脂肪体	Axillary fat
BB	上腕二頭筋	Biceps brachii
BC	上腕筋	Brachialis
BR	腕橈骨筋	Brachioradialis
BS	尺側皮静脈	Basilic Vein
BV	上腕動静脈と腕神経叢	Brachial vessels and nerves
CO	烏口腕筋	Coracobrachialis
CV	橈側皮静脈	Cephalic vein
D	三角筋	Deltoid
H	上腕骨	Humerus
L	肺	Lung
LAT	上腕三頭筋の外側頭	Lateral head of triceps brachii
LHB	上腕二頭筋の長頭	Long head of biceps brachii
LI	外側上腕筋間中隔	Lateral intermuscular septum
LT	上腕三頭筋の長頭	Long head of triceps brachii
MI	内側上腕筋間中隔	Medial intermuscular septum
MT	上腕三頭筋の内側頭	Medial head of triceps brachii
PMi	小胸筋	Pectoralis minor
PMj	大胸筋	Pectoralis major
SA	前鋸筋	Serratus anterior
SC	肩甲下筋	Subscapularis
SHB	上腕二頭筋の短頭	Short head of biceps brachii
T	三角筋粗面	Deltoid tuberosity
TL	大円筋と広背筋	Teres major and latissimus dorsi
TM	小円筋	Teres minor
TR	上腕三頭筋	Triceps brachii

2.96　上腕の水平断 MR 像

A　上腕近位部を通る水平断 MR 像．
B　上腕中央部を通る水平断 MR 像．
C　上腕遠位部を通る水平断 MR 像．

188　上肢　断層解剖と断層画像

屈筋:
1. 円回内筋 Pronator teres
2. 橈側手根屈筋 Flexor carpi radialis
3. 長掌筋 Palmaris longus
4. 尺側手根屈筋 Flexor carpi ulnaris
5. 浅指屈筋 Flexor digitorum superficialis
6. 深指屈筋 Flexor digitorum profundus
7. 長母指屈筋 Flexor pollicis longus

伸筋:
8. 腕橈骨筋 Brachioradialis
9. 長橈側手根伸筋 Extensor carpi radialis longus
10. 短橈側手根伸筋 Extensor carpi radialis brevis
11. [総]指伸筋 Extensor digitorum
12. 小指伸筋 Extensor digiti minimi
13. 尺側手根伸筋 Extensor carpi ulnaris
14. 長母指外転筋 Abductor pollicis longus
15. 短母指伸筋 Extensor pollicis brevis
16. 長母指伸筋と示指伸筋 Extensor pollicis longus and extensor indicis

凡例 A　前腕の筋区画:
- 伸筋‐回外 Extensor-supinator
- 屈筋‐回内 Flexor-pronator

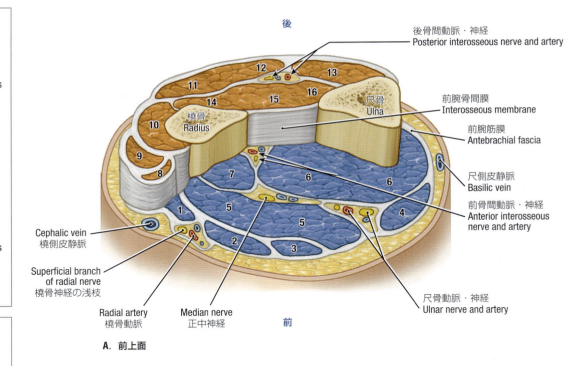

A．前上面

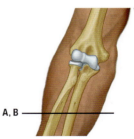

B．水平断 MR 像

2.97　前腕の水平断面と水平断 MR 像

A 前区画（屈筋‐回内筋区画）と後区画（伸筋‐回外筋区画）とを階段状に示した水平断面．B 前腕近位部の水平断 MR 像．

断層解剖と断層画像 上肢

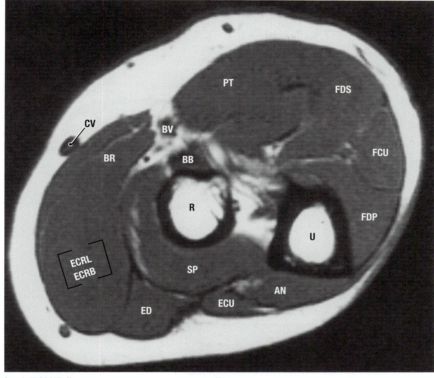

C. 水平断 MR 像

AN	肘筋 Anconeus
APL	長母指外転筋 Abductor pollicis longus
BB	上腕二頭筋 Biceps brachii
BR	腕橈骨筋 Brachioradialis
BV	上腕動静脈 Brachial vessels
CV	橈側皮静脈 Cephalic vein
ECRB	短橈側手根伸筋 Extensor carpi radialis brevis
ECRL	長橈側手根伸筋 Extensor carpi radialis longus
ECU	尺側手根伸筋 Extensor carpi ulnaris
ED	[総]指伸筋 Extensor digitorum
EPB	短母指伸筋 Extensor pollicis brevis
EPL	長母指伸筋 Extensor pollicis longus
FCR	橈側手根屈筋 Flexor carpi radialis
FCU	尺側手根屈筋 Flexor carpi ulnaris
FDP	深指屈筋 Flexor digitorum profundus
FDS	浅指屈筋 Flexor digitorum superficialis
FPL	長母指屈筋 Flexor pollicis longus
PQ	方形回内筋 Pronator quadratus
PT	円回内筋 Pronator teres
R	橈骨 Radius
SP	回外筋 Supinator
U	尺骨 Ulna
UV	尺骨動静脈・神経 Ulnar vessels and nerve

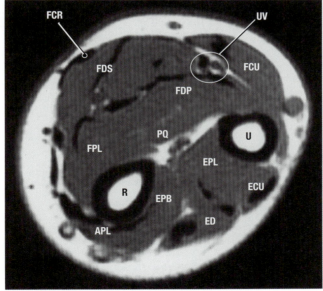

D. 水平断 MR 像

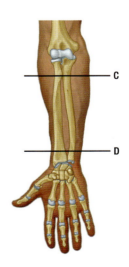

2.97 前腕の水平断面と水平断 MR 像（続き）

C 前腕中央部を通る水平断 MR 像. D 前腕遠位部を通る水平断 MR 像.

190 上肢　断層解剖と断層画像

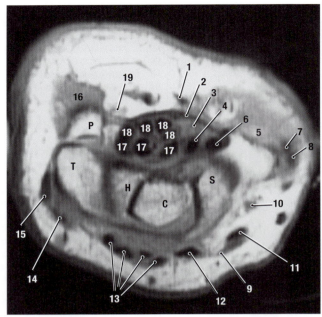

A. 水平断 MR 像

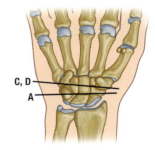

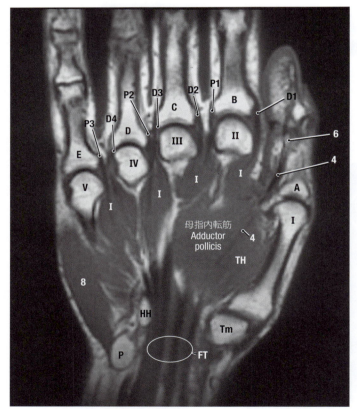

B. 冠状断 MR 像

2.98　手根管を通る断面とその MR 像

A　手根管近位部を通る水平断 MR 像（略号は D の構造に対応する）．
B　長い指屈筋腱が手根管を通る様子を示す手根部と手の冠状断（前頭断）MR 像（略号は D の構造に対応する）．
A-E：母指-小指の基節骨，D1-D4：背側骨間筋，FT：手根管を通る長い指屈筋腱，H：有鉤骨鉤，I：骨間筋，I-V：中手骨，P：豆状骨，P1-P3：掌側骨間筋，TH：母指球筋，Tm：大菱形骨．

断層解剖と断層画像　上肢

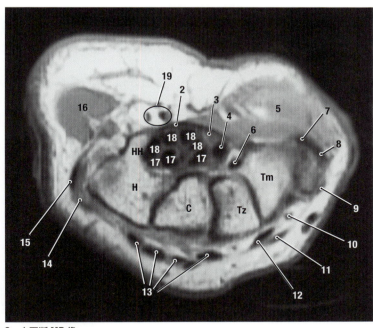

C. 水平断 MR 像

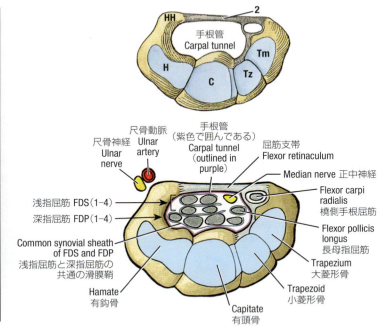

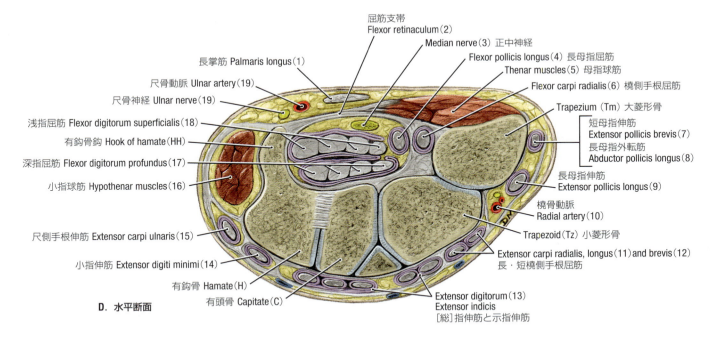

D. 水平断面

2.98　手根管を通る断面とその MR 像（続き）

C　手根管遠位部を通る水平断 MR 像（略号は D の構造に対応する）．
D　手根骨の遠位列を通る手根管の水平断面．

192 上肢　断層解剖と断層画像

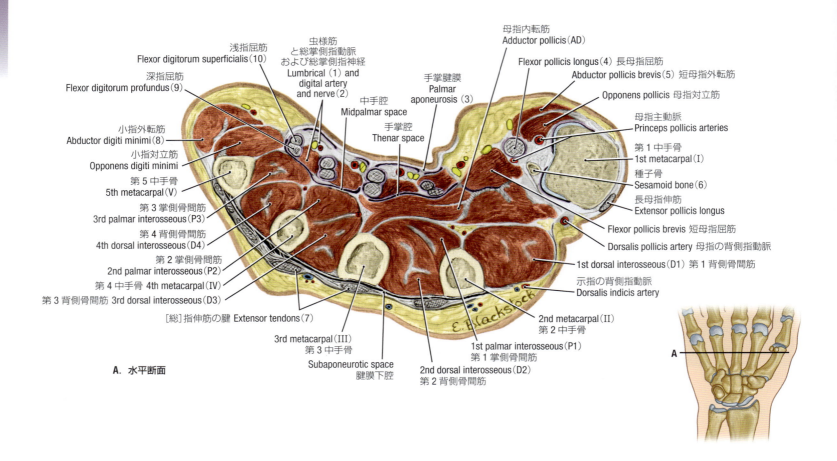

A. 水平断面

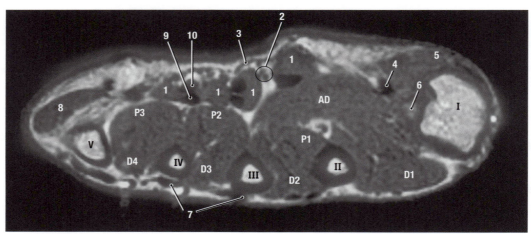

B. 水平断 MR 像

2.99 母指内転筋の位置で手掌（中手部）を通る水平断面とその MR 像

A　断面図（手掌の区画については図 2.70 参照）．B　MR 像．

CHAPTER 3

胸郭 Thorax

胸部	194
乳房	196
骨性胸郭と関節	204
胸壁	211
胸郭の内容	219
胸膜腔	222
縦隔	223
肺と胸膜	224
区域気管支と肺区域	230
肺の神経支配とリンパ流路	236
心臓の外観	238
心臓の動静脈	250
刺激伝導系	254
心臓の内観と弁	255
上縦隔と大血管	262
横隔膜	269
胸郭の後部	270
自律神経支配の概観	280
胸郭のリンパ流路の概観	282
断層解剖と断層画像	284

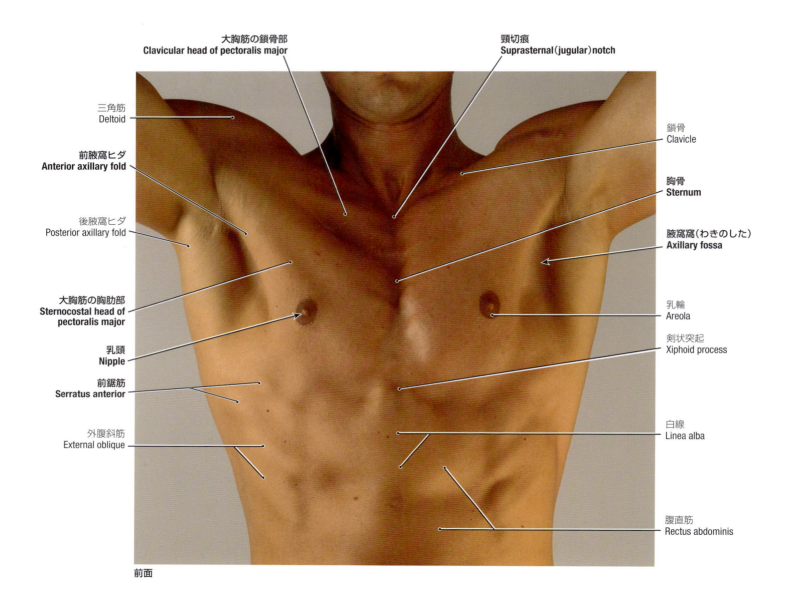

前面

3.1 男性における胸部の体表解剖

- 大胸筋の作用に対抗するように前腕を外転させ，大胸筋を浮き立たせている．
- 胸骨は前胸部の正中で皮下に存在し，全長にわたって触知することができる．
- 胸骨の頸切痕は左右の鎖骨の盛り上がった内側端の間で触知できる．
- 大胸筋の2つの部位（胸肋部と鎖骨部）が浮き出ている．大胸筋の腹部は見えていない．
- 前・後腋窩ヒダは大胸筋胸肋部の下縁および広背筋の前縁によってそれぞれ形成される．
- 腋窩は脂肪で満たされた空間であり，この部分の体表（前・後腋窩ヒダの間）には窪み（腋窩窩，わきのした）が形成される．
- 男性では乳頭は第4肋間の高さに位置する．

胸部　胸郭　195

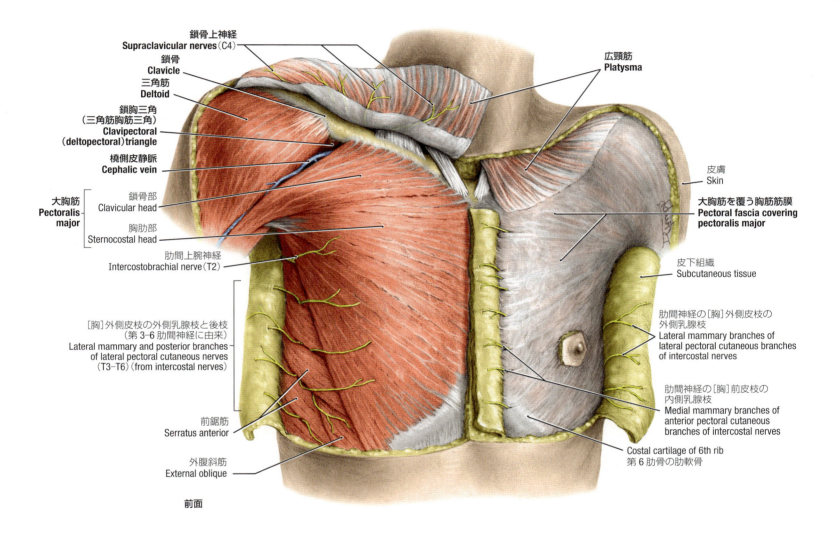

前面

3.2 男性における胸部の浅層

- 広頸筋は本来，第2-3肋骨の高さまで広がっている．この図では，左右の広頸筋は下端部を切り取ってあり，さらに右は鎖骨上神経とともに上方に反転してある．
- 胸筋筋膜が大胸筋の表面を覆う．
- 鎖骨は皮下組織や広頸筋の深部に位置する．
- 橈側皮静脈は鎖胸三角（三角筋胸筋三角）の深部に入り，腋窩静脈に合流する．
- 鎖骨上神経（C4）と上位の胸神経（T2-T6）が胸部の皮膚を支配する．
- 鎖胸三角（三角筋胸筋三角）は，上縁が鎖骨，外側縁が三角筋，内側縁が大胸筋の鎖骨部によって形成される．この部分を覆う体表は窪んでおり，鎖骨下窩と呼ばれる（図3.3A参照）．

196　胸郭　乳房

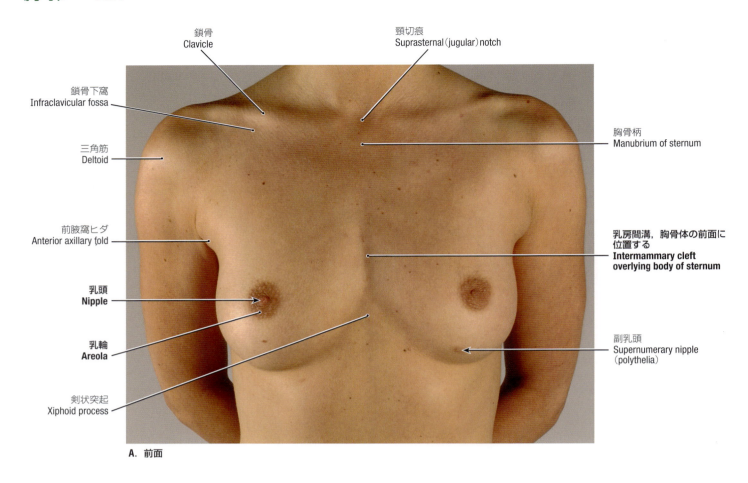

A．前面

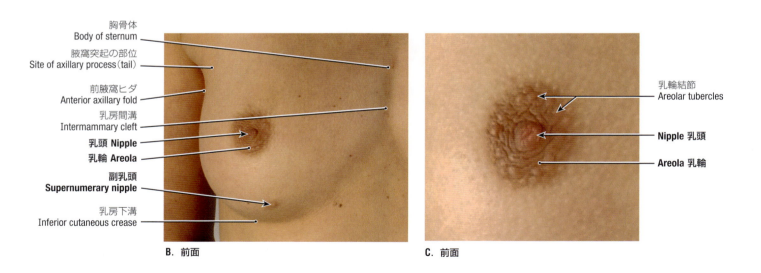

B．前面　　　　　　　　　　　　　　　C．前面

3.3　女性における胸部の体表解剖

A 全体像．**B** 乳房．女性の乳房の底面はほぼ円形であり，その広がりは水平方向では胸骨の外側縁から腋窩中線まで，垂直方向では第2-6肋骨までである．乳房（乳腺）の一部は大胸筋の下外側縁に沿って，腋窩に伸び出しており，腋窩突起を形成する．（図3.4AとB参照）．**C** 乳輪と乳頭．乳頭を色素沈着した乳輪が囲む．

多乳房症や**多乳頭症**は，本来の乳房（乳頭）以外に副乳房（副乳頭）が形成された状態である．副乳房（副乳頭）は本来の位置よりも上方もしくは下方に形成されるが，腋窩や前腹壁にみられる場合もある．副乳房では付属する乳腺組織が小さく，乳頭や乳輪も痕跡的なので，妊娠時に色素沈着をきたすまで母斑（ほくろ）と間違われている場合がある．

乳房　胸郭

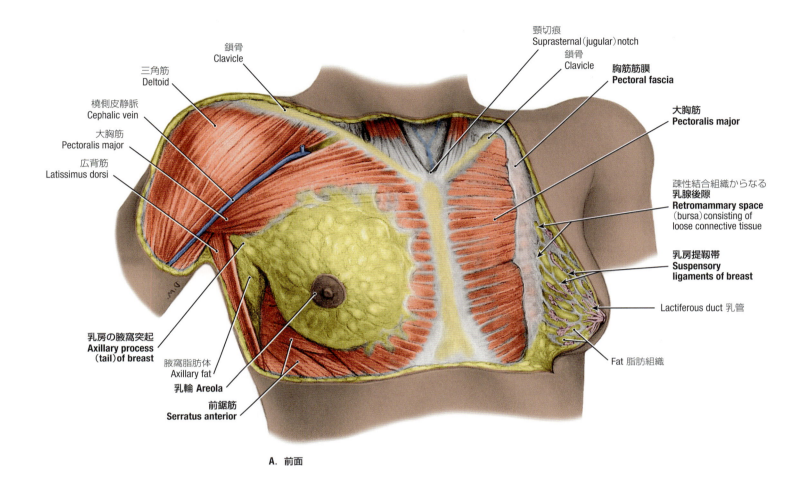

A. 前面

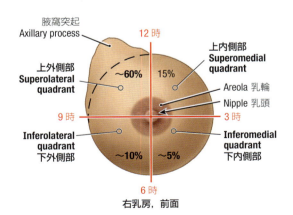

B. 乳房の四分円：乳癌の発生率

3.4　女性における胸部の浅層

A　解剖図.
- 右側では皮膚を除去してあり，左側では乳房を矢状断にしている．
- 乳腺の内側 2/3 は大胸筋を覆う胸筋筋膜に接し，外側 1/3 は前鋸筋を覆う筋膜と接する．
- 胸筋筋膜と乳房の間にある疎性結合組織の領域は乳腺後隙と呼ばれ，乳房が胸筋筋膜の上で可動性を保つのに役立つ．

　一般的に，癌は周囲の組織に浸潤しながら，広がっていく．**乳癌**において癌細胞が乳腺後隙に達すると，癌細胞は大胸筋を覆う胸筋筋膜に浸潤したり，胸筋間リンパ節（図 3.7）に転移したりする．乳癌が大胸筋に浸潤すると，大胸筋の収縮に伴い乳房が持ち上げられる．この徴候は**進行した乳癌**でみられる．

B　乳房の 4 領域（四分円）.
　乳腺にできた癌や嚢胞の位置を表すために，乳房は表面から見て 4 つの領域に（四分円状に）区分されている．病変の局在は次のように表現される．（例）硬い不整形の腫瘤が上内側部の 2 時の方向に，乳輪の縁から約 2.5 cm 離れた場所に認められる．

198 胸郭　乳房

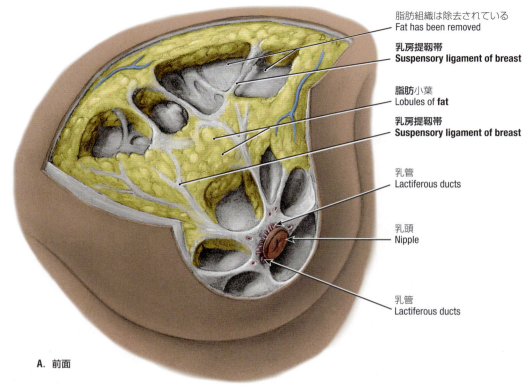

A．前面

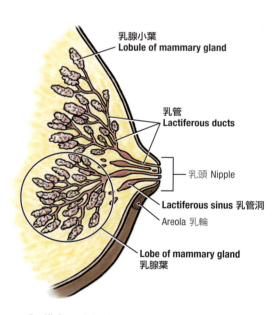

B．模式図，矢状断

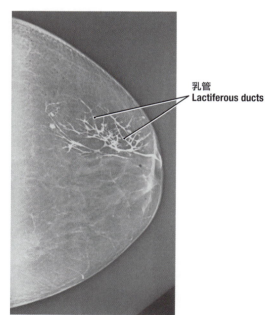

C．乳管造影像

3.5　女性の乳腺

A　解剖図．
　乳腺を覆う皮膚と皮下組織が取り除いてあり，さらに一部の乳腺組織が脂肪組織とともに取り除かれ，乳房提靱帯が見えている．

B　乳房の矢状断面．
　乳腺は15-20の乳腺葉からなり，個々の乳腺葉は乳腺小葉からなる．1つの乳腺葉にある乳腺小葉は1本の乳管にまとまる．乳管は乳輪の下で拡張して乳管洞となり，乳頭に開口する．

C　乳管造影像．乳管を撮像するのに使われる．造影剤を乳管に投与し，マンモグラフィを撮る．
　乳癌が乳房提靱帯を巻き込むと，乳頭の向きが変わったり，皮膚に陥凹ができる場合がある．また，乳房の皮下のリンパ管が癌細胞で広範に閉塞されると，皮膚に発赤や**リンパ浮腫**が生じ，オレンジの皮のような外観を呈したり（橙皮様皮膚，peau d'orange sign）．乳房の皮膚が革のように硬く肥厚する場合がある（リンパ浮腫：過剰なリンパ液が皮下組織に貯留した状態）．

乳房　胸郭　199

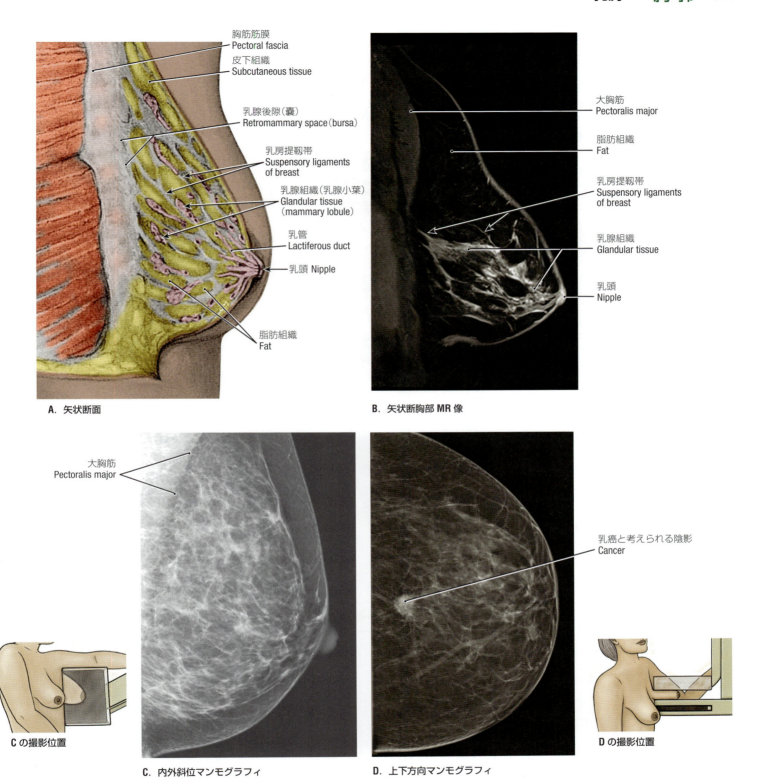

A. 矢状断面
B. 矢状断胸部 MR 像
C. 内外斜位マンモグラフィ
D. 上下方向マンモグラフィ

3.6　乳房の画像

A 解剖図．**B** 乳房の矢状断 MR 像．**A** でみられる特徴の多くが示されている．この MR 像では，脂肪は非常に暗く見えて，腺組織はより明るく，直線状の提靱帯が明瞭に見える．大胸筋も明らかで，その後方には小胸筋がある．

C, D 走査型マンモグラフィ．X 線を使うマンモグラフィは，内外斜位（MLO）と水平断上下方向（CC）で撮像される．この 2 方向からの撮像により，乳房全体が撮像できる．**D** では乳癌と考えられる陰影がみられる．

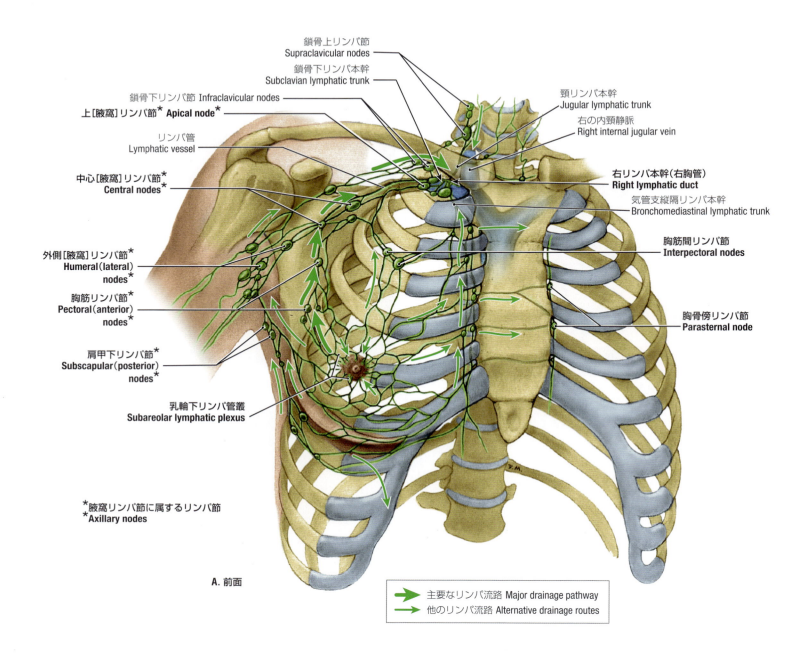

3.7 乳房からのリンパ流路

A 流路の概観. 上肢と乳房から流れ出るリンパ液は腋窩リンパ節を通過する．腋窩リンパ節は境界の不明瞭な5つの集団に分けられる．
(1) 胸筋リンパ節：小胸筋の下縁に沿って存在する．
(2) 肩甲下リンパ節：肩甲下動静脈に沿って存在する．
(3) 外側[腋窩]リンパ節：腋窩静脈の遠位部に沿って存在する．
(4) 中心[腋窩]リンパ節：腋窩の中心部に存在し，腋窩の脂肪組織中に埋もれている．
(5) 上[腋窩]リンパ節：鎖骨と小胸筋下縁の間で鎖骨下静脈に沿って存在する．

乳房からのリンパ液は大部分が，胸筋リンパ節，中心[腋窩]リンパ節，上[腋窩]リンパ節を経由して，鎖骨下リンパ本幹に流れ込む．鎖骨下リンパ本幹は，鎖骨下静脈と内頸静脈の合流部において，静脈系に接続する．乳房の内側部からのリンパ液は，内胸動静脈に沿って存在する胸骨傍リンパ節に流れ込む．

乳房　胸郭

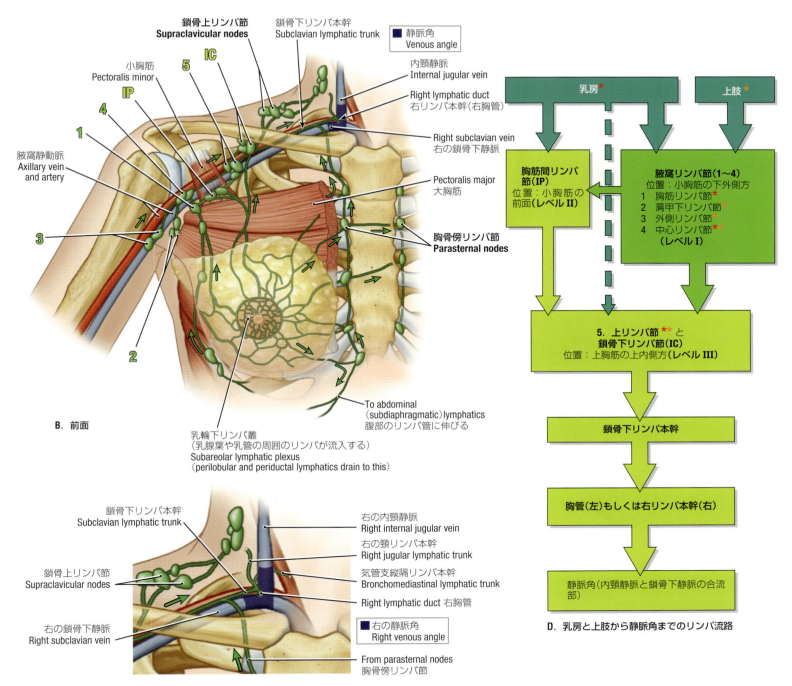

3.7　乳房からのリンパ流路（続き）

B　流路の種類． 乳癌の典型的症例では，がん細胞はリンパ管を介して転移する（リンパ行性転移）．多くの場合，まず腋窩リンパ節に転移巣が形成される．腋窩リンパ節は頸部リンパ節，胸骨傍リンパ節との間に密な交通を有するため，腋窩リンパ節の転移巣はさらに鎖骨上リンパ節や反対側の乳房，腹部に広がる．乳癌の予後は転移の広がり（3段階のレベルに区分される．**D** 参照）や転移のみられる腋窩リンパ節の数と相関する．

C　静脈角．

D　乳房や上肢からのリンパ流路．

202 胸郭　乳房

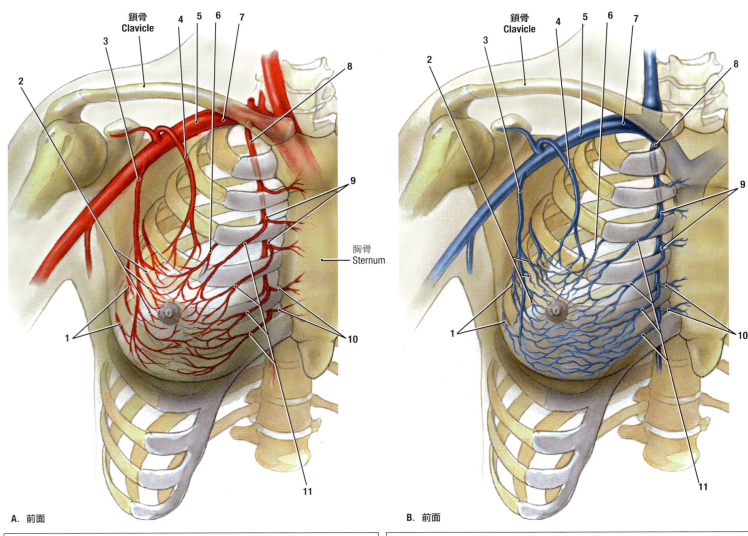

A. 前面

動脈：
1. 肋間動脈外側枝の外側乳腺枝 Lateral mammary branches of lateral cutaneous branches of posterior intercostal arteries
2. 外側胸動脈の外側乳腺枝 Lateral mammary branches of lateral thoracic artery
3. 外側胸動脈 Lateral thoracic artery
4. 胸肩峰動脈の胸筋枝 Pectoral branch of thoraco-acromial artery
5. 腋窩動脈 Axillary artery
6. 前肋間枝の乳腺枝 Mammary branch of anterior intercostal artery
7. 鎖骨下動脈 Subclavian artery
8. 内胸動脈 Internal thoracic artery
9. 内胸動脈の貫通枝 Perforating branches
10. 胸骨枝 Sternal branches
11. 内側乳腺枝 Medial mammary branches

B. 前面

静脈：
1. 肋間静脈外側枝の外側乳腺枝 Lateral mammary branches of lateral cutaneous branches of posterior intercostal veins
2. 外側胸静脈の外側乳腺枝 Lateral mammary branches of lateral thoracic vein
3. 外側胸静脈 Lateral thoracic vein
4. 胸肩峰静脈の胸筋枝 Pectoral branch of thoraco-acromial vein
5. 腋窩静脈 Axillary vein
6. 前肋間静脈の乳腺枝 Mammary branch of anterior intercostal vein
7. 鎖骨下静脈 Subclavian vein
8. 内胸静脈 Internal thoracic vein
9. 貫通枝 Perforating branches
10. 胸骨枝 Sternal branches
11. 内側乳腺枝 Medial mammary veins

3.8　乳房の動脈と静脈

動静脈は乳房の上内側および上外側から進入する．また，乳房の深部面から進入する動静脈も存在する．これらの動静脈は頻繁に分枝し，相互に吻合を形成する．

乳房を切開する場合は，可能な限り，乳房の下半部で行う．これは下半部には上半部に比べて太い動静脈が少ないためである．

乳房　胸郭

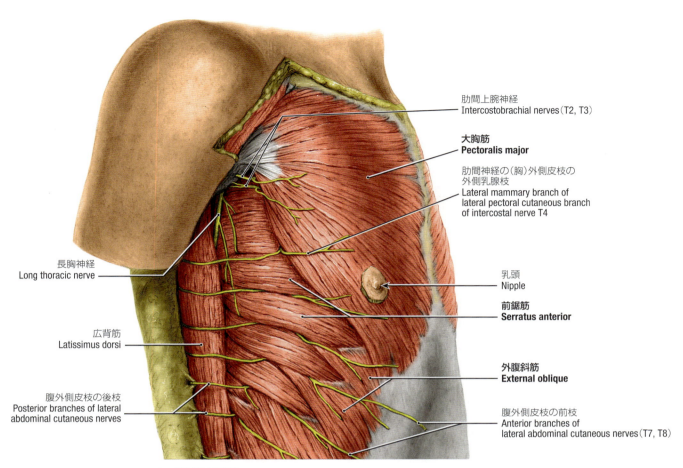

A. 前外側面（男性）

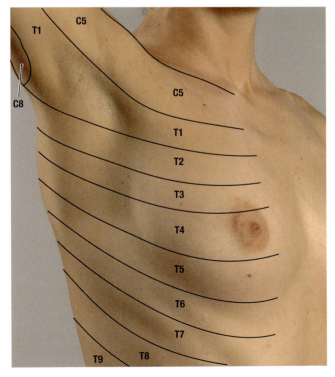

B. 前外側面（女性）

3.9　乳房の床と神経

A 乳房の床をなす筋．筋の間から現れる皮神経も示している．

B 皮膚分節（デルマトーム）．

肋間隙の局所麻酔（肋間神経ブロック）では，傍椎骨線と麻酔をかけたい領域の間に位置する肋間神経の周囲に局所麻酔薬を注射する．体幹部の皮膚は通常，隣接する2つの肋間神経によって支配されており，隣接するデルマトームどうしはかなりの部分が重なり合っている．したがって，完全に感覚を消失させるには，通常2本以上の肋間神経を麻酔しなければならない．

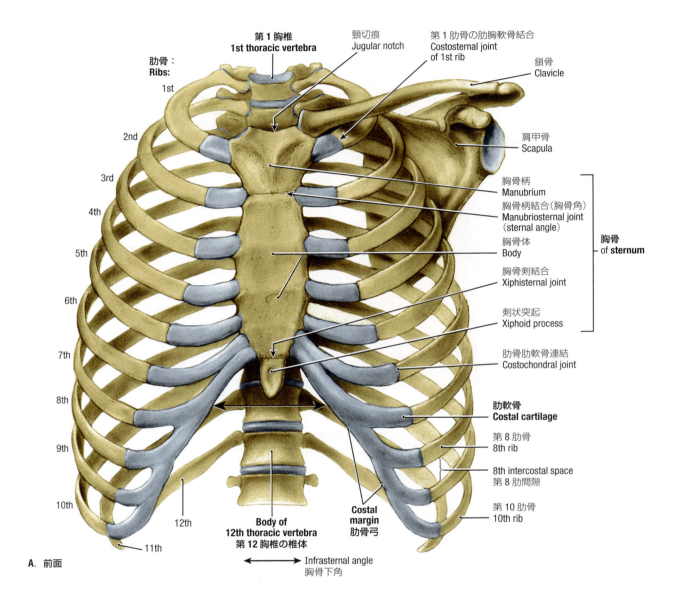

A. 前面

3.10 骨性胸郭

- 胸郭の骨格は，12個の胸椎，12対の肋骨（肋硬骨）および肋軟骨，そして胸骨から構成される．
- 前方では，上位7対の肋軟骨はそれぞれが胸骨と直接関節をなすが，第8-10肋軟骨は1つ上位の肋軟骨に連結して連なり，肋骨弓をなす．第11・12肋骨は浮遊肋であり，これらの肋軟骨の前端は他の肋軟骨や胸骨と連結しない．
- 第1肋骨の前上方には鎖骨が横たわっているため，第1肋骨を体表から触知することは難しい．
- 第2肋軟骨は胸骨角の部位で胸骨と関節をなすため，第2肋骨を探し出すのは容易である．胸骨角とは胸骨柄と胸骨体の結合部であり，前方にやや盛り上がっている．
- 第3-10肋骨は，第2肋骨から下外側に向かって順に触知することができる．第7-10肋軟骨は連結して肋骨弓を形成する．また，第11・12肋骨は後外側に触知できる．
- 肋骨脱臼は胸骨と肋軟骨の間で生じるのに対し，肋骨解離は肋軟骨と肋硬骨の間で起こる．

骨性胸郭と関節　胸郭

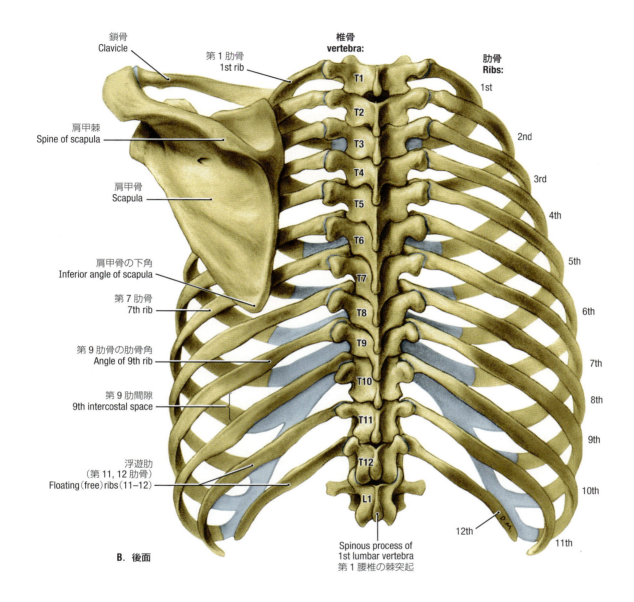

B. 後面

3.10　骨性胸郭（続き）

- 胸郭上口は胸腔と頸部をつなぐ通路であり，第1胸椎，第1肋骨，第1肋軟骨，胸骨柄によって囲まれる．
- 個々の肋骨は後方で脊柱（椎骨）と関節をなす．
- 後方では，すべての肋骨が下方に向かって伸びている．一方，前方では，第3-10肋軟骨が上方に向かって伸びている．
- 肩甲骨は鎖骨から吊り下がっており，胸郭の後面で第2-7肋骨の高さに存在する．
- 第6胸椎の棘突起は第7胸椎に重なる（第6胸椎棘突起の触知できる先端は，実際には第7胸椎の高さを示す）．
- 臨床医が胸郭上口のことを胸郭"出口"と呼ぶことがあるが，これは重要な神経や血管がこの部位を通って頸部や上肢に向かうということを強調したものである．胸郭上口において，神経や血管が圧迫され，種々の症状をきたす場合があり，これを胸郭出口症候群と呼ぶ．この症候群にはさまざまなタイプが存在するが，その中の1つである肋骨鎖骨症候群では，第1肋骨と鎖骨の間で鎖骨下動脈が圧迫され，上肢の皮膚が蒼白で冷たくなり，橈骨動脈の脈拍が触知できなくなる．

206 胸郭　骨性胸郭と関節

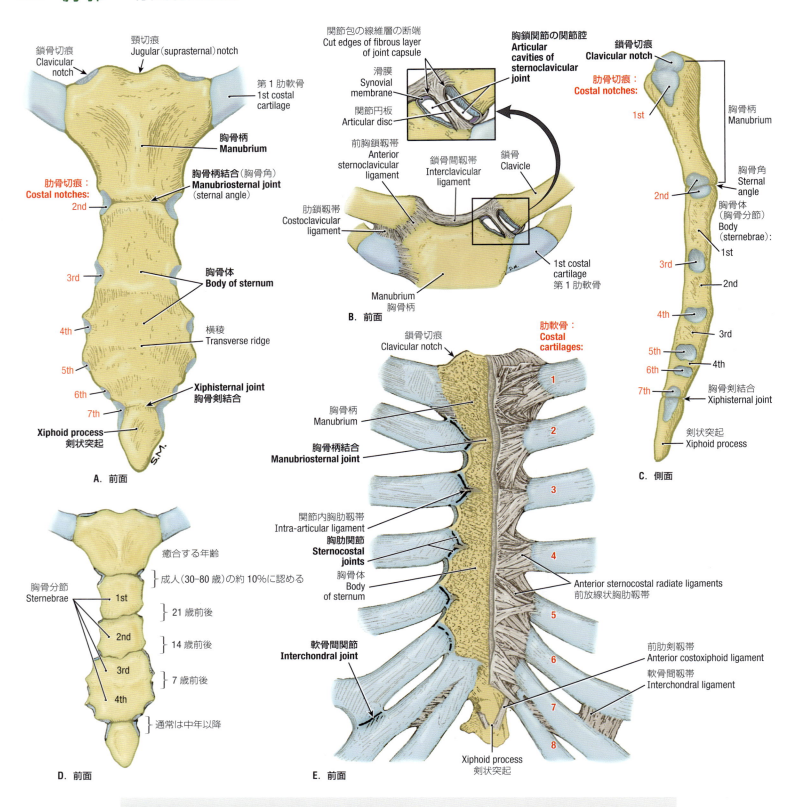

3.11　胸骨と周辺の関節

A　胸骨の各部．B　胸鎖関節．C　胸骨外側面の特徴．D　胸骨分節の間が完全に癒合する年齢．
E　胸肋関節と胸骨柄結合，軟骨間関節．
　この標本の右側では，胸骨と肋軟骨の前面を削り取ってある．第1肋軟骨と胸骨の間には関節腔は形成されず，軟骨結合で連結する．第7肋軟骨と胸骨の間にあった関節腔は加齢とともに消失する．

骨性胸郭と関節　胸郭

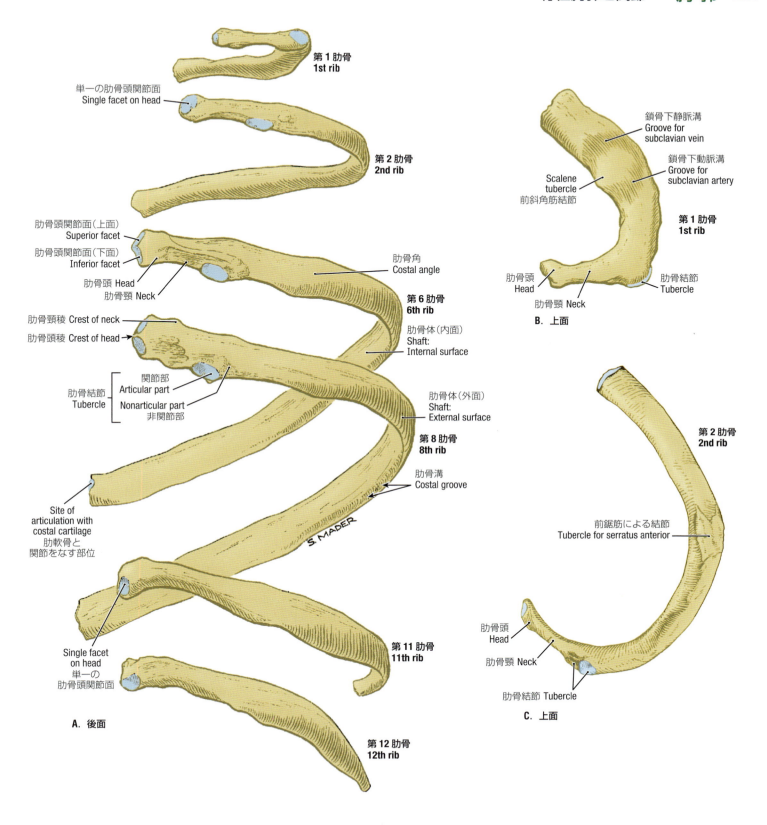

3.12 肋骨

A 典型的な肋骨（第6，8肋骨）と非典型的な肋骨（第1，2，11，12肋骨）．**B** 第1肋骨．**C** 第2肋骨．
肋骨骨折．肋骨の最も弱い部位は肋骨角よりもすぐ前方の領域である．中位の肋骨が最も骨折しやすい．

208 胸郭　骨性胸郭と関節

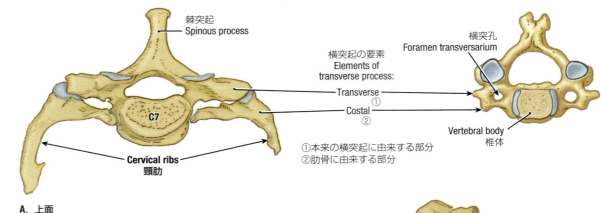

A. 上面

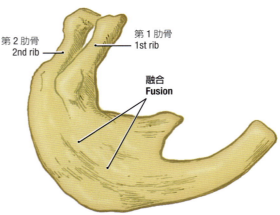

C. 上面

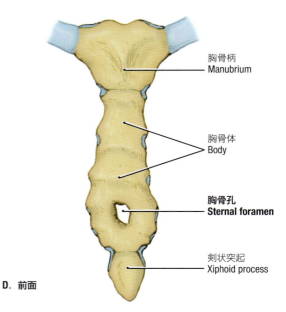

B. 前面

D. 前面

3.13 肋骨と胸骨の変異

A　頸肋（cervical ribs）．通常片側には12本の肋骨が存在するが，時に頸椎や腰椎にも頸肋や腰肋が形成され肋骨の数が多くなる場合がある．**頸肋**は第7頸椎と関節をなしており，出現率は1％以下である．頸肋は第8頸神経や第1胸神経，あるいはこの2つが合流してできる下神経幹（腕神経叢の一部）を圧迫する場合があり，臨床上問題となる．また，頸肋は鎖骨下動脈を圧迫することもあり，この場合は上肢の**筋虚血**とそれに起因する疼痛が生じる．**腰肋**は頸肋に比べて頻度は低いが，これが存在すると，画像診断において椎骨の高さを見誤ってしまうことがある．
B　二分肋骨（bifid rib）．第3肋骨に余分な上方部が形成され，第1胸骨分節の側面と関節する．この肋骨の下方部（本来の第3肋骨）は第1・2胸骨分節の両方と関節する．
C　双頭肋骨（bicipital rib）．この標本では，第1・2肋骨に部分的な融合が認められる．
D　胸骨孔．

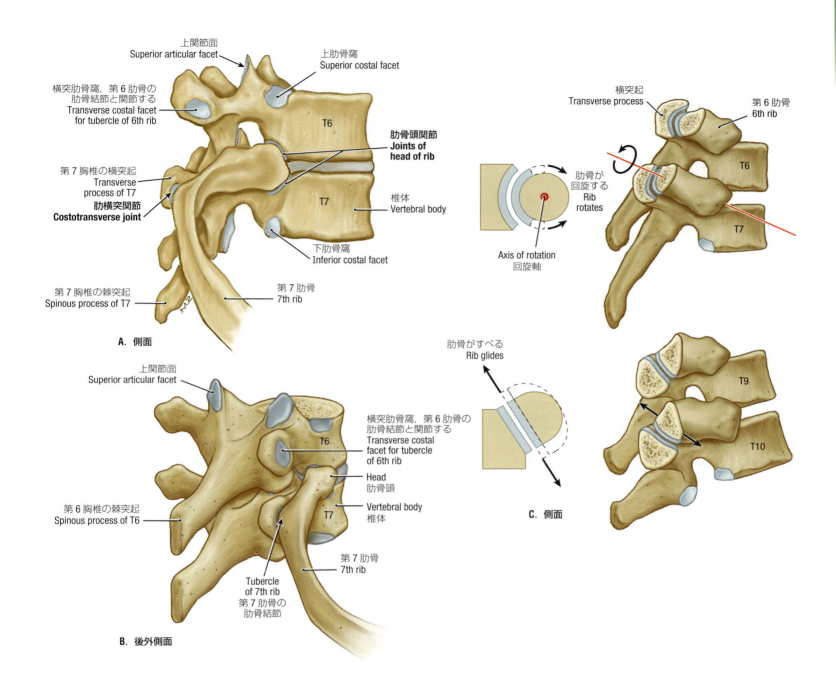

3.14 肋椎関節

A, B　関節の構造.
- 肋骨頭には2つの関節面（肋骨頭関節面）が存在し，下方の大きな関節面は肋骨と同じ番号の椎骨（椎体）と関節をなす．一方，上方の小さな関節面は1つ上の椎体と関節をなす．
- 肋骨頭稜が上下の肋骨頭関節面の間にはまり込む．

- 肋骨結節にある平らな関節面（肋骨結節関節面）は，肋骨と同じ番号の椎骨（横突起）との間に，肋横突関節を形成する．

C　肋横突関節での運動. 第1-7肋横突関節では肋骨が回旋し，胸郭の前後径が変わる．第8-10肋横突関節では肋骨がすべり，上腹部の横径が変わる．

210 胸郭　骨性胸郭と関節

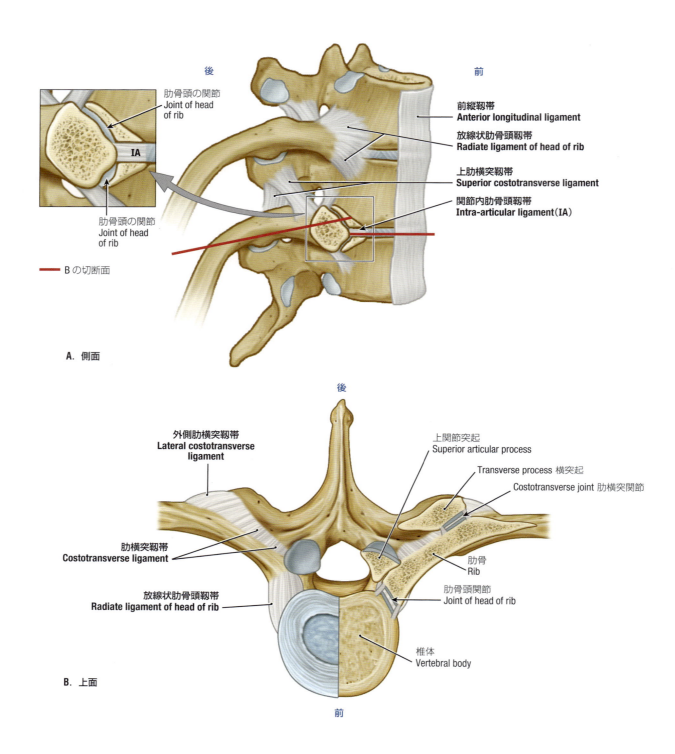

A．側面

B．上面

3.15　肋椎関節の靱帯

A 関節内外の靱帯.
- 放線状肋骨頭靱帯は肋骨頭，2つの椎体およびその間の椎間円板をつなぐ.
- 関節内肋骨頭靱帯は肋骨頭と椎間円板をつなぐ.
- 上肋横突靱帯は肋骨頸稜と1つ上の横突起をつなぐ.

B 水平断面.
- 椎体，横突起，上関節突起，およびこれらと結びつく肋骨の後方部分が横断され，関節面と靱帯が見えている.
- 肋横突靱帯は肋骨頸の後面と同じ番号の椎体（横突起）をつなぐ.
- 外側肋横突靱帯は肋骨結節と同じ番号の椎体（横突起の尖端）をつなぐ.

胸壁　胸郭　211

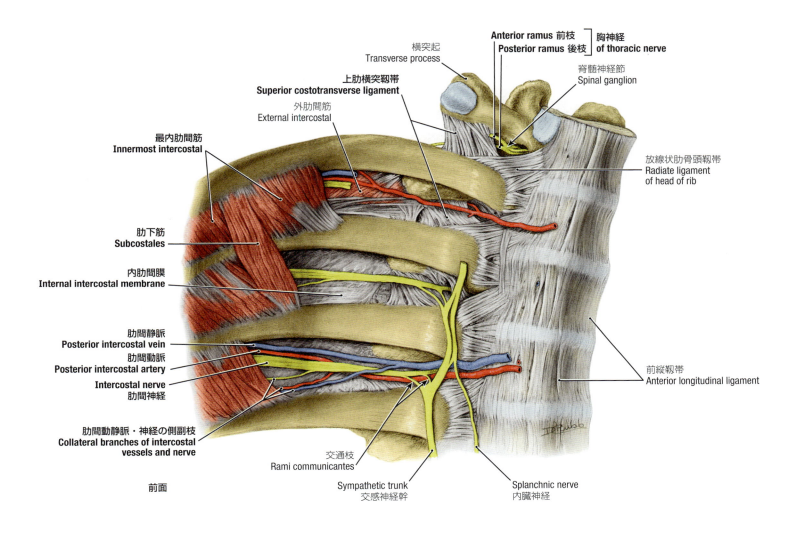

3.16 肋間隙の後端（内面）

- 最内肋間筋の一部は，2つの肋間隙にまたがって存在し，肋下筋と呼ばれる．
- この図の中央では，内肋間膜が内側で上肋横突靱帯に移行している．
- 肋間隙の上縁を走る構造，つまり肋間静脈，肋間動脈，肋間神経の配列順序に注目すること．また，これらの側副枝にも注目すること．
- 胸神経の前枝（肋間神経）は上肋横突靱帯の前方を横切り，後枝は上肋横突靱帯の後方に位置する．
- 肋間神経は交通枝によって交感神経幹とつながる．内臓神経は交感神経幹から出て，内臓に分布する．

212 胸郭　胸壁

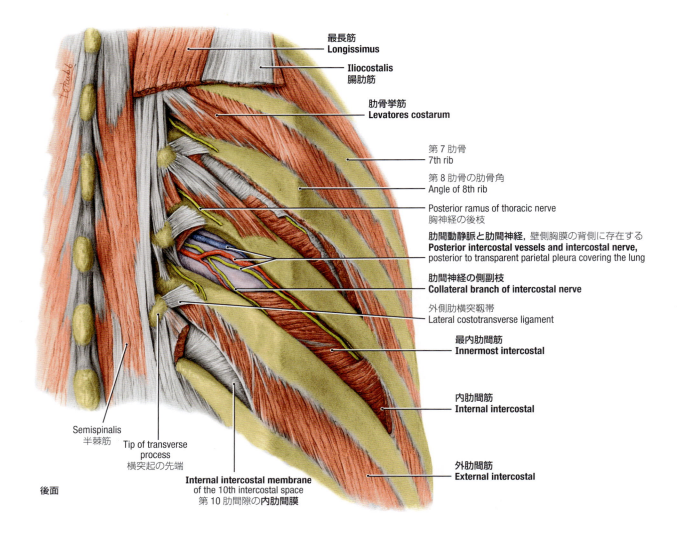

後面

3.17 下位肋間隙の後端（外面）

- 腸肋筋と最長筋を除去してあり，肋骨挙筋が見えている．図示した5つの肋間隙のうち，上2つの肋間隙（第6・7肋間隙）は未解剖の状態である．第8・10肋間隙では，外肋間筋を部分的に除去してあり，その下層に内肋間筋と連続している内肋間膜が見えている．第9肋間隙では，肋骨挙筋を除去してあり，肋間動静脈と肋間神経が見えている．
- 肋間動静脈と肋間神経は，外側では内肋間筋と最内肋間筋の間に隠れる．
- 肋間神経は，動脈，静脈，神経の3本組のうち，最も下方に位置し，かろうじて肋骨溝によって保護される．肋間神経の側副枝は肋骨角の辺りから分枝される．
- **胸腔穿刺．** 胸膜腔（図3.27参照）から胸水のサンプルを採取したり，血液や膿を除去したりするために，皮下針を肋間隙から胸膜腔に刺入すること．肋間神経や肋間動静脈，側副枝の損傷を防ぐため，針は肋骨のやや上方に刺入する．

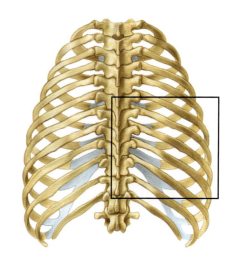

胸壁　胸郭　213

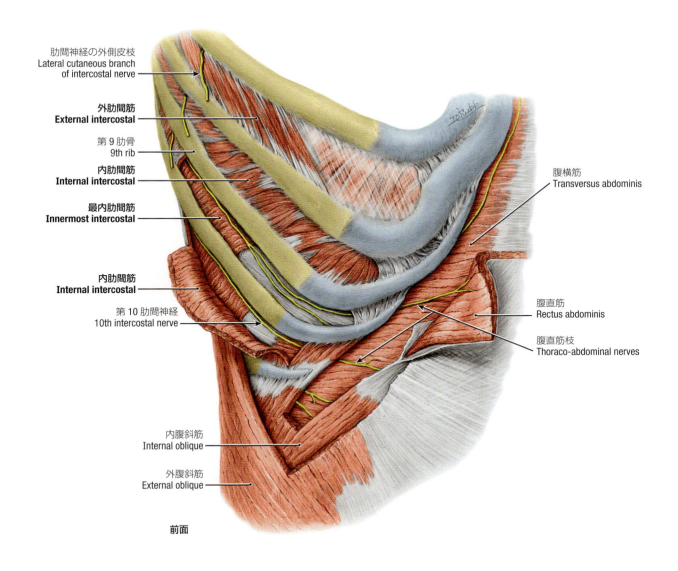

前面

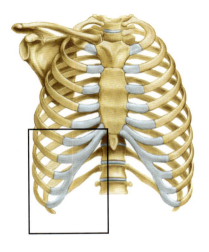

3.18 下位肋間隙の前端（外面）

- 外肋間筋と外腹斜筋の筋線維は，下内側に向かって走行する．
- 内肋間筋と内腹斜筋は，第9-11肋間隙の前端において連続している．
- 肋間神経は内肋間筋と最内肋間筋の間に位置する．また前方において，肋間神経は胸横筋や腹横筋よりも浅層に位置する．
- 肋間神経は肋骨や肋軟骨と平行に走り，腹壁に達すると，第7・8肋間神経は上方に向かい，第9肋間神経は水平に走り，第10肋間神経は臍に向かって下内側に進む．個々の肋間神経からの皮枝は，帯状に分布し，各神経の分布域は重なり合う．

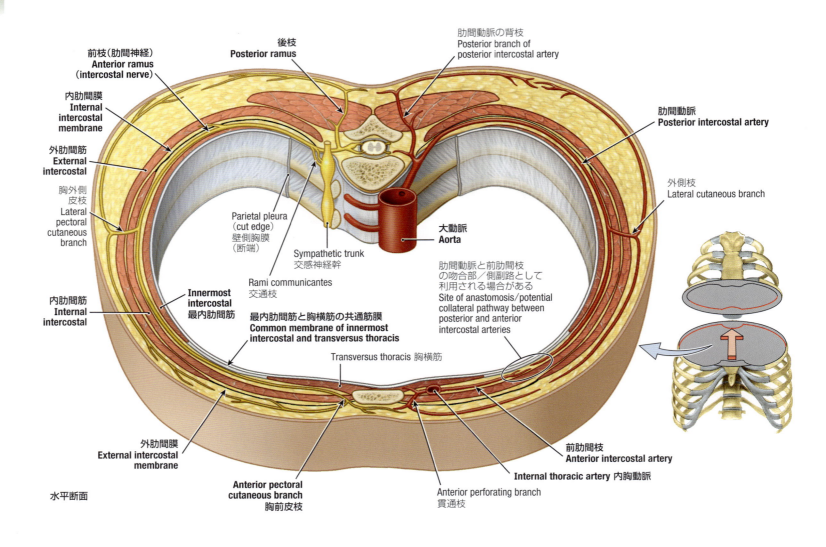

3.19 肋間隙の内容，水平断面

- 神経を体の右側に，動脈を左側にそれぞれ図示している．
- 肋間隙には，筋と肋間膜によって，3つの層が形成される．それぞれの層は，(1)外肋間筋と外肋間膜，(2)内肋間筋と内肋間膜，(3)最内肋間筋と胸横筋およびこの2筋をつなぐ膜，によって構成される．
- 肋間神経は第1–11胸神経の前枝であり，第12神経の前枝は肋下神経となる．
- 肋間動脈は胸大動脈から分枝される（ただし，第1・2肋間隙には，肋頸動脈の枝である最上肋間動脈が分布する）．また，前肋間枝は内胸動脈もしくはその枝である筋横隔動脈から分枝される．
- 胸神経の後枝は深背筋と脊柱近傍の皮膚を支配する．

胸壁　胸郭

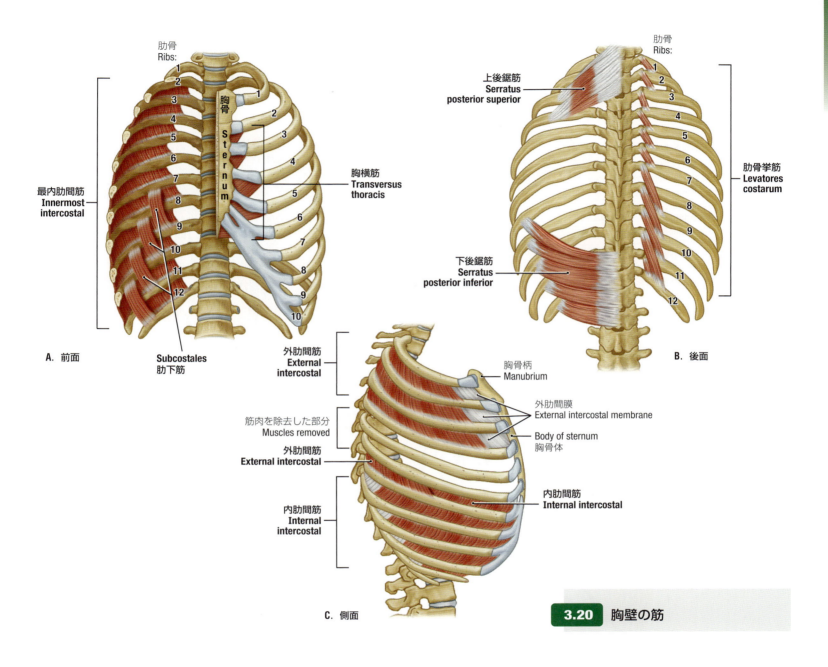

3.20　胸壁の筋

表3.1　胸壁の筋

筋	上方での付着	下方での付着	神経支配	作用[a]
外肋間筋	肋骨の下縁	1つ下の肋骨の上縁	肋間神経	肋骨の挙上
内肋間筋[b]				肋骨の下制
最内肋間筋[b]				
胸横筋	第2-6肋軟骨の内面	胸骨下部の内面		
肋下筋	下位肋骨の内面(肋骨角の近傍)	2つもしくは3つ下の肋骨の上縁		
肋骨挙筋	C7-T11の横突起	1つ下の肋骨(肋骨結節と肋骨角の間)	第8頸神経—第11胸神経の後枝	肋骨の挙上
上後鋸筋	項靱帯，C7-T3の棘突起	第2-4肋骨の上縁(肋骨角の近傍)	第2-5肋間神経	肋骨の挙上[c]
下後鋸筋	第8-12肋骨の下縁(肋骨角の近傍)	T11-L2の棘突起	第9-11肋間神経および肋下神経(T12)	肋骨の下制[c]

[a] 肋間筋には肋間隙を埋め，肋間隙の壁を強固に保つ働きがある．したがって，肋間隙の壁が呼息中に外に向かって突出したり，吸息中に内側に向かって窪んだりすることはない．筋電図を用いた多くの研究がなされてきたが，個々の肋間筋および呼吸補助筋が肋骨の運動に果たす役割を明らかにするのは難しい．
[b] 内肋間筋と最内肋間筋は本質的には同じ筋である．肋間動静脈・神経によって表層にある内肋間筋と深層にある最内肋間筋に区別されている．
[c] 上・下後鋸筋の機能は伝統的に筋の付着に基づいて想定されたものであり，これらの筋は現在では固有覚受容器として機能すると考えられている．

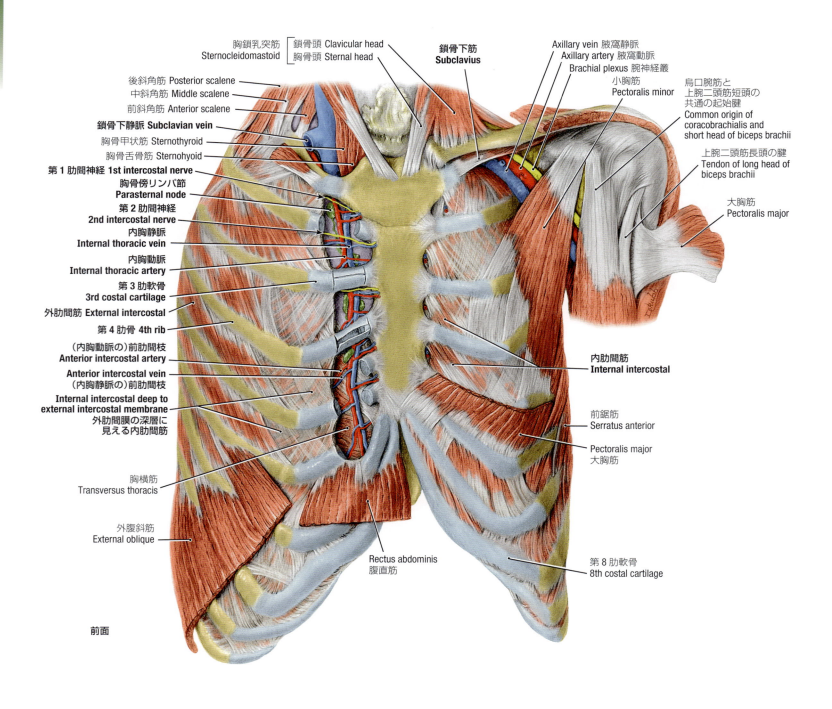

3.21 前胸壁の外面

- 第3・4肋軟骨の軟骨膜をH字型に切開し，肋軟骨の一部をえぐり出してある．
- 手術の際に**軟骨膜を残して軟骨を除去する**と，軟骨は後に再生する．
- 内胸動静脈は肋軟骨よりも深層で，胸骨の縁のすぐ外側を下方に向かって走行しながら，肋間隙に枝を出す．
- 胸骨傍リンパ節（緑色）には，肋間隙の前方部，肋骨胸膜，横隔膜，乳房の内側部からのリンパ管が流入する．
- 鎖骨下動静脈は第1肋骨と鎖骨の間に挟まれ，さらに，鎖骨下筋が鎖骨下動静脈と鎖骨の間でクッションとなる．
- **胸郭内への外科的なアプローチ**．外科手術では，胸腔内の構造にアプローチするために，胸骨を正中線に沿って切断し（胸骨正中切開），切断部を左右に押し広げて胸腔内を露出することがよく行われる．手術後は，切断された胸骨をワイヤーでつなぎ合わせて，胸郭を閉じる．

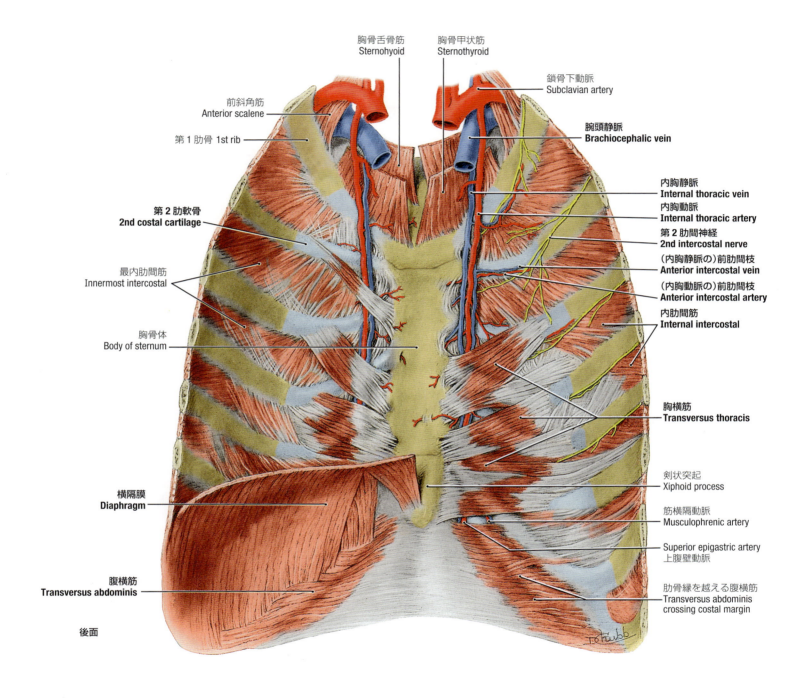

3.22 前胸壁の内面

- 内胸動静脈の下方部は胸横筋によって，上方部は壁側胸膜（ここでは除去してある）によって覆われる．
- 胸横筋は横隔膜よりも上方に位置し，横隔膜よりも下方にある腹横筋と連続している．この2筋は胸腹壁にある3つの筋層のうち，最内層をなす．
- 内胸動脈は鎖骨下動脈から起こり，下方では，交通し合う2本の内胸静脈を伴う．内胸静脈は上方では1本にまとまり，腕頭静脈へ流れ込む．

胸郭　胸壁

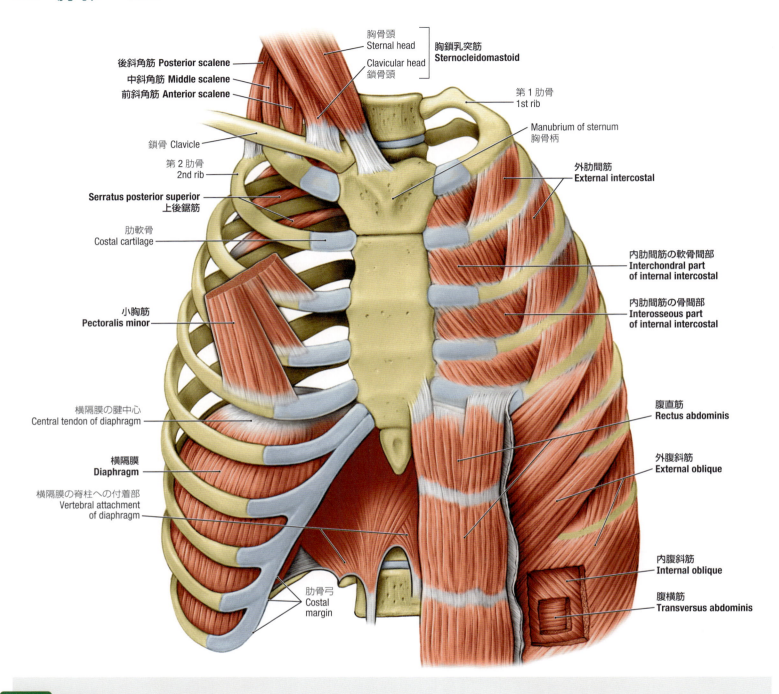

3.23 呼吸筋

表 3.2 呼吸筋

		吸息時	呼息時
通常（安静時）	主に働く筋	横隔膜（活発な収縮）	肺と胸郭は受動的な弾性回復により縮小する．
	補助的に働く筋	外肋間筋と内肋間筋の肋軟骨間部が等張性に収縮し，陰圧に抗する．	前外側の腹壁筋（腹直筋，外・内腹斜筋，腹横筋）が等張性に収縮し，腹腔内圧が維持され，横隔膜の作用に拮抗する．
活動時（努力呼吸時）		横隔膜の他に，次の諸筋が積極的に収縮する．胸鎖乳突筋，僧帽筋の上部筋束，小胸筋，斜角筋は，骨性胸郭を広げる．また，胸郭を広がった状態で固定する働きもある．	次の諸筋が積極的に収縮する．前外側の腹壁筋（腹直筋，外・内腹斜筋，腹横筋）が腹腔内圧を高めることで，横隔膜の作用に拮抗する．また，これらの筋が肋骨弓を引き下げて固定し，胸郭を狭める．
		外肋間筋，内肋間筋の肋軟骨間部，肋下筋，肋骨挙筋，上後鋸筋[a]は，肋骨を引き上げ，胸郭を広げる．	内肋間筋の肋骨間部と下後鋸筋[a]は肋骨を引き下げ，胸郭を狭める．

[a] 最近の研究では，上・下後鋸筋が，運動器としてよりも，固有覚受容器としての役割が大きいことが示唆されている．

胸郭の内容　胸郭　219

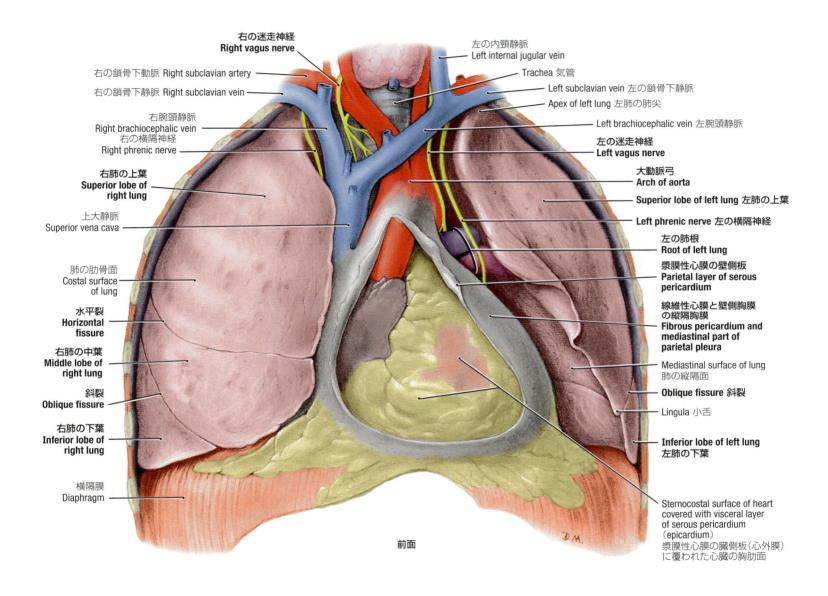

3.24 胸郭の内容（原位置）

- 線維性心膜は漿膜性心膜の壁側板によって裏打ちされている．これらの膜の前方部は切り取られ，心臓と上行大動脈が見えている．
- 右肺は3葉からなる．上葉は水平裂によって中葉と隔てられ，中葉は斜裂によって下葉と隔てられる．左肺は2葉（上葉と下葉）からなり，この2つの葉は斜裂によって隔てられる．
- 左肺の前縁は外側に反転してあり，横隔神経と迷走神経が見えている．横隔神経は肺根の前方を通過するが，迷走神経は大動脈弓の前方から肺根の後方へと走行する．

220 胸郭　胸郭の内容

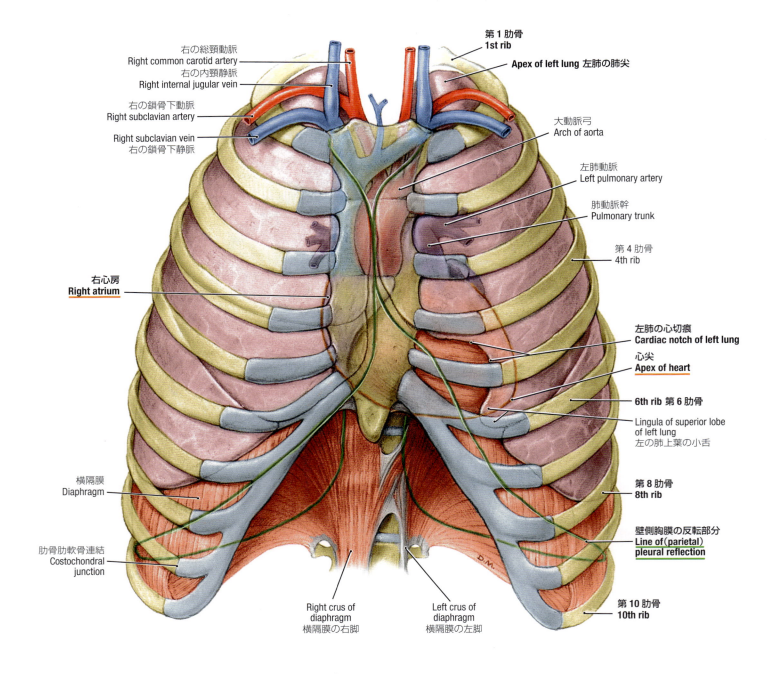

3.25 肺と縦隔の位置

- 縦隔は左右の胸膜腔の間に位置し，心臓およびその前方，後方，上方にある器官・組織によって占められる．
- 肺尖は第1肋骨頸の高さまで突出し，肺の下縁は左中鎖骨線上では第6肋骨，中腋窩線上では第8肋骨の高さに一致する．
- 左肺の心切痕近くでは，壁側胸膜の反転部分（緑色の線）が，正中面から心切痕側へ偏っている．
- 壁側胸膜の反転部分（緑色の線）は，下方において，中鎖骨線上では第8肋骨肋軟骨連結，中腋窩線上では第10肋骨の位置にそれぞれ一致する．
- 心尖は左中腋窩線上で第5肋間隙の高さに存在する．
- 右心房は心臓の右縁をなし，胸骨の外側縁を越えて突出する．
- 大血管の枝は胸郭上口を通過する．

胸郭の内容　胸郭　221

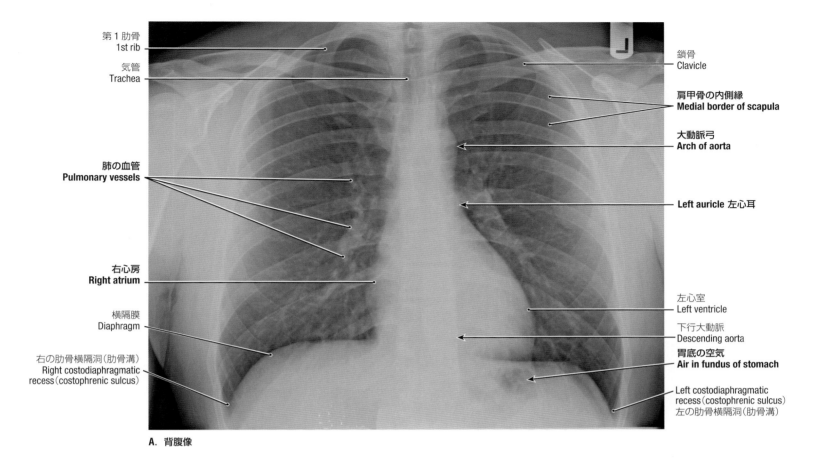

A. 背腹像

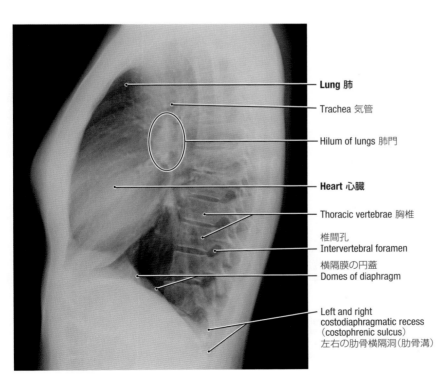

B. 側面像

3.26　胸部の単純X線像

A　標準的な胸部X線像（胸部写真）
- 患者が寝たきりでない限り，胸部X線像は，患者の後方から前方にX線を照射して撮像する．この方法が歪みが最も少ないためである．肩甲骨を引き，主な視野に入らないようにする．
- 右心室は心臓の右の境界で最も確認しやすい構造である．
- 肺の中の空気を示す両側の濃い灰色（X線透過）の領域で，直線状に濃く（白く）見えるものの大半は肺静脈である．
- 左上の縦隔境界に沿って，大動脈弓が見える．大動脈は下方にたどることができる．
- 左心耳は心臓の左の境界でしばしばみられる．その下は左心室の境界である．
- 標準的な背腹像では，胃底にしばしば空気がみられる．

B　標準的な胸部X線側面像（胸部側面写真）
- 右と左は正確に重なっていないことに注目すること．
- 心臓が空気の入った肺に比べてはっきりとみられることに着目しよう．空気の入った肺は多くの光子を妨げないため，X線透過性が高い．この明瞭な違いがみられない場合，シルエットサインとして知られ，肺の疾患が示唆される．
- 縦隔内の構造は，**縦隔のシルエットの病的な拡大**に寄与する可能性がある（例：外傷後の縦隔内への出血）．悪性リンパ腫は縦隔リンパ節の肥大を起こす．うっ血性心不全では心肥大が起こる．

222 胸郭　胸膜腔

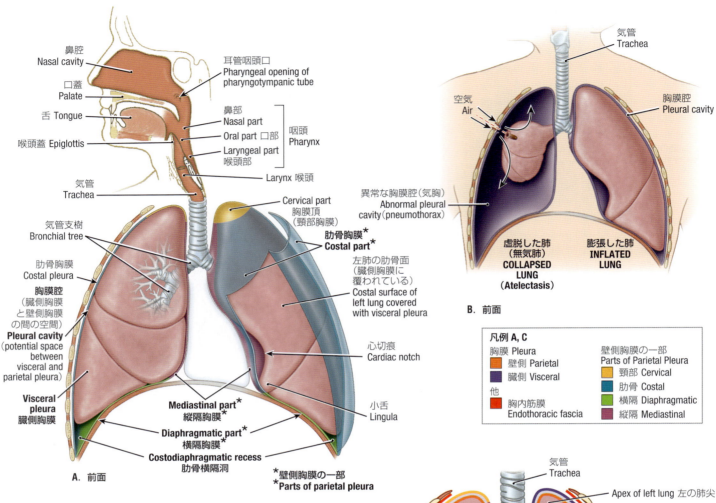

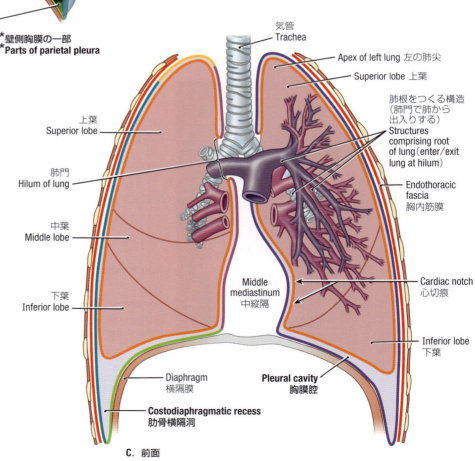

3.27 呼吸器系と胸膜

A 全体像．B 胸膜腔と胸膜．C 肺の断面図．肺血管と気管支樹も示す．

- 胸膜はひと続きの袋（胸膜嚢）をなし，肺はその袋に嵌入している．臓側胸膜（胸膜の臓側板）は肺の表面を覆い，壁側胸膜（胸膜の壁側板）は胸壁の内面を覆う．臓側胸膜と壁側胸膜は肺根の部分で連続している．
- 壁側胸膜は，肋骨胸膜，横隔胸膜，縦隔胸膜，胸膜頂（頸部胸膜）という4つの部分に区分される．肋骨横隔洞にも注目すること．
- 胸膜腔は臓側胸膜と壁側胸膜の間にできる潜在的な空間であり，実際にはこの2つの胸膜は薄い漿液の層を挟んで接している．胸膜腔に空気が大量に入った場合，臓側胸膜（肺）を壁側胸膜（胸壁内面）に接着させている表面張力が解消され，肺は自らが持つ弾性収縮力によって虚脱する（**無気肺**）．肺が虚脱した場合，胸膜腔は「大きな」空間となり（B），空気や血液などで満たされる．胸膜腔に空気が入り込んだ状態を**気胸**，血液の場合を**血胸**と呼ぶ．

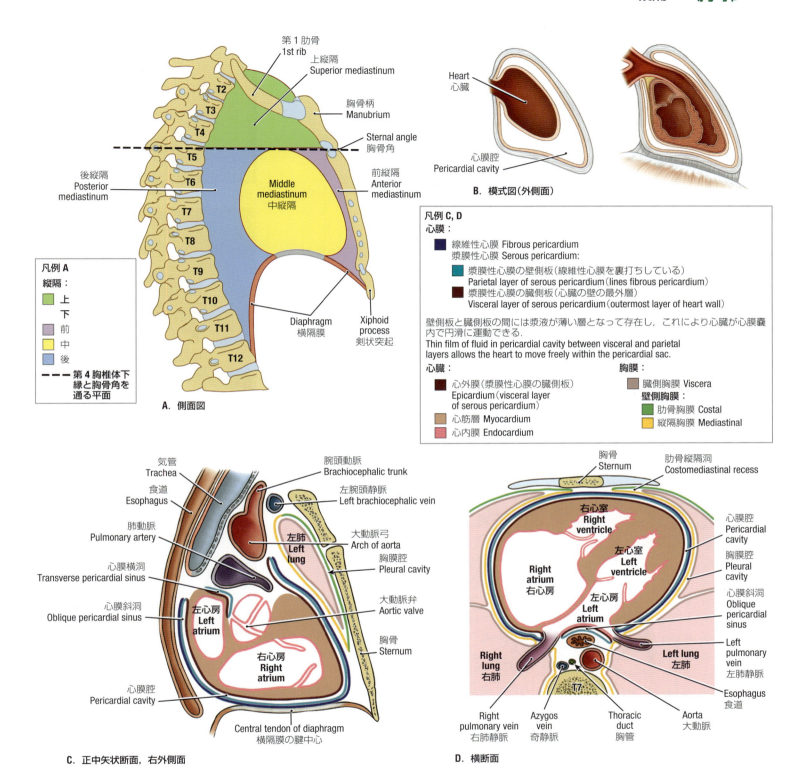

3.28 縦隔と心膜

A 縦隔の区分. B 心膜腔の発生. 肺の心臓は，漿膜嚢の壁に陥入し（左），すぐに心膜腔を事実上塞いでしまい，漿膜性心膜の層にわずかな空間が残るのみである（右）.

C, D 断面で見た心膜と心臓の層.

心タンポナーデとは心膜腔に液体が貯留し，これにより心臓が圧迫され，心室内腔の容積（心拍出量）が次第に減少する状態である．致死性の心不全に至る場合もある．心タンポナーデは心膜腔に血液が貯留すること（心嚢血腫）で生じる場合が多い．

224　胸郭　肺と胸膜

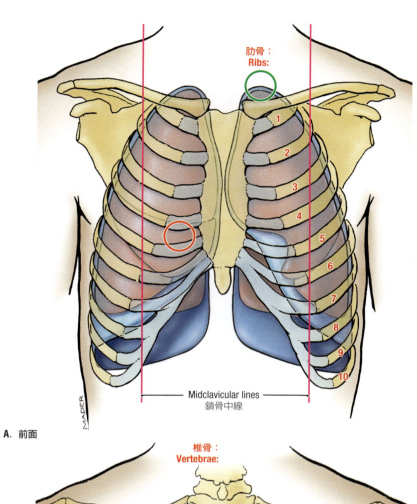

A. 前面

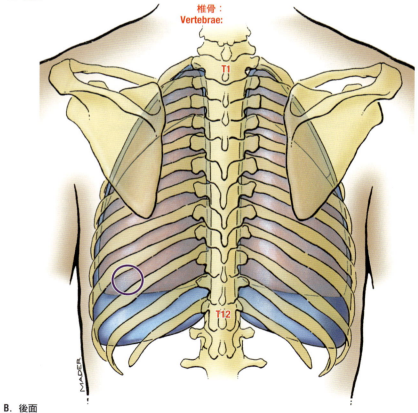

B. 後面

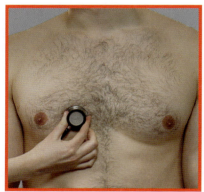

前面

前面

後面

C.

3.29　胸膜と肺の聴診

A 胸膜の範囲．前面．**B** 胸膜の範囲．後面．
C 肺の聴診．

　肺の聴診．肋骨に対しての肺の水平裂・斜裂の位置に注意すること．上葉を聴診するには，前胸壁の右は第4肋骨の上部，左は第6肋骨の上部に聴診器を当てる．中葉は，右の乳頭の内側に聴診器を当てる．下葉は，後胸壁の第3肋骨の下部に聴診器を当てる．

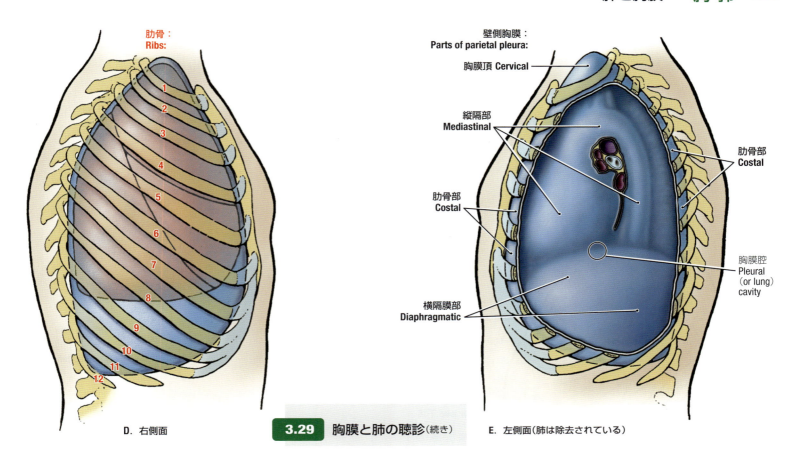

D. 右側面　　3.29　胸膜と肺の聴診（続き）　　E. 左側面（肺は除去されている）

表3.3　体表における胸膜嚢の輪郭〔以下の記述を参考に，胸膜嚢（青色）の輪郭をたどってみること〕

胸膜反転線（肋骨胸膜，縦隔胸膜，横隔胸膜の境界を表す線）	参照図	左胸膜嚢	右胸膜嚢
胸膜頂（胸膜嚢の尖端）	前面	鎖骨の内側1/3の位置から4cm上方に達する．	鎖骨の内側1/3の位置から4cm上方に達する．
胸骨部（前方における縦隔胸膜と肋骨胸膜の境界線）	前面	胸鎖関節の位置から胸骨角に連なる． 胸骨角（第2肋軟骨）から第4肋軟骨までの高さにおいて，ほぼ正中線に沿う． 第4肋軟骨の高さから下外側に向かい，第6肋軟骨の中点あたりに達する．この間に，やや外側に浅く窪む．	胸鎖関節の位置から胸骨角に連なる． 胸骨角（第2肋軟骨）から胸骨剣結合までの高さにおいて，ほぼ正中線に沿う．
肋骨部（肋骨胸膜と横隔胸膜の境界線）	前面・側面	第6肋軟骨の中点から下外方へ向かい，第8肋骨と鎖骨中線との交点，第10肋骨と中腋窩線との交点を通るカーブを描く．	胸骨剣結合のあたりから下外方へ向かい，第8肋骨と鎖骨中線との交点，第10肋骨と中腋窩線との交点を通るカーブを描く．
	後面	肩甲骨下角を通る垂直線と第12肋骨の交点を通り，T12に達する（この線は右よりもやや低い）．	肩甲骨下角を通る垂直線と第12肋骨の交点を通り，T12に達する．
脊柱部（後方における縦隔胸膜と肋骨胸膜の境界線）	後面	正中面より約4cm側方で，T1-T12の高さを垂直に走る．	正中面より約4cm側方で，T1-T12の高さを垂直に走る．

体表における肺の輪郭〔以下の記述を参考に，臓側胸膜で覆われた肺（ピンク色）の輪郭をたどってみること〕

肺の辺縁	参照図	左肺	右肺
肺尖	前面	鎖骨の内側1/3の位置から4cm上方に達する．	鎖骨の内側1/3の位置から4cm上方に達する．
前内側縁	前面	胸骨角（第2肋軟骨）から第4肋軟骨までの高さにおいて，ほぼ正中線に沿う． 第4肋軟骨に沿い，鎖骨中線と交わると，下方に転じ，第6肋軟骨に向かう（心切痕を形成する）．	胸骨角（第2肋軟骨）から胸骨剣結合までの高さにおいて，ほぼ正中線に沿う．
下縁	前面・側面	第6肋軟骨から下外方へ向かい，第8肋骨と中腋窩線との交点に達する．	胸骨剣結合のあたりから下外方へ向かい，第10肋骨と中腋窩線との交点に達する．
	後面	第10肋骨と肩甲骨下角を通る垂直線の交点を通り，ほぼ水平に走ってT10に達する．	第10肋骨と肩甲骨下角を通る垂直線の交点を通り，ほぼ水平に走ってT10に達する．
後内側縁	後面	正中面より約4cm側方で，T1-T10の高さを垂直に走る．	正中面より約4cm側方で，T1-T10の高さを垂直に走る．

訳注：原書では各肋骨および肋軟骨をもとに位置関係をまとめているが，日本語版では胸膜嚢および肺の輪郭を全周にわたってたどれるように改変した．

226 胸郭　肺と胸膜

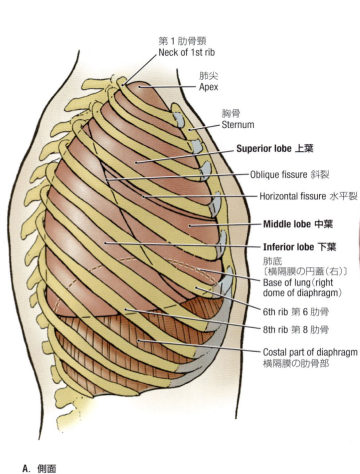

A. 側面

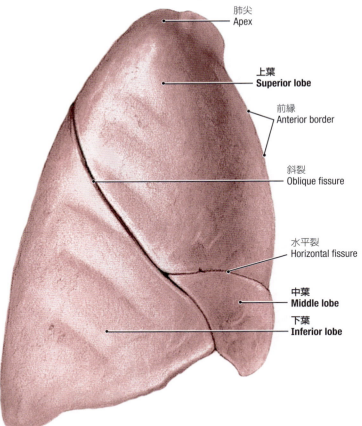

B. 側面

C. 後面

3.30　右肺

- 右肺は斜裂と水平裂により3つの葉(上葉, 中葉, 下葉)に分割される.
- 右肺は左肺よりも容積が大きく, 重いが, 高さは低く, 幅は広い. これは横隔膜の右の円蓋が左よりも高い位置にあり, 心臓が左方に偏って存在するためである.
- 遺体では肺は, 収縮, 硬化, 変色などの死後変化がみられるが, 生体の正常な肺は軟らかくて軽く, スポンジ状である.
- それぞれの肺の表面には, 尖, 底, 3つの面(肋骨面, 縦隔面, 横隔面), および3つの縁(前縁, 下縁, 後縁)が認められる.

肺と胸膜　胸郭

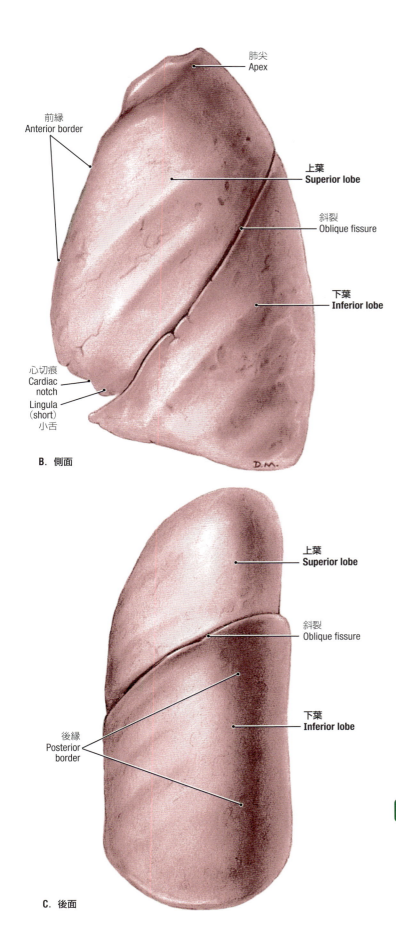

B. 側面

C. 後面

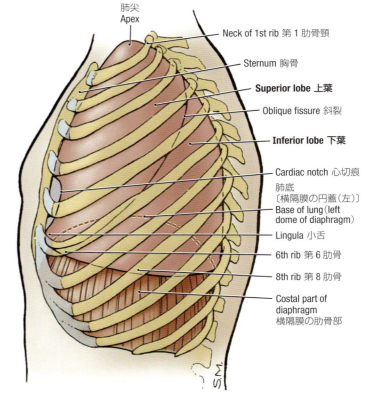

A. 側面

3.31 左肺

- 左肺は斜裂により2つの葉（上葉，下葉）に分割される．
- 前縁には深い心切痕がみられる．心切痕は上葉の前下部に形成される．
- 小舌は上葉の下部に形成された舌状の突起であり，呼吸に伴い肋骨縦隔洞に出入りする．
- 固定された遺体では肺の表面に隣接する構造（例えば，肋骨や心臓）による圧痕が残ることが多い．

228 胸郭　肺と胸膜

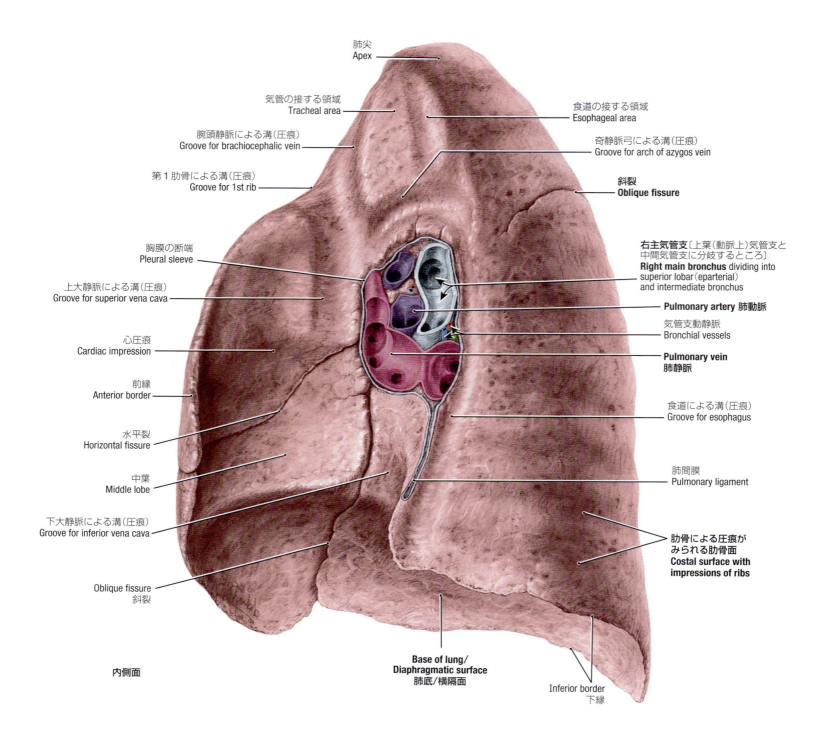

| 3.32 | 右肺の内側面と肺門 |

膨らませた肺の表面を見ると，肺と隣接する構造によってできた圧痕が認められる．横隔面（肺底）は横隔膜の円蓋をなぞるようにして上方に窪んでおり，肋骨面には肋骨によってできた圧痕が認められる．血管（上大静脈，下大静脈，腕頭静脈，奇静脈）は圧痕を形成するが，神経による圧痕は認められない．この標本では，上方と内側の斜裂が不完全である．

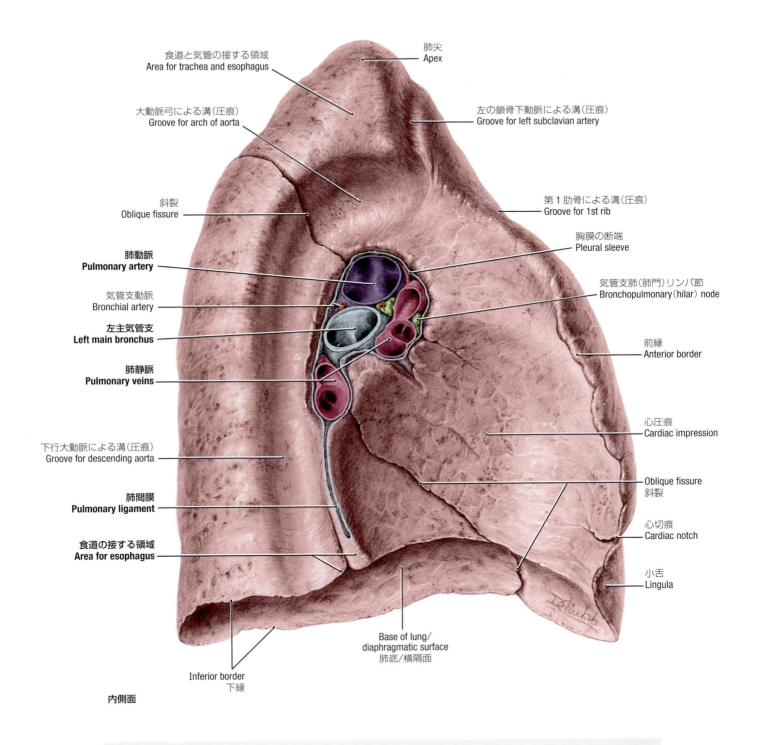

3.33 左肺の内側面と肺門

食道は，肺尖の付近でも接触するが，下行大動脈による圧痕と肺間膜下端の間においても接触する．左右の肺根における肺動静脈と気管支の位置は，概ね次のように述べることができる．つまり，肺動脈は上方に，気管支は後方に，上肺静脈は前方に，下肺静脈は下方に位置する．ただし，実際に右の肺根の最上部に位置するのは，上葉気管支（動脈上気管支とも呼ばれる）である．

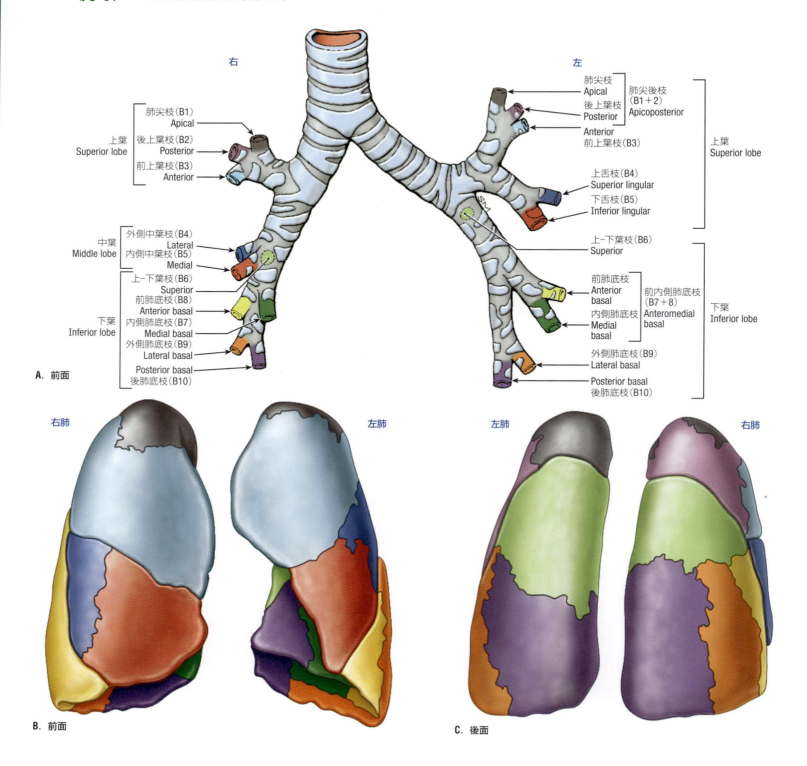

3.34 区域気管支と肺区域

A 　**区域気管支（3次気管支）**は，右肺に10種類，左肺に8種類ある．左肺では，肺尖枝と後上葉枝，前肺底枝と内側肺底枝がそれぞれ共通幹を形成する．

B–F 　1つの**肺区域（気管支肺区域）**は，区域気管支，肺静脈，肺動脈，およびこれらが分布する肺の実質からなる．肺区域は，外科手術によって分離，切除が可能である．新鮮な肺において，区域気管支ごとにさまざまな色を付けた樹脂（ラテックス）を注入すると，各肺区域を着色した標本を作製することができる．区域気管支の分布に変異があると，表面に現れるモザイクのパターンが通常とは異なって見える．

区域気管支と肺区域　胸郭　231

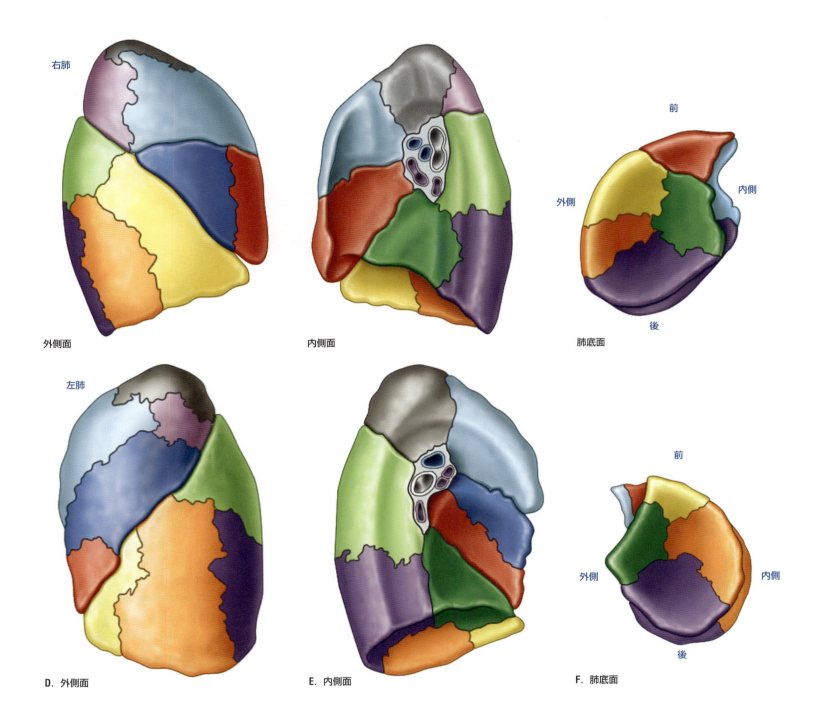

3.34 区域気管支と肺区域（続き）

　肺区域に関する解剖学的知識は，肺の画像診断において病巣の位置を特定したり，病巣を含む領域を外科的に切除したりする際に必須である．肺癌の治療において，外科医は肺全体，葉，あるいは肺区域（1つもしくは複数）を切除する．このような手術を，それぞれ**肺切除術**，**肺葉切除術**，**肺区域切除術**と呼ぶ．また，肺区域と気管支との立体的な位置関係を理解することは，肺炎や嚢胞性線維症の患者において，肺の特定の領域から痰や粘液の排泄を促す理学的療法を施行するうえで重要となる．

232 胸郭　区域気管支と肺区域

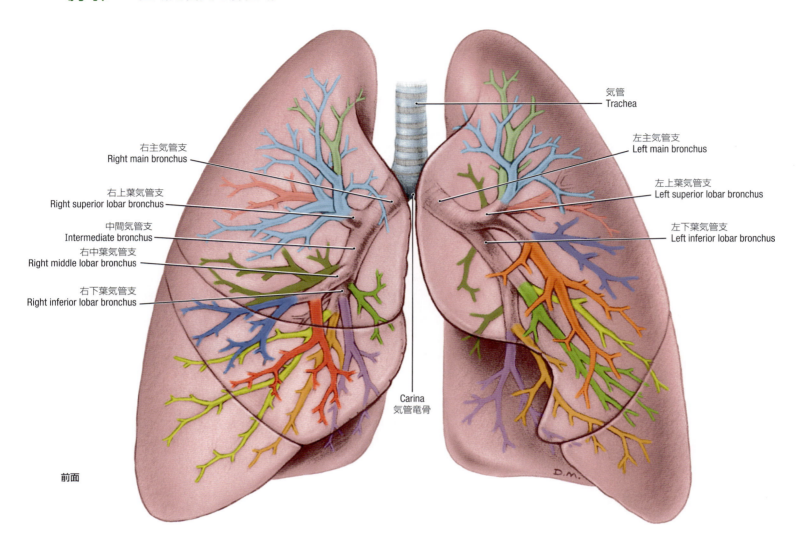

前面

3.35 原位置での気管と気管支

- 区域気管支（3次気管支）のそれぞれに別の色を塗ってある．
- 気管は左右の主気管支（1次気管支）に分岐するが，右は左よりも太く短く，より垂直に近い．
- そのため，**誤嚥された異物**は右主気管支もしくはその分枝のうちより垂直に近い枝に入り込みやすい．
  （*訳注：気管分岐角は約70°，右24°，左46°である）
- 右主気管支は，肺門に入る前に，右上葉気管支（動脈上気管支）を分枝し，中間気管支となる．さらに，中間気管支は肺門から肺内に入り，右中葉気管支と右下葉気管支に分かれる．
- 左主気管支は肺門において左上葉気管支と左下葉気管支に分岐する．これらの葉気管支から区域気管支が分枝される．

区域気管支：

右肺 Right lung

上葉 Superior Lobe
- 肺尖枝 Apical
- 後上葉枝 Posterior
- 前上葉枝 Anterior

中葉 Middle Lobe
- 外側中葉枝 Lateral
- 内側中葉枝 Medial

下葉 Inferior Lobe
- 上-下葉枝 Superior
- 前肺底枝 Anterior basal
- 内側肺底枝 Medial basal
- 外側肺底枝 Lateral basal
- 後肺底枝 Posterior basal

左肺 Left lung

上葉 Superior Lobe
- 肺尖枝 Apical ｝ 肺尖後枝 Apicoposterior
- 後上葉枝 Posterior
- 前上葉枝 Anterior
- 上舌枝 Superior lingular
- 下舌枝 Inferior lingular

下葉 Inferior Lobe
- 上-下葉枝 Superior
- 前肺底枝 Anterior basal ｝ 前内側肺底枝 Anteromedial basal
- 内側肺底枝 Medial basal
- 外側肺底枝 Lateral basal
- 後肺底枝 Posterior basal

区域気管支と肺区域　胸郭

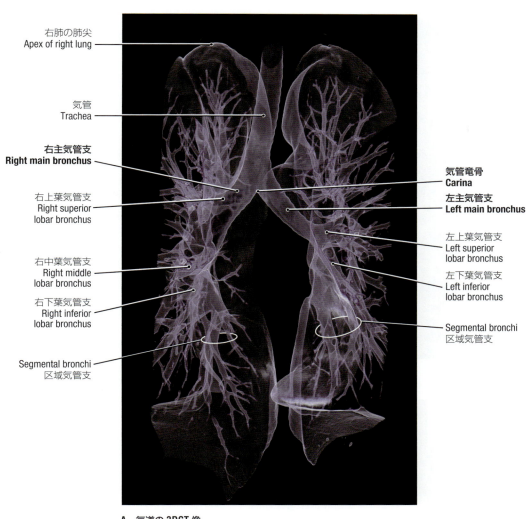

A. 気道の3DCT像

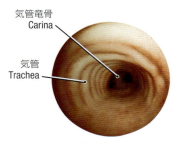

気管と竜骨
trachea and carina

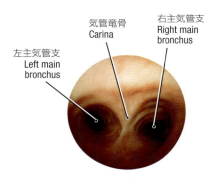

気管竜骨
Carina

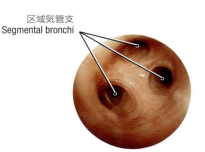

右上葉気管支
Right superior lobar bronchus

B. 気管支鏡像

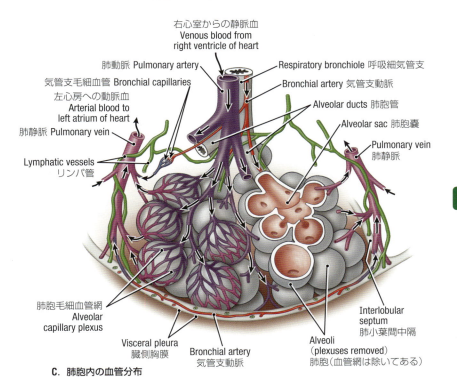

C. 肺胞内の血管分布

3.36 肺の画像

A 気道の3DCT像．CTで撮影した連続断面像から特定の解剖学構造を抽出して立体再構築することができる．

B 気管支鏡像．
気管支鏡（気管や気管支の内部を検査するための内視鏡）で気管支を観察すると，左右の主気管支の開口部の間に突出部（気管竜骨）を見ることができる．主気管支がなす角の直下には，気管気管支リンパ節が存在する．このリンパ節に癌が転移し拡大すると，気管竜骨は変形して後方に押しやられ，可動性が失われる．

C 肺胞内の血管分布．

234　胸 郭　　区域気管支と肺区域

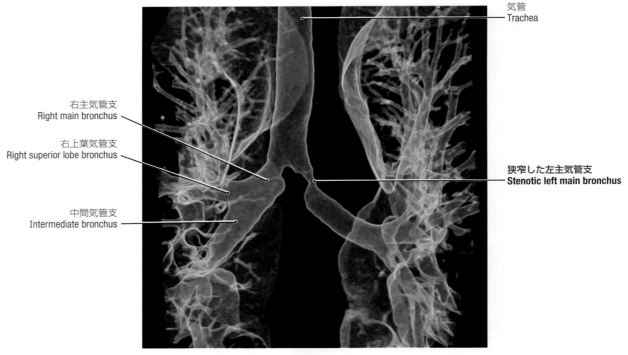

D．気道狭窄を示す 3DCT 像

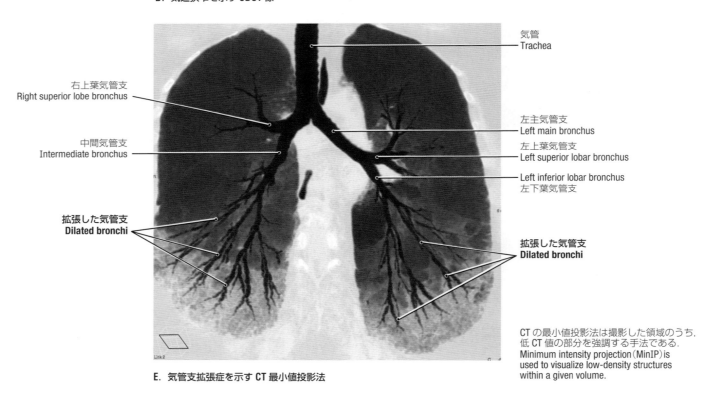

E．気管支拡張症を示す CT 最小値投影法

CT の最小値投影法は撮影した領域のうち，低 CT 値の部分を強調する手法である．Minimum intensity projection (MinIP) is used to visualize low-density structures within a given volume.

3.36　肺の画像（続き）

D　**狭窄した主気管支**．この患者は呼吸困難感を訴えている．気管支を広げるためのステントが挿入された．
E　**CT の最小値投影法**．この手法は，異常に気管支が広がる，**気管支拡張症**を見つける際に使われる．気管支の異常な拡張により，粘液の除去が妨げられ，度重なる肺の感染症を発症する．

区域気管支と肺区域　胸郭

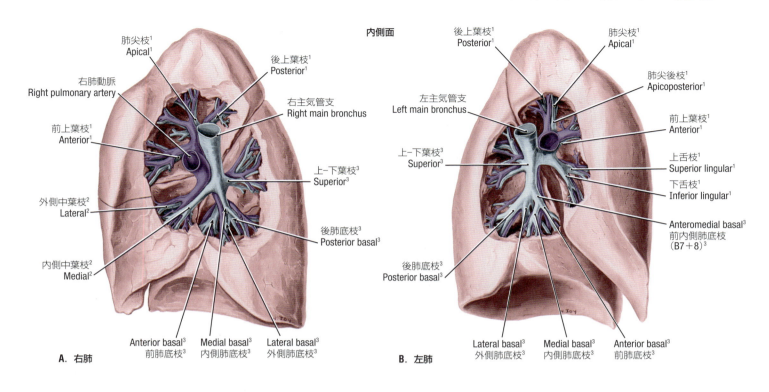

A. 右肺　　B. 左肺

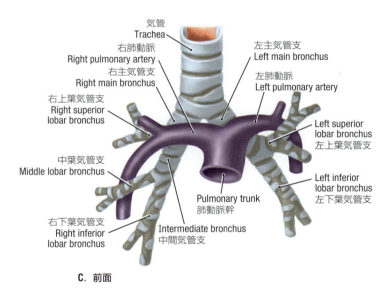

C. 前面

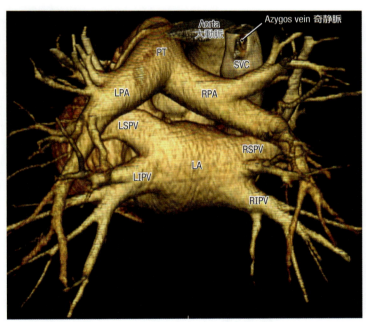

立体再構築像，後面

3.37 気管支と肺動脈の関係

A 右肺．**B** 左肺．**C** 肺動脈と主気管支，葉気管支．

区域気管支の名称の右肩に付いている番号は，その気管支が分布する葉を示している．つまり 1：上葉，2：中葉，3：下葉である．未固定の肺において，肺動脈を着色し，気管支を空気で膨らませてある．気管支と肺動脈の周囲にある組織を部分的に除去してある．

血栓によって肺動脈の閉塞（**肺動脈塞栓**）が生じると，肺への血流は部分的あるいは全体にわたって妨げられる．

3.38 肺動静脈と左心房の立体再構築像

肺動脈幹（PT）は，長い右肺動脈（RPA）と短い左肺動脈（LPA）に分岐する．肺静脈は左右2本ずつあり，左心房（LA）に流入する．LSPV：左上肺静脈，LIPV：左下肺静脈，RSPV：右上肺静脈，RIPV：右下肺静脈，SVC：上大静脈．

236　胸郭　肺の神経支配とリンパ流路

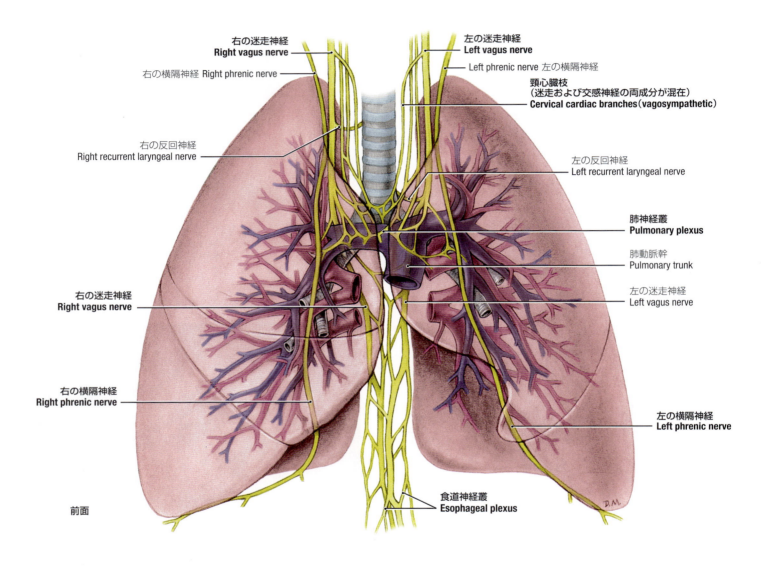

3.39　肺の神経支配

- 肺神経叢は肺根の前後に位置し，交感神経が左右の交感神経幹（第 2-5 胸神経節，ここでは示していない）から，副交感神経が左右の迷走神経から入る．副交感性節後線維の細胞体は，肺神経叢内あるいは気管支や肺動静脈に沿って存在する．
- 左右の迷走神経は，下方では後肺神経叢から食道神経叢へと連なる．
- 横隔神経は，肺根の前方を通過し，横隔膜に向かう．
- 臓側胸膜に分布する神経は自律神経であるため，臓側胸膜では痛みを感じない．臓側胸膜に分布する自律神経は，気管支や動静脈に伴行して，臓側胸膜に到達する．臓側胸膜には体性感覚神経は分布しない．
- 壁側胸膜には体性感覚神経（肋間神経と横隔神経の枝）が密に分布しており，痛みを感じることができる．壁側胸膜の炎症は，その部位に胸膜痛を感じるとともに，同じ脊髄分節によって支配される皮膚領域に関連痛が生じる．

肺の神経支配とリンパ流路　胸郭

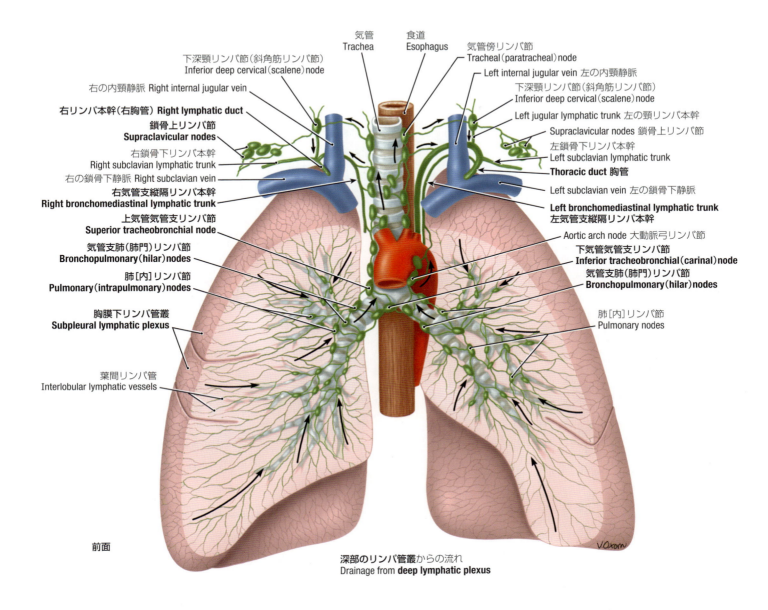

3.40 肺からのリンパ流路

- リンパ管は，胸膜下(浅層)リンパ管叢や深部リンパ管叢から始まる．
- 胸膜下リンパ管叢は，肺の表面に存在し，臓側胸膜よりも深層に位置する．このリンパ管叢は，肺の表面からのリンパ液を，気管支肺リンパ節(肺門リンパ節)へ流している．
- 深部リンパ管叢は肺内で，気管支や肺動静脈に沿って存在し，肺[内]リンパ節，次いで肺根にある気管支肺リンパ節へと流入する．
- 肺からのリンパ液はすべて，上および下気管気管支リンパ節に流入し，さらに左右の気管支縦隔リンパ本幹へと流れ，最終的には右リンパ本幹や胸管を介して静脈系へ入る．左肺下葉からのリンパ液は，主として右リンパ本幹へ流入する．
- 壁側胸膜からのリンパ液は胸壁のリンパ節(図3.71)へ流入する．
- **肺癌**のリンパ行性転移は初期には気管支肺リンパ節に生じ，次いで胸郭内にある他のリンパ節へ転移する．肺癌(気管支原性)の**血行性転移**が生じやすい部位は脳，骨，副腎，そして肺自身である．しばしば肺癌は鎖骨上リンパ節にも転移し，このリンパ節の腫大をきたすことから，以前は鎖骨上リンパ節が肺癌のセンチネルリンパ節として扱われていた．しかし近年では，癌の発生部位によらず，センチネルリンパ節を癌とその周辺領域からのリンパ液が最初に流入するリンパ節と規定しており，放射性同位体(テクネチウム-99)を含有した青色色素の注入により同定している．

238　胸郭　心臓の外観

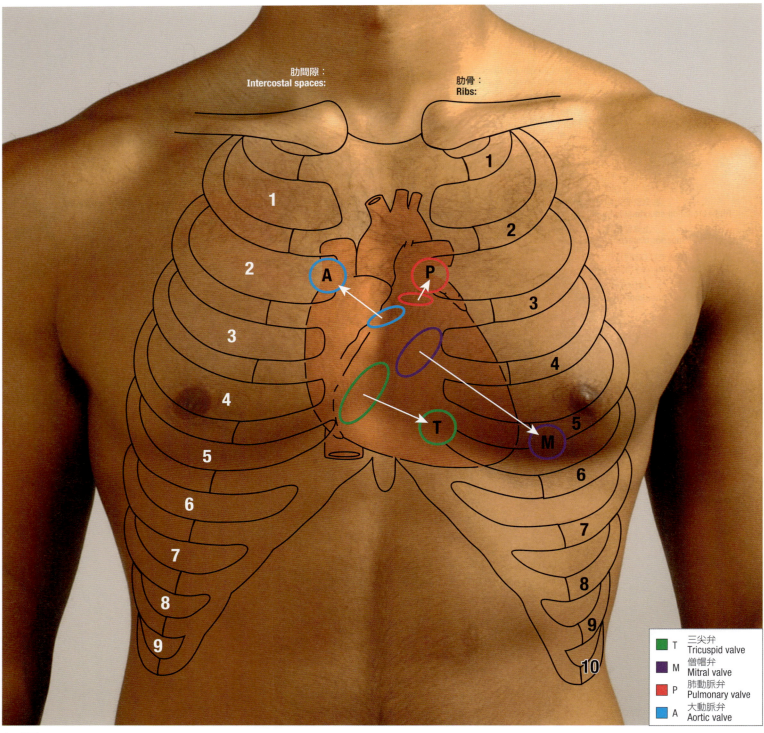

A. 前面

3.41　体表から見た心臓と心臓弁の原位置，および聴診部位

A　心臓の体表解剖の概観と聴診部位．
- 各心臓弁の原位置を楕円で示してある．また，各弁の聴診部位を色分けした円で示す．円の中には弁の英語名の頭文字が記されている．
- **聴診部位**とは，それぞれの心臓弁に由来する音を，聴診器を通じて最も明瞭に聴取できる部位である．

心臓の外観　胸郭　239

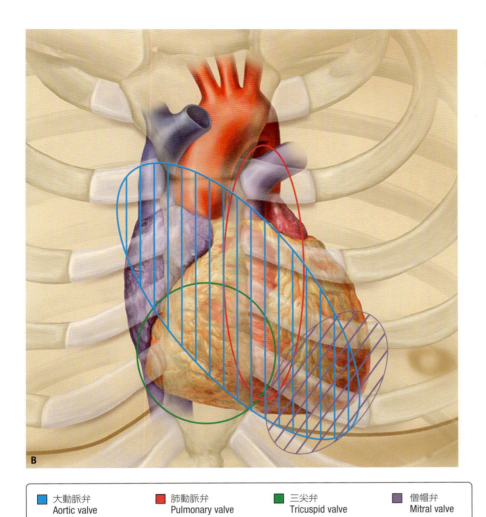

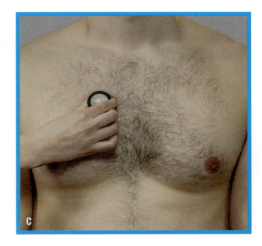

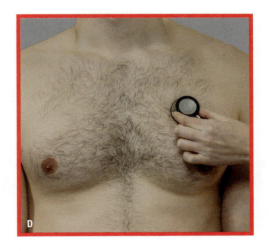

| | 大動脈弁
Aortic valve | | 肺動脈弁
Pulmonary valve | | 三尖弁
Tricuspid valve | | 僧帽弁
Mitral valve |

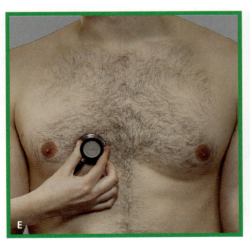

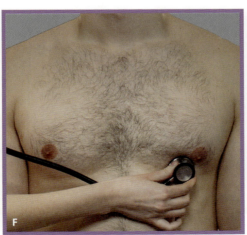

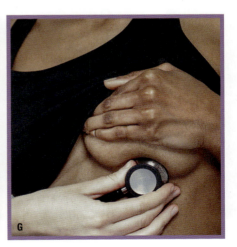

B–G．前面

3.41　体表から見た心臓と心臓弁の原位置，および聴診部位（続き）

B　聴診部位の重複．各部位は，重複はあれど，血液が流れ込む心室や動脈の表層に位置しており，弁の異常による雑音を聴取できる．
C–G　聴診器を当てる位置．大動脈弁（C），肺動脈弁（D），三尖弁（E），男性の僧帽弁（F），女性の僧帽弁（G）．

大動脈弁（A）と肺動脈弁（P）の聴診部位は，それぞれ第2肋間隙の胸骨右縁と左縁に相当する．三尖弁（T）の聴診部位は，第5・6肋間隙の胸骨左縁に相当し，僧帽弁の聴診部位（M）は心尖の位置，つまり第5肋間隙の鎖骨中線上にあたる．

240 胸郭　心臓の外観

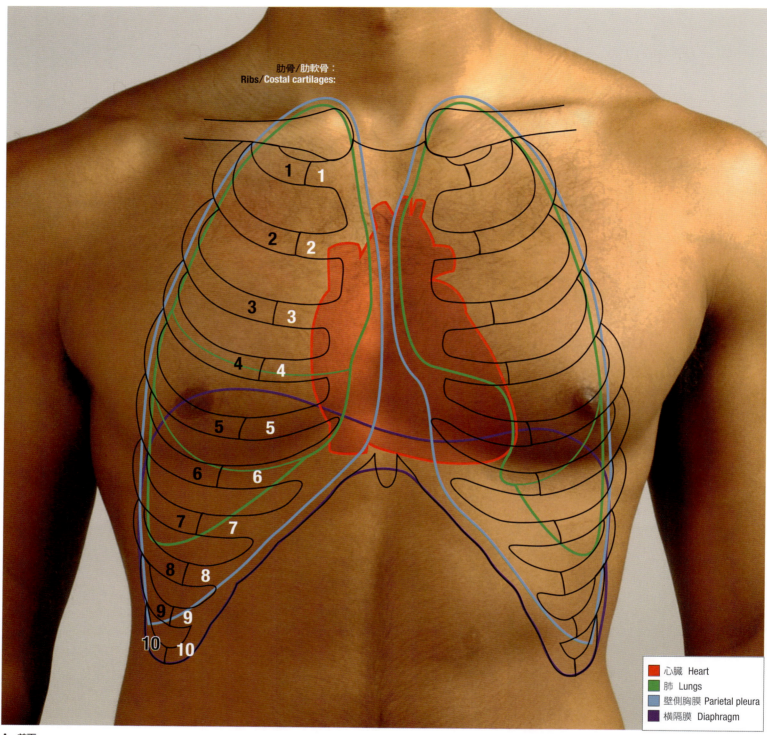

肋骨／肋軟骨：
Ribs/Costal cartilages:

心臓　Heart
肺　Lungs
壁側胸膜　Parietal pleura
横隔膜　Diaphragm

A．前面

3.42　体表から見た心臓・肺の位置，聴診・打診部位

A　概観

- 心臓の上縁は左右の第3肋軟骨を結ぶやや斜めの線に対応する．心臓の右縁は胸骨の右縁をはみ出して突出している．右縁の上端は第3肋軟骨，下端は第5・6肋胸関節の位置にある．また，心臓の下縁は横隔膜の腱中心に沿って，やや下方に傾斜しながら，第5肋間の鎖骨中線上に位置する心尖に達する．
- 横隔膜によってできる右の円蓋は，左の円蓋よりも高い．これは右の円蓋の下方に容積の大きな肝臓が存在することによる．呼息時には，右の円蓋は第5肋骨の高さ，左の円蓋は第5肋間の高さにまで上昇する．
- 左の胸膜腔は右よりも狭い，これは心臓が左方に大きく突出するためである．

心臓の外観　胸郭

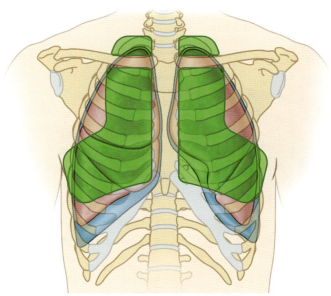

緑：共鳴音の正常領域

B. 前面

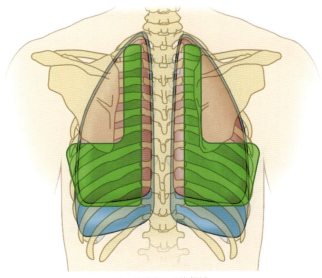

緑：共鳴音の正常領域

C. 後面

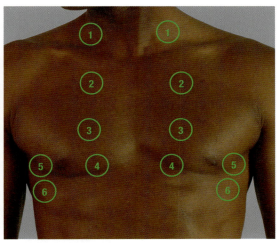

D. 前面

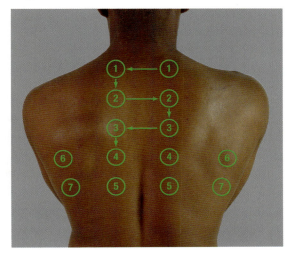

E. 後面

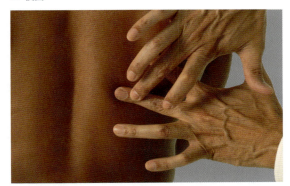

F. 後面

3.42 体表から見た心臓・肺の位置，聴診・打診部位（続き）

B，C 打診において正常な反響音（清音）が聴取できる領域（緑色の部分）．これらの領域では肺が胸骨や肩甲骨と重なっていない．D，E 胸郭の打診位置．F 打診の方法（指使い）．

肺の聴診（聴診器で吸収音を聞くこと）や胸郭の打診（胸壁を叩打し，反響音を聞くこと）は理学的診察において重要な手技であり，肺に由来する音を聴取している．

聴診では，呼吸音から気管気管支樹から肺葉に至る空気の流れを評価できる．呼吸音のパターンは強さや高さ，吸気時と呼気時の相対的な長さによって表現される．

打診では，胸壁近傍の肺の状態を評価でき，肺が正常に空気で満たされていれば清音，気胸により肺の外に空気が満ちていれば鼓音，胸膜腔が液体（胸水）で満ちていれば濁音が聞こえる．正常解剖の理解，とりわけ体表面に投影した肺の位置と骨格の関係を理解することで，清音がどこで聴取できるかがわかる．打診は胸壁に指を強く押し当て，その指の背を反対の手指ですばやく連続して叩打することで行う．

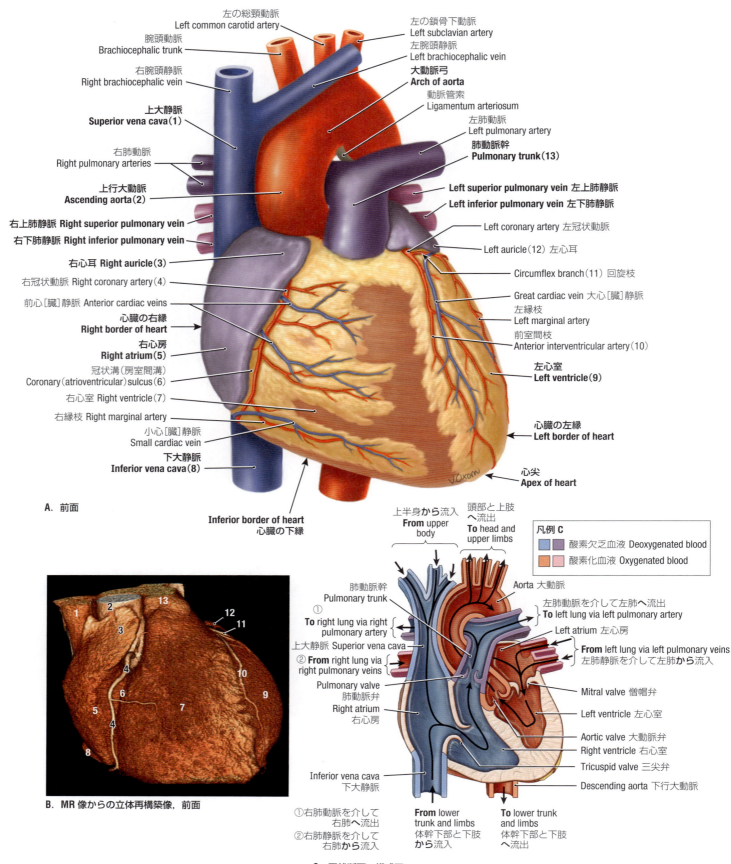

心臓の外観　胸郭

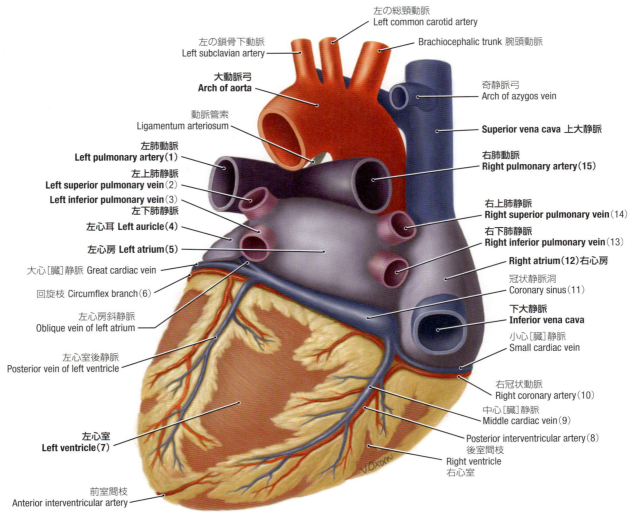

D. 後下面

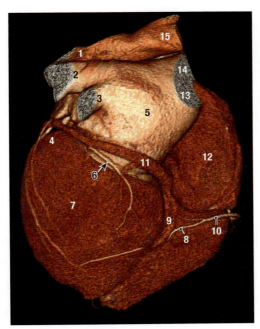

E. MR像からの立体再構築像，後下面

3.43 心臓と大血管（続き）

A 解剖図（前面）.
- 心臓の右縁は右心房によって形成され，やや膨らんで上大静脈とほぼ一直線に並ぶ.
- 下縁は主として右心室によって形成されるが，一部は左心室によって形成される.
- 左縁は主として左心室によって形成されるが，一部は左心房によって形成される.

B 心臓と冠状動脈の立体再構築像. 患者のMR像を元に再構築したもの. 番号はAの名称と対応する.

C 心臓と大血管の血流.

D 解剖図（後下面）
- この図のように，心臓を後下方から見ると，左心房と左心室の大部分を見ることができる.
- 左右の肺静脈は左心房へ流入する.
- 大動脈弓は前方正中にある上行大動脈と後方でやや左よりにある下行大動脈をつないでいる．そのため，大動脈弓は矢状面に近い面内で上方および後左方に弧を描く.

E 心臓と冠状動静脈の立体再構築像. 患者のMR像を元に再構築したもの. 番号はDの名称と対応する.

244 胸郭　心臓の外観

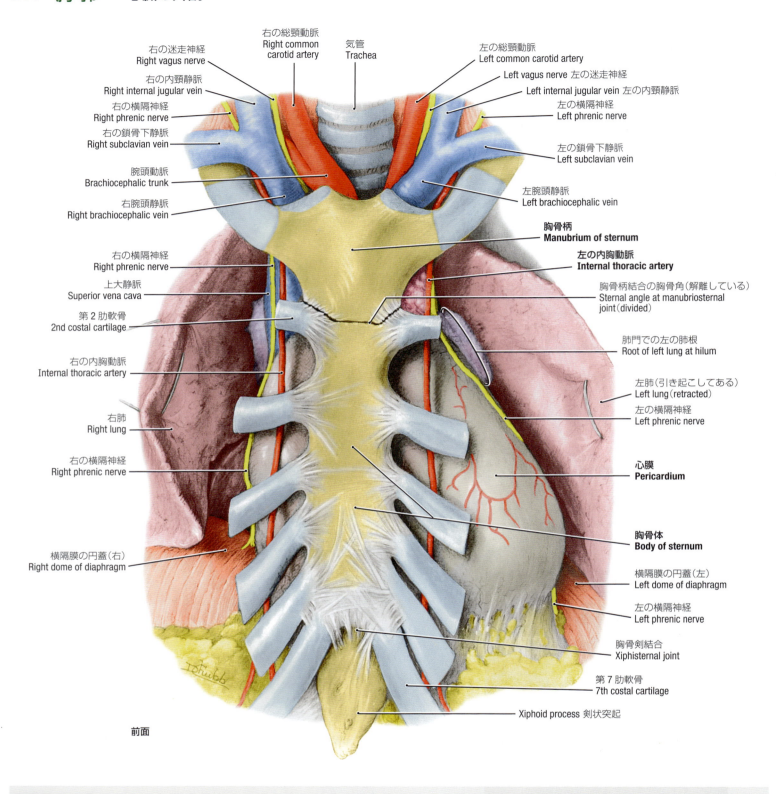

3.44 心膜嚢と胸骨の関係

- 心膜嚢は胸骨体の後方に位置し，胸骨角の直上から胸骨剣結合の高さまで広がっている．また，心膜嚢のほぼ2/3が，正中面よりも左側に位置する．
- 心臓と心膜嚢は中縦隔に位置し，これらの前方には胸骨体と前縦隔が，後方には後縦隔と第5-9胸椎がある（図3.28A参照）．
- 心臓マッサージの際には，胸骨は4〜5cm押し下げられ，心臓から動脈へ血液が送り出される．
- 内胸動脈は鎖骨下動脈から起こり，胸骨の外側で，肋軟骨と壁側胸膜の間を下行する．

心臓の外観　胸郭

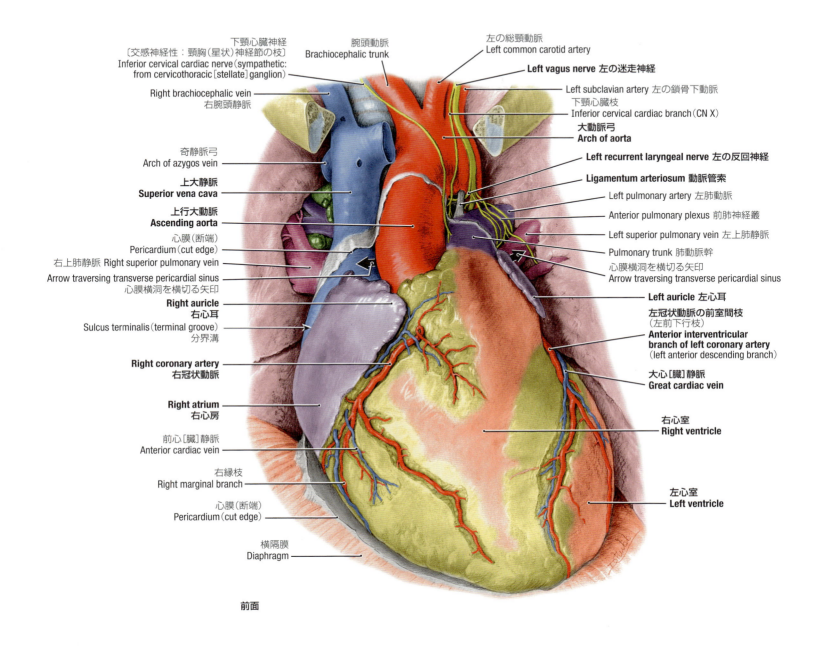

前面

3.45　原位置における心臓の胸肋面（前面）と大血管

- 心臓の胸肋面は，大部分が右心室からなる．
- 前方からは，右心耳の全体と右心房の大部分を確認できるが，左心耳はごく一部しか見えない．左右の心耳は，閉じようとしている鉤爪のように，後方から肺動脈幹と上行大動脈の基部を挟み込む．
- 動脈管索は左肺動脈の起始部から起こり，大動脈弓の下面に付着する．
- 右冠状動脈は冠状溝（房室間溝）の前方部を走り，左冠状動脈の前室間枝（前下行枝）は前室間溝を下る（図3.43B参照）．
- 左の迷走神経は大動脈弓の外側を通過し，次いで肺根の後方を走行する．喉頭へ向かう左反回神経は動脈管索の後方で，大動脈弓の下面を回り込むようにして上方に向かう．
- 大心［臓］静脈は左冠状動脈の前室間枝に沿って上行し，後面に回り込んで，冠状静脈洞へ流入する．

246 胸郭　心臓の外観

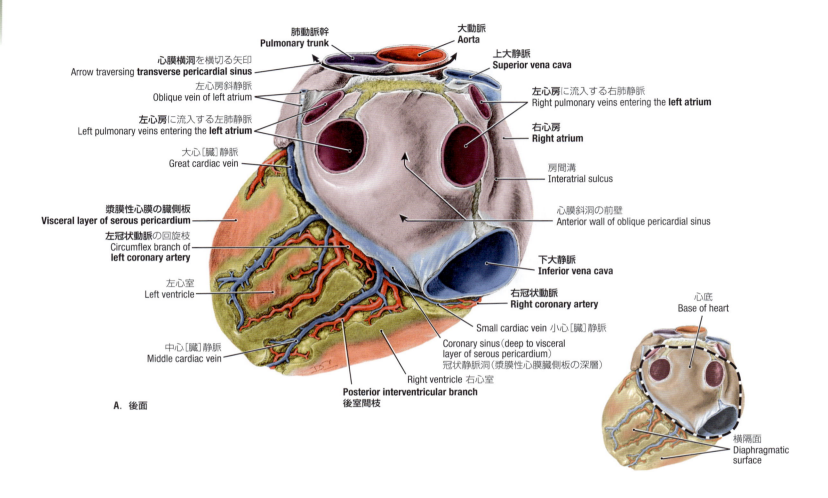

A. 後面

3.46 心臓と心膜

- Aで示した心臓は，Bの心膜嚢から摘出したものである．
- 心臓の心底および横隔面（底面）が見えている．
- 上大静脈と，それよりも太い下大静脈は右心房の上面および下面にそれぞれ接続する．
- 左心房は心臓の後面の大部分を形成する（右下の図）．
- この標本では左冠状動脈（の回旋枝）から後室間枝が分枝されている．このような場合を，左冠状動脈が優位であるという．
- 心臓静脈の枝は，冠状動脈の枝と交叉するとき，多くの場合，動脈の上を乗り越える．
- 漿膜性心膜の臓側板（心外膜，臓側心膜）は心臓の表面を覆う．漿膜性心膜は大血管の付近で反転し，壁側板（壁側心膜）として線維性心膜の内面を裏打つ．線維性心膜と漿膜性心膜の壁側板は心膜嚢を形成し，その中に心臓を容れる．
- 動脈（肺動脈幹，大動脈）と静脈（上・下大静脈，肺静脈）の周囲に，漿膜性心膜の反転部が断端として見えている．
- **心流出路の外科的な確保**．心膜横洞は心臓外科医にとって重要な構造である．心膜嚢の前面を切開すると，上行大動脈と肺動脈幹の後方にある心膜横洞に指を1本通すことができる．心臓手術において人工心肺装置を用いる場合，心膜横洞に鉗子や結紮糸を通した後，人工心肺装置のチューブを上行大動脈や肺動脈幹に挿入し，しっかりと結紮する．

心臓の外観　胸郭

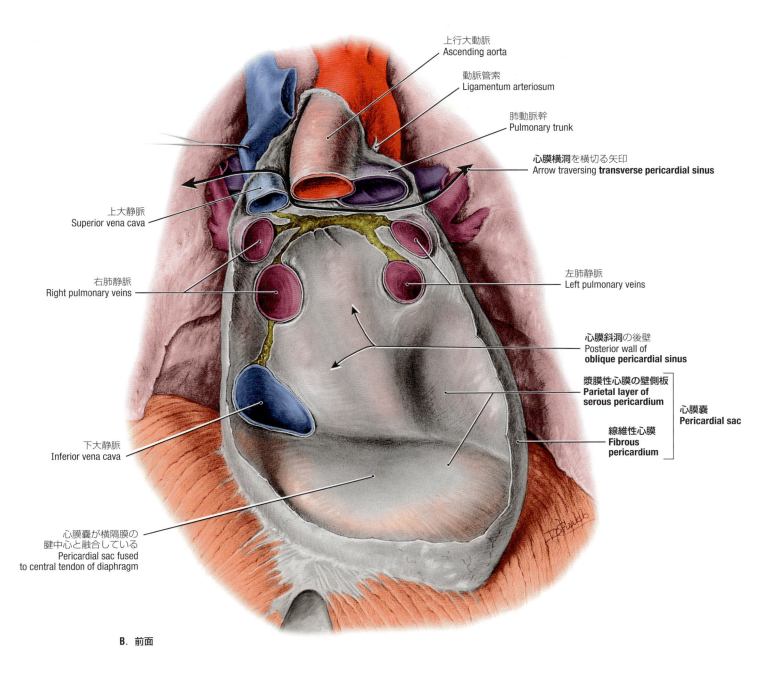

B. 前面

3.46　心臓と心膜（続き）

- 心膜嚢の内部．心臓を摘出するために，8つの血管を切断している．つまり，2つの大静脈（上大静脈と下大静脈），4つの肺静脈，そして大動脈と肺動脈の計8本である．
- 心膜斜洞は心膜腔の袋小路で，前方が左心房を覆う漿膜性心膜の臓側板（**A**），後方が線維性心膜を裏打つ漿膜性心膜の壁側板，上方および側方が肺静脈と上・下大静脈の周辺で反転する漿膜性心膜によって取り囲まれている（**B**）．
- 心膜横洞はトンネル状の空間で，前方が肺動脈幹と大動脈の後面を覆う漿膜性心膜，後方が心房を覆う漿膜性心膜の臓側板によって取り囲まれている（**A**）．
- 心膜嚢内に大量の液体が貯留すると，心臓が圧迫され，心臓のポンプ機能が低下する．このような状態を**心タンポナーデ**と呼び，心膜嚢内に血液（**心嚢血腫**）が貯留して起こることが多い．血液が貯留する原因として，**心筋梗塞**により脆弱化した心筋層の穿孔や心臓手術後の出血，心臓の刺傷が挙げられる．

248 胸郭　心臓の外観

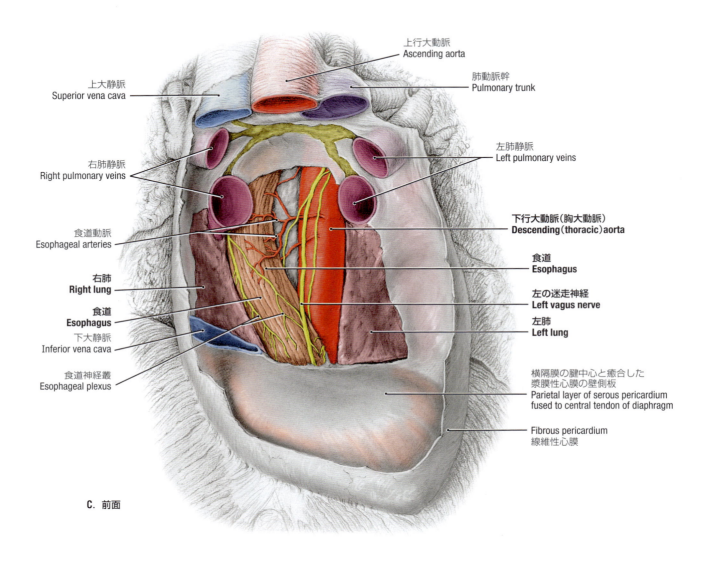

C．前面

3.46　心臓と心膜（続き）

C　心膜の後方にある構造．解剖図．線維性心膜と漿膜性心膜の壁側板を，心膜斜洞の後方と側方で除去してある．この標本では食道がやや左に偏っているが，通常では大動脈と接しており，したがって心臓の真後ろにある構造は食道ということになる．

大静脈の外科的曝露．横隔膜を通った後，下大静脈の胸部全体（約2cm）は心膜に包まれる．そのため，下大静脈の末端部にアクセスするには，心膜嚢を開かなくてはならない．これは上大静脈の末端部でも同じである．

心臓の外観　胸郭　249

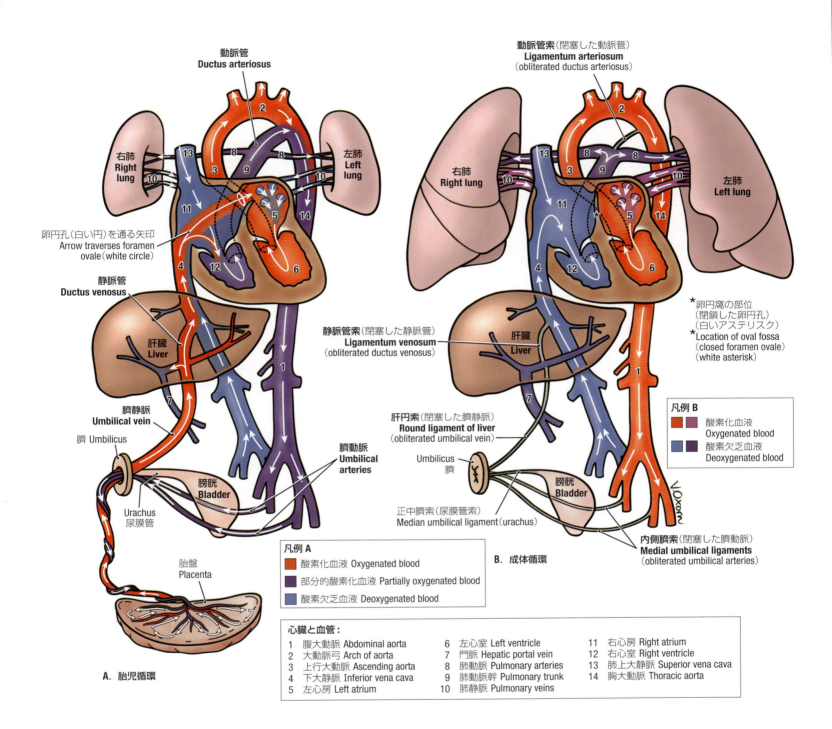

3.47　胎児循環と成体循環

A　出生前．B　出生後．出生時，2つの主要な変化が生じる．(1)肺呼吸が始まる．(2)臍帯が結紮されると，臍動脈（最近位部を除く），臍静脈，静脈管が閉塞し，それぞれ，内側臍索，肝円索，静脈管索，になる．

胸郭　心臓の動静脈

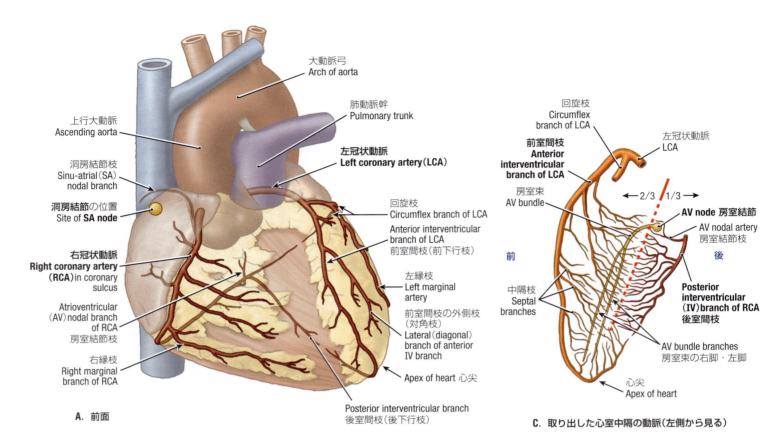

A. 前面

C. 取り出した心室中隔の動脈（左側から見る）

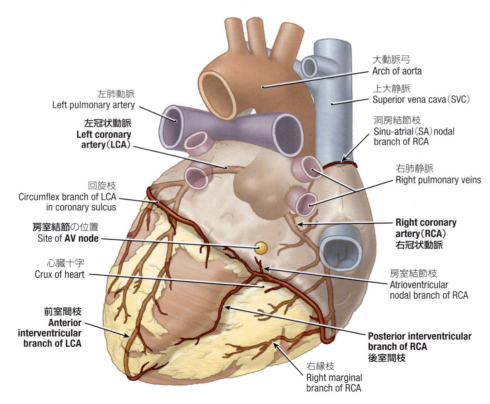

B. 後面

3.48 冠状動脈

A 前面．**B** 後下面．**C** 心室中隔の動脈．

- 右冠状動脈は冠状溝を走り，心臓の後面に達すると，左冠状動脈の回旋枝と吻合する場合が多い．この動脈は，大動脈からの起始部付近で，右心房枝を分枝する．さらに右心房枝は，洞房結節に分布する洞房結節枝を分枝する．この他にも，右冠状動脈の主要な枝として，右心室の前壁に分布する右縁枝，心室中隔の後端付近で分枝される房室結節枝，後室間溝を走る後室間枝が存在する．後室間枝は左冠状動脈の枝である前室間枝と吻合する．ただし，後室間枝は左冠状動脈の回旋枝から分枝されることもある．
- 左冠状動脈は前室間枝と回旋枝に分岐する．前室間枝は前室間溝を下行し，回旋枝は冠状溝を走って後方に回り，心臓の後面で右冠状動脈と吻合する．洞房結節枝の起始は変異に富み，左冠状動脈から分枝されることもある．
- 心室中隔には，複数の中隔枝が分布する．この枝は前室間枝と後室間枝から複数分枝される．典型例では，心室中隔の前方2/3は前室間枝，後方1/3は後室間枝によって血液が供給される（**C**参照）．

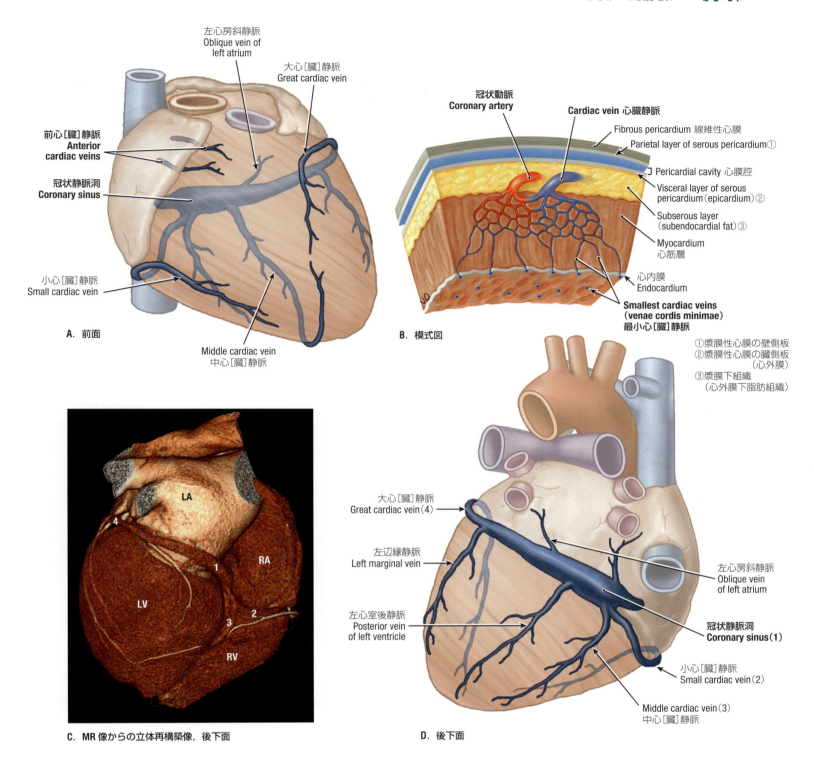

3.49 心臓静脈

A 前面. B 最小心[臓]静脈. C 心臓と冠状静脈洞の立体再構築像. CとDの番号は対応する. LA:左心房, LV:左心室, RA:右心房, RV:右心室. D 後下面.

冠状静脈洞は, 心臓自体の静脈血を集める最も主要な静脈であり, 後面において冠状溝に存在し, 右心房へ流入する. 冠状静脈洞に注ぐ主な静脈は, 大心[臓]静脈, 中心[臓]静脈, 小心[臓]静脈, 左心房斜静脈, 左心室後静脈である. 前心[臓]静脈は直接, 右心房へ流入する. 最小心[臓]静脈は, 心筋層から心房や心室の内腔に直接流入するきわめて細い静脈である(B). ほとんどの心臓静脈は冠状動脈の本幹やその枝と伴行する.

252 胸郭 心臓の動静脈

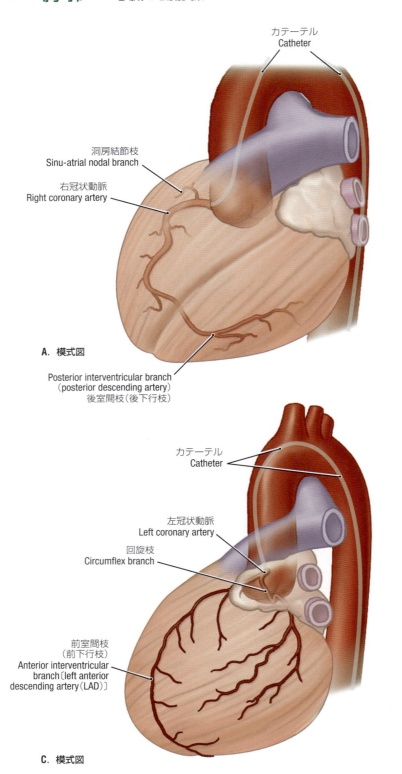

A. 模式図

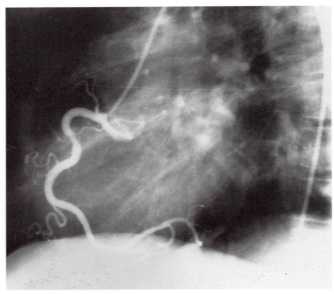

B. 右前斜位像

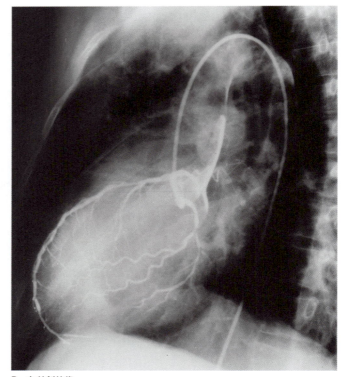

C. 模式図

D. 左前斜位像

3.50 冠状動脈造影像とその説明図

　右冠状動脈造影像（**B**）は右前斜位，左冠状動脈造影像（**D**）は左前斜位で撮影されており，これは各冠状動脈造影の一般的な撮影方式である．**A**，**C**は，それぞれの造影像を模式的に説明している．

　冠状動脈疾患は，さまざまな原因により心筋への血液供給が減少した状態であり，致死的な疾患の1つである．冠状動脈の閉塞がよくみられる部位（3か所）とその頻度は次の通りである．前室間枝（左冠状動脈の主要な枝であり，臨床医は左前下行枝と呼ぶ）：40-50％，右冠状動脈：30-40％，回旋枝（左冠状動脈の主要な枝）：15-20％．

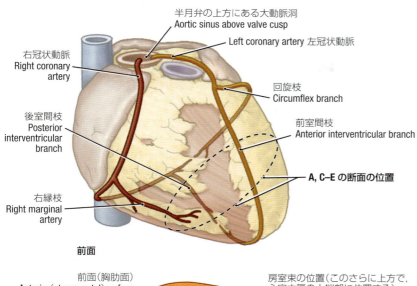

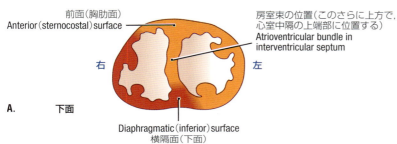

AとBは最も一般的で(67%)，右冠状動脈が支配的に働き，後室間枝を起始している．

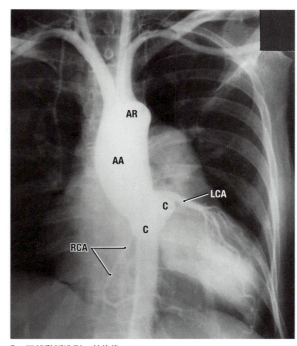

B．冠状動脈造影，前後像

凡例 B
AA　上行大動脈 Ascending aorta　　LCA　左冠状動脈 Left coronary artery
AR　大動脈弓 Arch of aorta　　　　 RCA　右冠状動脈 Right coronary artery
C　　大動脈弁の半月弁 Cusp of aortic valve

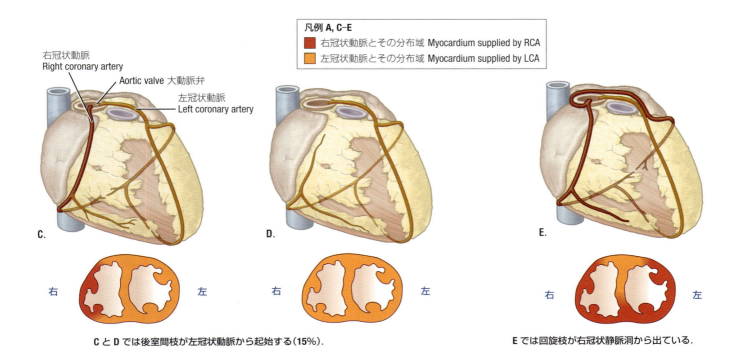

CとDでは後室間枝が左冠状動脈から起始する(15%)．　　Eでは回旋枝が右冠状静脈洞から出ている．

3.51 冠状動脈の分布領域と変異

A　最も一般的なパターン．　B　最も一般的なパターンの冠状動脈造影像．　C–E　一般的ではないパターン．

254 胸郭　刺激伝導系

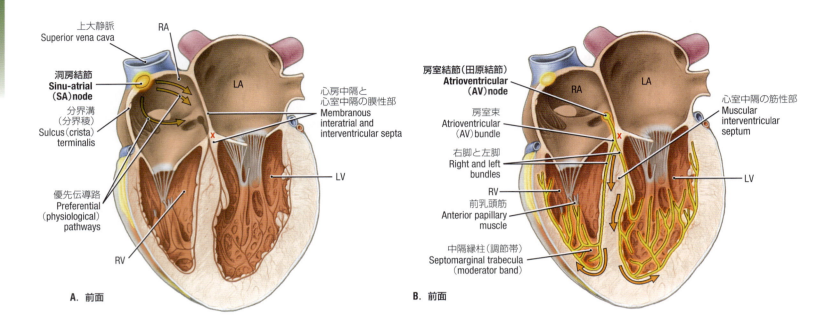

A．前面

B．前面

凡例 A, B
- LA　左心房　Left atrium
- LV　左心室　Left ventricle
- RA　右心房　Right atrium
- RV　右心室　Right ventricle
- x　心臓十字　Crux (cross) of heart
- →　伝導方向

3.52　刺激伝導系，冠状断面（前頭断面）

A　刺激（矢印）は洞房結節から始まる．B　房室結節，房室束，脚．C　心臓の超音波断層像．四腔断面．

- 洞房結節は右心房に存在し，分界溝の上端付近にあって，なおかつ上大静脈口を越えて広がる．洞房結節は心筋を収縮させるための刺激を発し，心拍数を決めているので，心臓の「ペースメーカー」と呼ぶことができる．洞房結節には洞房結節動脈が分布し，通常これは右冠状動脈より分枝されるが，左冠状動脈から分枝されることもある．
- 洞房結節からの刺激は，まず心房を収縮させる．さらに，刺激は心房壁の心筋を伝わり，房室結節に到達する（筋性伝導）．房室結節は冠状静脈洞口の上内側で心房中隔内に存在する．房室結節には房室結節動脈が分布し，通常これは心房中隔の下縁後端付近において右冠状動脈から起始する．
- 房室束は房室結節から連なる構造で，右線維三角を貫き，心室中隔の上縁（かつ心室中隔膜性部の後方）で右脚と左脚に分かれる．右脚と左脚は，心室中隔筋性部のそれぞれの側に向かう．
- 右脚は，下方では心室中隔内を心室の前壁に向かって走行し，その一部は，中隔縁柱を通って前乳頭筋に達する．さらに右脚からは心内膜下に伸びる枝（プルキンエ線維）が分枝され，網目を形成しながら，右心室壁に隈なく分布する．
- 左脚は心室中隔の左側で，心内膜の直下に存在し，その枝である前枝と後枝は，それぞれ前乳頭筋と後乳頭筋に達する．さらに左脚からは，心内膜下に伸びる枝（プルキンエ線維）が分枝され，網目を形成しながら，左心室壁に隈なく分布する．脚の大部分には左冠状動脈が分布する．しかし例外的に左脚の後枝には左右両方の冠状動脈が分布する．
- **刺激伝導系が障害**されると，心筋収縮の秩序が乱れる．この障害は，冠状動脈疾患でしばしば認められるが，これは刺激伝導系への血液供給が途絶することに起因する．房室結節が障害されると，心房からの刺激が心室に伝わらず，「房室ブロック」が起こる．この状態では，心室筋は自らの持つ自動能により，心房とは独立して，より遅い周期で収縮を開始する．脚の一方が障害されると，「脚ブロック」が起こる．例えば，左脚が障害された場合，刺激はまず右脚を伝わり，右心室を収縮させる．その後，刺激は左心室へ伝わり，右心室とは同調せずに，やや遅れて左心室が収縮する．

この超音波断層像を撮像するには，エコー装置のプローブを胸壁の左第5肋間に当て，ビームが心臓の4つの部屋すべてを通過するようにプローブの向きを調整する．

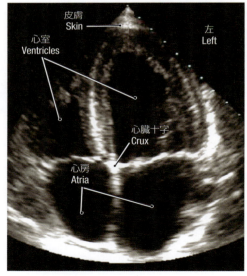

C．心臓超音波断層像，四腔断面像

心臓の内観と弁　胸郭　255

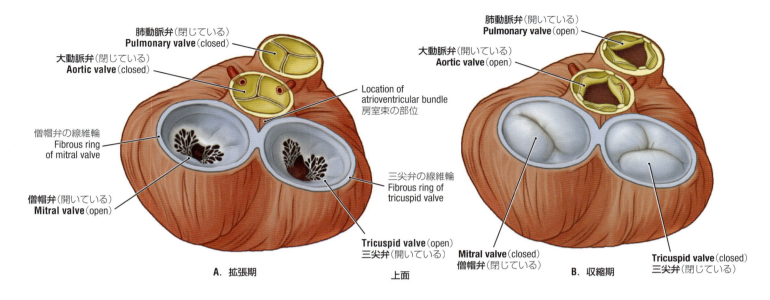

A. 拡張期　　上面　　B. 収縮期

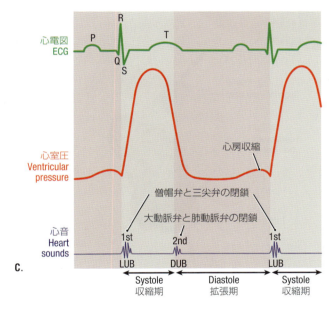

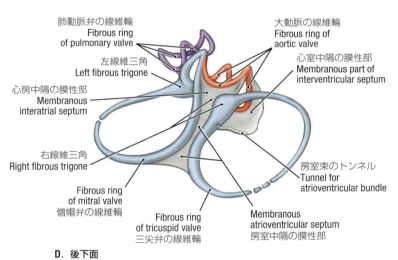

D. 後下面

3.53　心周期と心臓骨格

A　拡張期．B　収縮期．C　心室圧と心電図，心音の時間的関係．
心周期とは，繰り返される心臓運動の1周期中に起こる現象を示し，1つの心拍の始まりから次の心拍の始まりまでを表す．心周期は拡張期（心室の弛緩と血液の充満）と収縮期（心室の収縮と血液の駆出）からなる．右心系と左心系は，それぞれ肺循環と体循環のためのポンプである（図3.43参照）．

D　心臓骨格．
心臓骨格（線維性骨格）は密に集まったコラーゲン線維のネットワークであり，4つの線維輪と2つの線維三角からなる．線維輪は弁の付着部になるとともに，弁口を開いた状態に保つ働きがある．線維三角は4つの線維輪と心房中隔の膜性部，心室中隔の膜性部，房室中隔を連結するとともに，心房と心室の間を電気的に絶縁している．

心臓弁の障害はポンプ機能の効率を低下させる．**弁疾患**には狭窄を起こすもの（**狭窄症**）と閉鎖不全を起こすもの（**閉鎖不全症**）がある．**狭窄症**では弁が十分に開くことができず，心室への血液の流入が遅くなる．一方，**閉鎖不全症**では弁が完全に閉鎖することができず，血液の逆流が起こる．閉鎖不全症は通常，弁にできる結節や弁の瘢痕・収縮によって，弁の自由縁が密着できないために生じる．狭窄症と閉鎖不全症はどちらも機械的な問題であり，異常な弁を外科的に修復する場合がある（**弁形成術**）．

胸郭　心臓の内観と弁

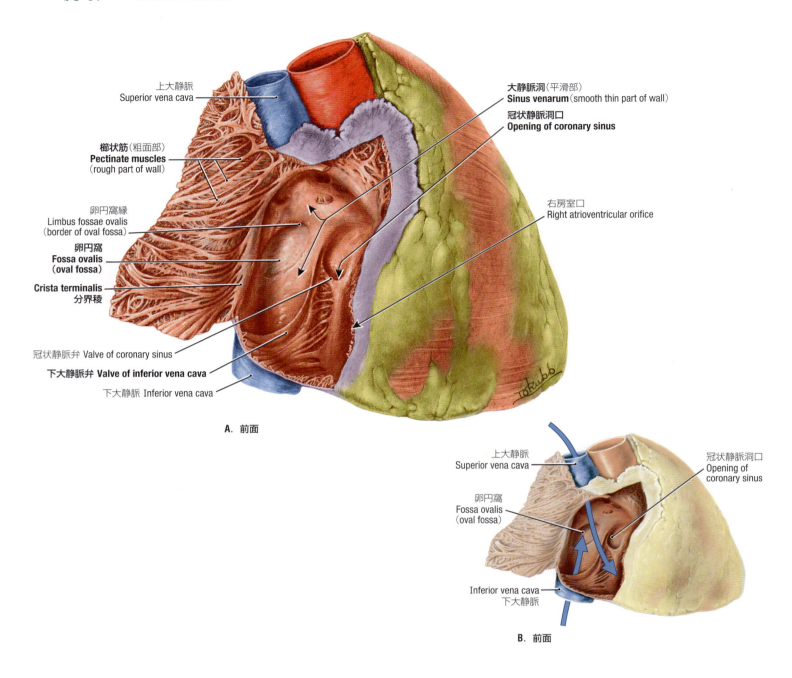

A．前面

B．前面

3.54　右心房

A 右心房の内観．右心房の前壁を切り開き，反転してある．
B 右心房への血流．上・下大静脈から右心房に血流が入る．

- 右心房内壁の平滑部は，静脈洞の右角が心房に取り込まれて形成されるが，粗面部は原始心房に由来する．
- 分界稜，下大静脈弁，冠状静脈弁は，右心房の内腔面において，平滑部と粗面部の境界となる．
- 櫛状筋は分界稜から前方に向かって走行する．分界稜の位置に一致して，心房の外面には分界溝が存在する．分界溝は，右心房の後外側面で，上大静脈と下大静脈の間を走る．
- 上大静脈，下大静脈，冠状静脈洞は右心房の平滑部に開口する．また，前心[臓]静脈と最小心[臓]静脈も右心房に開口する(示されていない)．
- 卵円窩の床は胎児期における1次(心房)中隔に由来し，卵円窩を部分的に取り囲む三日月状の土手(卵円窩縁)は2次(心房)中隔に由来する．
- 上大静脈からの血流は右房室口に向かって流れ込む．一方，下大静脈からの血流は卵円窩に向かって流れ込む(**B**)．
- **心房中隔欠損**は心房中隔にみられる先天性疾患の1つである．欠損は卵円窩の上部に探針を通せるほどの孔(卵円孔開存)であることが多く，このタイプの欠損は成人の15-25%にみられるという(Moore et al., 2016)．小さな心房中隔欠損では血行動態に大きな影響は見られない．しかし，欠損部が大きな場合には，多量の血液が欠損部を介して左心房から，右心房へ流れ込む．このような患者では右心房と右心室の拡大・肺動脈幹の拡張が生じる．

心臓の内観と弁　胸郭

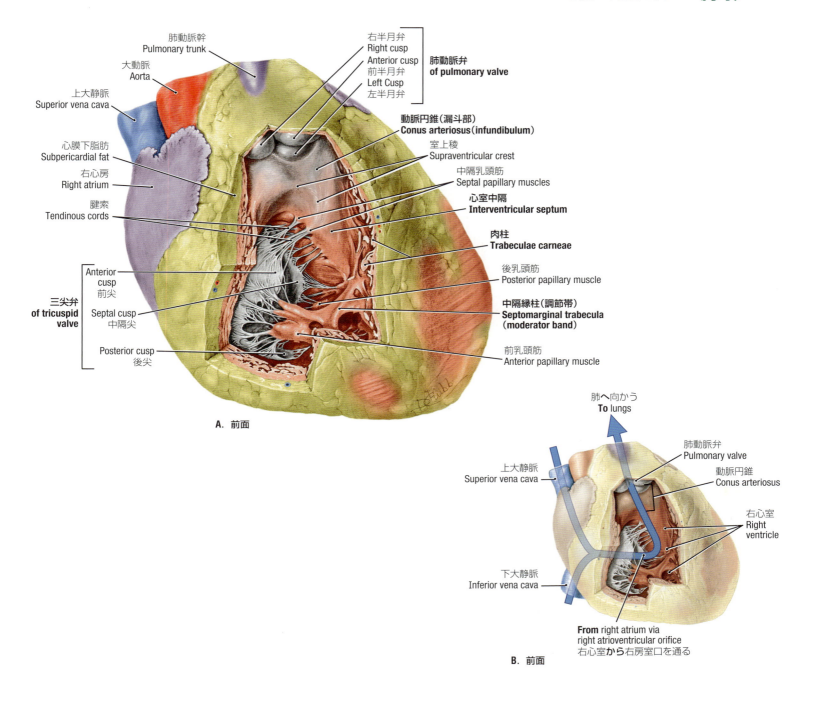

A. 前面

B. 前面

3.55　右心室

A　右心室の内観．B　右心系を通る血流．

- 右心室への入口（右房室口）は右心室の後方に，出口（肺動脈口）は上方に位置する．
- 右心室の流出部（動脈円錐，もしくは漏斗部）は，肺動脈口よりも下方にあり，内面は平滑で，漏斗のような形をしている．右心室の残りの部分には，肉柱が存在するため，内面は粗である．
- 肉柱には以下の3つのタイプがある．(1)単なる土手状のもの，(2)橋状で両端が心室壁に接着したもの，(3)乳頭筋と呼ばれる指状に突出したもの．前乳頭筋は右心室の前壁から，後乳頭筋は後壁からそれぞれ起始する．また，小さな中隔乳頭筋群が心室中隔から起こっている．
- 中隔縁柱は心室中隔から前乳頭筋の基部に達する．この標本では通常より太い．
- 心室中隔の膜性部は，筋性部とは独立して形成され，その発生過程は複雑である（Moore et al., 2016）．このため**心室中隔欠損**は膜性部にみられる場合が多い．ただし筋性部に欠損がみられる場合もある．心室中隔欠損は先天性心疾患の中で最も頻度が高く，その大きさは1-25 mmとさまざまである．心室中隔欠損の患者では，欠損部を介して血液が左心室から右心室へ流入する．この流入量が多い場合は，肺動脈の血流が増加し，重篤な肺障害（**肺高血圧症**）や**心不全**をきたす場合がある．

258 胸郭　心臓の内観と弁

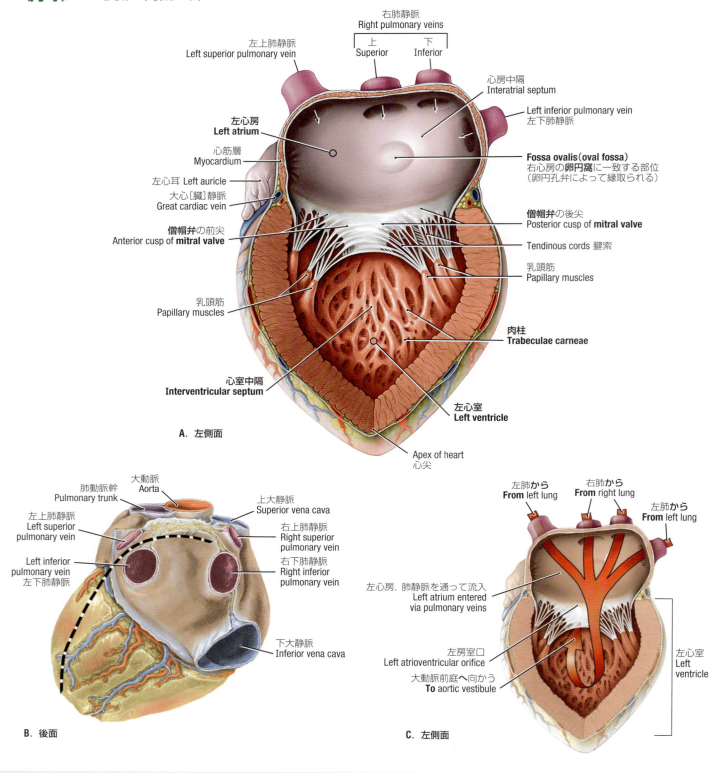

A．左側面

B．後面

C．左側面

3.56　左心房と左心室

A　左心房と左心室の内観．B　AとCの切開線（黒の破線）．C　左心系を通る血流．

- 心臓の後面から心尖にかけて切開し，さらに断面を両側に広げて内腔を観察しやすくしている．切開線は左上肺静脈と左下肺静脈の間を通り，僧帽弁の後尖を切り開いている．
- 左心房への入口（肺静脈口）は左心房の後面に，出口（左房室口）は前方に存在する．
- 心房中隔の左心房側には卵円孔弁がみられるが，これは右心房側にある卵円窩と対応する位置にある．卵円孔弁は，多くの場合，右心室側にある卵円窩縁ほど明瞭ではない．
- 左心房の内面は平滑である．ただし，左心耳の内面は小筋束が隆起している．

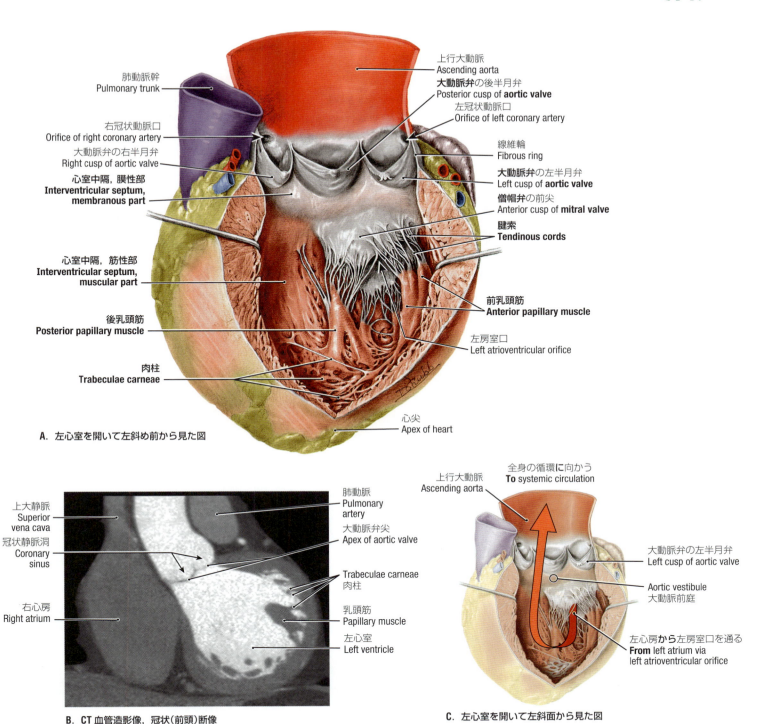

3.57 左心室

A 左心室の内観. **B** CT血管造影像. 造影剤が心臓を通過する際に，連続したCT画像が撮影された．この画像では，造影剤は主に，心臓の右側を通っており，主に左心室と大動脈にある. **C** 左心室を通る血流.

- 心尖から心臓の左縁に沿って切開してあり，左心室の内腔が見えている．切開は肺動脈幹の後方へ続き，大動脈前庭から上行大動脈まで切り開いてある．
- 左心室への入口（左房室口）は左心室の後方，出口（大動脈口）は上方にある．
- 左心室の壁の筋層は，心尖の付近では薄く，心尖より上方では分厚い．また，大動脈口の周辺の壁は薄く，非弾性線維によって形成される．
- 2つの大きな乳頭筋が存在し，前乳頭筋は左心室の前壁，後乳頭筋は後壁から起始する．前乳頭筋，後乳頭筋の尖端は，それぞれ僧帽弁の前尖，後尖と腱索でつながっており，収縮期に弁が心房側へ反転するのを防いでいる．

260 胸郭　心臓の内観と弁

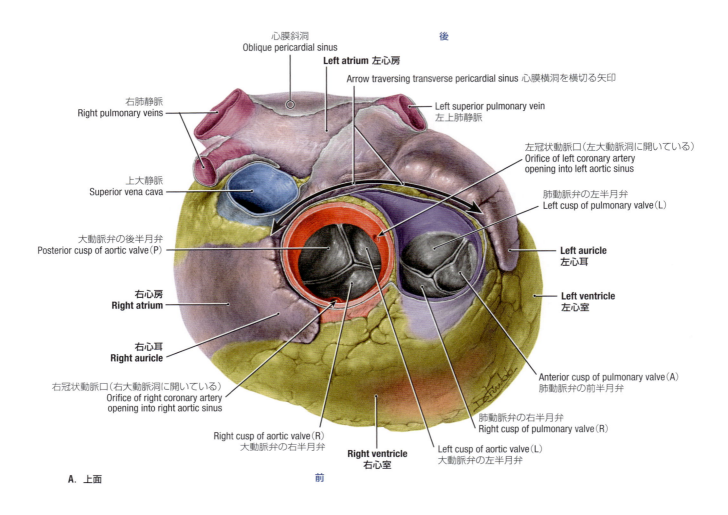

A. 上面

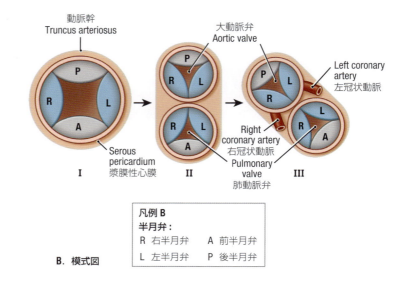

B. 模式図

凡例 B
半月弁：
R 右半月弁　　A 前半月弁
L 左半月弁　　P 後半月弁

3.58 心臓弁-I

A　上方から見た心臓.
- 心室は前方左寄りに，心房は後方右寄りに位置する.
- 大動脈と肺動脈は心室からの血液を各所へ送り，その起始部は左右の心房やこれに流入する静脈（上大静脈や肺静脈）よりも前方に位置する.
- 大動脈と肺動脈の起始部はともに漿膜性心膜で覆われ，さらに左右の心耳によって部分的に包み込まれている.
- 心膜横洞は，大動脈と肺動脈の起始部によって後方に弯曲する．また，心膜横洞は，上大静脈および両心房の上縁よりも前方に位置する.

B　肺動脈弁と大動脈弁の発生過程に基づく半月弁の命名.
- 同じアルファベットのついた半月弁は1つの共通した原基に由来する．発生期にみられる動脈幹には半月弁の原基が4つ存在している（I）．動脈幹は前後に2分され，前方は肺動脈（弁）と後方は大動脈（弁）となり，それぞれに3つの半月弁が形成される（II）．その後，心臓は中心軸に対してやや左側に回転するため，結果として，各半月弁は（III）に示すような配置をとる.

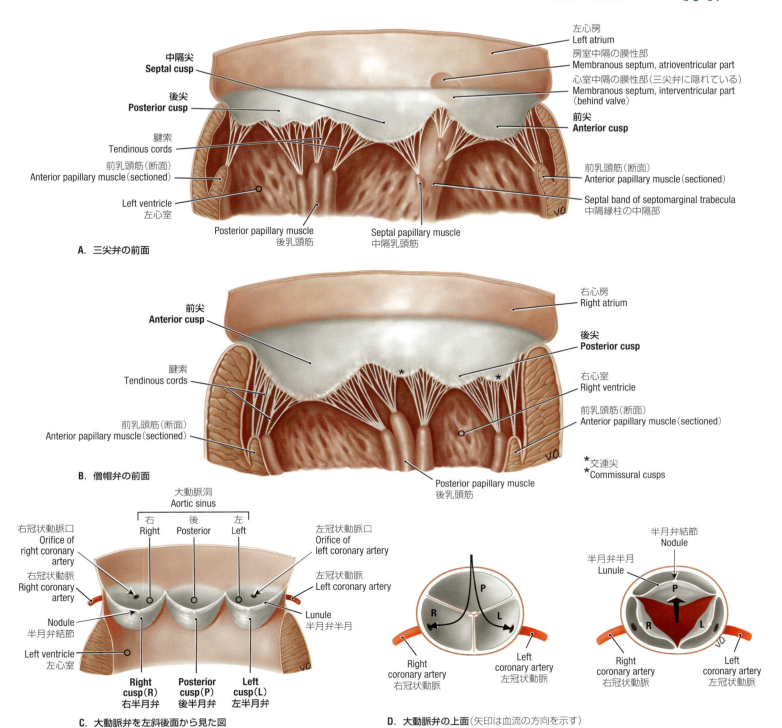

3.59 心臓弁-II

A, B 房室弁（帆状弁）. C, D 動脈弁（半月弁）.

- 腱索は乳頭筋の尖端から伸びて, 房室弁の自由縁もしくは心室面に付着する（A：三尖弁, B：僧帽弁）. 乳頭筋（群）は, 隣接する2つの弁尖の半分ずつを心室側に牽引し, 収縮期において弁が心房側へ反転（逸脱）するのを防ぐ.
- Cは大動脈弁の弁輪が右半月弁と左半月弁の間で切り開かれている. 個々の半月弁は, 自由縁の中央に半月弁結節を備えている. さらに, この結節の両側には, 薄い結合組織からなる半月弁半月が存在する.
- 心臓が拡張期（心室が弛緩しているとき）に入ると, 大動脈壁の弾性あるいは肺動脈抵抗のために逆流した血液が, 大動脈洞や肺動脈洞（半月弁と動脈壁の起始部の間にできるやや膨らんだ空間）に充満し, 半月弁結節および半月弁半月はそれぞれ中央で合わさり, 動脈口が閉鎖される（D, 左）.
- 冠状動脈に血液が送られるのは主に拡張期である. 収縮期には心室壁内にある動脈が心筋の収縮により圧迫され, 血液が流れ難いためである. また, 拡張期には大動脈洞に血液が充満し, これが冠状動脈に流入する.

胸郭　上縦隔と大血管

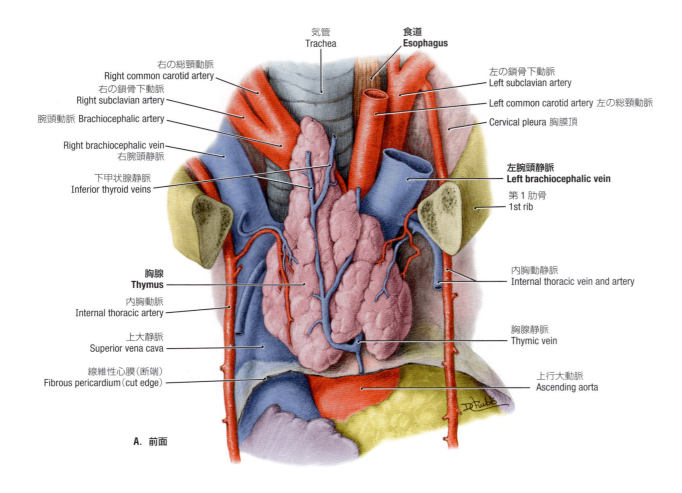

A．前面

3.60　上縦隔にある構造-I：表層の構造

A　原位置にある胸腺．胸骨と肋骨が切除され，胸膜も除去されている．成人ではこの図のような明瞭な胸腺を認めることはない．
B　Aから胸腺を取り除いたところ．
C　神経と血管の位置関係．右の迷走神経は右鎖骨下動脈の前面を下行しつつ，右の反回神経を分枝する．右の反回神経は右鎖骨下動脈の後面をやや内側に向かって上行する．一方，左の迷走神経は大動脈弓の前面を下行しつつ，左の反回神経を分枝する．左の反回神経は大動脈弓の下面，後面に沿って反回し，そのまま上行する．左右の反回神経は気管と食道に沿って上行し，喉頭に達する．

　上行大動脈の遠位部には左心室の収縮時に強い力学的な負荷が加わる．この部分の外膜は線維性心膜によって補強されておらず，大動脈瘤が形成される場合がある（上行大動脈の近位部は線維性心膜によって覆われる）．上行大動脈瘤は胸部のX線写真で上行大動脈の陰影の拡大として認められる．ま

た，MR血管造影像ではより明瞭に**大動脈瘤**を可視化することができる．上行大動脈瘤の患者はしばしば背部に放散する胸痛を訴える．また，動脈瘤は気管や食道，反回神経を圧迫し，呼吸や嚥下，発声に支障をきたす場合がある．

　反回神経は，喉頭の筋のほぼすべてを支配する（輪状甲状筋は唯一の例外である）．したがって，上縦隔の疾患や手術によってこの神経が損傷されると，発声に支障をきたす．左の反回神経は，大動脈弓の下を反回し，気管と食道の間を上行するので，気管支癌や食道癌，縦隔リンパ節の拡大，大動脈弓の動脈瘤によって損傷される場合がある．

　胸腺は幼少期において顕著に発達しており，このため胸腺により気管が圧迫される場合がある．胸腺は免疫系の発達と維持に重要な役割を持っている．思春期になると胸腺の退縮が始まり，成人になるまでに脂肪組織に置き換わる．

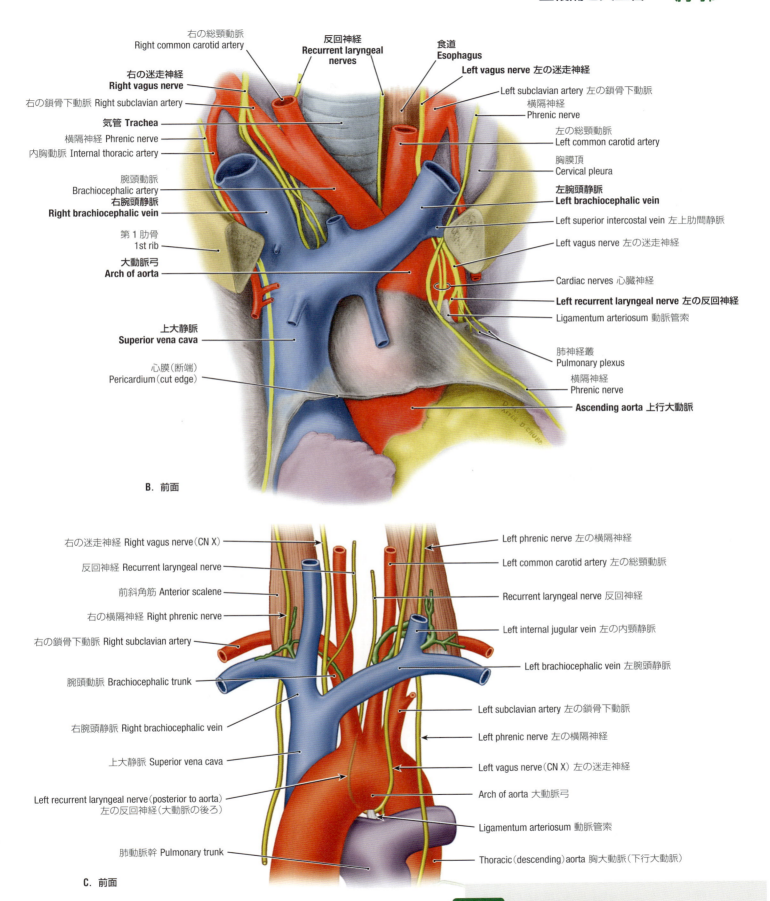

B. 前面

C. 前面

3.60 上縦隔にある構造-I（続き）

264 胸郭　上縦隔と大血管

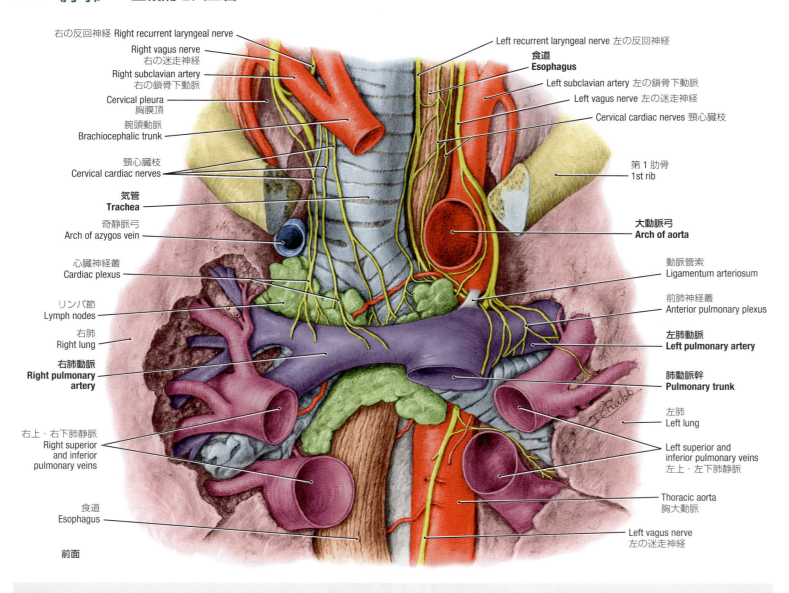

3.61 上縦隔にある構造-II：心臓神経叢と肺動脈

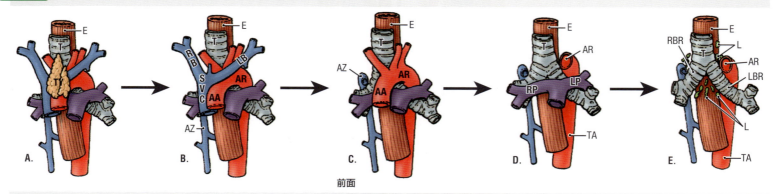

3.62 大血管と気管の関係

A　胸腺(TY)が大血管の前面と接している．
B　右腕頭静脈(RB)と左腕頭静脈(LB)が合流し，上大静脈(SVC)が形成される．上大静脈には，後方から奇静脈弓(AZ)が流入する．
C　上行大動脈(AA)と大動脈弓(AR)は，右肺動脈と左主気管支の上方を弓状に乗り越える．
D　右肺動脈(RP)は右主気管支の前方に位置し，左肺動脈(LP)は左主気管支の上方を乗り越える．
E　気管気管支リンパ節(L)が気管分岐部(T)の周辺に存在する．
食道(E)，左主気管支(LBR)，右主気管支(RBR)，胸大動脈(TA)

上縦隔と大血管　胸郭

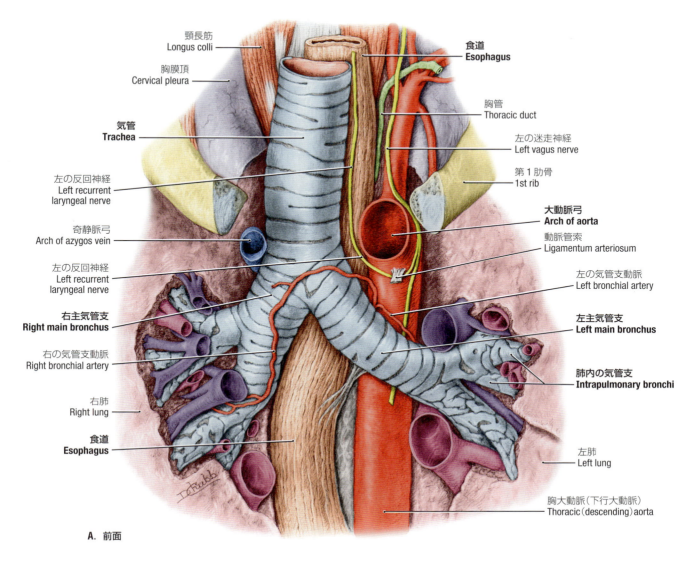

A. 前面

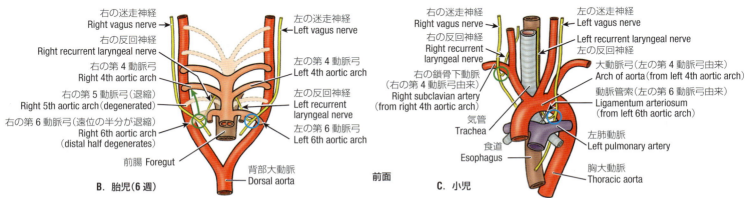

B. 胎児（6週）　　　前面　C. 小児

3.63 上縦隔にある構造-III：気管分岐部と主気管支

A 解剖図．B, C 左右の反回神経の非対称な走行．

発生が進むと，右側では第6動脈弓の全体と第4動脈弓は遠位部が消失し，第4動脈弓の近位部は右鎖骨下動脈となる．したがって，右の反回神経は鎖骨下動脈を反回するようになる．一方，左側では第6動脈弓が動脈管となり，第4動脈弓は発達して頸部から胸郭内に下行し，成体における大動脈弓となる．したがって，左の反回神経は動脈管索（大動脈弓）を反回し，胸郭内のより深い部位から上行してくることになる．

266 胸郭　上縦隔と大血管

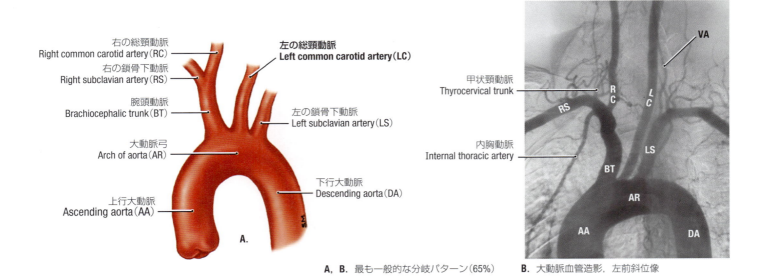

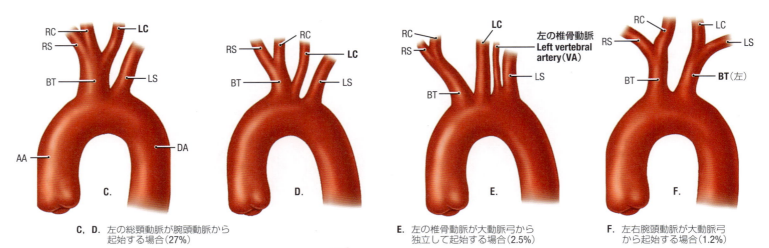

A, B. 最も一般的な分岐パターン（65％）　　B. 大動脈血管造影，左前斜位像

C, D. 左の総頚動脈が腕頭動脈から起始する場合（27％）　　E. 左の椎骨動脈が大動脈弓から独立して起始する場合（2.5％）　　F. 左右腕頭動脈が大動脈弓から起始する場合（1.2％）

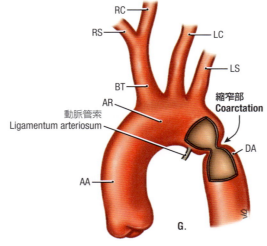

3.64　大動脈弓の枝

A, B　大動脈弓の一般的な分岐パターン（65％）．C-F　変異．
G　**大動脈縮窄症**では，大動脈弓もしくは下行大動脈の一部が著しく細くなり，血液の通過が障害される．縮窄は動脈管索の近傍で最もよくみられる．縮窄が動脈管索よりも下方でみられる場合（**管後型**）では，内胸動脈や肋間動脈を介して，縮窄部を迂回する血行路が発達する．

上縦隔と大血管　胸郭

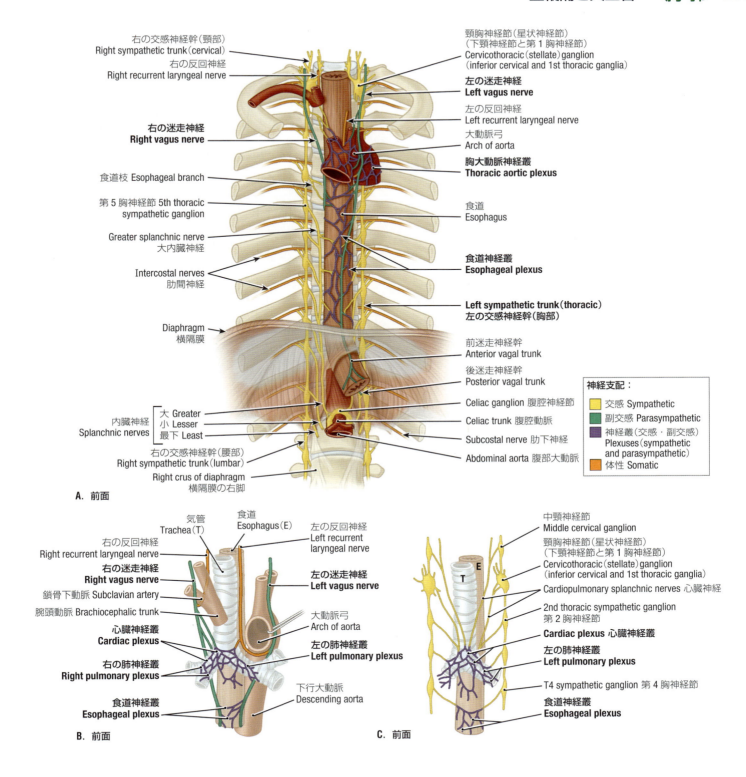

3.65　心臓神経叢と肺神経叢

A 概観．**B** 副交感神経の枝．**C** 交感神経の枝．

心臓：交感神経の作用により心拍数と心収縮力は増加する．一方，副交感神経の作用により心拍数と心収縮力は減少し，冠状動脈の収縮が起こる．つまり，副交感神経は休息時における心臓のエネルギー消費を抑える働きをもつ．図では心臓神経叢は気管分岐部の前面に描かれているが，実際にはその大部分は大動脈と肺動脈の間に位置し（図3.28C参照），冠状動脈に沿って心臓に分布する．

肺：交感神経の作用により気管支の拡張，気管支腺の分泌抑制，肺血管の収縮が起こる．一方，副交感神経の作用により気管支の収縮，気管支腺の分泌亢進が起こる．

268 胸郭　上縦隔と大血管

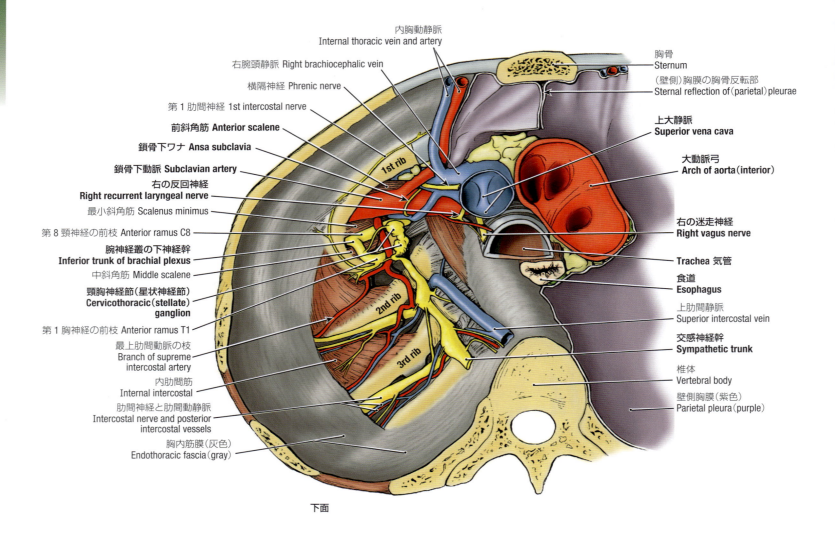

下面

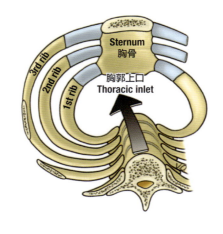

| 3.66 | 上縦隔と胸膜腔の天井部 |

- 右側では，壁側胸膜（胸膜頂，肋骨胸膜，縦隔胸膜）が除去してある．また，胸内筋膜（灰色）も部分的に除去され，胸郭上口を通過する構造が示されている．左側では，壁側胸膜（紫色）と胸内筋膜が残っている．
- 鎖骨下動脈の第1部は，前斜角筋の前方で第1肋骨の上方を横切り，見えなくなる．
- 交感神経幹から伸びる鎖骨下ワナと，迷走神経の枝である反回神経が，鎖骨下動脈の下方でそれぞれループを形成しているのが見える．
- 第8頸神経と第1胸神経の前枝が融合し，腕神経叢の下神経幹を形成する．この神経幹は，前斜角筋の後方で第1肋骨を横切る．

横隔膜　胸郭

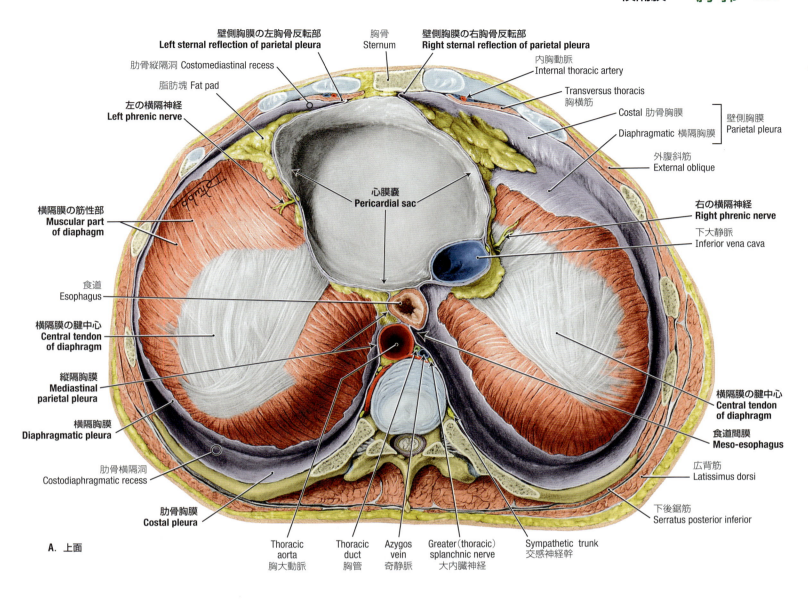

A. 上面

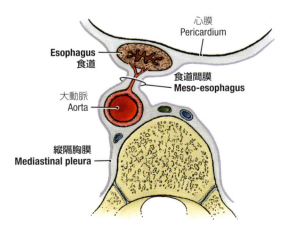

B. 上面

3.67 横隔膜と心膜嚢

A　解剖図．横隔胸膜の大部分を除去してある．心膜嚢は横隔膜の前半部に接しているが，1/3は正中線よりも右側で，残り2/3はそれより左側で接している．心膜嚢の左前方部が最も下方にあり，心尖の位置に相当する．心膜嚢の前方には，胸膜の胸骨反転部が左右から伸び出してくる．しかし，両者が接触することはない．肋骨胸膜は，脊柱に達すると縦隔胸膜に移行する．**壁側胸膜が刺激されると**，その部位に局所的な痛みが生じる．また，同じ脊髄分節によって支配される領域に関連痛が生じる．**横隔胸膜の辺縁部や肋骨胸膜が刺激されると**，刺激の与えられた部位に痛みを生じるだけでなく，関連痛が肋間神経の分布域である胸壁あるいは腹壁にも及ぶ．**横隔胸膜の中心部や縦隔胸膜が刺激されると**，関連痛が頸部の基部から肩を越えて広がる（C3-C5のデルマトーム）．

B　食道間膜．食道の下部と大動脈の間では，左右の縦隔胸膜によって食道間膜が形成される．この間膜は腹臥位において特に明瞭となる．

270 胸郭　胸郭の後部

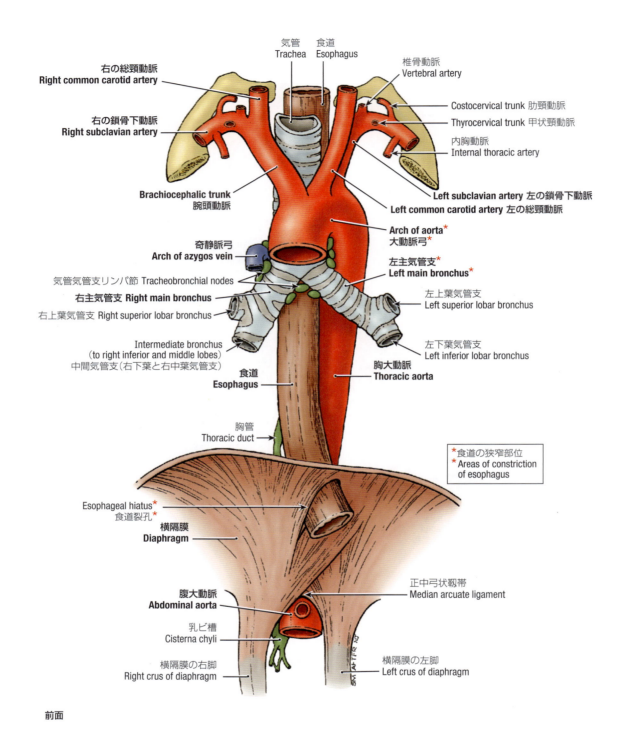

前面

3.68　食道，気管および大動脈

- 食道（胸部）の前方には，上から下にかけて，次の構造が存在する．気管（輪状軟骨から気管分岐部まで），左右の主気管支，下気管気管支リンパ節，心膜（図には示されていない），そして横隔膜である．
- 大動脈弓は，左主気管支を弓状に乗り越えながら，気管と食道の左側を通って，後方に向かう．一方，奇静脈弓は，右主気管支を弓状に乗り越えながら，気管と食道の右側を通って，前方に向かう．

- **生理的狭窄部位**．食道は，隣接する臓器（大動脈や左主気管支，横隔膜の食道裂孔）によって，特定の部位が圧迫されている．このような部位は食物の通過が遅くなることから，臨床において注目されている．生理的狭窄部位は，誤飲した異物が最もつかえやすい場所であるとともに，腐食性のある薬物（苛性ソーダなど）を誤飲した後に起こる食道狭窄の好発部位でもある．

胸郭の後部　胸郭

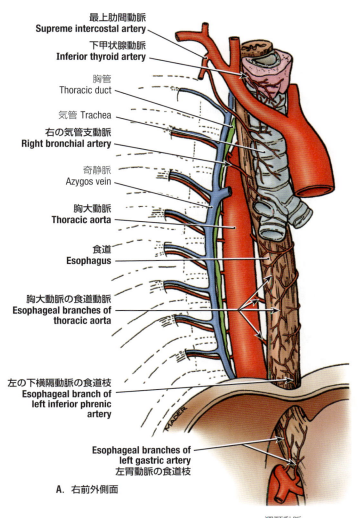

A. 右前外側面

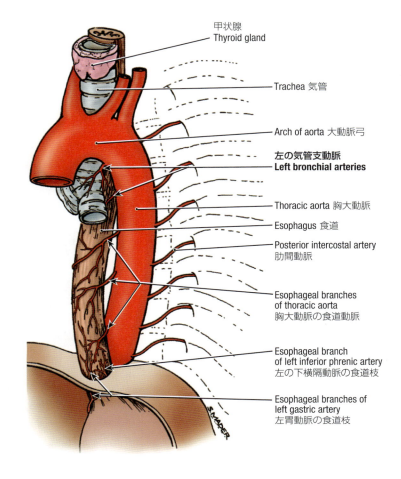

B. 左前外側面

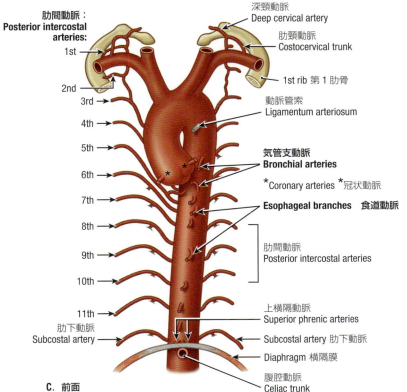

C. 前面

3.69 気管と食道に分布する動脈

A, B　気管と食道の動脈．食道には細い動脈が多数分布し，その表面で次々と鎖のように吻合を形成する．この吻合は，(1) 上方では，左右の下甲状腺動脈や右の最上肋間動脈の枝，(2) 中央部では，胸大動脈の前面から出る無対性の食道動脈や気管支動脈，(3) 下方では，左胃動脈や左下横隔動脈の食道枝，によって形成される．右気管支動脈は通常，右の最上肋間動脈や第3肋間動脈（この標本では第5肋間動脈），もしくは直接大動脈から起こる．また，左気管支動脈は大動脈から直接起こる．

C　胸大動脈の枝．

272 胸郭　胸郭の後部

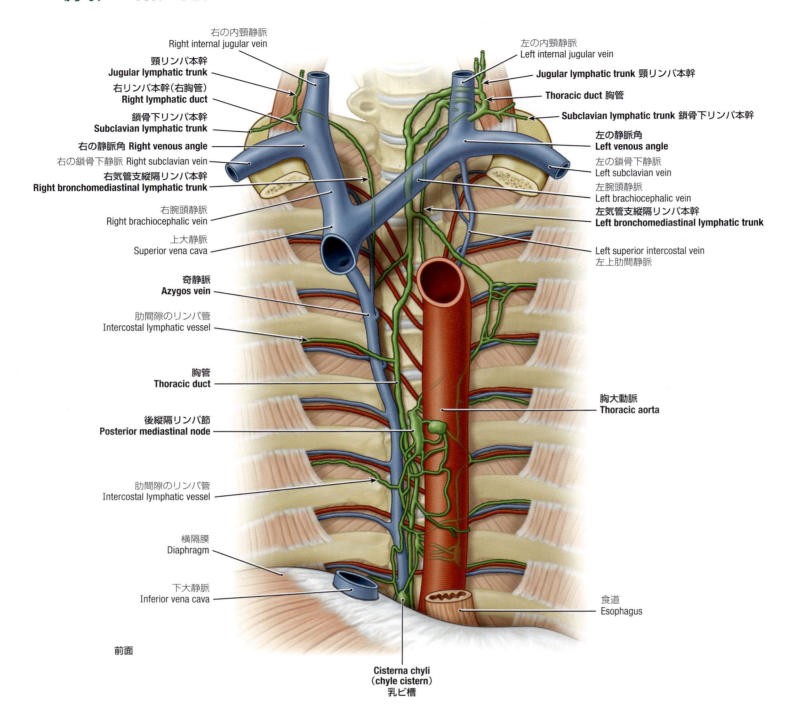

3.70 胸管

- 胸大動脈は正中線よりも左に位置する．一方，奇静脈は正中線よりも右に位置する．
- 胸管は，(1)第12胸椎の高さにある乳ビ槽から始まり，(2)奇静脈と胸大動脈の間を脊柱の前面に沿って上行し，(3)後縦隔と上縦隔の間で左に向かい，頸部へと続く．(4)頸部では前方に向かって，弓状に走行し，左の内頸静脈と左の鎖骨下静脈の合流部(左の静脈角)において静脈系に合流する．
- 胸管は通常，後縦隔内では網目状である．
- 典型例では，左の頸リンパ本幹，左鎖骨下リンパ本幹，左気管支縦隔リンパ本幹が胸管の終末部に流入する．
- 右のリンパ本幹(右の胸管)は非常に短く，右頸リンパ本幹，右鎖骨下リンパ本幹，右気管支縦隔リンパ本幹が合流して形成される．
- 胸管は壁が薄く，色も周囲の結合組織と似ているため，簡単に同定できない場合がある．したがって，後縦隔の手術において，胸管は損傷を受けやすい．**胸管が損傷される**と乳ビが胸腔内に漏れ出る．漏れた乳ビが胸膜腔内に入る場合があり，このような状態を乳ビ胸と呼ぶ．

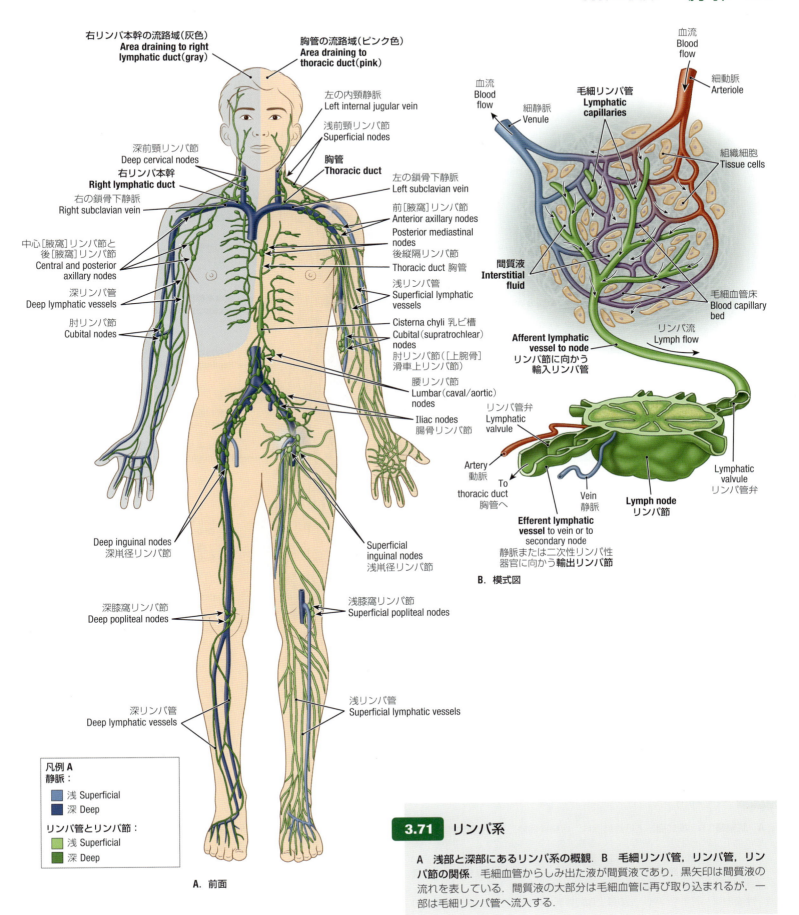

3.71 リンパ系

A 浅部と深部にあるリンパ系の概観．B 毛細リンパ管，リンパ管，リンパ節の関係．毛細血管からしみ出た液が間質液であり，黒矢印は間質液の流れを表している．間質液の大部分は毛細血管に再び取り込まれるが，一部は毛細リンパ管へ流入する．

274 胸郭　胸郭の後部

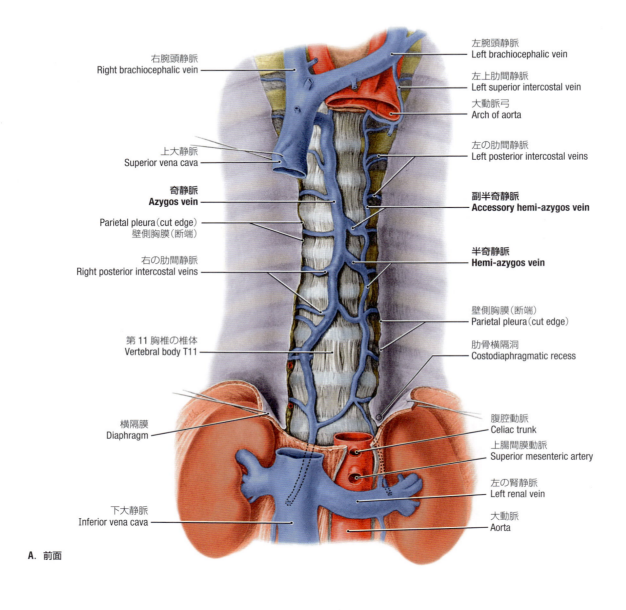

A．前面

3.72 奇静脈系

A 解剖図．B 模式図． 上行腰静脈は，総腸骨静脈と腰静脈をつなぎ，さらに肋下静脈と合流し，奇静脈，半奇静脈の外側根を形成する．奇静脈，半奇静脈の内側根が存在する場合は，それぞれ下大静脈，左の腎静脈から短い枝として起こる．典型的な例では，左側の上位4つの肋間静脈は，左の最上肋間静脈や左上肋間静脈を介して，左腕頭静脈へ流入する．

半奇静脈，副半奇静脈，左の最上肋間静脈は連続している（A）が，大半の場合は不連続（B）である．半奇静脈はほぼ第9胸椎の高さで，副半奇静脈はほぼ第8胸椎の高さで脊柱の前面を横切り，奇静脈へ流入する（B）．一方Aでは，半奇静脈系と副半奇静脈系の間に4本の交通枝が確認できる．奇静脈は第4胸椎の高さで，右の肺根を前方に向かって弓状に乗り越え，上大静脈に流入する．

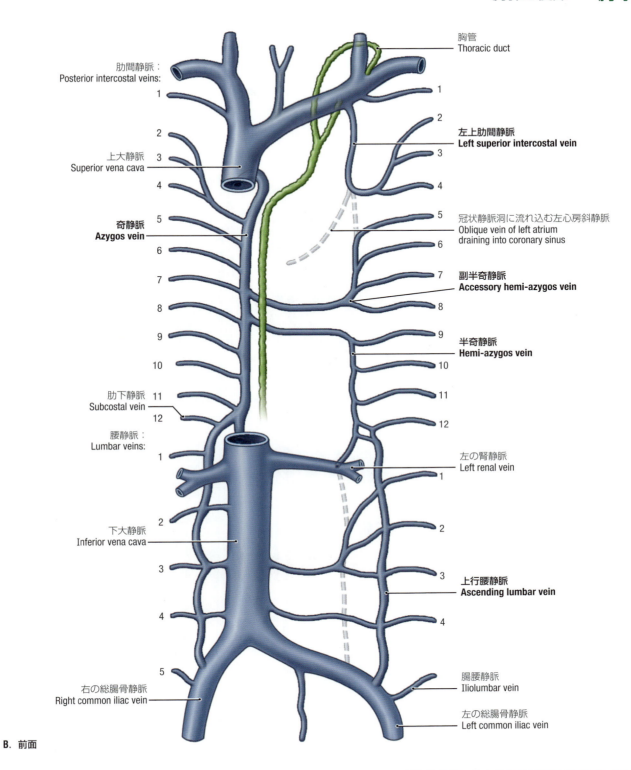

B. 前面

3.72 奇静脈系（続き）

下大静脈が閉塞すると，奇静脈系が静脈血を迂回させる側副血行路となる．

奇静脈系にはさまざまな変異（異常）が知られている．副奇静脈は奇静脈の右側にあって，これと平行に走行する．また，半奇静脈が形成されず，左の肋間静脈が個々に奇静脈に流入する場合もある．さらに非常にまれではあるが，肝臓の下部で，下大静脈が奇静脈に接続する変異もある．ただし，この場合でも，下大静脈の上部（肝部）は通常のように存在し，ここに肝静脈が流入する．したがって，この変異がみられる場合には，横隔膜より下方から集まる静脈血のうち，消化器からの静脈血以外は奇静脈に流れ込むことになる．

奇静脈の流入部よりも上方で**上大静脈が閉塞**した場合には，静脈血は胸腹壁の静脈を介して，下大静脈や奇静脈に流れ込み，右心房に戻る．

276 胸郭　胸郭の後部

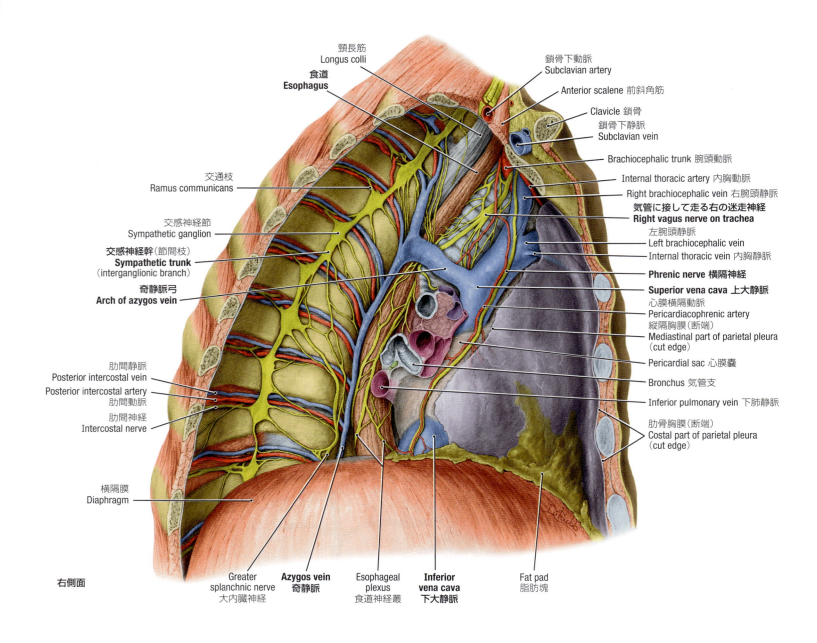

3.73 縦隔（右側面）

- 肋骨胸膜と縦隔胸膜は大部分が取り除かれ，その下にある構造が露出している．右肺の縦隔面（図3.32）と比較するとよい．
- 縦隔の右側面は，いわば「青色の面」であり，奇静脈弓や上大静脈といった太い静脈がみられる．
- 右側面で気管と食道の両方が観察できる．
- 右の迷走神経は気管の右側面に接して下行し，さらに奇静脈弓の内側を通って肺根の後方へ至り，食道神経叢を形成する．
- 右の横隔神経は肺根の前方で，かつ両方の大静脈の外側を下行する．

胸郭の後部　胸郭

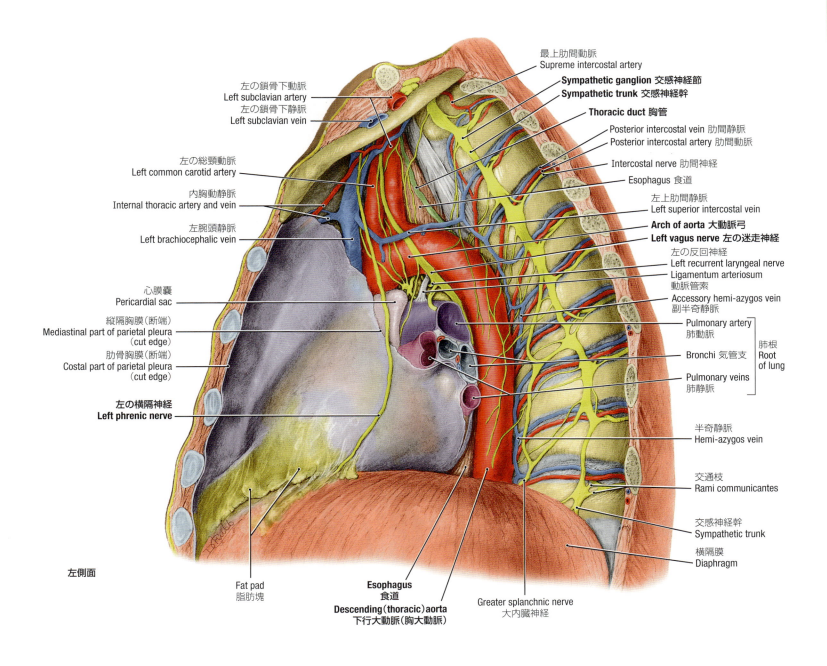

3.74 縦隔（左側面）

- 左肺の縦隔面（図3.33）と比較するとよい．
- 縦隔の左側面は，いわば「赤色の面」であり，大動脈弓，下行大動脈，左の総頸動脈，左の鎖骨下動脈といった太い動脈がみられる．また，この位置から見ると，気管は左の総頸動脈，左の鎖骨下動脈によって隠れてしまう．
- 胸管が食道の左側に接しているのが見える．
- 左の迷走神経は肺根の後方を通過し，反回神経を動脈管索の下方で分枝し，大動脈弓の内側に至る．
- 左の横隔神経は肺根の前方を通過し，右の横隔神経よりも前方で横隔膜を貫通する．

278　胸郭　胸郭の後部

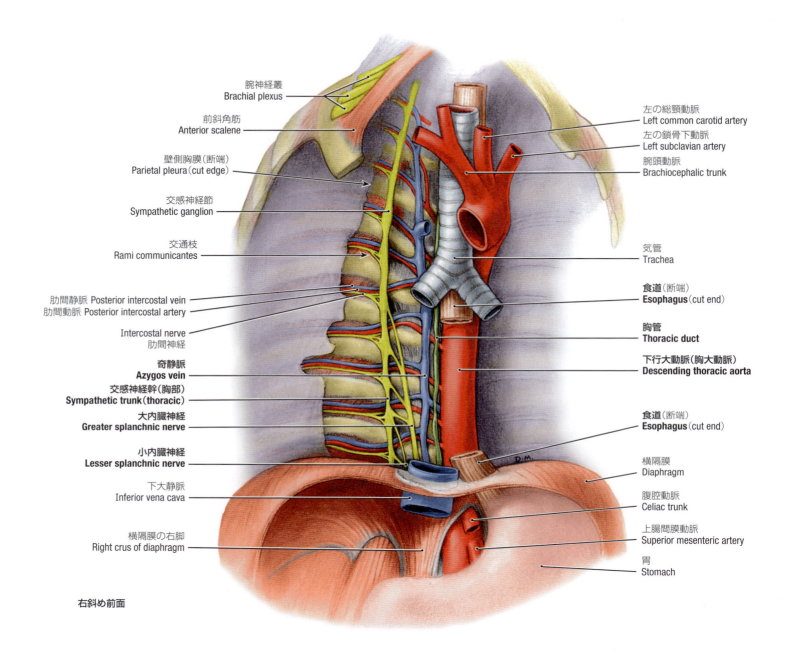

3.75　後縦隔にある構造-I

- 壁側胸膜は，左側では残っており，右側では部分的に除去されている．食道は，気管分岐部から横隔膜に至るまでが切除されている．
- 胸部にある交感神経幹は，各肋間隙の肋間神経と交通枝によってつながる．
- 大内臓神経は第5-10胸神経節，小内臓神経は第10・11胸神経節から伸びる線維によって構成される．両神経とも，交感神経節前線維と内臓からの求心性線維を含む．
- 奇静脈は肋間動静脈の前方に位置し，胸管と胸大動脈の右方を上行する．最終的に奇静脈は上大静脈へ流入する．

胸郭の後部　胸郭

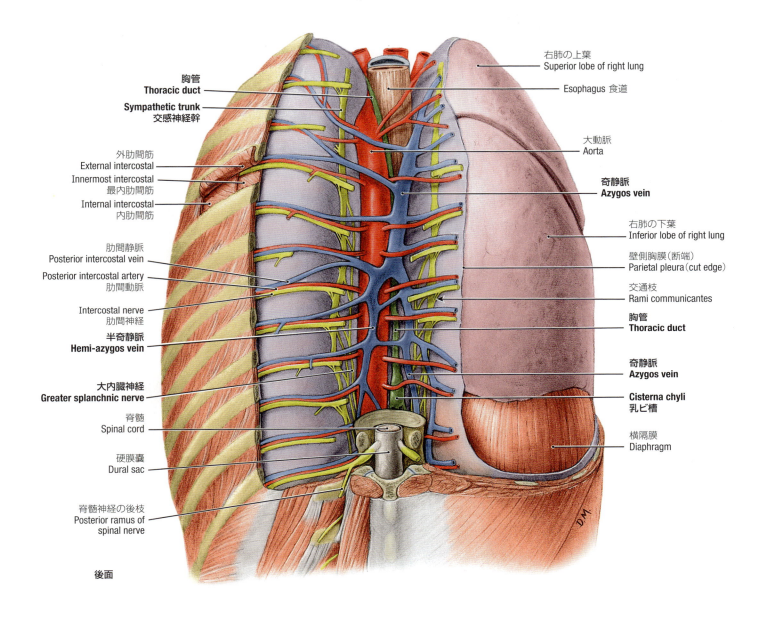

3.76　後縦隔にある構造-II

- 胸部の脊柱を除去してある．さらに胸壁も，右側ではほぼすべて，左側では肋骨角よりも内側の部分を取り除いてある．壁側胸膜は，左側ではそのまま残してあるが，右側では部分的に除去され，臓側胸膜に覆われた右肺が見えている．
- 奇静脈は右側に位置する．半奇静脈は左側に位置し，通常第9胸椎の高さで正中線を越え，奇静脈に合流するが，この標本では合流位置が高い．また，この標本では副半奇静脈が欠如しており，3本の肋間静脈が奇静脈へ直接流入している．

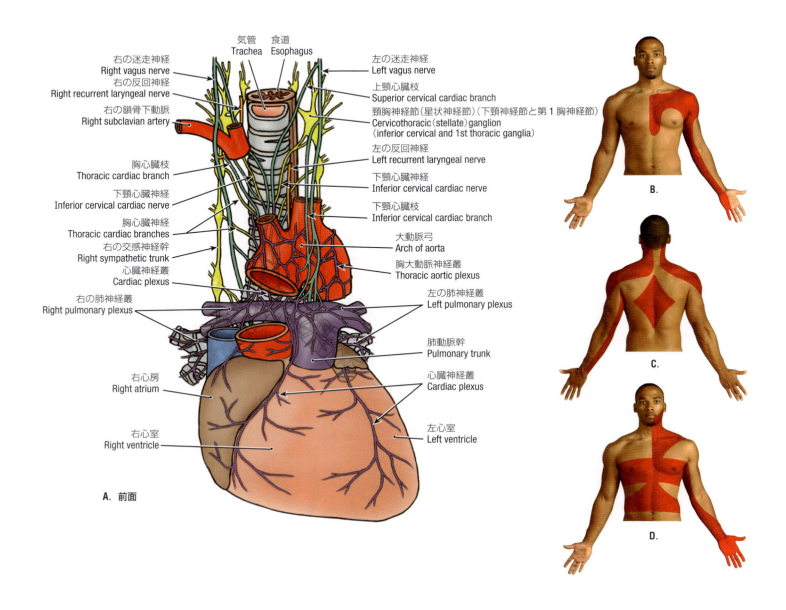

3.77 胸部内臓に分布する自律神経（概観）

A 心臓への神経分布．**B-D** 心臓関連痛が生じる部位（赤色）．**E** 上縦隔，後縦隔における神経分布．

　心臓は接触や温度，切開による刺激を感知することはできない．しかし，虚血やそれに伴う代謝産物の蓄積により心筋内にある内臓求心性線維の神経終末が刺激される．心臓からの求心性線維は主に交感神経幹から出る中・下心臓枝と胸心臓神経に含まれる．これらの求心性線維は脊髄分節のT1-T4（T5）に入る．

　関連痛は内臓において生じた有害な刺激を体表で生じた痛みとして捉えてしまう現象である．一般に，関連痛を引き起こす刺激は交感神経に含まれる内臓求心性線維を介して特定の脊髄分節に入る．同じ脊髄分節には体肢や体幹の表面からの感覚も入力されており，中枢神経では内臓からの感覚は体表のものとして処理されてしまう．そのため，関連痛は同じ脊髄分節に支配される体肢や体幹といった体壁構造で生じた痛みとして捉えられる（Hardy and Naftel, 2001）．

　狭心痛は関連痛の一種であり，一般的に胸骨や左胸部から左肩や左上肢の内側面にかけて放散するように感じられる（**B**）．上肢の内側面には内側前腕皮神経とともに，第2，3肋間神経の外側皮枝（肋間上腕神経）が分布しており，これらの神経は心臓からの求心性線維と同様に脊髄分節のT1-T3に入る．このため，狭心痛は上肢の内側面の痛みとして捉えられる．狭心痛は右の胸部や背部，上腹部にも放散することがあるが（**C**，**D**），これは心臓からの求心性線維の情報が交連ニューロンによって脊髄分節の別の場所に広がることによる．

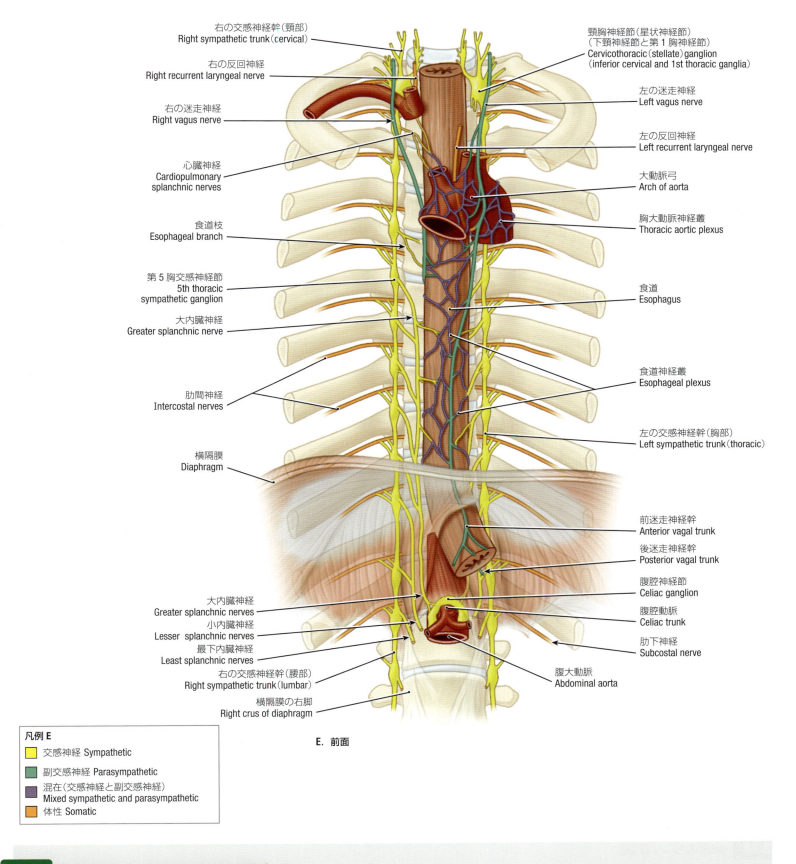

3.77 胸部内臓に分布する自律神経（概観）（続き）

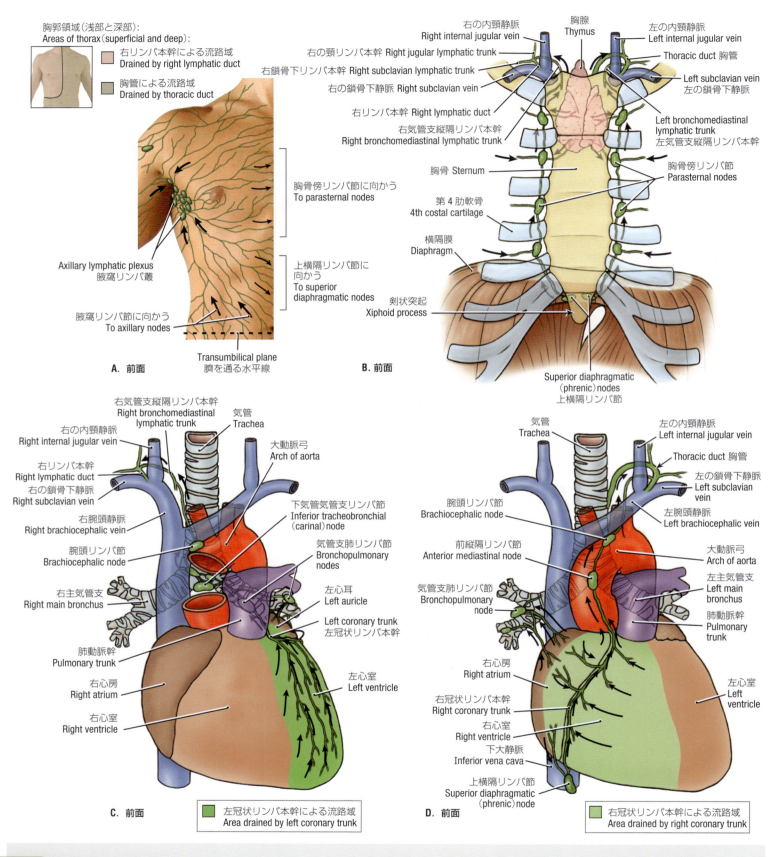

3.78 胸部のリンパ流路

A 表層のリンパ流路． B 胸骨傍リンパ節からのリンパ流路． C 心臓の左側からのリンパ流路． D 心臓の右側からのリンパ流路．

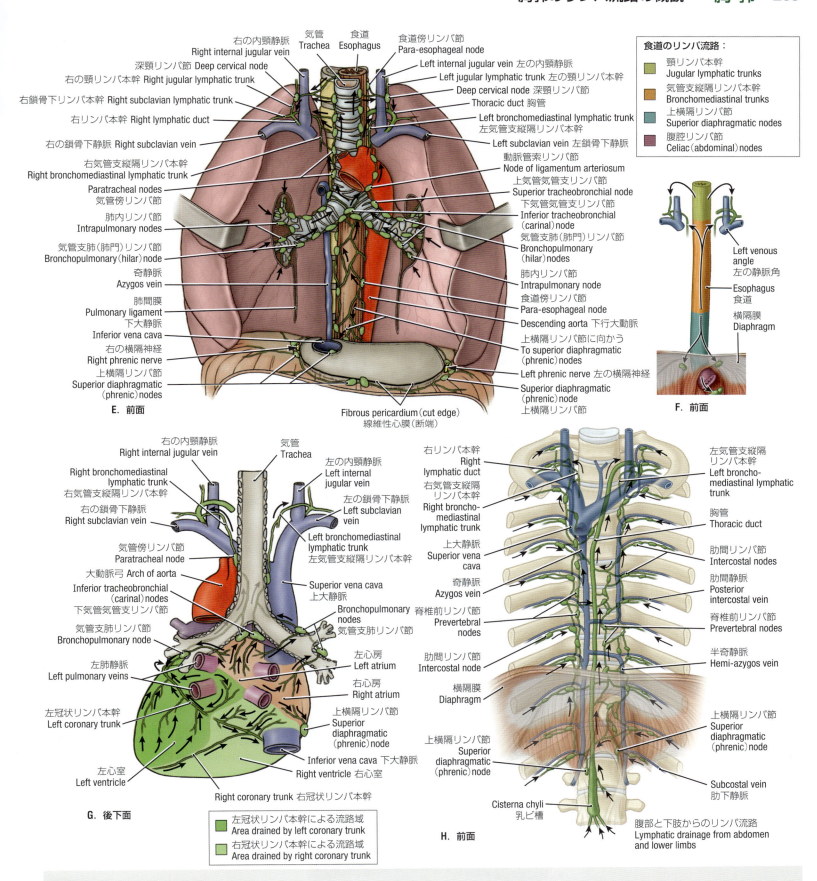

3.78 胸部のリンパ流路（続き）

E 肺，食道，横隔膜の上面からのリンパ流路． F 食道のリンパ流路． G 心臓の後面と下面からのリンパ流路． H 後縦隔からのリンパ流路．

284 胸郭　断層解剖と断層画像

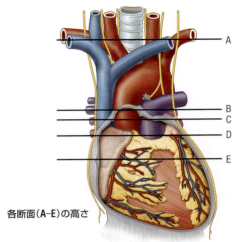

各断面（A–E）の高さ

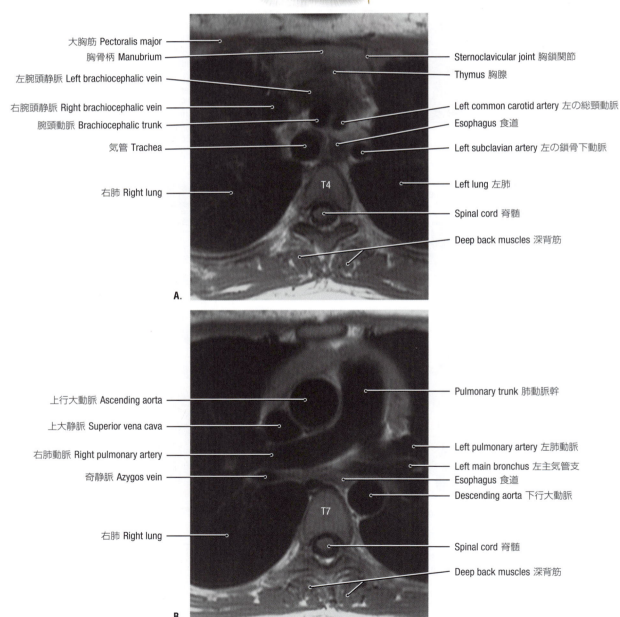

3.79 胸郭の水平断 MR 像（A–E の各高さにおける断面）

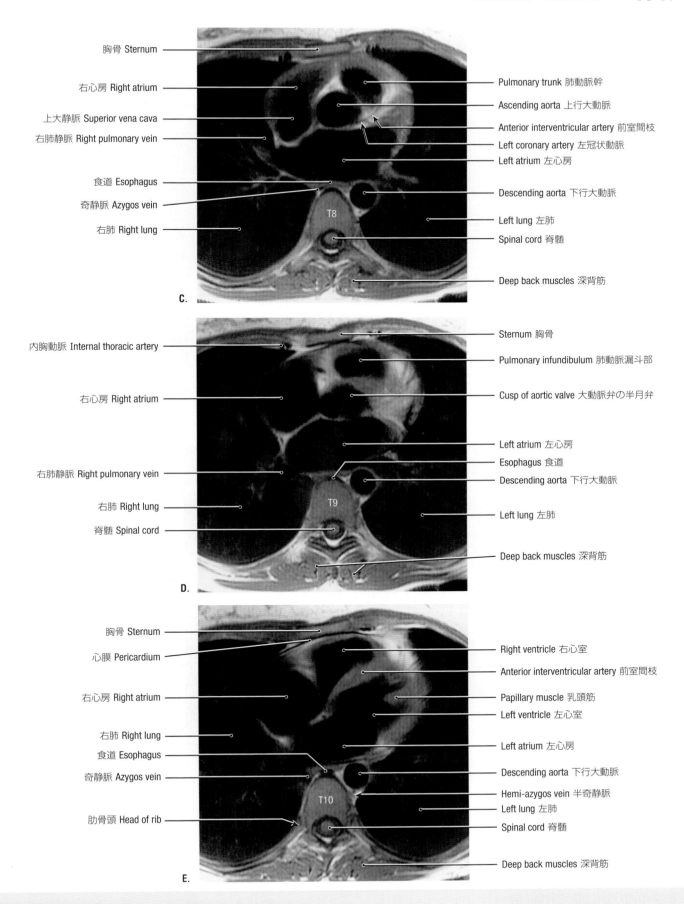

3.79 胸郭の水平断 MR 像（A–E の各高さにおける断面）（続き）

286 胸郭　断層解剖と断層画像

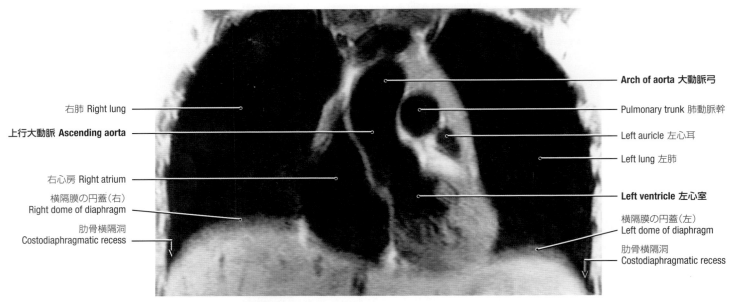

A. 前額断 MR 像（上行大動脈と大動脈弓を通る）

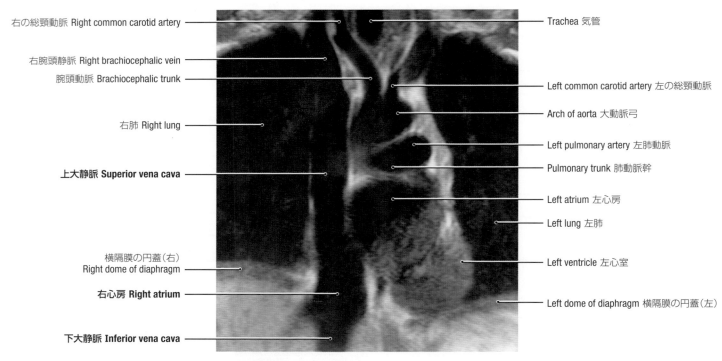

B. 前額断 MR 像（上・下大静脈を通る）

3.80　胸郭の冠状断（前頭断）MR 像

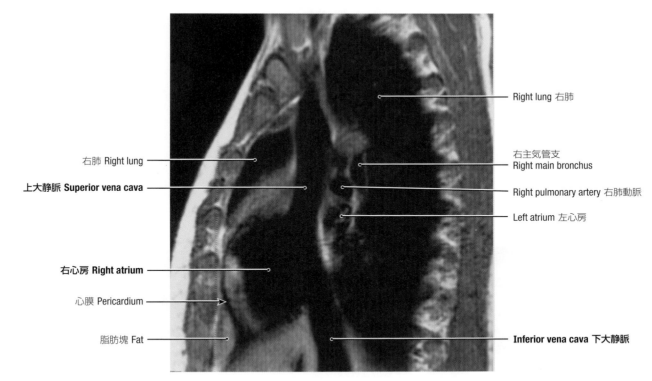

A. 矢状断 MR 像（上・下大静脈を通る）

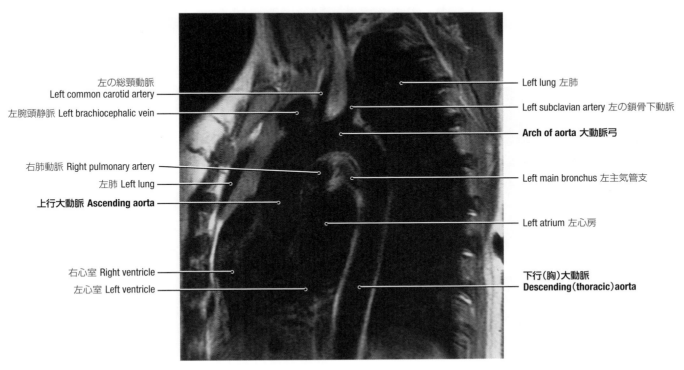

B. 矢状断 MR 像（大動脈弓を通る）

3.81 胸郭の矢状断 MR 像

288 胸郭　断層解剖と断層画像

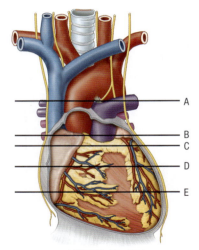

各段面（A–E）の高さ

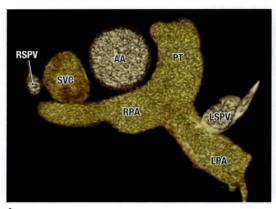

A.

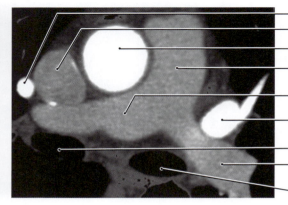

右上肺静脈
Right superior pulmonary vein（RSPV）
Superior vena cava（SVC）上大静脈
Ascending aorta（AA）上行大動脈
Pulmonary trunk（PT）肺動脈幹
Right pulmonary artery（RPA）右肺動脈
Left superior pulmonary vein（LSPV）左上肺静脈
Right main bronchus 右主気管支
Left pulmonary artery（LPA）左肺動脈
Left main bronchus 左主気管支

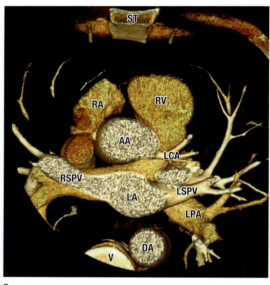

B.

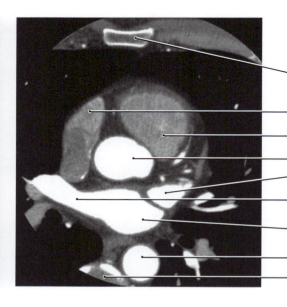

立体再構築像において：
On 3D volume reconstruction only:
Left coronary artery（LCA）左冠状動脈
Sternum（ST）胸骨
Right atrium（RA）右心房
Right ventricle（RV）右心室
Ascending aorta（AA）上行大動脈
Left superior pulmonary vein（LSPV）左上肺静脈
Right superior pulmonary vein（RSPV）右上肺静脈
Left atrium（LA）左心房
Descending aorta（DA）下行大動脈
Vertebra（V）椎骨

3.82 心臓と大血管の立体再構築像（左側）と CT 血管造影像（右側）（A–E の各高さにおける断面）

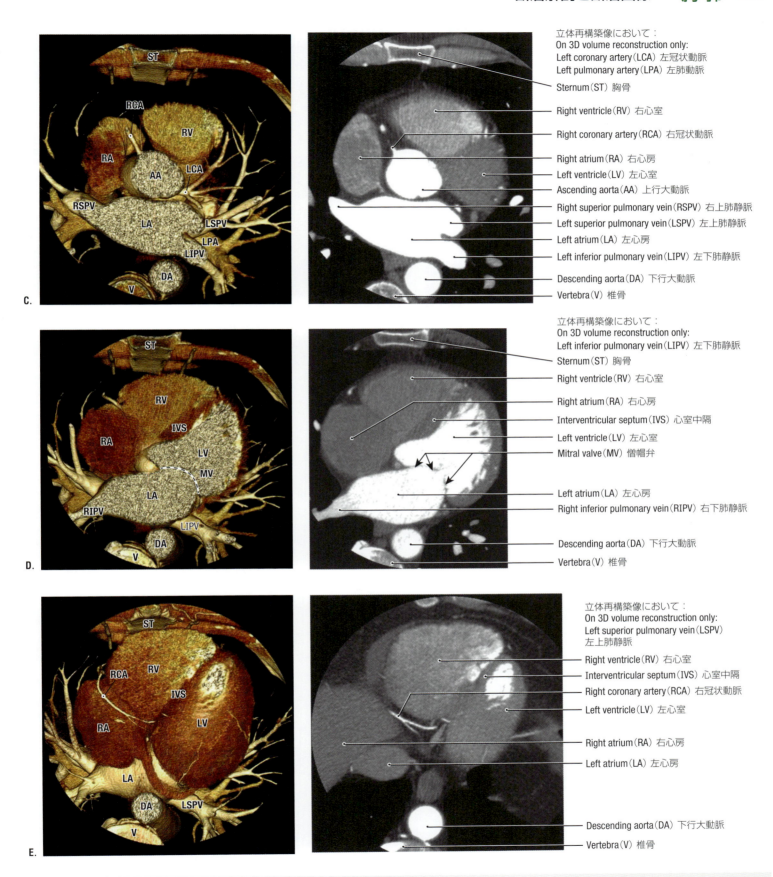

3.82 心臓と大血管の立体再構築像（左側）と CT 血管造影像（右側）（A-E の各高さにおける断面）（続き）

CHAPTER 4

腹部 Abdomen

腹部内臓の概観	292
前腹壁と側腹壁	294
鼠径部	304
精巣	314
腹膜と腹膜腔	316
消化器系	326
胃	327
膵臓，十二指腸と脾臓	330
腸	334
肝臓と胆嚢	344
胆管	354
門脈系	358
後腹部内臓	360
腎臓	363
後外側腹壁	367
横隔膜	372
腹大動脈と下大静脈	373
自律神経の神経支配	374
リンパ流路	380
断層解剖と断層画像	384

292 腹部　腹部内臓の概観

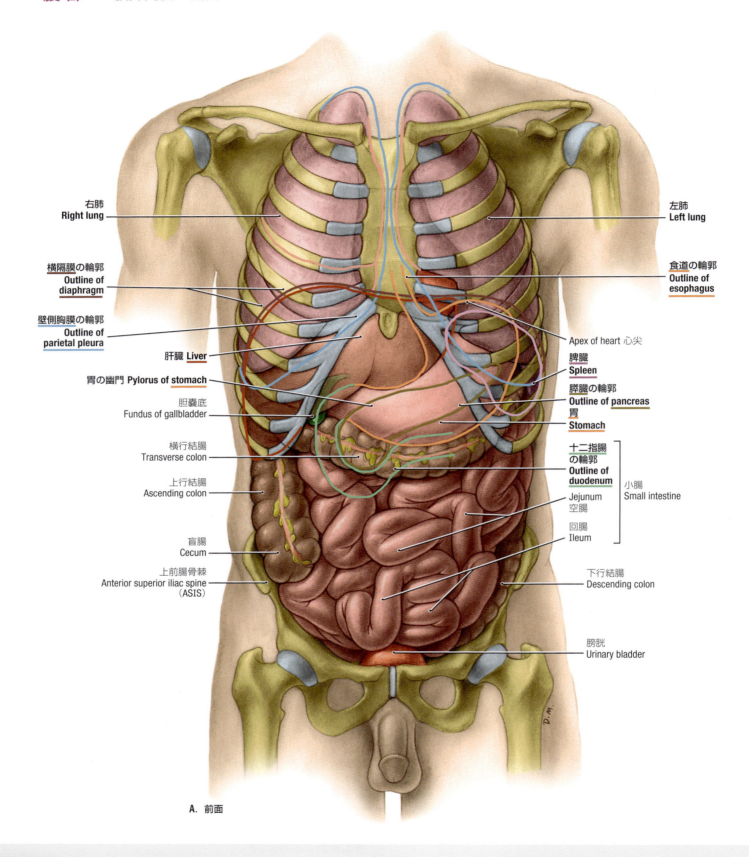

A. 前面

4.1 原位置における腹部の内臓

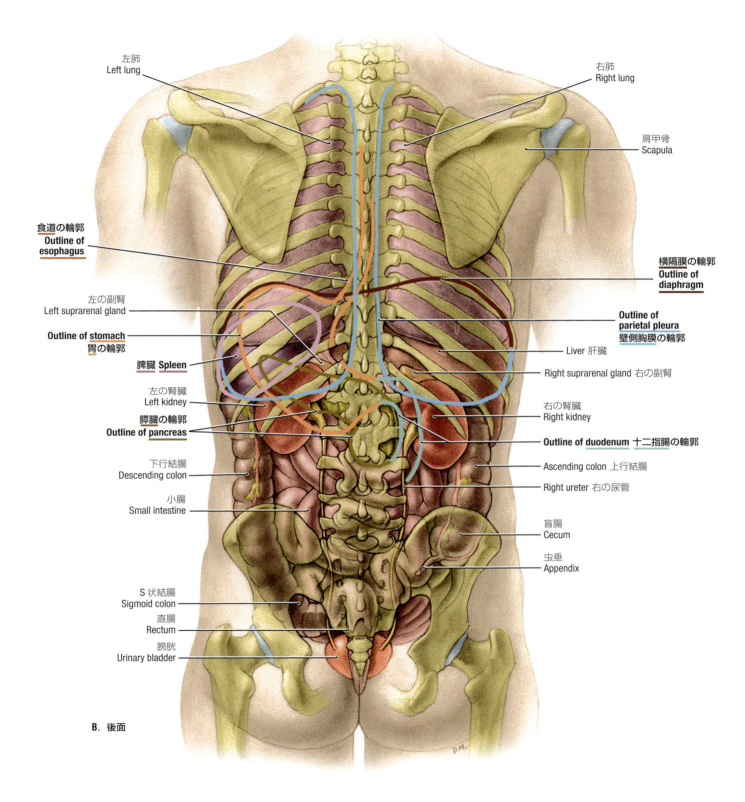

4.1 原位置における腹部の内臓(続き)

294 腹部　前腹壁と側腹壁

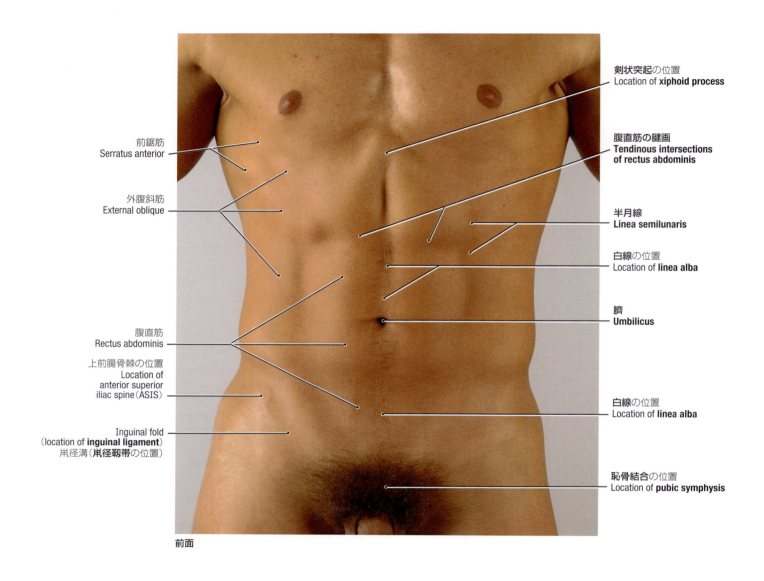

前面

4.2 体表解剖

- 臍は胎児期に臍帯がつながっていた場所であり，典型的には第3・4腰椎間の椎間円板と同じ高さに位置する．臍は第10肋間神経によって支配され，第10胸髄が支配するデルマトーム（皮膚分節）の前方における高さを示す指標となる．
- 白線は皮下にある線維性の細い帯で，剣状突起から恥骨結合にまで伸びている．白線の位置は，正中線に沿ってできる皮膚の溝に一致する．臍は白線を貫いている．
- 半月線はやや弯曲しながら，縦に走る皮膚の溝であり，腹直筋（とこれを包み込む腹直筋鞘）の外側縁に一致する．
- 痩せ型で筋肉質の人では，前腹壁の皮膚に横に走る3本の溝がみられるが，これは腹直筋の腱画に対応する．
- 鼡径靱帯の位置は，鼡径溝と呼ばれる皮膚の溝によって特定できる．鼡径溝は鼡径靱帯のやや下方で，この靱帯と平行に伸びている．鼡径靱帯は腹壁と大腿の境界をなす．

前腹壁と側腹壁　腹部

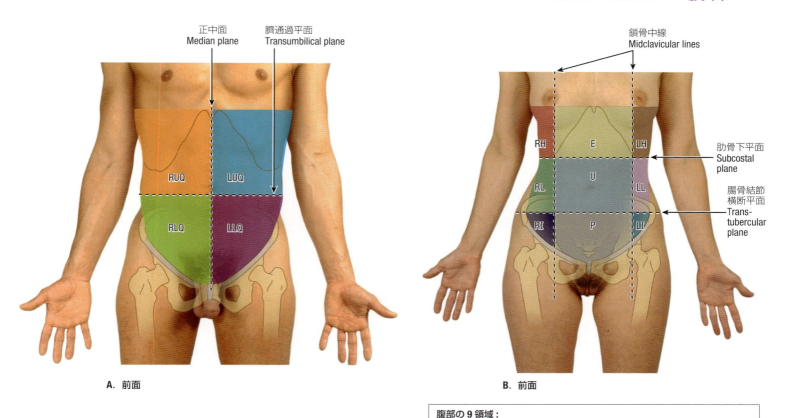

A. 前面

B. 前面

腹部の4区画：
- 右上腹部 Right upper quadrant (RUQ)
- 左上腹部 Left upper quadrant (LUQ)
- 右下腹部 Right lower quadrant (RLQ)
- 左下腹部 Left lower quadrant (LLQ)

腹部の9領域：
- 右下肋部 Right hypochondriac (RH)
- 上胃部 Epigastric (E)
- 左下肋部 Left hypochondriac (LH)
- 右側腹部 Right lateral (lumbar) (RL)
- 臍部 Umbilical (U)
- 左側腹部 Left lateral (lumbar) (LL)
- 右鼠径部 Right inguinal (groin) (RI)
- 恥骨部 Pubic (hypogastric) (P)
- 左鼠径部 Left inguinal (groin) (LI)

右上腹部 Right upper quadrant (RUQ)
- 肝臓 Liver：右葉 Right lobe
- 胆嚢 Gallbladder
- 胃 Stomach：幽門 Pylorus
- 十二指腸 Duodenum：第1–3部 parts 1–3
- 膵臓 Pancreas：膵頭 head
- 右の副腎 Right suprarenal gland
- 右の腎臓 Right kidney
- 右結腸曲 Right colic (hepatic) flexure
- 上行結腸 Ascending colon：上部 superior part
- 横行結腸 Transverse colon：右半 right half

左上腹部 Left upper quadrant (LUQ)
- 肝臓 Liver：左葉 Left lobe
- 脾臓 Spleen
- 胃 Stomach
- 空腸と近位回腸 Jejunum and proximal ileum
- 膵臓 Pancreas：膵体と膵尾 body and tail
- 左の腎臓 Left kidney
- 左の副腎 Left suprarenal gland
- 左結腸曲 Left colic (splenic) flexure
- 横行結腸 Transverse colon：左半 left half
- 下行結腸 Descending colon：上部 superior part

右下腹部 Right lower quadrant (RLQ)
- 盲腸 Cecum
- 虫垂 Appendix
- 回腸の大部分 Most of ileum
- 上行結腸 Ascending colon：下部 inferior part
- 右の卵巣 Right ovary
- 右の卵管 Right uterine tube
- 右の尿管 Right ureter：腹部 abdominal part
- 右の精索 Right spermatic cord：腹部 abdominal part
- 子宮（腫大している場合）Uterus (if enlarged)
- 膀胱（充満している場合）Urinary bladder (if very full)

左下腹部 Left lower quadrant (LLQ)
- S状結腸 Sigmoid colon
- 下行結腸 Descending colon：下部 inferior part
- 左の卵巣 Left ovary
- 左の卵管 Left uterine tube
- 左の尿管 Left ureter：腹部 abdominal part
- 左の精索 Left spermatic cord：腹部 abdominal part
- 子宮（腫大している場合）Uterus (if enlarged)
- 膀胱（充満している場合）Urinary bladder (if very full)

4.3　腹部の区分

A　腹部の4区画，B　腹部の9領域．

個々の腹部内臓が位置する区画あるいは領域を理解しておくことは，臓器の聴診や打診，触診を行ううえで重要である．また，腹部のこのような区分は理学的診察の結果を記載するうえでも役立つ．

腹満（腹部膨満）の一般的な原因の6つは，頭文字がFである：食物（food），液体（fluid），脂肪（fat），便（feces），腸内ガス（flatus），胎児（fetus）．腹満に伴い臍が反転する場合があり，これは腹腔の内圧が高まっていることを示している．胎児や腹水の貯留，腹腔内の腫瘤，肝臓などの臓器の腫大によることが多い．腹水とは腹膜腔に貯留した液体であり，漿液性のものが多い．

腹部を触診する際にあらかじめ手を温めておくことが大切である．これは，冷たい手で触診すると，前腹壁の筋が筋性防御と呼ばれる不随意的な硬直をきたすためである．臓器（例えば虫垂）が炎症をきたしていると，強い筋性防御が触知したり，腹壁が板のように硬直したりする（板状硬と呼ばれ，患者は意識的にこの硬直を解けない）．こういった症状は**急性腹症**を示す徴候として重要である．不随意的な腹壁筋の収縮・硬直は，腹部にさらに加わろうとする圧力から臓器を保護しようとするものであり，腹腔内の感染に起因する場合は圧痛も伴う．腹壁の皮膚と筋は同じ神経で支配されており，これが腹壁筋に不随意な（反射的な）収縮を引き起こせる1つの理由である．

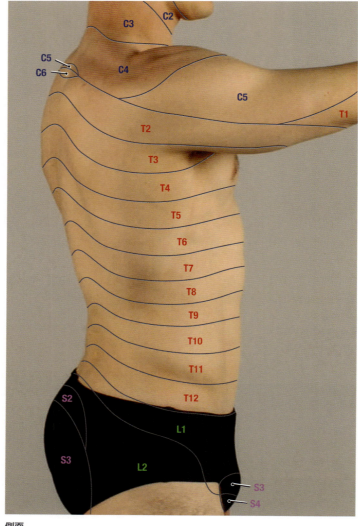

側面

4.4 デルマトーム（皮膚分節）

　肋間神経(T7-T11)は内腹斜筋と外腹斜筋の間を走り，その表面を覆う皮膚に分布する．第10肋間神経(T10)は臍の領域に分布する．肋下神経(T12)は第12肋骨の下縁に沿って走り，上前腸骨棘や腰部を覆う皮膚に分布する．腸骨下腹神経(L1)は腸骨稜や下腹部を覆う皮膚に，また腸骨鼡径神経(L1)は大腿の内側面，陰嚢もしくは大陰唇や恥丘を覆う皮膚に分布する．

前腹壁と側腹壁　腹部

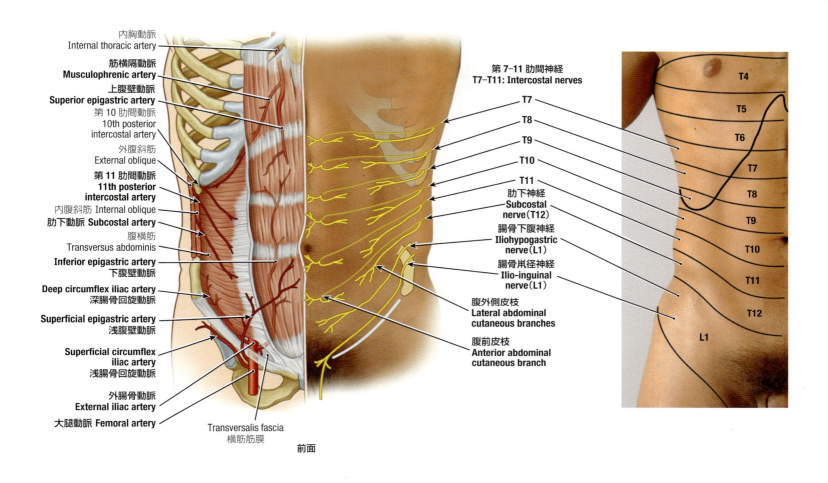

4.5 腹壁の前外側における動脈と神経

腹壁の皮膚と筋は主に次の神経によって支配される．
- 第7-11肋間神経：第7-11胸神経の前枝に由来する．肋間神経は筋枝，前皮枝，外側皮枝に分かれる．前皮枝は腹直筋に枝を出したのち，正中線のやや外側で，腹直筋鞘を貫いて皮下に現れる．第7-9肋間神経は臍よりも上方の皮膚を支配し，第10肋間神経は臍の領域を支配する．
- 第11肋間神経(T11)，肋下神経(T12)，腸骨下腹神経，腸骨鼡径神経(L1)は臍よりも下方の皮膚を支配する．
- 肋下神経：第12胸神経の前枝に由来する．

腹壁には次の動脈が分布する．
- 上腹壁動脈と筋横隔動脈（内胸動脈の枝）．
- 下腹壁動脈と深腸骨回旋動脈（外腸骨動脈の枝）．
- 浅腸骨回旋動脈と浅腹壁動脈（大腿動脈の枝）．
- 肋間動脈と肋下動脈．
- 第11肋間の後肋間動脈と，肋下動脈の前枝．

腹壁切開に伴う神経損傷．下位の肋間神経(T7-T11)や肋下神経(T12)，腸骨下腹神経，腸骨鼡径神経(L1)は腹部の筋に分節的に分布する．さらに，これらの神経は腹部の外側壁と前壁の皮膚にも分布する．神経は外側壁では斜めに走るが，前腹壁ではほぼ水平となる．どの高さの神経も外科手術における腹壁切開や外傷により損傷を受けやすい．神経の損傷により，筋力の低下を生じる可能性がある．このような筋力低下が鼡径部で生じると鼡径ヘルニアに罹患しやすくなる．

298 腹部　前腹壁と側腹壁

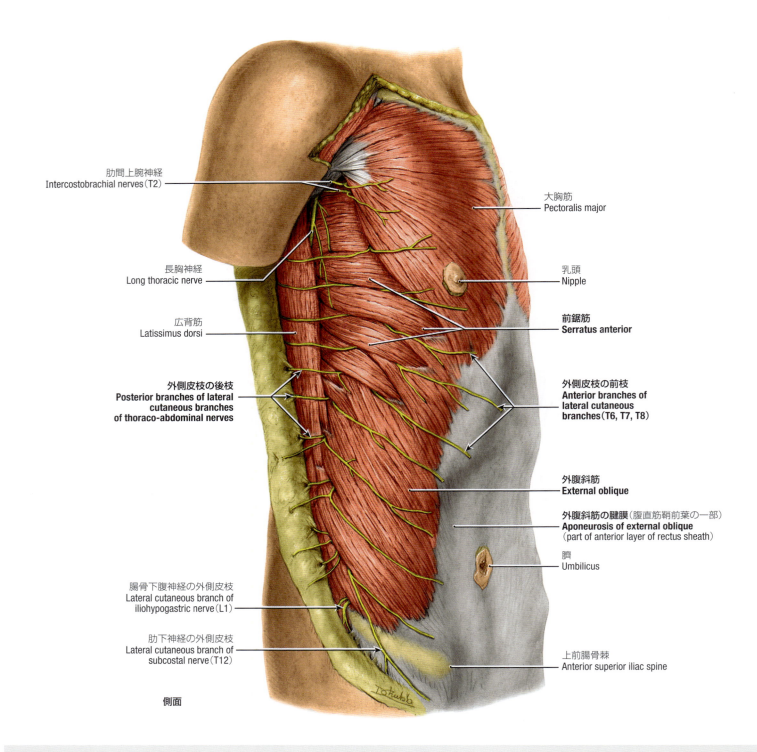

側面

4.6　腹壁の前外側部（表層）

外腹斜筋の筋性部は前鋸筋の起始部と噛み合っており，腱性部（外腹斜筋腱膜）は腹直筋鞘の前葉を形成する．肋間神経の外側皮枝は，前枝と後枝に分かれており，皮下組織の中を走行する．

- **臍ヘルニア**は，臍輪を通して腹腔内の構造が脱出した状態であり，通常は小さな突出として認められる．腹膜外の脂肪組織や腹膜，大網，時には小腸が脱出する．臍輪は臍帯の結紮後に結合組織化して閉鎖される．小児の臍ヘルニアは，この結合組織化が遅れたり不十分であるために生じる．また，成人の臍ヘルニアは，閉鎖した臍輪の結合組織が弱くなることで生じ，中年の女性や肥満体型の人にみられる場合が多い．
- 腹部の腱膜をなす線維と線維の間に隙間が生じ，ヘルニアの原因となる場合がある（図4.10A, D, Eを参照）．このような隙間は，先天的な場合もあれば，肥満による負荷や加齢が原因で形成される場合もある．また，手術や外傷に起因したヘルニアも存在する．

前腹壁と側腹壁　腹部

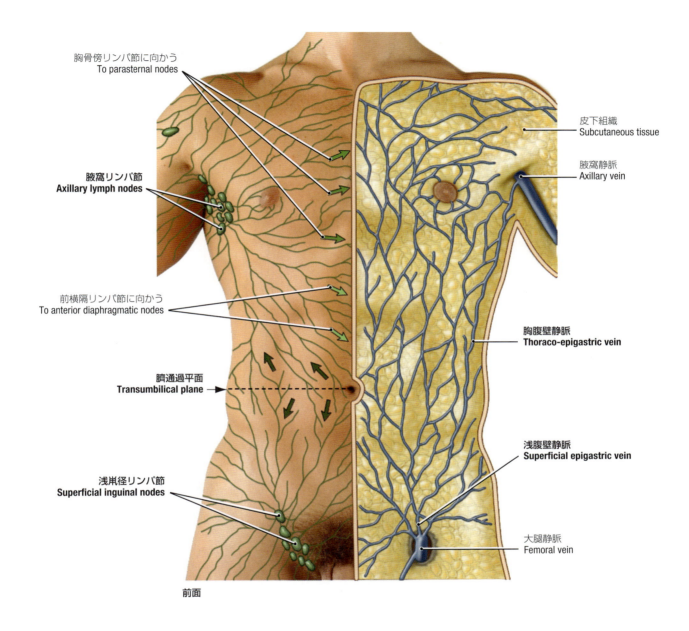

前面

4.7　前腹壁のリンパ流路と皮静脈

- 前腹壁の皮膚と皮下組織の静脈血は複雑な皮下静脈網に流入する．前腹壁の皮下静脈網の上部のうち，正中のものは内胸静脈，外側のものは胸腹壁静脈や外側胸静脈に接続する．また，静脈網の下部は下腹壁静脈（外腸骨静脈の枝）や浅腹壁静脈（大腿静脈の枝）に接続する．
- 皮下にある浅リンパ管は皮静脈に伴行している．臍通過平面よりも上方の浅リンパ管は主に腋窩リンパ節に流入するが，一部は胸骨傍リンパ節にも流入する．一方，臍通過平面よりも下方の浅リンパ管は浅鼠径リンパ節に流入する．
- **脂肪吸引**は皮下脂肪を除去するための外科的な手法であり，小さな切開口から皮下に吸引チューブを挿入し，高い吸引圧により脂肪を吸引・除去する．
- 上大静脈や下大静脈が閉塞した場合には，2つの大静脈の分枝の間で形成される吻合を介し，閉塞した静脈から心臓へ静脈血を戻すための**側副路**が発達する．側副路となった静脈は拡張し，ねじれる．

300 腹部　前腹壁と側腹壁

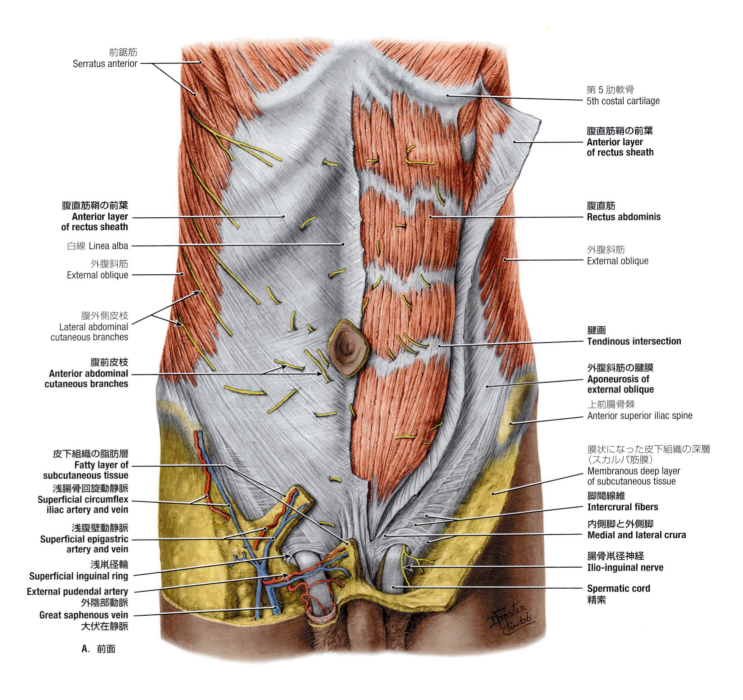

A. 前面

4.8 前腹壁

A 表層．前腹壁の表層にある皮神経や動静脈を示している．左側の腹直筋鞘前葉は大部分が切除され，一部は外側に反転してある．腱画で区切られた腹直筋が見えている．

- 第7-12肋間神経と肋下神経は側腹部の筋に分布した後，腹直筋に入り，最終的には腹直筋鞘の前葉を貫いて前皮枝となる．
- 鼠径部の皮下組織（脂肪層）には大腿動脈から出る3種類の枝（浅腸骨回旋動脈，浅腹壁動脈，外陰部動脈）と大伏在静脈が埋もれている．
- 外腹斜筋腱膜の下部は，裂けるようにして，内側脚と外側脚に分かれる．この2つの脚をつなぐように脚間線維が存在する．内側脚，外側脚，脚間線維によって浅鼠径輪が形成される．男性の精索（この図で示している）や女性の子宮円索は，腸骨鼠径神経とともに，浅鼠径輪を通って鼠径管の外へ出る．

前腹壁と側腹壁　腹部　301

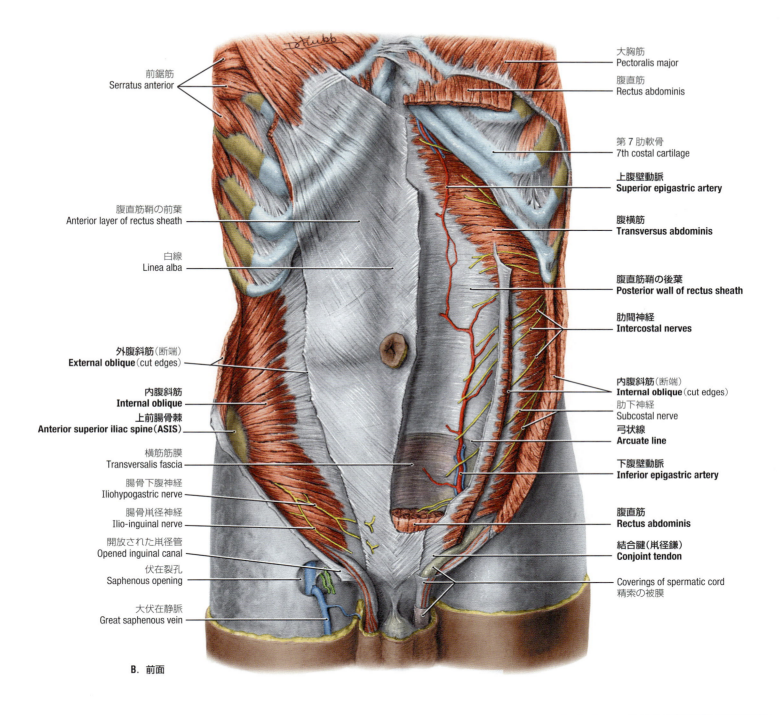

B．前面

4.8　前腹壁（続き）

B　深層．右側では，外腹斜筋の大部分を取り除いてある．左側では，腹直筋が取り除かれ，腹直筋鞘の後葉が現れている．さらに，内腹斜筋も切り開いてある．

- 内腹斜筋の線維は，上前腸骨棘の位置では水平に，これより上方では内側に向かって斜め上に，さらに下方では内側に向かって斜め下に走行している．
- 弓状線は上前腸骨棘の高さに存在する．この線よりも下では，腹直筋鞘の後葉がなくなり，横筋筋膜が見えている．
- 肋間神経は内腹斜筋と腹横筋の間を走行している．
- 上・下腹壁動脈は腹直筋内で吻合するため，上肢に向かう鎖骨下動脈と下肢に向かう外腸骨動脈はこの吻合を介してつながっていることになる．大動脈が徐々に閉塞するような病態では，この吻合が側副路として重要な役割を果たす．

302 腹部　前腹壁と側腹壁

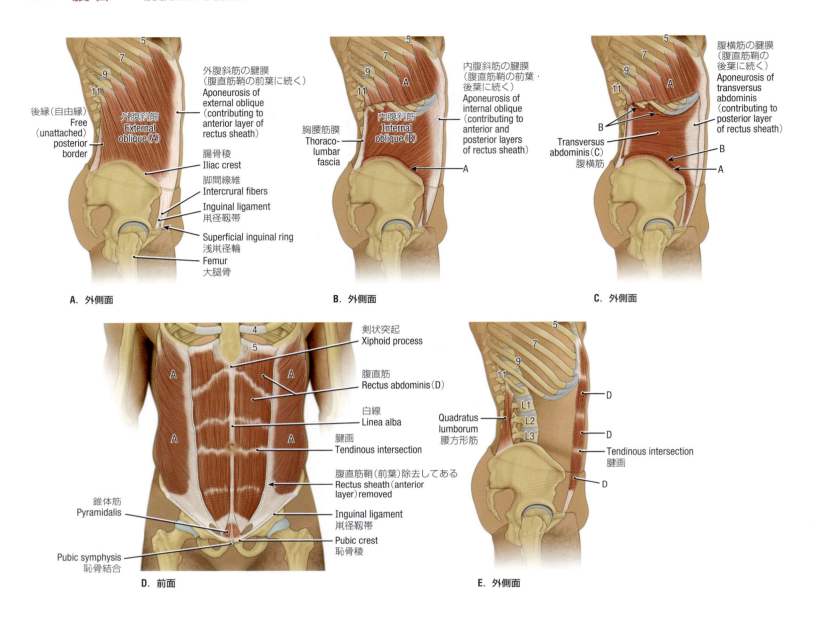

4.9 腹壁の筋

A 外腹斜筋．B 内腹斜筋．C 腹横筋．D, E 腹直筋と錐体筋．

表 4.1 腹壁の筋

筋[a]	起始	停止	神経支配	作用
外腹斜筋 (A)	第 5-12 肋骨の外表面	白線，恥骨結節，腸骨稜の前半部	第 7-11 肋間神経，肋下神経	腹圧の上昇[b]，腹部内臓の支持，体幹の屈曲と回旋
内腹斜筋 (B)	胸腰筋膜，腸骨稜の前 2/3，鼠径靱帯の深部にある結合組織	第 10-12 肋骨の下縁，白線，恥骨 (結合腱を介して)		
腹横筋 (C)	第 7-12 肋軟骨の内側面，胸腰筋膜，腸骨稜，腸腰筋膜	白線 (内腹斜筋腱膜とともに)，恥骨 (結合腱を介して)	第 7-11 肋間神経，肋下神経，腸骨下腹神経，腸骨鼠径神経	腹圧の上昇[b]，腹部内臓の支持
腹直筋 (D)	恥骨結合，恥骨稜	剣状突起，第 5-7 肋軟骨	第 7-11 肋間神経，肋下神経	腹圧の上昇[b]，体幹の屈曲，骨盤の安定化と角度の調節

[a] 約 80% において，錐体筋が存在する．この筋は，腹直筋鞘の中にあって，腹直筋 (最下部) の前方に位置する．恥骨稜から白線に向かって広がっており，白線を下方に引く作用がある．

[b] これらの筋は腹圧を上昇させることで，横隔膜の作用と拮抗する．

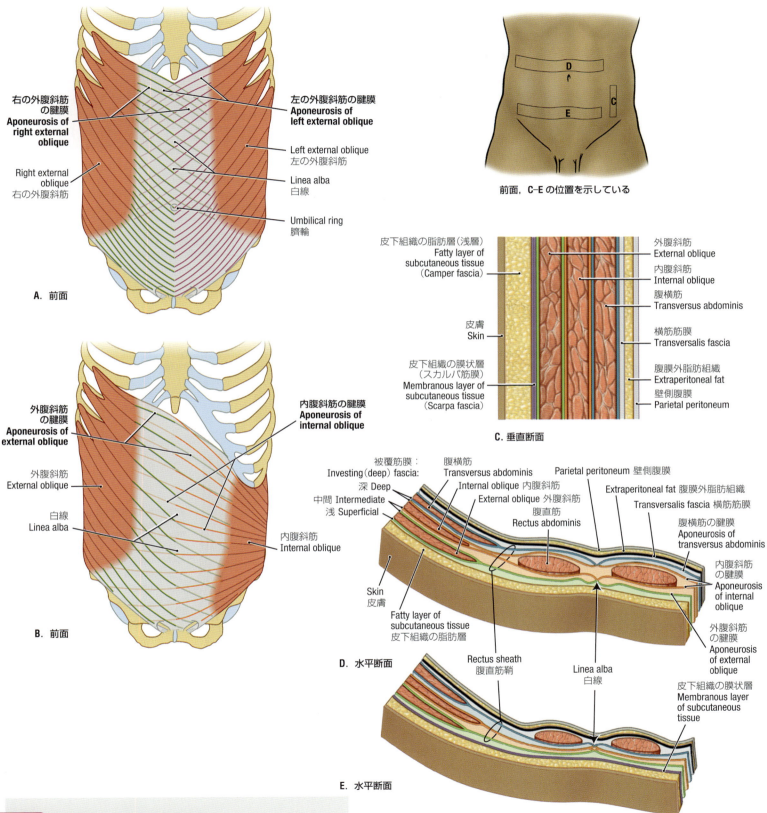

4.10 前外側における腹壁の構造

A 左右の外腹斜筋腱膜における線維の交叉.
B 右の外腹斜筋腱膜と左の内腹斜筋腱膜の間における線維の交叉.
C–E 腹壁と腹直筋鞘の層構造.

304 腹部　鼡径部

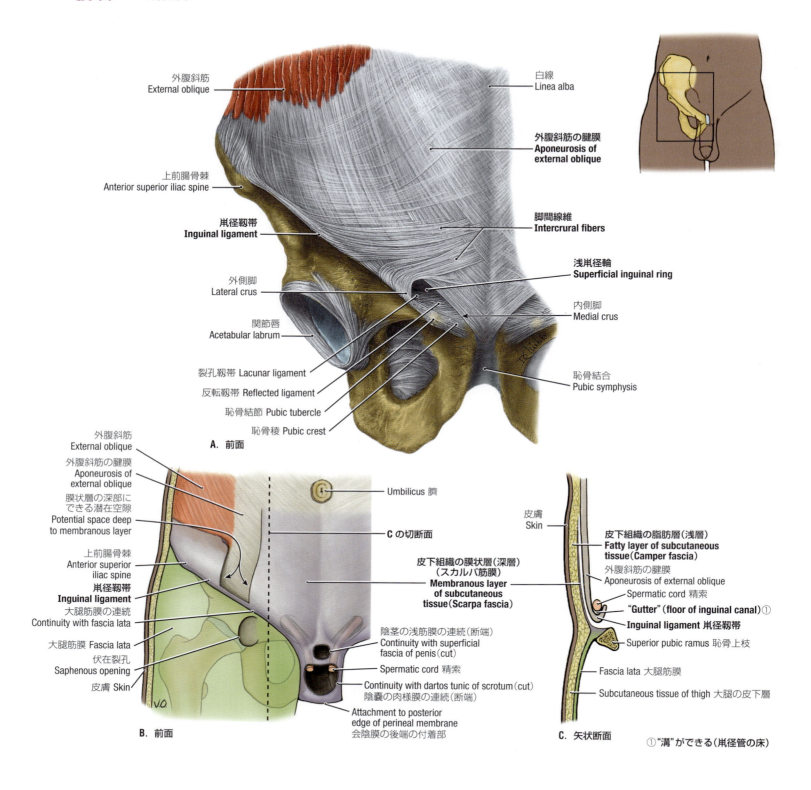

A. 前面

B. 前面

C. 矢状断面

① "溝"ができる（鼡径管の床）

4.11 男性の鼡径部-I

A　外腹斜筋腱膜と鼡径靱帯．B，C　皮下組織の膜状層（深層）．

　臍よりも下方では，皮下組織は2層に分けられる．浅層は脂肪に富み（脂肪層），深層は膜状になっている（膜状層）．膜状層はスカルパ（Scarpa）筋膜とも呼ばれ，外側では鼡径靱帯の1横指下で大腿筋膜に移行し，内側では正中線上において白線や恥骨結合と融合する．また下方では，膜状層は会陰や陰茎の皮下組織，あるいは陰嚢の肉様膜へと連なる．外腹斜筋腱膜の下端部は肥厚し，腹腔側に向かって反転している．この肥厚部が鼡径靱帯である．鼡径靱帯は浅い溝を形成し，この溝が鼡径管の床となっている．

鼡径部　腹部

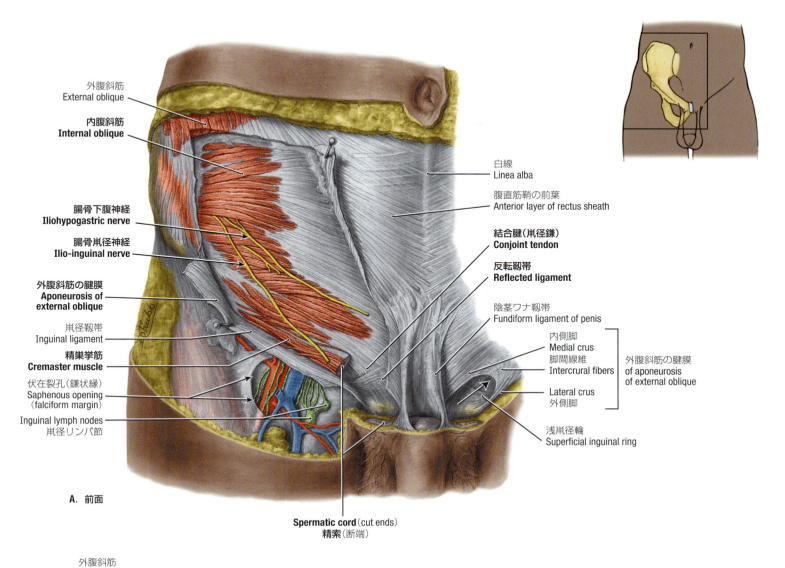

A. 前面

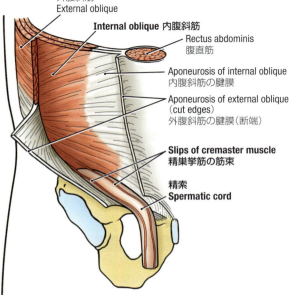

B. 前面

4.12　男性の鼡径部-II

A　内腹斜筋と精巣挙筋．外腹斜筋腱膜の一部を切り取り，精索を短く切断してある．
B　模式図．

- 精巣挙筋は精索を覆う．
- 反転靱帯は外腹斜筋腱膜の線維によって形成され，結合腱の前方に位置する．結合腱は内腹斜筋腱膜と腹横筋腱膜の融合により形成されたものである．
- 腸骨下腹神経と腸骨鼡径神経(L1)の皮枝は，内腹斜筋と外腹斜筋の間を走行する．**虫垂切除術**で腹壁を切開する場合(格子状切開)，これらの神経を損傷しないよう注意しなければならない．

306 腹部 鼡径部

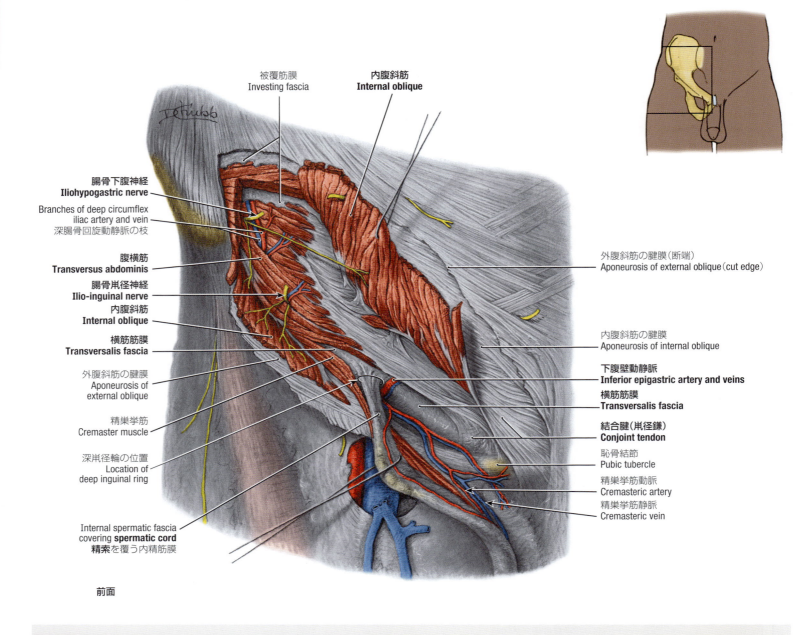

4.13 男性の鼡径部-III

内腹斜筋を反転し，精索を右に引き寄せてある．
- 結合腱のうち内腹斜筋腱膜からなる部分は恥骨稜に付着し，腹横筋腱膜からなる部分は下方に向かって弓状に走る．
- 腸骨下腹神経と腸骨鼡径神経（L1）は内腹斜筋と腹横筋に分布する．
- 横筋筋膜は嚢状に飛び出し，管状の内精筋膜を形成する．この管の開口部は深鼡径輪と呼ばれ，下腹壁動静脈の外側に位置する．

表4.2 鼡径管の壁をつくる構造

	外側1/3	中間1/3	内側1/3
後壁	横筋筋膜	横筋筋膜	鼡径鎌（結合腱），反転靱帯
前壁	内腹斜筋，外腹斜筋腱膜（外側脚）	外腹斜筋腱膜（外側脚と脚間線維）	外腹斜筋腱膜（脚間線維），外精筋膜へ連なる外腹斜筋膜
上壁（天井）	横筋筋膜	内腹斜筋と腹横筋がつくる弓状の筋線維組織	外腹斜筋腱膜（内側脚）
下壁（床）	鼡径靱帯	鼡径靱帯	裂孔靱帯

鼠径部　腹部　307

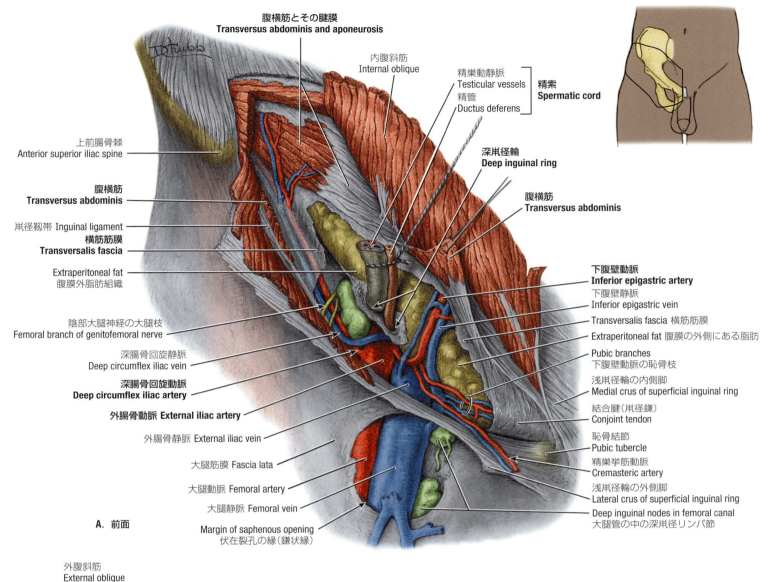

4.14　男性の鼠径部-IV

A　深鼠径輪．鼠径部において，腹横筋と横筋筋膜を部分的に除去してある．さらに，精索を切断し，断端を引き上げてある．B　模式図．
- 深鼠径輪は上前腸骨棘と恥骨結節の中間で，鼠径靱帯の上方に位置する．
- 外腸骨動脈は2つの枝（深腸骨回旋動脈と下腹壁動脈）を分枝する．精巣挙筋動脈や恥骨枝は後者から分枝されることにも注目すること．

308 腹部 鼠径部

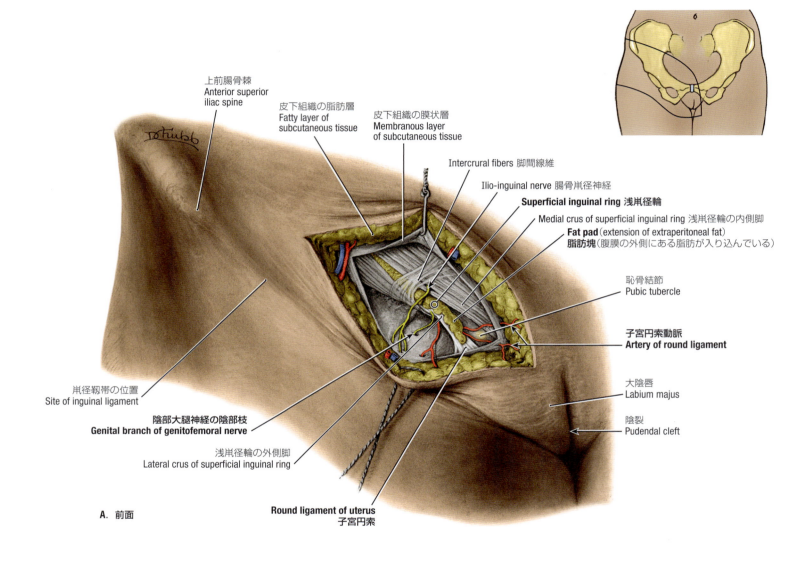

4.15 女性の鼠径管

A-D 女性の鼠径管を浅層から深層へ順に解剖した様子．
- 浅鼠径輪は小さい(A)．浅鼠径輪を通過するものは，子宮円索，鼠径管にはまり込んだ脂肪塊，陰部大腿神経の陰部枝，そして子宮円索動脈である(B)．
- 子宮円索は浅鼠径輪を出たところで線維が分散し，大陰唇に達する(C)．
- 横筋筋膜が取り除かれ，鼠径管の深層にある外腸骨動脈が見えている(D)．

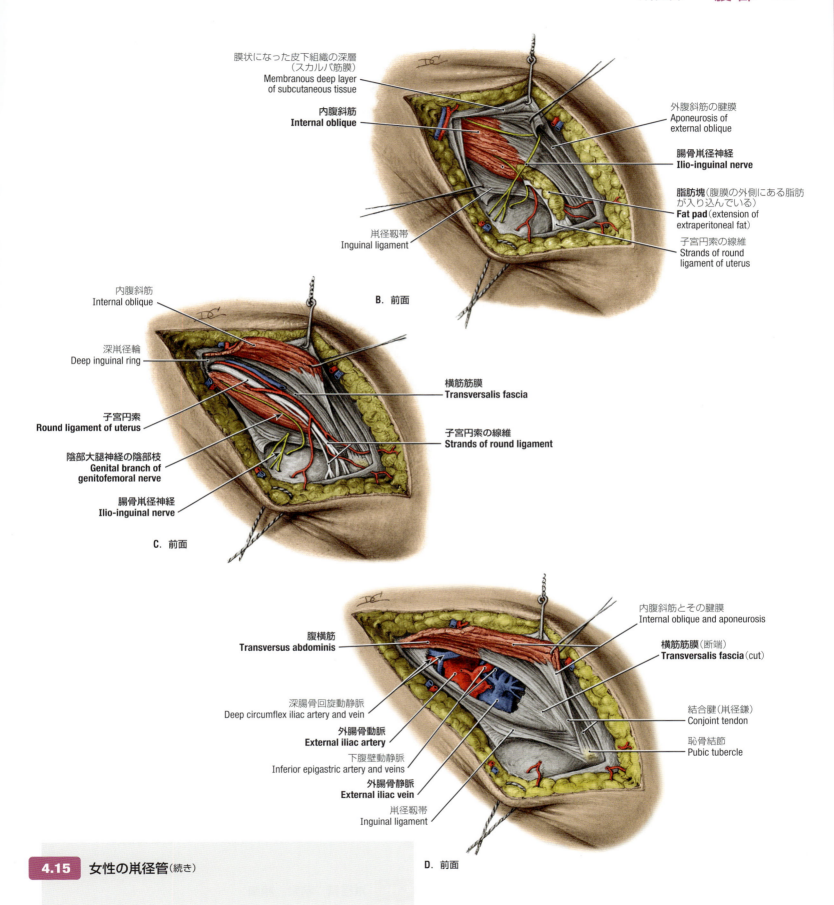

4.15 女性の鼡径管（続き）

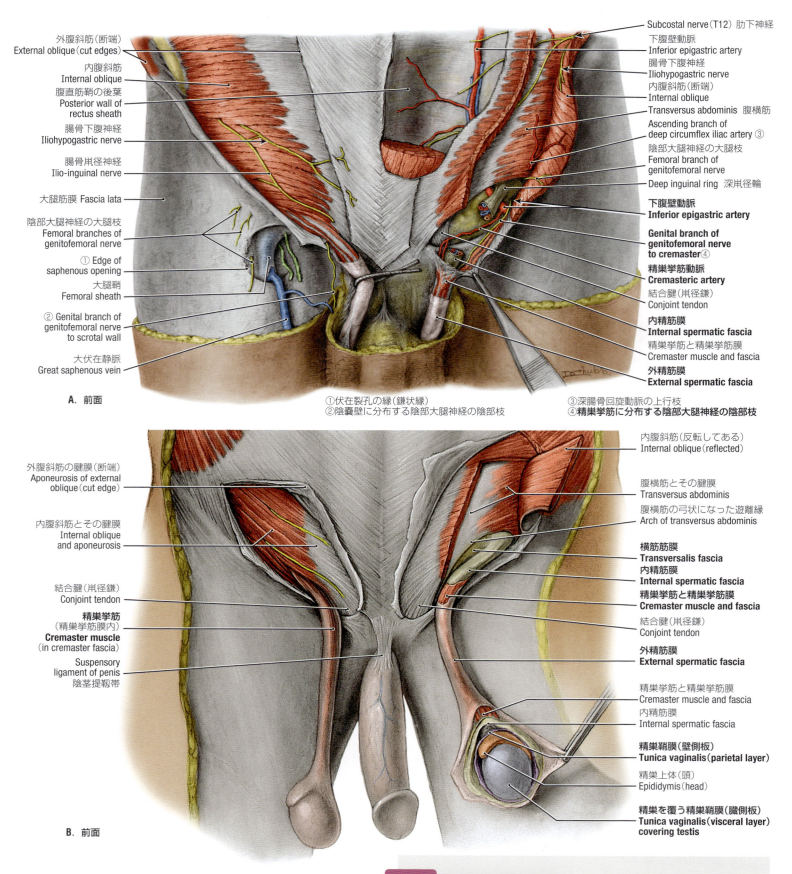

4.16 鼠径管，精索，精巣

鼠径部　腹部

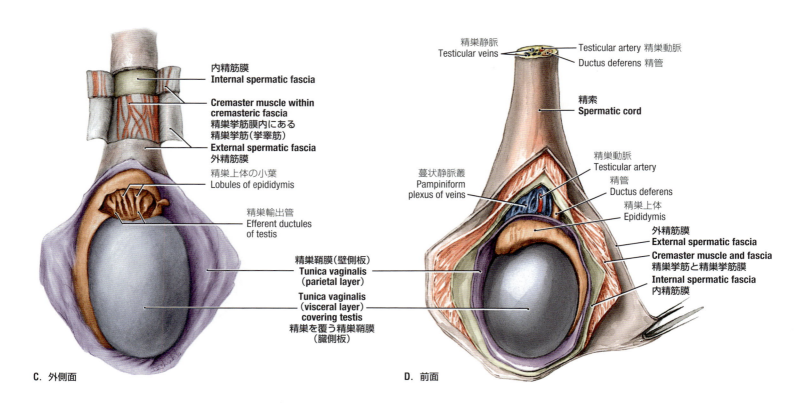

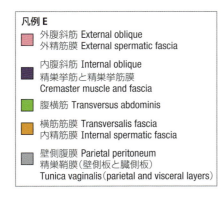

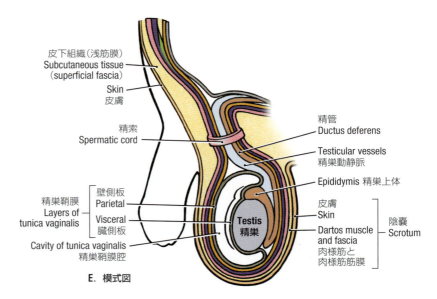

4.16　鼠径管，精索，精巣（続き）

A　鼠径管の解剖図．B　鼠径部と，精索・精巣の解剖図．
C–E　精索と精巣を覆う膜構造．Eでは精巣鞘膜腔をわかりやすくするため，やや誇張して描いてある．

312 腹部 鼠径部

男性

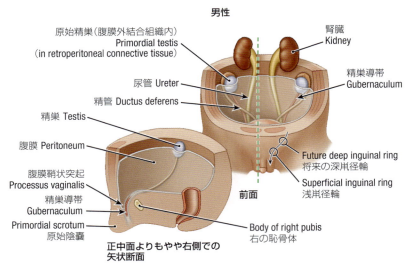

A. 7週

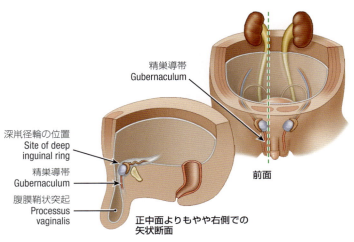

B. 7か月

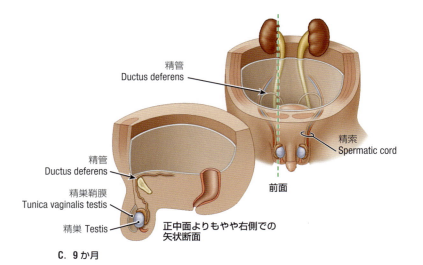

C. 9か月

女性

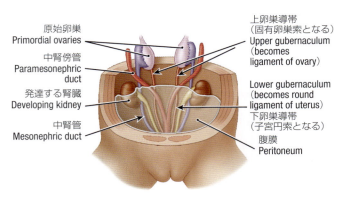

D. 2か月

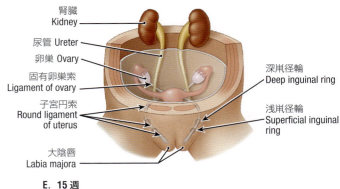

E. 15週

4.17 性腺の下降

　鼠径管は男性に比べ，女性のほうが狭い．また胎児の鼠径管は，成人に比べ，より垂直に腹壁を貫くため，腹壁を貫通する距離が相対的に短い．鼠径部の発生に関する詳細は，Moore et al.（2016）を参照すること．

　精巣は後腹壁を覆う腹膜の直下に出現し，胎齢の9-12週に下降し，深鼠径輪に達する．この下降は，おそらく脊柱と骨盤の発達によるものである．精巣導帯は精巣の下極から始まり，下端は陰嚢の皮膚に放散して終わる．精巣の下降に伴い，腹膜が精巣導帯に沿って，陰嚢内に引きずり込まれ，腹膜嚢の突出部（鞘状突起）を形成する．精巣は鞘状突起の後方を下降する．鞘状突起の下方部は，陰嚢内で精巣を覆う精巣鞘膜となり，成体においても残存する．また，精巣の下降に伴い，精管，精巣動静脈，神経，リンパ管も精巣とともに移動する．精巣が陰嚢内へ完全に入り込むのは，出生前もしくは出生後の早い時期である．

　卵巣も精巣と同様の位置に出現し，胎齢の12週に下降し，小骨盤内に入る．卵巣導帯は卵巣の下極から始まり，途中で子宮に付着したのち，鼠径管を通り，大陰唇の皮膚に放散して終わる．卵巣導帯のうち，卵巣から子宮までの部位は固有卵巣索となり，残りの部位は子宮円索となる．卵巣導帯が子宮に付着するため，卵巣は鼠径部まで下降することができない．

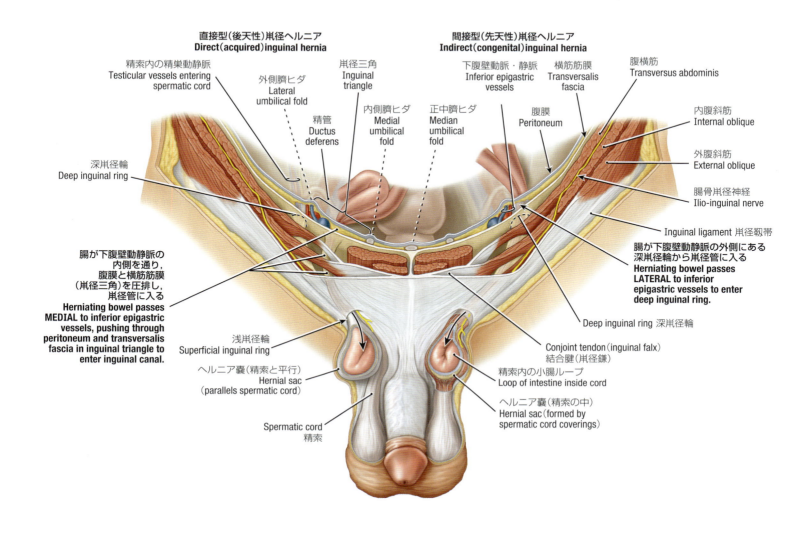

4.18 鼠径ヘルニア（直接型と間接型）の経路

鼠径ヘルニアは壁側腹膜と内臓（例えば小腸）が鼠径部の腹壁を通って突出した状態を指し，2つのタイプ（直接型と間接型）に分けられる．鼠径ヘルニアの2/3以上は間接型ヘルニアであり，大部分は男性にみられる．

表 4.3 鼠径ヘルニアの特徴

特徴	直接型（後天性）ヘルニア	間接型（先天性）ヘルニア
原因（素因）	内側鼠径窩（鼠径三角）において，前腹壁が脆弱になった場合に生じる（具体的には，結合腱や腱膜の伸展，浅鼠径輪の拡大といった変化を生じ，40歳以上の男性によくみられる）．	若年者において，鞘状突起が開存している場合に生じる（開存が全体にわたる場合もあれば，上部だけの場合もある）．大部分は男性にみられる．
発生頻度	全鼠径ヘルニアの1/4-1/3	全鼠径ヘルニアの2/3-3/4
ヘルニアの内容を覆う構造	腹膜，横筋筋膜（腹膜のみ，あるいは腹膜・横筋筋膜の両者で覆われる．精索と並走する）	開存している鞘状突起の腹膜，精索（あるいは子宮円索）を覆う3層の膜
ヘルニアの内容が通る経路	通常は鼠径管の内側1/3の部分だけを通り，遺残した鞘状突起に沿っている．	鼠径管内にある鞘状突起の中を通る．
前腹壁から脱出する部位	浅鼠径輪から脱出するが，ヘルニア内容は精索の外にある．まれに，ヘルニア内容が陰嚢内にまで達する．	浅鼠径輪を通過するが，ヘルニア内容は精索内にある．通常，ヘルニア内容は陰嚢や大陰唇にまで達する．

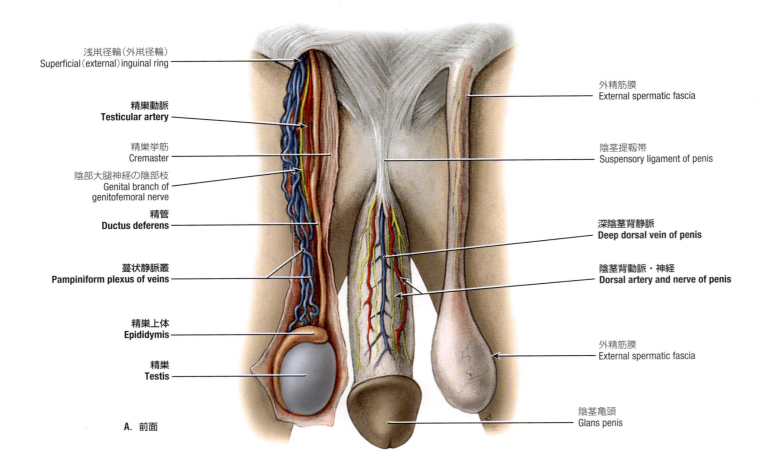

A. 前面

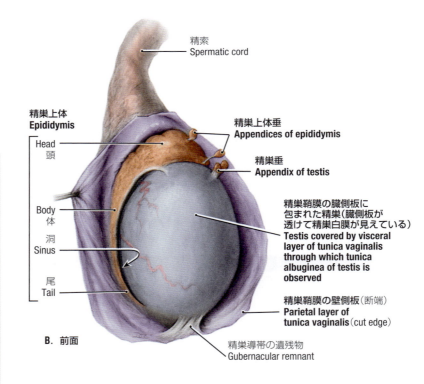

B. 前面

4.19 精索，精巣，精巣上体

A 精索．陰茎を覆う皮下組織を除去し，陰茎の深筋膜を透かして正中にある深陰茎背静脈と，その両側にある陰茎背動脈と陰茎背神経を見せている．右側では，精索と精巣を覆う膜構造が切り開かれ，精索の内容が個々に分離されている．本来は，蔓状静脈叢が精巣動脈の周囲を取り巻いていたはずである．精索内には，リンパ管や自律神経も存在するが，この図では描かれていない．

B 精巣と精巣上体．精巣鞘膜（の壁側板）は長軸方向に切り開かれており，精巣鞘膜腔が露出している．この空間は，精巣の前方と外側方を包み，さらには精巣上体洞の部位では，精巣と精巣上体の間にも広がる．精巣上体は精巣の後外側に位置するので，精巣上体によって精巣の右側面と左側面が区別できる．つまり，精巣上体は右側では精巣の右側に，左側では精巣の左側に位置する．精巣垂や精巣上体垂がみられる場合もある．精巣垂は，胎児期に存在した中腎傍管（ミュラー管）の上端部が遺残したものである．

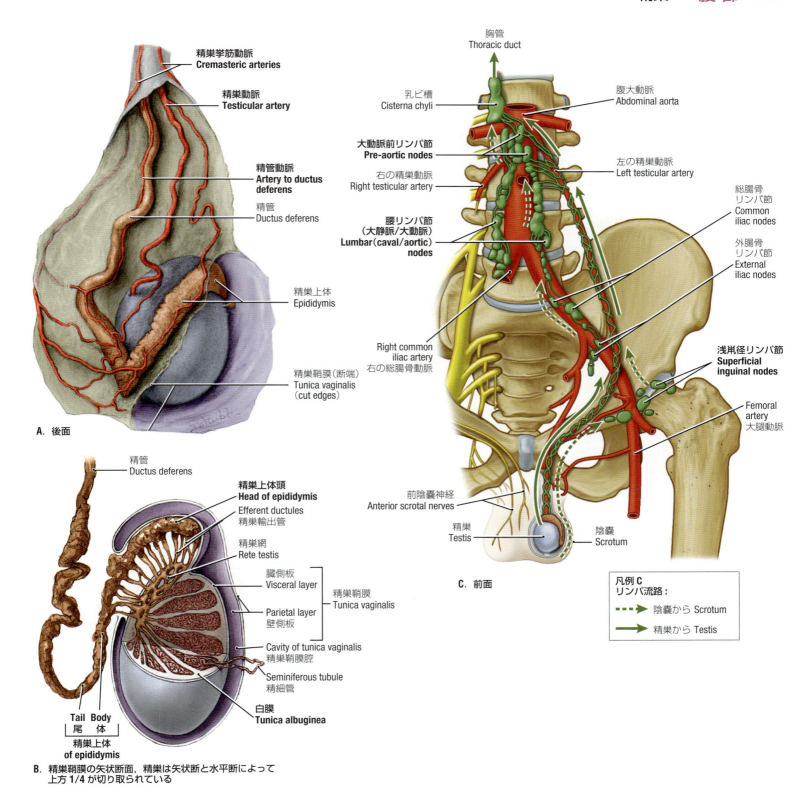

4.20 精巣の動脈とリンパ流路

A 動脈．B 精巣の内部構造．C リンパ流路．精巣は胎児期に後腹壁から陰嚢内へ下降してくるため，精巣のリンパ流路は陰嚢のそれとは異なる．精巣癌がリンパ行性に転移する場合，最初に腰リンパ節に転移するが，陰嚢癌ではまず浅鼠径リンパ節に転移する．

316 腹部　腹膜と腹膜腔

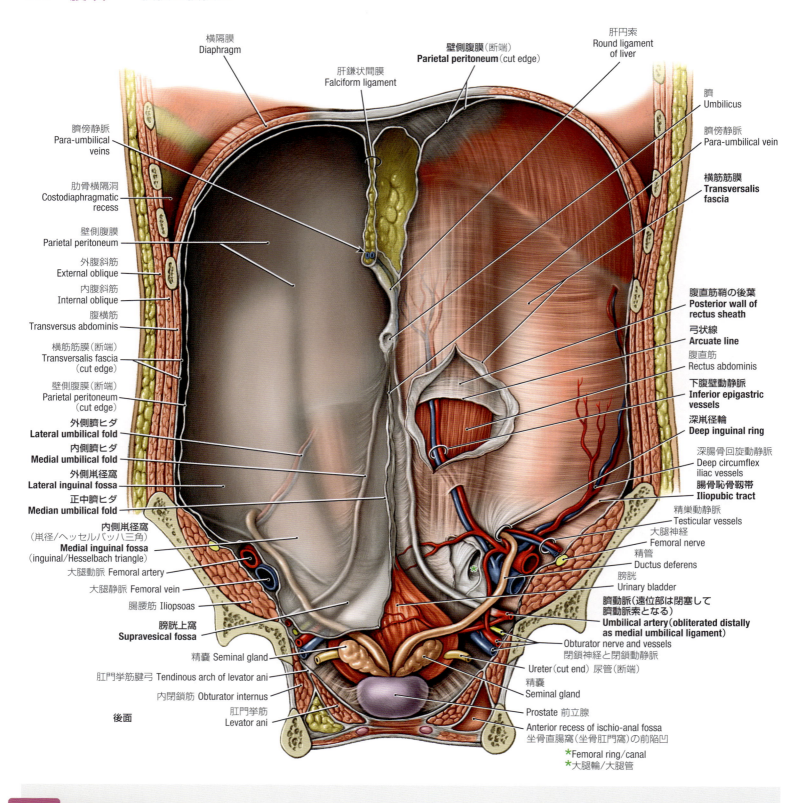

4.21 前腹壁の後面

　3種類の臍ヒダ（正中臍ヒダ，内側臍ヒダ，外側臍ヒダ）は，壁側腹膜の直下（前方）にある構造物によって，腹膜が土手状に盛り上がった部位である．正中臍ヒダは，膀胱から臍に向かって伸びており，正中臍索（尿膜管の遺残構造）を覆っている．また，2条の内側臍ヒダは臍動脈索（閉塞した臍動脈の遠位部）を覆い，さらにその外側にある2条の外側臍ヒダは下腹壁動静脈を覆う．

　これらのヒダにより，前腹壁の後面には以下の3つの窪みが形成される．
(1)膀胱上窩（正中臍ヒダと内側臍ヒダの間）．
(2)内側鼠径窩（内側臍ヒダと外側臍ヒダの間，鼠径三角とも呼ばれる）．
(3)外側鼠径窩（外側臍ヒダの外側，この位置に深鼠径輪がある）．

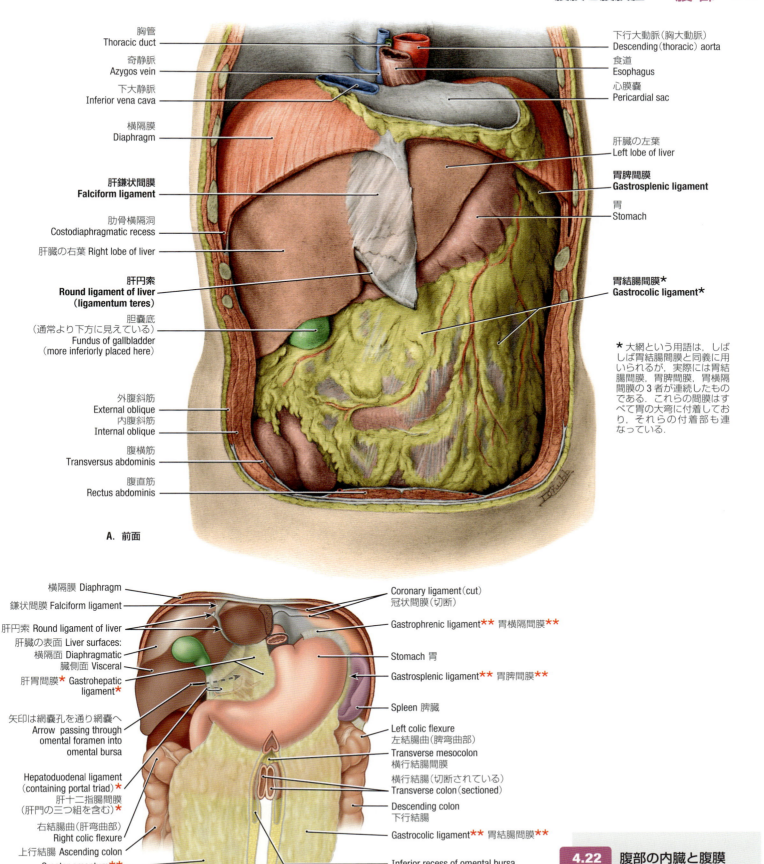

4.22 腹部の内臓と腹膜

A 解剖図. B 大網と小網の構成.

318 腹部　腹膜と腹膜腔

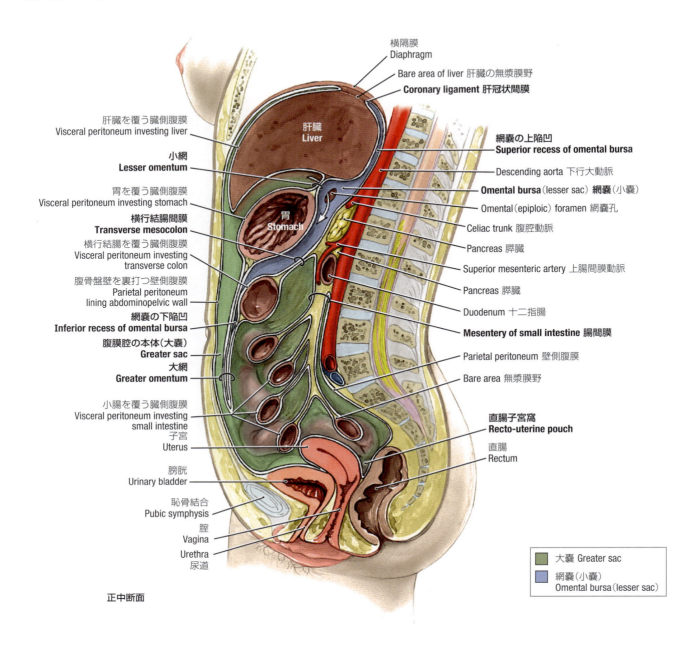

正中断面

4.23　腹膜，腹膜腔，無漿膜野

腹膜は臓器を腹壁や他の臓器につなぎ留めており，その結果として腹膜腔は入り組んだ構造をとり，いくつかの区画や陥凹をなす．腹膜や腹膜腔の各部を記載するために，さまざまな用語が用いられる．矢印は網嚢孔を通る．

表4.4　腹膜各部の用語

用語	定義
間膜	2枚の腹膜が合わさった部分であり，臓器を他の臓器や腹壁につなぎ留めている．壁側腹膜と臓側腹膜の移行部でもある．
腸間膜	最大の間膜であり，空腸と回腸を後腹壁から吊り下げている．
大網と小網	胃と十二指腸の近位部を隣接する臓器につなぎ留める間膜．大網は胃の大弯から下方に伸びている．小網は胃の小弯および十二指腸から上方に伸びている．
無漿膜野	臓器の表面のうち，臓側腹膜で覆われない部分であり，間膜の付着部に形成される．血管や神経が臓器に入る経路となる．無漿膜野という用語は肝臓にだけつけられているが，すべての内臓にみられる領域である．

腹膜と腹膜腔　腹部

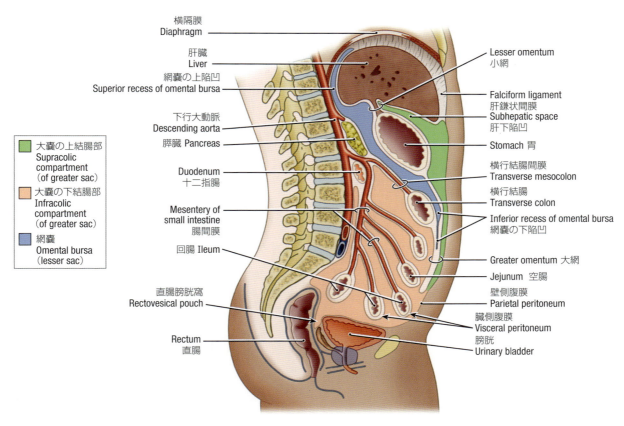

A. 右外側面

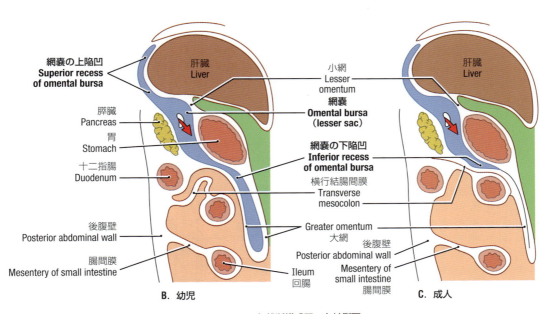

B. 幼児　　C. 成人

矢状断模式図，右外側面

4.24　腹膜腔の区分

A　矢状断模式図．B　幼児の網囊（小囊）．幼児では，網囊（小囊）は，腹膜腔の隔離された部分であり，胃の背側に位置し，上方では肝臓や横隔膜にまで及び（網囊の上陥凹），下方では大網内に入り込んでいる（下陥凹）．

C　成人の網囊．成人では，大網の癒着が起こった後，網囊の下陥凹は横行結腸までしか下方に広がらない．赤い矢印は大網から網囊孔を通り，網囊に至る．

320　腹部　腹膜と腹膜腔

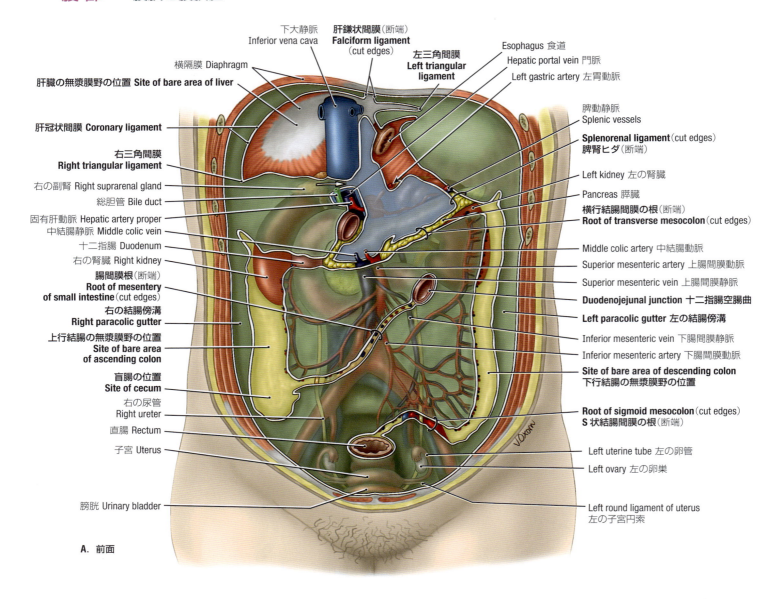

A．前面

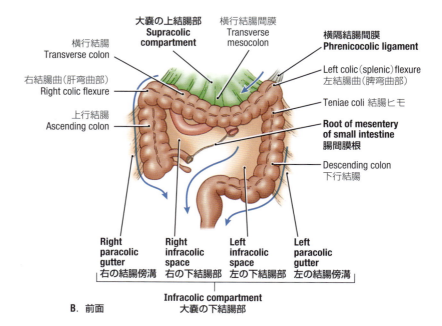

B．前面

4.25　後腹壁と腹膜腔

A　臓側腹膜あるいは間膜の腹壁への付着部．これらの付着部で腹膜を切り，腹膜内臓器と二次的に腹膜後臓器となった上行結腸と下行結腸を取り出してある．腸間膜根，肝臓の無漿膜野を囲む腹膜の反転部，結腸間膜の根などの断面が見えている．白い矢印は網嚢孔を通っている．

B　上結腸部と下結腸部．大囊の下結腸部（特に結腸傍溝）は臨床上重要な部位である．というのも，**腹水などの液体が貯留している場合，体位を変換すると，**液体はこれらの部位を流れて移動するからである（青矢印）．

腹膜と腹膜腔　腹部

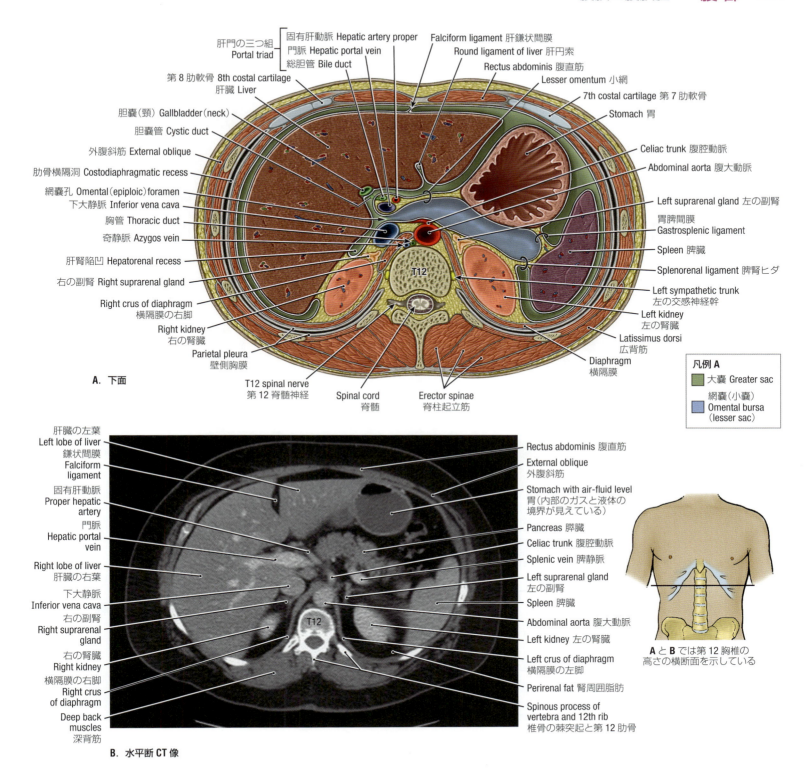

A. 下面

B. 水平断CT像

凡例 A
- 大囊 Greater sac
- 網嚢（小嚢）Omental bursa (lesser sac)

AとBでは第12胸椎の高さの横断面を示している

4.26　大網と網嚢を通る横断面

- 外傷や潰瘍などにより消化管の穿孔や破裂が起こると，管内のガスや内容物，細菌が腹膜腔内に入り，腹膜に感染と炎症（**腹膜炎**）が生じる．
- 腹膜炎のような病的な状態では，腹膜腔に腹水が貯留し，腔の拡大がみられる．腹膜の広範囲に癌細胞が転移（播種）した場合にも**腹水**（しばしば血液が混入する）が貯留する．腹膜腔には数リットルもの腹水が貯留する場合がある．腹膜腔内にチューブを挿入して溜まった腹水を抜き取る手技を**腹膜穿刺**と呼ぶ．

322 腹部　腹膜と腹膜腔

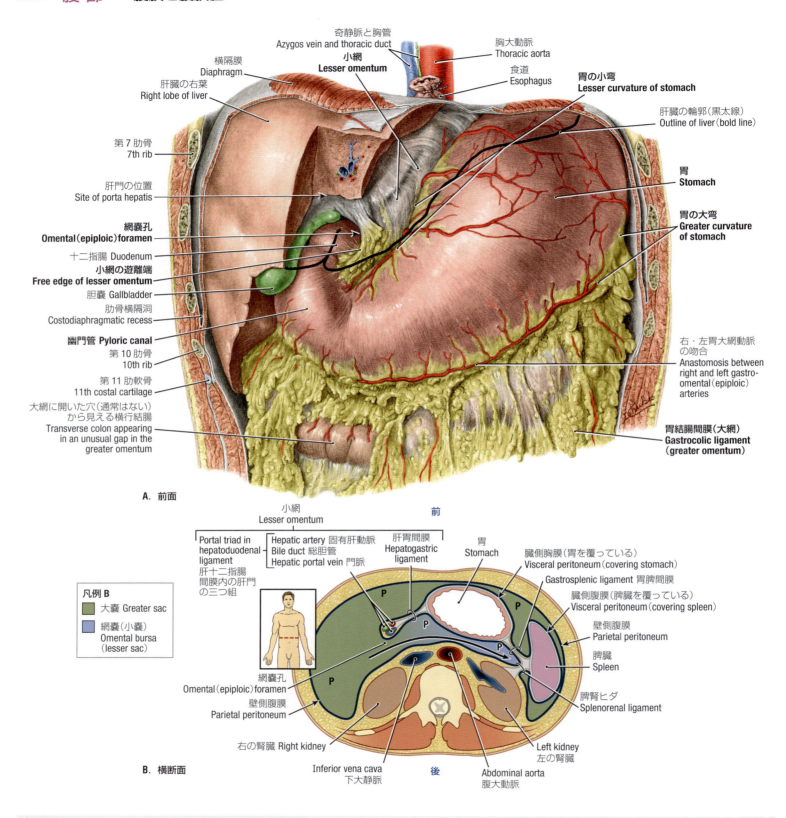

4.27 胃および大網と小網

A　大網と小網．胃は空気で膨らませてあり，肝臓の左部分は切除されている．胆嚢を上方へたどると小網の自由縁に達する．このことは網嚢孔を探す際に役立つ．なぜなら，網嚢孔の前縁は小網の自由縁によって形成されるからである．

B　網嚢（小嚢）の横断面（模式図）．矢印は網嚢孔と網嚢を横切る．

腹膜と腹膜腔　腹部

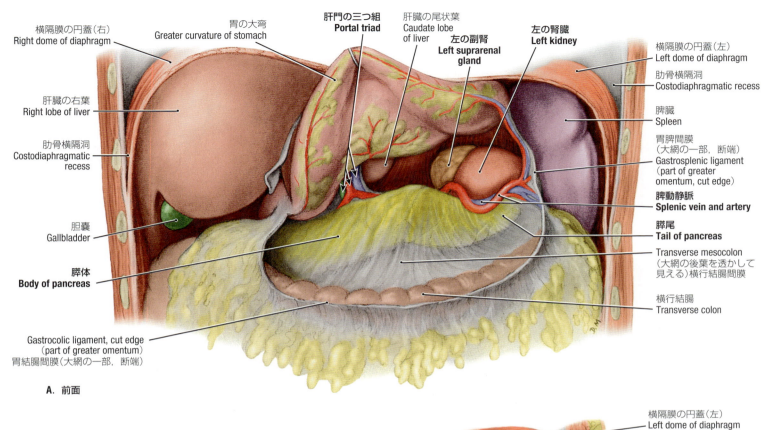

A. 前面

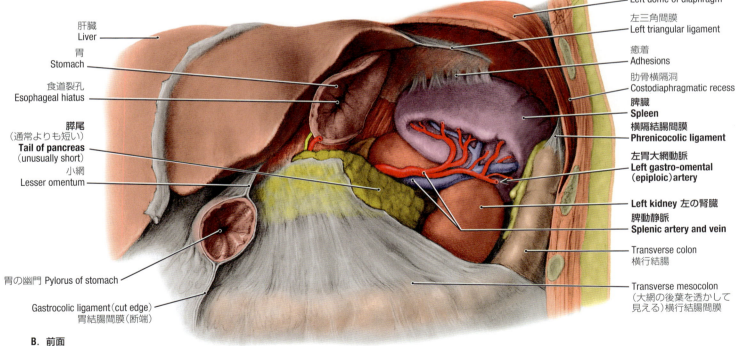

B. 前面

4.28 網嚢（小嚢）の後方にある構造

A　開放された網嚢． 大網は胃の大弯に沿って切開され，胃の大弯が引き上げられている．網嚢の後壁をなす腹膜が部分的に取り除かれ，その下にある腎臓や副腎が見えている．

B　胃の後方に位置する構造． 胃は摘出されている．さらに，網嚢の後壁をなす腹膜は大部分が取り除かれている．同様に，膵臓の左半分と腎臓の下部を覆う腹膜も取り除かれている．この遺体の膵臓は通常よりも短く，横隔膜と脾臓の間に癒着がみられる．この程度の癒着は，しばしば認められる．

324 腹部　腹膜と腹膜腔

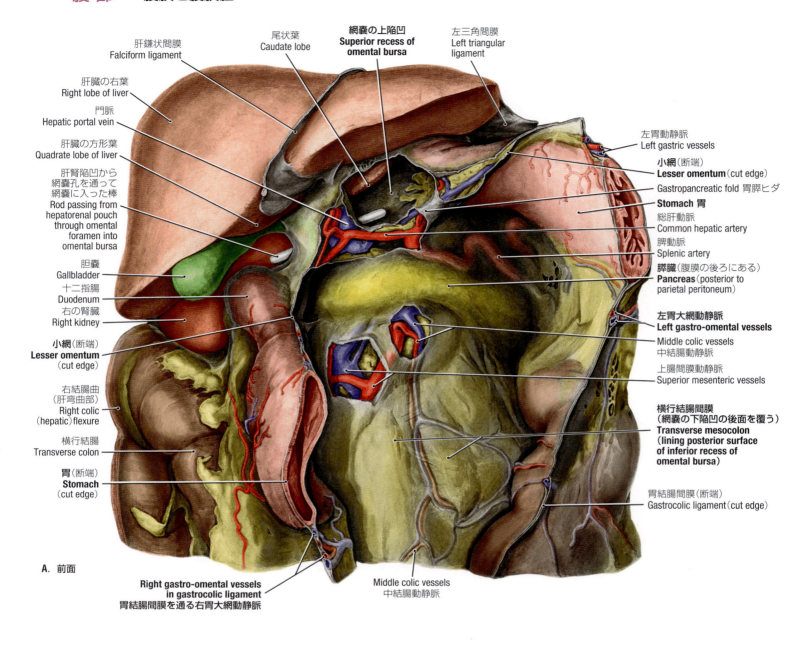

A. 前面

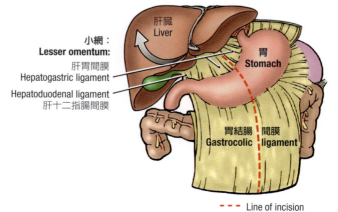

B. 前面

4.29 開放された網嚢（小嚢）

A 剖出．**B** Aの切開線．

　網嚢の前壁は胃，小網，胃結腸間膜の前葉，胃の小弯と大弯に沿って走る動静脈からなる．この図では，網嚢の前壁を矢状方向に切り開き，断端を左右に反転してある．つまり，胃体は左方に，幽門部と十二指腸の第1部は右方に反転してある．右の腎臓は肝腎陥凹の後壁を形成し，膵臓は網嚢後壁に接してほぼ水平に存在する．折れ返った胃結腸間膜の間が盲嚢の下陥凹である．下陥凹の前壁は胃結腸間膜の前葉からなるが，後壁は胃結腸間膜の後葉と横行結腸間膜が重なってできている．

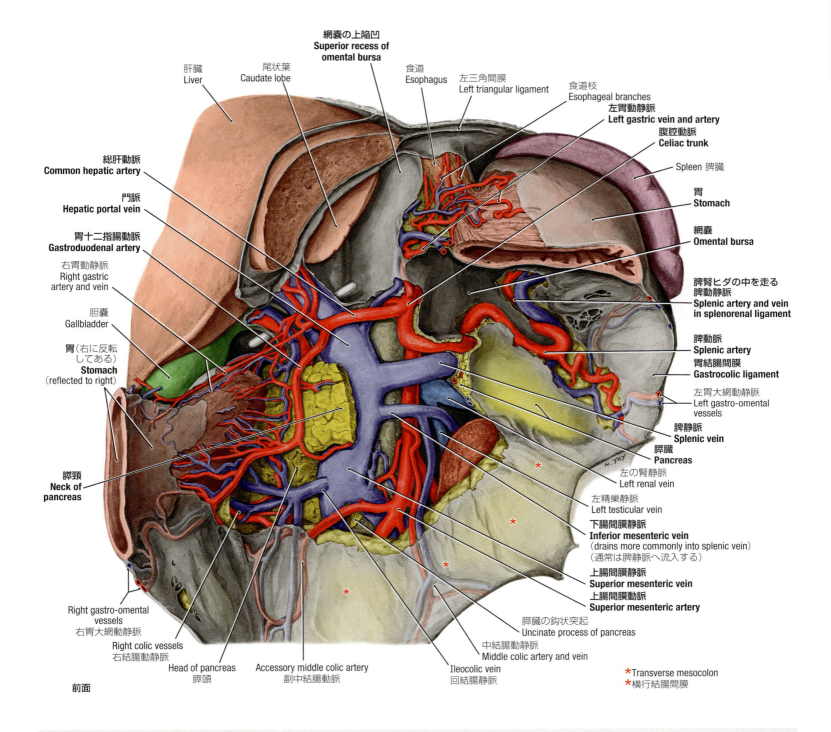

| 4.30 | 網嚢の後壁 |

網嚢の後壁を覆う腹膜は大部分が取り除いてあり、膵臓を部分的に切除してある。また、網嚢孔に棒が通してある。

- 腹腔動脈は以下の3本の動脈に分かれる。(1)左胃動脈(上方に向かって弓状に走る)、(2)脾動脈(迂曲しながら左方に走る)、(3)総肝動脈(右方に走り、門脈の前方を通過する)。
- 上腸間膜静脈と脾静脈は、膵頸(膵頭と膵体の間に相当)の後面で合流し、門脈となる。下腸間膜静脈は、この合流部もしくはどちらかの静脈へ流入する。
- 左精巣静脈は左腎静脈へ流入する。両者は体静脈系である。
- **腹膜の炎症**は、臓器の肥大、または臓器からの液体の漏出によって起こりうる。炎症が起こり、その領域で痛みが起こる。
- **反跳痛**は、炎症の領域にかかる圧力が解放される際に引き起こされる痛みである。

326 腹部 消化器系

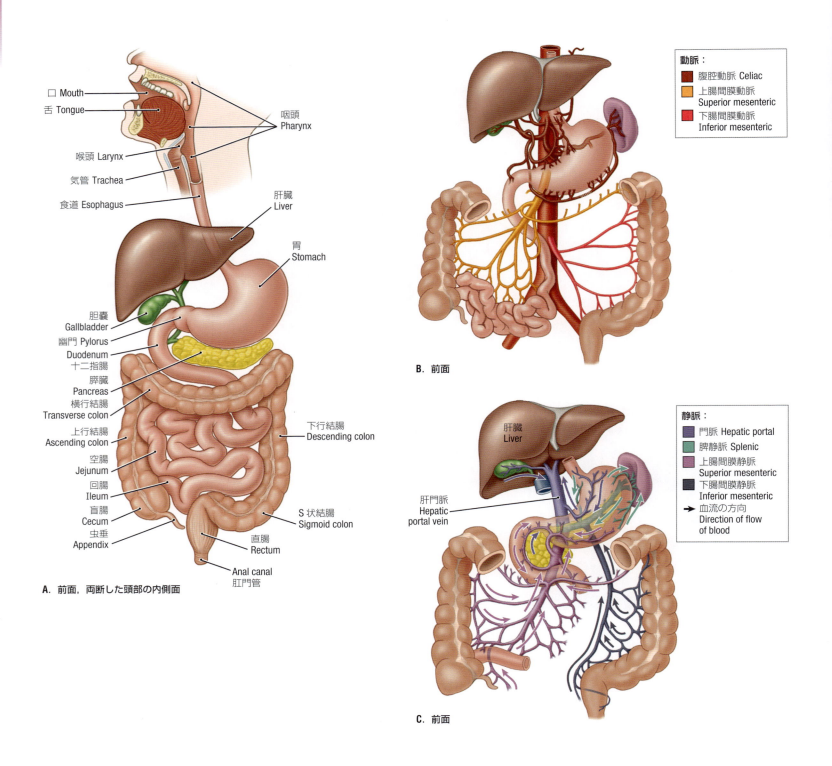

4.31 消化器系

A 概観．消化器系は口唇から肛門までつながる．付属腺には肝臓，胆嚢，膵臓がある．B 動脈供給の概観．
C 門脈流路の概観．

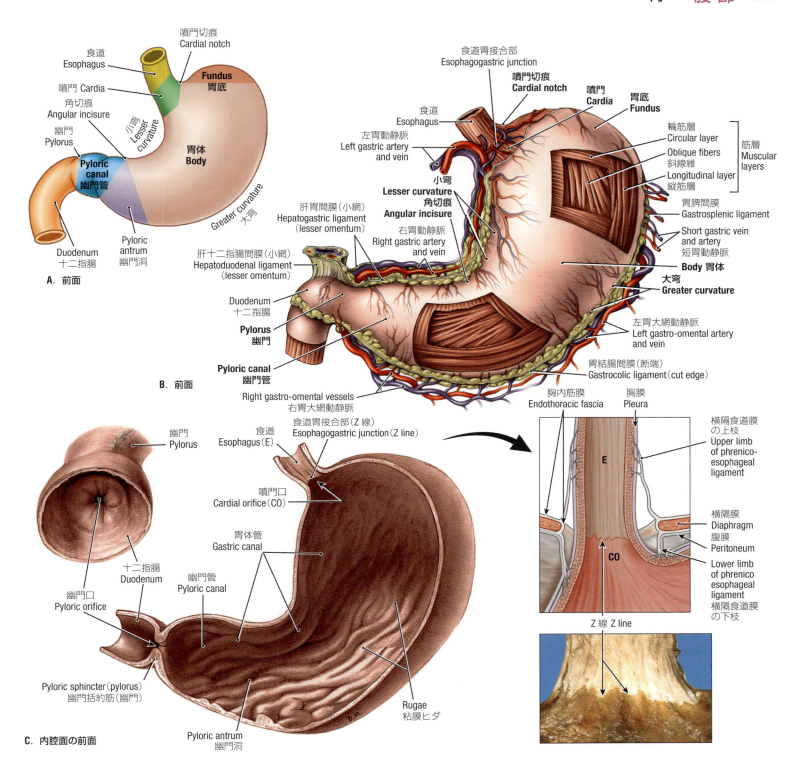

4.32 胃

A 胃の区分.
B 胃の概観と筋層.
C 胃の内観(粘膜面). 胃の前壁を取り除いてある. Cでは十二指腸側から見た幽門口と食道胃接合部の詳細な構造も示してある. Z線は食道の重層扁平上皮(写真の白い部分)と胃の単層円柱上皮(写真の茶褐色の部分)の移行部である.

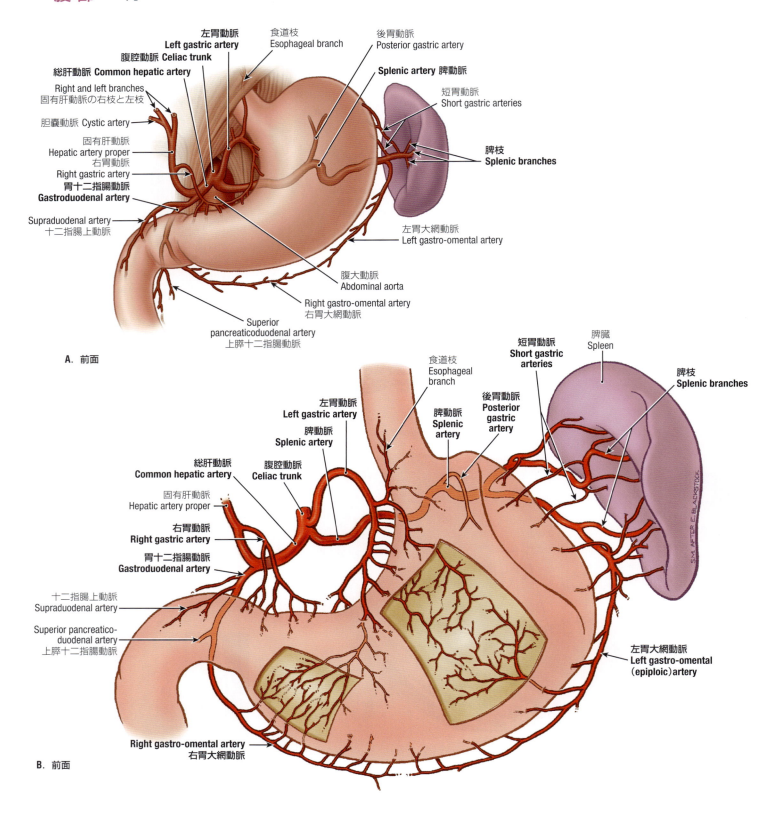

4.33 腹腔動脈

A 腹腔動脈の枝． 腹腔動脈は腹大動脈の枝であり，横隔膜の大動脈裂孔（第12胸椎の高さ）の直下から起こる．この動脈は通常1〜2 cmの長さしかなく，左胃動脈，総肝動脈，脾動脈に分かれ，上腹部の臓器〔肝臓，胆囊，膵臓，食道（腹部），胃，十二指腸，脾臓〕に分布する．

B 胃と脾臓の動脈． 胃の2つの領域で，漿膜と筋層を剝ぎ取り，粘膜下層における動脈の吻合網を示している．

胃　腹部

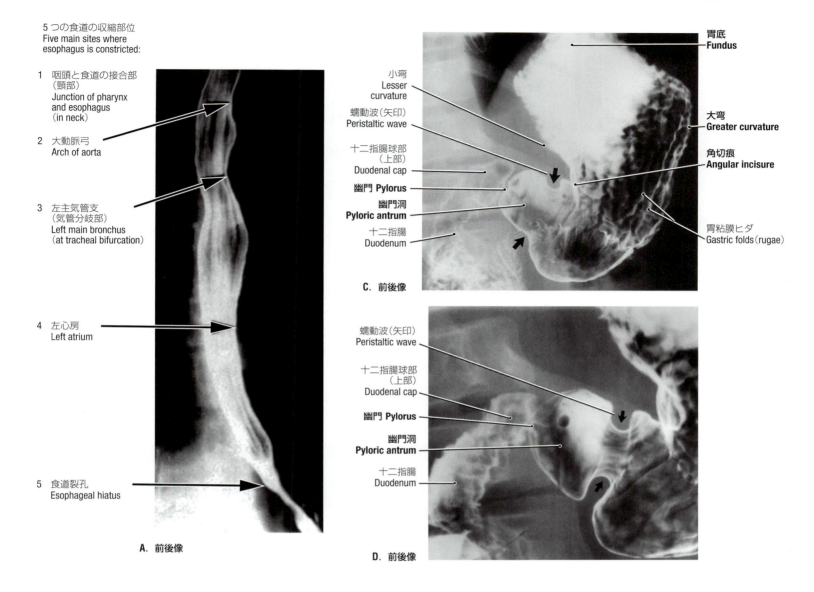

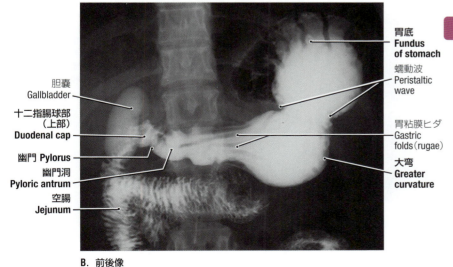

4.34 食道，胃，十二指腸のX線像（バリウム造影像）

A 5つの食道の収縮部位．

B 胃，十二指腸，空腸，胆嚢．胆嚢を映し出す造影剤が別に投与されている．

C 胃と十二指腸．

D 幽門洞と十二指腸球部（解剖学では上部と呼ぶ）．

CとDの矢印は，蠕動波を示している．

食道狭窄．食道には周囲の構造により圧迫を受けている部位がいくつかある．これらの部位では食物が他の部位よりゆっくりと通過し，臨床上，問題となることがある．異物を飲み込んでしまった場合には，異物は食道の圧迫部に引っかかることが多い．また，腐食性の液体（例えば苛性ソーダ）を誤飲した場合には，この圧迫部に狭窄を生じることが多い．

食道裂孔ヘルニアは，胃の一部が横隔膜の食道裂孔を通って縦隔内に入り込んだ状態を指す．このヘルニアは横隔膜の筋が弱くなり，食道裂孔が拡大することによって生じると考えられている．中年以降にみられる場合が多い．

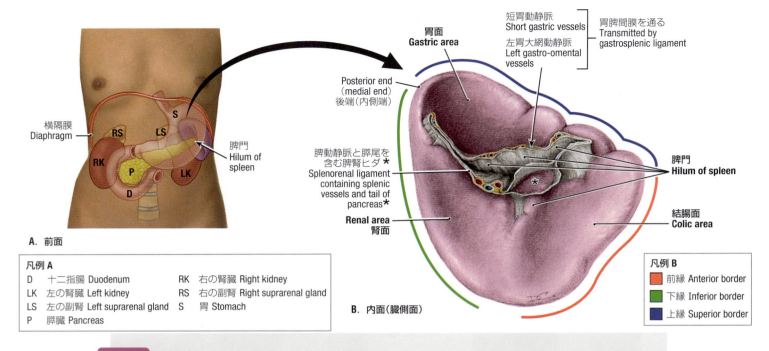

4.35 脾臓

A 体表から見た脾臓の位置．脾臓は左上腹部で，第 9-11 肋骨の高さに位置する．
B 脾臓の内側面．隣接する臓器によってできた圧痕（結腸面，腎面，胃面）に注目すること．上縁にはいくつかの切れ込みがみられる．

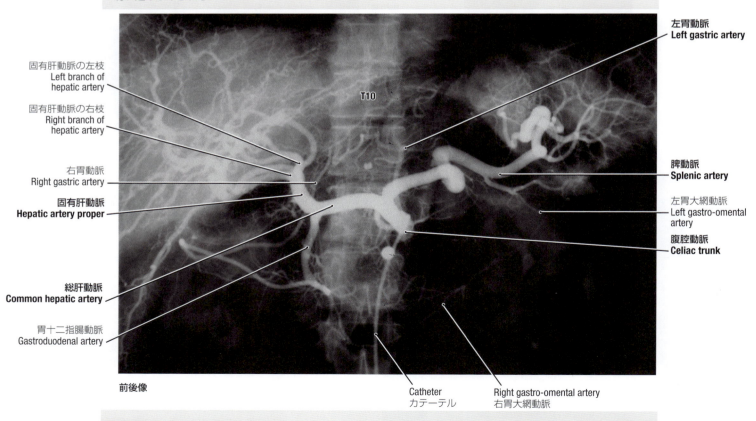

4.36 腹腔動脈造影像

膵臓，十二指腸と脾臓　腹部

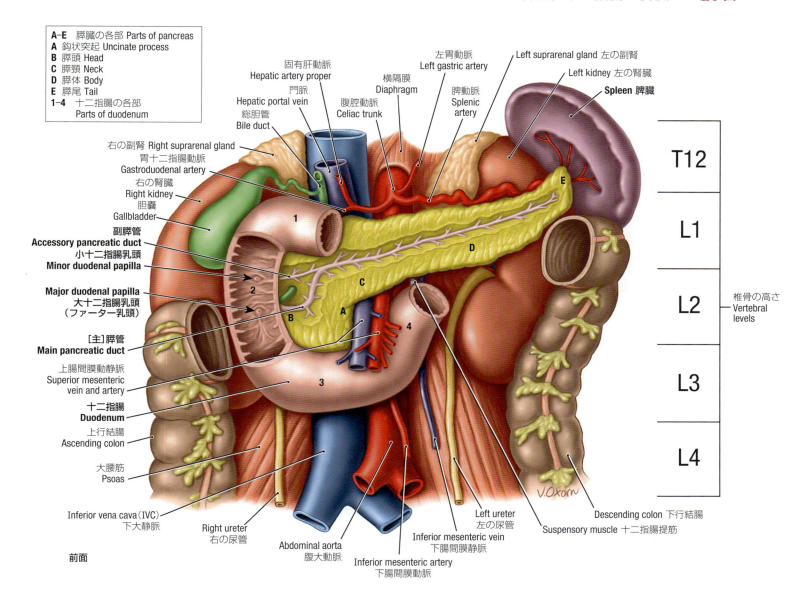

4.37 膵臓と十二指腸の各部，周辺の構造

原位置における十二指腸と膵臓．

表4.5　十二指腸の各部とその周辺構造

十二指腸の各部	前方	後方	内方	上方	下方	椎体との位置関係
上部（第1部）	腹膜，胆嚢，肝臓の方形葉	総胆管，胃十二指腸動脈，門脈，下大静脈		胆嚢頸	膵頸（膵頭と膵体の間で，上腸間膜動静脈の前方に位置する部分）	L1の前外側方
下行部（第2部）	横行結腸，横行結腸間膜，空腸	右腎臓の腎門，右腎動静脈，右尿管，右大腰筋	膵頭，膵管，総胆管			L2-L3の右方
水平部（第3部）	上腸間膜動静脈，空腸	右尿管，右大腰筋，下大静脈，腹大動脈		膵頭と鉤状突起，上腸間膜動静脈		L3の前方
上行部（第4部）	腸間膜根の最上方部，空腸	左大腰筋，腹大動脈の左縁	上腸間膜動静脈	膵体		L3の左方

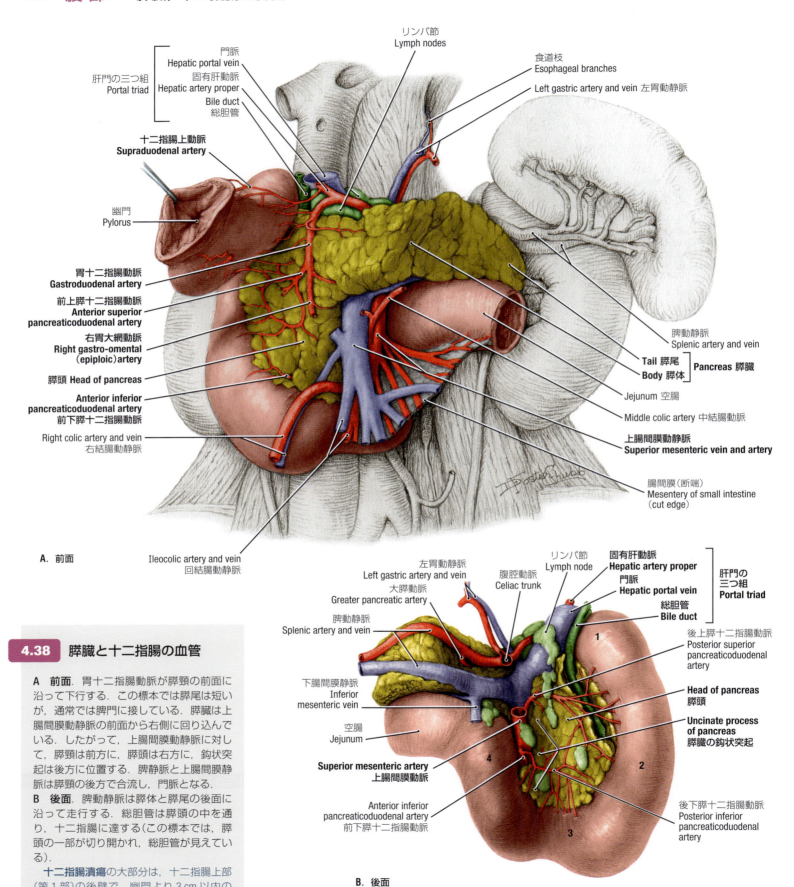

4.38 膵臓と十二指腸の血管

A 前面. 胃十二指腸動脈が膵頸の前面に沿って下行する．この標本では膵尾は短いが，通常では脾門に接している．膵臓は上腸間膜動静脈の前面から右側に回り込んでいる．したがって，上腸間膜動静脈に対して，膵頸は前方に，膵頭は右方に，鈎状突起は後方に位置する．脾静脈と上腸間膜静脈は膵頸の後方で合流し，門脈となる．

B 後面. 脾動静脈は膵体と膵尾の後面に沿って走行する．総胆管は膵頭の中を通り，十二指腸に達する（この標本では，膵頭の一部が切り開かれ，総胆管が見えている）．

十二指腸潰瘍の大部分は，十二指腸上部（第1部）の後壁で，幽門より3cm以内の場所にみられる．

膵臓，十二指腸と脾臓　腹部

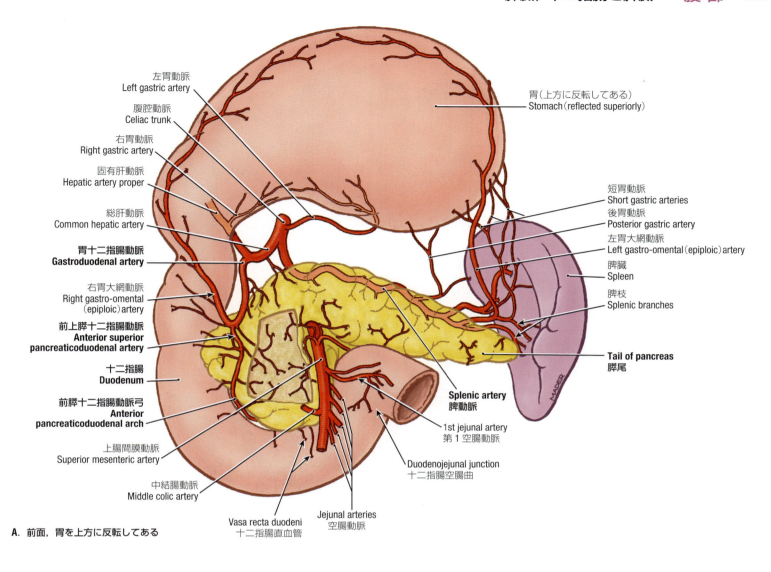

A．前面，胃を上方に反転してある

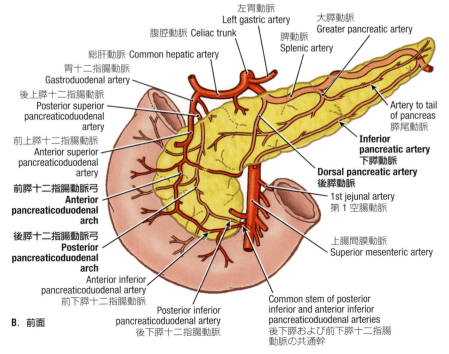

B．前面

4.39 膵臓，十二指腸および脾臓の動脈

A　腹腔動脈と上腸間膜動脈．B　膵臓と十二指腸の動脈．

- 前上膵十二指腸動脈（胃十二指腸動脈の枝）と前下膵十二指腸動脈（上腸間膜動脈の枝）は，膵頭の前面で前膵十二指腸動脈弓を形成する．また，後上膵十二指腸動脈（胃十二指腸動脈の枝）と後下膵十二指腸動脈（上腸間膜動脈の枝）は，膵頭の後面で後膵十二指腸動脈弓を形成する．前・後下膵十二指腸動脈は共通幹を形成することもある．
- 膵臓に分布する動脈は，総肝動脈，胃十二指腸動脈，膵十二指腸動脈弓，脾動脈，上腸間膜動脈から起こる．

334 腹部　腸

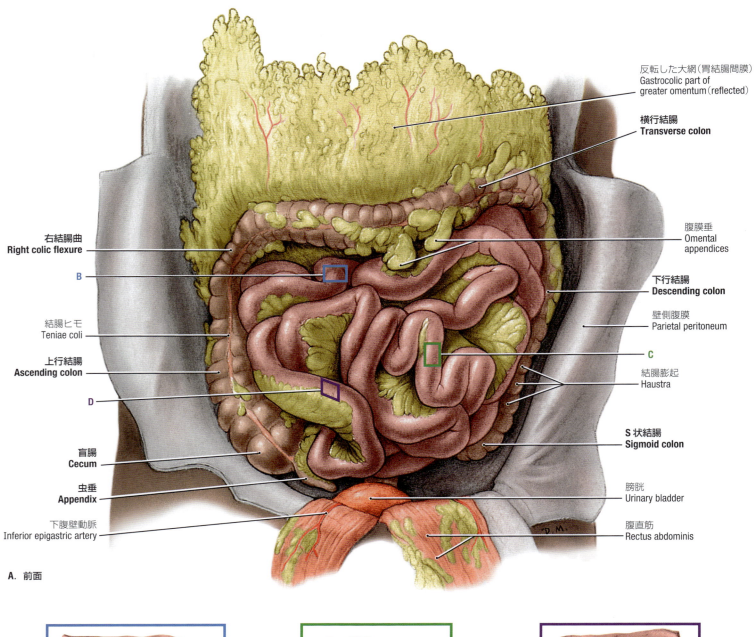

A．前面

B．空腸の近位部

C．回腸の近位部

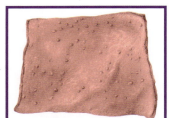

D．回腸の遠位部

4.40　原位置における腸と小腸の内面

A　原位置における腸． 大網は上方に反転してある．右下腹部において，回腸を反転し，虫垂を露出してある．虫垂は通常，盲腸の後方に存在するか，もしくは，この図のように骨盤の縁を乗り越えて突出する．大腸には結腸ヒモ，結腸膨起，腹膜垂といった特徴的な構造がみられる．

B　空腸近位部の内面． 輪状ヒダは丈が高く，密に並んでおり，通常分枝している．

C　回腸近位部の内面． 輪状ヒダは丈が低く，疎になる．また腸管の径は小さくなり，壁も薄くなる．

D　回腸遠位部の内面． 輪状ヒダは見られず，壁には孤立リンパ小節が散在する．

腸　腹部　335

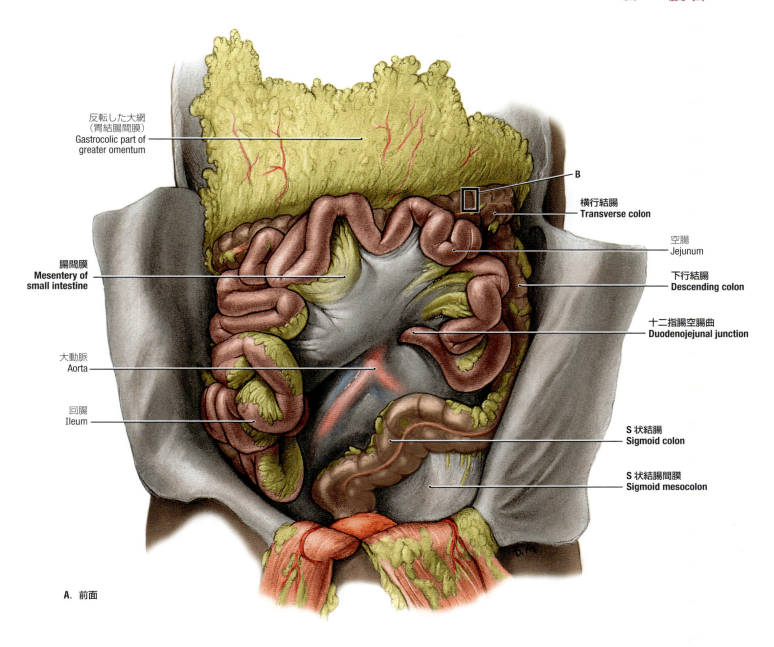

A. 前面

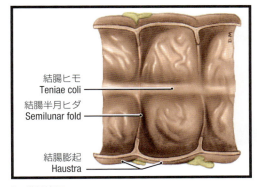

B. 横行結腸

4.41　腸間膜，S状結腸，横行結腸の内面

A　腸間膜とS状結腸間膜．
- 十二指腸空腸曲は正中面よりも左方に位置している．
- 腸間膜は，その短い根から扇状に著しく広がり，長大な（約6mに及ぶ）空腸と回腸を保持する．
- 下行結腸は結腸の中でも最も狭い部分であり，腹膜後器官の1つである．
- S状結腸はS状結腸間膜を有し，S状結腸間膜が終わったところで，直腸となる．

B　横行結腸の内面． 平滑な内面において結腸半月ヒダが際立っており，外面に存在する結腸ヒモの位置もわかる．

336 腹部　腸

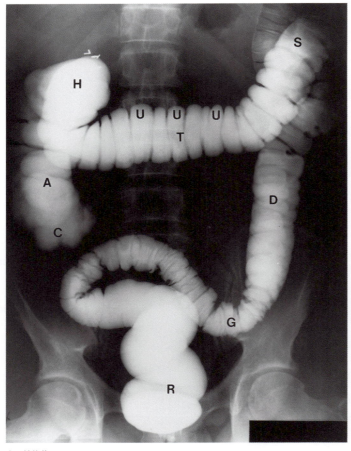

A. 前後像

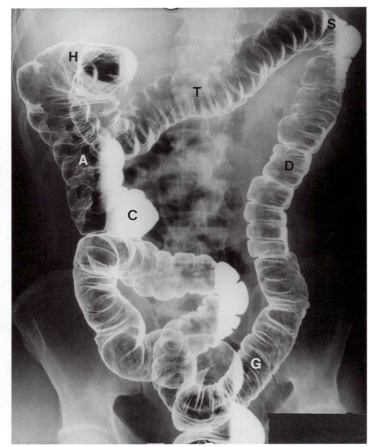

B. 前後像

凡例 A, B

A	上行結腸 Ascending colon	G	S状結腸 Sigmoid colon	S	左結腸曲 Splenic flexure
C	盲腸 Cecum	H	右結腸曲 Hepatic flexure	T	横行結腸 Transverse colon
D	下行結腸 Descending colon	R	直腸 Rectum	U	結腸膨起 Haustra

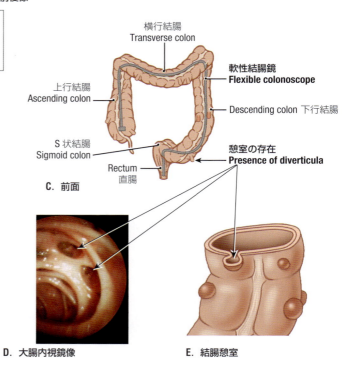

C. 前面

D. 大腸内視鏡像

E. 結腸憩室

4.42　結腸のX線像（バリウム造影像）と内視鏡像

A　バリウムのみによる**単造影像**。注入されたバリウムが結腸に充満している。

B　バリウムと空気による**二重造影像**。結腸に空気が注入され、バリウムは腸の内面を覆うようになる。これにより粘膜のヒダや結腸膨起が鮮明に観察できるようになる。

C　**結腸内視鏡**。内視鏡によって結腸の内面を観察することができる。通常、光ファイバーを用いた軟性結腸内視鏡が使われる。この内視鏡は、肛門から挿入し、直腸を通り盲腸までみることができる。

D　**結腸憩室**の内視鏡像。結腸壁にできる球状の突出部で、内視鏡によって憩室の入り口がみえる。

E　**憩室の図**。結腸憩室は、粘膜が嚢状に突出したものであり、壁に筋層を含まないもの（仮性憩室）が多い。通常、結腸憩室はS状結腸に多発し（結腸憩室の約60％）、中年以降に生じやすい。結腸憩室の感染や穿孔により、憩室炎を生じる場合がある。また、**結腸憩室**が腸壁の血管を侵食し、出血の原因となる場合もある。

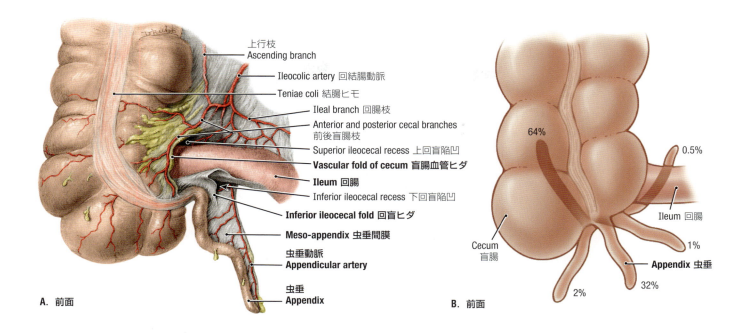
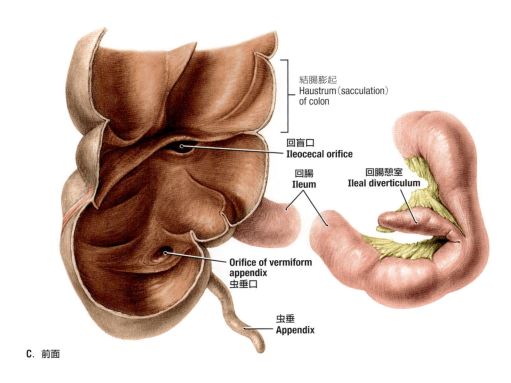

4.43 回盲部，虫垂，回腸憩室

A 動脈の分布．虫垂動脈は虫垂間膜の自由縁に沿って存在する．回盲ヒダは血管を含まないが，盲腸血管ヒダの中には盲腸に分布する動静脈が走っている．

B 虫垂のさまざまな位置とその頻度．

C 盲腸の内面と回腸憩室（メッケル（Meckel）憩室）．この盲腸は，空気で膨らませたまま乾燥したもので，切り開いてニスを塗ってある．回腸憩室は1-2%にみられる先天性異常であり，卵黄腸管の近位部が嚢状に遺残したものである（長さ3-6 cm）．典型例では，回腸と盲腸の接合部から50 cm 以内に認められる．回腸憩室は時に炎症を起こし，虫垂炎に酷似した腹痛をきたす．

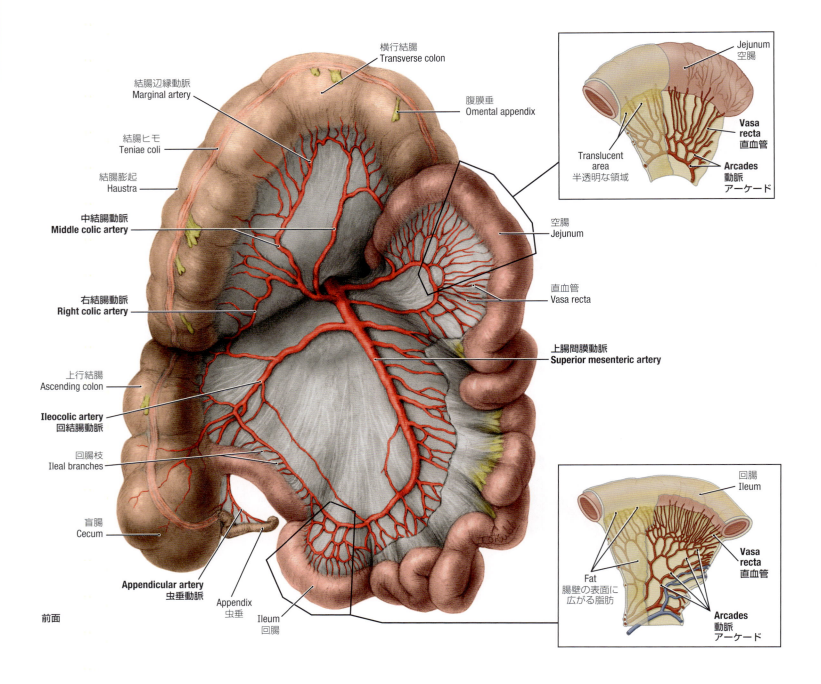

4.44 上腸間膜動脈と動脈アーケード

腸間膜の腹膜を剥ぎ，動脈を剖出してある．

- 上腸間膜動脈の本幹は，自らの枝の1つである回結腸動脈の回腸枝と吻合して終わる．
- 挿入図を見て，空腸と回腸の構造を以下の点に注目して比較すること．(1)径，(2)壁の厚さ，(3)動脈アーケードの数，(4)直血管の長さ，(5)腸間膜縁における半透明な（脂肪を欠く）領域の有無，(6)腸間膜から腸壁の表面に広がる脂肪の有無．
- **急性虫垂炎**は急性腹症（腹部に激しい痛みが突然に出現した状態）の一般的な原因の1つである．急性虫垂炎による痛みは，多くの場合，臍周囲の漠然とした痛みから始まる．これは，虫垂からの求心性線維と第10胸神経を介して脊髄に入るためである．さらに時間が経過すると，右下腹部に比較的限局した激しい痛みが現れるが，これは後腹壁を覆う壁側腹膜に炎症が及んだ結果である．

腸 腹部

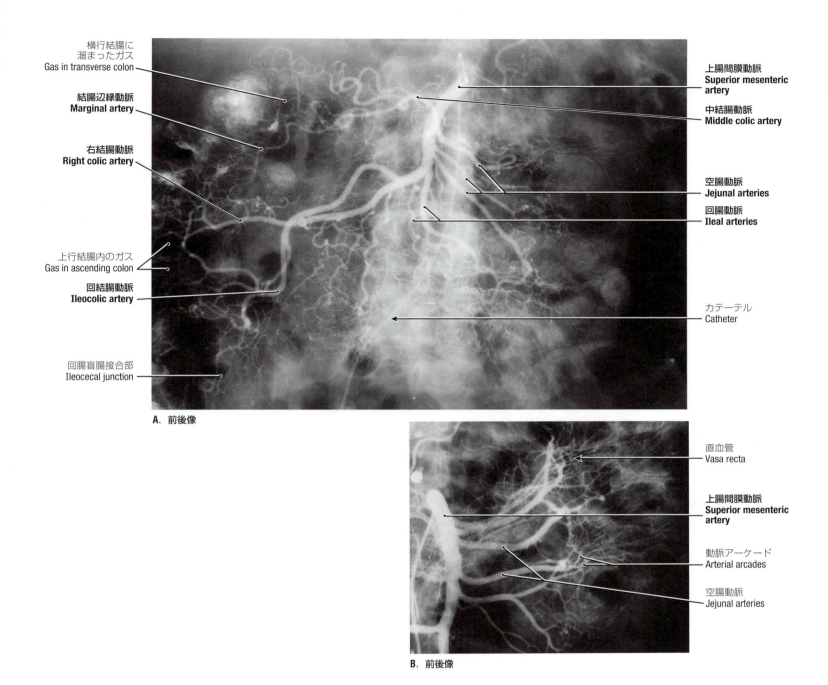

A. 前後像

B. 前後像

4.45 上腸間膜動脈造影像

A 上腸間膜動脈の枝．図4.44を参照し，枝の同定を行うこと．
B 空腸動脈，動脈アーケード，直血管の拡大図．

- 上腸間膜動脈の枝には，左側面から12本以上の空腸・回腸動脈が，右側面から中結腸動脈，回結腸動脈，右結腸動脈が分枝される（この例では回結腸動脈と右結腸動脈は共通幹を形成している）．空腸・回腸動脈は吻合して動脈アーケードを形成し，ここから分かれた直血管が空腸と回腸に入る．また，結腸に向かう動脈どうしも吻合し，結腸と平行に走る結腸辺縁動脈を形成し，ここから出た直血管が結腸に入る．
- **直血管が閉塞**すると，その流域にあたる腸の一部が虚血に陥る．上腸間膜動脈の本幹が閉塞すると，腸の壊死と麻痺性イレウス（腸閉塞）を生じ，腹壁の伸展に伴う激しい疝痛，嘔吐，発熱，脱水症状がみられる．動脈造影により，上腸間膜動脈に狭窄や閉塞が発見された場合，外科的に血行の再建を行う場合がある．

340 腹部 腸

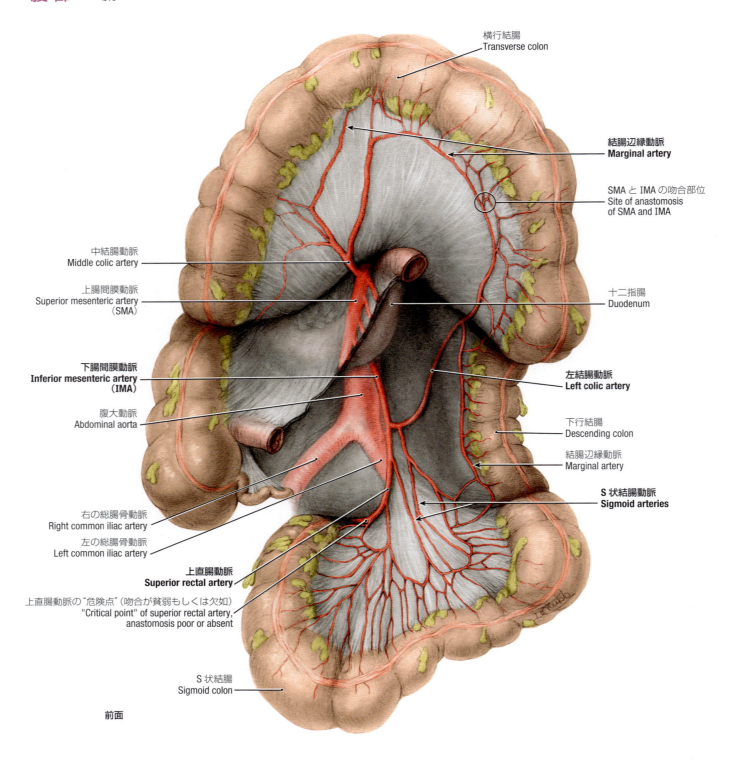

前面

4.46 下腸間膜動脈

腸間膜を腸間膜根のところで切断してある．
- 下腸間膜動脈は，十二指腸上行部の後方，腹大動脈の分岐部から約4cm上方で起始する．この動脈は，左の総腸骨動脈を乗り越えると，上直腸動脈となる．
- 下腸間膜動脈からは，左結腸動脈および数本のS状結腸動脈が分枝される．S状結腸動脈の下位2本は上直腸動脈から分かれる．
- 上直腸動脈から結腸へ最後の枝が分枝される部位は上直腸動脈の"危険点"として知られている．危険点よりも遠位では，上直腸動脈と他の動脈との吻合が貧弱であったり，欠如することもある．

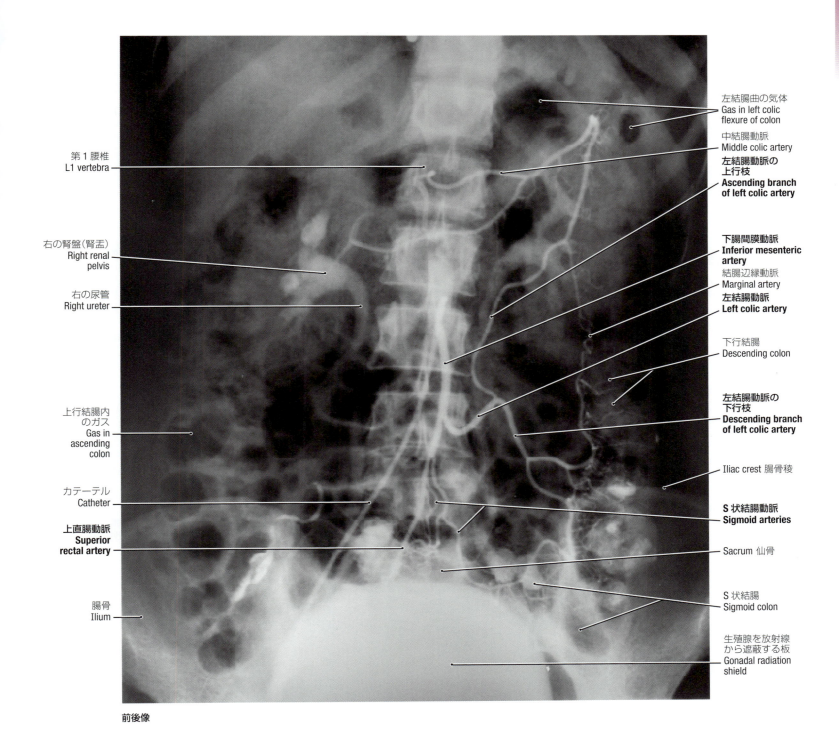

前後像

4.47 下腸間膜動脈造影像

- 左結腸動脈は，下行結腸に向かって左方へ走り，上行枝と下行枝に分岐する．
- 2-4本のS状結腸動脈がS状結腸に分布する．
- 上直腸動脈は下腸間膜動脈本幹の延長で，直腸に分布する．上直腸動脈は，中直腸動脈や下直腸動脈（いずれも内腸骨動脈から起こる）の枝と吻合する．

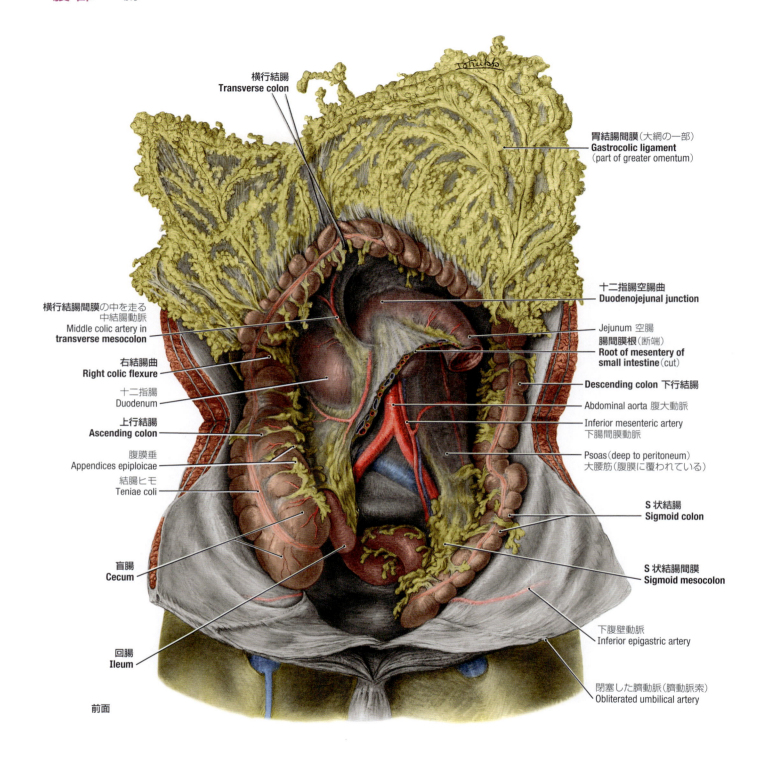

4.48 後腹膜腔を覆う腹膜

胃結腸間膜（大網の一部）が上方に反転され，横行結腸とその間膜も引き上げられている．また，虫垂は外科手術によって切除されている．この標本から，後腹壁の腹膜を除去したのが，図 4.49 である．

- 腸間膜根は，長さが 15～20 cm で，十二指腸空腸曲と回腸盲腸接合部の間に存在する．
- 大腸は，空腸と回腸を取り巻く額縁の 4 面中 3.5 面を形成する．この額縁の右辺は，盲腸と上行結腸，上辺は横行結腸，左辺は下行結腸と S 状結腸の近位部，下辺は S 状結腸の遠位部からなる．
- **結腸の慢性炎症（潰瘍性大腸炎やクローン病）**では，結腸と直腸に重度の炎症と潰瘍がみられる．患者の一部では，回腸末端部から肛門管までを切除して，回腸の断端を前腹壁に開口させ，人工肛門を造設する場合がある．

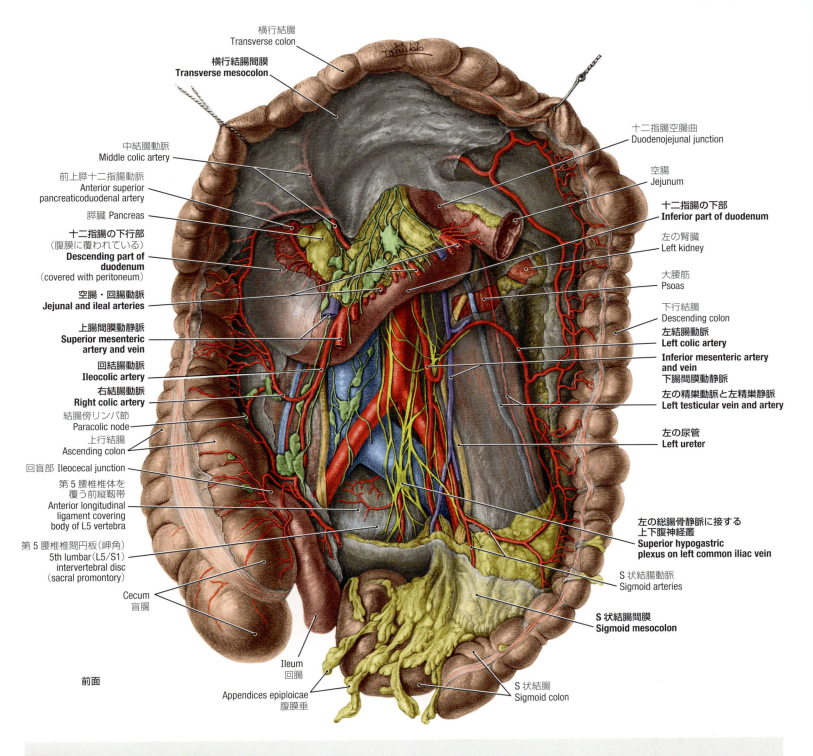

4.49 腹膜を取り除いた後腹膜腔

図 4.48 から後腹壁の腹膜を除去したところ．空腸動脈と回腸動脈（断端が見えている）は上腸間膜動脈の左側面から分枝される．この標本では，右結腸動脈が回結腸動脈から起こっている．

- 十二指腸は，上腸間膜動静脈と交叉するまでは径が太いが，それ以後は細くなる．
- 右側では，上行結腸の表面に傍結腸リンパ節，回結腸動脈に沿って回結腸リンパ節が認められる．これらを出たリンパ液は，次に膵臓の前面にあるリンパ節へ流入する．
- 結腸とその血管は，剥離可能な1つの層（胚の背側腸間膜の遺残）の中に存在する．この層は精巣動静脈を含む同様の層よりも前方に位置する．さらに，これらの2層は，腎臓とその血管，尿管を含む層よりも前方に位置する．
- 上下腹神経叢は腹大動脈の分岐部よりも下方に位置する．また，この神経叢は，左総腸骨静脈，第5腰椎・第1仙椎椎体とその椎間円板の前方に位置する．

344 腹部　肝臓と胆嚢

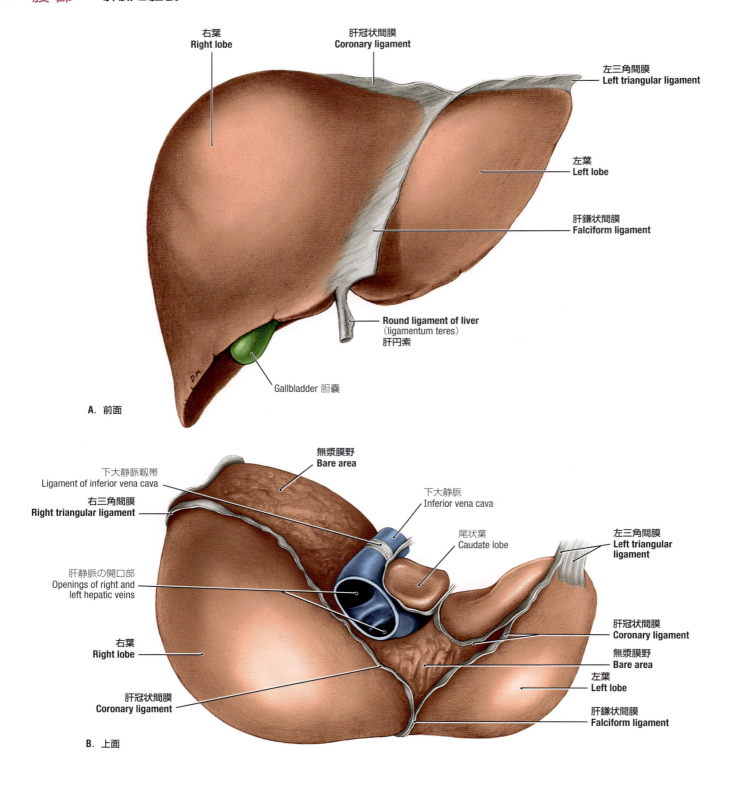

4.50 肝臓の横隔面（前面と上面）

A　肝臓の前面．肝鎌状間膜を，横隔膜や前腹壁との付着部付近で切断してある．胆囊底は肝臓の下縁から突出している．肝鎌状間膜は，解剖学的右葉と左葉の境界をなし，その自由縁の中を肝円索が走る．

B　肝臓の上面．肝鎌状間膜を形成する2枚の腹膜が肝臓の上面で左右に分かれ，肝冠状間膜の上葉となる．さらにこの間膜は，肝臓上面の左端と右端で三角間膜に移行する．肝臓はこれら3種の間膜（肝鎌状間膜，肝冠状間膜，三角間膜）によって，体壁と横隔膜に固定されている．

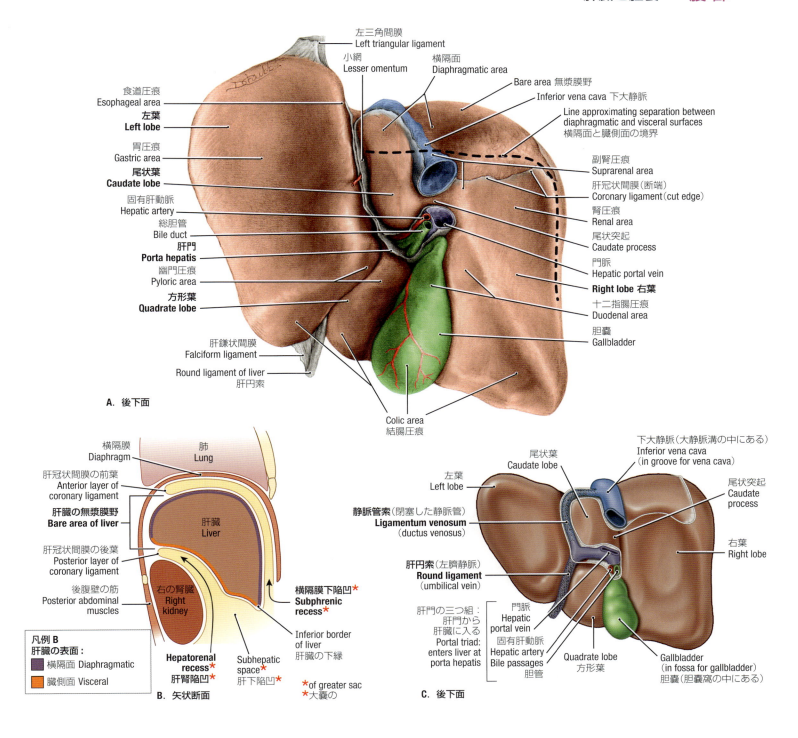

4.51 肝臓の臓側面（後下面）

A 葉と周囲の臓器による圧痕．
B 肝臓の面，肝臓周囲にできる腹膜の陥凹．
C 肝円索と静脈管索．肝円索は閉塞した臍静脈が線維性の索状物として遺残したものである．胎児期には，胎盤から流れ込む酸素に富んだ血液を運んでいた．同様に，静脈管索は閉塞した静脈管が線維性の索状物となったもので，この静脈は臍静脈から門脈へ流入した血液を肝静脈へ短絡させている．

診断のために肝組織の一部を採取すること（肝生検）がある．一般的に肝生検では，生検針を第10肋間隙の腋窩中線の位置から刺入し，肝組織を採取する．生検針を刺入する前に，患者には最大呼気位を保たせて，肋骨横隔洞の容積を小さくしておく．これにより，肺を損傷したり，胸膜腔を汚染したりする危険が減少する．

346 腹部　肝臓と胆嚢

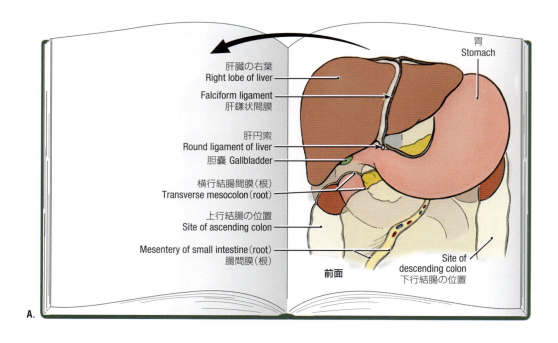

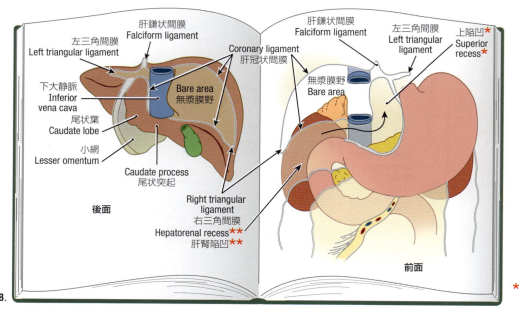

*of omental bursa 網嚢の
**of greater sac 大嚢の

4.52　肝臓とその後方にある構造との位置関係（模式図）

A　原位置における肝臓．空腸，回腸，上行結腸，横行結腸，下行結腸は取り除いてある．

B　反転した肝臓と後面の関係．肝臓の付着部を切り取り，本のページをめくるように（Aの矢印のように）肝臓を反転してある．したがって，肝臓の後面が見えており，さらに肝臓の後方に位置する構造が隣りのページに描かれている．矢印は網嚢孔を通り，網嚢に入り，網嚢の上陥凹に達している．

肝臓と胆嚢　腹部

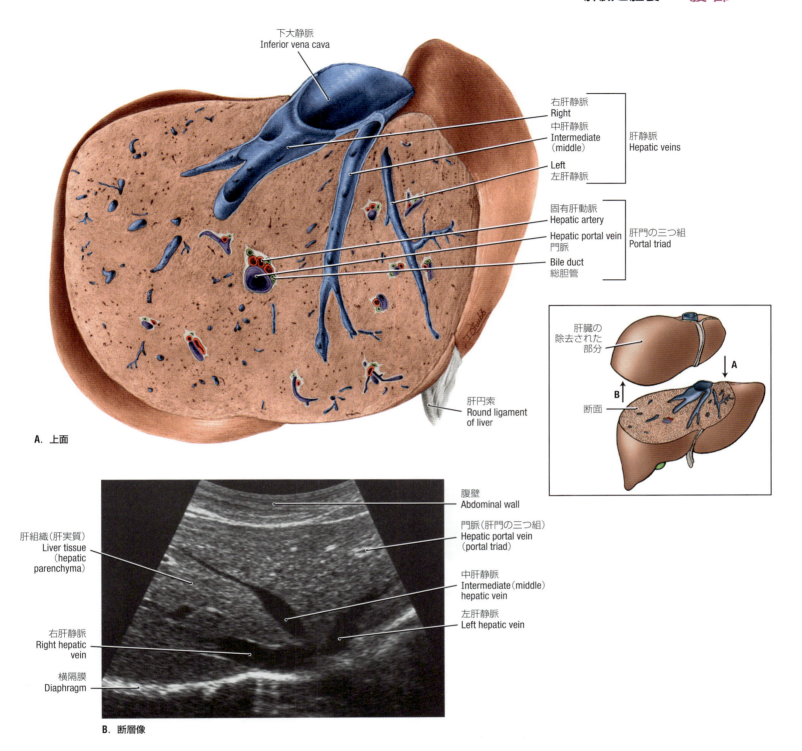

A．上面

B．断層像

4.53　肝静脈

A　肝臓のほぼ水平な断面．後面がこのページの上方を向いている．断面のいたるところに脈管を取り囲む血管周囲線維鞘〔グリソン（Glisson）鞘〕が認められる．この鞘は肝門の三つ組（門脈の枝，固有肝動脈の枝，総胆管）とリンパ管をまとめて取り囲んでいる．散在する血管周囲線維鞘の間には，3つの肝静脈（右肝静脈，中肝静脈，左肝静脈）の枝が単独で見えており，鞘を伴わず，下大静脈へ流入する．

B　超音波断層像．探触子を肋骨弓の下方におき，後方に向かって超音波を当てている．**A**を逆さまにした状態に対応する画像が得られている．

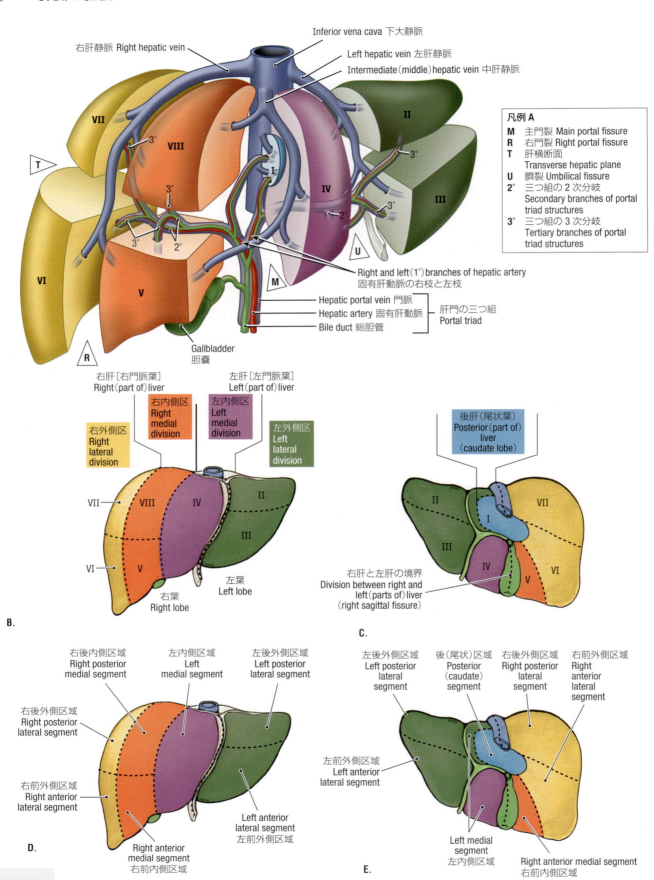

348 腹部　肝臓と胆囊

4.54 肝区域

4.54 肝区域(続き)

各肝区域には門脈，肝動脈，胆管の2次もしくは3次分枝が1本ずつ分布する．肝静脈は肝門の三つ組とは別に存在し，肝区域の間を走りながら，面する区域から血液を集める．各肝区域に分布する血管や胆管は，他の区域のものと吻合しないので，葉あるいは区域ごとに肝臓を切除すること(葉切除術，区域切除術)が可能である．各肝区域には番号が付けられている．また，各区域の名称は表4.6に示してある

表4.6 肝臓の区分

外表面からの区分	右葉			左葉		尾状葉
門脈の分布に基づく機能的区分[a]	右肝[右門脈葉][b]			左肝[左門脈葉][c]		後肝
	右外側区	右内側区		左内側区	左外側区	[右尾状葉[b]，左尾状葉[c]]
	右後外側区域；第VII区域，[後上域]	右後内側区域；第VIII区域，[前上域]		左内側区域；第IV区域，[内上域]，[内下域＝方形葉]	左外側区域；第II区域，[外上域]	後区域；第I区域
	右前外側区域；第VI区域，[後下域]	右前内側区域；第V区域，[前下域]			左前外側区域；第III区域，[外下域]	

[a] この表と図4.54は最新の国際解剖学用語(Terminologia Anatomica)に対応しており，[ ]で示したのは以前の用語である．
[b,c] 以前の国際解剖学用語では，門脈右枝の分布する右門脈葉と左枝の分布する左門脈葉の2葉に分かれており，後肝という用語はなかった．尾状葉は右と左の半分に分けられており，[b]右半(右尾状葉)は右門脈葉の一部，[c]左半(左尾状葉)は左門脈葉の一部とされていた．

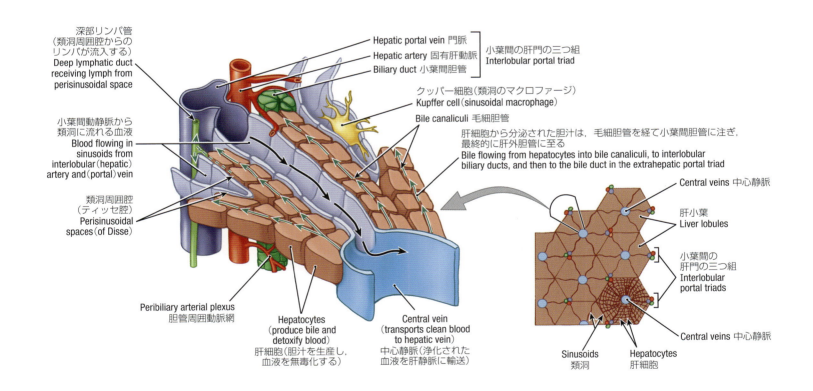

4.55 肝組織における血液と胆汁の流れ

小葉間にある肝門の三つ組の構成要素を示している．また，類洞と毛細胆管における血液と胆汁の流れをそれぞれ示している．右図は肝組織の断面をごく簡単に表しており，肝小葉が六角形をなしているのがわかる．

- 消化管で吸収されたあらゆる物質は，脂質を除き，門脈を介して肝臓に運ばれる．多くの代謝機能に加え，肝臓ではグリコーゲンの貯蔵や胆汁の産生も行っている．
- 肝硬変症では，肝細胞が広範囲にわたって進行性に破壊され，線維組織に置き換わっていく．この線維組織は肝臓を硬化させ，血管や胆管を取り囲んで血液が肝組織を通過するのを妨げる．

350 腹部 肝臓と胆嚢

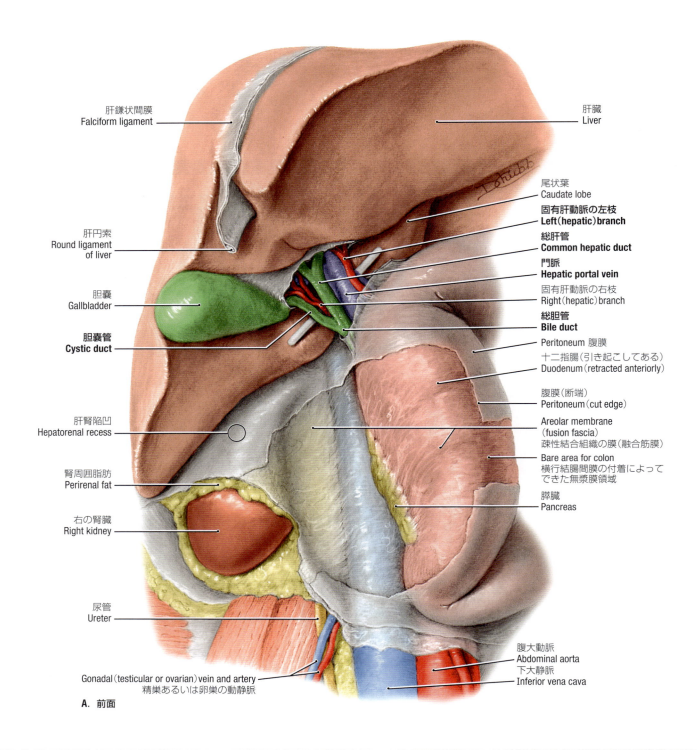

4.56 肝門の三つ組

A 肝門の三つ組の前面. 十二指腸は前方に反転されている. 肝門の三つ組は通常, 門脈(後方を上行), 固有肝動脈(前左方を上行)および胆管(前右方を下行)から構成され, 肝十二指腸間膜(肝茎)に含まれる. この標本では, 総肝動脈から起こる固有肝動脈のほかに, 上腸間膜動脈から起こる右副肝動脈が存在している(一般的にみられる変異の1つ). 網嚢孔には棒が通され, 小網と横行結腸は取り除かれている. さらに, 十二指腸下行部の右縁に沿って腹膜が切開され, 下行部を左方に反転してある. これにより開かれた部分には, 疎性結合組織の膜(融合筋膜)が認められる. この膜は胎児期の腹膜に由来する.

肝臓と胆嚢　腹部

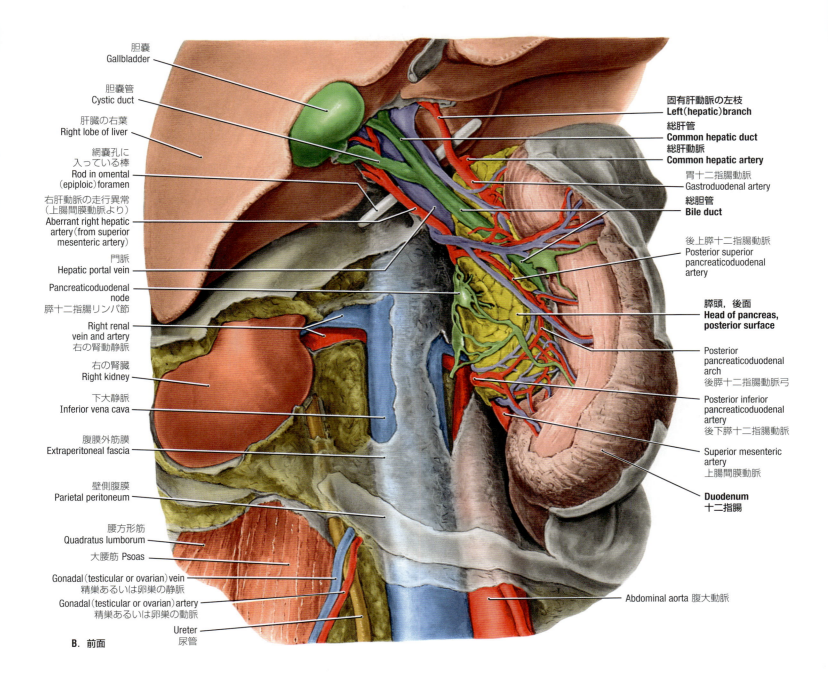

4.56　肝門の三つ組（続き）

B　肝門の三つ組と周辺の内臓・血管との深層での関係．Aの状態から解剖をさらに進め，二次的に腹膜後臓器となった十二指腸と膵臓（膵頭）を前左方に引き起こしたところ．十二指腸と膵頭の後面を覆う疎性結合組織の膜（融合筋膜）は大部分が取り除かれ，また大血管を覆う疎性結合組織の膜も部分的に取り除かれている．**門脈圧亢進症の外科的治療**として，門脈血が下大静脈に直接流れ込むように**門脈と下大静脈の間に交通**をつくる場合がある．この交通は，肝臓の後方において，下大静脈と門脈が近接している場所で造設される．

352 腹部 肝臓と胆嚢

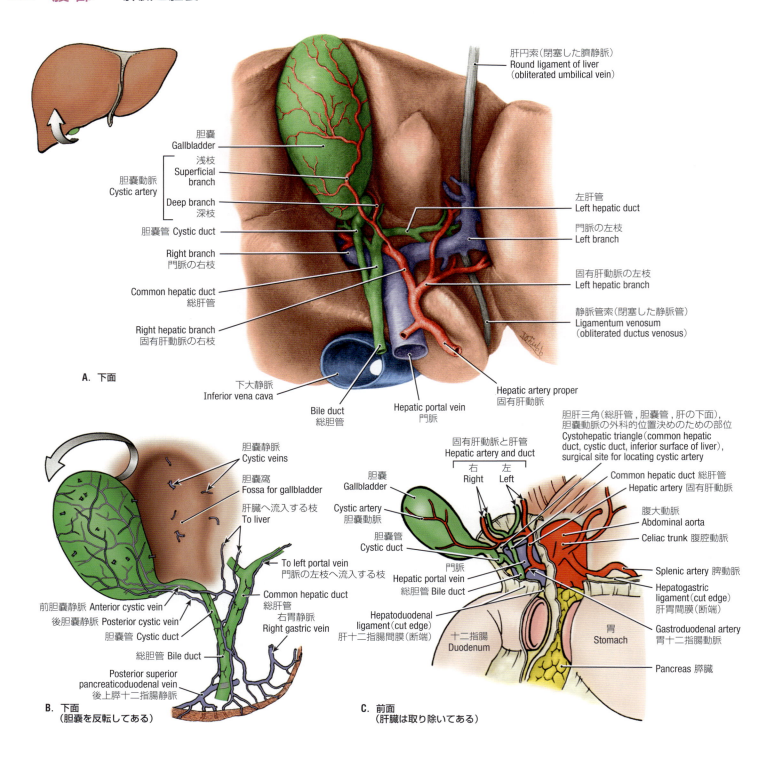

4.57 肝門の構造と胆嚢

A 胆嚢，胆嚢動脈，肝外胆管．肝臓が上方に反転され，臓側面が見えている．

B 胆嚢と肝外胆管の静脈．大部分の静脈は門脈の枝に流入するが，一部は直接肝臓内へ流入する．

C 肝十二指腸間膜（小網の自由縁を形成する）の中にある肝門の三つ組．

胆石は胆嚢や胆管の中で形成される．胆肝三角〔カロー（Calot）三角〕は，総肝管，胆嚢管，肝臓の3者で囲まれた部位である．胆肝三角には胆嚢動脈が通るので，この三角は腹腔鏡下胆嚢摘出術の際に胆嚢動脈を探す目印として利用される．

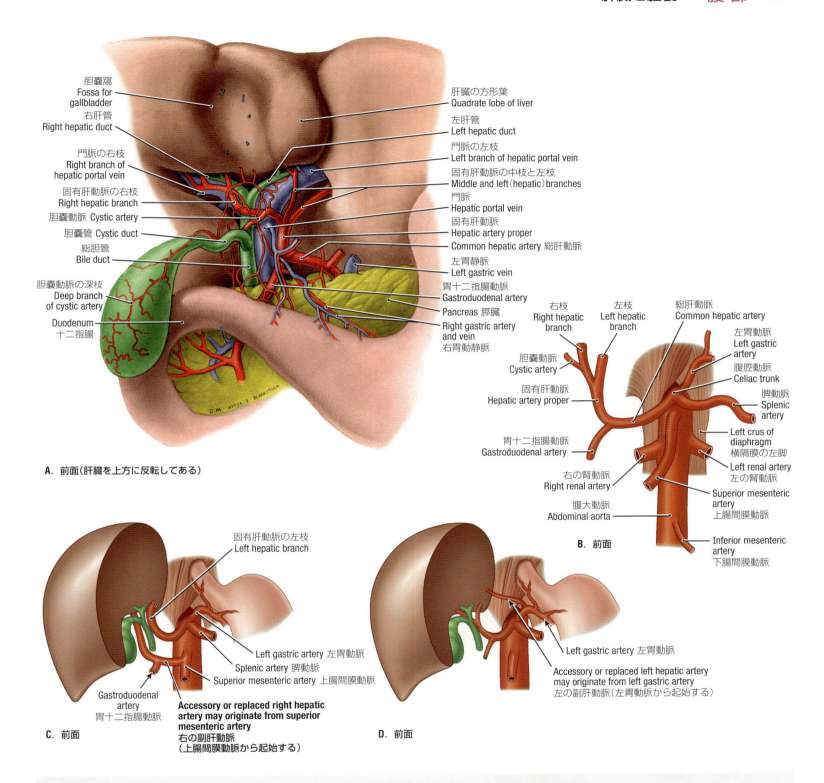

4.58 肝門を通る血管

A 肝臓と胆嚢の血管．肝臓は上方に反転してある．胆嚢は肝臓の胆嚢窩から剥がされており，ほぼ原位置に描かれている（ただし，やや右方に牽引されている）．胆嚢動脈の深枝は，胆嚢動脈は浅枝と深枝に分かれ，深枝は胆嚢の肝臓と接する側に張り付いており，胆嚢窩にも小枝を与える．静脈（すべては示していない）は，ほとんどの動脈に伴行している．

B 腹腔動脈と肝動脈の典型的な分枝パターン．

C 右の副肝動脈．上腸間膜動脈から起こり，門脈の後面に沿って肝門に達する．

D 左の副肝動脈．左胃動脈から起こり，小網の左端を通り肝門に達する．肝動脈や胆管の変異に注意を払うことは，胆嚢摘出術において胆嚢管を結紮する際に重要となる（図 4.62，4.64 参照）．

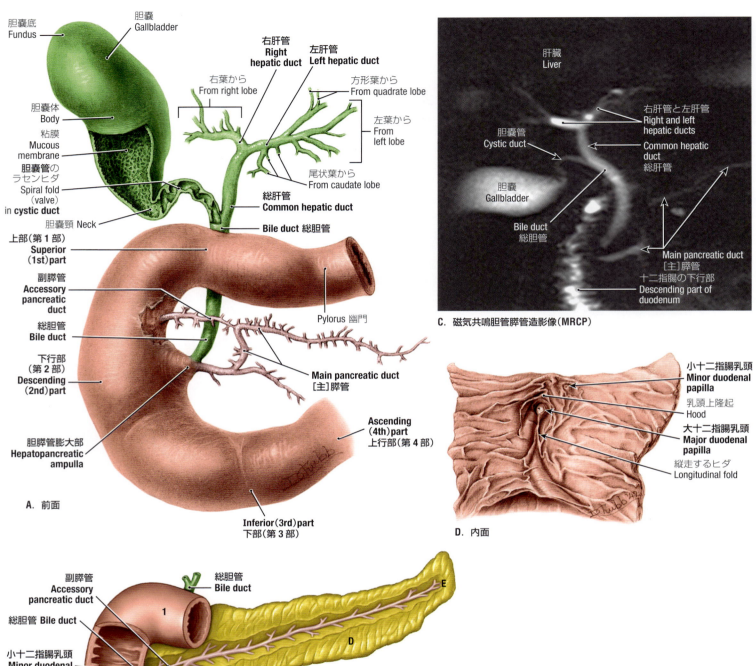

4.59 胆管と膵管

A, B 胆管と膵管.
C 磁気共鳴胆管膵管造影像(MRCP). 左右の肝管は肝臓から出る胆汁を集めており，合流して総肝管となる. さらに総肝管は，十二指腸の上方で，胆嚢管と合流し総胆管となる.
D 十二指腸下行部の内面. 総胆管は十二指腸上部の後方を下行した後，[主]膵管と合流して胆膵管膨大部を形成し，大十二指腸乳頭に開口する．この開口部は肝外胆管の中で最も狭い部位であり，**胆石がはまり込みやすい**. なお，胆石は上腹部に疝痛(胆石疝痛)を起こすことがある．副膵管は小十二指腸乳頭に開口する．

胆管　腹部

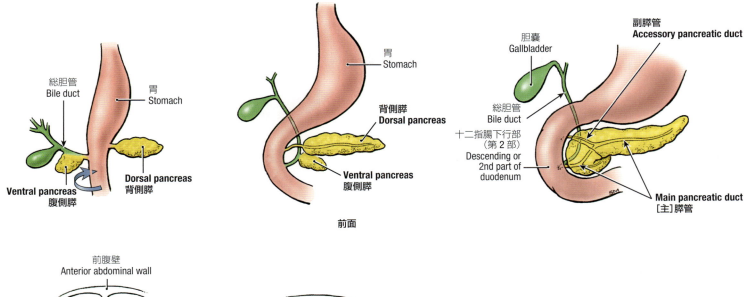

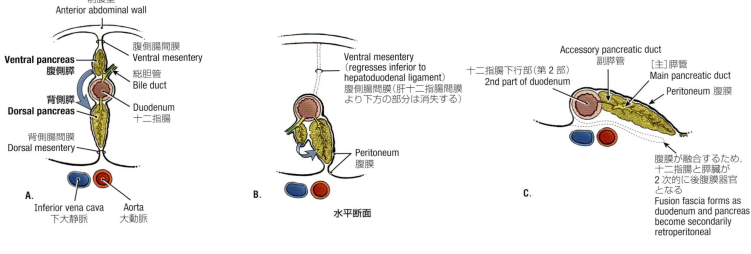

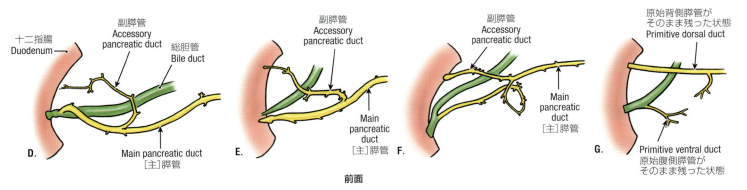

4.60 膵管の発生と変異

A-C 膵臓の発生段階を示した模式図. 上段は前面から見たところ, 中段は対応する横断面である.
A 小さな腹側膵芽は総胆管とともに十二指腸から生じる. また, 大きな背側膵芽は独立して十二指腸から生じる.
B 十二指腸下行部は長軸方向に沿って(矢印の向きに)回旋する. これにより, 腹側膵芽と総胆管は背側膵芽の後方に移動する.
C 腹側膵管と背側膵管をつなぐ管が形成され, 背側膵管の近位部(副膵管)は萎縮傾向となる.

D-G 膵管によくみられる変異.
D 十二指腸に開口しない副膵管.
E [主]膵管が閉塞した際に, 側副路として機能できるくらいに太い副膵管.
F [主]膵管からの膵液を, 副膵管を使って排出していると思われる例.
G 腹側膵管が背側膵管とつながらなかった例.

356 腹部　胆管

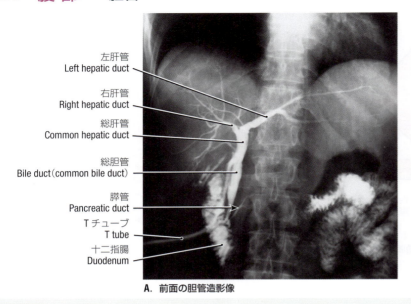

A. 前面の胆管造影像

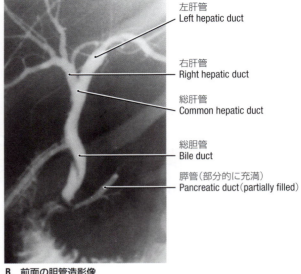

B. 前面の胆管造影像

4.61 胆管造影像

胆嚢切除術後に，総胆管に挿入したTチューブから造影剤を注入し，撮影している．胆管系は上腹部に造影されている（A）．Bは特に，左右の肝管，総肝管，総胆管，膵管を示している．

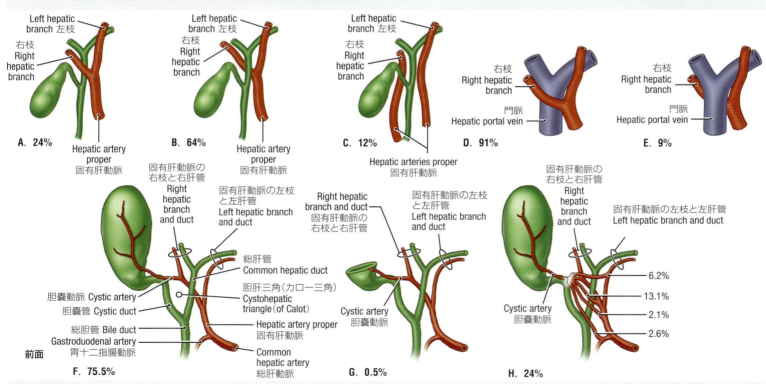

4.62 肝動脈と胆嚢動脈の変異

A-H　肝動脈と胆嚢動脈の変異． Grant博士の研究室による165体の遺体で調査した結果である．

**A-C　**固有肝動脈の右枝と胆管の関係．固有肝動脈の右枝が胆管の前方を通るもの24%（A），後方を通るもの64%（B）であった．また，固有肝動脈の右枝に代わる枝が右副肝動脈として上腸間膜動脈から起こる場合が12%で見られた（C）．

**D-E　**固有肝動脈の右枝と門脈の関係．右枝が門脈の前方を通るもの91%（D），後方を通るもの9%（E）であった．

**F-H　**胆嚢動脈の走行．胆嚢動脈は通常，総肝管と胆嚢管のなす角（胆肝三角，図4.57C参照）の中で，固有肝動脈の右枝から起こる（F）．したがって，胆嚢動脈と総肝管が交叉することはない．しかし，まれに胆嚢動脈が総肝管の後方でこれと交叉する場合がある（G）．また，胆嚢動脈が胆管の前方を通過する場合もあり（H），特に固有肝動脈の左枝から起こるときは，ほとんどの例で胆管の前方を通る．

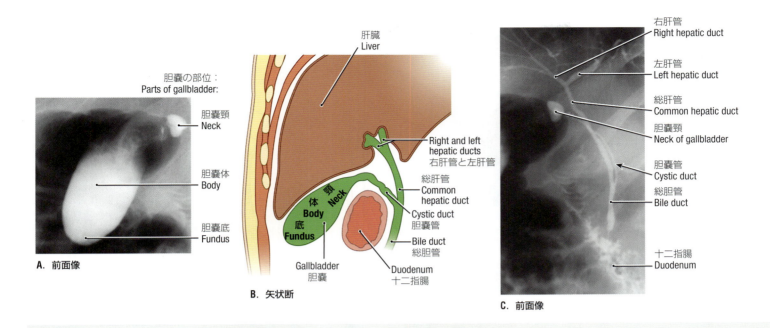

4.63 胆嚢と肝外胆管

A 内視鏡的逆行性胆管膵管造影（ERCP）による胆嚢．**B** 十二指腸上行部との関係．**C** 胆汁通過の ERCP．

内視鏡的逆行性胆管膵管造影（ERCP）では，口から内視鏡を挿入し，十二指腸に入ったところで，カニューレを大十二指腸乳頭へ挿入する．さらに X線で透視しながら，カニューレを総胆管もしくは膵管に進め，造影剤を注入する．

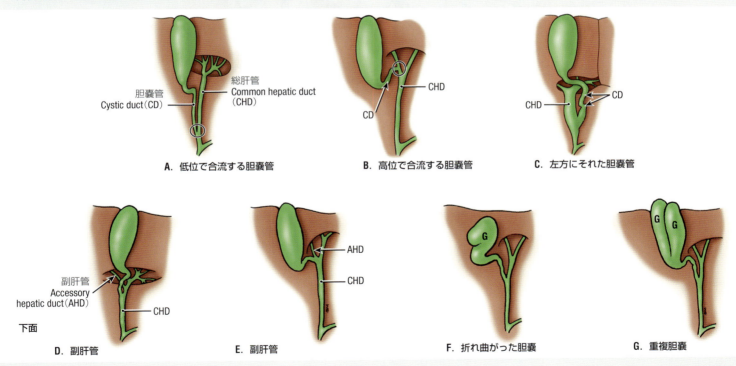

4.64 胆嚢管，肝管，胆嚢の変異

A-C 胆嚢管と総肝管のよくみられる変異．胆嚢管は通常，総肝管の右方に位置し，十二指腸上部の直上で総肝管と合流し，総胆管となる．しかし，胆嚢管の合流部や走行には，いくつかの変異が存在する（A-C）．
D，E 副肝管．また，Grant 博士の研究室により 95 体の胆嚢と胆管を調査したところ，7 例に副肝管を認めた．これらの副肝管のうち，胆嚢管の近くで総肝管に合流するものが 4 例（**D**），胆嚢管に合流するものが 2 例（**E**）であった．また，総肝管と胆嚢管をつなぐ吻合管が 1 例に見られた（図示していない）．
F，G 胆嚢の変異．**F** 折れ曲がった胆嚢．**G** 重複胆嚢．

358 腹部　門脈系

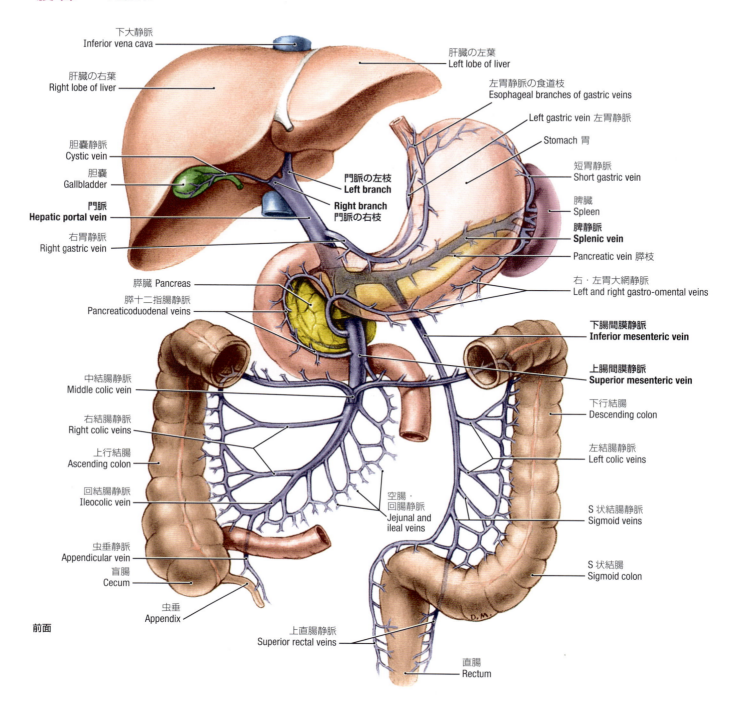

4.65 門脈系

- 門脈は，胃と腸，脾臓，膵臓，胆嚢からの静脈血を肝臓の類洞へ送り込んでいる．類洞を通過した血液は肝静脈を通り，体静脈系（下大静脈）へ注ぐ．
- 門脈は，膵頸の後方で，上腸間膜静脈と脾静脈が合流して形成される．下腸間膜静脈は，この合流部もしくはその近くへ流入する．
- 脾静脈には，下腸間膜静脈，左胃大網静脈，短胃静脈が流入する．また，膵臓からの静脈も流入する．
- 上腸間膜静脈には以下の静脈が流入する．右胃大網静脈，膵十二指腸静脈，空腸静脈，回腸静脈，右結腸静脈，中結腸静脈．
- 下腸間膜静脈は直腸静脈叢から上直腸静脈となって始まる．上直腸静脈は，左総腸骨動静脈の前方を乗り越えたところで，下腸間膜静脈となる．下腸間膜静脈にはS状結腸静脈や左結腸静脈が流入する．
- 門脈は肝門で右枝と左枝に分かれる．下腸間膜静脈，脾静脈，右胃静脈からの血液は，主に左枝へ流れ込む．また，上腸間膜静脈からの血液は，主に右枝へ流れ込む．

門脈系　腹部

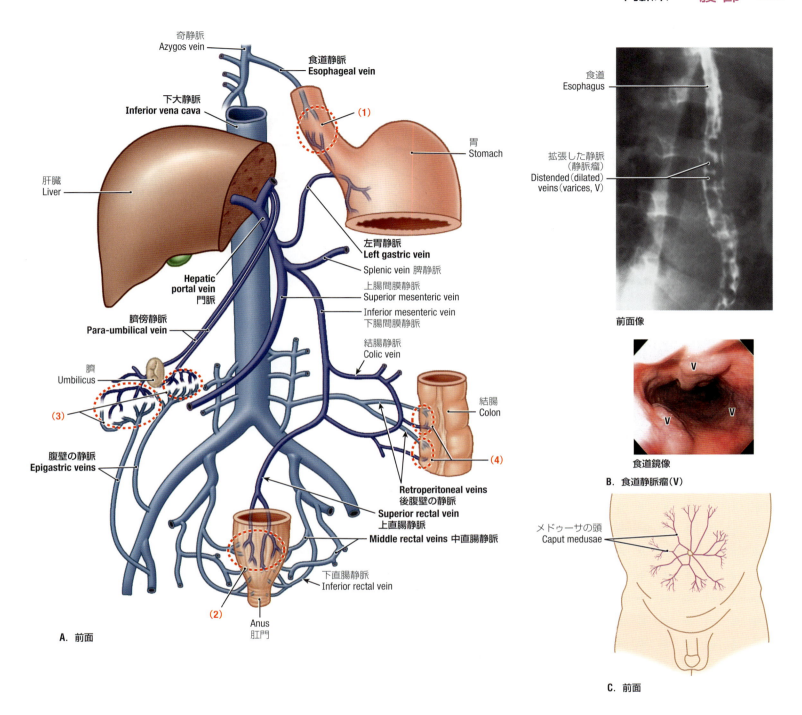

A．前面
B．食道静脈瘤（V）
C．前面

4.66　門脈系の側副路

A　門脈系の側副血行路（門脈系と体静脈系の吻合）．この模式図では，門脈系を濃い青色，体静脈系を水色で示してある．**門脈圧亢進症**（肝硬変症においてみられる）の患者では，門脈血は肝臓を通過しにくくなり，門脈系と体静脈系の間に形成される側副路を介して，体静脈系に流入する．このような場合，側副路となる静脈は拡張し，静脈瘤が形成されることがある．静脈瘤は破裂する危険性が高く，臨床において問題となる．側副路が形成される主な部位は次の4か所である．(1)奇静脈へ注ぐ食道静脈（体静脈系）と左胃静脈（門脈系）の間：この側副路が拡張すると，食道静脈瘤が形成される．(2)内腸骨静脈に流入する中・下直腸静脈（体静脈系）と上直腸静脈（門脈系）の間（痔核はこれらの側副路の拡張に起因する場合がある）．(3)上腹部の皮静脈（体静脈系）と臍傍静脈（門脈系）の間：この吻合路が拡張すると「メドゥーサの頭(Caput medusae)」と呼ばれるようになる（臍から放線状に広がる側副路がメドゥーサの頭に載った蛇に類似することからこのように呼ばれる．メドゥーサはギリシア神話に登場する怪物）．(4)後腹壁の静脈（体静脈系）と結腸静脈の枝（門脈系）の間．

B　食道静脈瘤．

C　メドゥーサの頭．

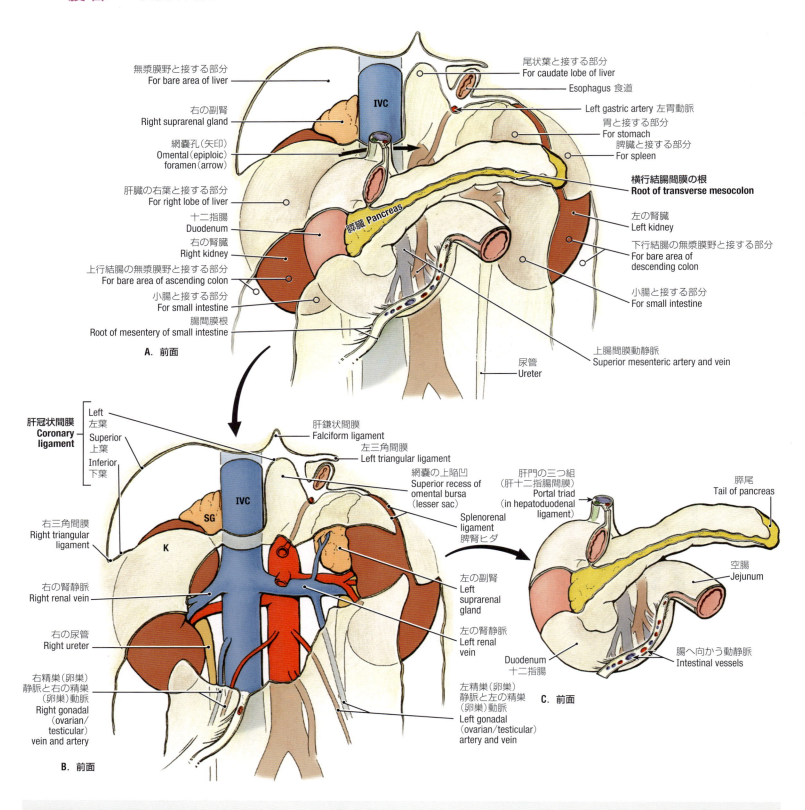

4.67 腹膜後器官とそれらの位置関係

A 原位置における十二指腸と膵臓．横行結腸間膜の根が膵体と膵尾に付着している．肝臓や結腸が後腹壁のどこに接しているかを確認すること．また，網嚢孔には矢印が通してある．

B 十二指腸と膵臓を取り除いたところ．肝冠状間膜の3つの部位（上葉，下葉，左葉）が横隔膜に付着している．ただし下葉の一部は，上大静脈（IVC），右の副腎（SG），右の腎臓（K）にも付着する．

C Aから取り除いた十二指腸と膵臓．

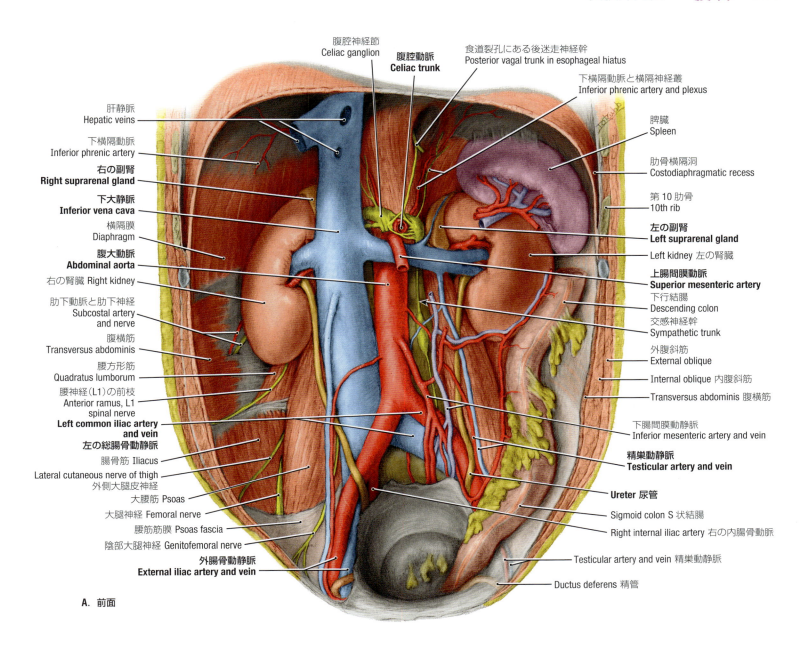

A. 前面

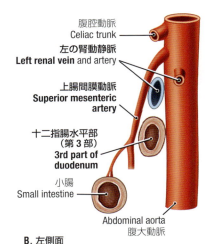

B. 左側面

4.68 後腹壁に接する内臓と血管

A 大血管，腎臓，副腎．B 左腎動静脈，十二指腸水平部，大動脈，上腸間膜動脈の関係．
- 腹大動脈は下大静脈に比べて短く，径も小さい．
- 下腸間膜動脈は腹大動脈の分岐部よりも約4cm上方から起こり，左の総腸骨動静脈の前方を乗り越えて上直腸動脈となる．
- 左の腎静脈は，左の精巣，左の副腎，左の腎臓からの血液を集める．腎動脈は腎静脈の後方に位置する．
- 尿管は，総腸骨動脈が分岐したすぐの部位で，外腸骨動脈の前方を乗り越える．
- 精巣動静脈は尿管の前方を横切って下行し，深鼡径輪で精管と伴行する．
- 腹大動脈と上腸間膜動脈の間を左腎静脈と十二指腸水平部（第3部）が通過する（B）．このため，左の腎静脈と十二指腸水平部は，クルミ割器に挟まれたクルミのように，圧迫される場合がある．なお，Bで示されていないが，膵臓の鉤状突起もこれらの2つの動脈に挟まれている．

362 腹部　後腹部内臓

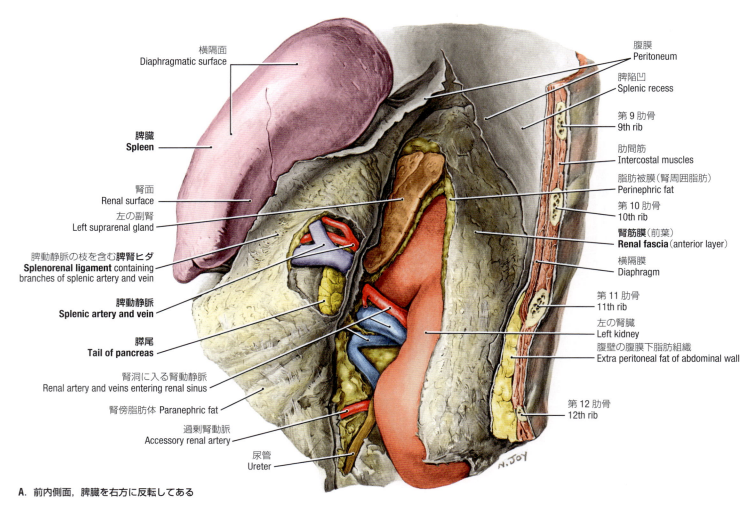

A. 前内側面，脾臓を右方に反転してある

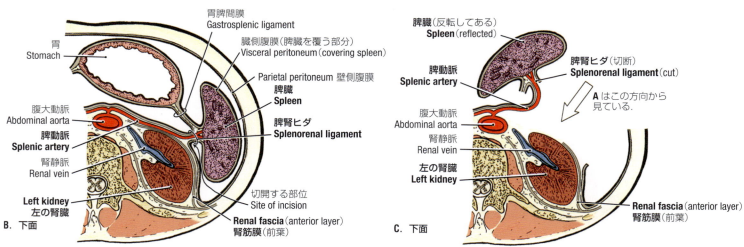

4.69　左の腎臓と左の副腎の露出

A　解剖図．B　脾臓と脾腎ヒダを通る水平断面．C　Aで腎臓を露出した方法を示す．脾臓と脾腎ヒダは，脾動静脈や膵尾とともに，前方に反転してある．さらに，腎筋膜と脂肪被膜の一部が取り除かれている．

脾静脈と左の腎静脈が近接しているため，この部位で外科的に**脾腎短絡（シャント）**を形成し，門脈圧亢進症の緩和を図ることがある．

腎臓　腹部

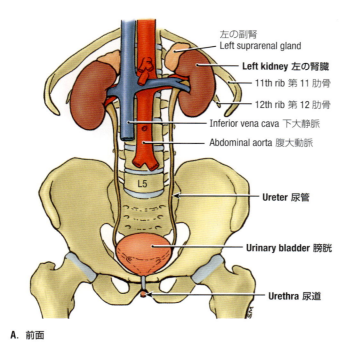

A. 前面

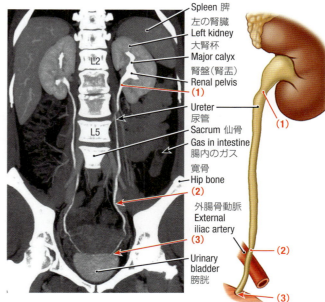

B. 腎盂造影の前後像

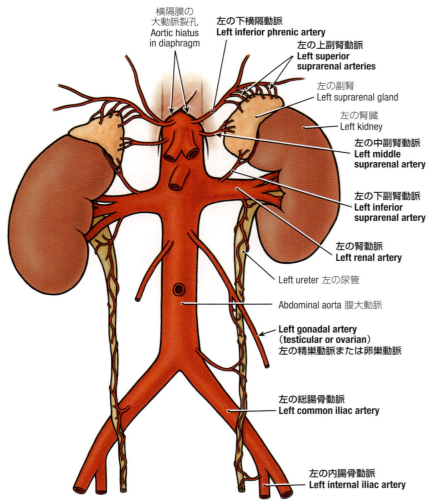

C. 前面

4.70　腎臓と副腎

A 泌尿器系の概観．

B 逆行性腎盂造影像．造影剤は，膀胱内の内視鏡（尿管鏡）から尿道に注入される．

　腎乳頭（矢印）が小腎杯に向かって突出している点に注目すること．腎乳頭には多数の乳頭管（集合管が集まったもの）が開口しており，尿は小腎杯へ流れ込む．小腎杯に溜まった尿は，大腎杯に注ぎ，さらには腎盤に集められた後，尿管によって膀胱へ運ばれる．

　尿管で比較的狭くなっている場所は通常，(1)尿管腎盂移行部，(2)外腸骨動静脈や骨盤縁を横切るところ，(3)尿管の膀胱壁の通過箇所，である．これらの狭窄部位は尿管結石や腎結石の閉塞箇所となりうる．

C　副腎，腎臓，尿管に分布する動脈．

　腎移植は現在では慢性腎不全の治療法の1つとして確立されている．腎臓は副腎とともに腎筋膜で包み込まれているが，これらの間には薄い隔壁が存在するので，副腎を損傷することなく提供者から腎臓を摘出することができる．腎臓を移植する場所は大骨盤の腸骨窩であり，腎動静脈を外腸骨動静脈に吻合し，尿管を膀胱に接続する．

364 腹部 腎臓

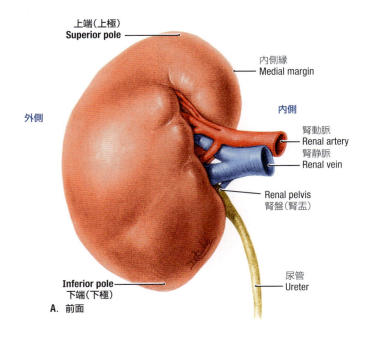

A. 前面

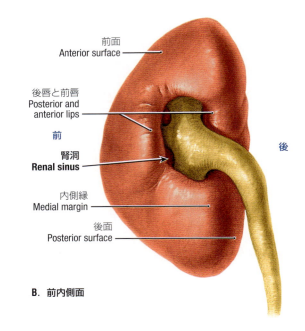

B. 前内側面

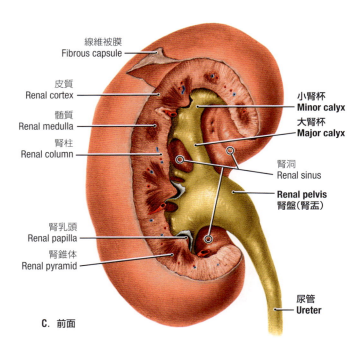

C. 前面

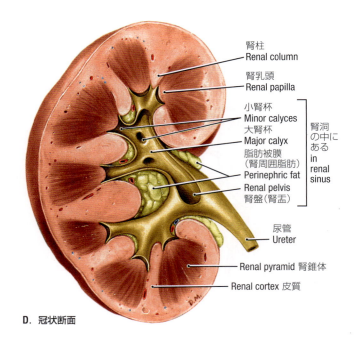

D. 冠状断面

4.71 腎臓の構造

A　外観. 腎臓の上端は下端に比べ正中面に寄っている. 約25％の腎臓において, 複数本（2-3本, 時に4本）の腎動脈が認められる. このような過剰腎動脈は腹大動脈から分枝され, 腎門から腎洞に進入する場合もあれば, 上端もしくは下端に直接進入する場合もある.

B　腎洞. 腎洞は腎臓の内側面にできた「ポケット」で, 腎内で長軸方向に広がっている. 腎盤と腎動静脈は, 脂肪組織とともに, このポケットに押し込まれている.

C　腎杯. 腎洞の前方にある腎実質を取り除いてあり, 腎盤と腎杯が見えている.

D　腎臓の冠状断面（前頭断面）.

単純性腎嚢胞（単発性もしくは多発性）は, 超音波検査や遺体の解剖の際に高頻度でみられるが, 問題となることはほとんどない. しかし, **嚢胞性腎疾患**は腎不全の原因となり, 臨床において重要な疾患である.

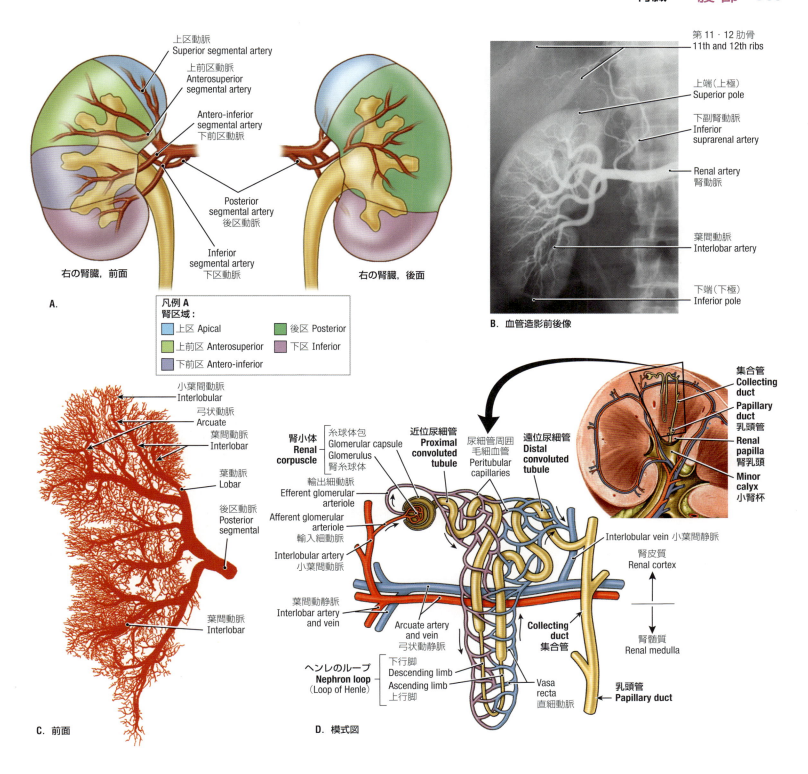

4.72 腎区域

A 腎区域と区動脈．区動脈は終動脈の一種であり，区動脈どうしで明瞭な吻合を形成することはない．したがって，個々の区動脈の分布領域は，外科的に切除できる1つの区域（腎区域）をなしている．

B 腎動脈造影像．

C 後区動脈の鋳型標本．

D ネフロンの構造．ネフロンは腎臓の機能単位であり，腎小体，近位尿細管，ヘンレのループ，遠位尿細管からなる．遠位尿細管は集合管に連なり，さらに集合管は合流して乳頭管となって，腎乳頭に開口する．

366 腹部　腎臓

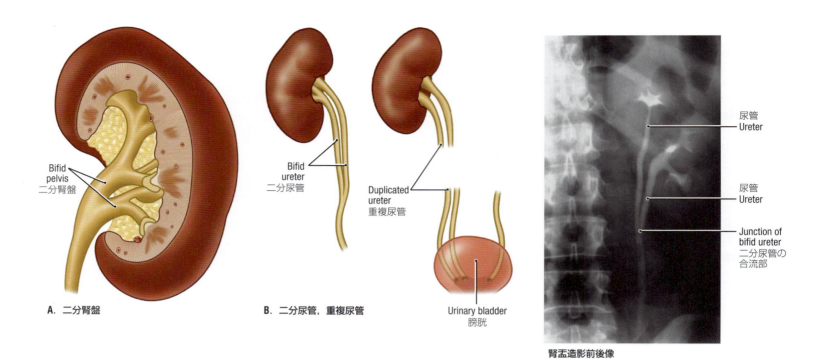

A. 二分腎盤
B. 二分尿管，重複尿管
腎盂造影前後像

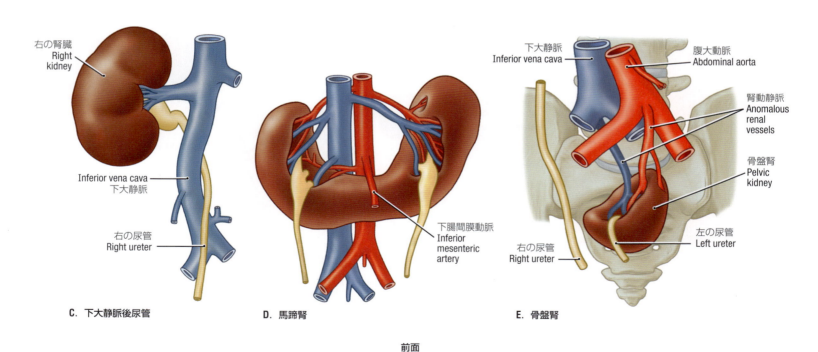

C. 下大静脈後尿管
D. 馬蹄腎
E. 骨盤腎

前面

4.73　腎臓と尿管の変異（奇形）

A **二分腎盤**．腎盤が2つの長い大腎杯にほとんど置き換わっており，これらは腎洞の外へ伸び出ている．

B **重複尿管，二分尿管**．完全に2本の尿管のまま膀胱に開口する場合（右図）と，途中で1本に合流して膀胱に注ぐ場合（左図）とがある．また，重複尿管は片側だけにみられる場合もあれば，両側に認められる場合もある．

C **下大静脈後尿管**．尿管が下大静脈の後方を回り込んでから，前方に出てくる．

D **馬蹄腎**．左右の腎臓が正中部で融合している．

E **骨盤腎**．骨盤腎は脂肪被膜に包まれない．片側のみにみられる場合もあれば，両側に認められる場合もある．分娩の障害となったり，分娩時に損傷を受けたりする場合がある．

後外側腹壁　腹部

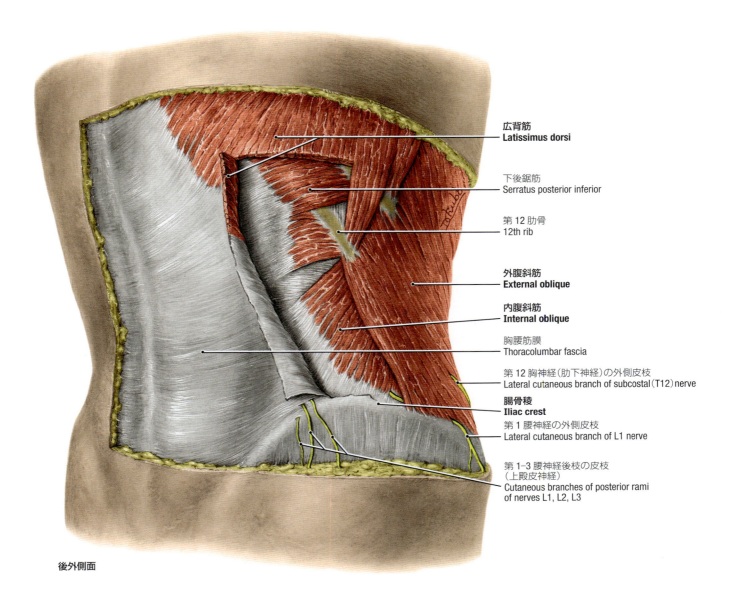

後外側面

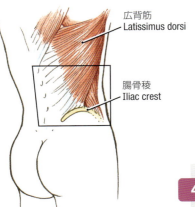

4.74　腹部の後外側壁：腎臓の露出-I

広背筋は部分的に反転してある．
- 外腹斜筋の後縁は斜めに走り，第12肋骨の尖端から腸骨稜の中点に伸びる．
- 内腹斜筋は外腹斜筋の後縁よりも後方に広がる．

368 腹部　後外側腹壁

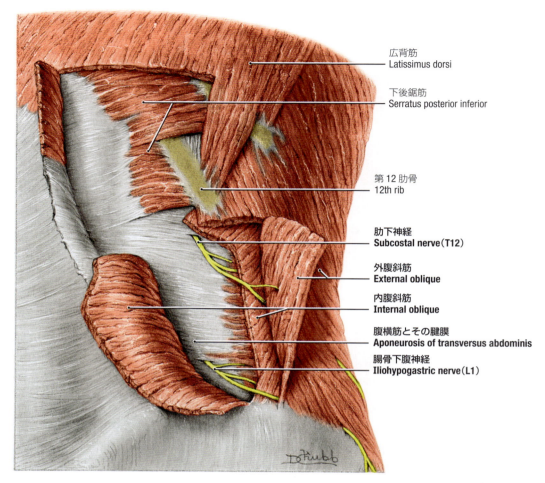

後外側面

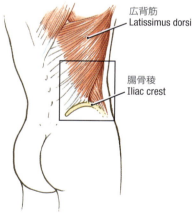

4.75　腹部の後外側壁：腎臓の露出-II

外腹斜筋を切開し，外方に反転してある．また，内腹斜筋を切り開き，内方へ反転してある．腹横筋とその後方の腱膜が露出されており，肋下神経（T12）と腸骨下腹神経（L1）がこの腱膜を貫いている．これらの神経は，腹壁の筋に分布する小枝や外側皮枝を出し，さらに内腹斜筋と腹横筋の間を前方に向かって伸びていく．

4.76　腹部の後外側壁：腎臓の露出-III，腎筋膜（次頁）

A　解剖図．腹横筋の腱膜と腎筋膜が，肋下神経と腸骨下腹神経の間で，腰方形筋の外側縁に沿うように切開してある．腎臓の周囲にある脂肪被膜（腎周囲脂肪）が見えている．

B　腎筋膜と後腹壁の脂肪組織を示した水平断面．腎筋膜は脂肪組織の間に存在する．腎筋膜の内側の脂肪組織を脂肪被膜（腎周囲脂肪），すぐ外側にある脂肪組織を腎傍脂肪体と呼ぶ．

後外側腹壁　腹部

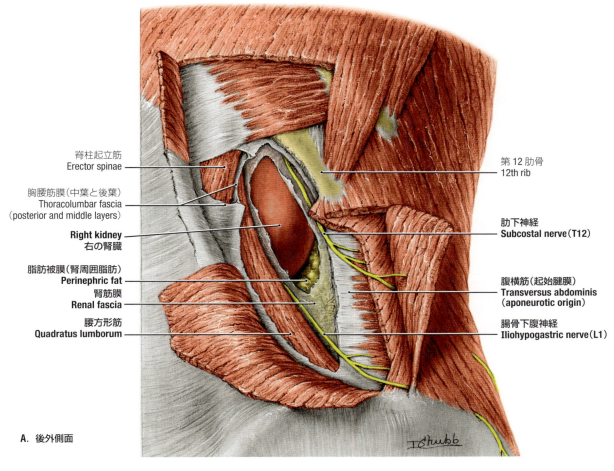

A. 後外側面

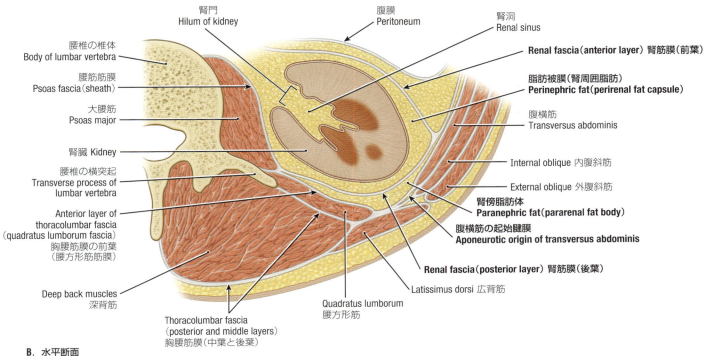

B. 水平断面

370 腹部　後外側腹壁

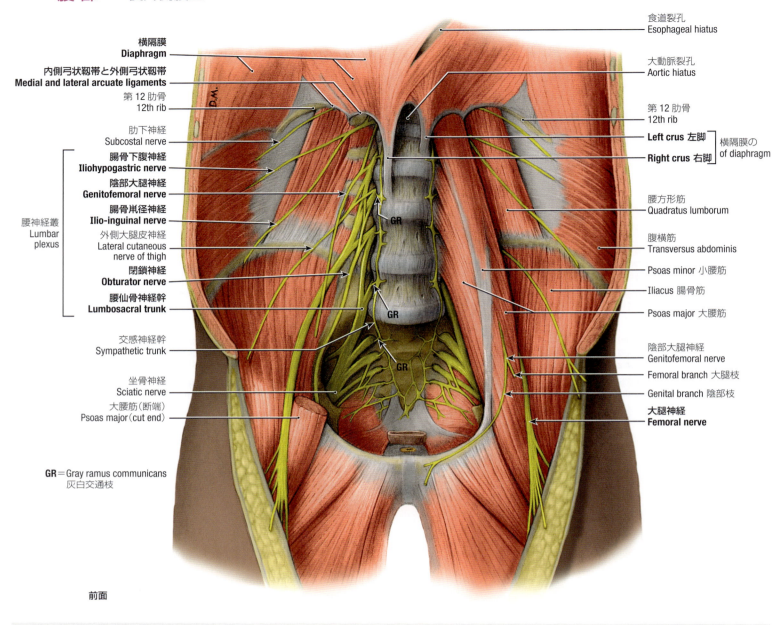

4.77 腰神経叢と横隔膜の脊柱への停止部

表4.7 後腹壁の主要な筋

筋	上方での付着	下方での付着	神経支配	機能
大腰筋[a,b]	腰椎の肋骨突起，T12–L5の椎体外側面およびこれらをつなぐ椎間円板	強力な腱によって，大腿骨の小転子に停止	腰神経叢からの枝（L1[c]，L2[c]，L3の前枝）	作用点が下方（大腿骨）の場合は，腸骨筋とともに，股関節を屈曲させ，大腿を持ち上げる．作用点が上方（脊柱）の場合は，脊柱を側方に曲げ，体幹のバランスをとるために使われる．座位において，腸骨筋とともに働くと，脊柱が前屈する．
腸骨筋[a]	腸骨窩の上方2/3，仙骨翼，前仙腸靱帯	大腿骨の小転子，大腿骨体のうち小転子の下方に連なる部分	大腿神経（L2[c]，L3の前枝）	股関節を屈曲させ，大腿を持ち上げる．股関節を安定化させる働きもある．大腰筋とともに作用する．
腰方形筋	第12肋骨下縁の内側半分，腰椎の肋骨突起の尖端	腸腰靱帯，腸骨稜の内唇	T12，L1–L4の前枝	脊柱を伸ばす（後屈），もしくは外側に曲げる．吸息時に第12肋骨を固定する．

[a] 大腿の屈曲運動について述べる際に，大腰筋と腸骨筋は，しばしば腸腰筋としてまとめて記載される．
[b] 小腰筋の上方は第12胸椎と第1腰椎の椎体およびその間にある椎間円板の側面に付着し，下方は恥骨筋膜弓を介して，恥骨櫛と腸恥隆起に付着する（小腰筋は大腰筋とは異なり，大腿骨には付着しない）．小腰筋は，大腰筋とともに，体幹のバランスをとる際に使われる．小腰筋の支配神経はL1，L2の前枝である．
[c] 神経の主要な構成分節を太字で示してある．

後外側腹壁　腹部

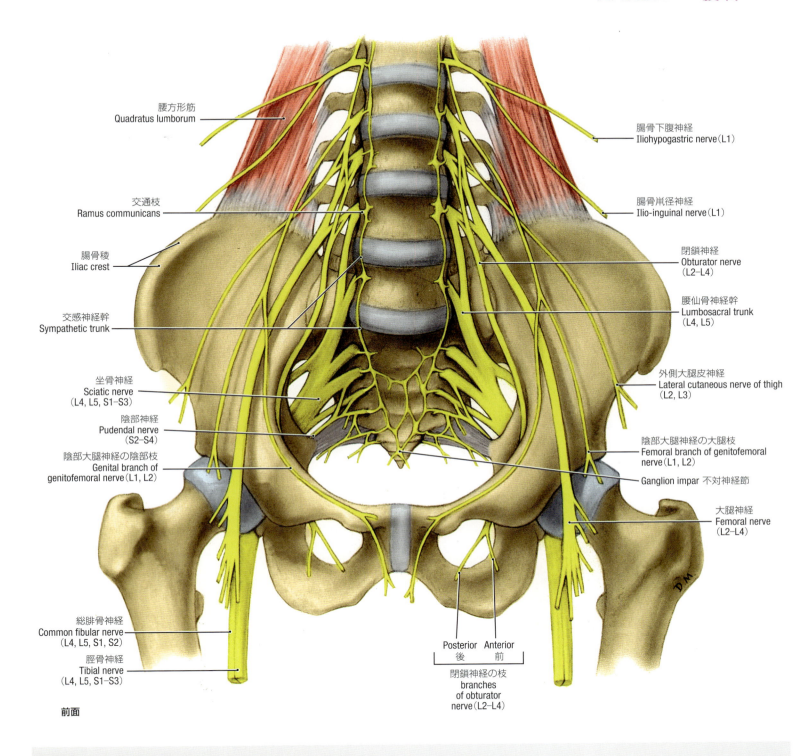

4.78 腰神経叢から出る神経

腰神経叢は第1-4腰神経の前枝からなる：
- 腸骨下腹神経（L1）と腸骨鼠径神経（L1）は内側弓状靱帯の後方で腹部に入る。これらの神経は，腹横筋と内腹斜筋の間を通り，恥骨上部や鼠径部の皮膚へ分布する。
- 外側大腿皮神経（L2, L3）は上前腸骨棘のすぐ内方で，鼠径靱帯の後方を通り大腿に達する。この神経は大腿の前外側面の皮膚に分布する。
- 大腿神経（L2-L4）は大腰筋の外側縁に現れ，腸骨筋や大腿四頭筋，縫工筋に分布する。
- 陰部大腿神経（L1, L2）は大腰筋の前面を貫いて現れ，大腰筋とその筋膜の間を下外方に向かって走る。さらに，この神経は，総腸骨動脈と外腸骨動脈の外側で，大腿枝と陰部枝に分かれる。
- 閉鎖神経（L2-L4）は大腰筋の内側縁に現れ，大腿の内転筋に分布する。
- 腰仙骨神経幹（L4, L5）は仙骨外側部（仙骨翼）の前方を乗り越え，骨盤内へと下行する。この神経は，S1-S4の前枝によって形成される仙骨神経叢に加わる。

372 腹部　横隔膜

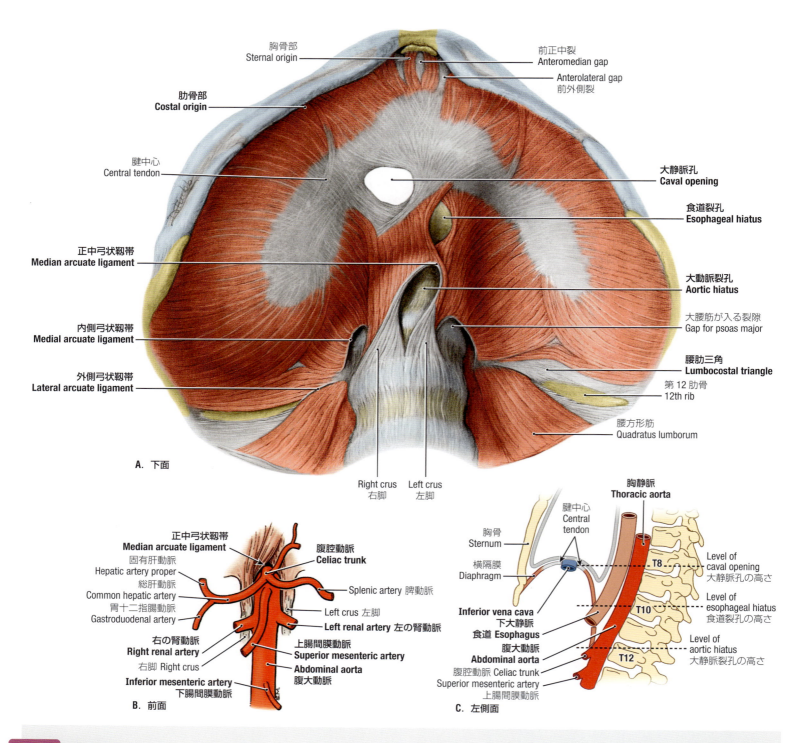

A. 下面

B. 前面

C. 左側面

4.79 横隔膜

A　解剖図． 横隔膜を下方（腹腔側）から見る．腱中心は三つ葉のクローバー型をした腱膜であり，横隔膜の筋束が四方から円蓋状に集まって，ここに停止する．

横隔膜ヘルニア． この標本の横隔膜は，左外側弓状靱帯から起始する部分を欠き，腰肋三角と呼ばれる壁の弱い部分ができている．腹腔の内圧が急に高まると，腹腔の内容が胸腔に向かって脱出して，横隔膜ヘルニアを起こす可能性がある．

食道裂孔ヘルニア． 胃の一部が横隔膜の食道裂孔を通って胸腔内に脱出した状態．

B　横隔膜の脚と大動脈の枝．

C　横隔膜に開く穴． 横隔膜には3か所の大きな穴が存在する．（1）大静脈孔：下大静脈が通る．3つのうち最も前方に位置し，第8胸椎の高さで正中よりも右方に存在する．（2）食道裂孔：食道が通過する．中間に位置し，第10胸椎の高さで正中よりも左方に存在する．（3）大動脈裂孔：下行大動脈が通過する．最も後方に位置し，第12胸椎の高さで正中に存在する．

腹大動脈と下大静脈　腹部

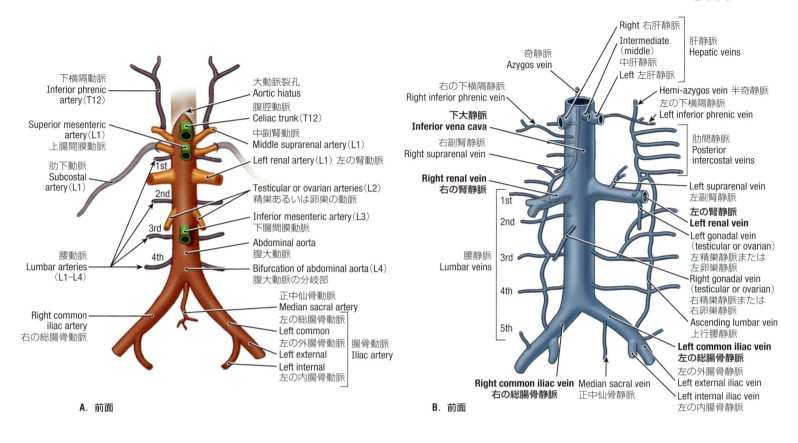

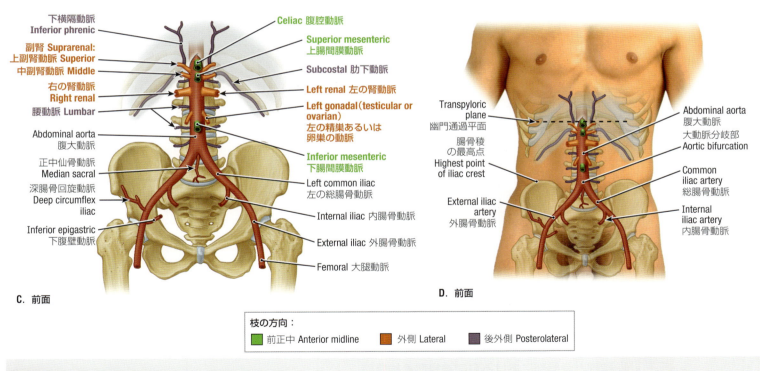

4.80 腹大動脈と下大静脈，およびこれらの枝

A 腹大動脈の枝（と脊椎での高さ）．B 下大静脈の枝．C 後腹壁の動脈，大動脈の枝．D 体表解剖．
　腹大動脈瘤（大動脈の局所的な拡大）が破裂した場合には，腹部や背部に激しい痛みが生じる．破裂を放置した場合，大量の出血により，死亡率は約90％に達する．大動脈瘤の外科的治療では，瘤壁を切開して人工血管（ダクロンなどで作られている）を挿入し，動脈瘤の近位端と遠位端に人工血管を縫着する．開腹手術をせずに，血管内にカテーテルなどの器具を挿入して，大動脈瘤を治療する場合もある．

374 腹部　自律神経の神経支配

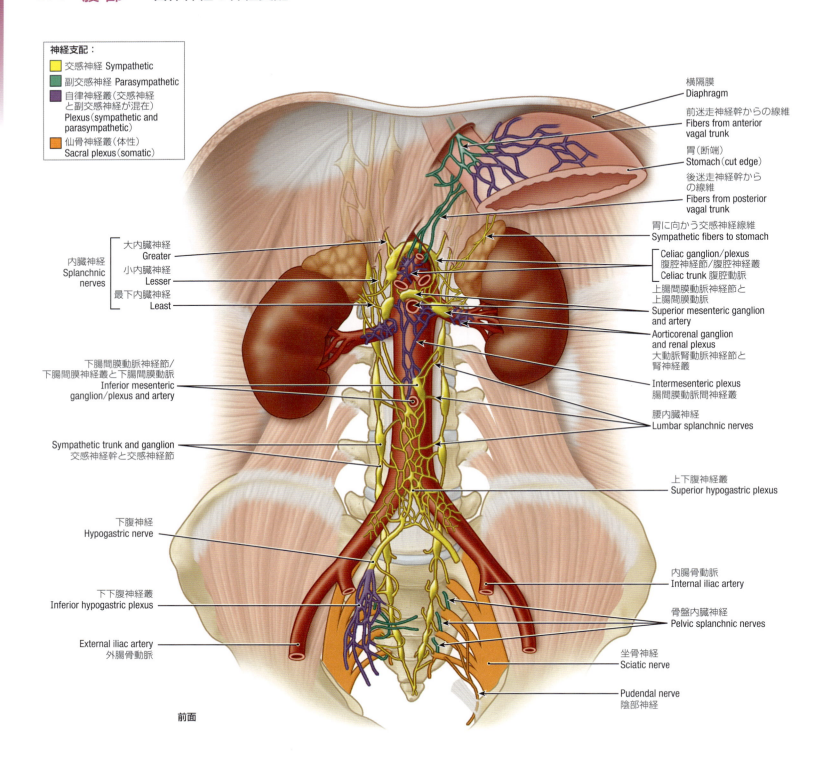

4.81 腹部と骨盤部における自律神経叢と神経節

腹部の自律神経系の交感神経系は以下からなる．
- 胸部と腹部の交感神経幹に由来する腹部骨盤内臓神経
- 脊椎前交感神経節
- 腹部大動脈神経叢とその関連神経，動脈周囲神経叢

神経叢は，副交感神経系や内臓求心性神経が混ざり，共有されている．

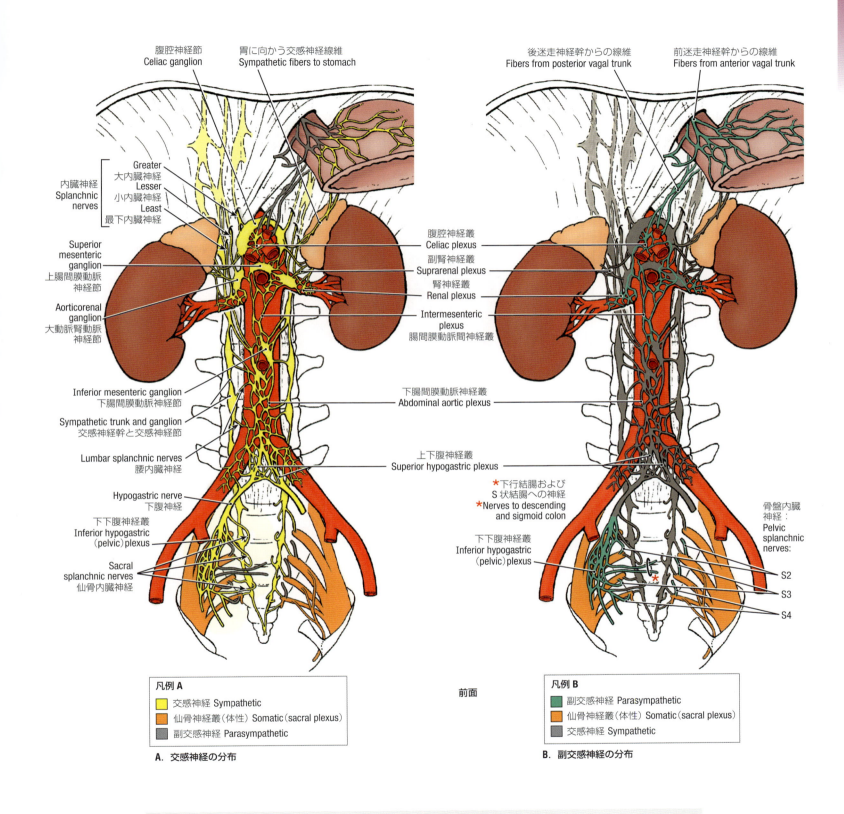

4.82 腹部と骨盤部における交感神経と副交感神経

A 交感神経. B 副交感神経.

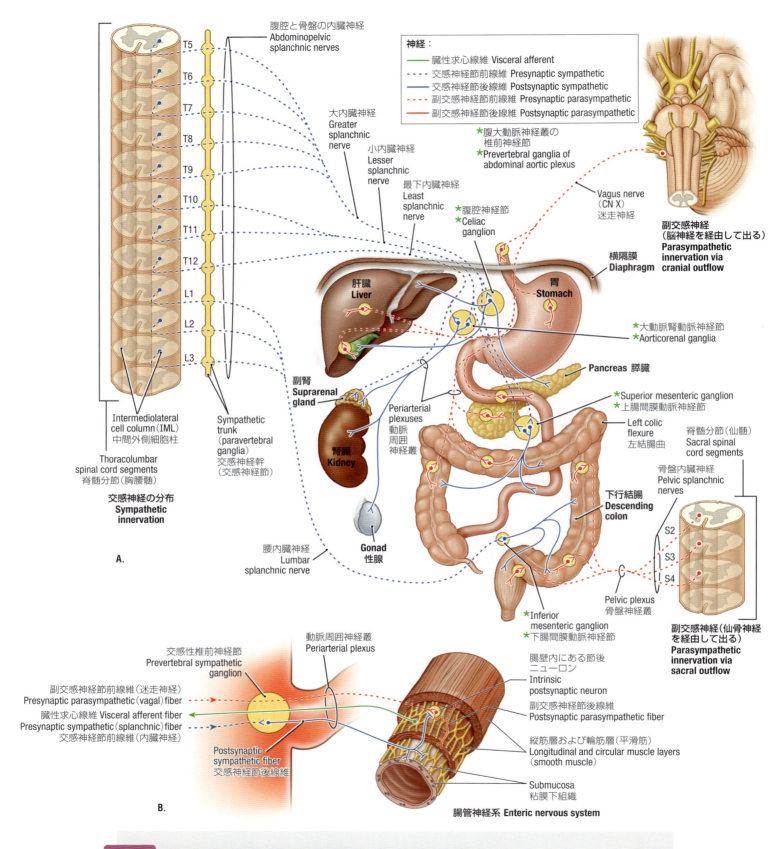

4.83 腹部における自律神経の節前線維，節後線維，神経節

A 概観．B 臓器内にある神経叢に分布する線維．

自律神経の神経支配　腹部

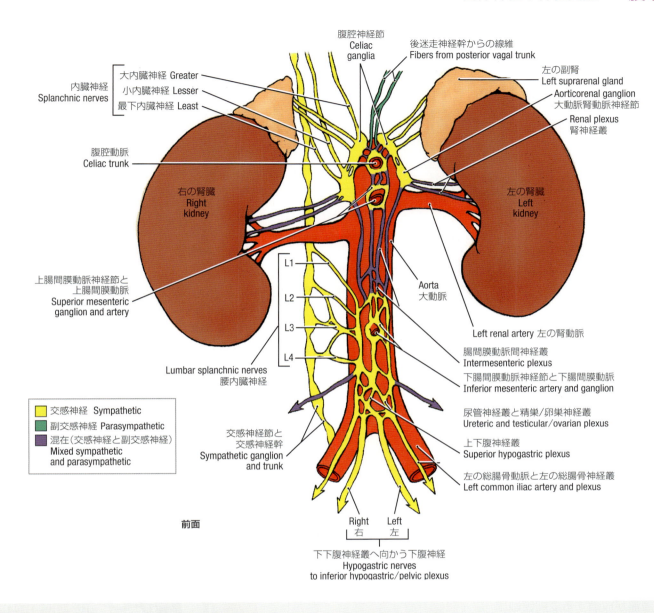

4.84 腹部における自律神経の神経叢と神経節

表4.8　内臓の自律神経支配

神経	線維のタイプ[a]	機能	起始	分布
A　心臓神経 　　（頸神経，上位胸神経）	節後線維	交感性	頸部もしくは上胸部の交感神経幹	胸部の内臓 （横隔膜よりも上方の内臓）
B　内臓神経 　1．胸内臓神経 　　　a．大内臓神経 　　　b．小内臓神経 　　　c．最小内臓神経 　2．腰内臓神経 　3．仙骨内臓神経	節前線維		下胸部，腹部，骨盤部の交感神経幹 1．下胸部の交感神経幹 　　a．T5-T9（T10） 　　b．T10, T11 　　c．T12 2．腹部の交感神経幹 3．骨盤部の交感神経幹	腹部，骨盤の内臓 （椎前神経節を介して，横隔膜より下方の内臓に分布する．副腎髄質には直接分布する） 1．腹部の椎前神経節 　　a．腹腔神経節 　　b．大動脈腎動脈神経節 　　c＆2．他の椎前神経節（上・下腸間膜動脈神経節） 3．骨盤の椎前神経節
C　骨盤内臓神経	節前線維	副交感性	S2-S4の前枝	壁内神経節 （下行結腸，S状結腸，直腸，骨盤内臓の壁内に存在する）

[a] 内臓神経は内臓性求心性線維を含む．この線維は自律神経に含めない．

378 腹部　自律神経の神経支配

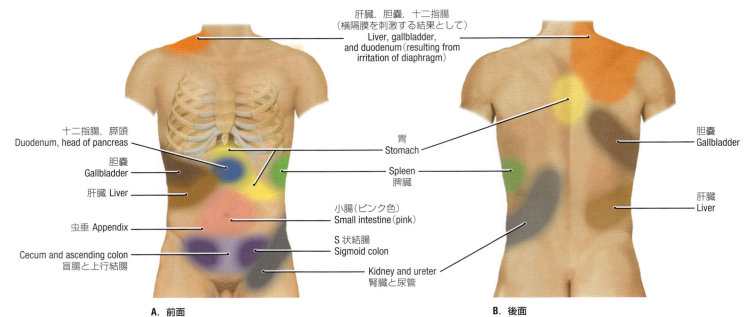

A．前面
B．後面
C．前面

4.85　内臓痛が放散する皮膚領域

A，B　内臓痛が放散する領域．C　各腹部内臓からの内臓求心性線維が入る脊髄分節．

痛みは組織が実際に損傷した場合やその可能性がある場合に生じる不快な感覚であり，特定の神経線維によって脳に伝えられる．脳では痛みの認識のされ方が修飾される場合がある．内臓痛は鈍痛から疝痛までさまざまだが，はっきりと限局したものではない．内臓痛は脊髄に伝えられ，同じ脊髄分節によって支配されるデルマトームに痛みが放散するように感じられる．このように体表に放散する内臓痛は関連痛と呼ばれる．胃潰瘍に伴う**関連痛**は上腹部の皮膚に放散する．胃からの内臓求心性線維は大内臓神経を介して脊髄分節のT7，T8に達しており，脳は同じ脊髄分節に支配される上腹部の皮膚に痛みが生じたものと認識する．

壁側腹膜に由来する痛みは通常は体性神経によって伝えられ，疝痛であることが多い．痛みの部位は限局しており，その部位を特定することができる．壁側腹膜には，腹部の皮膚と同様に，胸神経に含まれる体性感覚神経が分布するのに対し，内臓には交感神経から出る内臓神経に含まれる内臓求心性線維が分布する．壁側腹膜に炎症が及ぶと，腹壁の伸展に対して炎症部が極度に敏感になる．炎症の生じている部位の腹壁を指で圧迫し，壁側腹膜を伸展させ，さらにその指を素早く離すと，強い限局した痛みが感じられる．このような痛みは**反跳痛**と呼ばれる．

凡例 C

C　盲腸 Cecum	P　膵臓 Pancreas	SI　小腸 Small intestine
D　十二指腸 Duodenum	R　直腸 Rectum	Sp　脾臓 Spleen
DC　下行結腸 Descending colon	RK　右の腎臓 Right kidney	SR　副腎 Suprarenal gands
L　肝臓 Liver	SC　S状結腸 Sigmoid colon	St　胃 Stomach
LK　左の腎臓 Left kidney		TC　横行結腸 Transverse colon

自律神経の神経支配　腹部

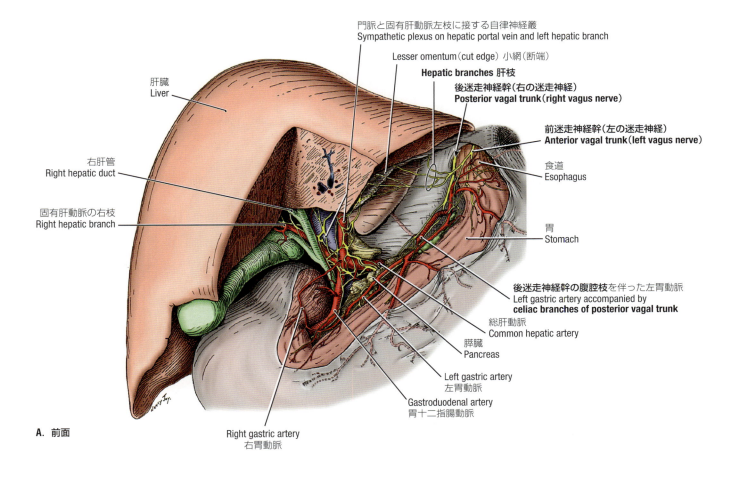

A. 前面

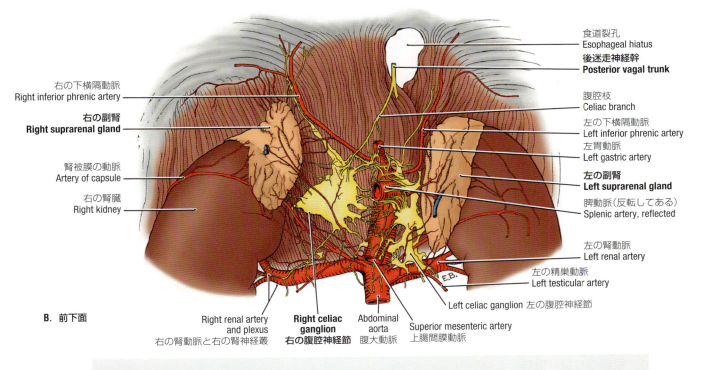

B. 前下面

4.86　腹部における迷走神経

A　前・後迷走神経幹．B　腹腔神経叢，腹腔神経節，副腎．

380 腹部　リンパ流路

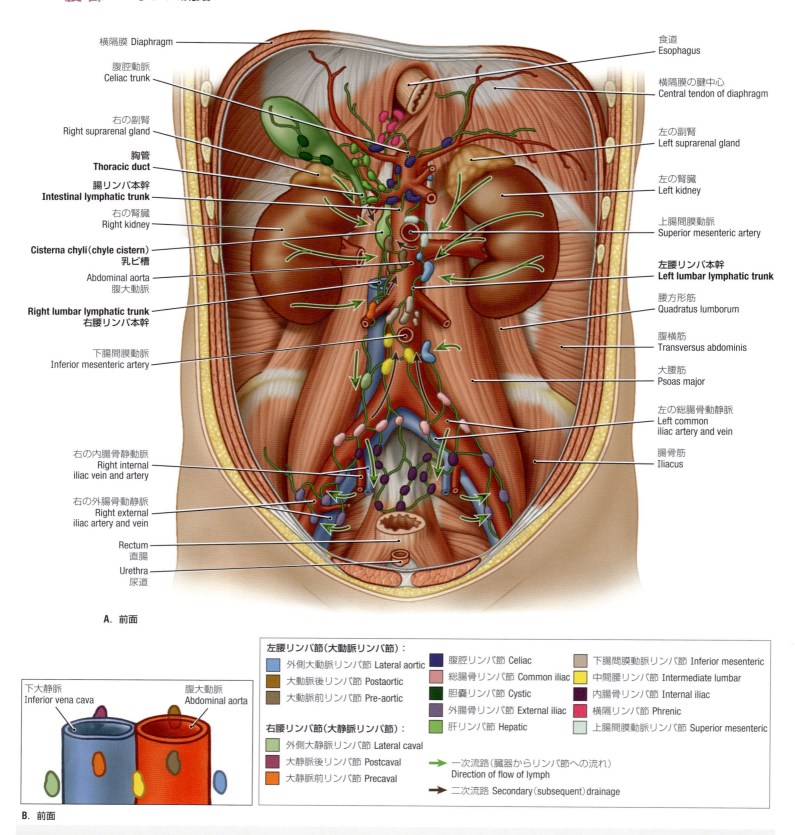

A. 前面

B. 前面

4.87　副腎，腎臓，尿管のリンパ流路

副腎，腎臓，上部尿管からのリンパ管は，腰リンパ節に注ぐ．尿管の中間部からのリンパ管は，通常，**総腸骨リンパ節**に注ぎ，下部尿管からのリンパ管は，総腸骨・外腸骨・内腸骨**リンパ節**に注ぐ．

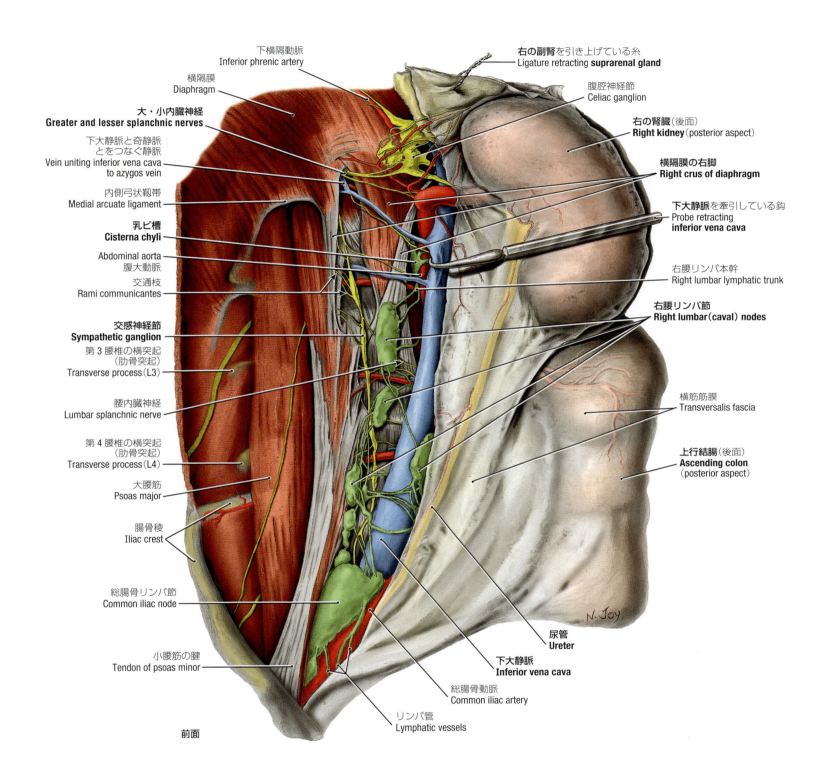

4.88 腰リンパ節，交感神経幹，交感神経節，腰内臓神経

右の副腎，腎臓，尿管および上行結腸が左方に反転してある．また，下大静脈が左方に引き寄せてあり，第3・4腰静脈は取り除いてある．大・小内臓神経，交感神経幹，下大静脈と奇静脈をつなぐ吻合枝が，横隔膜の右脚にできた裂隙（この標本では，通常より広い）を通っている．これらの内臓神経は節前線維を運んでおり，大内臓神経は第5-9胸神経節から，小内臓神経は第10・11胸神経節から起こる．

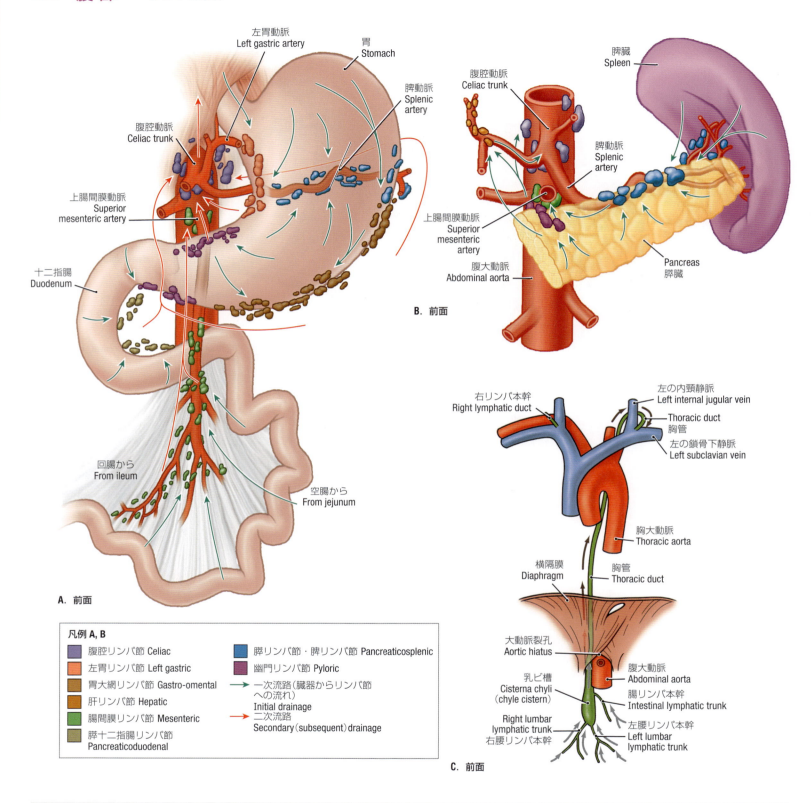

4.89 腹部内臓のリンパ流路

A 胃と小腸．**B** 脾臓と膵臓．**C** 腰リンパ本幹と腸リンパ本幹．

矢印はリンパ液の流れを示している．リンパ節はグループごとに色分けしてある．腹部のリンパ節からのリンパ液は，腰リンパ本幹と腸リンパ本幹を介して，乳ビ槽へ流入する．さらに，乳ビ槽は胸管の下端とつながっている．胸管は，横隔膜より下方の領域と上半身の左半（胸郭の左半と左上肢）からのリンパ液をすべて集めており，左鎖骨下静脈と左内頸静脈の合流部（左静脈角）につながる．

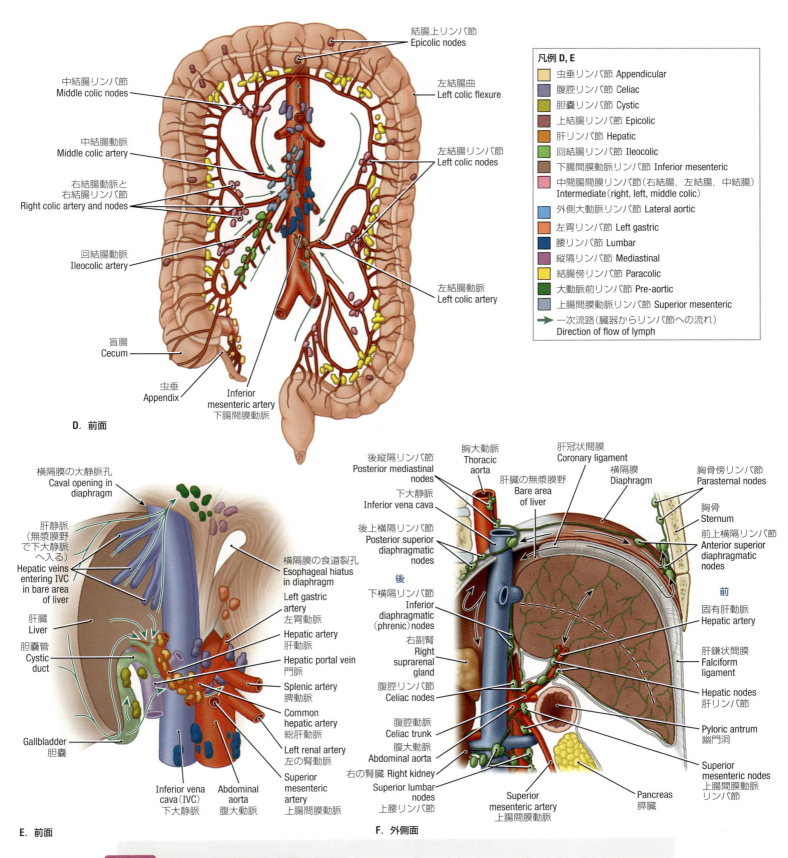

4.89 腹部内臓のリンパ流路(続き)

D 大腸．E 肝臓と胆嚢．F 肝臓．横隔膜・内臓表面や，体壁へのリンパの流れを黒矢印で示した．

384 腹部 断層解剖と断層画像

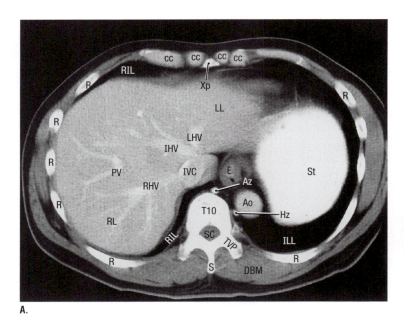
A.

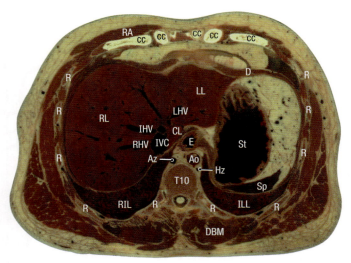
B.

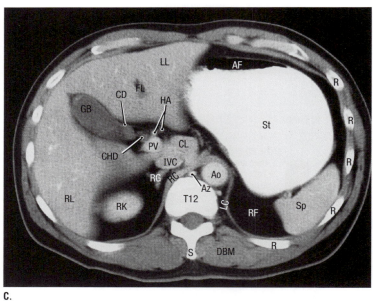
C.

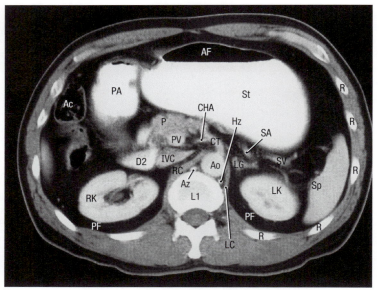
D.

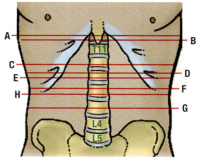

4.90 腹部の水平断 MR 像

Ac	上行結腸 Ascending colon	D2	十二指腸第2部 Descending part of duodenum	IVC	下大静脈 Inferior vena cava		
AF	胃内にある気体と液体の境界 Air-fluid level of stomach	D3	十二指腸第3部 Inferior part of duodenum	LC	横隔膜の左脚 Left crus of diaphragm		
Ao	大動脈 Aorta	E	食道 Esophagus	LG	左の副腎 Left suprarenal gland		
Az	奇静脈 Azygos vein	FL	肝鎌状間膜 Falciform ligament	LHV	左肝静脈 Left hepatic vein		
cc	肋軟骨 Costal cartilage	GB	胆嚢 Gallbladder	LK	左の腎臓 Left kidney		
CD	胆嚢管 Cystic duct	HA	固有肝動脈 Hepatic artery	LL	肝臓の左葉 Left lobe of liver		
CHA	総肝動脈 Common hepatic artery	Hz	半奇静脈 Hemi-azygos vein	LRV	左の腎静脈 Left renal vein		
CHD	総肝管 Common hepatic duct	IHV	中肝静脈 Intermediate hepatic vein	LU	左の尿管 Left ureter		
CL	尾状葉 Caudate lobe of liver	ILL	左肺の下葉 Inferior lobe of left lung	P	膵臓 Pancreas		
CT	腹腔動脈 Celiac trunk			PA	胃の幽門洞 Pyloric antrum of stomach		
D	横隔膜 Diaphragm						
DBM	深背筋 Deep back muscles			PB	膵体 Body of pancreas		
Dc	下行結腸 Descending colon	IMV	下腸間膜静脈 Inferior mesenteric vein	PC	脾静脈と上腸間膜静脈の合流部 Portal confluencer		

断層解剖と断層画像　腹部

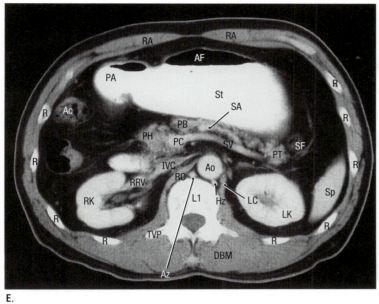
E.

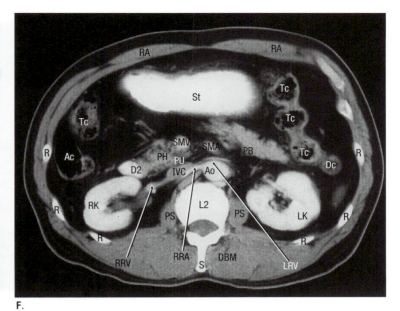
F.

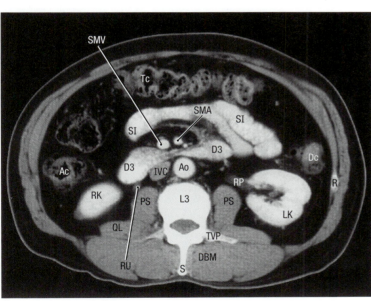
G.

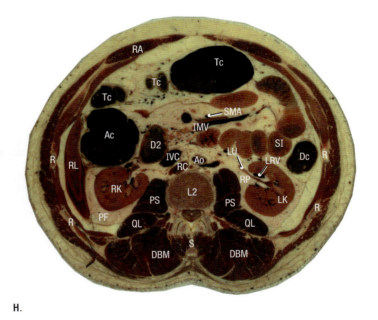
H.

PF	脂肪被膜（腎周囲脂肪）Perinephric fat	RC	横隔膜の右脚 Right crus of diaphragm	RRV	右の腎静脈 Right renal vein	Sp	脾臓 Spleen
PH	膵頭 Head of pancreas	RF	後腹膜脂肪組織 Retroperitoneal fat	RU	右の尿管 Right ureter	St	胃 Stomach
PS	大腰筋 Psoas major			S	棘突起 Spinous process	SV	脾静脈 Splenic vein
PT	膵尾 Tail of pancreas	RG	右の副腎 Right suprarenal gland	SA	脾動脈 Splenic artery	Tc	横行結腸 Transverse colon
PU	膵臓の鈎状突起 Uncinate process of pancreas	RHV	右肝静脈 Right hepatic vein	SC	脊髄 Spinal cord	TVP	横突起 Transverse process
		RIL	右肺の下葉 Right inferior lobe of lung	SF	脾弯曲部（左結腸曲）Splenic flexure	Xp	剣状突起 Xiphoid process
PV	門脈 Hepatic portal vein	RK	右の腎臓 Right kidney	SI	小腸 Small intestine		
QL	腰方形筋 Quadratus lumborum	RL	肝臓の右葉 Right lobe of liver	SMA	上腸間膜動脈 Superior mesenteric artery		
R	肋骨 Rib	RP	腎盤（腎盂）Renal pelvis				
RA	腹直筋 Rectus abdominis	RRA	右の腎動脈 Right renal artery	SMV	上腸間膜静脈 Superior mesenteric vein		

4.90 腹部の水平断 MR 像（続き）

386 腹部 断層解剖と断層画像

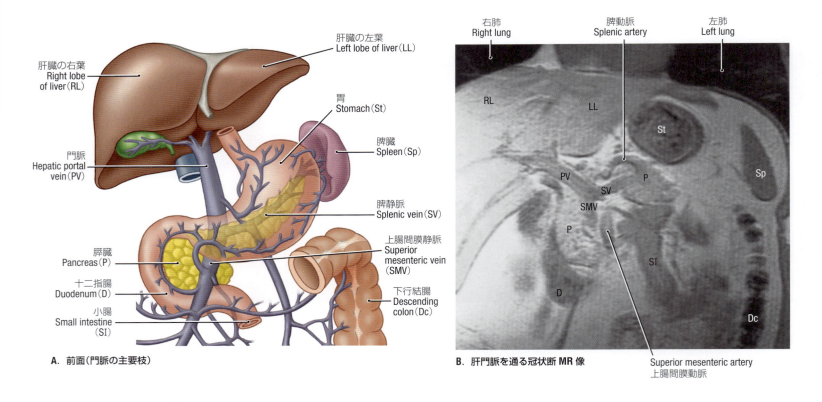

A. 前面（門脈の主要枝）

B. 肝門脈を通る冠状断 MR 像

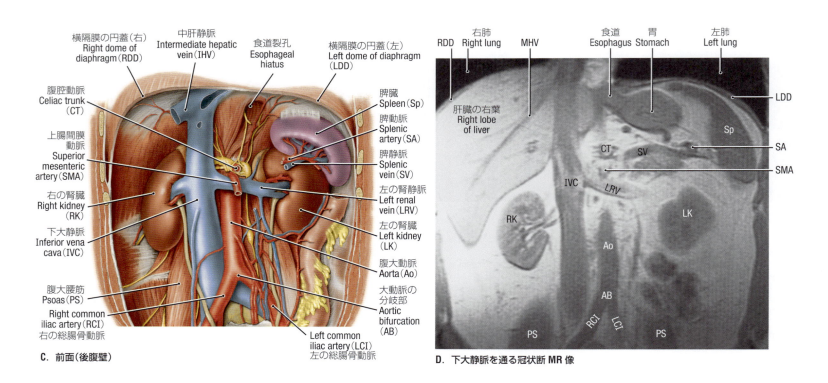

C. 前面（後腹壁）

D. 下大静脈を通る冠状断 MR 像

> **4.91** 腹部の冠状断（前頭断）MR 像
>
> A 肝門脈の図． B 肝門脈を通る冠状断 MR 像． C 後腹壁の図． D 下大静脈や左右の腎臓を通る冠状断 MR 像．

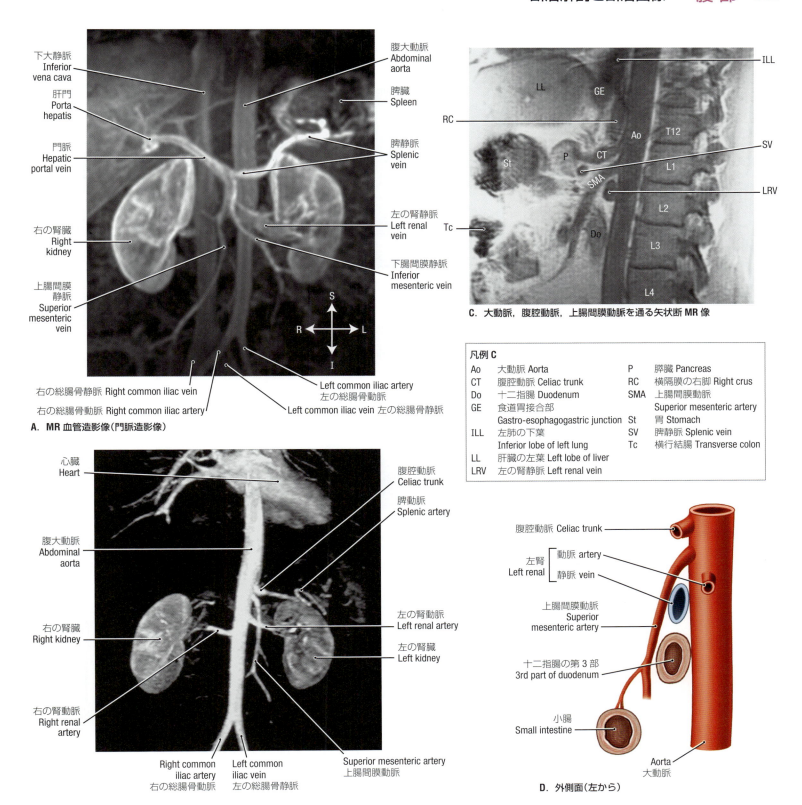

4.92 MR血管造影像と腹部の矢状断MR像

A 磁気共鳴(MR)血管造影像(門脈造影像). 肝門脈の支脈や形成を示す. B 大動脈とその枝のMR血管造影像. C 大動脈を通る矢状断MR像. 腹腔動脈と上腸間膜動脈の周辺構造との関係を示す. D 上腸間膜動脈の関係の模式図.

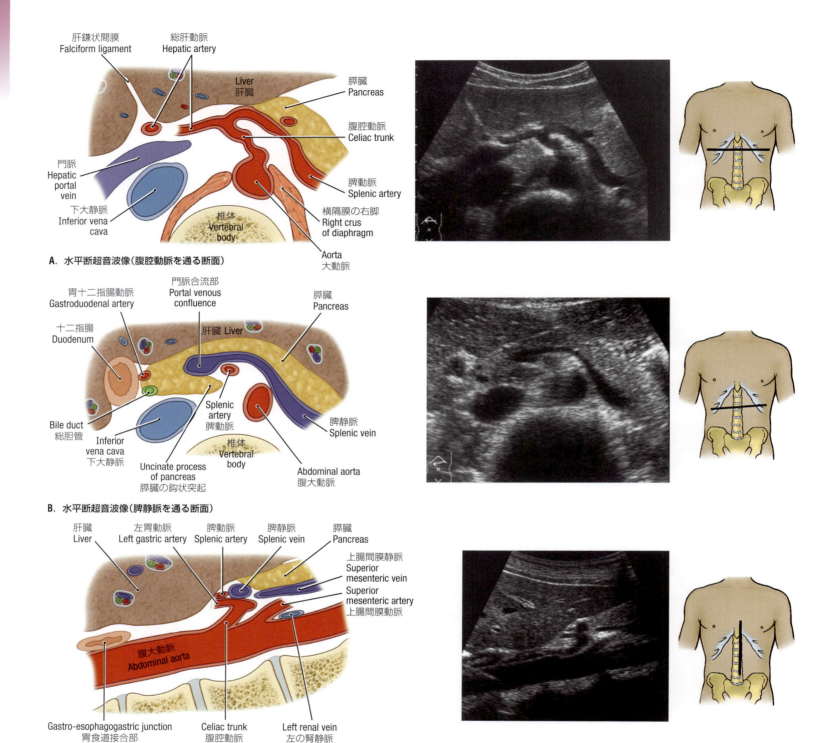

4.93 腹部の超音波断層像

A 腹腔動脈を通る超音波断層像（水平断像）．B 脾静脈を通る超音波断層像（水平断像）．C，D 大動脈，腹腔動脈，上腸間膜動脈を通る超音波断層像（矢状断像）．D はカラードップラー法で血流を可視化している．E 左腎門の高さを通る超音波断層像（水平断像）．左の腎動静脈が見えており，血流をカラードップラー法で可視化している．F 右の腎臓の超音波断層像（矢状断像）．

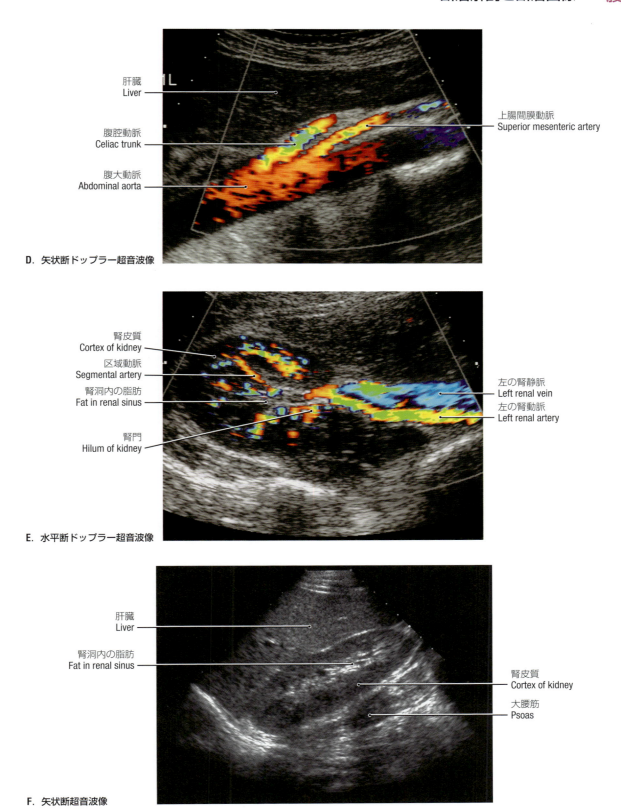

D. 矢状断ドップラー超音波像

E. 水平断ドップラー超音波像

F. 矢状断超音波像

4.93　腹部の超音波断層像(続き)

　超音波検査の最大の利点は，臓器や胎児の動きをリアルタイムに可視化できる点である．さらに，カラードップラー超音波法(D, E)では，通常の断層像に加えて，血管内の血流に色を付けて示すことができる(青色：遅い血流，赤色：早い血流)．発信した超音波と反射してくる超音波の周波数はドップラー効果により異なっており，この差から血流の速度を求めている．

CHAPTER 5

骨盤と会陰
Pelvis and Perineum

下肢帯	392
下肢帯の靱帯	399
骨盤底と側壁	400
仙骨神経叢と尾骨神経叢	404
骨盤の腹膜反転部	406
直腸と肛門管	408
男性の骨盤内臓	414
男性骨盤の血管	420
男性骨盤と会陰のリンパ流路	422
男性骨盤内臓の神経支配	424
女性の骨盤内臓	426
女性骨盤の血管	436
女性骨盤と会陰のリンパ流路	438
女性骨盤内臓の神経支配	440
骨盤の腹膜下領域	444
会陰の体表解剖学	446
会陰の概観	448
男性の会陰	453
男性の骨盤と会陰の画像	460
女性の会陰	462
女性の骨盤と会陰の画像	468
骨盤の血管造影	470

392　骨盤と会陰　下肢帯

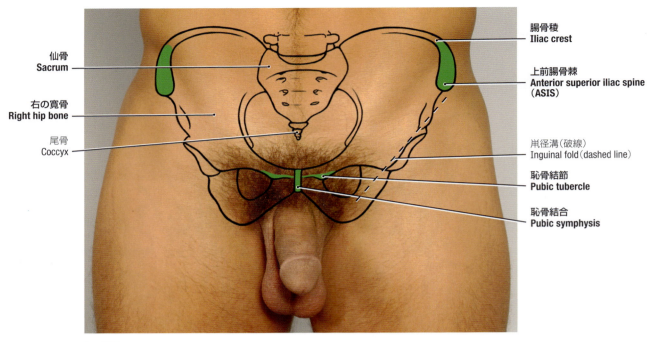

A．前面

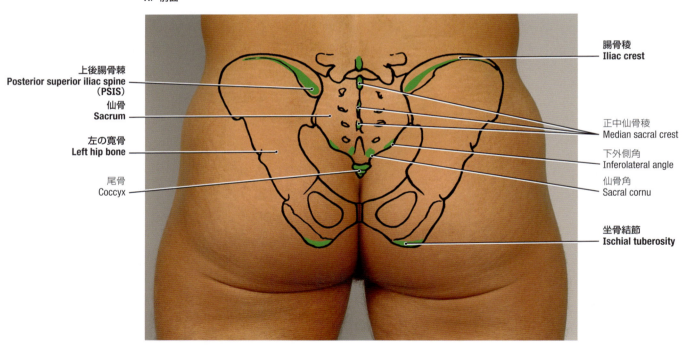

B．後面

| 5.1 | 男性における骨盤部の体表解剖 |

　骨盤は底の抜けた洗面器のような輪状の構造をしており，左右の寛骨と中央の仙骨から構成される．寛骨は大腿骨を脊柱に連結している．体表から触知できる骨の部位を緑色で示してある．
A　骨盤の前面の触知できる骨の部位．腸骨稜の前1/3は皮下の浅い部分にあり，通常容易に触知できる．腸骨稜の残りの部位は，表面を覆う皮下組織（脂肪組織）が薄ければ触知できる．鼠径靱帯は外側にある上前腸骨棘（ASIS）と内側にある恥骨結節の間を結んでおり，この2つの骨の部位は体表から触知できる．
B　骨盤の後面の触知できる骨の部位．上後腸骨棘（PSIS）は通常体表から触知でき，しばしば表面を覆う皮膚（第2仙椎の高さ）に窪みがみられる．坐骨結節は股関節が屈曲している際に触知しやすい．

下肢帯　骨盤と会陰

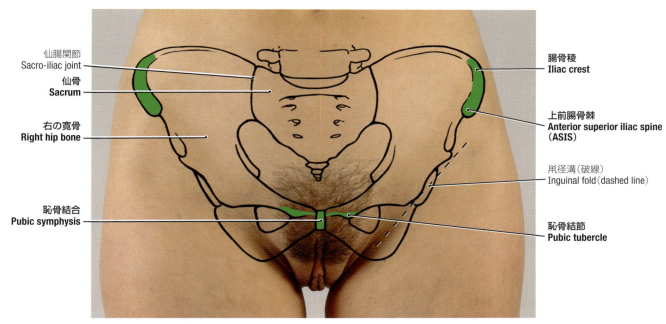

A. 前面

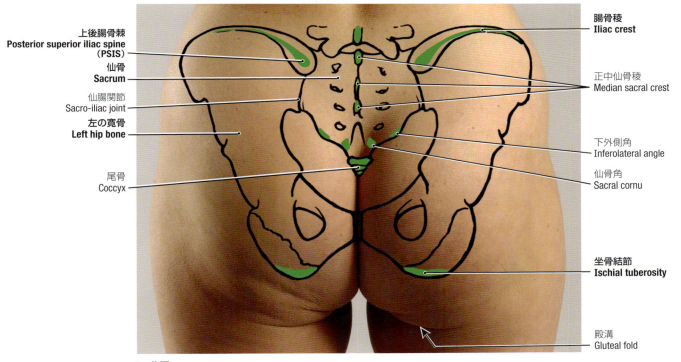

B. 後面

| 5.2 | 女性における骨盤部の体表解剖 |

女性の骨盤は男性と比べ，幅が広く，浅い．このような構造上の差異は，女性では骨盤によって妊娠後期の大きくなった子宮を支え，なおかつ分娩時には骨盤出口から胎児を娩出しなければならないことと関連している．

A　骨盤の前面の触知できる骨の部位（緑色）．左右の寛骨は，前方において恥骨結合により連結している．恥骨結合の前面を覆う分厚い脂肪組織は，恥丘を形成している．この脂肪組織のため，女性では恥骨結節や恥骨結合を触知し難い．

B　骨盤の後面の触知できる骨の部位（緑色）．寛骨は後方において仙骨と連結し，仙腸関節を形成している．

394 骨盤と会陰　下肢帯

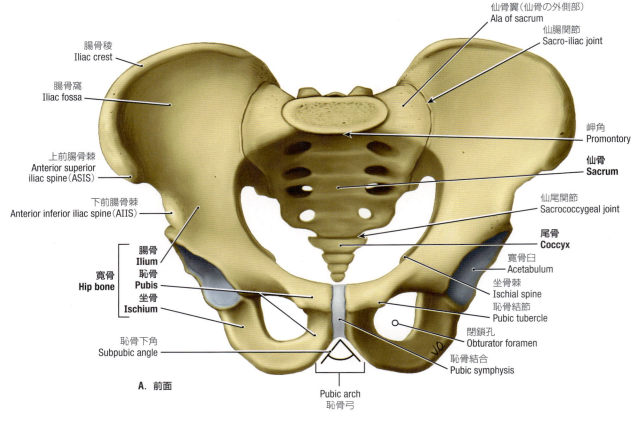

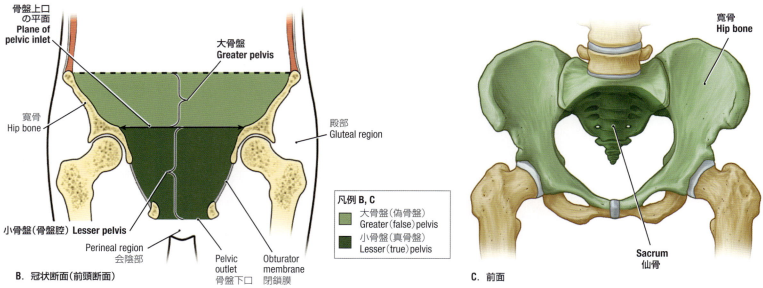

5.3 骨盤を構成する骨と骨盤の区分

A　骨盤を構成する骨．3つの骨（恥骨，坐骨，腸骨）が合わさって寛骨を形成し，さらに左右の寛骨と仙骨が輪状につながって骨性骨盤となる．

B，C　小骨盤と大骨盤の区分を示す模式図．骨盤上口（Bで示した両矢印）が大骨盤（腹腔の一部を囲む）と小骨盤（骨盤腔を囲む）を分けている．黒の破線は大骨盤の上限を示す．

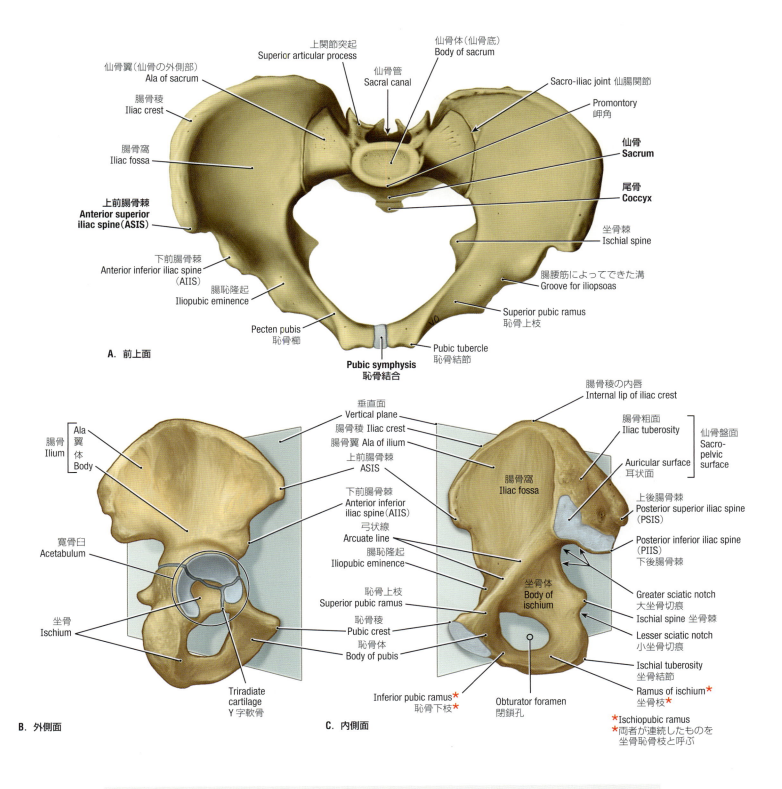

5.4 解剖学的正位における骨盤

A 骨盤.
B 骨盤を解剖学的正位に置くと，(1)上前腸骨棘と恥骨の前面が同一の垂直平面上に位置し，(2)仙骨は上方，尾骨は後方，恥骨結合は前下方にそれぞれ位置する．
C 寛骨の各部位．

骨盤と会陰　下肢帯

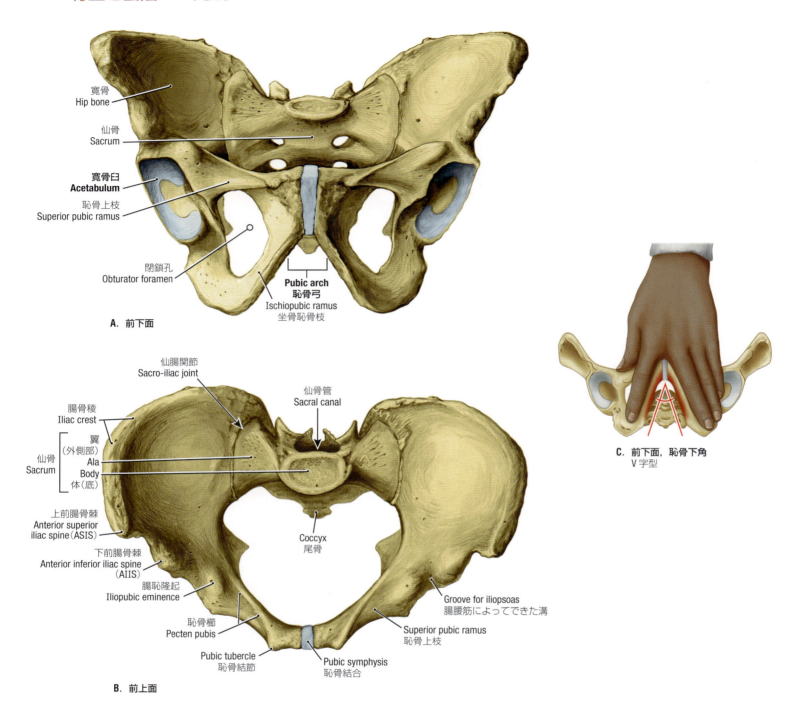

A. 前下面

B. 前上面

C. 前下面，恥骨下角　V字型

5.5 男性の骨盤

表 5.1 骨盤の性差

	男性	女性
概観	分厚く，重い	薄く，軽い
大骨盤	深い	浅い
小骨盤	狭く，深い，下方に向かって狭くなる	幅広く，浅い，円筒型
骨盤上口	ハート型，狭い	卵型もしくは円形，広い
仙骨/尾骨	弯曲が強い	弯曲が弱い

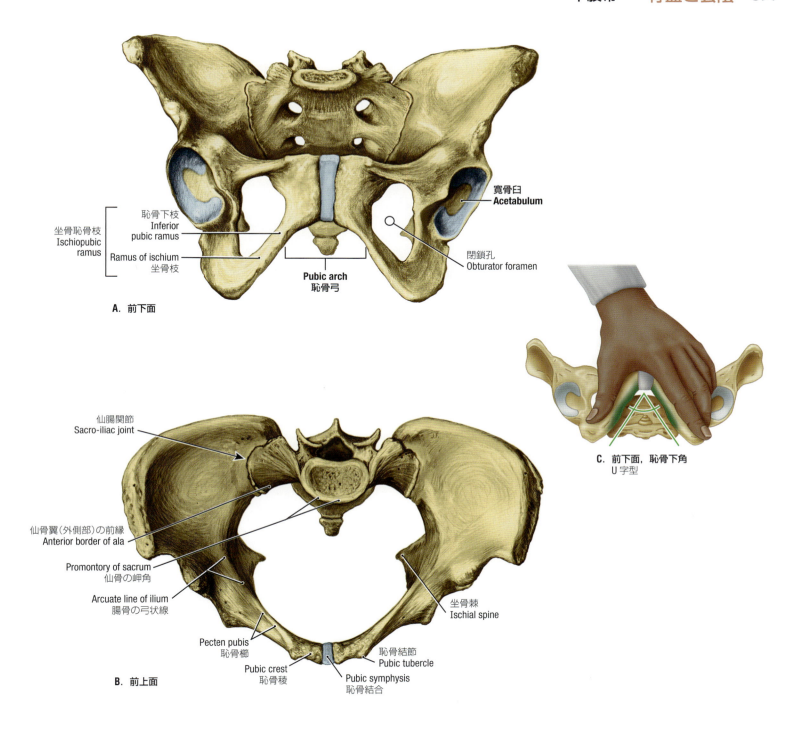

A. 前下面

B. 前上面

C. 前下面，恥骨下角 U字型

5.6 女性の骨盤

表5.1 骨盤の性差（続き）

	男性	女性
骨盤下口	比較的狭い	比較的広い
恥骨弓と恥骨下角	狭い	広い
閉鎖孔	円形	卵形
寛骨臼	大きい	小さい

398　骨盤と会陰　　下肢帯

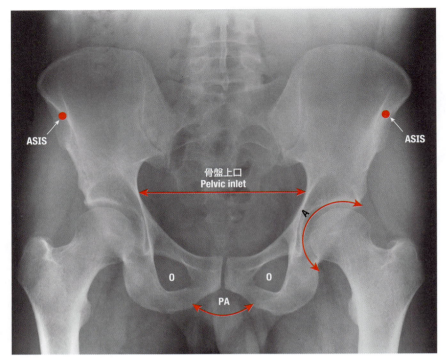

A. 前後像，男性の骨盤

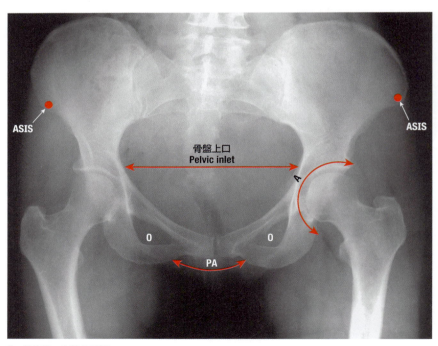

B. 前後像，女性の骨盤

5.7　骨盤のX線像

A 男性．**B** 女性．骨盤にみられる性差の主なものを表5.1に列挙してある．ここで示したX線像でその一部を見ることができる．A：寛骨臼，ASIS：上前腸骨棘，O：閉鎖孔，PA：恥骨弓．

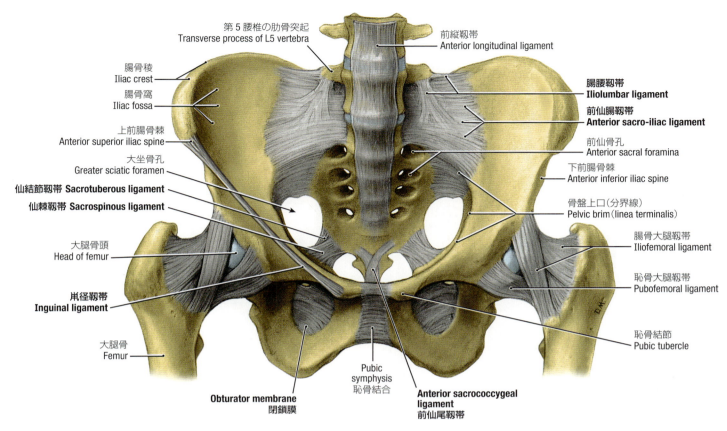

A. 前面

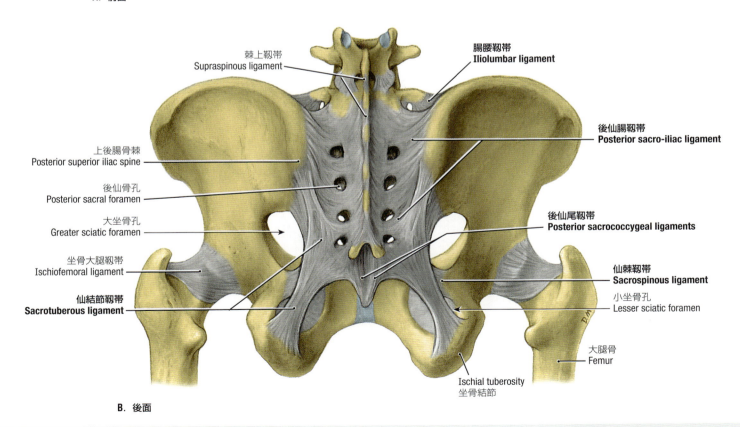

B. 後面

5.8 骨盤とその靱帯

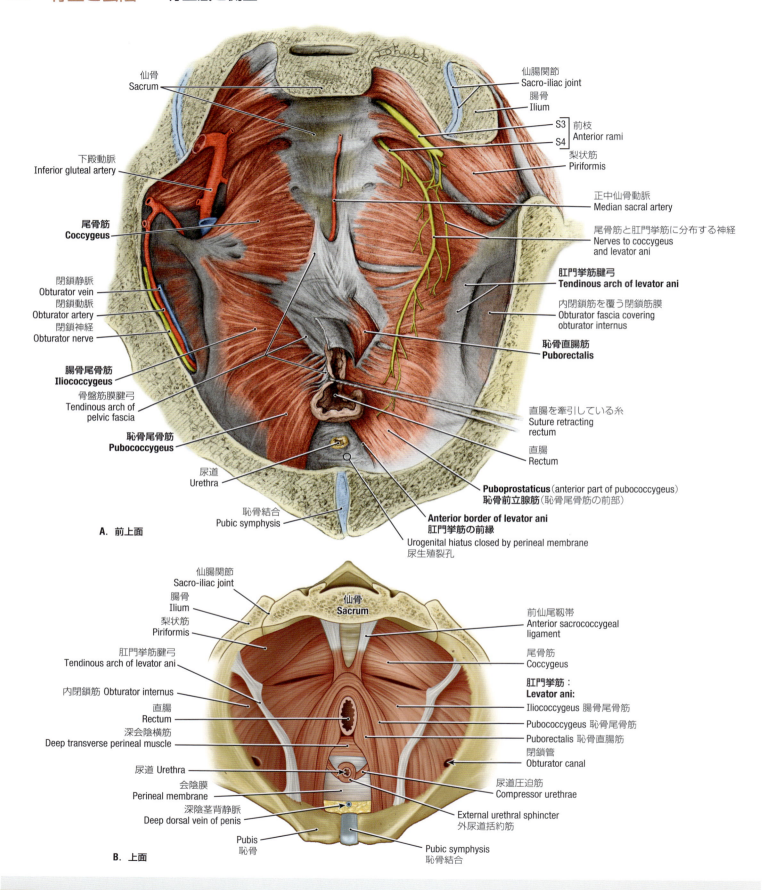

5.9 男性における骨盤壁，骨盤底

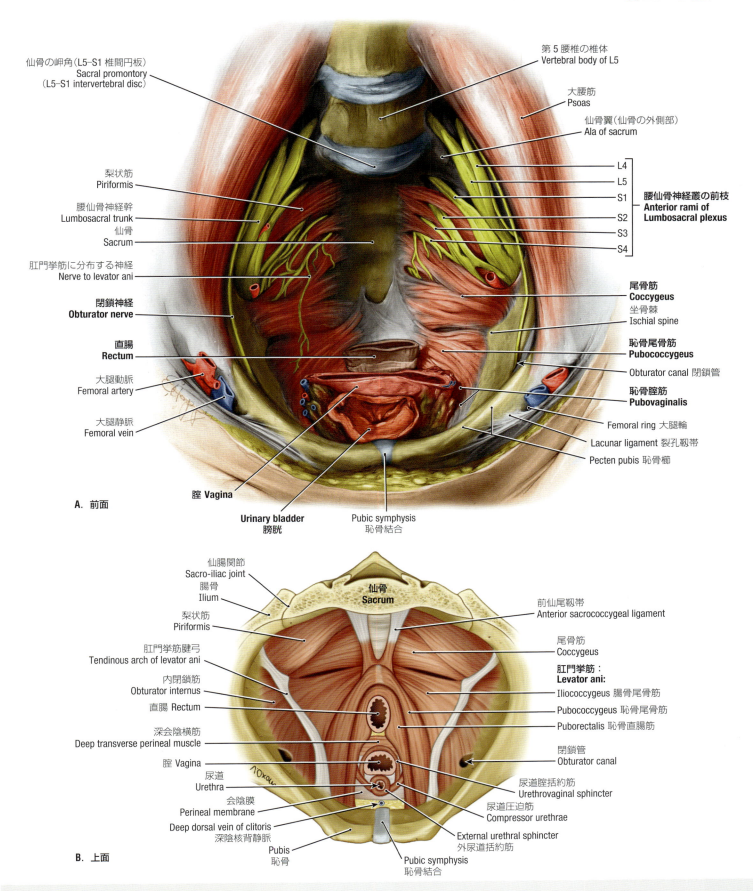

5.10 女性における骨盤壁，骨盤底

402　骨盤と会陰　骨盤底と側壁

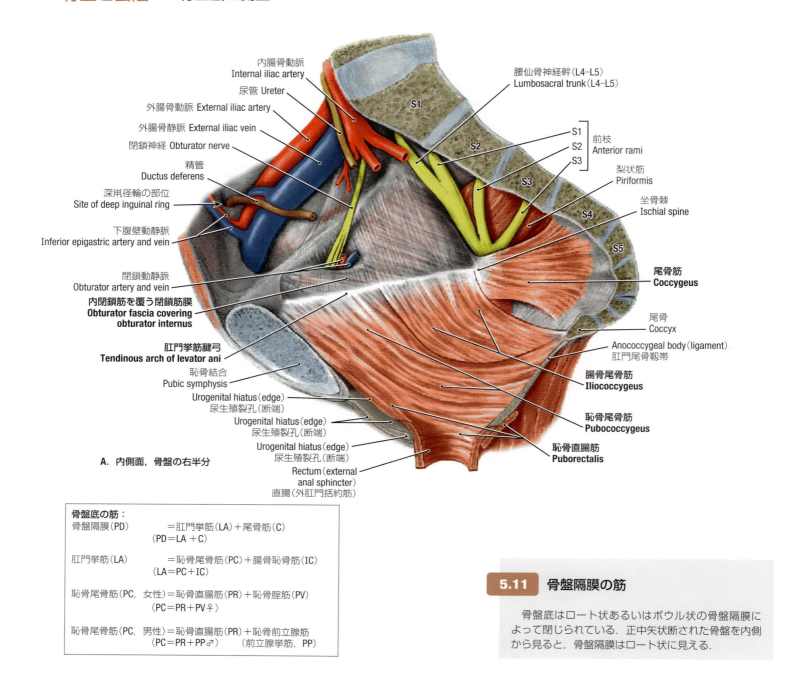

A. 内側面，骨盤の右半分

骨盤底の筋：
骨盤隔膜（PD）　　＝肛門挙筋（LA）＋尾骨筋（C）
　　　　　　　　　（PD＝LA ＋C）

肛門挙筋（LA）　　＝恥骨尾骨筋（PC）＋腸骨恥骨筋（IC）
　　　　　　　　　（LA＝PC＋IC）

恥骨尾骨筋（PC，女性）＝恥骨直腸筋（PR）＋恥骨腟筋（PV）
　　　　　　　　　（PC＝PR＋PV♀）

恥骨尾骨筋（PC，男性）＝恥骨直腸筋（PR）＋恥骨前立腺筋
　　　　　　　　　（PC＝PR＋PP♂）　（前立腺挙筋，PP）

5.11　骨盤隔膜の筋

骨盤底はロート状あるいはボウル状の骨盤隔膜によって閉じられている．正中矢状断された骨盤を内側から見ると，骨盤隔膜はロート状に見える．

表5.2　骨盤壁と骨盤底の筋

壁	筋	近位部での付着	遠位部での付着	神経支配	主な作用
外側壁	内閉鎖筋	腸骨と坐骨の内面，閉鎖膜	大腿骨の転子窩	仙骨神経叢の枝（L5，S1，S2）	大腿の外旋，大腿骨頭を寛骨臼に引き寄せる
後外側壁	梨状筋	仙椎（S2-S4）の前面，大坐骨切痕の上縁，仙結節靱帯	大腿骨の大転子	仙骨神経叢の枝（S1，S2）	大腿の外旋と外転，大腿骨頭を寛骨臼に引き寄せる
骨盤底	肛門挙筋（恥骨尾骨筋，恥骨直腸筋，腸骨尾骨筋）	恥骨体，肛門挙筋腱弓（内閉鎖筋膜にできる），坐骨棘	会陰体，尾骨，肛門尾骨靱帯，前立腺や腟，直腸，肛門管の壁	仙骨神経（S4）の枝，陰部神経	骨盤隔膜の大部分を形成し，骨盤内臓を支える．また，腹腔内圧の上昇時に，骨盤内臓の脱出を防ぐ
	尾骨筋（坐骨尾骨筋）	坐骨棘	仙骨の下端部	仙骨神経（S4，S5）の枝	骨盤隔膜の一部を形成し，骨盤内臓を支える．仙尾関節を屈曲させる

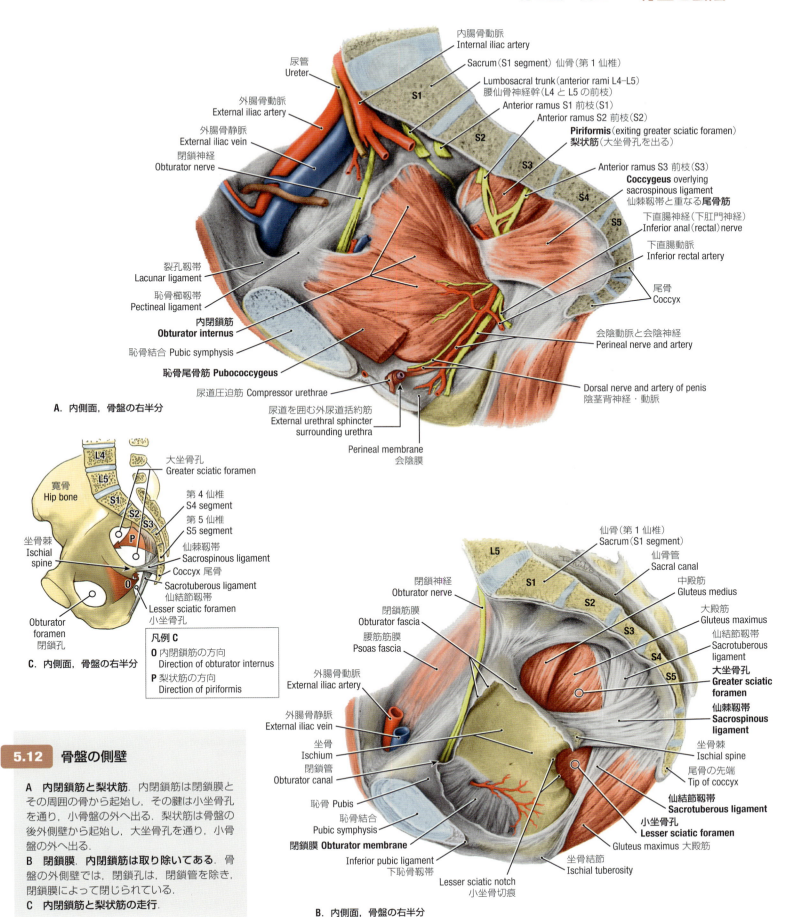

404 骨盤と会陰　仙骨神経叢と尾骨神経叢

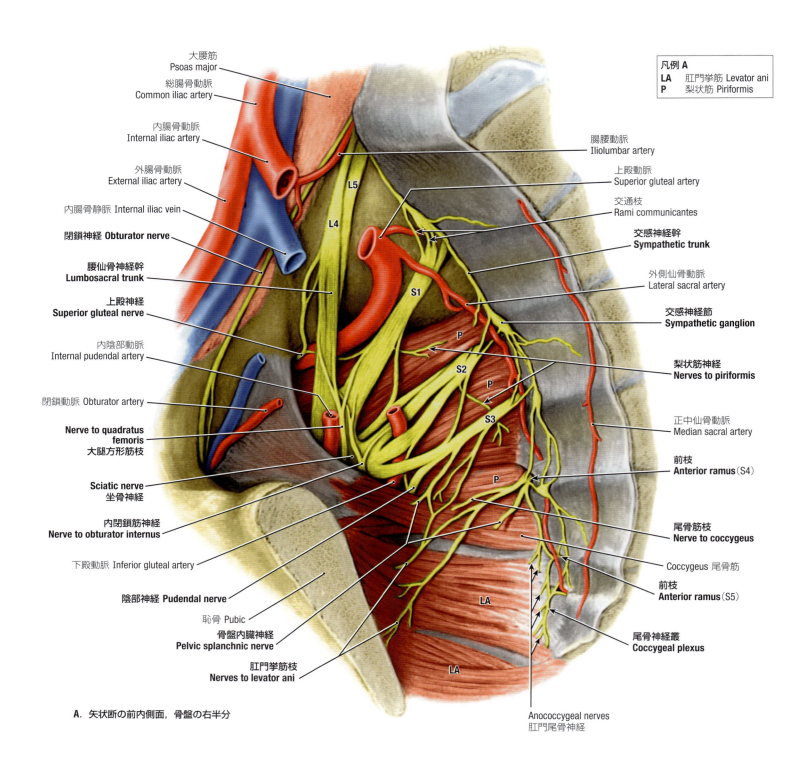

A．矢状断の前内側面，骨盤の右半分

5.13 仙骨神経叢と尾骨神経叢

A　解剖図．
- 交通枝が交感神経幹もしくは交感神経節から出て，仙骨神経と尾骨神経に合流する．
- 第4腰神経の前枝は，第5腰神経の前枝と合流し，腰仙骨神経幹となる．
- 坐骨神経はL4，L5，S1，S2，S3に由来し，陰部神経はS2，S3，S4に由来する．尾骨神経叢はS4，S5，尾髄に由来する．

仙骨神経叢と尾骨神経叢　骨盤と会陰

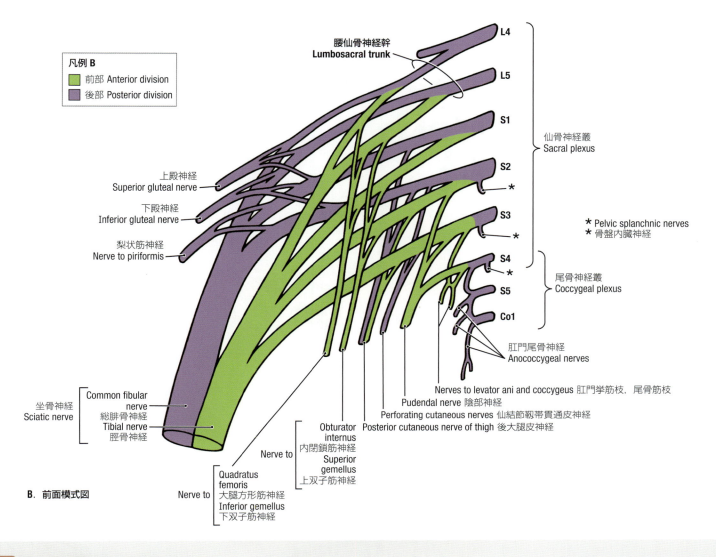

B．前面模式図

5.13 仙骨神経叢と尾骨神経叢（続き）

B 仙骨神経叢と尾骨神経叢の前後部の枝．

表5.3　仙骨神経叢と尾骨神経叢の枝

神経	脊髄分節	分布
坐骨神経		
1　総腓骨神経	L4, L5, S1, S2	筋枝を大腿にある膝の屈筋群および，下腿と足にあるすべての筋に送る．また，関節包枝を股関節へ送る．
2　脛骨神経	L4, L5, S1-S3	
3　上殿神経	L4, L5, S1	中殿筋，小殿筋
4　大腿方形筋神経，下双子筋神経	L4, L5, S1	大腿方形筋，下双子筋
5　下殿神経	L5, S1, S2	大殿筋
6　内閉鎖筋神経，上双子筋神経	L5, S1, S2	内閉鎖筋，上双子筋
7　梨状筋神経	S1, S2	梨状筋
8　後大腿皮神経	S1-S3	殿部，大腿内面の最上部，大腿後面の皮膚
9　仙結節靱帯貫通皮神経	S2, S3	殿部の内側面の皮膚
10　陰部神経	S2-S4	会陰の諸構造：皮枝は外陰部に分布し，筋枝は会陰筋，外尿道括約筋，外肛門括約筋に分布する．
11　骨盤内臓神経	S2-S4	下下腹神経叢（骨盤神経叢）を介して骨盤内臓に分布する．
12　肛門挙筋枝，尾骨筋枝	S3, S4	肛門挙筋，尾骨筋
13　肛門尾骨神経	S4, S5, Co1	仙棘靱帯/仙結節靱帯の尾骨付着部を貫通し皮膚に広がる．

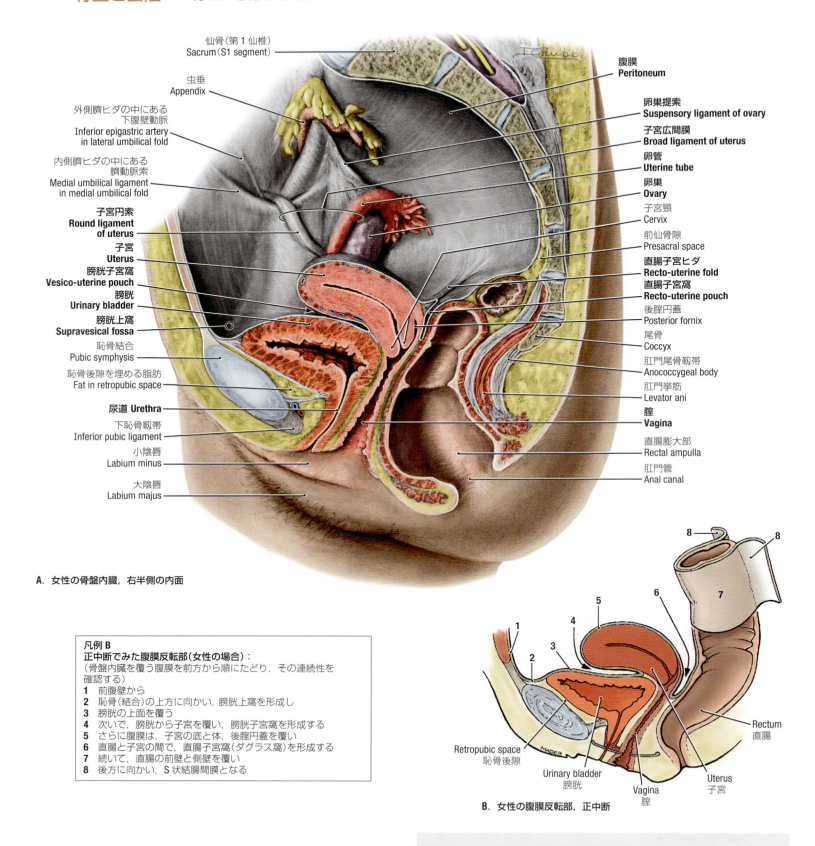

A. 女性の骨盤内臓，右半側の内面

凡例 B
正中断でみた腹膜反転部（女性の場合）：
（骨盤内臓を覆う腹膜を前方から順にたどり，その連続性を確認する）
1 前腹壁から
2 恥骨（結合）の上方に向かい，膀胱上窩を形成し
3 膀胱の上面を覆う
4 次いで，膀胱から子宮を覆い，膀胱子宮窩を形成する
5 さらに腹膜は，子宮の底と体，後腟円蓋を覆い
6 直腸と子宮の間で，直腸子宮窩（ダグラス窩）を形成する
7 続いて，直腸の前壁と側壁を覆い
8 後方に向かい，S状結腸間膜となる

B. 女性の腹膜反転部，正中断

5.14 女性の骨盤内臓と腹膜反転部

A 原位置の骨盤内臓．腹膜で覆われた状態．
B 模式図．膀胱上窩の高さは膀胱の充満度によって変化する．

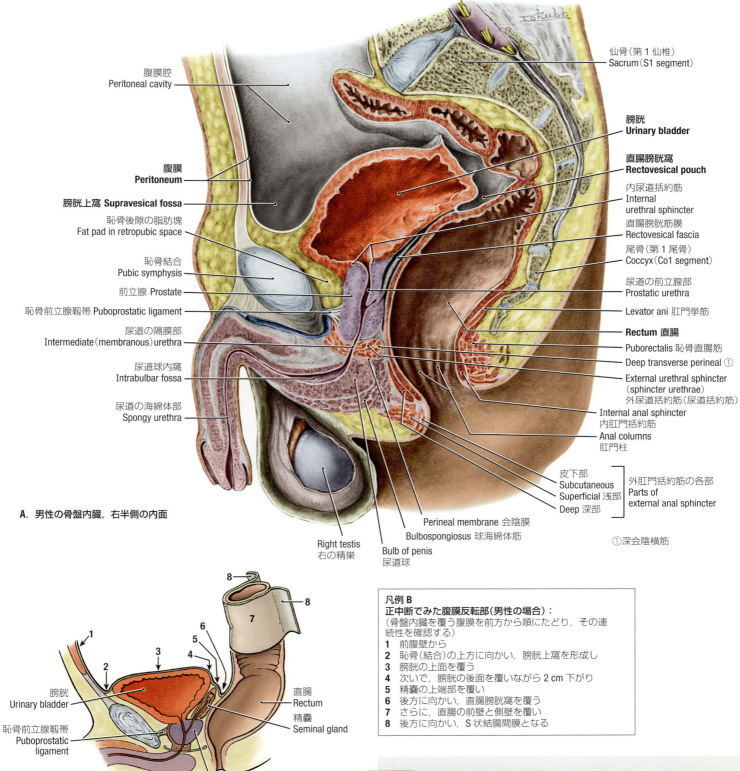

5.15 男性の骨盤内臓と腹膜反転部

A 原位置の骨盤内臓. 通常では, 膀胱は前方に向かって膨らむ. しかし, この標本では後方に向かって膨らんでいるため, 通常よりも広く深い膀胱上窩が形成されている.

B 男性の骨盤内臓を覆う腹膜. 膀胱上窩の高さは膀胱の充満度によって変化する.

408 骨盤と会陰　直腸と肛門管

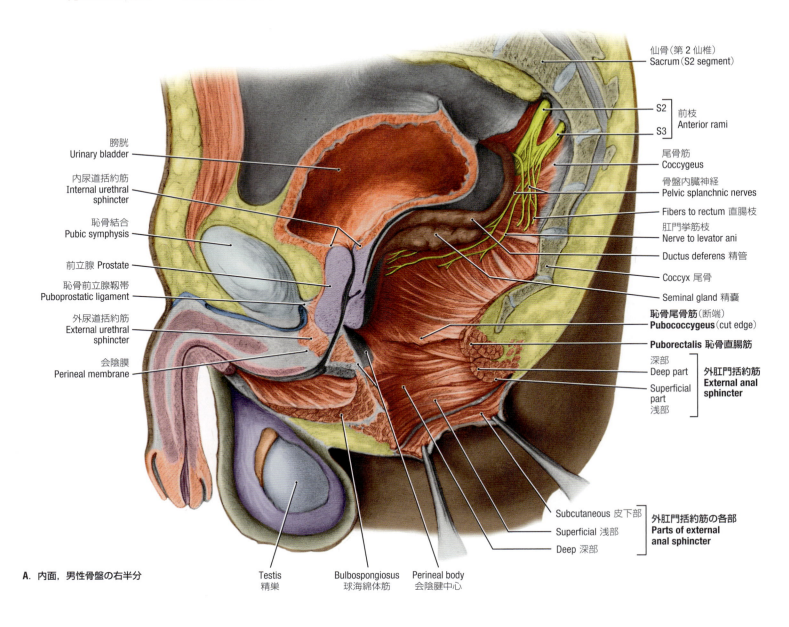

A. 内面，男性骨盤の右半分

5.16 肛門括約筋と肛門管

A 正中矢状断にした骨盤部の右半分．
- 直腸，肛門管，尿道球は取り除いてある．また，外肛門括約筋と皮下組織をピンセットで引っ張っている．恥骨尾骨筋の一部は肛門管に停止しており，肛門管を取り除く際にその停止部で切断してある．
- **外肛門括約筋**は大きな自発的な括約筋で，肛門管の下部2/3の両側に広い束をつくる．この括約筋は上部で恥骨直腸筋に混じり，皮下，表層，深層の3部からなる．

B 恥骨直腸筋．
- 恥骨尾骨筋の最内方の部分は，恥骨直腸筋と呼ばれ，U字型をした筋の「ワナ」を形成する．このワナは，直腸と肛門管の境界部を後方から回り込んで，前上方に牽引する．したがって，この部位は前方に向かって突出（屈曲）し，直腸肛門曲（会陰曲）を形成する．

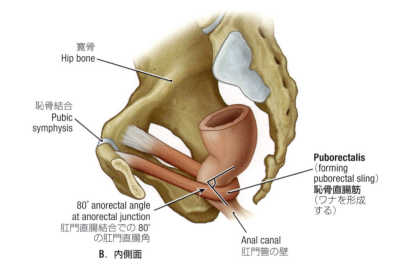

B. 内側面

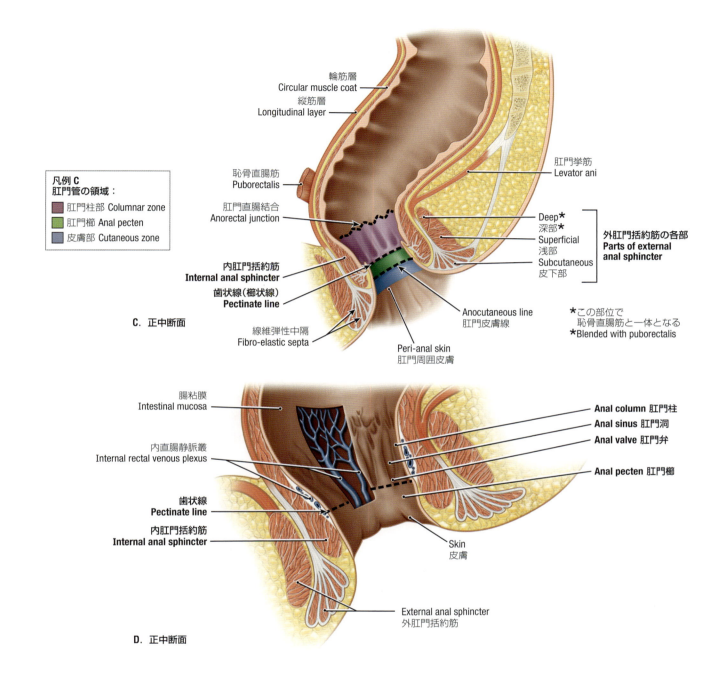

5.16 肛門括約筋と肛門管(続き)

C 内・外肛門括約筋.
- 内肛門括約筋は肛門管の内輪筋が肥厚したものである.
- 外肛門括約筋は境界の不明瞭な3つの連続した領域からなり, 深部, 浅部, 皮下部に分けられる. 深部は後方において, 恥骨直腸筋の筋束と混ざり合う.
- 直腸の外縦筋は内・外肛門括約筋の間を走って両者を分け, 肛門周囲の皮膚や皮下組織に停止する.

D 肛門管.
- 肛門柱は5-10ある垂直な粘膜のヒダで, 肛門洞によって隔てられる. 肛門柱の粘膜には, 直腸静脈叢の一部が存在する.
- 肛門櫛は重層扁平上皮からなり, 体毛を欠く平滑な領域である. 肛門櫛の上端は肛門弁であり, 下端は内肛門括約筋の下縁に一致する.
- 歯状線は肛門弁の付け根を結ぶジグザグな線である. この部位で, 腸粘膜(単層円柱上皮)は肛門櫛の重層扁平上皮に移行する. 歯状線は, 胚の後腸に由来する肛門管上部と, 肛門窩に由来する肛門管下部の境界を示している. 肛門管粘膜の神経支配は, 歯状線より上方が内臓性(自律神経性)で, 下方が体性である. また, 肛門管のリンパ液は, 歯状線より上方では直腸傍リンパ節へ, 下方では浅鼠径リンパ節へ注ぐ.

410 骨盤と会陰　直腸と肛門管

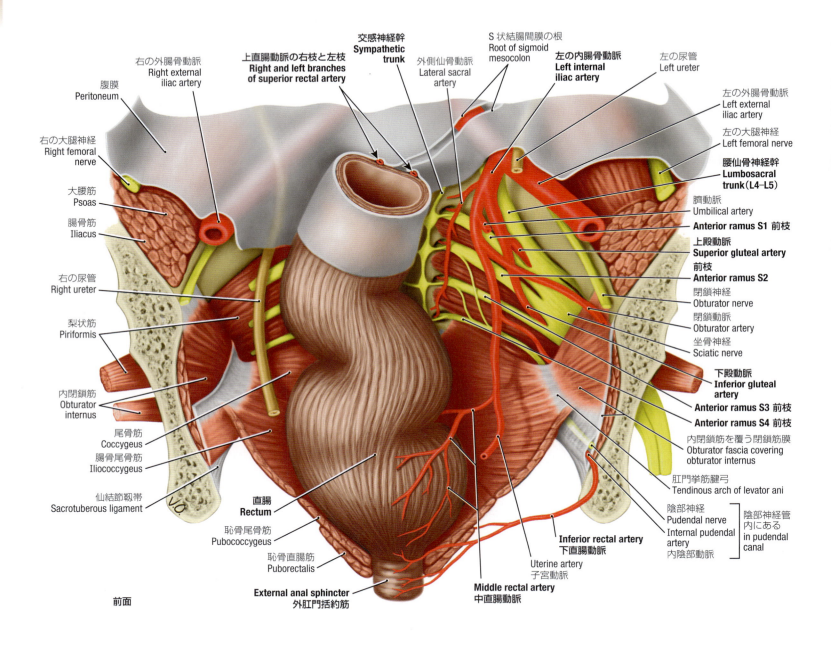

| 5.17 | 直腸と肛門管，骨盤の後壁にある神経と動脈 |

骨盤は，直腸と肛門管の前方で前額断にしてある．上殿動脈は第5腰神経と第1仙骨神経の間を通って後方へ向かう．下殿動脈は第2，3仙骨神経の間を通って後方へ向かう．

直腸と肛門管　骨盤と会陰

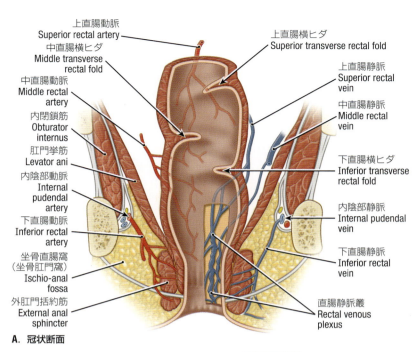

A. 冠状断面

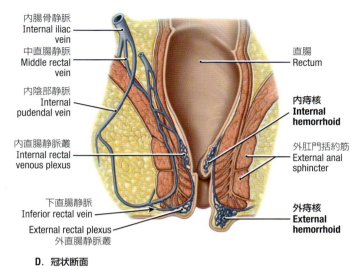

D. 冠状断面

B. 前面

凡例 B
- A　直腸の上半分　Superior half of rectum
- B　直腸の下半分　Inferior half of rectum
- C　肛門管　Anal canal
- 腰リンパ節 Lumbar
- 下腸間膜リンパ節 Inferior mesenteric
- 総腸骨リンパ節 Common iliac
- 内腸骨リンパ節 Internal iliac
- 外腸骨リンパ節 External iliac
- 浅鼠径リンパ節 Superficial inguinal
- 深鼠径リンパ節 Deep inguinal
- 仙骨リンパ節 Sacral
- 流れの方向 Direction of flow of lymph

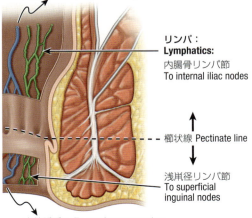

C. 冠状断面

5.18　直腸の血管とリンパ流路

A 動脈系と静脈系．**B** リンパ流路．**C** 櫛状線の上部と下部の静脈・リンパ流路．**D** 痔核．**内痔核**は内直腸静脈叢に静脈瘤が形成された状態であり，静脈瘤は直腸粘膜とともに肛門から脱出する場合もある．粘膜の直下には粘膜筋板と呼ばれる平滑筋の薄い層が存在しており，粘膜筋板の破綻が内痔核の原因の1つと考えられている．肛門から脱出した内痔核は，しばしば肛門括約筋によって圧迫されて，血流が阻害される．このため，内痔核では肛門管の狭窄や潰瘍やこれによる出血を伴いやすい．内直腸静脈叢には動静脈吻合が豊富に存在するため，内痔核からの出血は鮮血であることも特徴である．一般に，脱出もしくは潰瘍化した内痔核は治療の対象となる．一方，**外痔核**は皮下にある外直腸静脈叢の静脈瘤であり，有痛性で血栓を伴いやすい．

　痔核を誘発（増悪）する因子として，妊娠，慢性的な便秘，静脈還流を滞らせる疾患（腹部の内圧を高めるような疾患を含む）が挙げられる．上直腸静脈は門脈系である下腸間膜静脈へ流入するが，中および下直腸静脈は体静脈系である内腸骨静脈を介して下大静脈に流入する．門脈や下大静脈には静脈弁がないため，内圧が異常に高まった場合，直腸静脈叢において血流の増加もしくはうっ血が生じる．**門脈圧亢進症**（肝硬変症などでみられる）では，門脈系と体静脈系の吻合部が拡張して静脈瘤を形成し，破裂する場合がある（特に食道静脈瘤は破裂しやすい）．しかし，直腸の静脈叢は正常な状態でも多少は拡張し瘤状になっていることもある．新生児においては，門脈圧亢進症を伴わない場合でも，しばしば内痔核がみられる．

　痔核の痛みや治療を考えるうえで，肛門管粘膜の神経支配が櫛状線の上下で異なることが重要となる．歯状線よりも上方の粘膜は内臓性の神経支配を受け（内臓求心性線維が分布し），この部分に切開を加えたり，針を刺入したりしても痛みは感じない．したがって，内痔核は通常，痛みが少ない．櫛状線よりも下方は体性の神経支配を受けており（下肛門神経が分布している），皮下針などで突くと痛みを感じる．したがって，外痔核は痛みを伴いやすい．

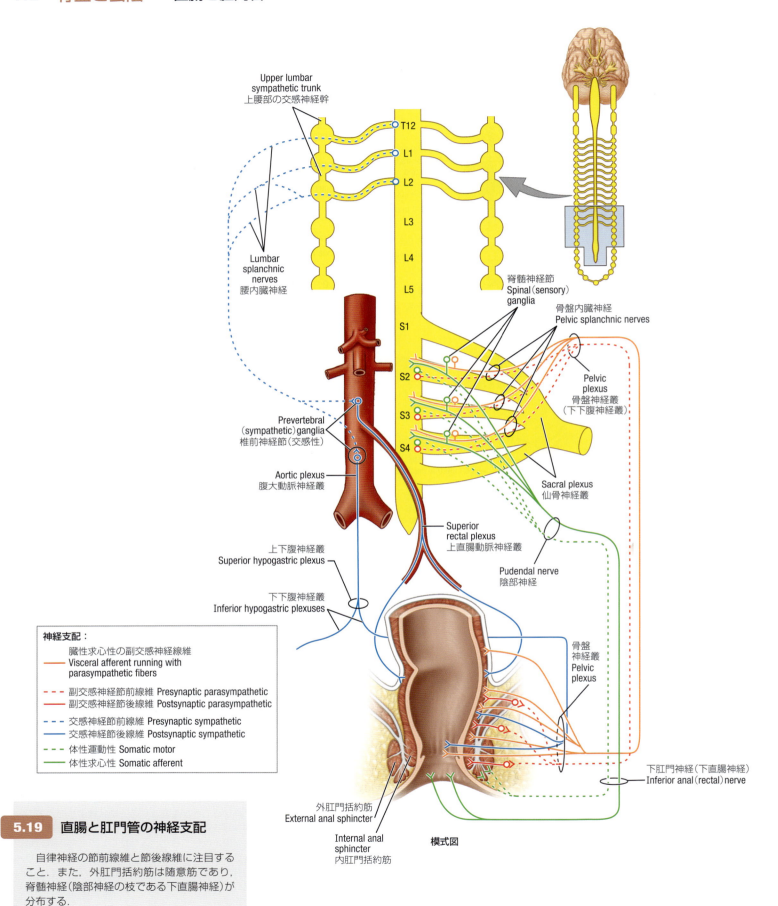

5.19 直腸と肛門管の神経支配

自律神経の節前線維と節後線維に注目すること．また，外肛門括約筋は随意筋であり，脊髄神経(陰部神経の枝である下直腸神経)が分布する．

直腸と肛門管　骨盤と会陰　413

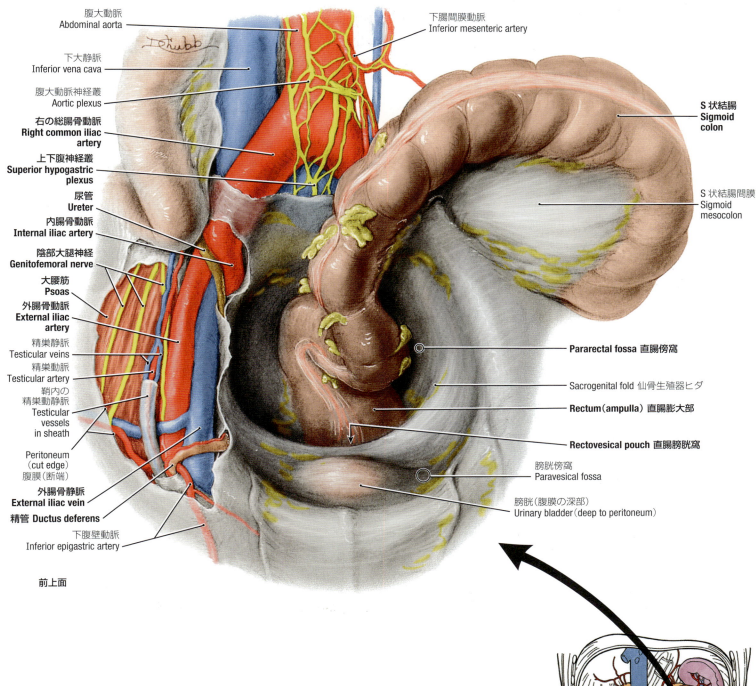

前上面

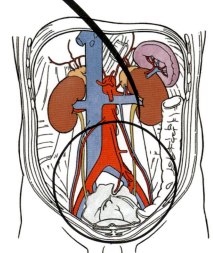

5.20　原位置における直腸

- S状結腸は骨盤上口の位置から始まり，第3仙椎の正中前面で直腸に移行する．
- 上下腹神経叢は腹大動脈分岐部の下方で，左総腸骨静脈の前方に位置する．
- 尿管は腹膜と接し，外腸骨動静脈を乗り越えて骨盤腔へ入り，内腸骨動脈の前方を下行する．精管と精巣動脈も腹膜と接し，外腸骨動静脈の前方を乗り越えて骨盤腔へ入る．このとき，精管と精管動脈は下腹壁動脈の起始部で鉤状に曲がり，精巣動脈と分かれる．
- 陰部大腿神経は大腰筋の表面に沿って下行する．

414 骨盤と会陰　男性の骨盤内臓

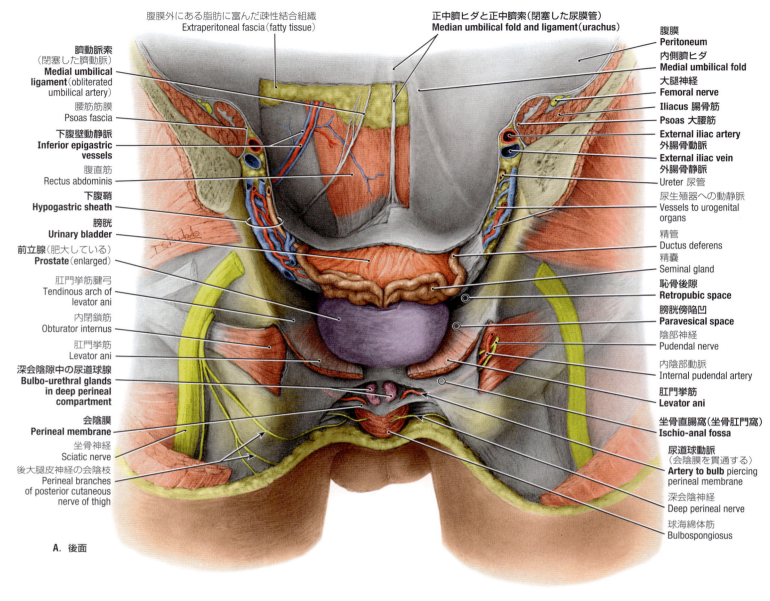

A. 後面

5.21 骨盤前方部と会陰

A 解剖図．骨盤前方部を後方から見たところ．直腸膀胱中隔とこれよりも後方に位置する骨盤内と会陰の構造を取り除いてある．

B 骨盤前部を通る冠状断面（前頭断面）の模式図．骨盤内の筋膜を示している．

- 下腹壁動静脈は腹直筋鞘（腹直筋）の中へ潜り込む．この血管は腹膜によって覆われ，外側臍ヒダが形成される．
- 内側臍ヒダは閉塞した臍動脈（臍動脈索）によって形成される．
- 正中臍ヒダは閉塞した尿膜管（正中臍索）によって形成される．
- 尿管は膀胱の近くに達すると，膀胱，精嚢，前立腺に分布する神経や血管とともに下腹鞘と呼ばれる疎な結合組織によって束ねられている．

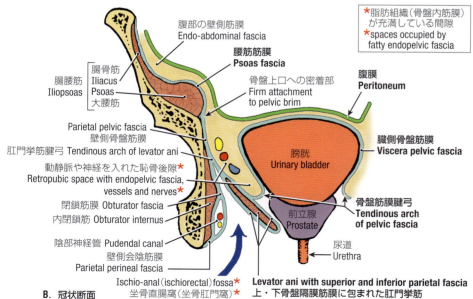

B. 冠状断面

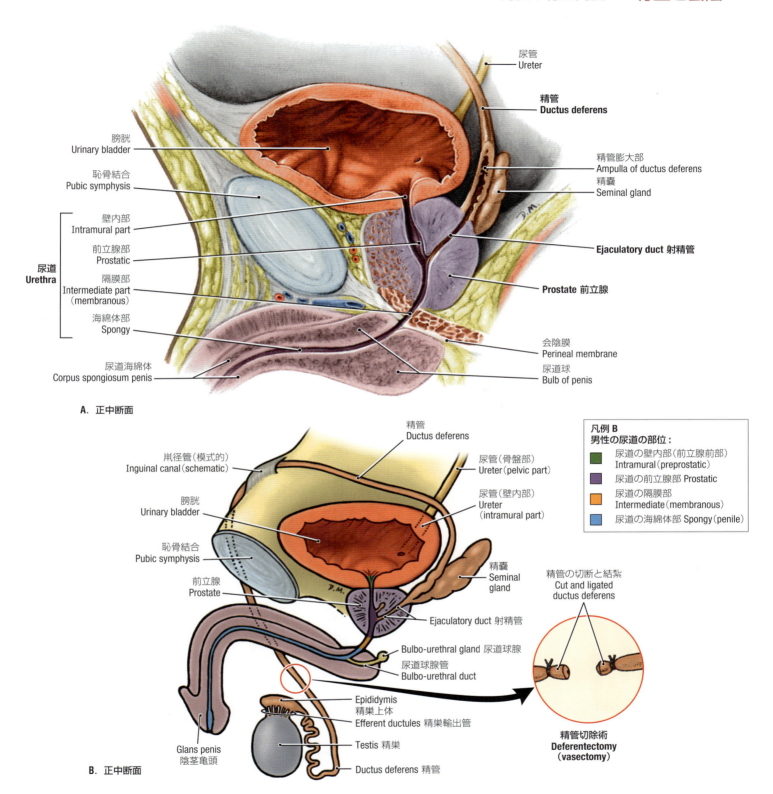

5.22 膀胱，前立腺，精囊，精管

A 解剖図．正中断面．射精管（長さおよそ2cm）は，精管と精囊の排出管が合流してできる．この管は前立腺の実質を貫きながら前下方に走行し，尿道の前立腺部にある精丘に開口する．
B 泌尿生殖器（男性）の概観．

精管切除術は男性を不妊にする一般的な方法である．この手術では陰囊の上部において精管を結紮し，切断する．術後は射精された精液中に精子が含まれなくなる．

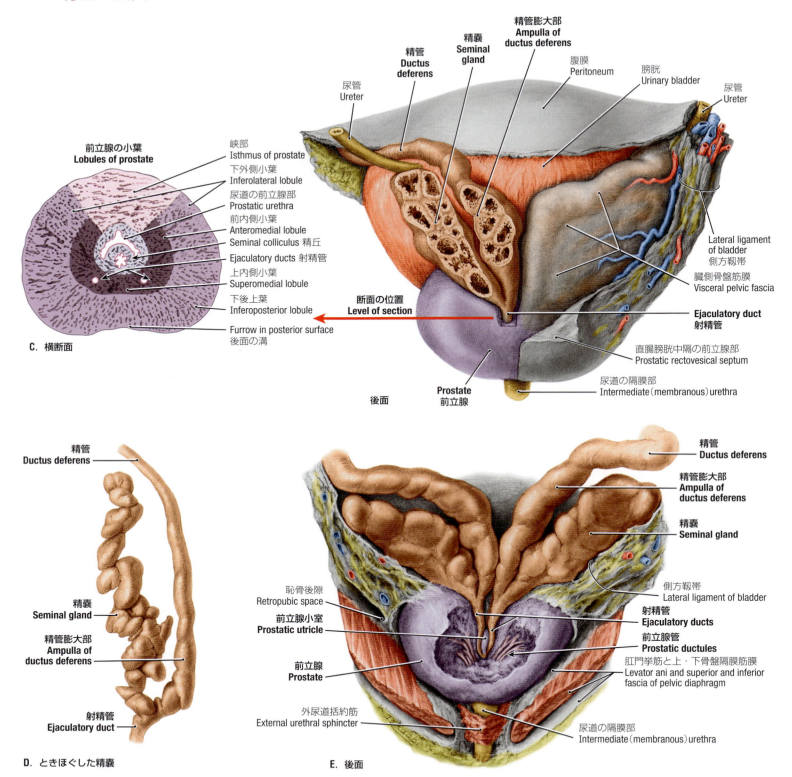

5.22 膀胱，前立腺，精嚢，精管（続き）

C 膀胱，精管，精嚢および前立腺の小葉．左の精嚢と精管膨大部は，後方の一部が切り取られ，内腔が見えている．また，射精管を剖出するため，前立腺のごく一部が取り除かれている．

D ときほぐした精嚢．精嚢は曲がりくねった管で，多くの膨隆部を持っている．精管膨大部も似たような膨隆部を持っている．

E 前立腺，後方を部分的に取り除いてある．射精管（長さおよそ2cm）は精管と精嚢の排出管が合流してできる．この管は前立腺の実質を貫きながら前下方に走行し，尿道の前立腺部にある精丘に開口する．前立腺小室は左右の射精管末端部の間に位置する．前立腺管の大部分は前立腺洞に開口する．

男性の骨盤内臓　骨盤と会陰

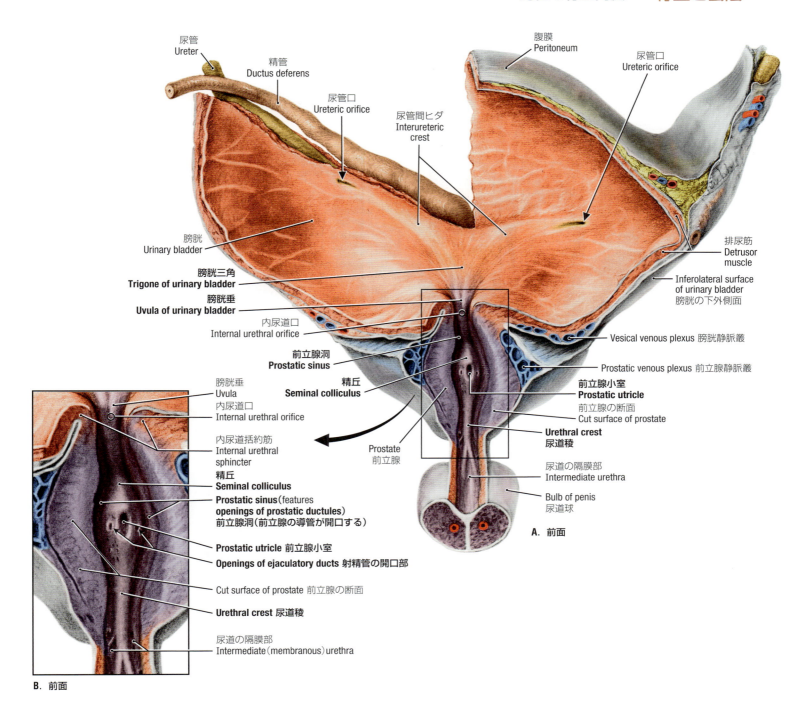

5.23　男性の膀胱と尿道前立腺部の内観

A　**解剖図**．膀胱，前立腺および尿道の前方部が切り取られている．
B　**尿道の前立腺部**．

- 膀胱三角は左右の尿管口と中央の内尿道口を結んだ領域である．膀胱三角の粘膜は平滑であるが，他の部位の粘膜にはヒダが認められる．ヒダは，膀胱が空の場合によくわかる．
- 前立腺小室は尿道稜の途中にある精丘に開口する．射精管の開口部も精丘にあり，前立腺小室の両脇に存在する．
- **前立腺肥大症**は中年以降のほぼすべての男性にみられることから，前立腺の解剖学は臨床上大きな関心を持たれている．通常，前立腺肥大症は正中部を中心に生じる．肥大した前立腺は膀胱に向って突出するとともに，尿道の前立腺部を圧迫するため排尿に時間がかかるようになる．排尿時に患者がより強く力むと，尿道は前立腺によってより強く閉塞される．
　前立腺肥大症は尿道を閉塞させる最も一般的な原因の1つである．尿道の閉塞により，**夜間頻尿**や**排尿困難**，**尿意切迫**といった症状が生じる．また，前立腺肥大症の患者では膀胱炎や逆流性腎症のリスクが高まる．

418 骨盤と会陰　男性の骨盤内臓

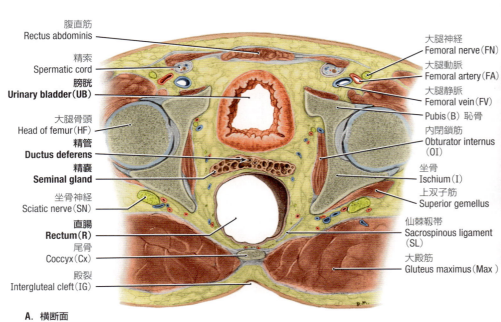

A．横断面

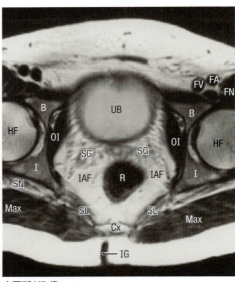

水平断 MR 像

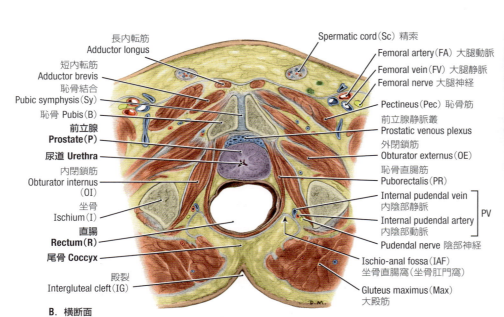

B．横断面

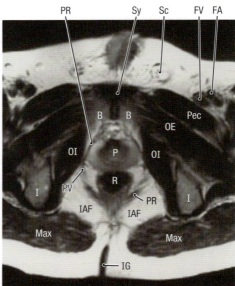

水平断 MR 像

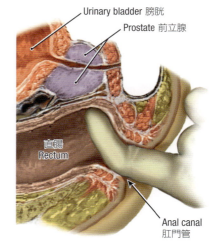

C．矢状断面

5.24　男性の骨盤，水平断面と MR 像

A　膀胱と精嚢を通る横断面および MR 像．B　前立腺と恥骨直腸筋を通る横断面および MR 像．C　直腸指診．**直腸指診**によって前立腺の肥大や腫瘍の有無を診断することができる．膀胱が完全に充満している場合は，前立腺の可動性が少なくなり，より触知しやすくなる．前立腺に癌がある場合は，硬くて不整な感触となる．

男性の骨盤内臓　骨盤と会陰

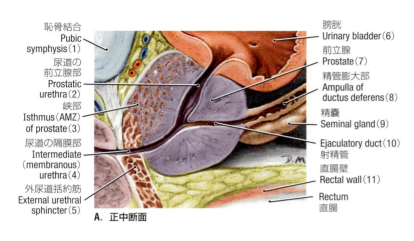

A. 正中断面

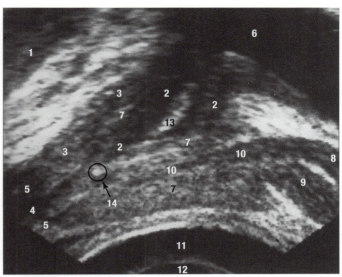

長軸（正中）断像

超音波像の凡例
12　直腸内の振動子の位置 Site of transducer in rectum
13　膨脹および虚脱した尿道の周辺の結石 Concretions surrounding distended and collapsed urethra
14　精丘内の石灰化 Calcification in seminal colliculus

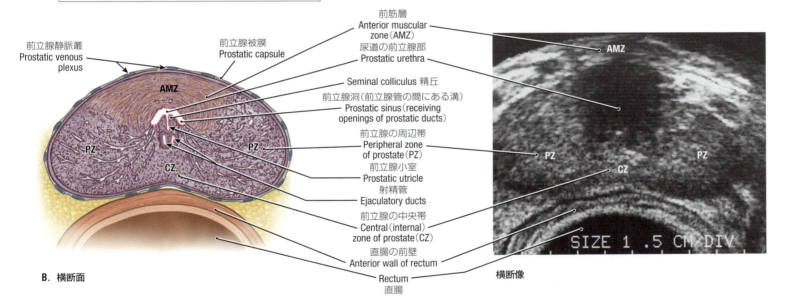

B. 横断面　　　　　　　　　　　　　　横断像

5.25　男性骨盤の経直腸超音波断層像

A　長軸（正中）断像．B　横断像．探触子を直腸に挿入し，直腸の前方に位置する前立腺を見ている．

末梢域の前立腺管は前立腺洞に開口する．一方，移行域（や中心域）の前立腺管は，前立腺洞や精丘に開口する．

前立腺肥大症は前立腺の中央帯に生じる．尿道の前立腺部は中央帯と接するため，前立腺肥大による尿道の狭窄・閉塞は尿道内に挿入した内視鏡により解消することができる．内視鏡は外尿道口から挿入し，尿道の海綿体部を通って，前立腺部に達する．内視鏡で観察しながら，肥大した前立腺の肥大部を切除することができる（**経尿道的前立腺切除術**）．前立腺癌の場合には，尿道や射精管，精管の最遠位部を残してすべての前立腺が切除される（**広範前立腺切除術**）．

前立腺の手術において，経尿道的前立腺切除術やロボットによる腹腔鏡手術により，前立腺の被膜や精嚢に隣接する神経や血管を温存しようとする試みがなされている．これらの神経や血管は陰茎を支配しており，温存により術後の性機能が保たれる可能性が高まる．

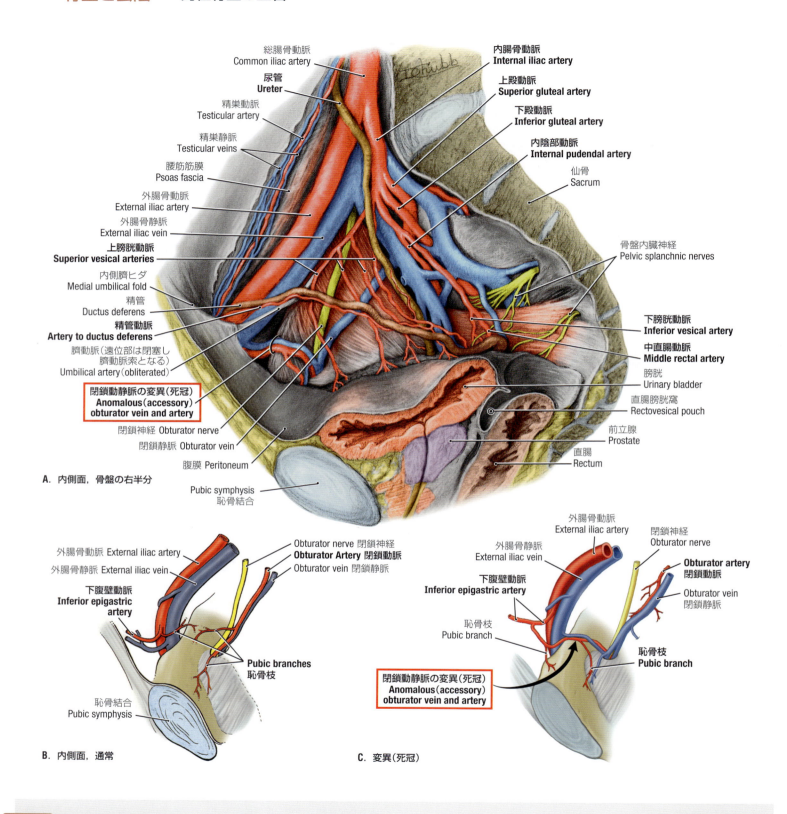

5.26 骨盤の内臓と側壁

A 骨盤の内側面.
尿管は外腸骨動静脈の起始部（総腸骨動脈の分岐部）と交叉し，精管は外腸骨動脈の終末部（深鼡径輪のあたり）と交叉する．この標本では閉鎖動脈（変異）は下腹壁動脈から起こる．

B 通常の閉鎖動脈. C 閉鎖動脈の変異. ヘルニア修復を行う外科医はこのよくある変異（Aでも示す）を念頭に置いておかねばならない．

男性骨盤の血管　骨盤と会陰

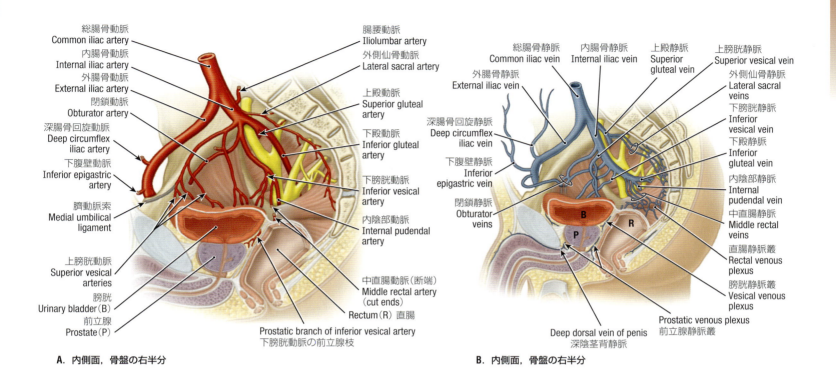

A. 内側面，骨盤の右半分
B. 内側面，骨盤の右半分

5.27 男性における骨盤の動脈と静脈

A 動脈．B 静脈．
骨盤の神経脈管は腹膜外にある．骨盤腔から骨盤壁に剖出するとき，まず骨盤動脈に出くわし，次に静脈，体性神経の順である．

表5.4　男性の骨盤に分布する動脈

動脈	起始	走行経路	分布
内腸骨動脈	総腸骨動脈	骨盤上口を乗り越えて，骨盤腔を下行し，前枝と後枝に分かれる場合が多い．	骨盤内臓，会陰，殿部に分布する主要な動脈
内腸骨動脈の前枝	内腸骨動脈	骨盤の側壁に沿って前方に走行し，内臓枝と閉鎖動脈，内陰部動脈に分かれる．	骨盤内臓，会陰，大腿の内側
臍動脈	内腸骨動脈の前枝	骨盤内での走行距離は短く，上膀胱動脈を分枝した後，臍動脈索となって終わる．	膀胱，精管
上膀胱動脈	臍動脈の開存部	通常，複数本存在し，膀胱の上面を通過する．	膀胱の上面，尿管の骨盤部
精管動脈	上もしくは下膀胱動脈	腹膜の直下を走り，精管へ向かう．	精管
閉鎖動脈	内腸骨動脈の前枝	骨盤側壁の内面に接しながら前下方に向かって走り，閉鎖孔（管）を通って骨盤腔の外へ出る．	骨盤内の筋，大腿の内転筋群，腸骨，大腿骨頭
下膀胱動脈		腹膜の直下を走り，前立腺動脈を分枝した後に膀胱底に達する．精管動脈を分枝する場合もある．	膀胱の下面，尿管の骨盤部，精嚢，前立腺
中直腸動脈		下方に向かい，直腸の下部に達する．	直腸の下部，精嚢，前立腺
内陰部動脈		大坐骨孔を通って骨盤腔の外に出た後，さらに小坐骨孔を通って会陰（坐骨直腸窩）に達する．	会陰（肛門の筋と皮膚，尿生殖三角，陰茎の海綿体を含む）に分布する主要な動脈
内腸骨動脈の後枝	内腸骨動脈	後方に向かい，骨盤壁への枝を分枝する．	骨盤壁，殿部
腸腰動脈	内腸骨動脈の後枝	仙腸関節の前面で，総腸骨動静脈と大腰筋の後方を上行する．	大腰筋，腸骨筋，腰方形筋，脊柱管内にある馬尾
外側仙骨動脈		梨状筋の前内側面に接して下行しながら，前仙骨孔に入る枝を出してゆく．	梨状筋，仙骨管内にある構造，脊柱起立筋
精巣動脈	腹大動脈	腹膜の直下を下行し，鼠径管を通過して，陰嚢に達する．	尿管の腹部，精巣，精巣上体

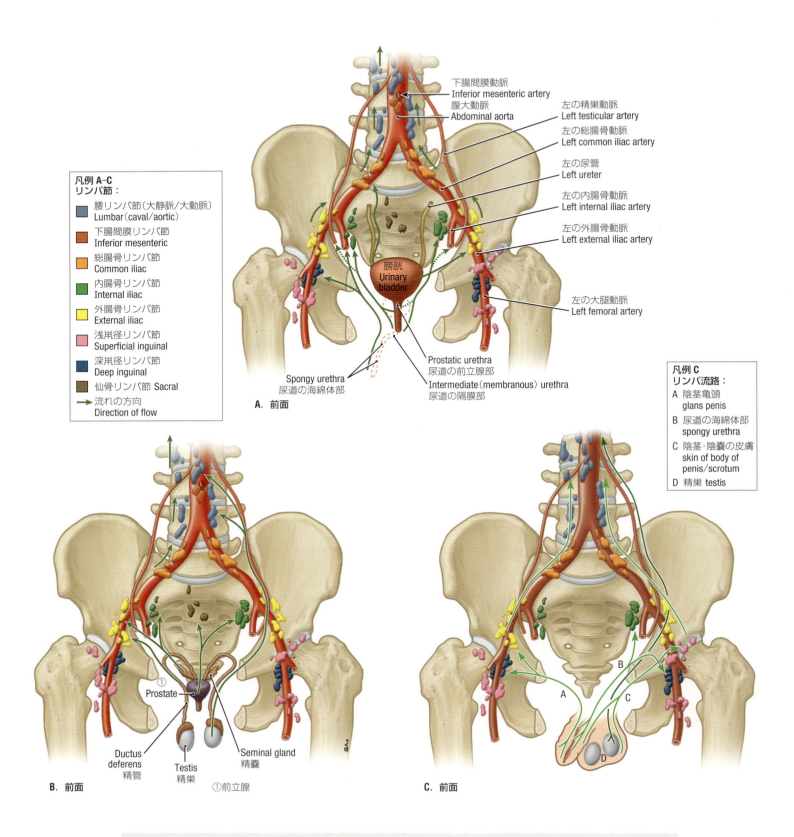

5.28 男性における骨盤と会陰のリンパ流路

A 泌尿器. B 内生殖器. C 陰茎, 尿道の海綿体部, 陰嚢, 精巣.

男性骨盤と会陰のリンパ流路　骨盤と会陰

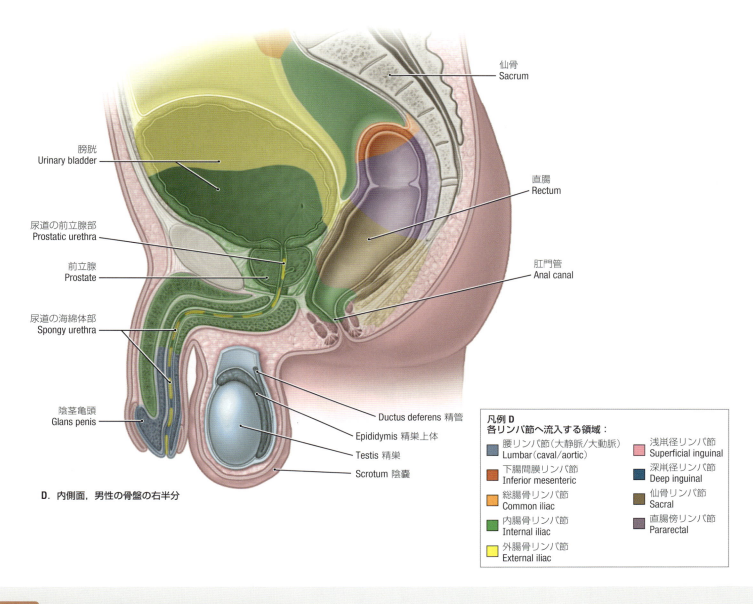

D. 内側面，男性の骨盤の右半分

凡例 D
各リンパ節へ流入する領域：
- 腰リンパ節（大静脈/大動脈） Lumbar (caval/aortic)
- 下腸間膜リンパ節 Inferior mesenteric
- 総腸骨リンパ節 Common iliac
- 内腸骨リンパ節 Internal iliac
- 外腸骨リンパ節 External iliac
- 浅鼠径リンパ節 Superficial inguinal
- 深鼠径リンパ節 Deep inguinal
- 仙骨リンパ節 Sacral
- 直腸傍リンパ節 Pararectal

5.28　男性における骨盤と会陰のリンパ流路（続き）

D　骨盤と会陰のリンパ流路の区分．

表 5.5　男性の骨盤と会陰におけるリンパ流路

リンパ節	リンパ節に流れ込むリンパ液の源となる臓器
腰リンパ節	精巣とその付属器（精巣動静脈を含む），総腸骨リンパ節
下腸間膜リンパ節	下行結腸，S状結腸，直腸の最上部，直腸傍リンパ節
総腸骨リンパ節	内および外腸骨リンパ節
内腸骨リンパ節	骨盤下部および会陰深部の構造〔尿管の骨盤部（遠位部），膀胱底，尿道の前立腺部・隔膜部・海綿体部（近位部），精嚢の下部，海綿体の大部分，直腸の下部，肛門管（歯状線より上部），仙骨リンパ節〕
外腸骨リンパ節	骨盤前上部の構造〔尿管の骨盤部（近位部），膀胱の上面，尿道の隔膜部・海綿体部，精嚢の上部，精管の骨盤部〕，深鼠径リンパ節
浅鼠径リンパ節	自由下肢・体幹下部（臍より下の前腹壁）・殿部の浅層，会陰の皮膚（陰茎，陰嚢，肛門周囲の皮膚を含む），肛門管（歯状線より下部）
深鼠径リンパ節	陰茎亀頭，尿道の海綿体部（遠位部），浅鼠径リンパ節
仙骨リンパ節	骨盤後下部の構造，直腸の下部
直腸傍リンパ節	直腸の上部

424 骨盤と会陰　男性骨盤内臓の神経支配

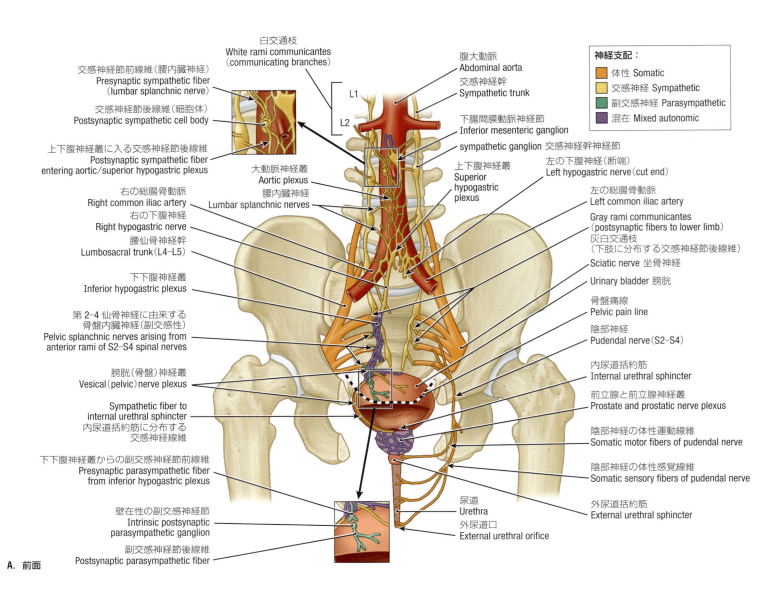

A．前面

5.29　男性における骨盤内臓と会陰の神経支配

A　概観

表5.6　泌尿生殖器・直腸における交感神経と副交感神経の機能

臓器	交感神経の機能	副交感神経の機能
泌尿器	腎臓の動脈を収縮させ，尿量を減少させる． 内尿道括約筋を収縮させ，排尿を抑制するとともに射精時に精液が膀胱内に入るのを防ぐ．	内尿道括約筋を弛緩させるとともに，膀胱の排尿筋を収縮させ，排尿を促進する．
生殖器	射精，血管の収縮により勃起した陰茎を弛緩させる	勃起（外生殖器の勃起組織を充血させる）
直腸	内肛門括約筋のトーヌスを保つ． 直腸の蠕動を抑制する．	内肛門括約筋を弛緩させる． 排便時に直腸の蠕動を促進する．

副交感神経の分布は頭部，頸部，胸膜腔，骨盤腔に限られる（外生殖器の勃起組織は例外）．副交感神経は体壁・体肢には分布しない．これに対して，交感神経は血管が供給されるすべての領域に分布する．

男性骨盤内臓の神経支配　骨盤と会陰

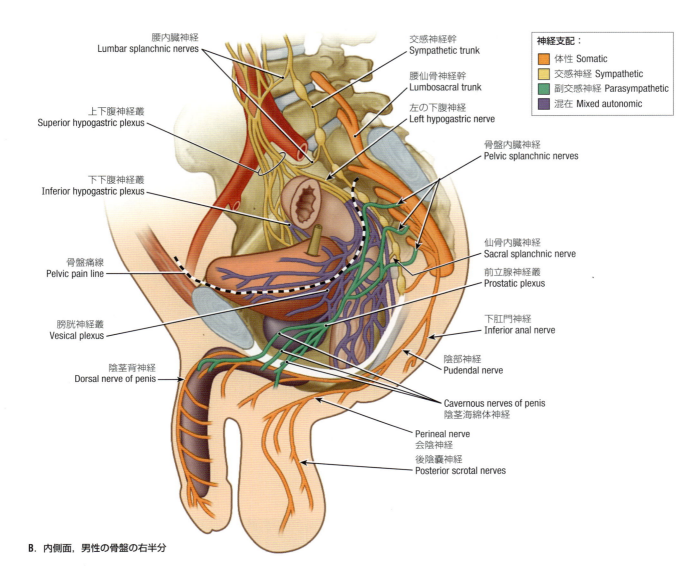

B. 内側面，男性の骨盤の右半分

5.29 男性における骨盤内臓と会陰の神経支配（続き）

B　前立腺と外陰部の神経支配.

- 仙骨交感神経幹からの交感神経節後線維は，主に仙骨神経叢を介して，下肢に分布する.
- 精巣・卵巣動脈，上直腸動脈，内腸骨動脈の周囲に形成される神経叢は，交感神経を含み，これらの動脈を収縮させる．動脈周囲の交感神経が内臓に分布することは少ない.
- 下腹神経叢は交感神経と臓性求心性線維によって形成される.
- 上下腹神経叢は第3・4腰内臓神経によって形成される大動脈（腸間膜動脈間）神経叢からの線維が骨盤内に入る経路となる.
- 上下腹神経叢は，左右の下腹神経に分かれる．下腹神経には，副交感神経である骨盤内臓神経が合流し，下下腹神経叢を形成する.
- 下下腹神経叢からの線維は，骨盤内臓の表面に形成される骨盤神経叢に連なる．骨盤神経叢は形成される部位により，前立腺神経叢や膀胱神経叢などに区分される.
- 骨盤内臓神経は脊髄の第2-4仙髄に由来する副交感神経節前線維を含む.
- 臓性求心性線維は，反射弓を形成するとともに，内臓からの痛みを伝える．骨盤痛線よりも下方の構造（腹膜と接触しない構造およびS状結腸の遠位部，直腸）からの臓性求心性線維は，骨盤内臓神経を介して，S2-S4の脊髄神経節に入る．また，骨盤痛線よりも上方の構造（腹膜と接触する構造，ただしS状結腸の遠位部と直腸を除く）からの臓性求心性線維は，交感神経線維を介して，T12-L2の脊髄神経節に入る.

426 骨盤と会陰　女性の骨盤内臓

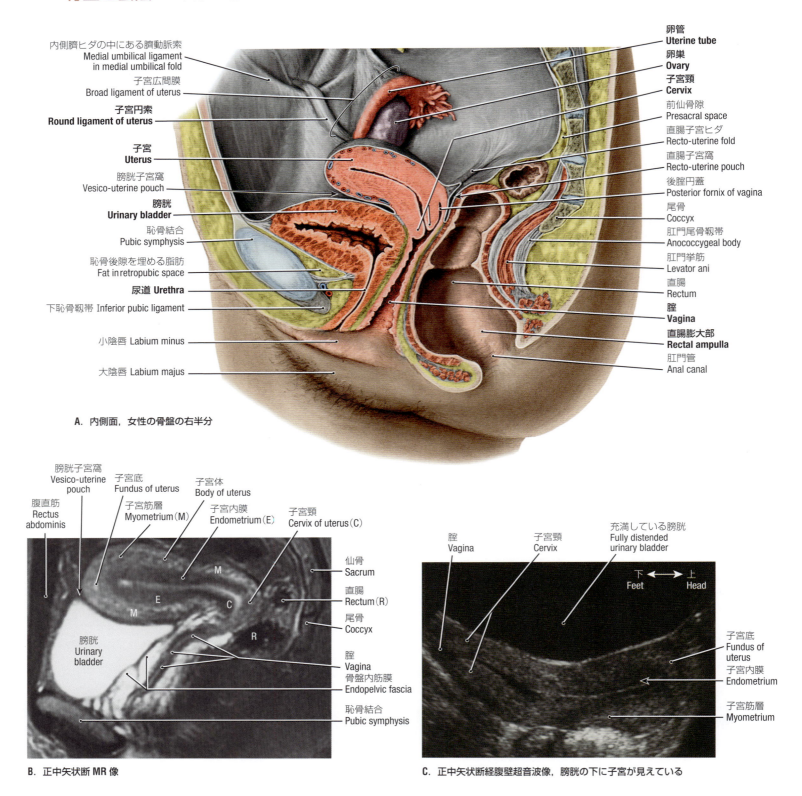

A．内側面，女性の骨盤の右半分

B．正中矢状断 MR 像

C．正中矢状断経腹壁超音波像，膀胱の下に子宮が見えている

5.30　原位置における女性の骨盤内臓

A　正中矢状断面．成人の子宮は腟の長軸よりも前方に倒れている（前傾）．また，子宮体と子宮頸の境界で前方に屈曲している（前屈）．したがって，子宮は後方から膀胱に覆いかぶさるように位置する．子宮頸は腟の前壁に開口しており，開口部は前唇と後唇からなる．前唇は短く丸みを帯びており，後唇は長くて薄い．**B　子宮の正中矢状断 MR 像．C　正中（経腹壁）超音波像**．膀胱が充満して，骨盤内から腸を押しのけている．

女性の骨盤内臓　骨盤と会陰

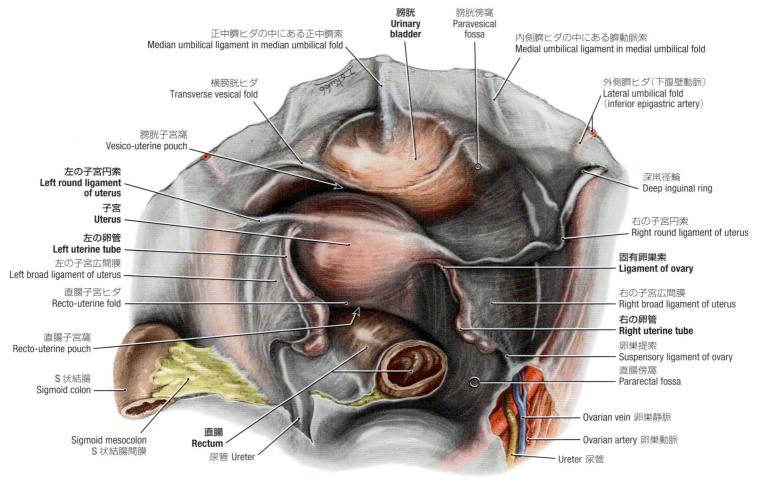

D. 上面

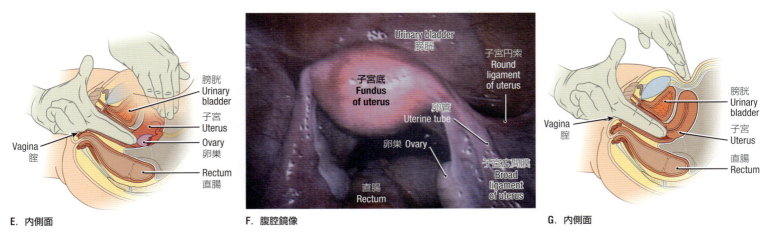

E. 内側面　　F. 腹腔鏡像　　G. 内側面

5.30　原位置における女性の骨盤内臓（続き）

D　小骨盤内の腹膜に覆われた内臓を上方から見たところ．子宮は通常左右のどちらかに偏っている．子宮円索は，男性の精管と同様に腹膜の直下を走行する．
E　子宮付属器（例：卵巣）の双手触診．**F**　腹腔鏡検査では，まず臍の直下を小さく切開し，腹腔鏡を挿入する．次いで臓器を観察しやすくするために，腹腔内にガスを注入する．別の切開部から器具を挿入し，種々の処置（卵管の結紮など）を行うことも可能である．**G**　子宮の双手触診．

428 骨盤と会陰　女性の骨盤内臓

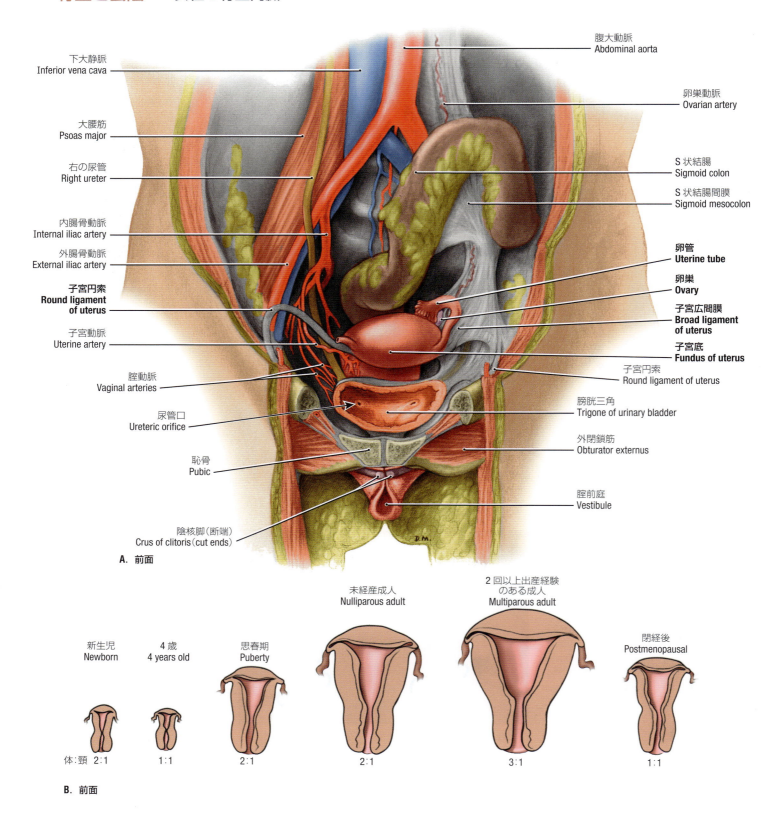

5.31 女性の生殖器

A 解剖図．恥骨の一部と膀胱の前方部を取り除いてある．さらに，右側では，卵管，卵巣，子宮広間膜，骨盤の側壁を覆う腹膜も取り除いてある．

B 子宮の大きさや体と頸の割合は年齢や妊娠の回数などにより変化する．ここで示した子宮はそれぞれのステージにおける正常状態を示している．

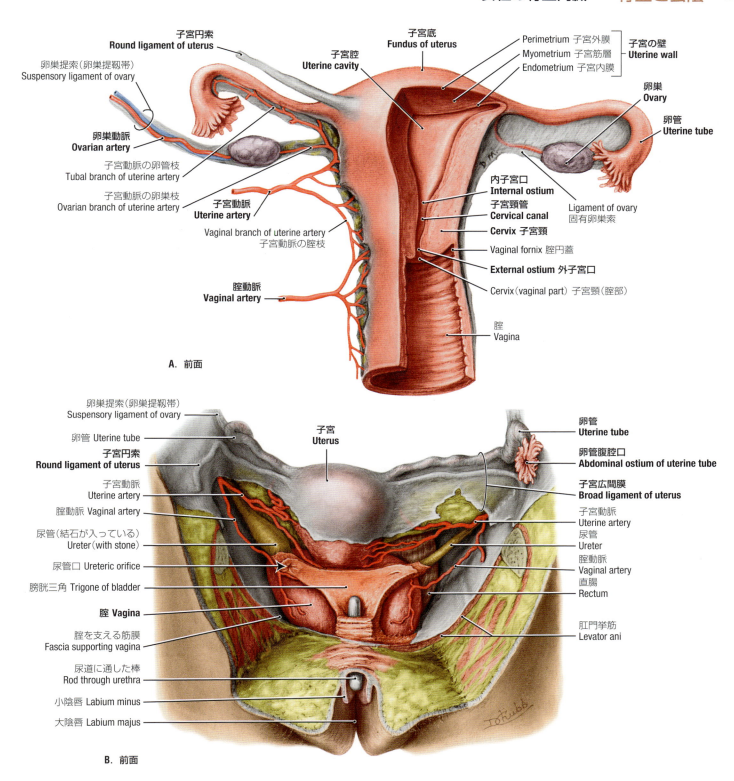

| 5.32 | 子宮とその付属器 |

A 動脈の分布．左側では，子宮円索を含めた子宮壁の一部と腟壁の一部を切除してあり，子宮頸（の腟部）や子宮腔，分厚い子宮筋層が見えている．右側では，卵巣動脈（腹大動脈から起こる）と子宮動脈（内腸骨動脈から起こる）が卵巣，卵管，子宮に分布する様子がわかる．また，卵巣動脈と子宮動脈は，子宮の側面にある子宮広間膜内で吻合を形成する．子宮動脈は，子宮枝を子宮底と子宮体へ，腟枝を子宮頸と腟へ送る．

B 子宮と子宮広間膜．図5.31Aの状態からさらに解剖を進め，恥骨と膀胱（膀胱三角を除く）を取り除いてある．

430 骨盤と会陰　女性の骨盤内臓

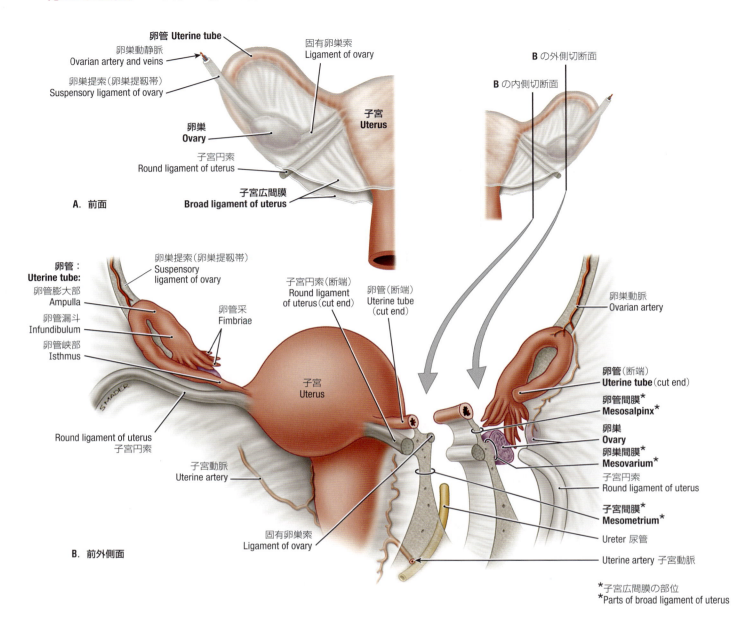

A. 前面

B. 前外側面

*子宮広間膜の部位
*Parts of broad ligament of uterus

5.33 子宮と子宮広間膜

A 子宮，卵巣，子宮広間膜．
B 子宮広間膜の部位．2つの傍正中矢状断で，子宮広間膜の3つの領域（子宮間膜，卵管間膜，卵巣間膜）を示している．子宮間膜と卵管間膜は垂直に連なっており，その後方における境界部から卵巣間膜が庇のように飛び出している．つまり，卵巣間膜の上方に卵管間膜，下方に子宮間膜がある．子宮間膜は，子宮広間膜の大部分を占め，子宮の外側縁に付着している．卵巣は，（1）卵巣間膜によって子宮間膜と卵管間膜に，（2）卵巣固有索によって子宮の側壁に，（3）卵巣動静脈を含む卵巣提索によって骨盤上口の近傍に固定される．
C **子宮摘出術**には，前腹壁の下部を切開して子宮を摘出する方法と，腟壁を切開して摘出する方法とがある．子宮動脈は子宮円蓋の外側で尿管の上方を通るので，子宮摘出術において子宮動脈を結紮する際に，尿管を不注意に鉗子で挟み込んだり，切断したりする危険性がある．

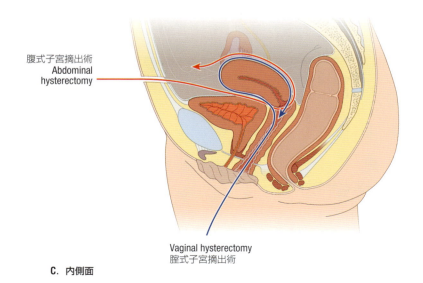

C. 内側面

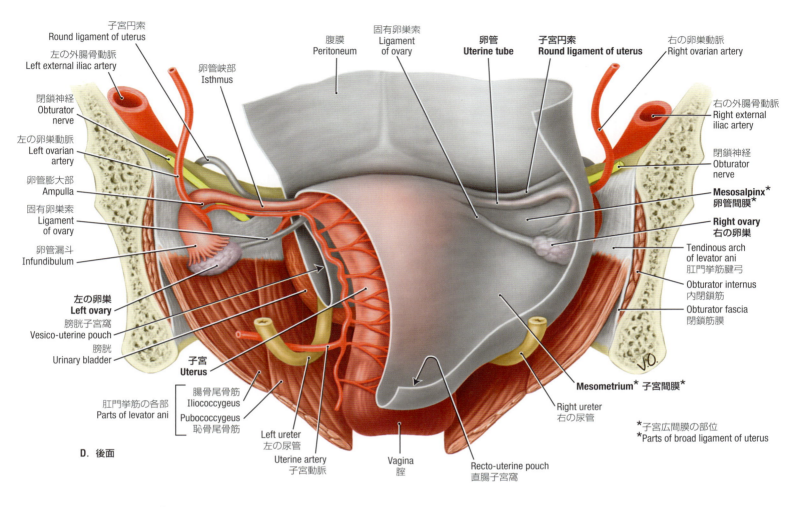
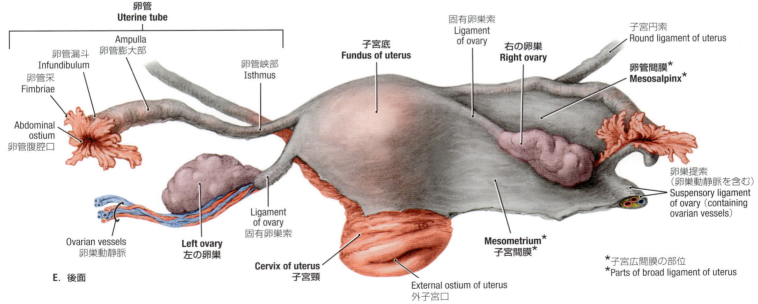

5.33 子宮と子宮広間膜（続き）

D 原位置の子宮． E 摘出された子宮とその付属器．

432　骨盤と会陰　女性の骨盤内臓

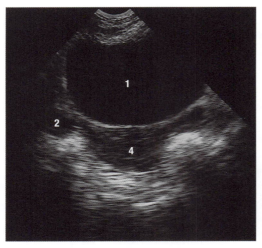

A. 水平断超音波像

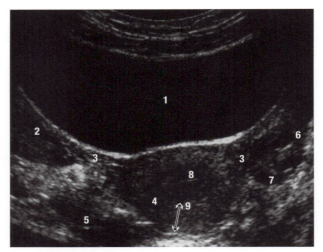

B. 水平断超音波像

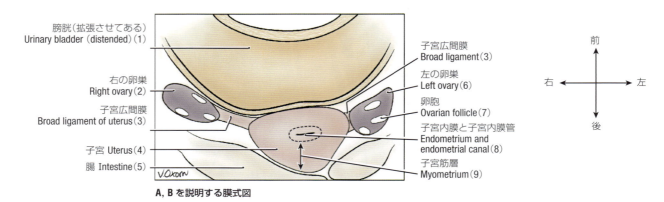

A, B を説明する膜式図

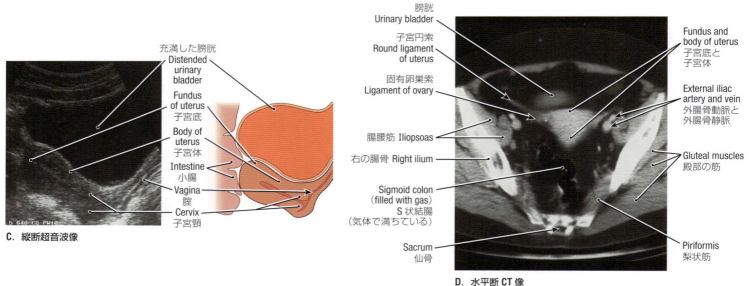

C. 縦断超音波像

D. 水平断 CT 像

5.34　子宮とその付属器の画像

A, B　水平断超音波像．C　縦断超音波像．充満した膀胱が一時的に子宮を後傾させて，屈曲角度を減少させると，一時的な後傾と後屈が起こる．D　水平断 CT 像．

女性の骨盤内臓　骨盤と会陰　433

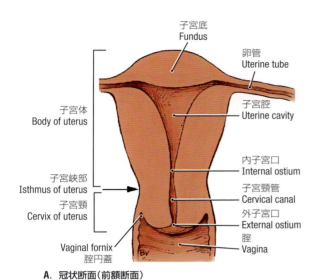

A. 冠状断面（前額断面）

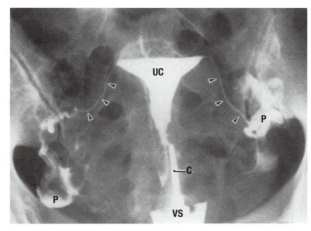

B. 正常な子宮卵管造影像，前後像

凡例 B
▲ 卵管 Uterine tubes　　P 腹膜腔 Peritoneal cavity　　VS 腟鏡 Vaginal speculum
C 子宮頸管内のカテーテル Catheter in cervical canal　　UC 子宮腔 Uterine cavity

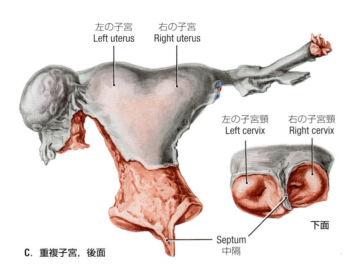

C. 重複子宮，後面

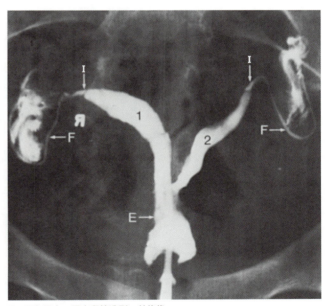

D. 双角子宮の子宮卵管造影，前後像

凡例 D
1, 2　子宮腔 Uterine cavities　　F 卵管 Uterine tubes
E　子宮頸管 Cervical canal　　I 卵管峡部 Isthmus of uterine tubes

5.35 子宮と卵管の X 線像（子宮卵管造影像）

A 子宮の部位と腟上部．B **子宮卵管造影法**．この方法では，X 線不透過な物質が外子宮口から子宮に注入される．通常，造影剤は三角形の子宮腔を通って，卵管を通過し，腹腔内の傍直腸窩に至る．女性の生殖管は腹腔と直接の交通があり，そのため，腟や子宮での感染が広がる経路となりうる．
C 重複子宮の図．D 双角子宮の子宮卵管造影像．

434 骨盤と会陰　女性の骨盤内臓

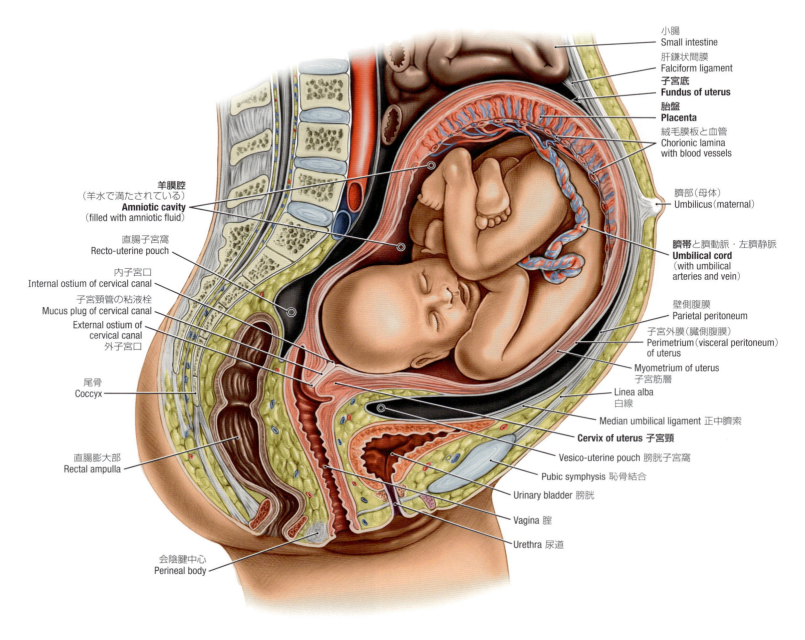

A． 内側面，骨盤の左半分

5.36 妊娠子宮

A　正中矢状断面．胎児は切断されていない．B　妊娠中における子宮サイズの月ごとの変化．9か月を超える妊娠では，妊娠子宮は，胎児を宿すために大きく広がり，より大きく，次第に子宮壁は薄くなる．妊娠の終わりには，胎児は「落ちて」，頭部が小骨盤に入る．子宮はほとんど膜状になり，子宮底は最も高い位置（9か月の状態）より下がる．その時点では，上部は肋骨縁まで広がり，腹部骨盤腔の大半を占める．

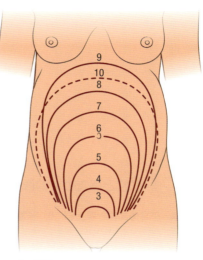

B． 前面

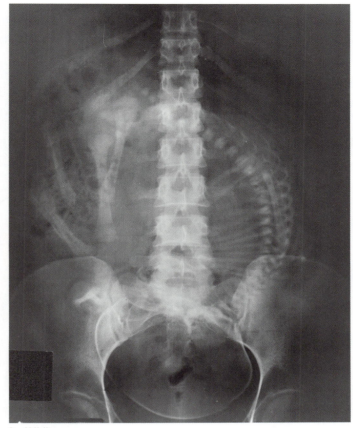

C. 前後像

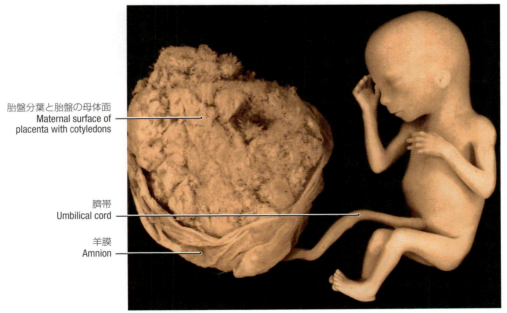

胎盤分葉と胎盤の母体面
Maternal surface of placenta with cotyledons

臍帯
Umbilical cord

羊膜
Amnion

D. 胎盤の母体面

5.36 妊娠子宮（続き）

C 胎児の単純X線像． D 18週齢の胎児と胎盤．

436　骨盤と会陰　女性骨盤の血管

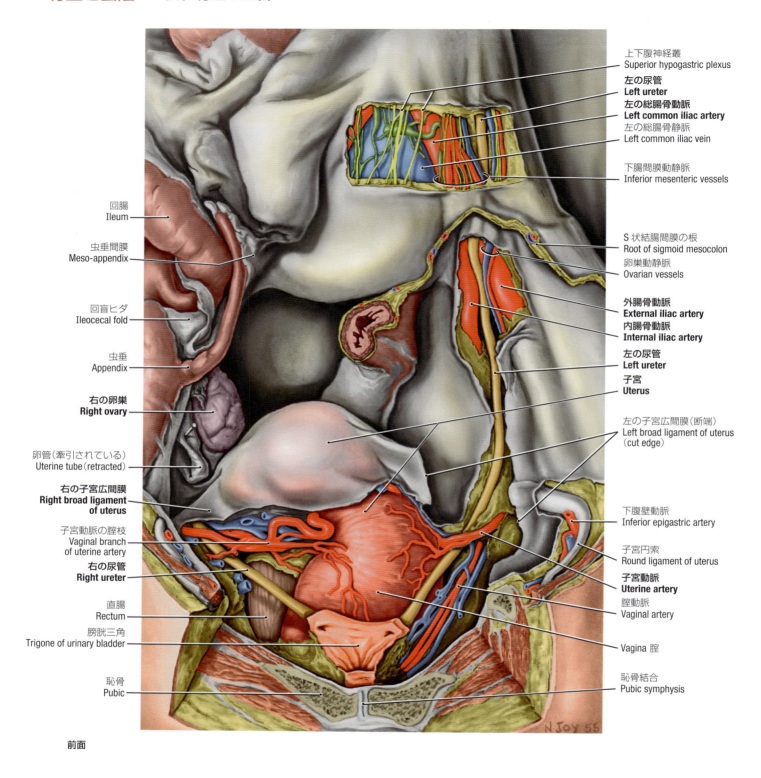

前面

5.37　女性における尿管，尿管と子宮動脈の関係

- 恥骨結合の大部分と膀胱の大部分（膀胱三角以外の部分）を取り除いてある．
- S状結腸間膜の根は逆V字型をしており，左の尿管の前方に位置する．
- 尿管は総腸骨動脈の分岐部近くで，外腸骨動脈の前方を乗り越え，さらに内腸骨動脈の前方を下行する．また，尿管は，骨盤に入るところから子宮広間膜の基部に達するまで，腹膜下を走行する．子宮広間膜の基部では，子宮動脈が尿管の上方を横切っている．子宮切除術において子宮動脈を結紮・切断する際に，この部位で**尿管を損傷する**危険がある．

女性骨盤の血管　骨盤と会陰

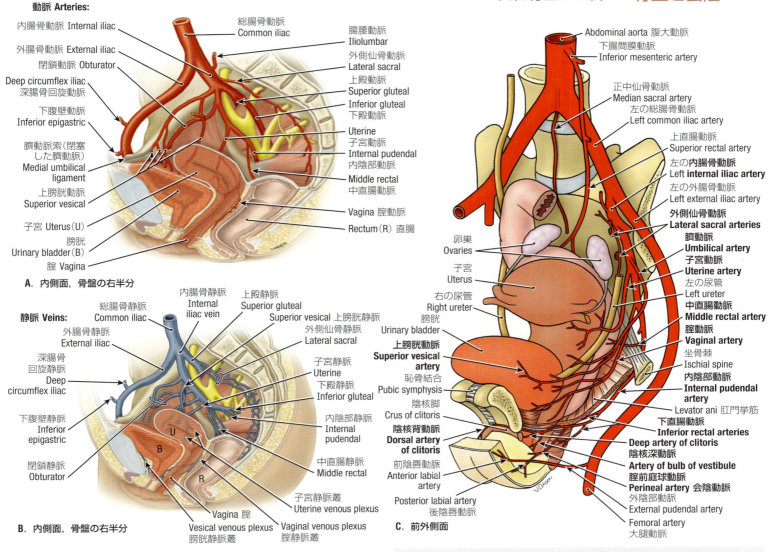

5.38　女性における骨盤の動脈と静脈

表 5.7　女性の骨盤に分布する動脈（内腸骨動脈の枝）

動脈	起始	走行経路	分布
内腸骨動脈の前枝	内腸骨動脈	骨盤の側壁に沿って前方に走行し，内臓枝，閉鎖動脈，内陰部動脈に分かれる．	骨盤内臓，会陰，大腿の内側
臍動脈	内腸骨動脈の前枝	骨盤内での走行距離は短く，上膀胱動脈を分枝しながら，臍動脈索となって終わる．	膀胱の上面
上膀胱動脈	臍動脈の近位部	通常，複数本存在し，膀胱の上面を通過する．	膀胱の上面
閉鎖動脈	内腸骨動脈の前枝	骨盤側壁の内面に接しながら前下方に向かって走り，閉鎖孔（管）を通って骨盤腔の外へ出る．	骨盤内の筋，大腿の内転筋群，腸骨，大腿骨頭
子宮動脈		子宮広間膜の底部（子宮頚横靱帯）の中を前内側に向かって走り，腟枝を出す．さらに，尿管の上方でこれと交叉し，子宮頚に達する．	子宮，子宮広間膜，卵管の内側部，卵巣，腟の上部
腟動脈		腟枝と下膀胱枝に分かれる．	腟枝：腟の下部，前庭球，直腸の腟と隣接する部分 下膀胱枝：膀胱の下部
中直腸動脈		骨盤内を下行し，直腸の下部に達する．	直腸の下部
内陰部動脈		大坐骨孔を通って骨盤腔の外に出た後，さらに小坐骨孔を通って会陰（坐骨直腸窩）に達する．	会陰（肛門の筋と皮膚，尿生殖三角，陰核の海綿体を含む）に分布する主要な動脈
内腸骨動脈の後枝	内腸骨動脈	後方に向かって走り，骨盤壁への枝を分枝する．	骨盤壁，殿部
腸腰動脈	内腸骨動脈の後枝	仙腸関節の前面で，総腸骨動脈静脈と大腰筋の後方を上行する．	大腰筋，腸骨筋，腰方形筋，脊柱管内にある馬尾
外側仙骨動脈		梨状筋の前内側面に接して下行しながら，前仙骨孔に入る枝を出していく．	梨状筋，仙骨管内にある構造，脊柱起立筋
卵巣動脈	腹大動脈	骨盤上口の縁を乗り越えて骨盤腔へ入り，卵巣提索帯の中を下行する．	卵巣，卵管膨大部，尿管（腹部・骨盤部）

438　骨盤と会陰　女性骨盤と会陰のリンパ流路

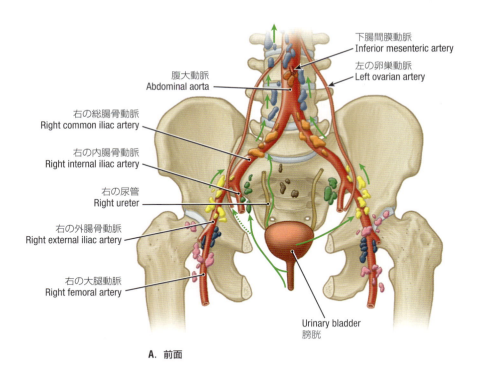

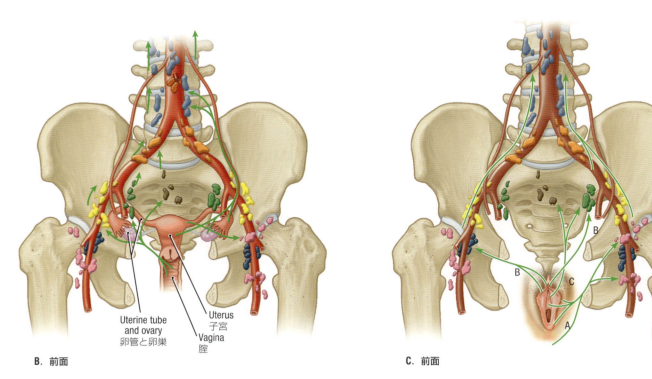

5.39　女性における骨盤と会陰のリンパ流路

A　骨盤内の泌尿器（尿管，膀胱，尿道）．B　内生殖器（卵巣，卵管，子宮，腟）．C　外生殖器（陰核，陰唇）．

女性骨盤と会陰のリンパ流路　骨盤と会陰

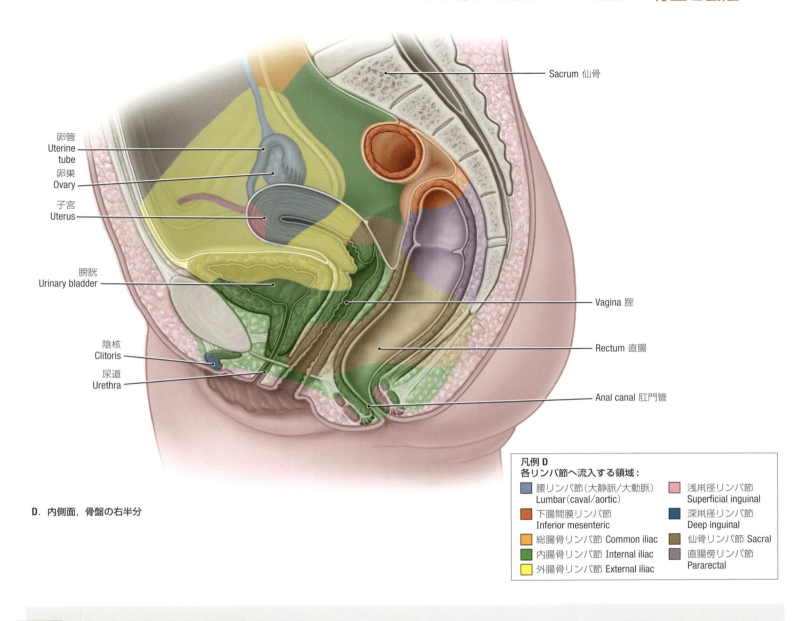

D．内側面，骨盤の右半分

凡例 D
各リンパ節へ流入する領域：
- 腰リンパ節（大静脈/大動脈） Lumbar (caval/aortic)
- 下腸間膜リンパ節 Inferior mesenteric
- 総腸骨リンパ節 Common iliac
- 内腸骨リンパ節 Internal iliac
- 外腸骨リンパ節 External iliac
- 浅鼠径リンパ節 Superficial inguinal
- 深鼠径リンパ節 Deep inguinal
- 仙骨リンパ節 Sacral
- 直腸傍リンパ節 Pararectal

5.39 女性における骨盤と会陰のリンパ流路（続き）

D 骨盤と腹膜リンパが最初に流入するリンパ節．

表 5.8 女性の骨盤と会陰におけるリンパ流路

リンパ節	リンパ節に流れ込むリンパ液の源となる臓器
腰リンパ節	卵巣（卵巣動静脈を含む），卵管（峡と子宮部を除く），子宮底，総腸骨リンパ節
下腸間膜リンパ節	下行結腸，S状結腸，直腸の最上部，直腸傍リンパ節
総腸骨リンパ節	内および外腸骨リンパ節
内腸骨リンパ節	骨盤下部および会陰深部の構造〔尿管の骨盤部（遠位部），膀胱底，尿道，子宮頸，腟の上部と中部，直腸の下部，肛門管（歯状線より上部），仙骨リンパ節〕
外腸骨リンパ節	骨盤前上部の構造〔尿管の骨盤部（位部），膀胱の上面，子宮頸，子宮体の下部，腟の上部〕，深鼠径リンパ節
浅鼠径リンパ節	自由下肢・体幹下部（臍より下の前腹壁）・殿部の浅層，会陰の皮膚（陰唇，陰核包皮，肛門周囲の皮膚を含む），腟口（処女膜より下方），子宮の上外側部（子宮円索の付着部），肛門管（歯状線より下部）
深鼠径リンパ節	陰核亀頭，浅鼠径リンパ節
仙骨リンパ節	骨盤後下部の構造，腟の下部，直腸の下部
直腸傍リンパ節	直腸の上部

440 骨盤と会陰　女性骨盤内臓の神経支配

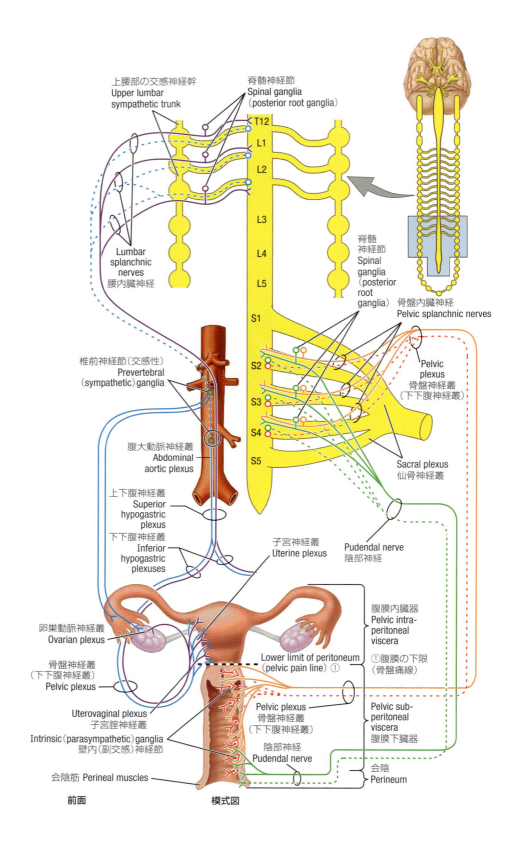

5.40 女性における骨盤内臓の神経支配

- 骨盤内臓神経（S2-S4）は副交感神経線維を骨盤内臓（子宮，腟など）に運んでいる（骨盤内臓神経には陰核と前庭球に分布する血管拡張性線維も含むが，この図には示されていない）．
- 交感神経節前線維は腰内臓神経を介して椎傍神経節に達し，節後線維とシナプスを形成する．節後線維は上および下下腹神経叢を介して骨盤内臓に達する．
- 臓性求心性線維は骨盤内臓からの痛みを伝える．骨盤内の腹膜内器官（骨盤痛線よりも上方の器官）からの臓性求心性線維は，交感神経を介してT12-L2の脊髄神経節に入る．一方，骨盤内の腹膜外器官（骨盤痛線よりも下方の器官）からの線維は，骨盤内臓神経を介してS2-S4の脊髄神経節に入る．
- 腟口からの体性感覚は，陰部神経を介してS2-S4の脊髄神経節に入る．
- 子宮筋の収縮はホルモンによって誘発される．

女性骨盤内臓の神経支配　骨盤と会陰

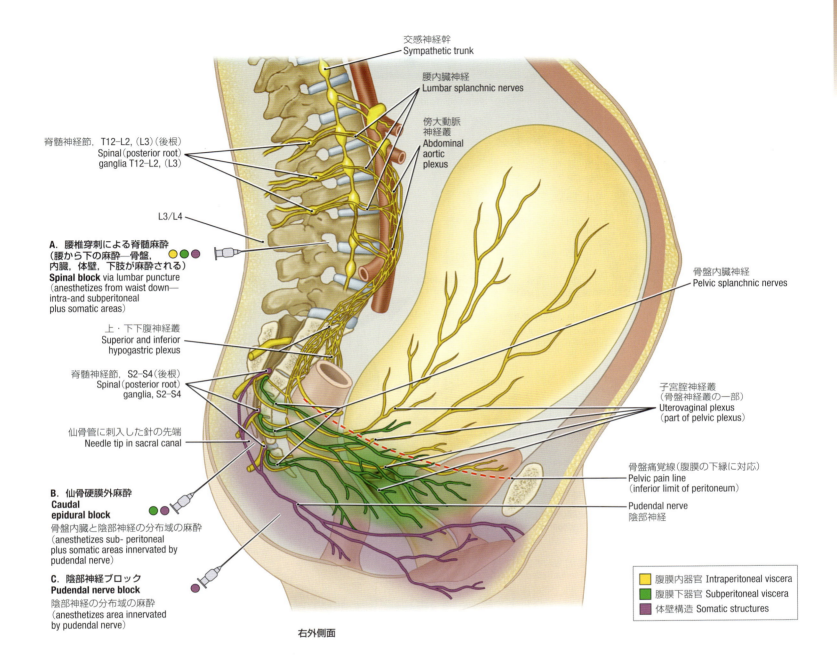

5.41 妊娠時における骨盤内臓の神経支配と麻酔（神経ブロック）

- **脊髄麻酔(A)**では，L3-L4の間でクモ膜下腔に挿入した注射針から麻酔薬を注入し，下腹部以下（会陰，骨盤底，産道，下肢全体）の完全な麻酔が得られる．この麻酔では，分娩時の子宮収縮感も除去することができる．また，下肢全体の筋が麻痺する．
- **仙骨硬膜外麻酔(B)**では，仙骨管内に留置したチューブから麻酔薬を注入し，産道の全体，骨盤底，会陰の大部分の麻酔が得られる．しかし，下肢は通常影響を受けず，分娩時の子宮収縮感も保たれる．
- **陰部神経ブロック(C)**は，末梢神経ブロックであり，S2-S4のデルマトーム（会陰の大部分）と腟の下部1/4の麻酔が得られる．この神経ブロックでは，産道の上部（子宮頸と腟の上部）は麻酔されないので，分娩時の子宮収縮感は保たれる．

442 骨盤と会陰　女性骨盤内臓の神経支配

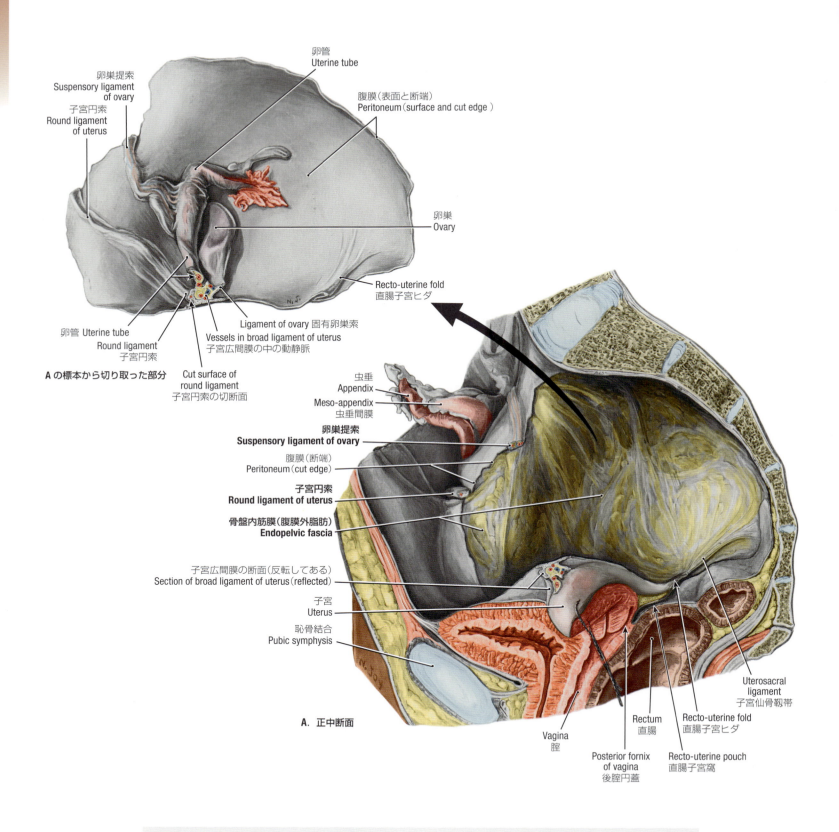

5.42 子宮広間膜と骨盤の自律神経

A　子宮広間膜と骨盤腔外側壁の腹膜が取り外され，骨盤内筋膜が現れている．

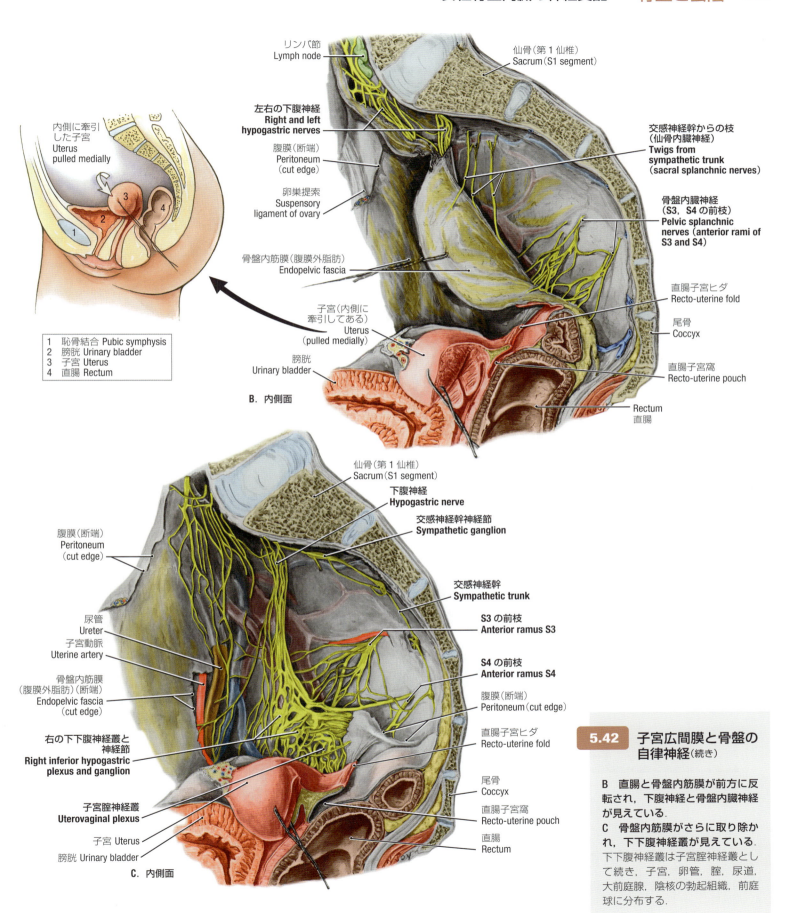

444 骨盤と会陰　骨盤の腹膜下領域

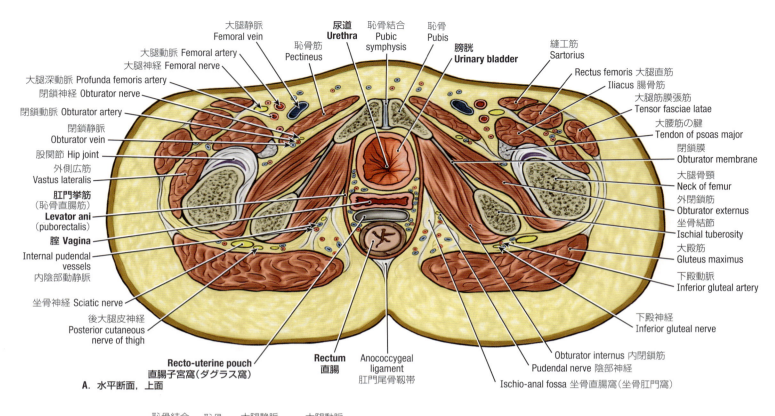

A. 水平断面，上面

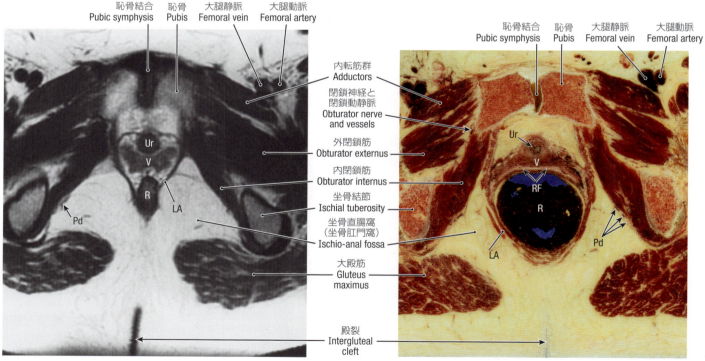

B. 水平断 MR 像　　C. 水平断面

5.43 女性における骨盤の横断面

A　坐骨結節，膀胱，腟，直腸，直腸子宮窩〔ダグラス (Douglas) 窩〕を通る横断面．B　水平断 MR 像．
C　断面標本．

凡例 B, C

LA	肛門挙筋	Levator ani
Pd	陰部神経と内・外陰部動静脈	Pudendal nerve and vessels
R	直腸	Rectum
RF	直腸子宮ヒダ	Recto-uterine fold
Ur	尿道	Urethra
V	腟	Vagina

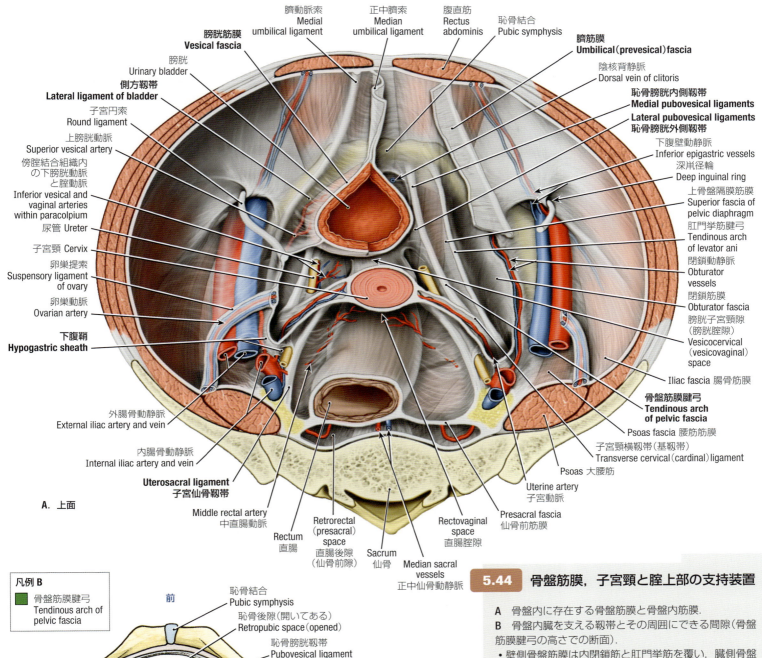

5.44 骨盤筋膜，子宮頸と腟上部の支持装置

A 骨盤内に存在する骨盤筋膜と骨盤内筋膜．
B 骨盤内臓を支える靱帯とその周囲にできる間隙（骨盤筋膜腱弓の高さでの断面）．

- 壁側骨盤筋膜は内閉鎖筋と肛門挙筋を覆い，臓側骨盤筋膜は骨盤内臓を包み込む．この2つの筋膜は膜状で，骨盤内臓が骨盤底（骨盤隔膜や尿生殖隔膜）を貫く部位で連続しており，左右両側に骨盤筋膜腱弓を形成する．
- 骨盤内筋膜は腹膜と骨盤筋膜の間にできた隙間に存在する．骨盤内筋膜と骨盤筋膜は互いに移行しあうため，両者の境界を明瞭に定めることはできない．Aでは，骨盤内筋膜の特に疎な部分を取り除いてあり，線維質で密な部分が残っている．骨盤内筋膜の一部が肥厚し，下腹鞘が形成される点に注目すること．下腹鞘には，骨盤内臓に分布する血管や尿管が含まれ，男性の場合は精管もこれに含まれる．
- 下腹鞘から伸びる以下の靱帯に注目すること．
 (1) 膀胱へ達する側方靱帯．
 (2) 子宮広間膜の基部にある子宮頸横靱帯（基靱帯）．
 (3) 中直腸動静脈を含むあまり明瞭でない板状の靱帯．

446 骨盤と会陰　会陰の体表解剖学

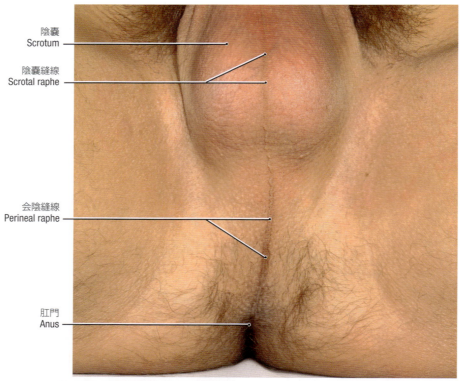

A．下面，陰茎と陰嚢は前方に上げている

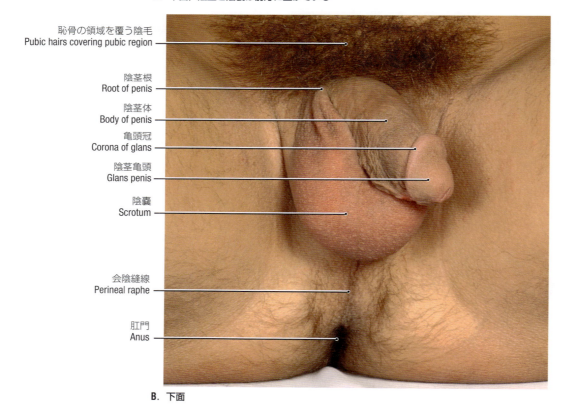

B．下面

5.45　男性における会陰の体表解剖

A　会陰部．B　陰茎，陰嚢，肛門周囲．

会陰の体表解剖学　骨盤と会陰　447

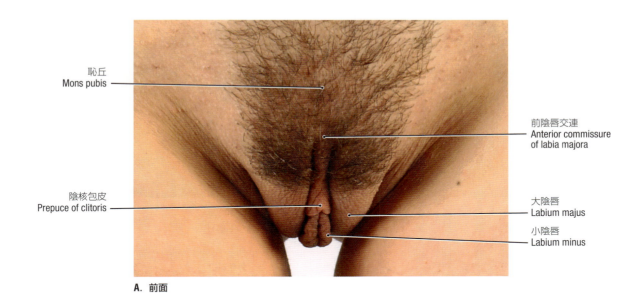

A. 前面

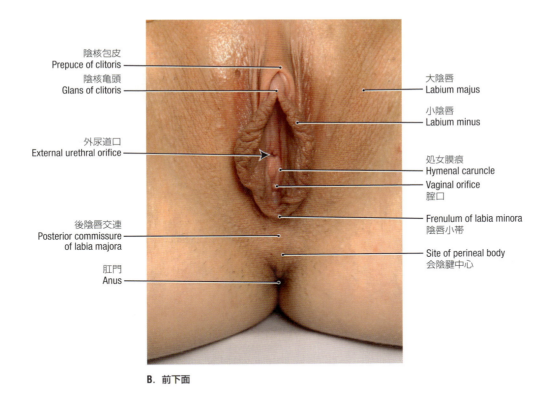

B. 前下面

5.46　女性における会陰の体表解剖

A　立位でみた外陰部（陰唇）．B　仰臥位でみた腟前庭，外尿道口，腟口．

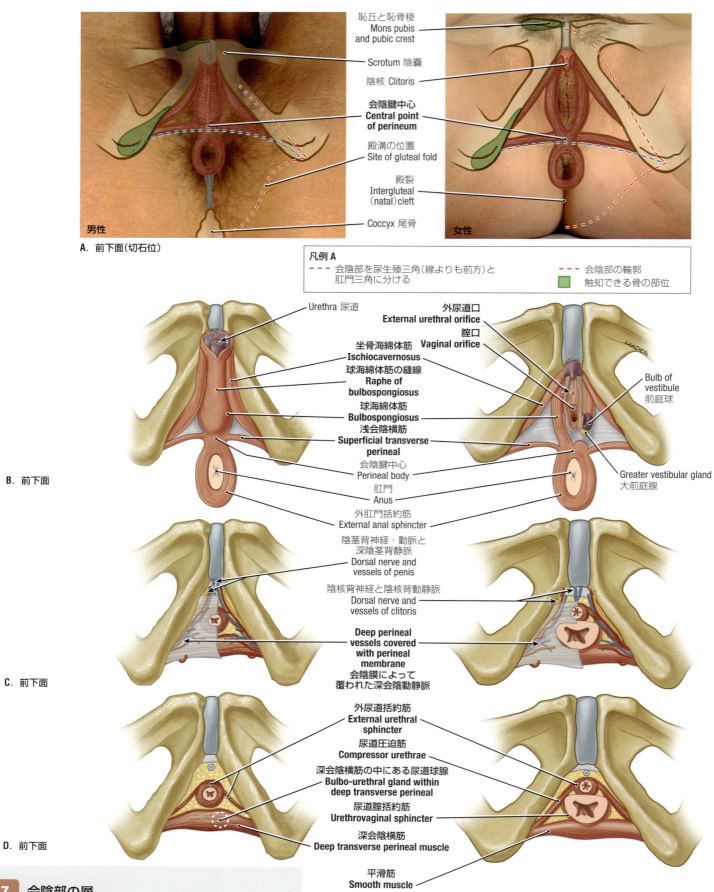

5.47 会陰部の層

会陰の概観　骨盤と会陰

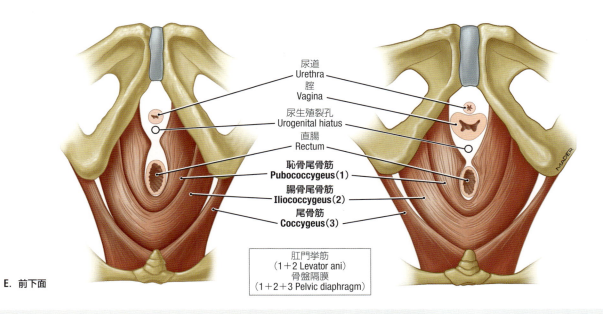

E. 前下面

5.47　会陰部の層（続き）

A-E　浅層から深層までを示す.

表5.9　会陰の筋

筋	起始	走行と停止	神経支配	主な作用
外肛門括約筋	肛門周囲の皮膚および筋膜，また，肛門尾骨靱帯を介して尾骨からも起こる.	肛門管を取り巻くように走り，会陰腱中心に停止する.	下直腸神経（陰部神経の枝）（S2-S4）	蠕動中に肛門管を閉鎖する．排便を我慢する．会陰腱中心を支持・固定する.
球海綿体筋	男性：会陰縫線，尿道球の腹側面，会陰腱中心	男性：尿道球と陰茎体の最近位部を取り巻くように走り，会陰膜，陰茎海綿体と尿道海綿体の背面，尿道球を覆う筋膜に停止する.	会陰神経の深枝（陰部神経の枝）（S2-S4）	男性：会陰腱中心と骨盤底を支持・固定する．尿道球を圧迫し，放尿時や射精時の最後に尿や精液を絞り出す．深会陰静脈や尿道球を圧迫することで，陰茎に血液を溜まりやすくし，陰茎の勃起を助ける.
	女性：会陰腱中心	女性：腟の下部の側面に沿って走り，大前庭腺と前庭球を覆う．恥骨弓と陰核海綿体を覆う筋膜に停止する.		女性：会陰腱中心と骨盤底を支持・固定する．腟の括約筋としても働く．陰核（とおそらくは前庭球）の勃起を助ける．大前庭腺を圧迫する.
坐骨海綿体筋	恥骨下枝と坐骨枝の内面	陰茎（陰核）の脚を包み込み，脚の下面と内側面や脚より内側に位置する会陰膜に停止する.		静脈や陰茎脚（陰核脚）を圧迫することで，陰茎（陰核）に血液を溜まりやすくし，陰茎（陰核）の勃起を助ける.
浅会陰横筋	恥骨下枝と坐骨枝の内面	会陰膜後端の下面に沿って走り，会陰腱中心に停止する.		会陰腱中心と骨盤底を支持・固定する．骨盤内臓を支持する.
深会陰横筋（男性にのみ存在）		会陰膜後端の上面に沿って走り，会陰腱中心と外肛門括約筋に停止する.	会陰神経の深枝（陰部神経の枝）	
深会陰横筋に相当する平滑筋（女性にのみ存在）	恥骨下枝と坐骨枝の内面	会陰膜後端の上面に沿って走る.	自律神経	加齢とともに平滑筋の量が増加する．機能はよくわかっていない.
外尿道括約筋		会陰膜の上方で尿道を取り囲む．男性では，前立腺の前面にも及ぶ.	陰茎（陰核）背神経（陰部神経の終枝）（S2-S4）	尿道を閉じ，排尿を調節する.
尿道圧迫筋（女性にのみ存在）	恥骨下枝と坐骨枝の内面	外尿道括約筋に連続する.		尿道を圧迫する．尿道を引き伸ばす.
腟子宮括約筋（女性にのみ存在）	尿道の前面	尿道圧迫筋に連続し，尿道と腟の側面に沿って後方に走る．会陰腱中心の前方で，両側の筋束が噛み合う.		尿道と腟を圧迫する.

Oelrich TM. The urethral sphincter muscle in the male. Am J Anat 1980;158:229-246.
Oelrich TM. The striated urogenital sphincter muscle in the female. Anat Rec 1983;205:223-232.
Mirilas P, Skandalakis JE. Urogenital diaphragm: an erroneous concept casting its shadow over the sphincter urethrae and deep perineal space. J Am Coll Surg 2004;198:279-290.
DeLancey JO. Correlative study of paraurethral anatomy. Obstet Gynecol 1986;68:91-97.

450 骨盤と会陰　会陰の概観

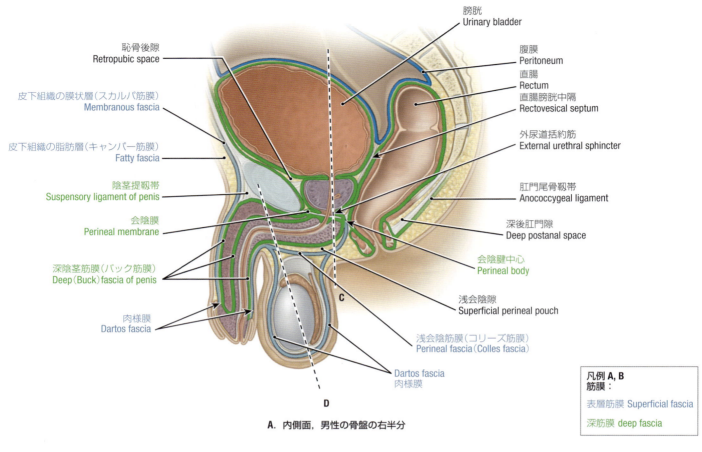

A. 内側面，男性の骨盤の右半分

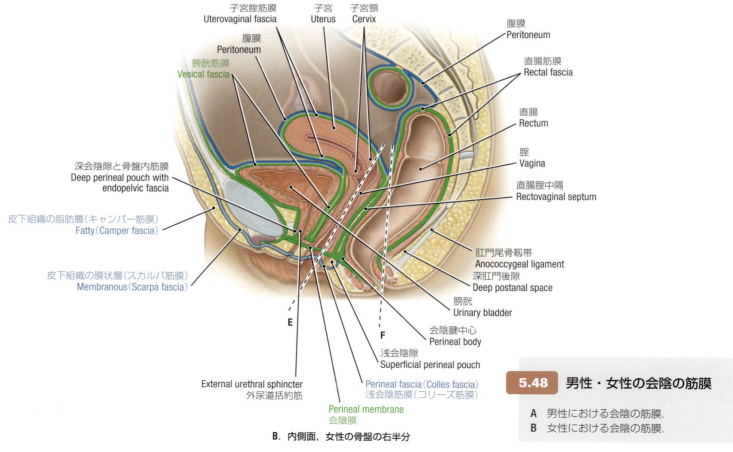

B. 内側面，女性の骨盤の右半分

5.48 男性・女性の会陰の筋膜

A 男性における会陰の筋膜．
B 女性における会陰の筋膜．

会陰の概観　骨盤と会陰　451

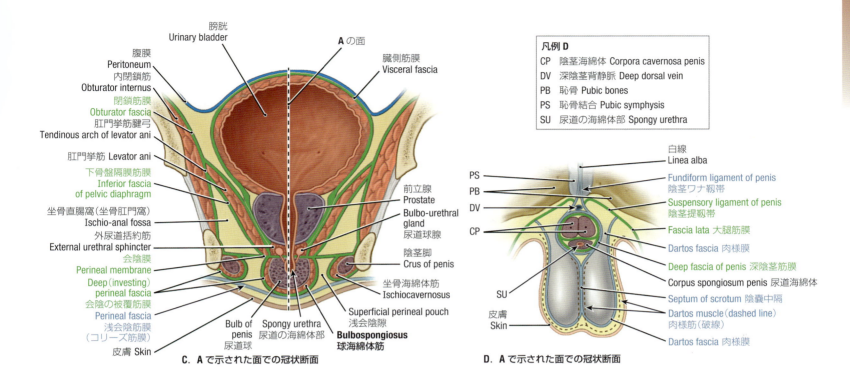

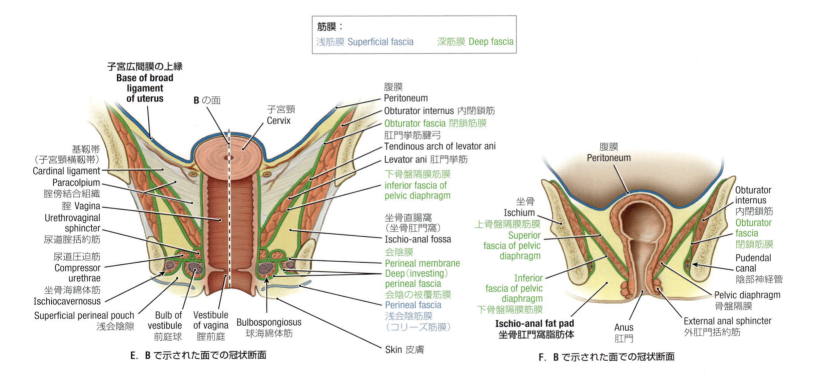

5.48　男性・女性の会陰の筋膜（続き）

C, D　男性骨盤の冠状断面にみられる筋膜．E, F　女性骨盤の冠状断面にみられる筋膜．

452 骨盤と会陰　会陰の概観

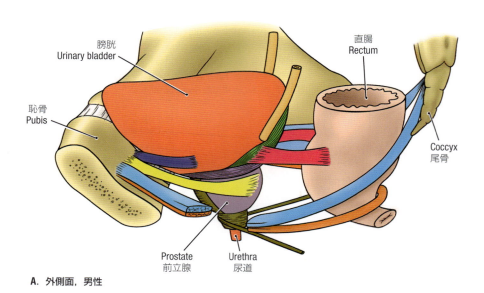

A．外側面，男性

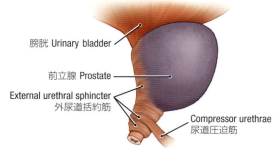

B．外側面，男性

凡例 A
男性：
- 恥骨前立腺筋 Puboprostaticus
- 恥骨尾骨筋 Pubococcygeus
- 恥骨直腸筋 Puborectalis
- 膀胱垂の筋 Muscle of uvula
- 直腸膀胱筋 Rectovesicalis

尿道を圧迫する筋：
Muscles compressing urethra:
- 内尿道括約筋 Internal urethral sphincter
- 恥骨膀胱筋 Pubovesicalis
- 外尿道括約筋 External urethral sphincter

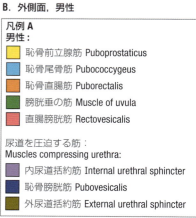

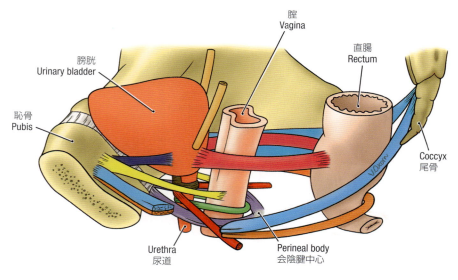

C．外側面，女性

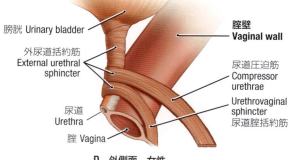

D．外側面，女性

凡例 C
女性：
- 恥骨膀胱筋 Pubovesicalis
- 恥骨尾骨筋 Pubococcygeus
- 恥骨直腸筋 Puborectalis
- 直腸膀胱筋 Rectovesicalis

尿道を圧迫する筋：
Muscles compressing urethra:
- 尿道圧迫筋 Compressor urethrae
- 外尿道括約筋 External urethral sphincter

腟を圧迫する筋：
Muscles compressing vagina:
- 恥骨腟筋 Pubovaginalis
- 尿道腟括約筋（外尿道括約筋の一部）
Urethrovaginal sphincter
(part of external urethral sphincter)
- 球海綿体筋 Bulbospongiosus

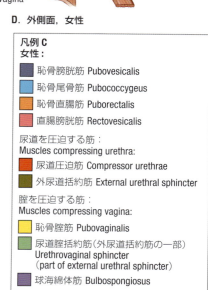

5.49 骨盤にある支持筋と圧迫筋（括約筋）

A　男性．B　男性の尿道括約筋．C　女性．D　女性の尿道括約筋．

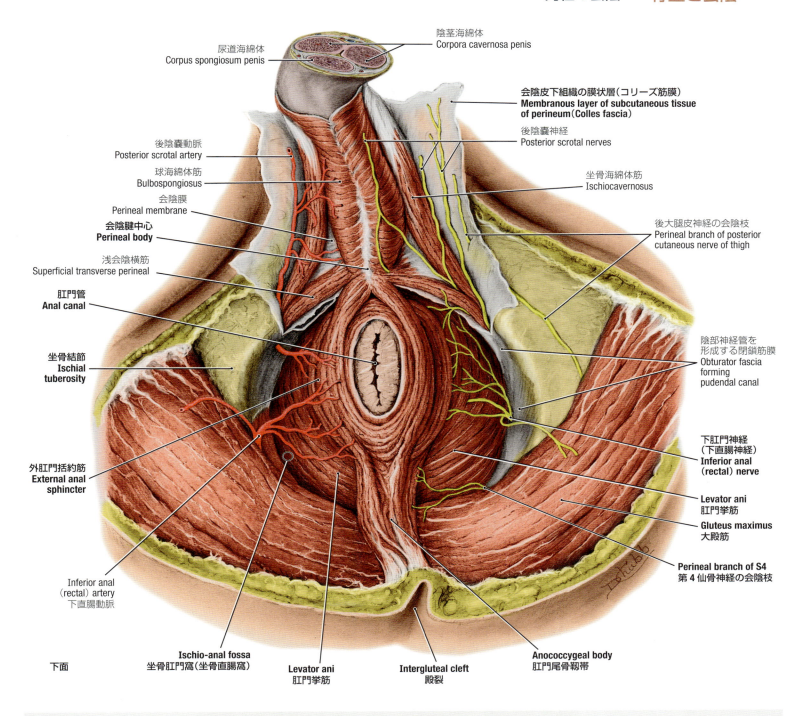

5.50 男性の会陰-I

<浅層の構造>

- 会陰筋膜が反転され，浅会陰隙が開かれている．浅会陰隙には皮神経（後陰嚢神経，後大腿皮神経の会陰枝）が走行している．
- 会陰膜は浅会陰隙にある3対の筋（浅会陰横筋，坐骨海綿体筋，球海綿体筋）の間に見えている．この図では示していないが，本来はこれらの筋は個々に被覆筋膜で覆われている．
- 肛門管は外肛門括約筋によって囲まれている．外肛門括約筋の浅部は肛門管を周囲の構造につなぎ留める働きがある．つまり，前方では会陰腱中心に，後方では肛門尾骨靱帯を介して尾骨や殿溝の皮膚につなぎ留めている．

- 坐骨肛門窩（坐骨直腸窩）は外肛門括約筋の両側に位置し，この図では坐骨直腸窩にあった脂肪組織が取り除かれている．坐骨直腸窩の内側壁と上壁は肛門挙筋によって，外側壁は坐骨結節と内閉鎖筋膜によって，後壁は大殿筋の仙結節靱帯を覆う部分によって形成される．坐骨直腸窩は前方では会陰膜の上方にまで広がっている．
- 坐骨直腸窩の外側壁では，下肛門神経が会陰枝とともに陰部神経管から出てくる．下肛門神経は随意筋である外肛門括約筋と肛門周囲の皮膚に分布する．ただし，この図では，皮膚に分布する枝の大部分が取り除かれている．

454 骨盤と会陰　男性の会陰

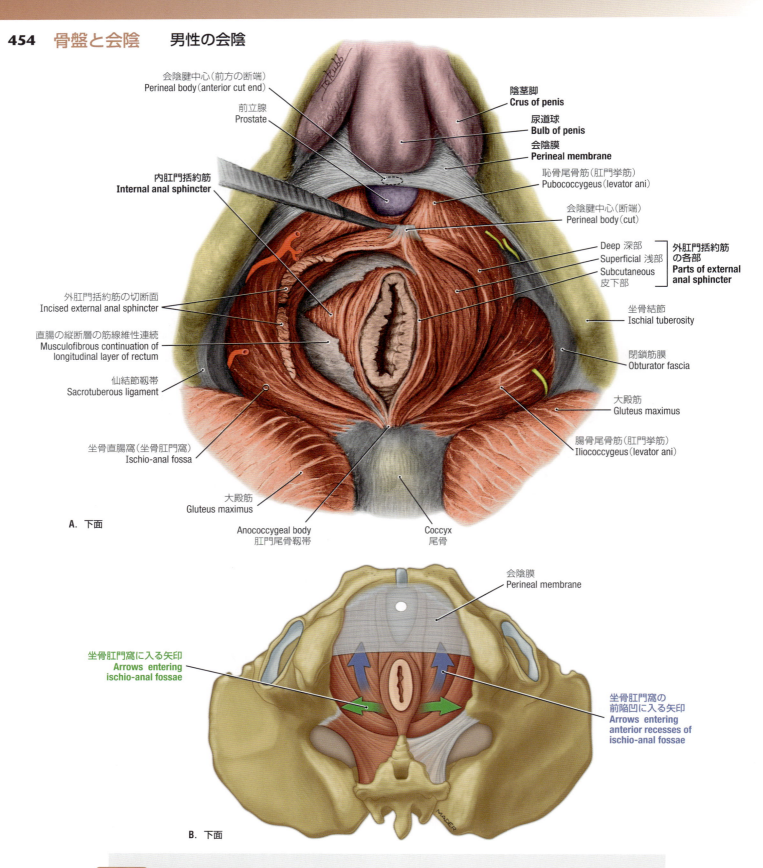

A．下面

B．下面

5.51　男性の会陰-II

A　外肛門括約筋の各部．左側では，外肛門括約筋の浅部と深部が筋腹で切断され，断端が反転されている．さらに，この深層にあった直腸の外縦筋に連続する線維性の結合組織が切り開かれ，肛門管の肥厚した内輪筋（内肛門括約筋）が見えている．

B　坐骨肛門窩の関係．

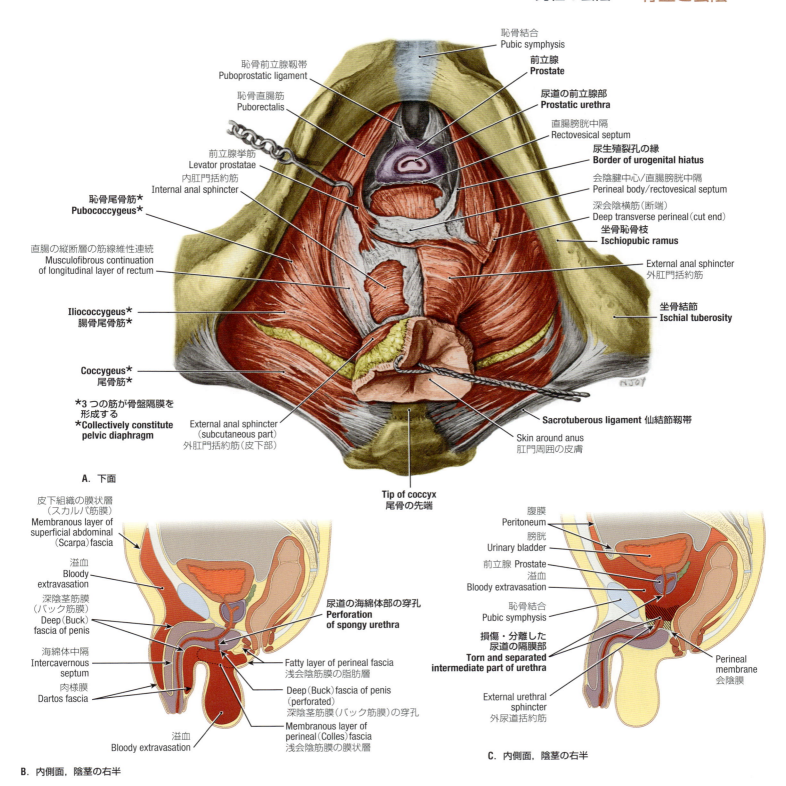

5.52 男性の会陰-III

A 肛門挙筋の各部．B 尿道の海綿体部が尿道球の位置で破裂すると，漏出した血液や尿が皮下会陰隙に広がる．血液や尿はさらに皮下組織の膜状層の直下を広がり，陰嚢，陰茎，下腹部に達する．会陰の膜状層は大腿筋膜や会陰膜，会陰腱中心に癒合するので，漏出した血液や尿が大腿や肛門三角に達することはない．C 尿道の隔膜部（中間部）が破断すると，漏出した尿や血液が深会陰隙に広がる．尿や血液はさらに骨盤隔膜の尿生殖裂を通って上方に向かい，前立腺や膀胱の周囲に広がる．

456 骨盤と会陰　男性の会陰

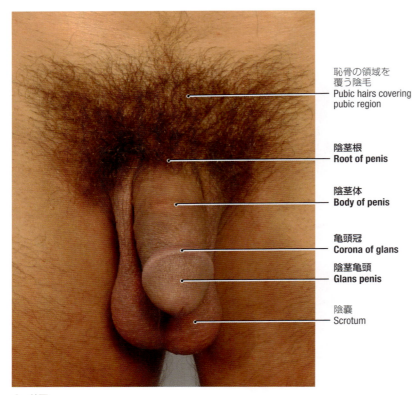

A. 前面

- 恥骨の領域を覆う陰毛 / Pubic hairs covering pubic region
- 陰茎根 / **Root of penis**
- 陰茎体 / **Body of penis**
- 亀頭冠 / Corona of glans
- 陰茎亀頭 / **Glans penis**
- 陰嚢 / Scrotum

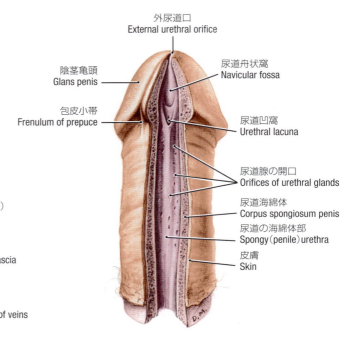

B. 右前外側面

- 尿道の海綿体部 / Spongy urethra
- 包皮 / **Prepuce**
- Glans penis / 陰茎亀頭
- Scrotum / 陰嚢

D. 尿道の海綿体部

- 外尿道口 / External urethral orifice
- 陰茎亀頭 / Glans penis
- 尿道舟状窩 / Navicular fossa
- 包皮小帯 / Frenulum of prepuce
- 尿道凹窩 / Urethral lacuna
- 尿道腺の開口 / Orifices of urethral glands
- 尿道海綿体 / Corpus spongiosum penis
- 尿道の海綿体部 / Spongy (penile) urethra
- 皮膚 / Skin

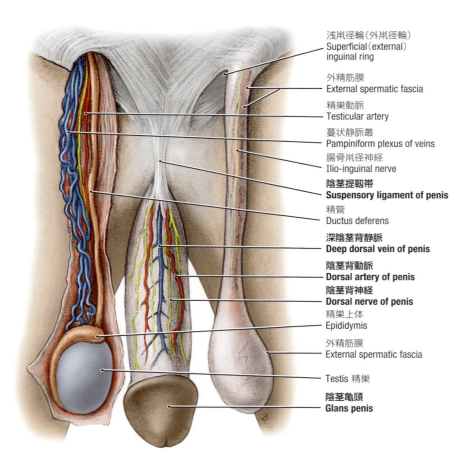

C. 前面

- 浅鼠径輪（外鼠径輪）/ Superficial (external) inguinal ring
- 外精筋膜 / External spermatic fascia
- 精巣動脈 / Testicular artery
- 蔓状静脈叢 / Pampiniform plexus of veins
- 腸骨鼠径神経 / Ilio-inguinal nerve
- 陰茎提靱帯 / **Suspensory ligament of penis**
- 精管 / Ductus deferens
- 深陰茎背静脈 / **Deep dorsal vein of penis**
- 陰茎背動脈 / **Dorsal artery of penis**
- 陰茎背神経 / **Dorsal nerve of penis**
- 精巣上体 / Epididymis
- 外精筋膜 / External spermatic fascia
- 精巣 / Testis
- 陰茎亀頭 / **Glans penis**

5.53　陰茎亀頭，包皮，精索と陰茎の神経と血管

A　体表解剖．割礼で包皮を失った陰茎．B　割礼を受けていない陰茎．C　陰茎と精索の神経と血管．
浅・深陰茎筋膜は取り除いてあり，正中にある深陰茎背静脈とその両側にある陰茎背動脈と陰茎背神経が見えている．

D　尿道海綿体部．陰茎の下面で尿道を縦に切開し，尿道内部の背側面がみられるようにしている．

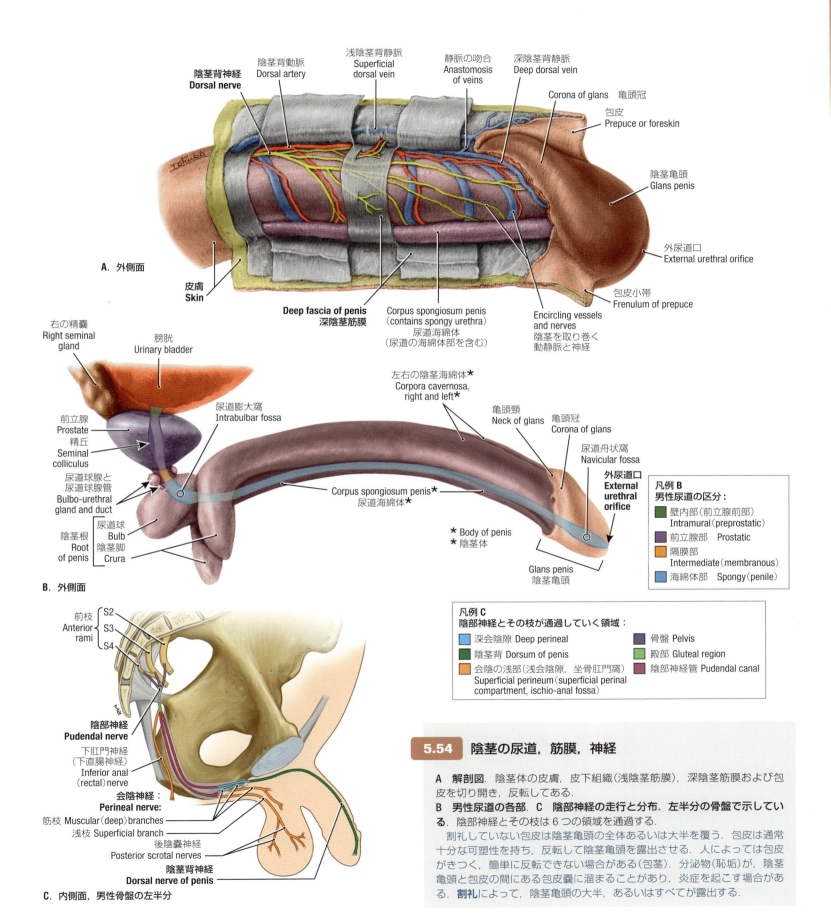

5.54 陰茎の尿道，筋膜，神経

A 解剖図．陰茎体の皮膚，皮下組織（浅陰茎筋膜），深陰茎筋膜および包皮を切り開き，反転してある．
B 男性尿道の各部． C 陰部神経の走行と分布．左半分の骨盤で示している．陰部神経とその枝は6つの領域を通過する．

割礼していない包皮は陰茎亀頭の全体あるいは大半を覆う．包皮は通常十分な可塑性を持ち，反転して陰茎亀頭を露出させる．人によっては包皮がきつく，簡単に反転できない場合がある（包茎）．分泌物（恥垢）が，陰茎亀頭と包皮の間にある包皮嚢に溜まることがあり，炎症を起こす場合がある．割礼によって，陰茎亀頭の大半，あるいはすべてが露出する．

458　骨盤と会陰　男性の会陰

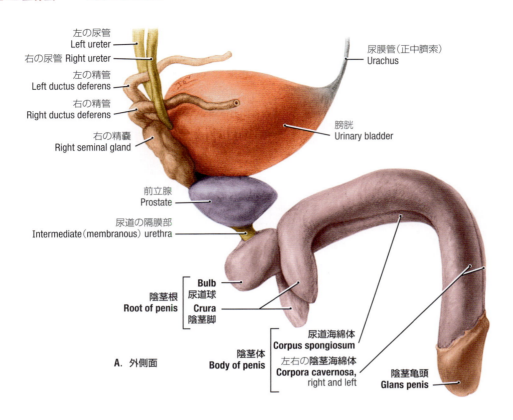

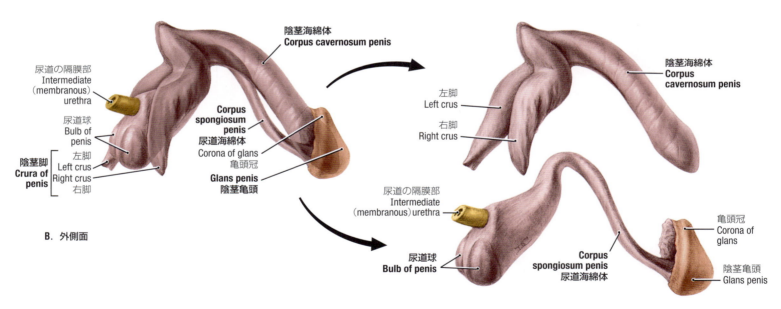

5.55　男性の泌尿生殖器，海綿体

A　骨盤内にある泌尿生殖器と陰茎．
B　海綿体（陰茎海綿体と尿道海綿体）．
C　陰茎海綿体と尿道海綿体を分離してある．陰茎は陰茎提靱帯によって恥骨結合から吊り下げられており，この靱帯の付着部で海綿体は屈曲している．尿道海綿体は，後方では尿道球となって膨らみ，前方では陰茎亀頭となって終わる．

男性の会陰　骨盤と会陰

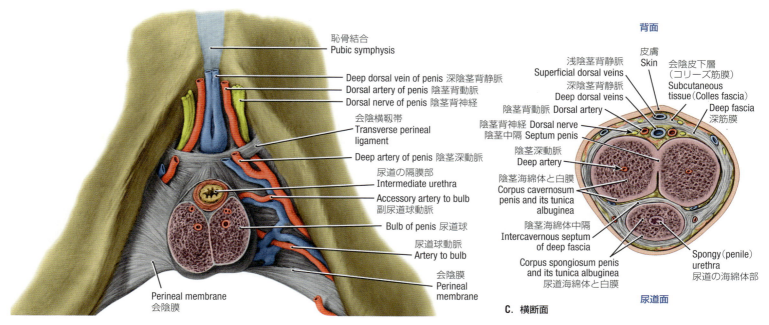

A. 前下面

C. 横断面

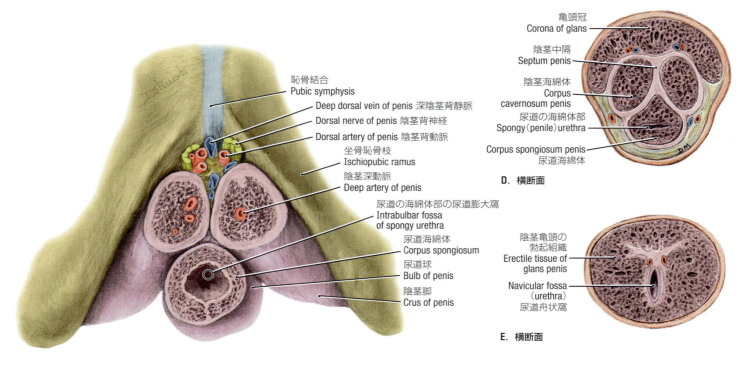

B. 前下面

D. 横断面

E. 横断面

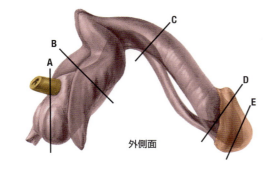

外側面

5.56 陰茎の断面

A 尿道球（近位部）の断面．陰茎脚は取り除かれている．この位置では，尿道はまだ尿道海綿体の中に入っていない．左側では，会陰膜を部分的に取り除いてあり，深会陰隙が見えている．

B 尿道球（遠位部）の断面．尿道の海綿体部は尿道球内で拡張している．

C 陰茎体の断面．

D 陰茎亀頭（近位部）の断面．

E 陰茎亀頭（遠位部）の断面．

460 骨盤と会陰 男性の骨盤と会陰の画像

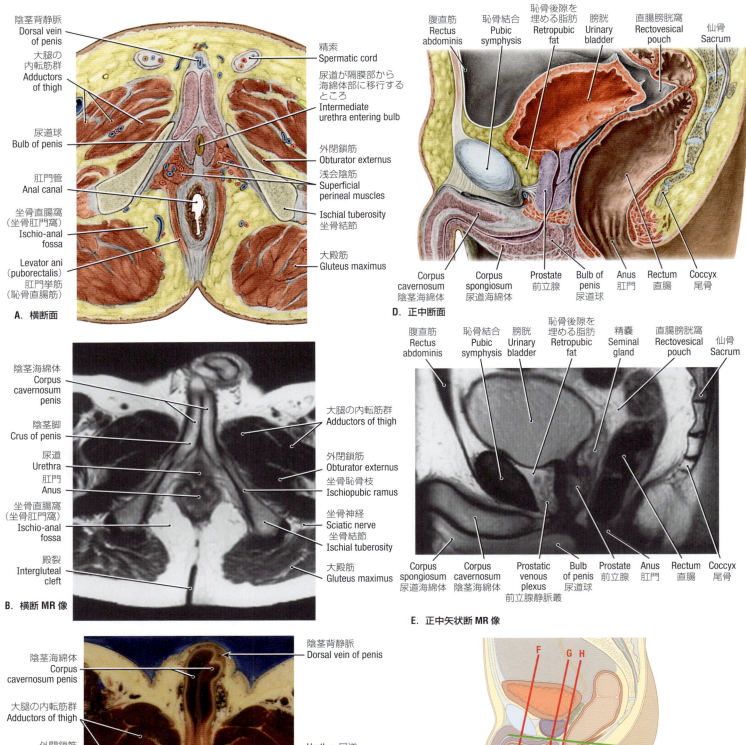

5.57 男性の骨盤と会陰の画像

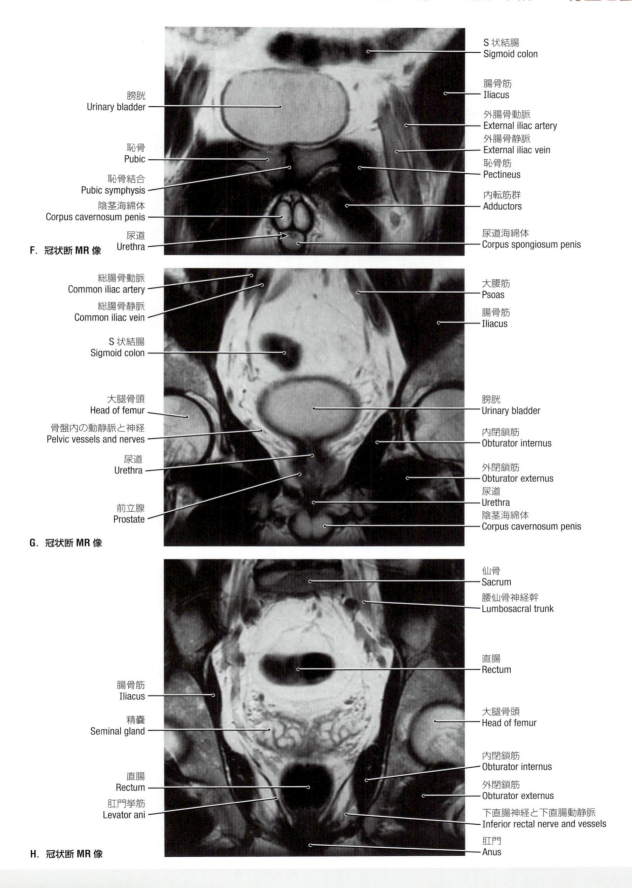

5.57 男性の骨盤と会陰の画像（続き）

462 骨盤と会陰　女性の会陰

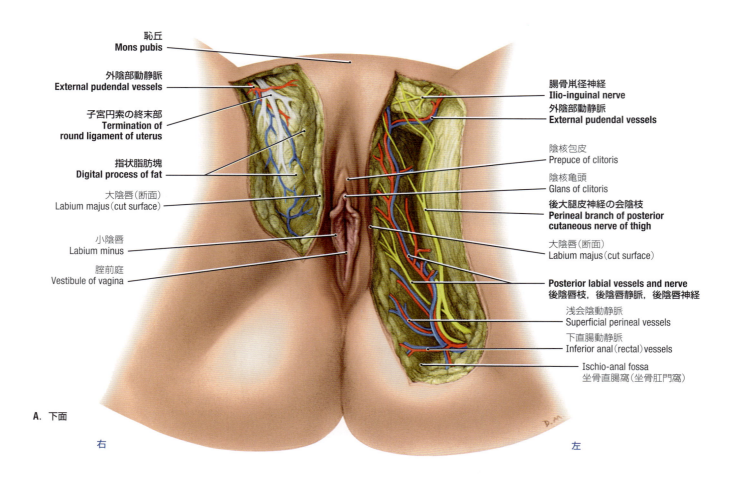

A. 下面

右　　　左

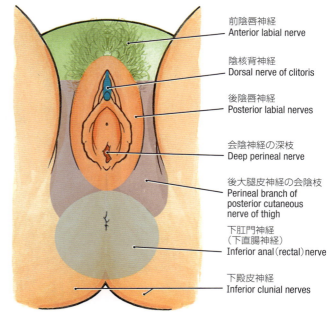

B. 下面

5.58 女性の会陰-I

A　浅層の構造

＜右側＞
- 皮下脂肪組織の深層に，長い指状脂肪塊が存在し，大陰唇の内部に入り込んでいる．
- 子宮円索は樹枝状に分かれ，指状脂肪塊の表面に広がって終わる．

＜左側＞
- 指状脂肪塊の大部分を取り除いてある．
- 恥骨結合と恥骨体の前面では，皮下の脂肪組織が豊富に存在し，体表には恥丘と呼ばれる丸みを帯びた隆起が形成される．
- 後陰唇神経（S2，S3）は後大腿皮神経（S1-S3）の会陰枝と合流し，前方へ向かい恥丘に達する．これらの神経は，内陰部動静脈から出る後陰唇枝を伴う．恥丘では，後陰唇枝が外陰部動静脈から起こる前陰唇枝と吻合する．また，恥丘には腸骨鼡径神経（L1）も分布する．恥丘は丸みを帯びた突出部で，皮下の脂肪組織に富み，恥骨結合，恥骨結節，恥骨上枝の前方に位置する．

B　神経支配の皮膚領域．

女性の会陰　骨盤と会陰

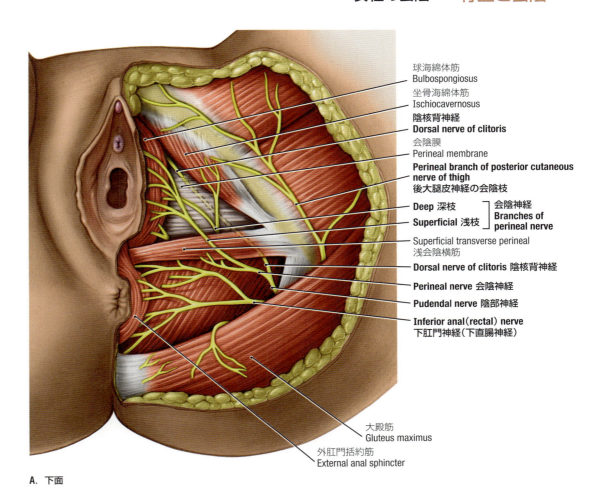

A. 下面

- 球海綿体筋 Bulbospongiosus
- 坐骨海綿体筋 Ischiocavernosus
- **陰核背神経 Dorsal nerve of clitoris**
- 会陰膜 Perineal membrane
- **Perineal branch of posterior cutaneous nerve of thigh 後大腿皮神経の会陰枝**
- **Deep 深枝** / **Superficial 浅枝** 〕会陰神経 Branches of perineal nerve
- Superficial transverse perineal 浅会陰横筋
- **Dorsal nerve of clitoris 陰核背神経**
- **Perineal nerve 会陰神経**
- **Pudendal nerve 陰部神経**
- **Inferior anal (rectal) nerve 下肛門神経（下直腸神経）**
- 大殿筋 Gluteus maximus
- 外肛門括約筋 External anal sphincter

B. 下面，切石位

- 腸骨鼡径神経ブロック部位 Ilio-inguinal nerve block site
- 後大腿皮神経の会陰枝 Perineal branch of posterior cutaneous nerve of thigh
- 坐骨棘（陰部神経ブロック部位）Ischial spine (pudendal nerve block site)
- 仙棘靱帯 Sacrospinous ligament
- 陰部神経 Pudendal nerve

5.59　女性における会陰の神経支配

A　会陰神経の解剖． 陰部神経は会陰に分布する主要な神経であり，浅会陰神経，深会陰神経，下直腸神経に分かれる．浅会陰神経に由来する後陰唇神経は外陰部の大部分に分布する．深会陰神経は膣口や浅会陰横筋に分布し，陰核背神経は深会陰横筋と陰核に分布する．下直腸神経は外肛門括約筋と肛門周囲の皮膚に分布する．陰部神経のほかに，会陰の前部には，腸骨鼡径神経に由来する前陰唇神経や陰部大腿神経の陰部枝が分布する．また，会陰の外側部には，後大腿皮神経の会陰枝が分布する．

B　陰部神経のブロック（麻酔）． 分娩（娩出）時の痛みを取り除くために，坐骨棘の近傍に麻酔薬を注射し，**陰部神経をブロック（麻酔）**する場合がある．陰部神経のみのブロックでは，会陰の前部と外側部の麻酔を得ることはできないので，**腸骨鼡径神経や後大腿皮神経の陰部枝（あるいはその両者）をブロック**しなければならない場合もある．

骨盤と会陰　女性の会陰

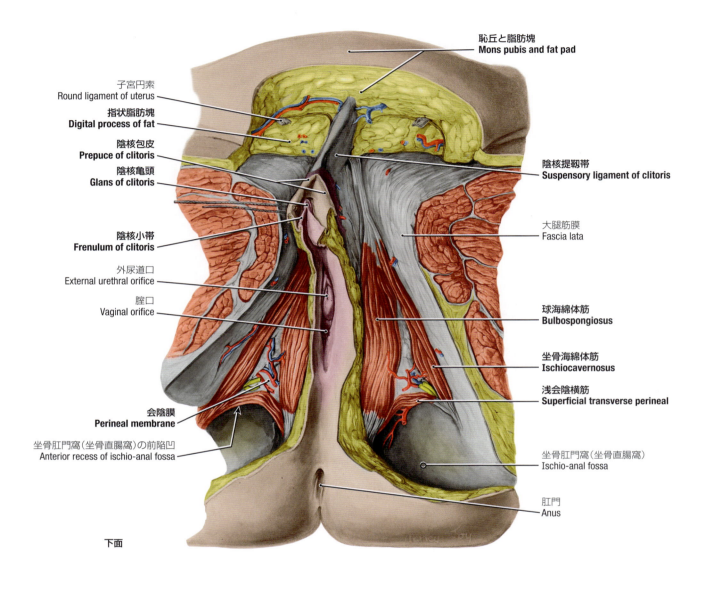

5.60　女性の会陰-II

- 恥丘には，脂肪に富んだ分厚い皮下組織が存在する．この深層には，被膜に包まれた指状脂肪塊が存在する．陰核提靱帯は恥骨結合（白線）から起こり，陰核の背面に達する．
- 小陰唇は，前方に伸びて，2つのヒダを形成する．外側のヒダは陰核亀頭の両側を走り，前方で左右が結合して，陰核亀頭を部分的，あるいは完全に覆う陰核包皮となる．内側のヒダは，陰核亀頭の後方で左右が結合し，陰核小帯となる．
- 浅会陰隙に存在する3つの筋（浅会陰横筋，球海綿体筋，坐骨海綿体筋）が見えている．この3つの筋で囲まれた部分では，会陰膜を取り除いてある．
- 球海綿体筋は前庭球と大前庭腺を覆う．男性では，左右の球海綿体筋は正中にある縫線によって結合するが，女性では腟口によって左右が分離している．

女性の会陰　骨盤と会陰　465

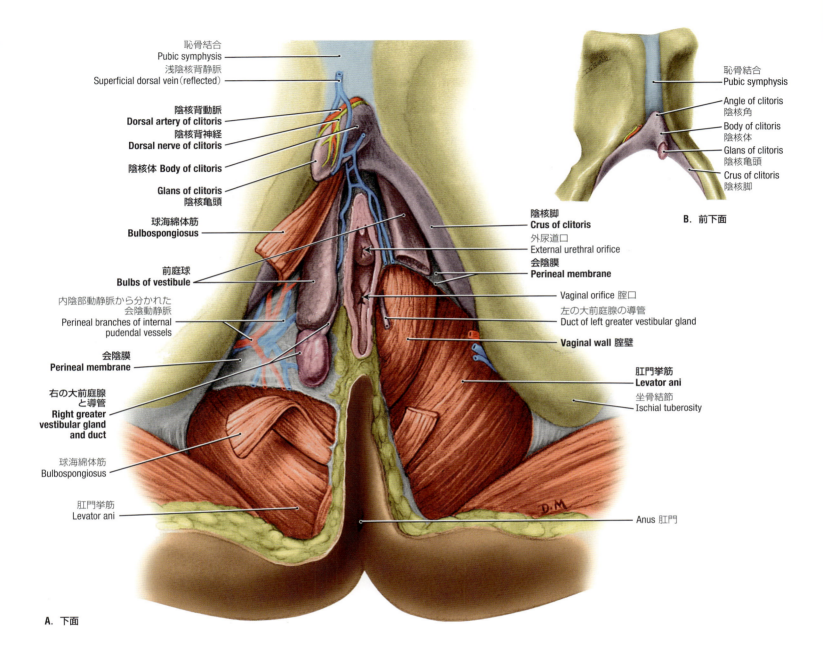

A. 下面
B. 前下面

5.61　女性の会陰-III

A 深層の構造.
- 右側では球海綿体筋を筋腹で切断してあり，断端を反転してある．また，左側では球海綿体筋の大部分，前庭球の後方部，大前庭腺を取り除いてある．
- 陰核亀頭と陰核体を右に寄せてあり，浅陰核背静脈，陰核背動脈，陰核背神経が見えている．
- 前庭球は，陰茎の尿道球（尿道海綿体の一部）に相当する勃起器官であり，腟口の左右に沿って伸びる2つの塊として存在する．前庭球と陰核亀頭は，静脈によってつながっている．
- 大前庭腺は，前庭球の後端と接するように存在し，両者は球海綿体筋によって覆われる．
- この標本の左側では，前庭球と大前庭腺，会陰膜を切り取ってあり，腟壁の外面が見えている．

B 陰核.
- 陰核体は1対の陰核海綿体からなり，尖端に陰核亀頭を被せている．

466 骨盤と会陰　女性の会陰

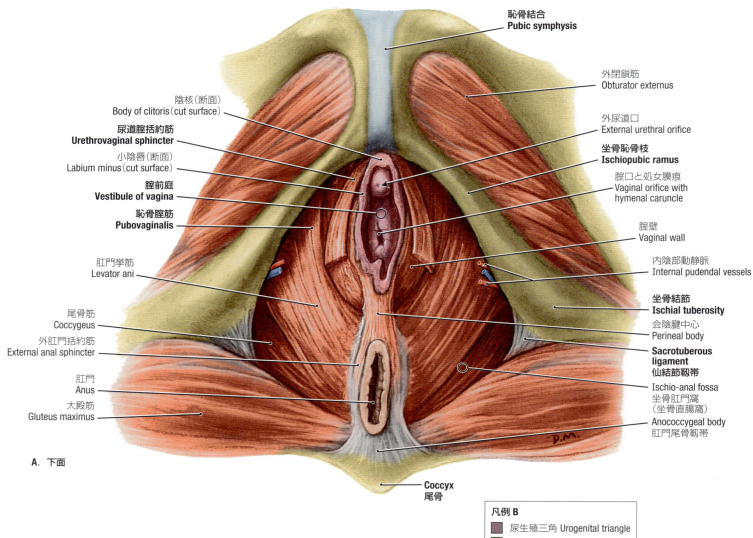

A. 下面

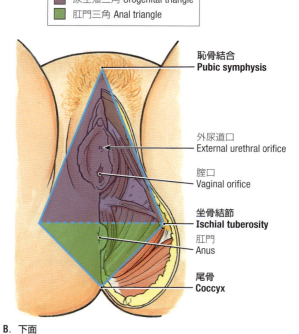

B. 下面

5.62 女性の会陰-IV

A　会陰膜と男性の深会陰横筋に対応する平滑筋が取り除かれ，会陰の深層にある構造が見えている．
- 肛門挙筋の前内側部（恥骨腟筋）は，腟口の後方にまで伸びる．
- 尿道腟括約筋は外尿道括約筋の一部であり，前方では尿道の表面と接し，後方では腟にまたがるように走行する．
- 小陰唇は短く切り詰めてある．小陰唇に挟まれた領域が腟前庭である．

B　尿生殖三角と肛門三角．会陰は骨（恥骨結合，恥骨下枝，坐骨枝，坐骨結節，尾骨）と靱帯（仙結節靱帯）に囲まれた菱形の領域である．会陰は，左右の坐骨結節を結んだ線によって，2つの三角（前方の尿生殖三角と後方の肛門三角）に区分される．

女性の会陰　骨盤と会陰

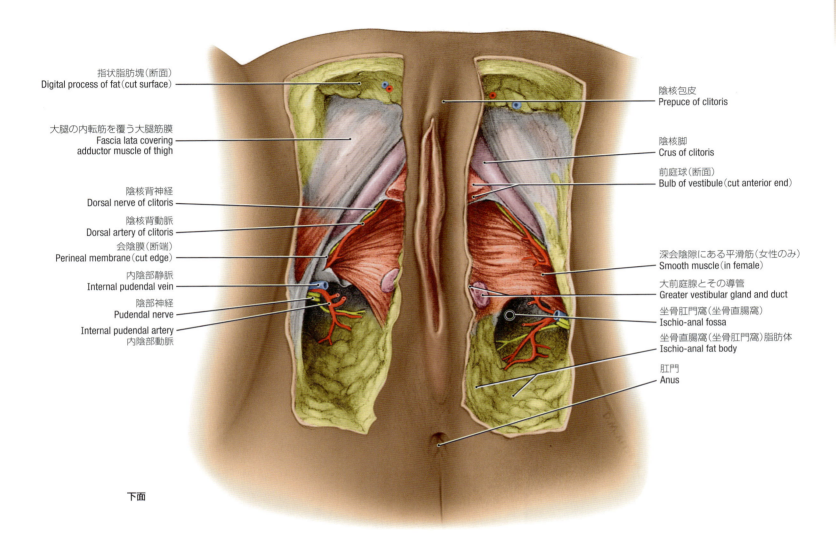

下面

5.63　女性の会陰-V

　この標本は，前に示したもの(I-IV，解剖の様子を連続的に示している)とは異なる．外陰部は解剖されていないが，その両側の会陰が深層まで見えている．会陰膜と前庭球の大部分が取り除かれている．大前庭腺は，本来は浅会陰隙に存在するのだが，ここでは残してある．男性の深会陰横筋(骨格筋)に対応する位置には，平滑筋の層が存在する．この平滑筋層は正中で外尿道括約筋(骨格筋)や会陰腱中心と融合する．この標本の平滑筋層は比較的発達している．

　大前庭腺は通常では触知できないが，感染による炎症で腫脹した場合には触知できるようになる．時に腺の直径は 4-5 cm にまで腫脹し，直腸壁を圧迫する場合もある．大前庭腺管に閉塞があると，**大前庭腺は感染**しやすくなる．**大前庭腺炎**はさまざまな病原微生物によって引き起こされる．大前庭腺管が閉塞しても感染を伴わない場合には腺内にムチンが貯留し，**バルトリン(Bartholin)嚢胞**が形成される．陰唇部にみられる大部分の**腺癌**は大前庭腺が発症母地である．

468 骨盤と会陰　女性の骨盤と会陰の画像

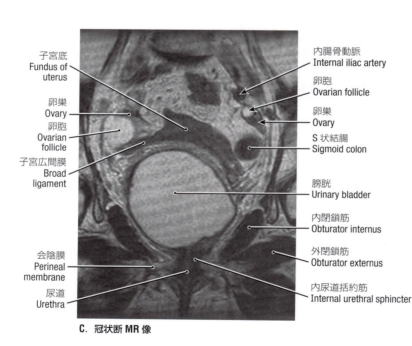
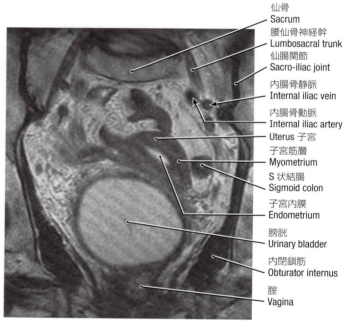

5.64 女性の骨盤と会陰の画像

A, B　女性骨盤の水平断 MR 像．C, D　冠状断 MR 像．E-H　水平断解剖断面と対応する女性会陰の MR 像．

女性の骨盤と会陰の画像

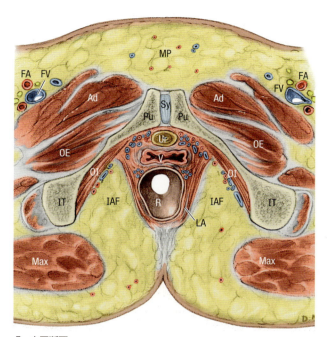

E. 水平断面

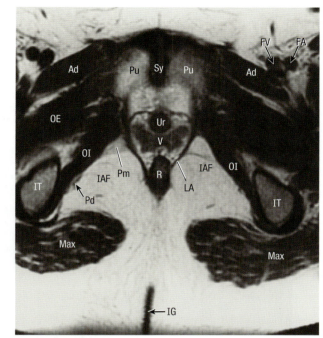

F. 水平断MR像

AC 肛門管 Anal canal	LA 肛門挙筋 Levator ani	PR 恥骨直腸筋 Puborectalis
Ad 内転筋群 Adductors	LM 大陰唇 Labium majus	Pu 恥骨 Pubic
CC 陰核脚 Crus of clitoris	Max 大殿筋 Gluteus maximus	QF 大腿方形筋 Quadratus femoris
FA 大腿動脈 Femoral artery	MP 恥丘 Mons pubis	R 直腸 Rectum
FV 大腿静脈 Femoral vein	OE 外閉鎖筋 Obturator externus	Sy 恥骨結合 Pubic symphysis
IAF 坐骨直腸窩(坐骨肛門窩) Ischio-anal fossa	OI 内閉鎖筋 Obturator internus	Ur 尿道 Urethra
IG 殿裂 Intergluteal cleft	Pd 陰部神経管 Pudendal canal	V 腟 Vagina
IPR 坐骨恥骨枝 Ischiopubic ramus	Pec 恥骨筋 Pectineus	Ve 腟前庭 Vestibule of vagina
IT 坐骨結節 Ischial tuberosity	Pm 会陰膜 Perineal membrane	

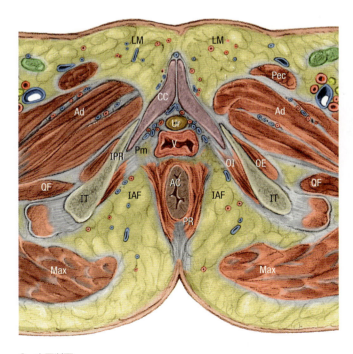

G. 水平断面

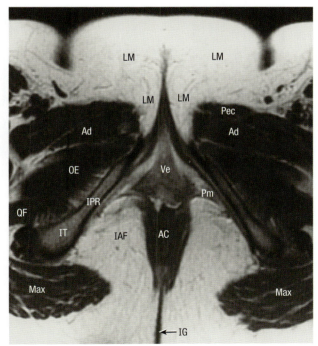

H. 水平断MR像

5.64 女性の骨盤と会陰の画像(続き)

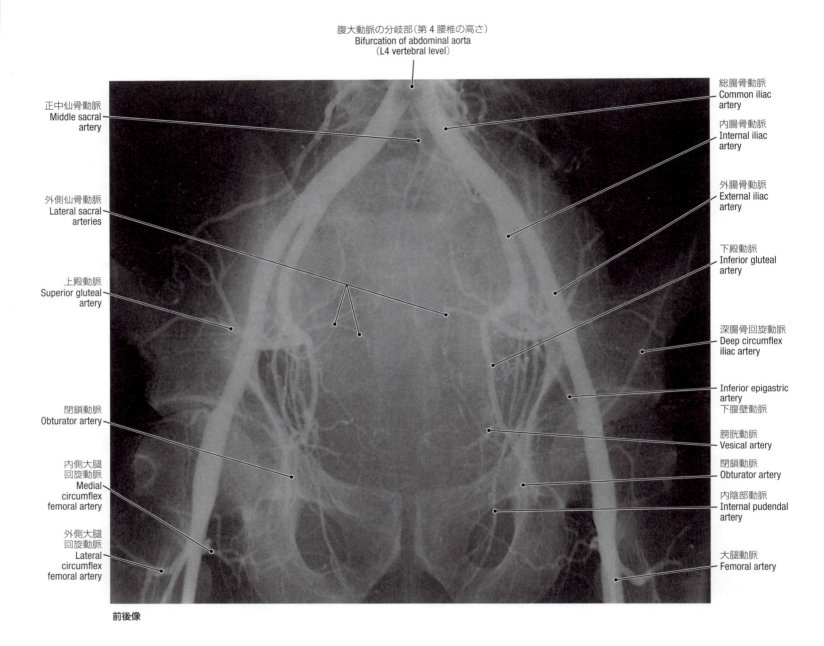

5.65 骨盤領域の動脈造影像

この男性患者の大動脈に注入されたX線不透過性の造影剤は，この写真の撮影時には，外腸骨動脈と内腸骨動脈の枝に達していた．

CHAPTER 6

下肢 *Lower Limb*

下肢の系統的概観	472
骨	472
神経	476
血管	484
リンパ	488
筋膜と筋膜区画	490
鼡径部と大腿三角	492
大腿の前面と内側面	496
大腿の外側面	503
大腿の骨と筋付着部	504
殿部と大腿の後面	506
股関節	516
膝の領域	522
膝関節	528
下腿の前面，側面，足背	542
下腿の後面	552
脛腓関節	562
足底	563
距腿関節，距踵関節，足関節	568
断層解剖と断層画像	581

472 下肢　下肢の系統的概観：骨

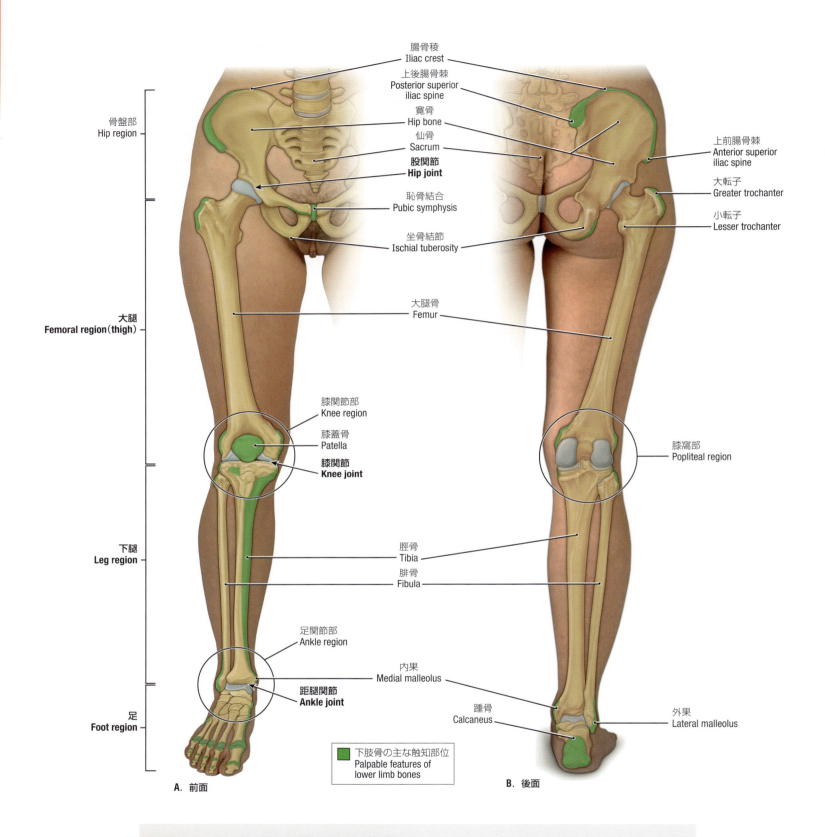

6.1 下肢の区分，骨，主要な関節

左右の寛骨は，前方では恥骨結合によって結合し，後方では仙骨と関節をなす．大腿骨は，近位側では寛骨と，遠位側では脛骨と関節をなす．下腿の骨は脛骨と腓骨からなり，足首で足根骨（距骨）と関節をなす．

下肢の系統的概観：骨

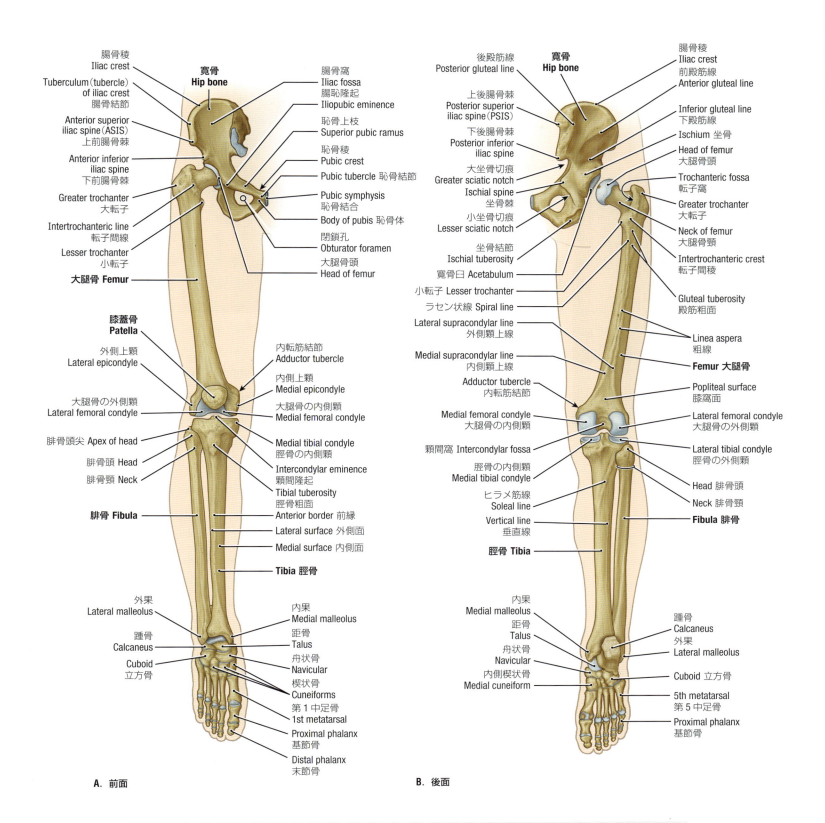

A. 前面　　B. 後面

6.2 下肢の骨の特徴

足は完全な底屈位にある．Bでは，寛骨臼と大腿骨頭を示すために股関節を外してある（大腿，下腿，足の骨や関節の局部解剖は本章，股関節の骨については，5章の下肢帯を参照）．

474 下肢　下肢の系統的概観：骨

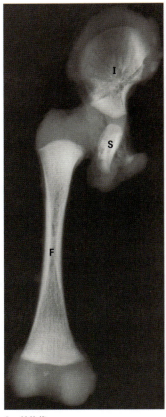

A. 前後像

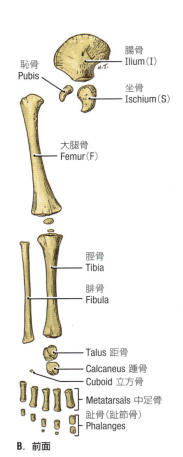

B. 前面

C. 前後像

大腿骨：	脛骨：	g 脛腓関節 Superior tibio-fibular joint
a 骨幹 Diaphysis	d 骨端 Epiphysis	
b 骨端板 Epiphyseal plate	e 骨端板 Epiphyseal plate	腓骨：
c 骨端 Epiphysis	f 脛骨体 Shaft	h 腓骨体 Shaft

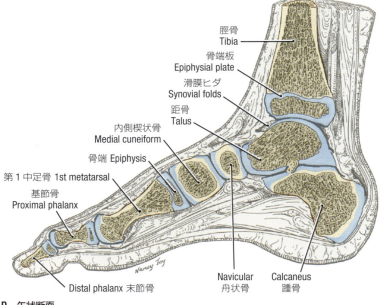

D. 矢状断面

6.3 下肢の骨の生後発達

A, C 正常な新生児の剖検標本．X線像骨成分（白色部分）と軟骨成分（灰色部分）．**B** 出生時の下肢の骨で骨化した部位．寛骨は，腸骨，坐骨，恥骨の3つの構成成分に分かれている．長管骨の骨幹部は十分に骨化している．骨端部といくつかの足根骨は骨化を始めたところである．**D** 4歳の幼児の足．

大腿骨頭の骨端脱臼．小児期から思春期（10-17歳）において，大体骨頭の骨端が大腿骨頸からずれてしまうことがあるが，これは骨端板の脆弱性に起因する．骨端板に強いずり応力がかかると，急性の損傷や慢性反復性の微小損傷が生じ，骨端が脱臼を起こす．股関節を外転・外旋した際により強いずり応力が負荷される．

骨端板を巻き込んだ骨折．脛骨上端に形成される一次骨化中心は生後早期に形成され，思春期（16-18歳）の間に骨幹と融合する．小児期に骨端板を巻き込んだ脛骨骨折が生じると，脛骨の長軸方向の成長が妨げられる場合がある．また，脛骨上端部での骨端板の損傷により脛骨粗面部に炎症を生じ，反復性の慢性疼痛を生じる場合があり〔オスグッド・シュラッター（Osgood-Schlatter）病〕，思春期のスポーツ選手によくみられる．

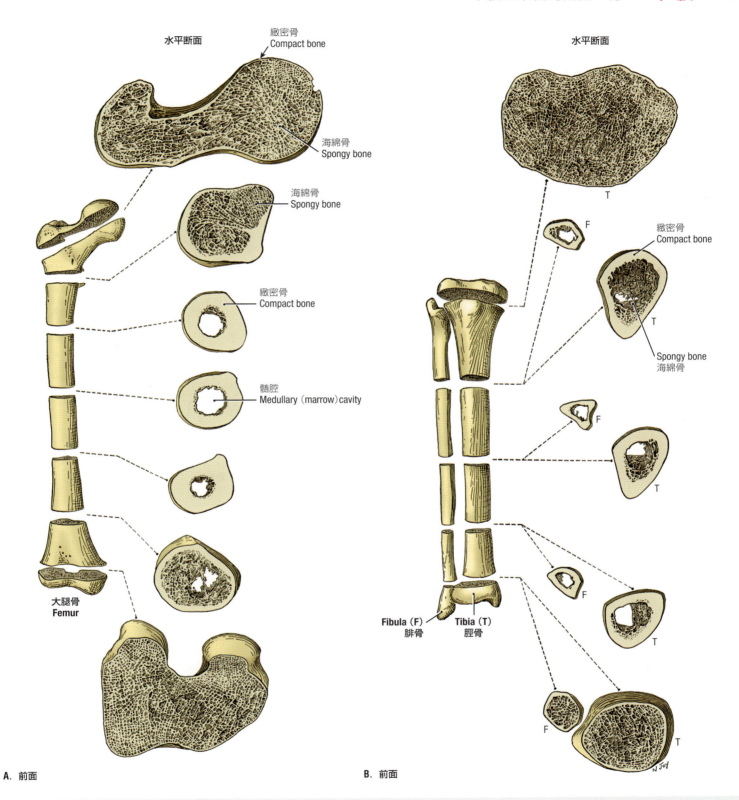

6.4　大腿骨，脛骨，腓骨の水平断面

A　大腿骨．B　脛骨と腓骨．骨の部位によって，緻密骨（質）と海綿骨（質）の厚みや髄腔の広さが異なることに注目すること．緻密骨と海綿骨は固形成分の相対量や含まれる腔所の密度や大きさによって区別される．すべての骨は表面が薄い緻密骨によって形成され，これが塊状の海綿骨を取り囲んでいる．海綿骨の中心部には髄腔が存在する．成人の骨の髄腔内や海綿骨の骨梁間には黄色骨髄（脂肪組織）や赤色骨髄（造血組織）が存在する．これはMR像において明瞭で，緻密骨は黒い線として見え，豊富な脂肪のために白く見える骨髄を囲んでいる．

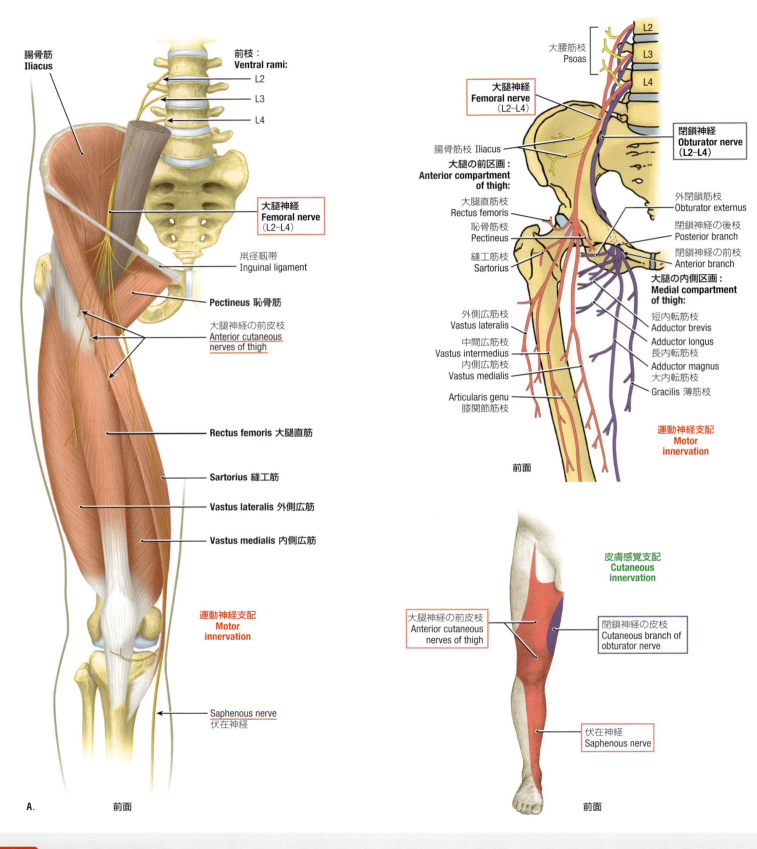

6.5 下肢の神経の概観

A 大腿神経.

下肢の系統的概観：神経　下肢

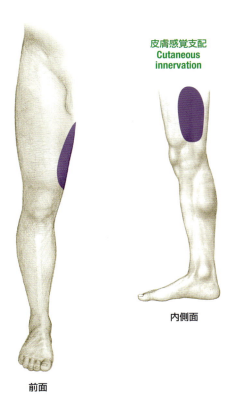

皮膚感覚支配
Cutaneous innervation

前面　　内側面

大腿神経の損傷
Femoral Nerve Injury

原因：
- 大腿三角の外傷
- 骨盤骨折

症状：
- 股関節の屈曲不全
- 膝関節の進展麻痺
- 大腿前面と下腿内側面の皮膚感覚麻痺
- 膝蓋腱反射の消失

閉鎖神経の損傷
Obturator Nerve Injury

原因：
- 股関節の前方脱臼（まれ）
- 広範前立腺切除術

症状：
- 股関節の内転麻痺
- 大腿内側面の皮膚感覚麻痺（範囲はさまざま）

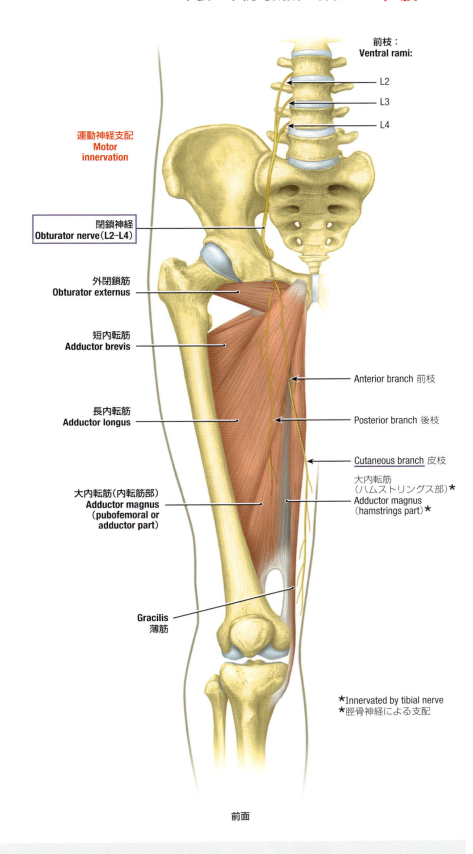

前面

B.

6.5　下肢の神経の概観（続き）

B　閉鎖神経．

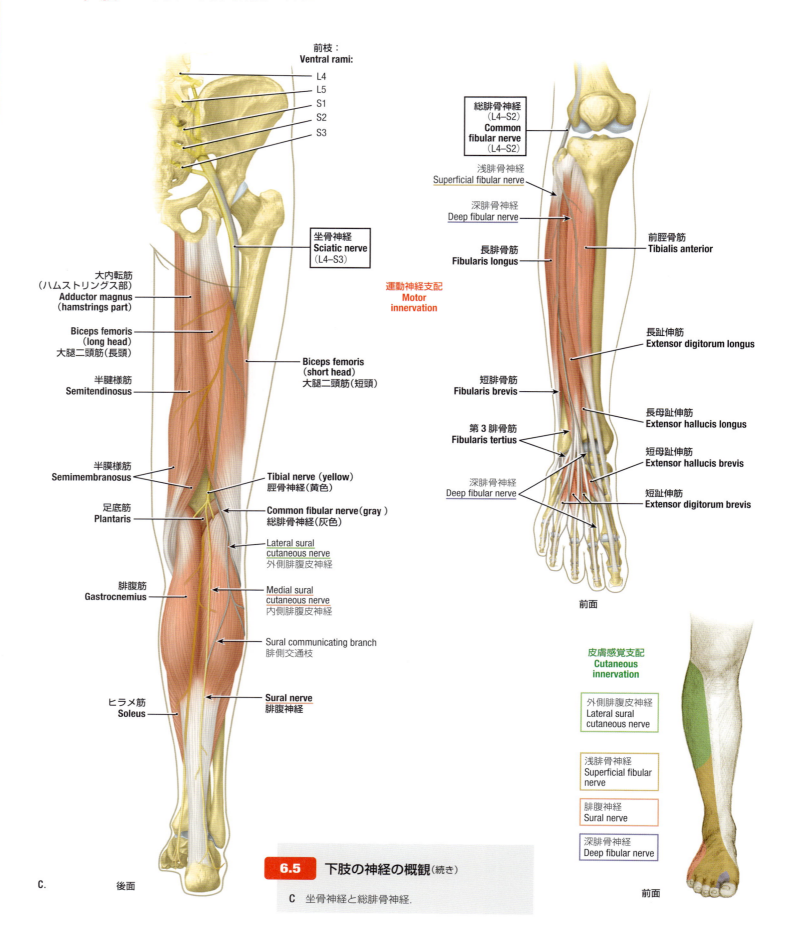

6.5 下肢の神経の概観（続き）

C 坐骨神経と総腓骨神経.

下肢の系統的概観：神経　下肢

総腓骨神経の損傷
Common Fibular Nerve Injury

原因：
- 下腿外側面の打撲
- 腓骨頸骨折

症状：
- 距腿関節の外反・背屈麻痺
- 足指の進展麻痺
- 下腿前外側面と足背の皮膚感覚麻痺
- 患者の足は底屈・内反位を取り（下垂足），踵立ちができなくなる．

脛骨神経の損傷
Tibial Nerve Injury in Popliteal Fossa

原因：
- 膝窩の外傷

症状：
- 距腿関節の内反不全と底屈麻痺
- 足底の皮膚感覚麻痺
- 患者の足は背屈・外反位を取り，つま先立ちができなくなる．

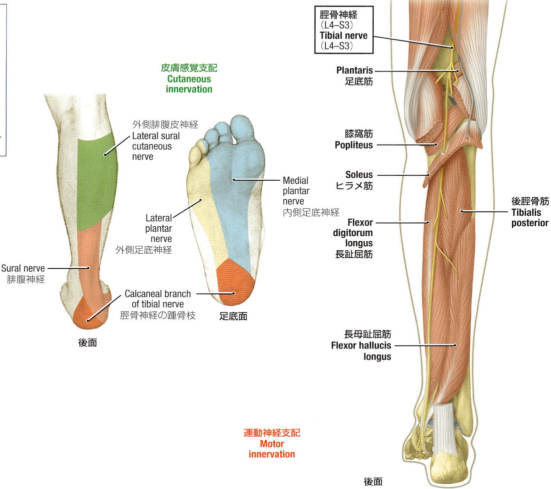

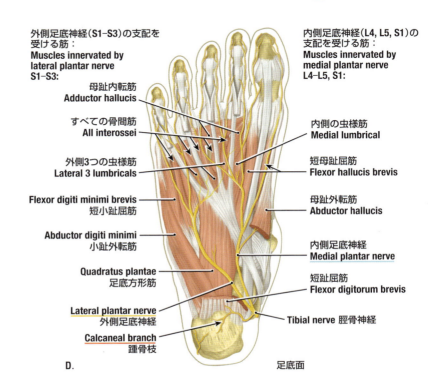

6.5　下肢の神経の概観（続き）

D　脛骨神経．

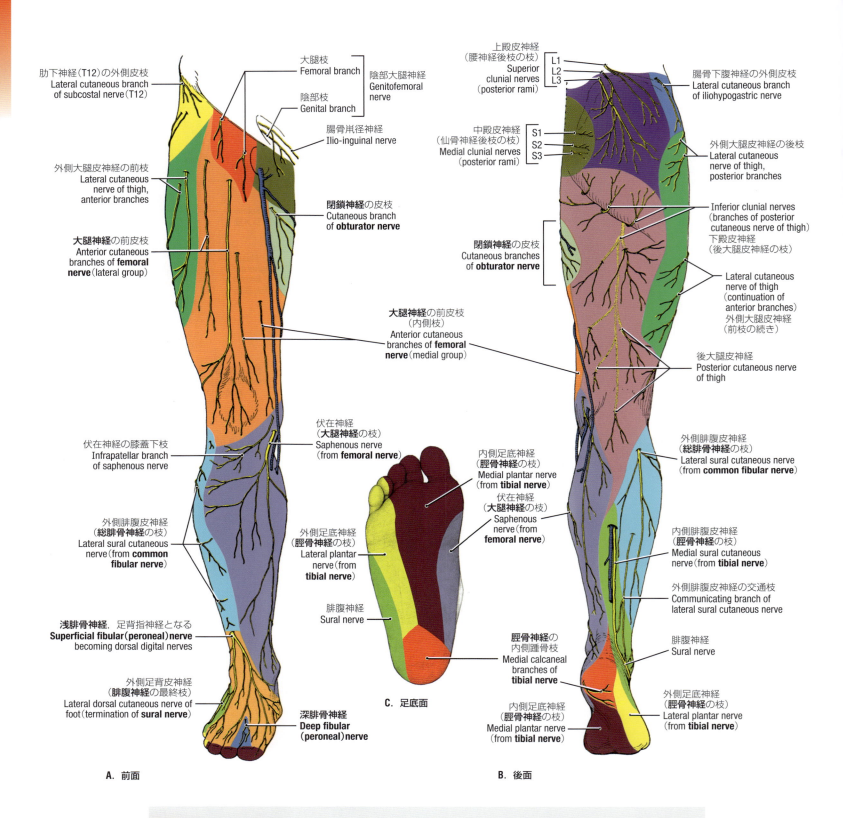

6.6 下肢の皮神経

皮下組織にある皮神経は下肢の皮膚に分布する。後面では、内側腓腹皮神経が下腿の後面で外側腓腹皮神経の交通枝と合流し、腓腹神経となる点に注目すること。両者が合流する高さには個体差があり、この標本の合流部位は低めである。

表 6.1　下肢の皮神経

神経	起始	走行	分布
肋下神経（外側皮枝）	T12 の前枝	腸骨稜を乗り越えて下行する．	腸骨稜（前部）の下方部，大転子の前方部
腸骨下腹神経	腰神経叢（L1，時に T12 を含む）	腸骨稜と平行に走行する．	殿部の上外側部
腸骨鼡径神経	腰神経叢（L1，時に T12 を含む）	鼡径管を通る．	鼡径ヒダ，大腿三角の内側部
陰部大腿神経	腰神経叢（L1，L2）	大腰筋の前面を下行し，大腿枝と陰部枝に分かれる．	大腿枝：大腿三角の外側部 陰部枝：陰嚢もしくは大陰唇の前部
外側大腿皮神経	腰神経叢（L2，L3）	上前腸骨棘から約 1 cm 内側の位置で，鼡径靱帯の深層を下行する．	大腿の前面と外側面
大腿神経の前皮枝	大腿神経（L2-L4）	大腿三角内で大腿神経から分枝され，大腿筋膜を貫いたのち，縫工筋に沿って下行する．	大腿の前面と内側面
閉鎖神経の皮枝	閉鎖神経（L2-L4）	閉鎖神経は長内転筋と短内転筋の間を下行したのち，大腿筋膜を貫いて皮膚に達する．	大腿の内側面（中央部）
後大腿皮神経	仙骨神経叢（S1-S3）	大殿筋の深部にある大坐骨孔を経由して殿部に入り，大腿筋膜の直下を下行しながら複数の終枝を分枝する．終枝は大腿筋膜を貫き，皮膚に達する．	大腿後面と膝窩
伏在神経	腰神経叢（L3，L4）	内転筋管に入るが，途中で内転筋管の壁を貫き，皮膚に達する．	下腿と足の内側面
浅腓骨神経	総腓骨神経（L4-S1）	腓骨筋群に筋枝を出したのち，下腿筋膜を貫き，皮膚に達する．	下腿と足の前外側面，足背
深腓骨神経	総腓骨神経（L5）	足背の筋群に筋枝を出したのち，第 1・2 中足骨頭の上方で足背筋膜を貫き，第 1 趾間の皮膚に達する．	第 1 趾間
腓腹神経	脛骨神経と総腓骨神経（S1，S2）	脛骨神経の内側腓腹皮神経と総腓骨神経の外側腓腹皮神経が下腿後面で合流し，形成される．合流する高さはさまざまである．	下腿の後外側面，足の外側縁
内側足底神経	脛骨神経（L4，L5）	足底筋の第 1・2 層間を走行する．	足底の内側部，趾の側面・底側面・爪床（第 1-3 趾，第 4 趾の内側半分）
外側足底神経	脛骨神経（S1，S2）	足底筋の第 1・2 層間を走行する．	足底の外側部，趾の側面，底側面・爪床（第 5 趾，第 4 趾の外側半分）
腓腹神経の踵骨枝	腓腹神経（S1，S2）	踵骨隆起を乗り越える．	踵
上殿皮神経	L1-L3 の後枝	殿部の皮下組織内を下外側方向に走行する．	殿部の上部と中央部
中殿皮神経	S1-S3 の後枝	後仙骨孔から現れ，これを覆う皮下組織に入る．	殿部の内側部，殿裂
下殿皮神経	後大腿皮神経（S2，S3）	大殿筋の深部で後大腿皮神経から分枝され，大腿筋下縁の直下から皮下組織に入る．	殿部の下部，殿溝

482 下肢　下肢の系統的概観：神経

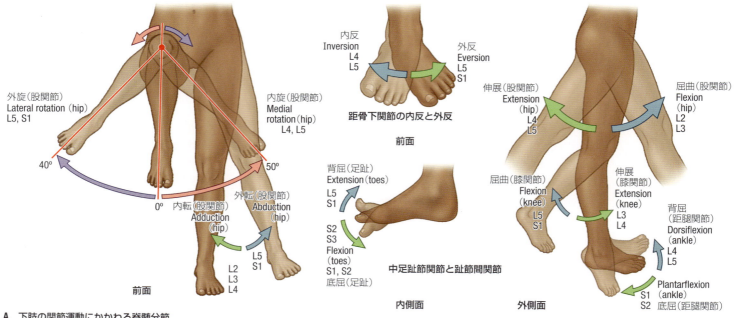

A. 下肢の関節運動にかかわる脊髄分節

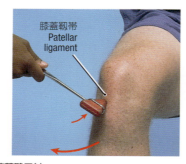

B. 膝蓋腱反射

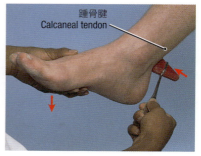

踵骨腱反射

深部腱反射	脊髄分節
膝蓋腱反射	L3, L4
踵骨腱（アキレス腱）反射	S1, S2

6.7　下肢の運動と深部腱反射に関与する脊髄分節

A　筋分節． 体性運動神経（一般体性遠心性線維）は骨格筋（随意筋）に分布する．単一の脊髄分節に由来する運動神経によって支配される筋塊を筋分節（ミオトーム）と呼ぶ．個々の骨格筋は通常，複数の脊髄分節に由来する運動神経によって支配される．つまり，個々の骨格筋は複数の筋分節からなる．図中には個々の関節運動に関与する脊髄分節がまとめてあり，これは神経学的診察の際によく利用される．

B　深部腱反射（伸長反射）． 伸長反射とは，筋が他動的に引き伸ばされた際に起こる非随意的な骨格筋の収縮を指す．深部腱反射（膝蓋腱反射はその1つ）は，単シナプス性の伸長反射であり，打腱器で腱をすばやく叩くことにより誘発される．個々の深部腱反射には特定の脊髄分節が関与する．重力に抗して四肢を支えたり，体幹をまっすぐに保つ際には，深部腱反射によって筋のトーヌスが調節されている．

表6.2　神経根損傷

圧迫される神経根	影響を受けるデルマトーム	影響を受ける筋	生じる運動不全・麻痺	影響を受ける神経/反射への影響
L4	下腿の内側面，第1趾	大腿四頭筋	膝の伸展	大腿神経 膝蓋腱反射の低下
L5	下腿の外側面，足背	前脛骨筋 長母趾伸筋 長趾伸筋	距腿関節の背屈 （患者は踵立ちができなくなる） 趾の伸展	総腓骨神経 腱反射への影響はない
S1	下肢の後面，第5趾	腓腹筋 ヒラメ筋	距腿関節の底屈 （患者は爪先立ちができなくなる） 趾の屈曲	脛骨神経 くるぶし反射の低下

下肢の系統的概観：神経　下肢

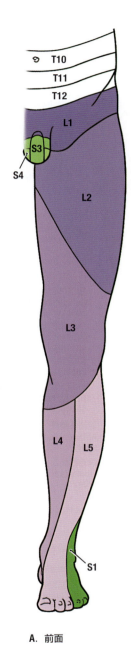
A. 前面

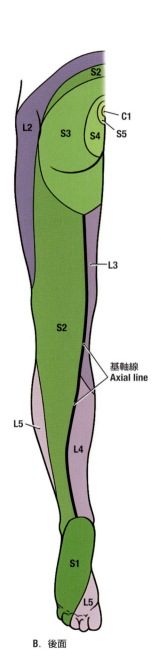
B. 後面

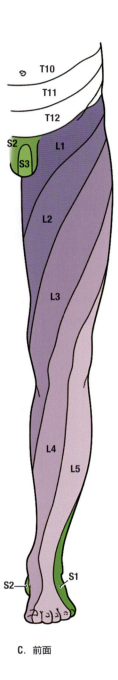
C. 前面

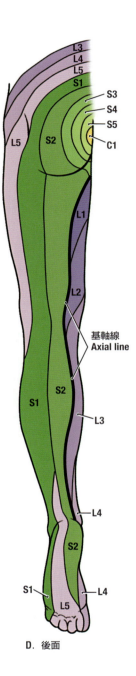
D. 後面

6.8　下肢の皮膚分節（デルマトーム）

脊髄神経は神経叢を形成するため，個々の皮神経には複数の脊髄分節に由来する感覚神経が含まれる．にもかかわらず，各脊髄分節に由来する感覚神経の皮膚における分布には分節的な配列が認められる．一般に，上図のような2つの異なるデルマトーム地図が用いられている．A，B　Foerster(1933)による下肢のデルマトーム地図は，臨床上の知見と合致するため，数多く引用されている．C，D　Keegan と Garrett(1948)によるデルマトーム地図は，配列に均整がとれていて美しく，また発生との関連付けも容易であることから，一部の人々により引用されている．どちらの地図でも個々のデルマトームの境界線が明瞭に示してあるが，実際には隣接する皮膚分節はかなりの範囲で重なり合っている．ただし，基軸線では，隣接するデルマトームは重なり合わない．

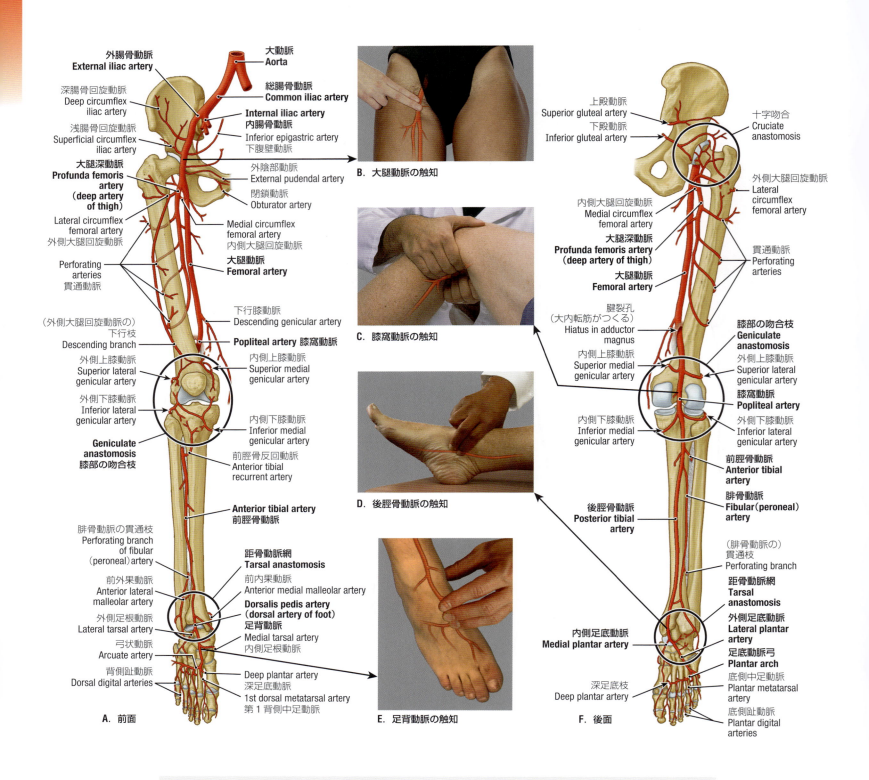

6.9 下肢の動脈，動脈網，脈の触知部位

A, F 概観．B–E 下肢の脈の触知部位．
　関節の周囲では，動脈は吻合や交通により網目状につながっている（十字吻合，膝関節動脈網，足根動脈網）．これにより，運動中においても，関節より遠位への血液供給が保障される．動脈の本幹がゆっくりと閉塞すると，より細い別の動脈が太くなり，**側副血行路**を形成し，閉塞部位よりも遠位へ血液を供給するようになる．

下肢の系統的概観：血管　下肢

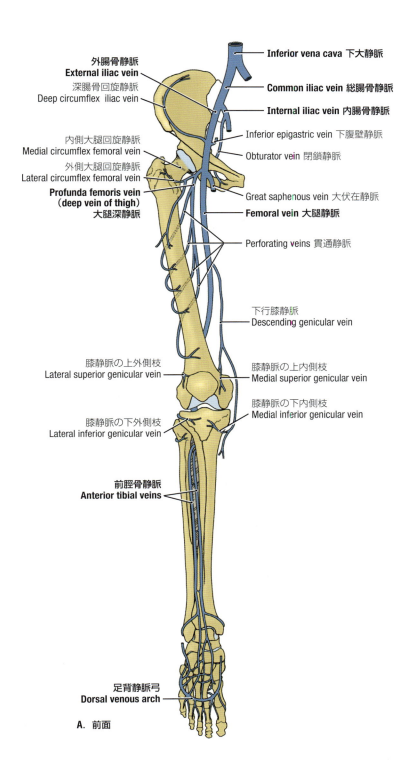

A. 前面

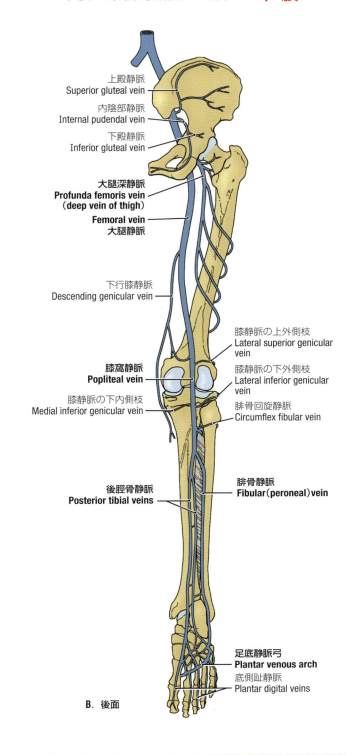

B. 後面

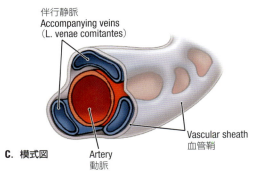

C. 模式図

6.10　下肢の深静脈の概観

A　下肢の前面．B　下肢の後面．
A, B　深静脈は深筋膜よりも深層に位置し，動脈に伴行する．この模式図では前・後脛骨静脈だけが1対ずつ描かれているが，実際は四肢の深静脈のほとんどは，動脈1本に対して複数本が存在し，交通静脈によって互いにつながっている．深静脈と交通静脈は動脈を取り巻くように存在し，深静脈は伴行する動脈と同じ名称をもつ（例：大腿動脈・大腿静脈）．
C　伴行静脈．

486 下肢　下肢の系統的概観：血管

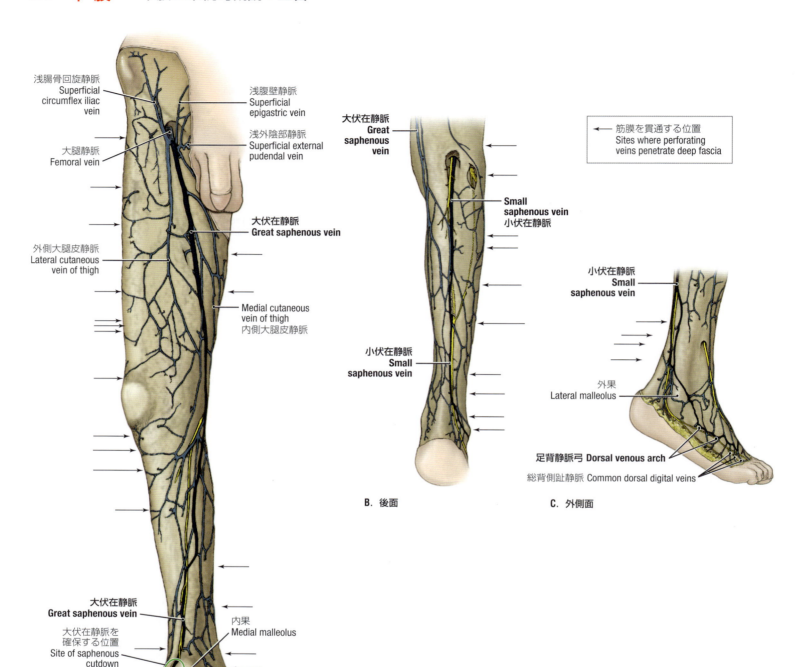

A. 前内側面
B. 後面
C. 外側面

6.11 下肢の浅静脈（皮静脈）

大半が動脈に伴走しない，吻合の多い静脈は皮下組織に豊富で，複数の筋膜を貫通する静脈（貫通静脈）を通って深静脈へと流れ込んでいる．

大伏在静脈の一部（静脈グラフト）を外科的に採取し，これを血管（例えば，冠状動脈）の閉塞部を迂回する血行路（バイパス）として利用する場合がある．この場合，静脈内の弁により血流が滞るのを防ぐため，静脈グラフト内を本来の血流と同じ向きに血液が流れるように吻合する．下肢の静脈には非常に多くの吻合・交通が存在するため，深静脈が正常であれば，大伏在静脈を除去しても深刻な循環障害に陥ることはほとんどない．

大伏在静脈の確保．大伏在静脈を露出させるには内果の前方で皮膚を切開する．この切開は，チューブを大伏在静脈に留置し，長期間にわたり輸血や輸液，薬剤の血管内投与を行う場合に行われる．

下肢の系統的概観：血管

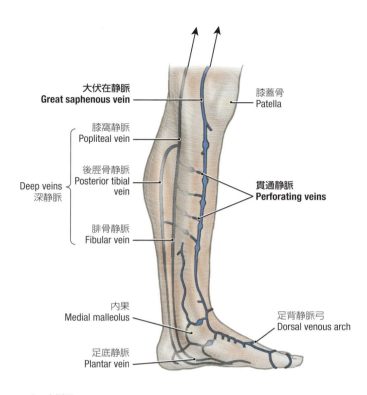

A. 内側面

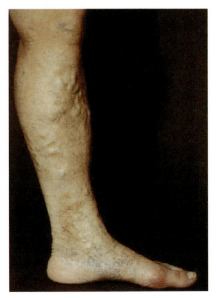

B. 内側面，静脈瘤

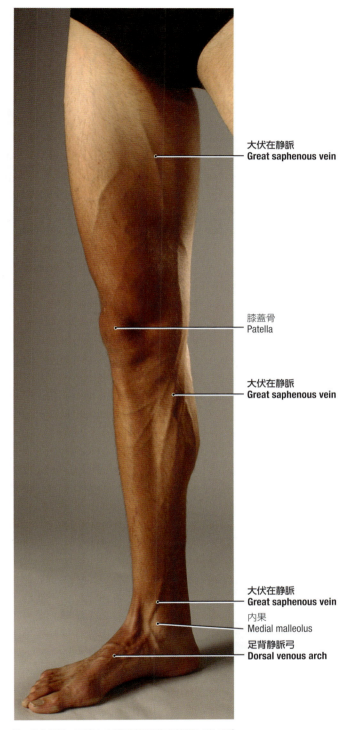

C. 前内側面，正常な皮静脈（運動後で拡張している）

6.12 下肢の浅静脈の流路と体表解剖

A 浅静脈の流路を示す模式図．静脈血は，深筋膜を貫通する貫通静脈を介して，浅静脈（例えば，大伏在静脈）から深静脈（例えば，腓骨静脈や後脛骨静脈）へと持続的に流れ込んでいる．筋肉の収縮により深静脈は圧迫を受けるが，これは静脈血を重力に抗して上方へ送り出すのを助けている．

B 静脈瘤．静脈瘤は深筋膜もしくは貫通静脈の弁に機能不全があると形成される．筋肉の収縮により深静脈が圧迫されると，通常は深静脈内の血液がそのまま心臓の方向に押し出される．しかし，深筋膜や貫通静脈の弁に異常が生じると，筋肉の収縮に伴い，深静脈の血液が貫通静脈を介して浅静脈に逆流するようになる．この結果，浅静脈は次第に拡張・蛇行し，静脈瘤が形成される．

C 正常な皮静脈．運動後の状態で拡張している．

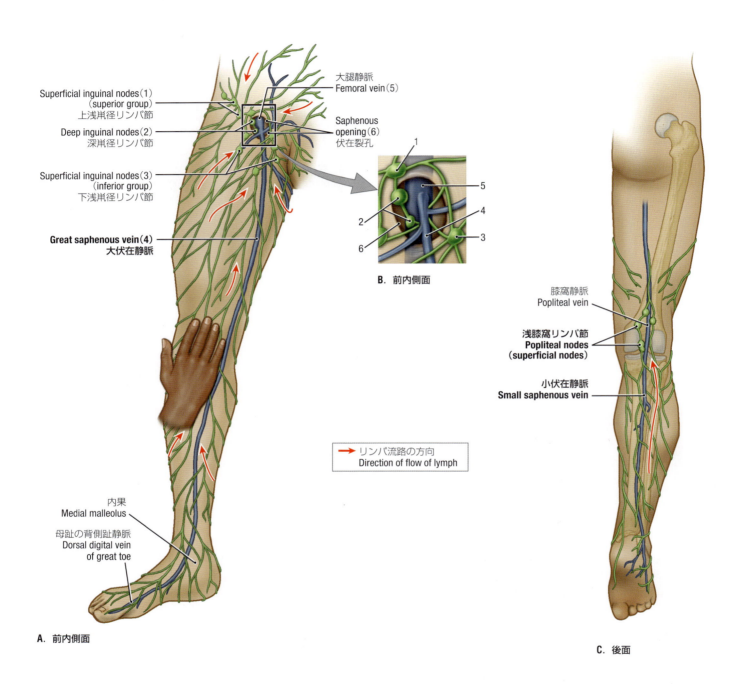

6.13 下肢の浅リンパ管の流れ

浅リンパ管は、皮下組織（浅筋膜）の中で、伏在静脈とその枝に沿って走行しながらリンパ節に集まっていく．大伏在静脈に沿って走るリンパ管は浅鼡径リンパ節に流れ込むのに対し、小伏在静脈に沿って走るリンパ管は膝窩リンパ節に流れ込む．浅鼡径リンパ節からのリンパ液は深鼡径リンパ節と外腸骨リンパ節に流れ込む．膝窩リンパ節からのリンパ液は深部の血管に沿って走るリンパ管を流れて上行し深鼡径リンパ節に流れ込む．大伏在静脈は内果の前方にあり、膝蓋骨の内側縁から手の幅の分だけ後方にあることを示している．いくつかの疾患では、**リンパ節の腫脹**がみられる．下肢の擦過傷や敗血症（病原微生物やその毒素が血中にみられる状態）では、浅鼡径リンパ節に軽度の腫脹がみられる場合がある．また、悪性腫瘍（例えば、外陰部や子宮の癌）や会陰膿瘍でも、浅鼡径リンパ節が腫脹する．

下肢の系統的概観：リンパ

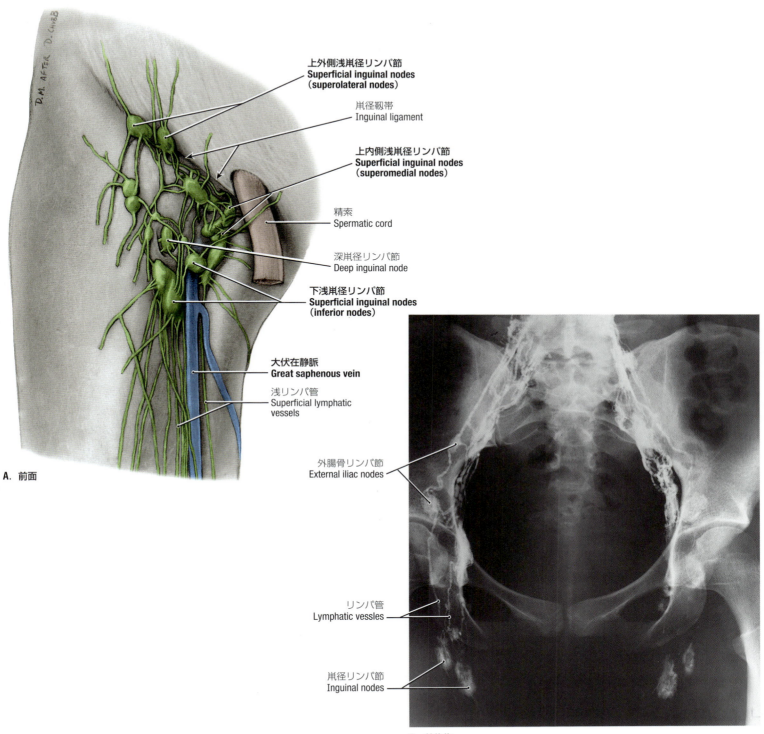

A．前面

B．前後像

6.14 鼠径リンパ節

A 解剖図．B リンパ管造影像．

- リンパ節の配置に注目すること．近位部のリンパ節は鼠径靱帯と平行に並び（上外側および上内側浅鼠径リンパ節），遠位部のリンパ節は大伏在静脈に沿って並ぶ（下浅鼠径リンパ節）．これらのリンパ節からの輸出リンパ管は鼠径靱帯の深部で深鼠径リンパ節や外腸骨リンパ節へ注ぐ．
- リンパ管どうしの吻合に注目すること．

490 下肢　下肢の系統的概観：筋膜と筋膜区画

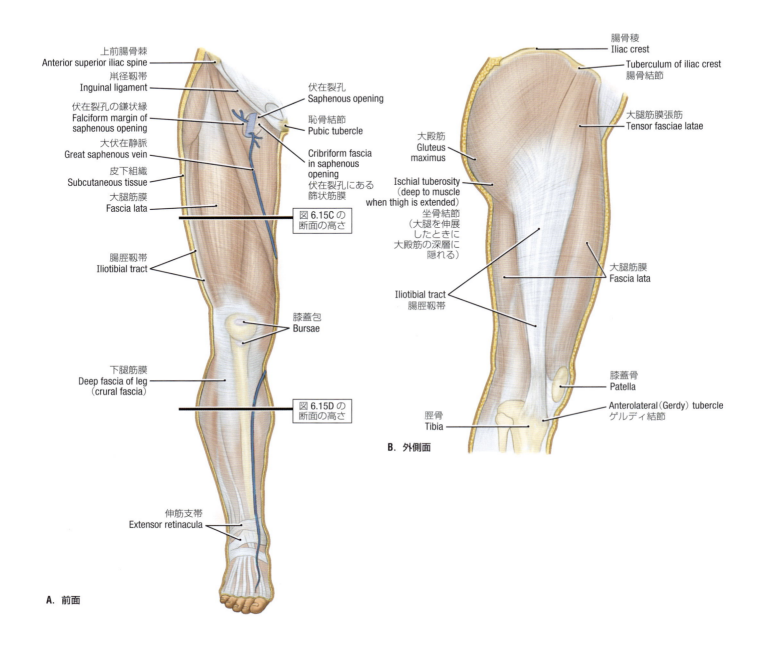

A. 前面

B. 外側面

6.15　下肢の筋膜と筋膜区画

A　下肢の深筋膜． 大腿と下腿の深筋膜（大腿筋膜と下腿筋膜）を示すために，前面の皮膚と皮下組織を取り除いてある．

B　腸脛靱帯（IT）． 大腿筋膜を示すために，外側面の皮膚と皮下組織を取り除いてある．大腿筋膜の外側部は肥厚し，腸脛靱帯を形成している．腸脛靱帯には，大殿筋（浅層の筋束がつくる腱膜）と大腿筋膜張筋が停止する．したがって，腸脛靱帯は大殿筋と大腿筋膜張筋の共通腱膜のようにも見える．

腸脛靱帯症候群は持久力を要するスポーツ（長距離走，自転車競技，登山）を行っている人々にみられ，主な症状は膝外側部の痛みである．例えば走行中のように膝を繰り返し屈曲・伸展させることで大腿骨の外側上顆と腸脛靱帯の間で摩擦が生じると，腸脛靱帯のうち膝の外側部を覆う部分や脛骨〔ゲルディ（Gerdy）結節〕への付着部に炎症が起こる．この症候群は高齢者の殿部に起こることもある．

下肢の系統的概観：筋膜と筋膜区画　下肢

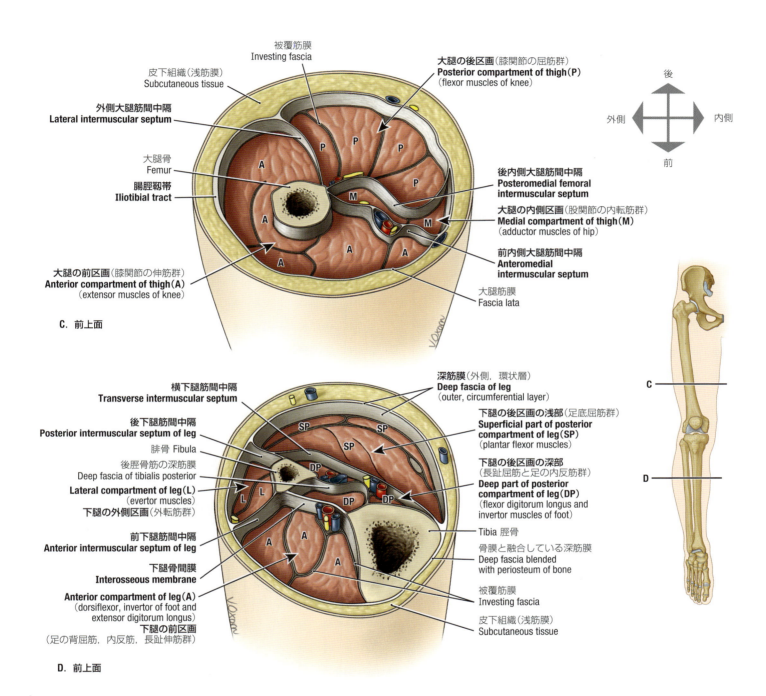

6.15　下肢の筋膜と筋膜区画（続き）

C　大腿の筋膜区画の水平断面．D　下腿の筋膜区画の水平断面． 個々の筋膜区画には，類似の機能を持つ筋とそれらの支配神経が含まれる．大腿と下腿には，前区画と後区画が存在する．この他に，大腿には内側区画，下腿には外側区画が存在する．筋膜区画内にある筋や血管（あるいはその両者）が外傷を受けると，筋に出血，腫脹，感染が生じる．筋膜区画は深筋膜や筋間中隔，あるいはこれらの付着する骨によって強固に囲まれているため，区画内の筋に出血や腫脹が起こると，内圧が高まる．このような状態が持続すると血管が圧迫され続け，区画内や圧迫を受けた部位よりも遠位の構造が虚血に陥り，時として筋や神経に不可逆的な障害を残す場合もある（**コンパートメント症候群**）．神経が障害された場合には，障害部位よりも遠位の線維によって支配される筋に麻痺が出現する．コンパートメント症候群では，区画内の圧を下げて血液循環を回復させるために，**筋膜切開**を行うことがある．

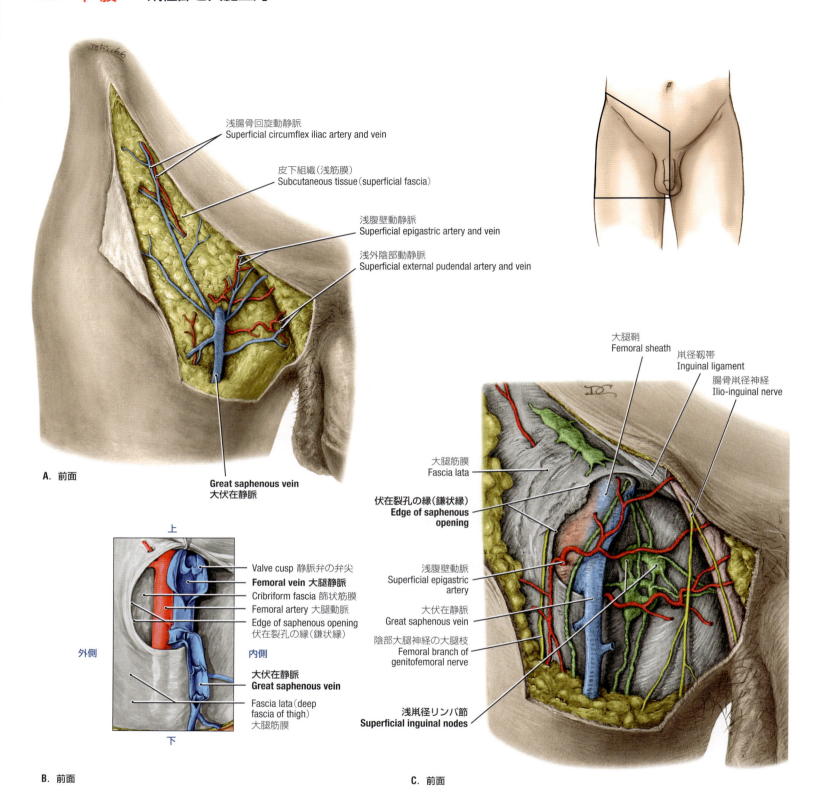

6.16 鼠径部浅部の血管と伏在裂孔

A 鼠径部浅部の血管．動脈は大腿動脈の枝，静脈は大伏在静脈とその枝である．B 大腿静脈と大伏在静脈の近位部にある静脈弁．C 伏在裂孔．

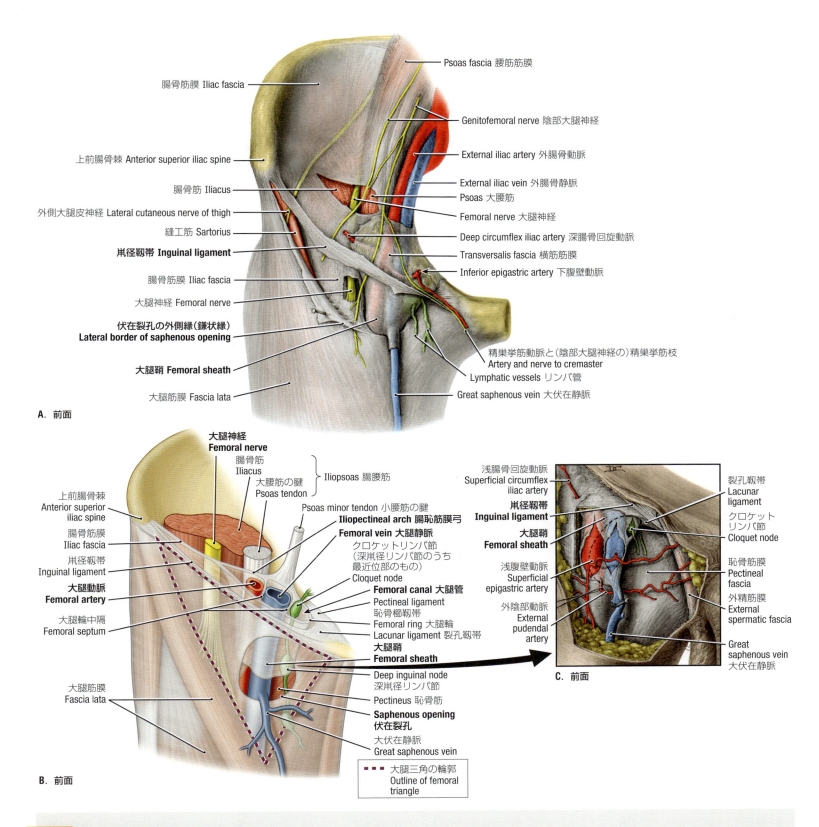

6.17 大腿鞘と鼡径靱帯

A 解剖図．**B** 模式図．大腿鞘には大腿動静脈とリンパ管が入っているが，腸骨筋膜の後方を走行する大腿神経は大腿鞘の外にある．**C** 大腿鞘と大腿輪．大腿鞘には3つの構造が含まれる．大腿鞘の外側部には大腿動脈，中間部には大腿静脈，内側部には大腿管が位置する．大腿鞘内のリンパ管は大腿管内を走行する．大腿管の上端は大腿輪（幅約1cm）と呼ばれる骨盤腔への開口部を形成する．大腿輪は腹膜外脂肪組織により塞がれている．

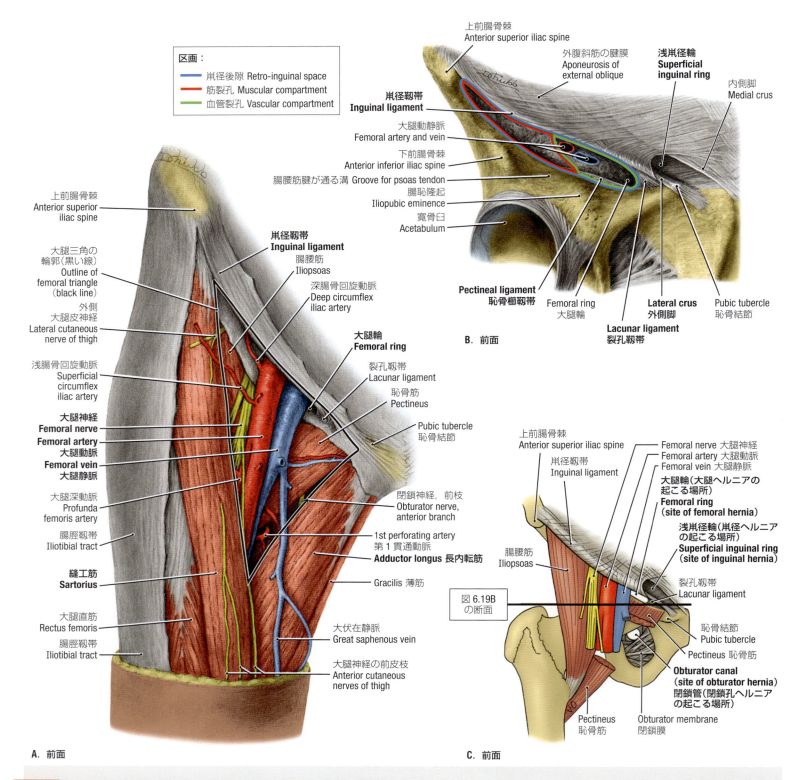

6.18 鼠径靱帯の後方を通過して大腿三角に出入りする構造

A 解剖図．大腿三角は，底辺を鼠径靱帯，外辺を縫工筋の内側縁，内辺を長内転筋の外側縁によってつくられる．外辺と内辺が下方で合流する点は，大腿三角の頂点をなす．大腿三角は大腿動静脈によって縦に二分割されている．

B 鼠径後隙は鼠径靱帯と恥骨で囲まれた領域であり，大腿動静脈が通る血管裂孔と腰筋が通る筋裂孔に区分される．

C 腸腰筋，大腿神経，大腿動静脈，浅鼠径リンパ節から出たリンパ管は鼠径靱帯よりも深層にある通路を通り，大腿前面に出るか，もしくは体幹の深部に入る．

この領域には，**ヘルニアを生じる**潜在的な通路が3か所存在する．**大腿動脈の拍動**は，上前腸骨棘と恥骨結節を結ぶ線の中央部のすぐ遠位で触知できる．

鼡径部と大腿三角　下肢　495

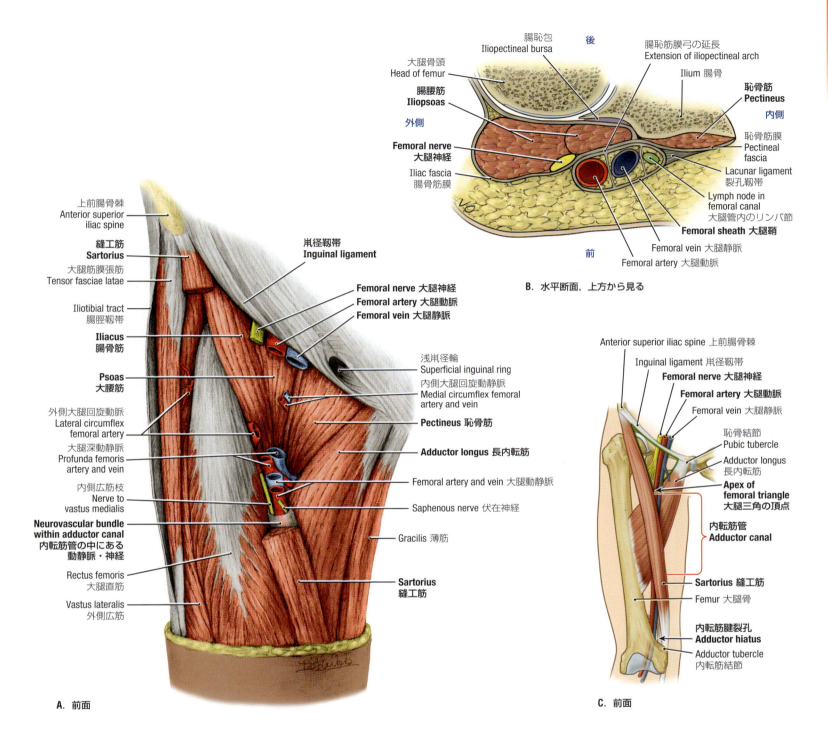

6.19 大腿三角の境界と床と，鼡径靭帯の後方にある通路

A 解剖図．縫工筋，大腿動静脈，大腿神経の一部が取り除かれ，大腿三角の床（深部）が見えている．大腿三角の床は，外側部が腸腰筋，内側部が恥骨筋からなる．大腿三角の頂点では，大腿動静脈，伏在神経，内側広筋枝が縫工筋の深層に向かい，内転筋管（縫工筋下管）に入る．

B 大腿三角の横断面（大腿骨頭の高さ，図 6.18C でこの断面の高さを示してある）．腸腰筋と大腿神経は鼡径靭帯の後方にある通路と大腿三角を縦走する．この筋と神経は共通の筋膜によって包まれており，大腿鞘によって包まれる大腿動静脈とは隔離されている．

C 大腿動静脈の走行を示す模式図．内転筋管は大腿三角の頂点から内転筋腱裂孔へと続いており，大腿動静脈はこの管を通過して膝窩に至る．

496 下肢　大腿の前面と内側面

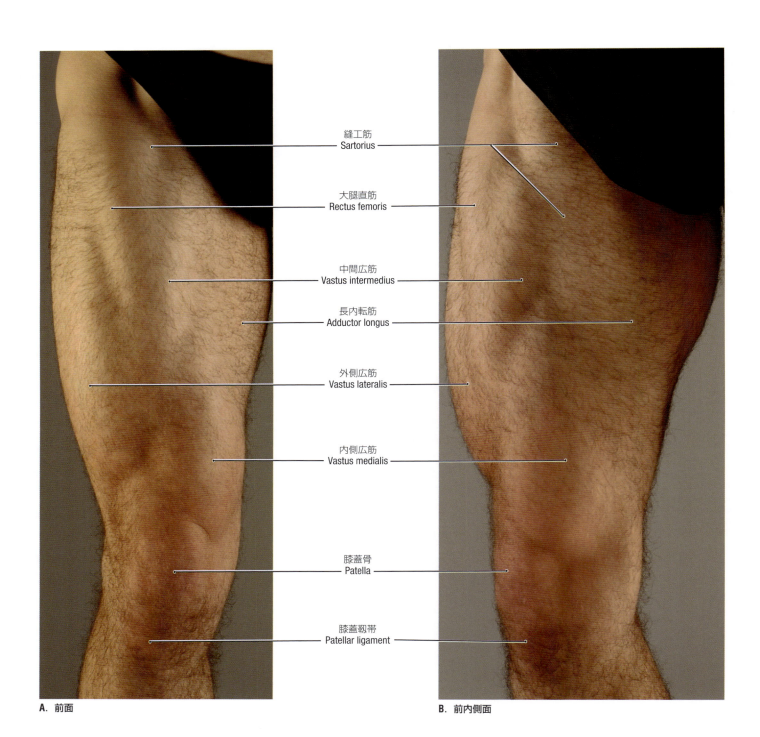

A. 前面　　　　　　　　　　　　　　　　　　　　　　　　B. 前内側面

6.20　大腿の前面と内側面の体表解剖

膝蓋靱帯炎（ジャンパー膝）は膝の伸筋を持続的に酷使することで生じる膝蓋靱帯の微小断裂により発症する．膝蓋靱帯の膝蓋骨への付着部で最も起こりやすい．膝蓋靱帯炎は放置すると腱の変性や断裂をまねくことがある．

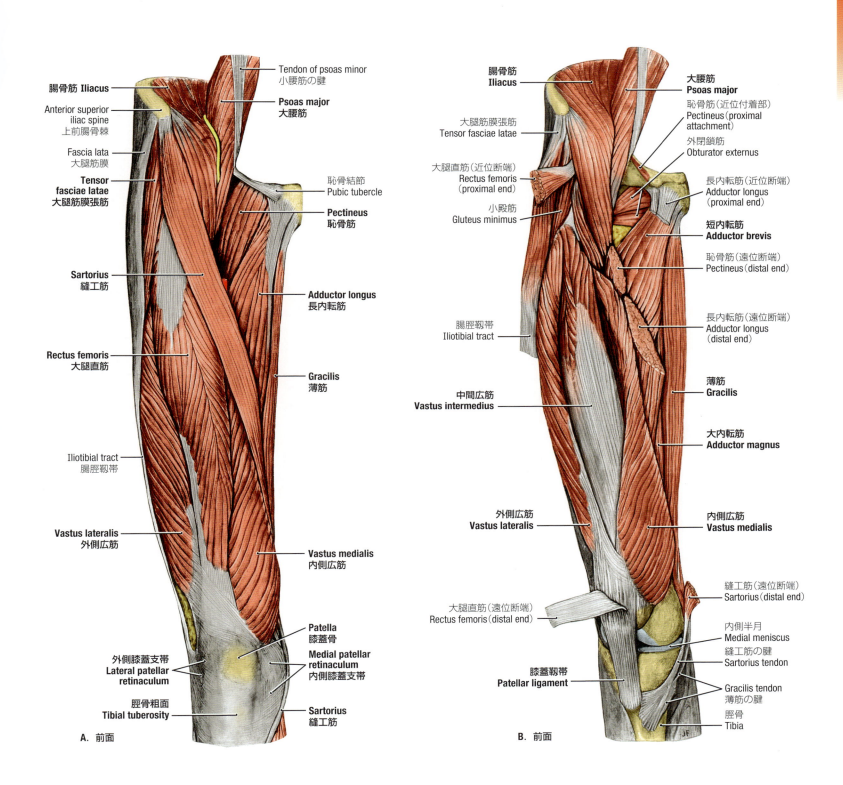

6.21 大腿の前面と内側面の筋群（浅層と深層）

A 浅層の解剖図. B 深層の解剖図. Bでは縫工筋・大腿直筋・恥骨筋・長内転筋の筋腹中央を取り除いてある. 膝関節の関節炎や外傷によって**内側広筋と外側広筋の筋力が低下**した場合には，膝蓋骨が異常に動くようになったり，膝関節の安定性が損なわれたりする.

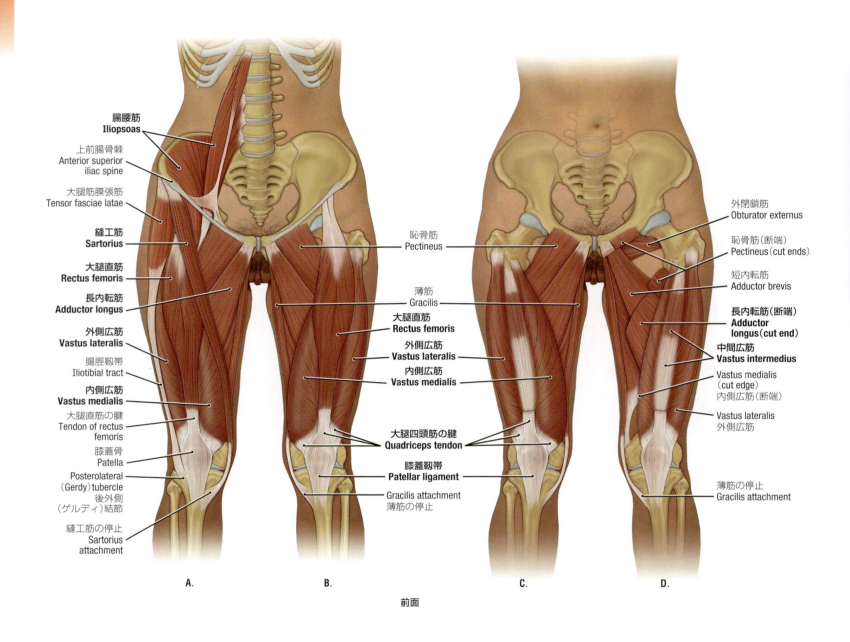

前面

6.22 大腿の前面と内側面の筋群（模式図）

A–D AからDの順に解剖が進められ，浅層から深層の構造が示されている．

腸骨稜の打撲傷（いわゆるhip pointer）は，多くの場合，腸骨稜の前方部（ここには上前腸骨棘が存在し，縫工筋が起始している）に生じる．この部位での打撲傷は骨盤領域の外傷として最もよくみられるものの1つであり，ラグビーなどのように衝突の多いスポーツで起こることが多い．打撲部では損傷された毛細血管から出血が起こり，血液は周囲の筋，腱，軟部組織に浸潤する．Hip pointer という用語は，筋が付着している骨部（例えば，縫工筋と大腿直筋が起始する上前腸骨棘，腸腰筋が停止する大腿骨の小転子）の剝離を意味する場合もある．しかし，このような損傷は**剝離骨折**と呼ぶべきである．

大腿四頭筋が麻痺した患者は抵抗に抗して下腿を伸展することができず，歩行の際には不用意に膝が屈曲することを防ぐため，大腿の遠位部を手で押さえ，重心線が膝の前方に来るような姿勢をとることが多い．

大腿の前面と内側面　下肢

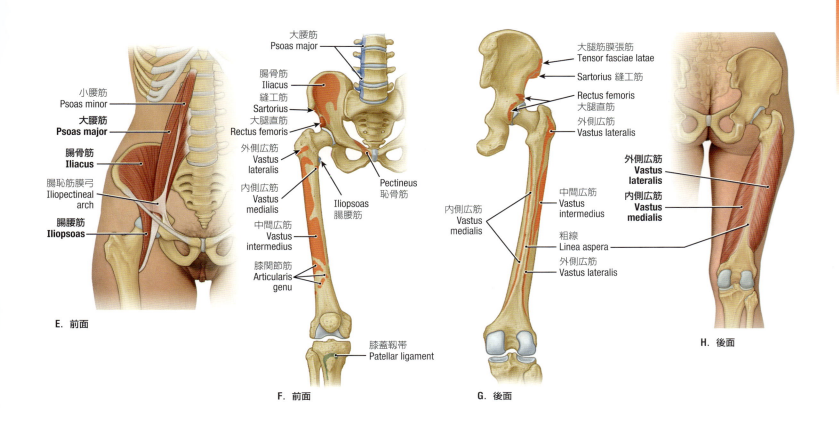

E. 前面　　F. 前面　　G. 後面　　H. 後面

6.22 大腿の前面と内側面の筋群（模式図）(続き)

E 腸腰筋．F 大腿前面の筋の付着部．G 大腿後面の筋の付着部．H 内側広筋と外側広筋の付着部．

表6.3　大腿前面の筋群

筋	起始[a]	停止[a]	神経支配[b]	主な作用
腸腰筋				
大腰筋	T12からL5の椎骨およびその間の椎間円板の外側面，および全腰椎の肋骨突起	大腿骨小転子	腰神経前枝(**L1**, **L2**, L3)	股関節の屈曲と安定化[c]
腸骨筋	腸骨稜，腸骨窩，仙骨翼，前仙腸骨靱帯	大腰筋の腱，小転子，大腿骨の小転子より遠位部	大腿神経(L2, L3)	
大腿筋膜張筋	上前腸骨棘と腸骨稜前部	脛骨の外側顆に結合する腸脛靱帯	上殿神経(L4, L5)	股関節の外転と内旋と屈曲，膝を伸展状態に保つことを補助，大腿骨幹部の固定
縫工筋	上前腸骨棘およびその下の窪みの上部	脛骨内側面の上部	大腿神経(L2, L3)	股関節の屈曲と外旋，膝関節の屈曲[d]
大腿四頭筋				
大腿直筋	上前腸骨棘および寛骨臼より上部の腸骨	膝蓋骨の底部，および膝蓋靱帯を介して脛骨粗面．内側広筋と外側広筋の一部は腱膜（内側・外側膝蓋支帯）を介して，脛骨や膝蓋骨に停止する．	大腿神経(L2, **L3**, **L4**)	膝関節の伸展，大腿直筋は股関節を固定するとともに腸腰筋を助けて大腿を屈曲する．
外側広筋	大転子および大腿骨粗線の外側唇			
内側広筋	転子間線および大腿骨粗線の内側唇			
中間広筋	大腿骨体の前面および外側面			

[a] 筋の起始・停止については，図6.22も参照すること．
[b] 数字は支配神経の由来する脊髄分節を示す（例えば，"L1，L2，L3"とは，大腰筋を支配する神経は腰髄の上位3分節に由来する，という意味．太字"L1，L2"は支配神経の主な脊髄分節を示す）．1つあるいはそれ以上の脊髄分節や，そこに由来する運動神経根の障害は，当該筋の麻痺を引き起こす．
[c] 大腰筋は体幹の姿勢の維持を助ける筋でもあり，立位でも活動している．
[d] 縫工筋（ラテン語でsartorは仕立屋のこと）の4つの作用が同時に起こると仕立屋が足を組む動作になるので，この名がある．

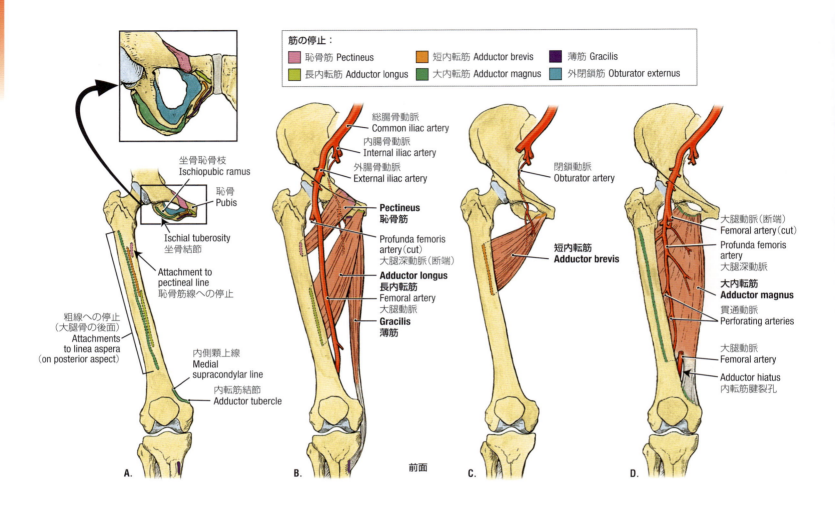

6.23 大腿内側面の筋の付着

A 付着部. B 恥骨筋, 長内転筋, 薄筋. C 短内転筋. D 大内転筋.

表6.4 大腿内側の筋群

筋	起始	停止[a]	神経支配[b]	主な作用
恥骨筋	恥骨上枝	大腿骨恥骨筋線の小転子のすぐ下部	大腿神経(**L2**, L3), おそらく閉鎖神経の枝も	股関節の内転と屈曲, 大腿の内旋の補助
長内転筋	恥骨稜下部の恥骨体	大腿骨粗線の中央1/3	閉鎖神経前枝(L2, **L3**, L4)	股関節の内転
短内転筋	恥骨体と恥骨下枝	恥骨筋線および大腿骨粗線の近位部	閉鎖神経(L2, **L3**, L4)	股関節の内転とわずかな屈曲
大内転筋	恥骨下枝, 坐骨枝(内転筋部), および坐骨結節	大腿骨の殿筋粗面, 粗線, 内側顆上線(内転筋部), 内転筋結節(膝窩腱筋部)	内転筋部:閉鎖神経(L2, **L3**, L4) 膝窩腱筋部:坐骨神経の脛骨神経部(**L4**)	股関節の内転. また大内転筋の内転筋部は股関節を屈曲し, 膝窩腱筋部は股関節を伸展する.
薄筋	恥骨体と恥骨下枝	脛骨内側面の上部	閉鎖神経(**L2**, L3)	股関節の内転と屈曲, 股関節の内旋の補助
外閉鎖筋	閉鎖孔の縁と閉鎖膜	大腿骨の転子窩	閉鎖神経(L3, **L4**)	股関節の外旋, 寛骨臼内で大腿骨頭を固定

表のうち上5つの筋は共同して大腿を内転するが, これらの筋の作用はもっと複雑である(例えば, 膝関節の屈曲時に股関節を曲げたり, 歩行時に作用したりする).

[a] 筋の停止については図6.22参照.
[b] 支配神経の脊髄分節については表6.2も参照すること. 数字は支配神経が由来する脊髄分節を表す(**太字**の分節は支配神経への線維を多く出している分節を表す). 単一ないし複数の脊髄分節の損傷は支配筋の麻痺を引き起こす.

大腿の前面と内側面　下肢

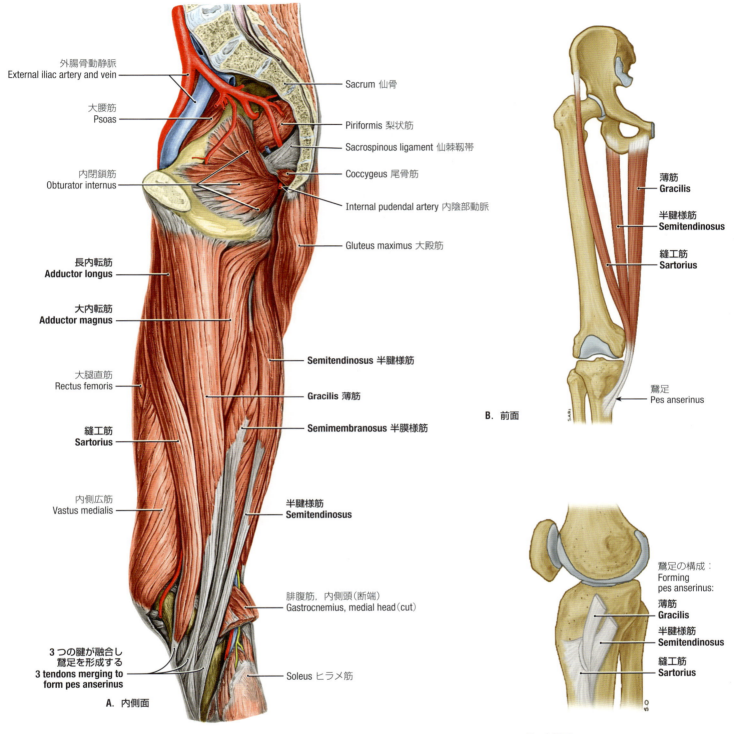

6.24 大腿内側の筋群

A　解剖図．B　筋がつくる三角錐． 縫工筋，薄筋，半腱様筋は，寛骨を構成する別々の3つの骨から起始し，逆さまにした三角錐を形成する．これらの筋は別々の経過をたどり，別々の作用を持ち，別々の神経によって支配されるが，停止する場所（脛骨上部の内側面）は共通している．**C　縫工筋，薄筋，半腱様筋の停止を示す．** 3つの筋の腱はすべて薄い腱膜様となり，まとめて鵞足（pes anserinus）と呼ばれる．

薄筋は大腿の内転筋群のうち作用の比較的弱い筋であり，薄筋が取り除かれても下肢の運動に顕著な障害は現れない．**薄筋**の全体もしくは一部を神経や血管とともに**摘出**し，損傷を受けた筋（例えば手の筋）と置換する手術（薄筋移植術）がしばしば行われる．

502 下肢　大腿の前面と内側面

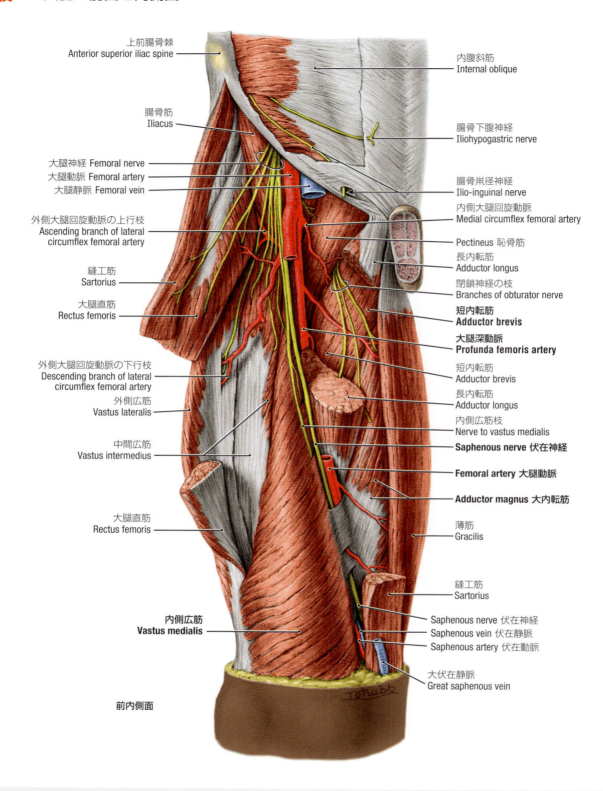

6.25 大腿の前内側面

- 下肢はやや外旋されている.
- 大腿神経は大腿へ入ると数本の枝に分かれる.
- 大腿動脈は異なる神経で支配される2つの筋群の境界を走っている. 大腿動脈より内側の筋群が閉鎖神経に支配され, 外側が大腿神経に支配されている.
- 内側広筋枝と伏在神経は大腿神経の枝であり, 大腿動脈とともに内転筋管へ入る.
- 大腿深動脈は大腿動脈の最も太い枝であり, 大腿に分布する主要な動脈である.

大腿の外側面

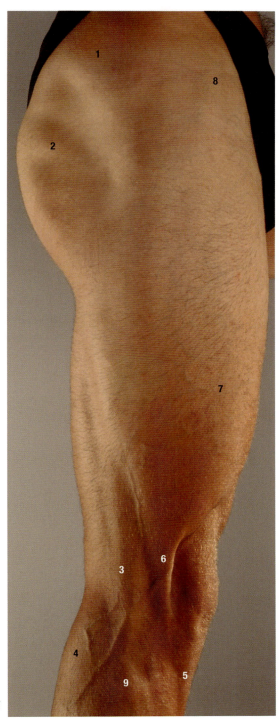

6.26 大腿の外側面

A **体表解剖**(番号はBの構造に対応する).
B **腸脛靱帯**を示す**解剖図**. 腸脛靱帯は大腿筋膜の肥厚部で, 大殿筋(浅層の筋束がつくる腱膜)と大腿筋膜張筋の停止部にもなっている. 腸脛靱帯の遠位端は脛骨外側顆の前外側にあるゲルディ(Gerdy)結節に付着する.

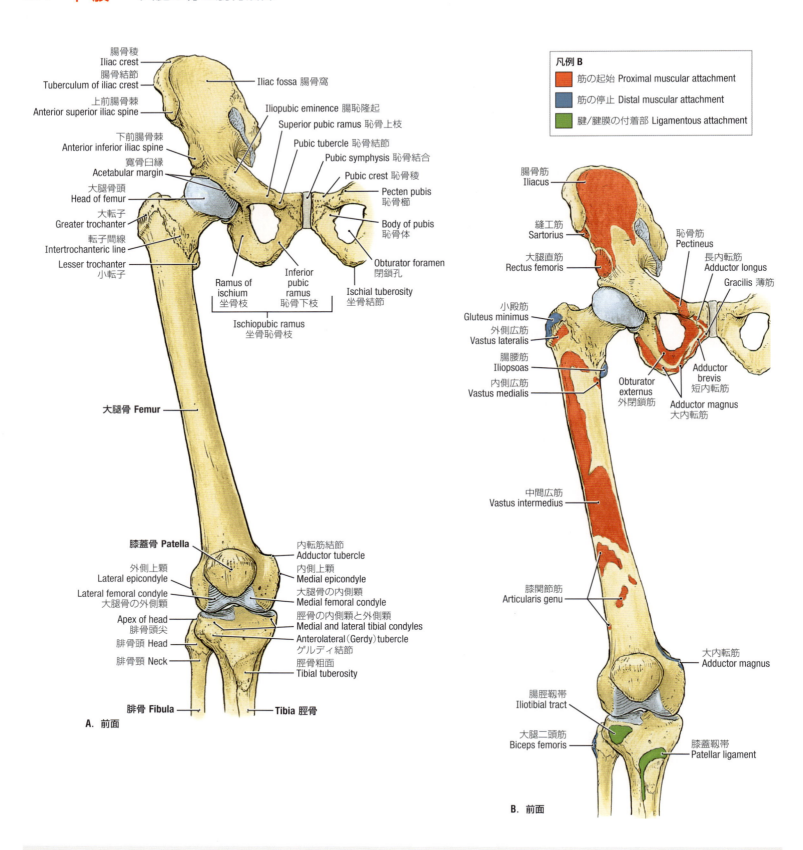

6.27 大腿と下腿近位部の骨

A 骨の特徴（前面）. B 筋の起始と停止（前面）.

大腿の骨と筋付着部　下肢

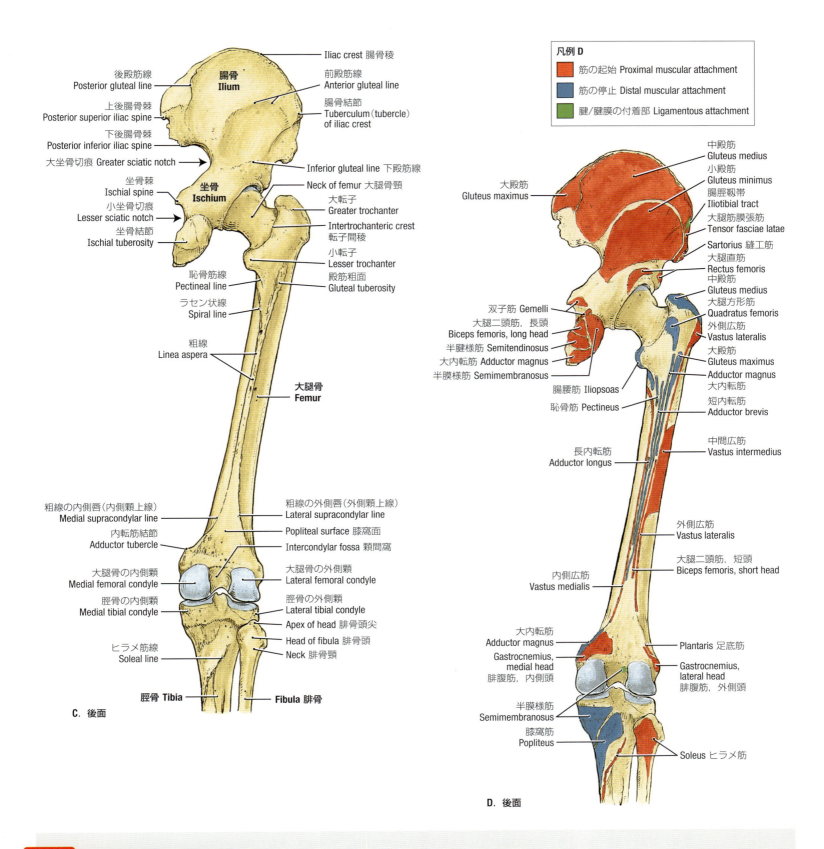

6.27　大腿と下腿近位部の骨（続き）

C　骨の特徴（後面）．D　筋の起始と停止（後面）．

506 下肢　殿部と大腿の後面

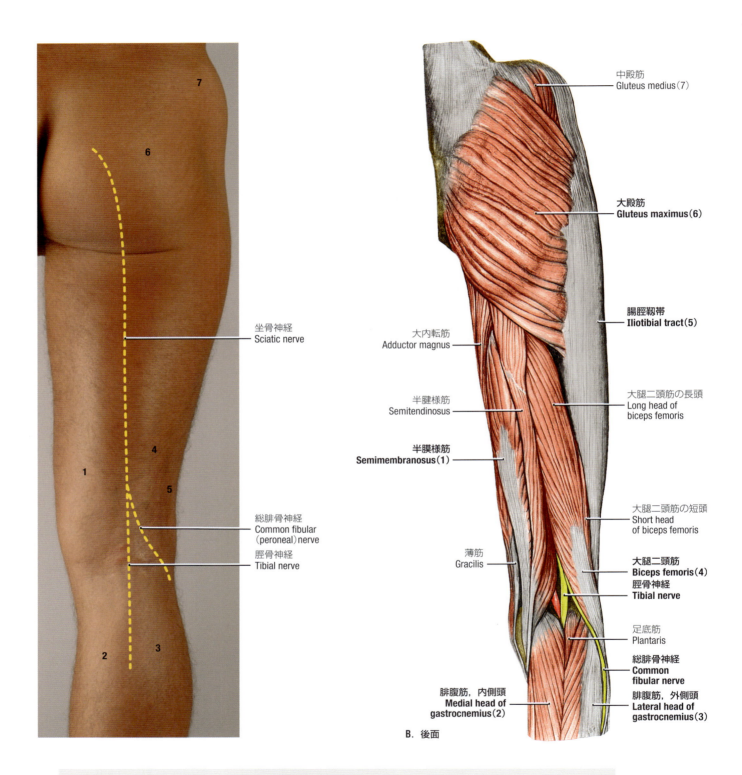

A. 後面

B. 後面

6.28 殿部と大腿後面の筋-I

A　体表解剖（番号はBの構造に対応する）．
B　殿部と大腿後面の浅部．膝窩腱筋群（ハムストリングス）は半腱様筋，半膜様筋，大腿二頭筋からなる．
膝窩腱筋群の損傷（過伸展や裂傷）は，走ったり飛び跳ねたり，素早く動作を開始したりするスポーツにおいてよく生じる．こういったスポーツで秀でるには膝窩腱筋群を鍛える必要があるが，酷使し過ぎると膝窩腱筋群の起始の一部が坐骨結節から剥がれる場合がある．

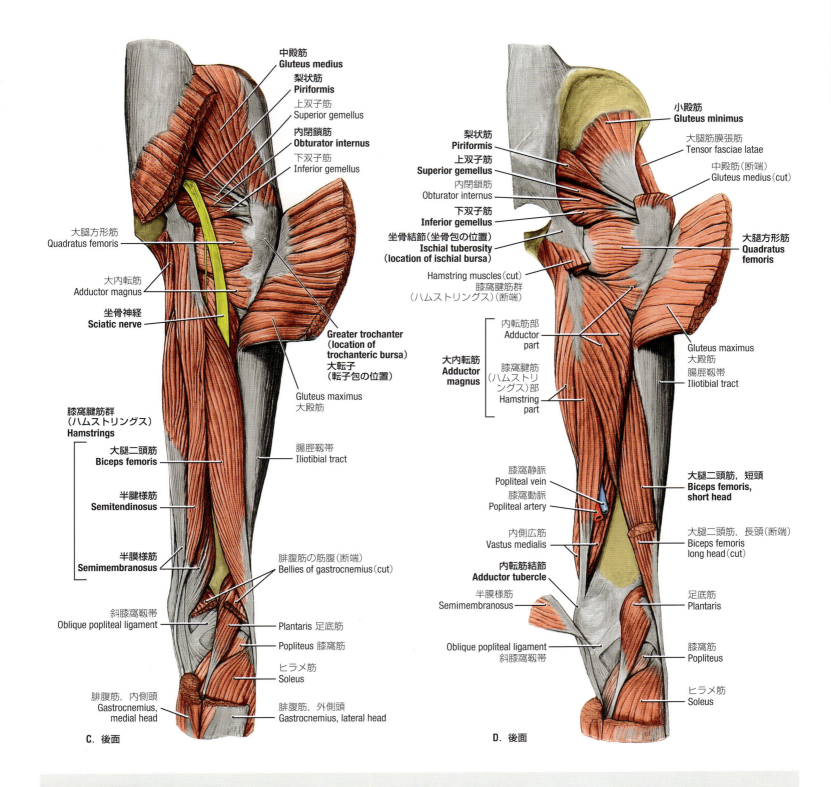

6.28 殿部と大腿後面の筋-I（続き）

C 殿部と大腿後面の筋．大殿筋は反転してある．
D 大内転筋．大内転筋は大きな筋で，内転筋部と膝窩腱筋部の2部に分かれる．内転筋部は閉鎖神経に，膝窩腱筋部（ハムストリングス部）は坐骨神経の脛骨神経部に支配される．転子包は大殿筋の上部筋束と大腿骨の大転子の間，坐骨包は大殿筋の下部筋束と坐骨結節の間に位置する．

大腿の外側部に生じるびまん性の深部痛（階段を昇る際などに生じる）は**転子包炎**による可能性がある．転子包炎は大転子の圧痛を特徴とし，痛みは腸脛靱帯に沿って放散する．**坐骨包炎**は，サイクリングなどにより，坐骨包と坐骨結節の間での過度の摩擦が生じた場合に起こる．

508 下肢　殿部と大腿の後面

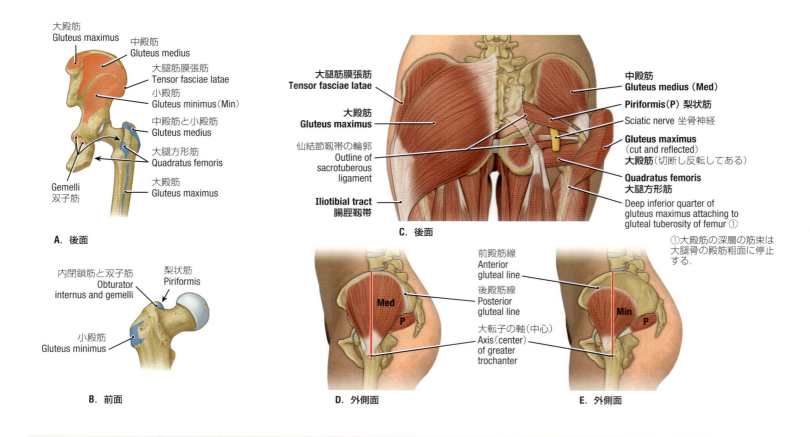

6.29 殿部の筋

A, B 付着部．C 大殿筋と大腿筋膜張筋．D 中殿筋．E 小殿筋．

表6.5 殿部の筋群

筋	起始[a]	停止[a]	神経支配[b]	主な作用
大殿筋	腸骨の後殿筋線の後方，仙骨と尾骨の後面，仙結節靱帯	浅層の筋束：腸脛靱帯〔この靱帯そのものは脛骨の外側顆にあるゲルディ(Gerdy)結節に停止する〕 深層の筋束：大腿骨の殿筋粗面	下殿神経(L5，**S1**，**S2**)	大腿の伸展，外旋の補助，大腿を固定し体幹を屈曲位から引き上げるのを補助
中殿筋	坐骨外側面で前・後殿筋線の間，殿筋筋膜	大腿骨大転子の外側面	上殿神経(**L5**，S1)	大腿の外転と内旋[c]，対側下肢が地面から離れている際に骨盤を水平に保つ，歩行時に下肢を繰り出す際に骨盤を前方に進める．大腿筋膜張筋には伸展位の膝を安定に保つ働きもある
小殿筋	坐骨外側面で前・後殿筋線の間	大腿骨大転子の前面		
大腿筋膜張筋	上前腸骨棘，腸骨稜	腸脛靱帯〔この靱帯そのものは脛骨の外側顆にあるゲルディ(Gerdy)結節に停止する〕		
梨状筋	仙骨と仙結節靱帯の前面	大腿骨大転子の上縁	S1とS2の前枝	
内閉鎖筋	閉鎖膜とその周辺の骨の骨盤面	共通の停止腱をつくり，大腿骨大転子の内側面に停止する	内閉鎖筋枝(L5，S1)	大腿の伸展位では外旋，屈曲位では外転，寛骨臼で大腿骨頭を固定
上双子筋	坐骨棘			
下双子筋	坐骨結節			
大腿方形筋	坐骨結節の外側縁	大腿骨転子間稜にある方形筋結節	大腿方形筋枝(L5，S1)	大腿の外旋[d]，寛骨臼で大腿骨頭を固定

[a] 筋の起始と停止については図6.22参照．
[b] 数字は支配神経が由来する脊髄分節を表す(太字の分節は支配神経への線維を多く出している分節を表す)．単一ないし複数の脊髄分節の損傷は支配筋の麻痺を引き起こす．
[c] 中殿筋と小殿筋：股関節を内旋する前線維と股関節を外転する後線維からなる．
[d] 大腿の外旋筋は6つある：梨状筋，内閉鎖筋，上・下双子筋，大腿方形筋，外閉鎖筋．これらの筋は股関節の固定も行う．

殿部と大腿の後面　下肢　509

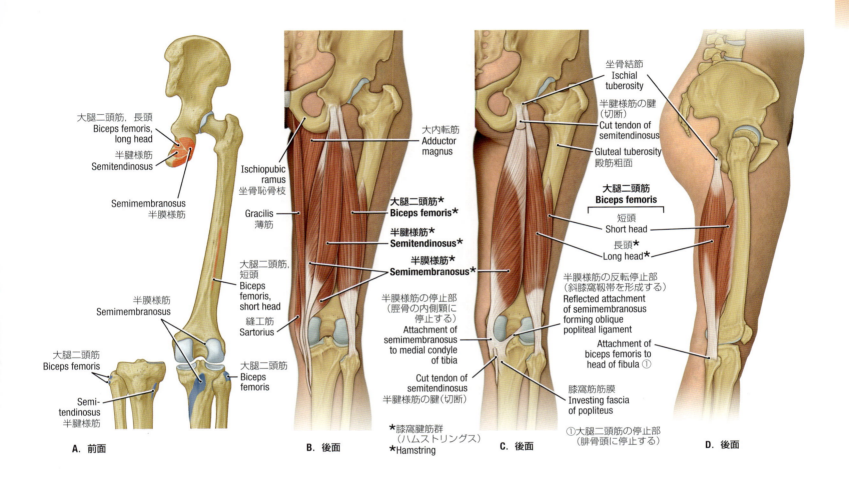

6.30 大腿後面の筋

A 付着部．B 浅層の筋．C 中間層の筋．D 深層の筋．

表 6.6 大腿後面の筋群（膝窩腱筋群）

筋[a]	起始[a]	停止[a]	神経支配[b]	主な作用
半腱様筋	坐骨結節	脛骨上部の内側面	坐骨神経の脛骨神経部（L5，S1，S2）	股関節の伸展，膝関節の屈曲と内旋，股関節と膝関節の屈曲位では体幹の伸展
半膜様筋		脛骨の内側顆の後面，大腿骨外側顆へ反転する斜膝窩靱帯を形成		
大腿二頭筋	長頭：坐骨結節 短頭：大腿骨の粗線と外側顆上線	腓骨頭の外側面，停止腱は停止部で膝の外側側副靱帯によって二分される	長頭：坐骨神経の脛骨神経部（L5，S1，S2） 短頭：坐骨神経の総腓骨神経部（L5，S1，S2）	膝関節の屈曲と外旋，股関節の伸展（例えば，歩き始めるとき）

[a] 筋の起始と停止については図 6.22 参照．
[b] 神経支配の脊髄分節については表 6.2 も参照すること．

510　下肢　殿部と大腿の後面

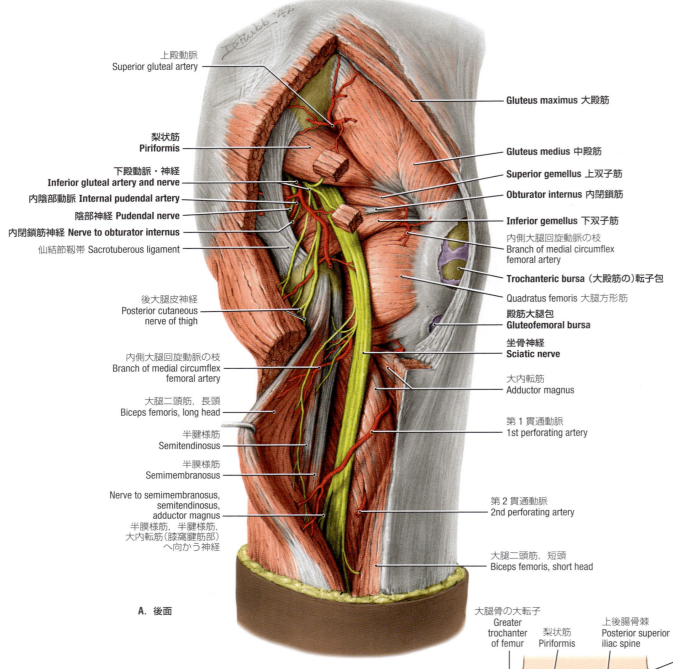

A. 後面

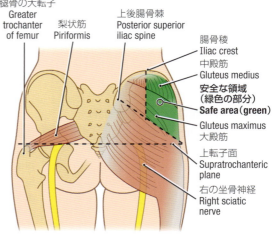

B. 後面，殿筋内への筋肉注射を行う部位

6.31　殿部と大腿後面の筋-II

A　解剖図．大殿筋の大部分を取り除いてある．ただし，大殿筋の神経支配を示すために筋の一部を立方体状に2つ残してある．大殿筋は大転子を覆う唯一の筋であり，大殿筋浅層の筋束は，大転子や外側広筋の腱膜の上を通過する際には腱膜となり，最終的には腸脛靭帯に停止する．大殿筋の腱膜と大転子が擦れ合う部位には転子包と呼ばれる滑液包が介在する．また，大殿筋と外側広筋の腱膜が擦れ合う部位には殿筋大腿包が介在する．

B　殿筋内への筋肉注射．坐骨神経や上・下殿神経への損傷を避けるため，安全な筋肉注射は殿部の上外側四半部でしかできない．この領域では，中殿筋と小殿筋の間を走る上殿動静脈により発達した血管網が形成されている．

殿部と大腿の後面　下肢

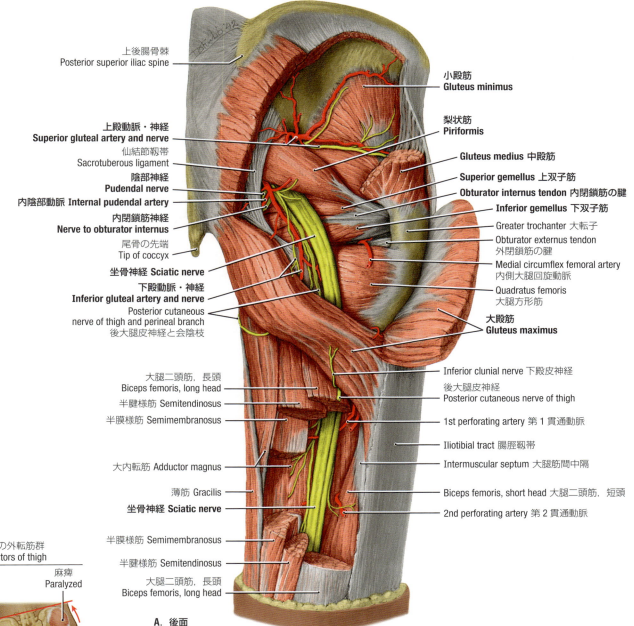

A. 後面

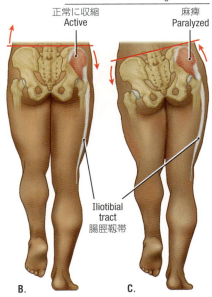

B. C. 後面

6.32 殿部と大腿後面の筋-III

A 解剖図．大殿筋の近位 3/4 を反転し，中殿筋の一部と 3 つの膝窩腱筋群（ハムストリングス）を切除してある．上殿動静脈と上殿神経は梨状筋の上から，それ以外の血管と神経はすべて梨状筋の下から現れる．

B 骨盤を安定化させる股関節外転筋の役割．片脚で体重を支えている際には，立脚側の外転筋群（中殿筋と小殿筋）が骨盤位を固定しており，遊脚側に骨盤が沈下しない（骨盤位が水平に保たれる）．

C 股関節外転筋の麻痺による骨盤の傾き．右上殿神経の障害により，右側の**外転筋群が麻痺**した患者では，これらの筋による骨盤位の固定作用が損なわれるため，右脚で片脚立ちすると，骨盤は左側（遊脚側）に傾く（このような状態をトレンデレンブルグ（Trendelenburg）徴候陽性という）．

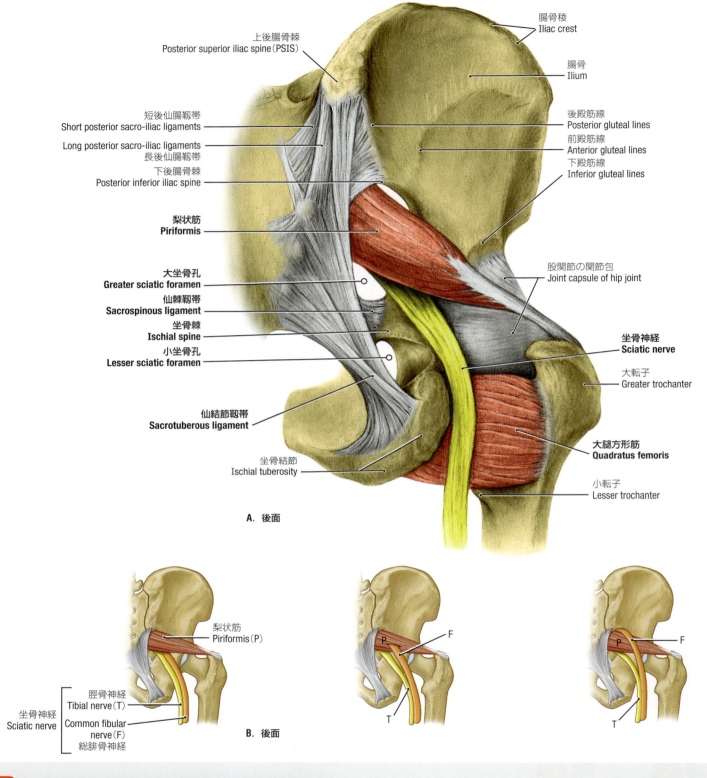

6.33 股関節の外旋筋群，坐骨神経，および殿部の靱帯

A 梨状筋と大腿方形筋．

B 坐骨神経と梨状筋の位置関係．Grant博士の研究室による640肢の検討によると，87%では脛骨神経部と総腓骨神経部の双方が梨状筋の下を通り（左），12.2%では総腓骨神経部が梨状筋を貫き（中），0.5%では総腓骨神経部が梨状筋の上を通過する（右）．

坐骨神経ブロック．坐骨神経に含まれる感覚神経をブロック（麻酔）するには，下前腸骨棘と大転子の上端を結ぶ線の中点よりも数cm下方に麻酔薬を注射する．このブロックでは，麻痺が足にまで及ぶ．これは，坐骨神経の枝である脛骨神経の終枝（内側・外側足底神経）が足にまで分布しているからである．

殿部と大腿の後面

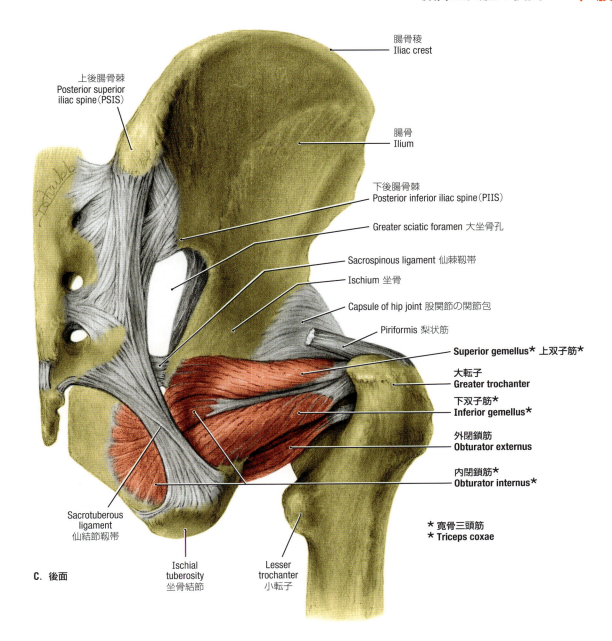

C. 後面

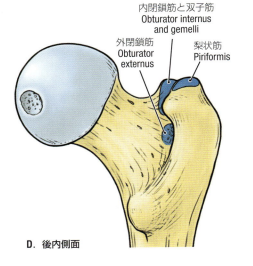

D. 後内側面

6.33 股関節の外旋筋群，坐骨神経，および殿部の靱帯（続き）

C 内閉鎖筋，外閉鎖筋，上および下双子筋．
D 大腿骨近位部の後面の筋付着部．

- 内閉鎖筋の筋腹は大部分が骨盤内にあり，小骨盤の外側壁の大部分を覆っている．内閉鎖筋は小坐骨孔を通りながら，直角に方向を変えて腱になり，大転子の内面（転子窩）に停止する．内閉鎖筋の腱には，上・下双子筋の一部の筋束が停止している．
- 外閉鎖筋は閉鎖膜の外面とその周囲の骨から起始し，寛骨臼と大腿骨頸の直下を通り，大転子の後面に停止する．
- **梨状筋による総腓骨神経の圧迫**．坐骨神経の総腓骨神経部が梨状筋を貫通している約12％の人においては，梨状筋が神経を圧迫する場合がある．

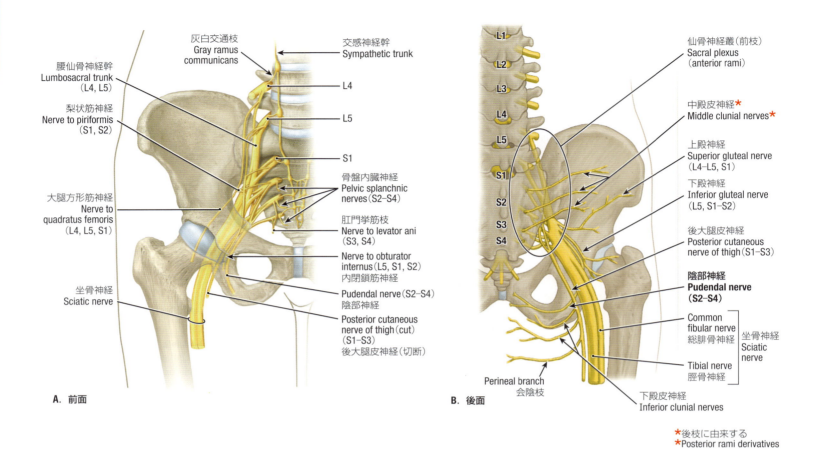

6.34 殿部の神経

殿部の筋は仙骨神経叢の支配を受ける．

表6.7 殿部の神経

神経	起始	走行	分布
上・中・下殿皮神経	上：L1-L3の後枝 中：S1-S3の後枝 下：後大腿皮神経	上殿皮神経は腸骨稜と交叉する． 中殿皮神経は後仙骨孔から出て殿部に入る． 下殿皮神経は大殿筋の下縁を回り込む．	大転子までの殿部の皮膚
坐骨神経	仙骨神経叢（L4-S3）	梨状筋の下で大坐骨孔を通って骨盤を出て殿部に入る．	殿部では筋枝を送らない．
後大腿皮神経	仙骨神経叢（S1-S3）	梨状筋の下で大坐骨孔を通って骨盤を出て，大殿筋下縁から現れ，大腿筋膜の深層を下行する．	下殿皮神経を介して殿部の皮膚，大腿後面と膝窩の皮膚，会陰の外側部との皮膚（会陰枝を介して大腿の上内側部）
上殿神経	L4-S1の前枝	梨状筋の上で大坐骨孔を通って骨盤を出て，中殿筋と小殿筋の間を走行する．	中殿筋，小殿筋，大腿筋膜張筋
下殿神経	L5-S2の前枝	梨状筋の下で大坐骨孔を通って骨盤を出て，いくつかの枝に分かれる．	大殿筋
大腿方形筋神経	L4-S1の前枝	坐骨神経の深部で大坐骨孔を通って骨盤を出る．	股関節の後面，下双子筋，大腿方形筋
陰部神経	S2-S4の前枝	梨状筋の下で大坐骨孔を通って殿部に入り，仙棘靱帯の後方を下行し，小坐骨孔から会陰（陰部神経管）に入る．	会陰の大部分．殿部には枝を送らない．
内閉鎖筋神経	L5-S2の前枝	梨状筋の下で大坐骨孔を通って殿部に入り，坐骨棘の後方を下行し，小坐骨孔を経由して内閉鎖筋へ至る．	上双子筋と内閉鎖筋

殿部と大腿の後面　下肢

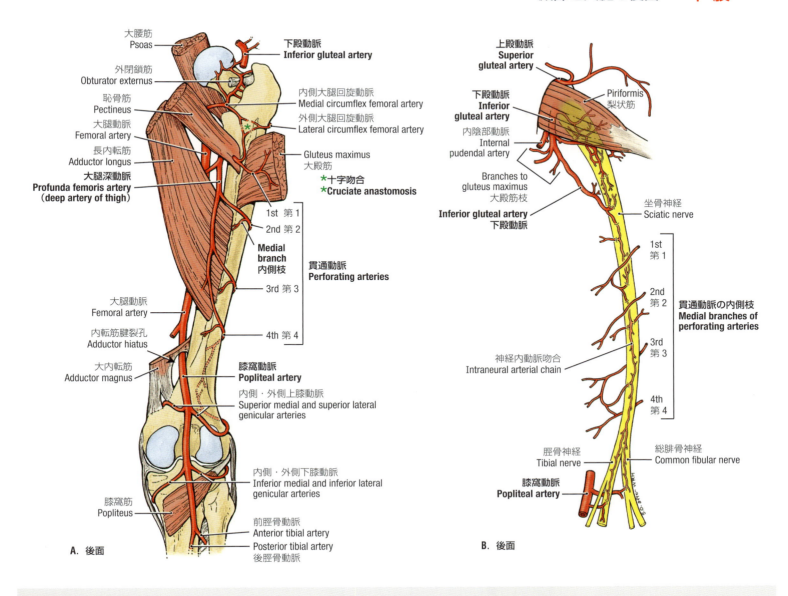

6.35 殿部と大腿後面の動脈

表 6.8　殿部と大腿後面の動脈

動脈	起始	走行	分布
上殿動脈	内腸骨動脈	梨状筋の上方で大坐骨孔を通って殿部に入り，浅枝と深枝に分かれる．下殿動脈や内側大腿回旋動脈と吻合を形成する．	浅枝：大殿筋の上部 深枝：大殿筋と中殿筋の間を走り，これらの筋と大腿筋膜張筋に分布する．
下殿動脈		梨状筋の下方で大坐骨孔を通って殿部に入り，坐骨神経の内側縁に沿って下行する．上殿動脈や内側大腿回旋動脈と吻合を形成する．	大殿筋の下部，内閉鎖筋，大腿方形筋，膝窩腱筋群(ハムストリングス)の上部，坐骨神経(坐骨神経伴行動脈を介して)．
内陰部動脈		状筋の下方で大坐骨孔を通って殿部に入る．坐骨棘の後方を下行して，小坐骨孔を通って殿部から会陰(陰部神経管)に入る．	殿部の構造には分布しない(会陰や外陰部に分布する)．
貫通動脈	大腿深動脈(大腿動脈から起始)	大内転筋(内転筋部)の停止腱膜と内側筋間中隔を貫通し，後区画の筋に枝を送る．その後，外側筋間中隔を貫通し，前区画の後外側に入る．	膝窩腱筋群の後部，外側広筋の後部，大腿骨(大腿骨栄養動脈を介して)，坐骨神経．
外側大腿回旋動脈		縫工筋と大腿直筋の深部を後外側方向に走り，殿部に入る．	殿部の前部
内側大腿回旋動脈		恥骨筋と腸腰筋の間を後内側方に向かい，殿部に入る．	大腿骨頭，大腿骨頸と殿部に血液を供給する．

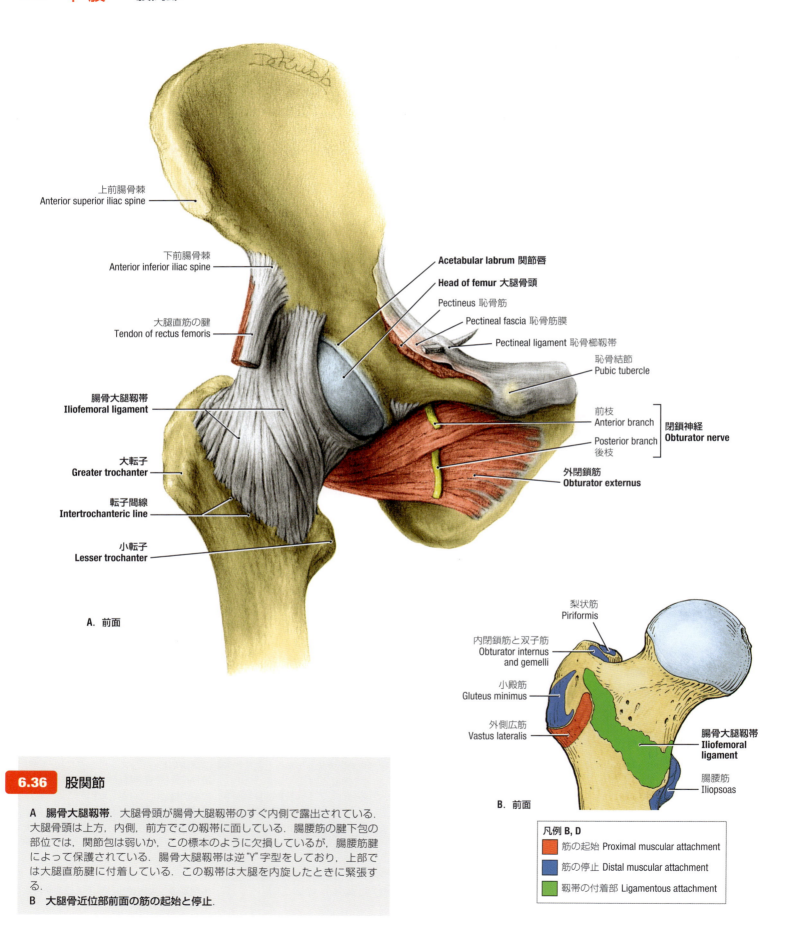

6.36 股関節

A 腸骨大腿靱帯. 大腿骨頭が腸骨大腿靱帯のすぐ内側で露出されている. 大腿骨頭は上方, 内側, 前方でこの靱帯に面している. 腸腰筋の腱下包の部位では, 関節包は弱いか, この標本のように欠損しているが, 腸腰筋腱によって保護されている. 腸骨大腿靱帯は逆"Y"字型をしており, 上部では大腿直筋腱に付着している. この靱帯は大腿を内旋したときに緊張する.

B 大腿骨近位部前面の筋の起始と停止.

凡例 B, D

- 🟥 筋の起始 Proximal muscular attachment
- 🟦 筋の停止 Distal muscular attachment
- 🟩 靱帯の付着部 Ligamentous attachment

股関節　下肢　517

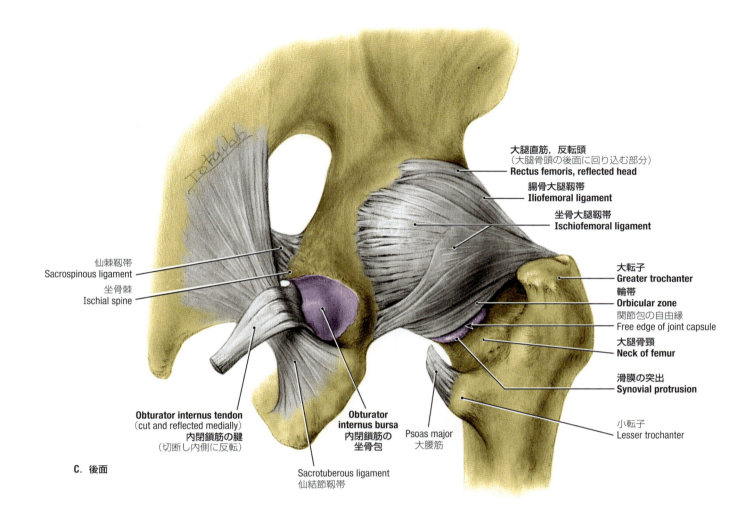

C. 後面

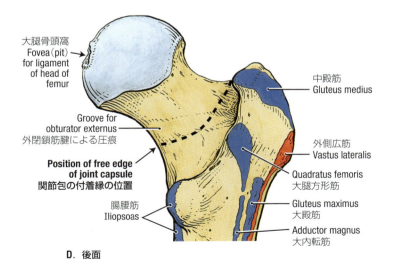

D. 後面

6.36　股関節（続き）

C　坐骨大腿靭帯．関節包の線維はラセン状で，大腿の伸展と内旋の際に緊張する．滑膜は線維性関節包の下部に突出して外閉鎖筋腱の滑液包を形成する．小坐骨切痕にある内閉鎖筋の坐骨包（腱の下にある滑液包）に注目すること．内閉鎖筋の腱は大転子に停止するために小坐骨切痕で90°曲がる．

D　大腿骨近位部後面への筋の起始と停止．

股関節の骨関節炎は，疼痛や腫脹，可動域の制限，関節軟骨の侵食を特徴とし，歩行困難に陥る原因のうち一般的なものである．股関節の置換術では，患者の大腿骨頭と大腿骨頸を切除し，代わりに金属製の人工骨頭を大腿骨体に骨セメントで固定する．さらに，プラスチック製のソケットを寛骨に埋め込み，寛骨臼を形成する．

518 　下 肢　　股関節

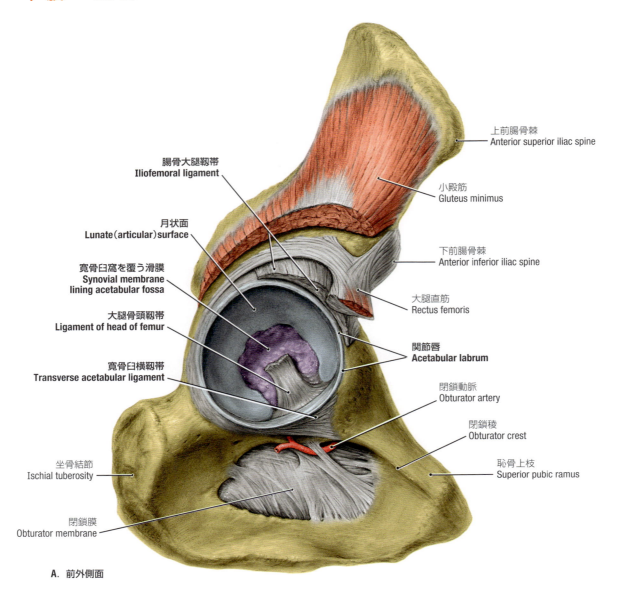

A．前外側面

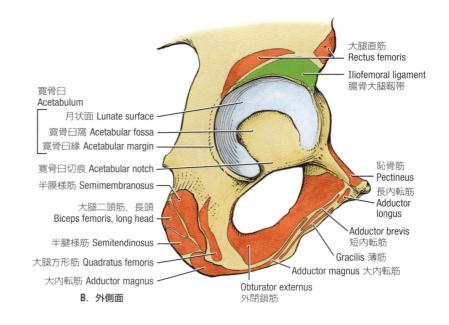

B．外側面

6.37　寛骨臼

A　寛骨臼の解剖図．　B　寛骨臼周囲における筋の起始．
A：
- 寛骨臼横靱帯は寛骨臼切痕に橋をかけるように走行する．
- 関節唇が寛骨臼縁と寛骨臼横靱帯に付き，大腿骨頭の周囲に完全な輪をつくる．
- 大腿骨頭靱帯が大腿骨頭と寛骨臼の間をつなぐ．この靱帯の線維は上部では大腿骨頭窩に，下部では寛骨臼横靱帯と寛骨臼切痕の縁に付着する．大腿骨頭靱帯動脈は寛骨臼切痕を経てこの靱帯に入る．

股関節　下肢

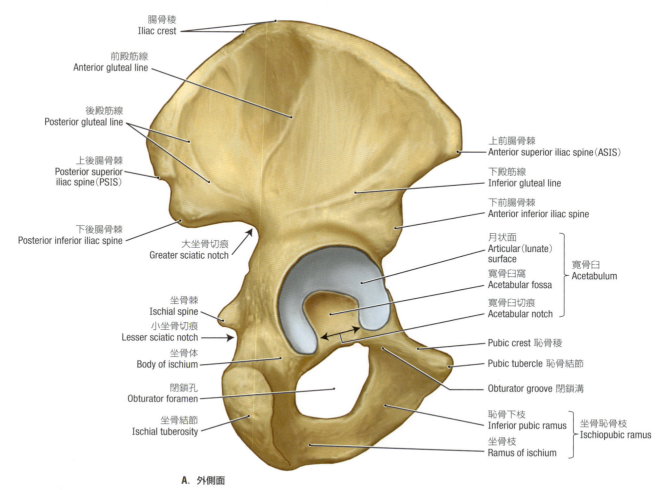

A. 外側面

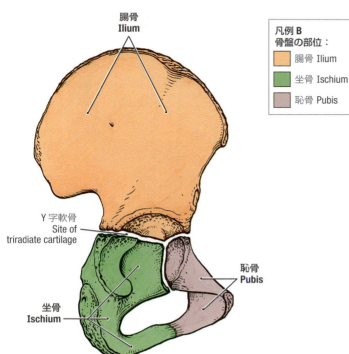

B. 外側面

凡例 B
骨盤の部位：
- 腸骨 Ilium
- 坐骨 Ischium
- 恥骨 Pubis

6.38　骨盤

A　外側面．解剖学的正位では，上前腸骨棘と恥骨結節は同一の冠状面（前頭面）上にあり，坐骨棘と恥骨結合の上縁は同一の水平面上にある．恥骨の内側面は上を向き，寛骨臼は下外側方を向く．

B　若年者の寛骨．寛骨をなす3つの骨である腸骨・坐骨・恥骨は寛骨臼の位置にあるY字型の軟骨結合で接する．およそ12歳の頃には，Y字軟骨の中に1つあるいは複数の一次骨化中心が現れる．思春期には，腸骨稜に沿った部位や，下前腸骨棘，坐骨結節，恥骨結合に二次骨化中心が現れる．3つの骨の融合は23歳までに完成する．

520 下肢　股関節

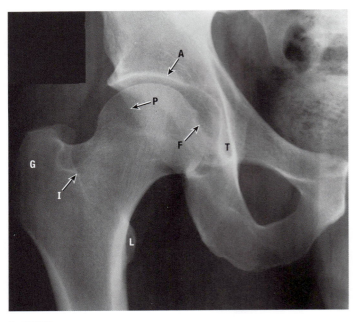

A. 前後像

B. 冠状断面（前頭断面）

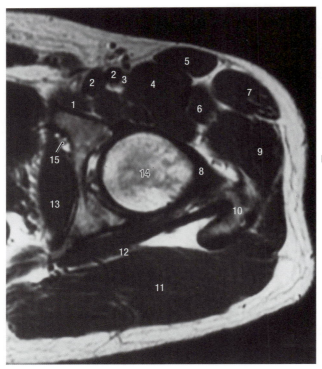

C. 水平断 MR 像

D. 水平断面，下方から見る

6.39 股関節の X 線像と水平断 MR 像

A　X 線像．大腿骨で，大転子（G），小転子（L），転子間稜（I），大腿骨頭靱帯が付く大腿骨頭窩（F）に注目すること．骨盤では，寛骨臼の上縁（A）と後縁（P），寛骨臼下縁の構造が重なってできる"涙滴状"陰影（T）に注目すること．

B　冠状断面（前頭断面）．

C　MR 像．番号は D の構造に対応する．

D　水平断面．

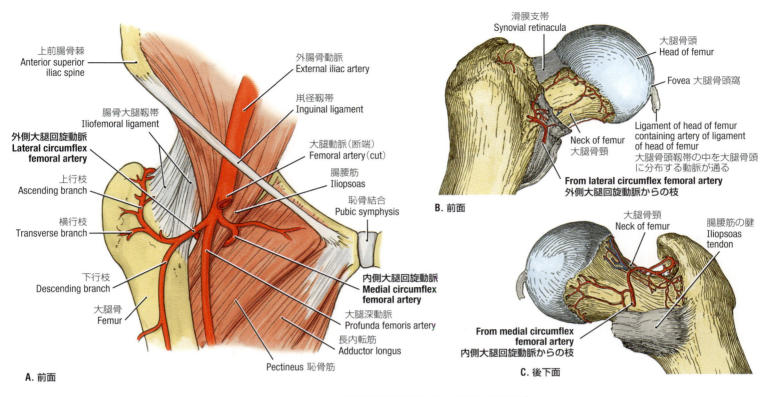
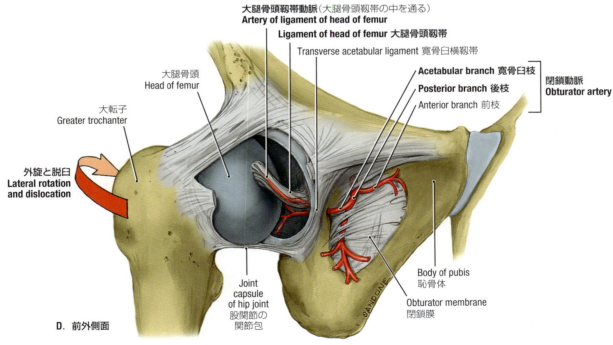

6.40 大腿骨頭への血流

A 大腿三角の中の内側・外側大腿回旋動脈. B 外側大腿回旋動脈の枝. C 内側大腿回旋動脈の枝. D 閉鎖動脈. 大腿骨頭靱帯動脈は寛骨臼枝の枝で, 図では大腿骨頭靱帯の中を走行するのが見える.

大腿骨頸の骨折はしばしば大腿骨頭への血流を遮断する. 内側大腿回旋動脈が大腿骨頭・骨頸のほとんどの血流を供給するが, 大腿骨頸を骨折したときにはこの動脈がしばしば損傷を受ける. 症例によっては, 大腿骨頭靱帯動脈が大腿骨頭近位部に分布している場合もあるが, それだけでは血流が不十分なことが多い. したがって, 大腿骨頸の骨折では, 大腿骨頭は血流を確保できず, 無腐性・無血管性壊死に陥る.

522　下　肢　膝の領域

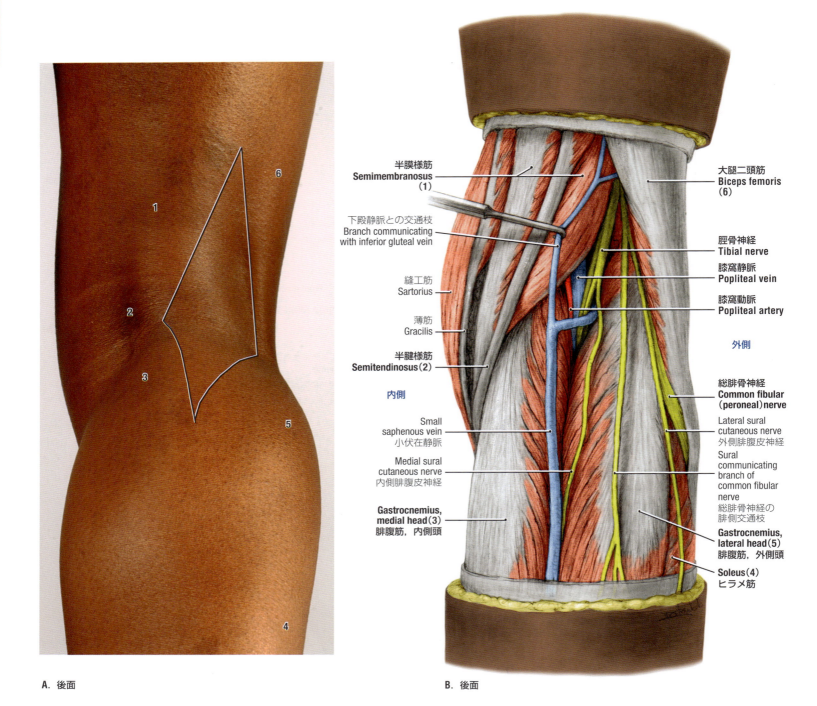

A．後面　　　B．後面

6.41　膝窩の浅部

A　体表解剖（番号はBに対応する）．B　浅部の解剖図．
　膝窩動脈は膝窩の深い位置に存在するので，この動脈の拍動を皮膚の上から触知することが難しい場合もある．**膝窩動脈の拍動**を触知する際には，通常は被検者を腹臥位にし，膝を屈曲させて膝窩筋膜と膝窩腱筋群（ハムストリングス）を緩めておく．膝窩動脈の拍動が微弱もしくは，拍動を触知できない場合には，大腿動脈の狭窄や閉塞が疑われる．

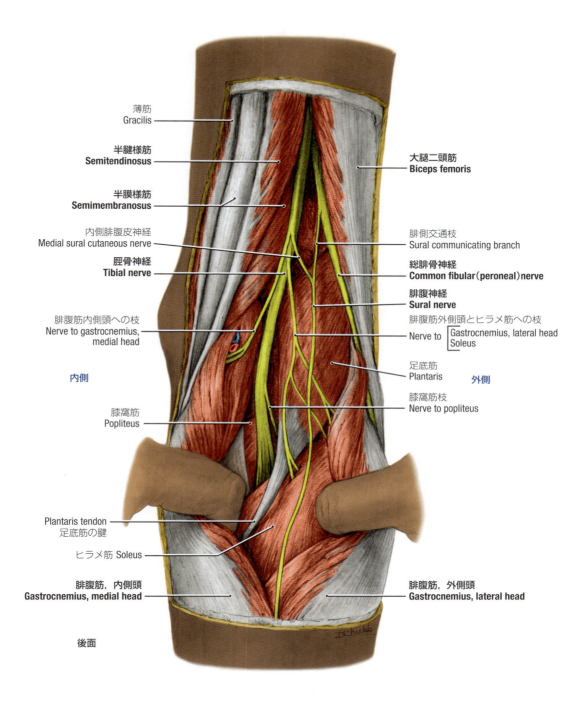

6.42 膝窩の神経

腓腹筋の2頭の間を左右に開いている.
脛骨神経の皮枝の1本が総腓骨神経の皮枝の1本と吻合して腓腹神経を形成する.この標本の吻合部位は高いが,通常は踵から5〜8cm近位の部位で吻合する.
膝窩の領域では筋枝はすべて脛骨神経の枝であり,1本は内側縁から,他はすべて外側縁から分岐する.したがって,この部位では内側を切開したほうが安全である.

下肢　膝の領域

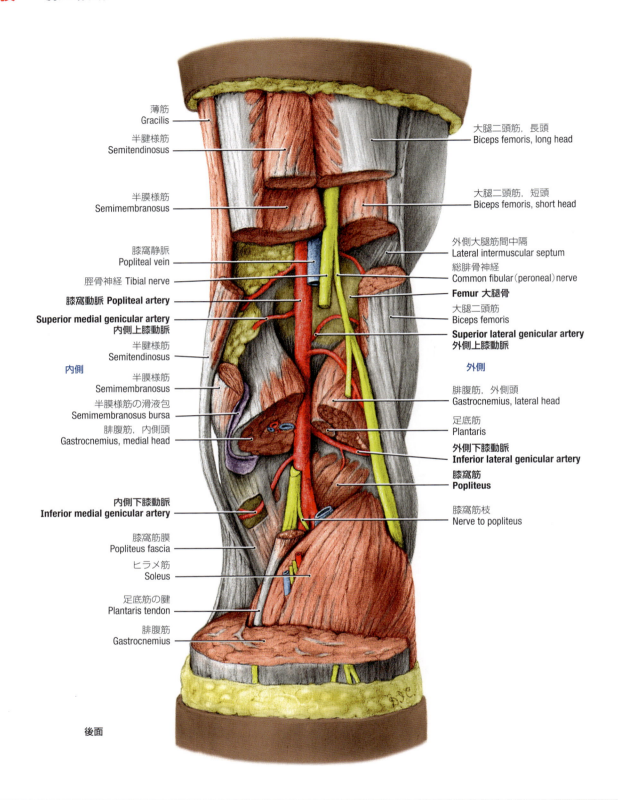

6.43 膝窩の深部

総腓骨神経は大腿二頭筋に沿って走り，その途中で2本の皮神経（外側腓腹皮神経と腓側交通枝）を分枝する．この標本ではこれらの皮神経が1本にまとまって起始している．膝窩動脈は膝窩の底（床）にある．膝窩の底は，大腿骨，膝関節の関節包，膝窩筋膜からなる．膝窩動脈は4本の膝動脈を出すが，これも膝窩の底を走行する．**膝窩動脈瘤**（膝窩動脈の壁が部分的，あるいは全周にわたって異常に拡大した状態）の患者では，膝窩に浮腫（腫脹）と痛みを生じる．膝窩動脈は閉塞しても，動脈血は膝周囲の動脈網を介して閉塞部を迂回し，閉塞部よりも遠位の血流が確保される．

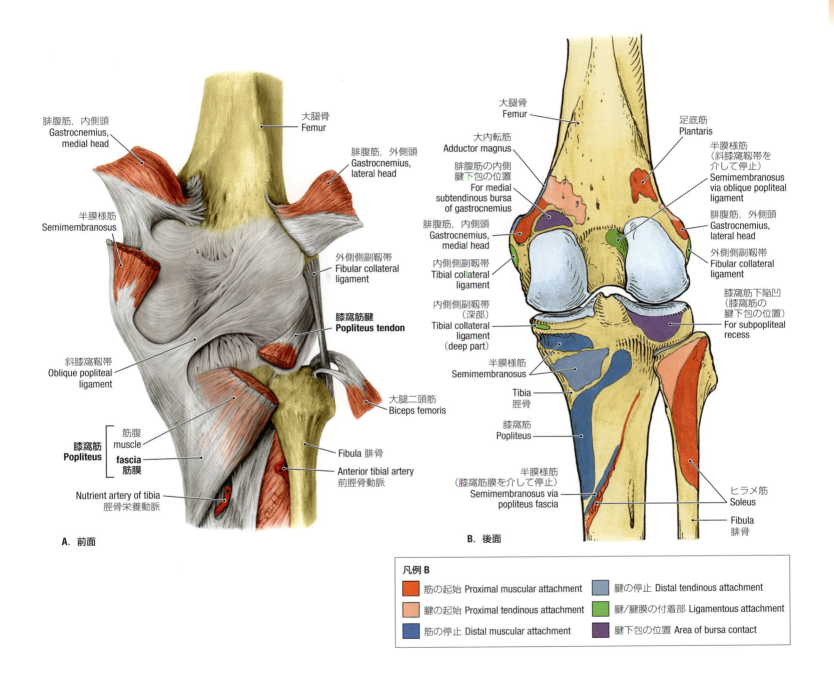

6.44 膝窩の床

A 膝関節包と関連構造. B 膝窩部の筋付着部. 薄い色で示した部分は二次的に形成された付着部である.

526 下肢 膝の領域

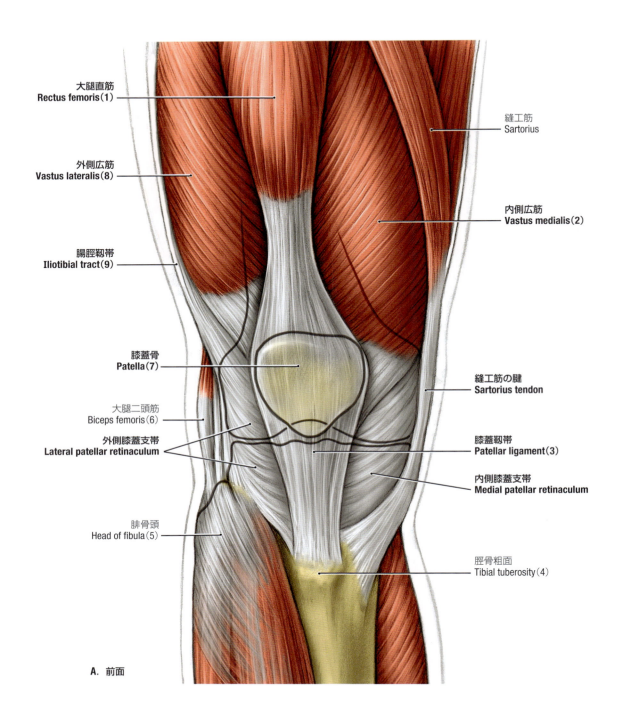

A．前面

6.45 膝の前面

A 大腿の下部と膝の領域．

大腿四頭筋の4頭の腱が合流して幅の広い大腿四頭筋腱となり，膝蓋骨に停止する．膝蓋靱帯は大腿四頭筋腱の延長で，膝蓋骨と脛骨粗面を結ぶ．外側・内側膝蓋支帯は，その大部分が腸脛靱帯の延長部と内側・外側広筋の筋膜からなり，膝蓋骨と膝蓋靱帯の配列を保つ働きがある．また，これらの支帯は膝関節包の線維層の一部（前外側部と前内側部）をなす．

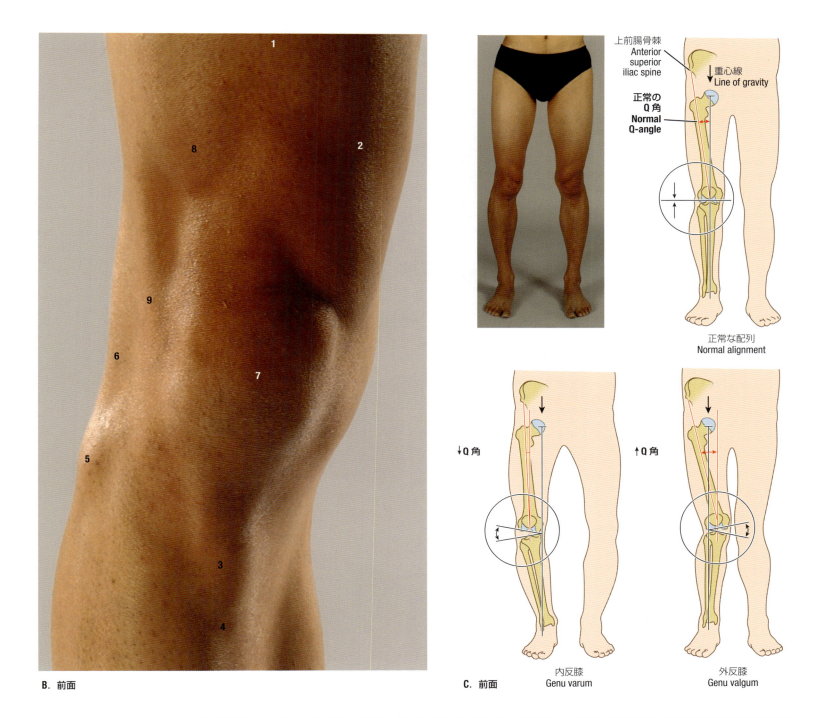

B. 前面

C. 前面　内反膝 Genu varum　外反膝 Genu valgum

6.45　膝の前面（続き）

B　体表解剖（番号はAに対応する）．大腿骨は大腿内において対角線上にあるのに対し，脛骨は下肢の中でほぼ垂直である．したがって，大腿骨と脛骨のそれぞれの長軸は一直線上には並ばず，ある角度をなす．この角度は臨床ではQ角と呼ばれ，実際には上前腸骨棘と膝蓋骨の中央を結んだ線と脛骨粗面と膝蓋骨の中央を結んだ線のなす角度として求められる．女性は骨盤の幅が広いので，通常，Q角は女性のほうが大きい．

C　内反膝と外反膝．内反膝（いわゆるO脚）とは，下腿が大腿に対して内側に傾き，下肢が全体として内側に開いた"く"の字型に変形した状態を指す．この場合，大腿骨は通常よりも垂直に近く，Q角は小さくなっている．内反膝の患者では膝関節の内側に荷重が集中し，結果として内側の関節軟骨が機械的に磨耗する（このような状態を膝関節症と呼ぶ）とともに，外側側副靱帯に過剰な負荷がかかる．**外反膝**（いわゆるX脚）とは，下腿が大腿に対して外側に傾き（Q角は大きくなり，17°を超える），下肢が全体として外側に開いた"く"の字型に変形した状態を指す．外反膝の患者では，内反膝とは逆に，膝の外側の関節軟骨に過剰な負荷がかかり，これらの変性をきたす．

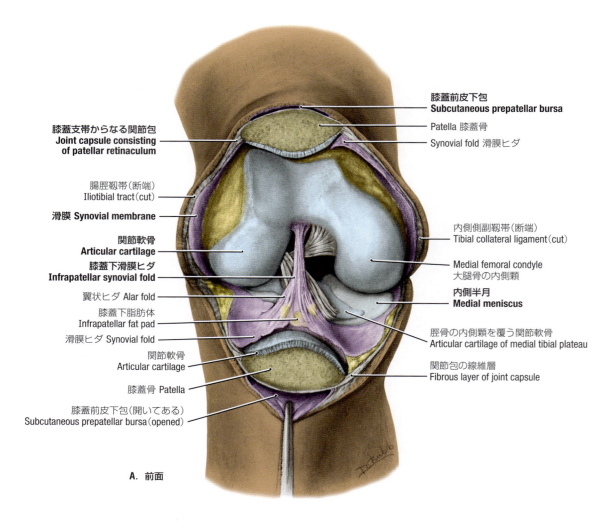

A. 前面

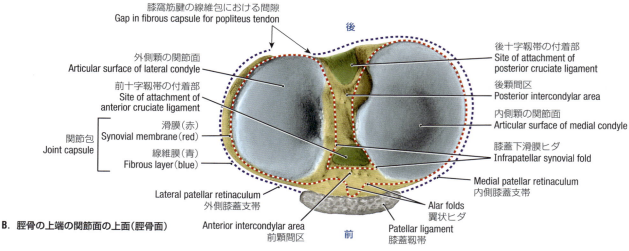

B. 脛骨の上端の関節面の上面（脛骨面）

6.46 膝関節包の線維層と滑膜

A 解剖図．**B** 関節包（線維層と滑膜）の脛骨への付着部．線維層（青色の点線）と滑膜（赤色の点線）は関節の内側縁と外側縁において隣接している．しかし，関節の中央部では線維層と滑膜が分かれて，滑膜が顆間窩に入り込み，顆間窩にある構造（十字靱帯など）を包み込んでいる．したがって，顆間窩にある構造は，関節包の中（線維膜の内側）にあっても，関節腔の外（滑膜の外側）に位置する．

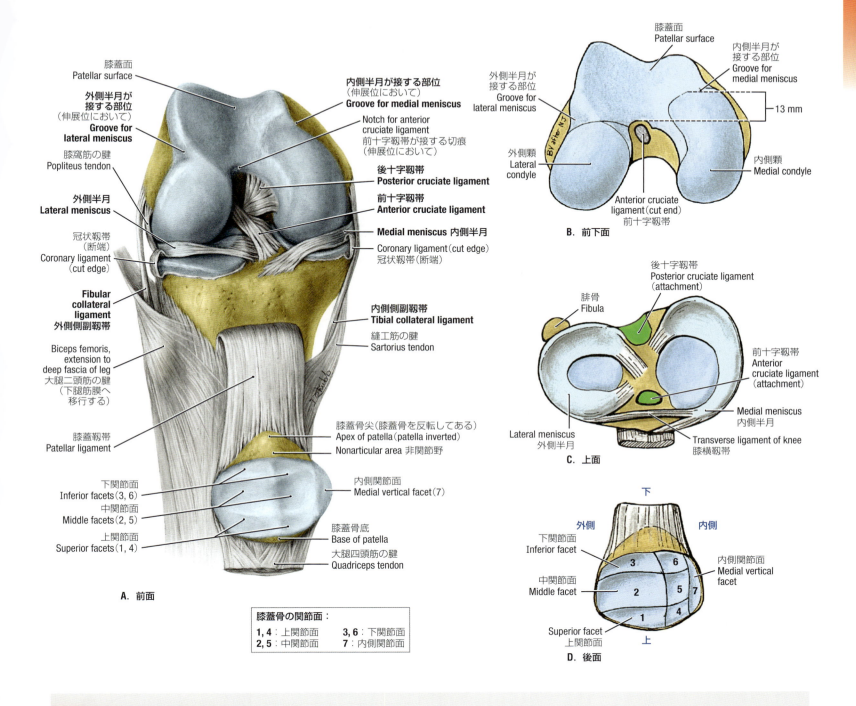

6.47 膝関節の関節面と靭帯

A 膝関節を屈曲して膝蓋骨を反転してある．大腿骨顆には，膝蓋骨や半月と接する部位に陥凹がある．脛骨との関節面は外側のほうが内側より前後方向に短い．顆間窩の前外側部にある窪みには完全伸展位では前十字靭帯が接する．
B 大腿骨遠位部．
C 脛骨の関節面．
D 膝蓋骨の関節面．膝蓋骨後面にある上・中・下の3つの小面のペアはそれぞれ，(1)伸展位，(2)やや屈曲位，(3)屈曲位，で大腿骨の関節面と順々に関節する．また，膝蓋骨の内側の垂直方向にある小面(4)のほとんどは，完全屈曲位で大腿骨顆間窩の内側縁にある半月状の小面と関節する．

膝蓋骨が脱臼する場合，ほとんどの例において，外側に脱臼する．通常は，強力な内側広筋が膝蓋骨を水平に近い方向で内側に牽引しており，膝蓋骨の外側への脱臼を防いでいる．これに加え，大腿骨の外側顆が前方に大きく突出し，この部分に接する膝蓋骨の関節面も広くなっていて，これによっても膝蓋骨の外側への脱臼が起こらないようになっている．膝蓋骨の位置を安定に保つ力学的・構造的機構が崩れると，膝蓋骨は大腿骨の膝蓋面上で異常に動いてしまい，たとえ脱臼が起こらない場合でも，膝蓋骨に慢性的な痛みが生じる．

530　下肢　膝関節

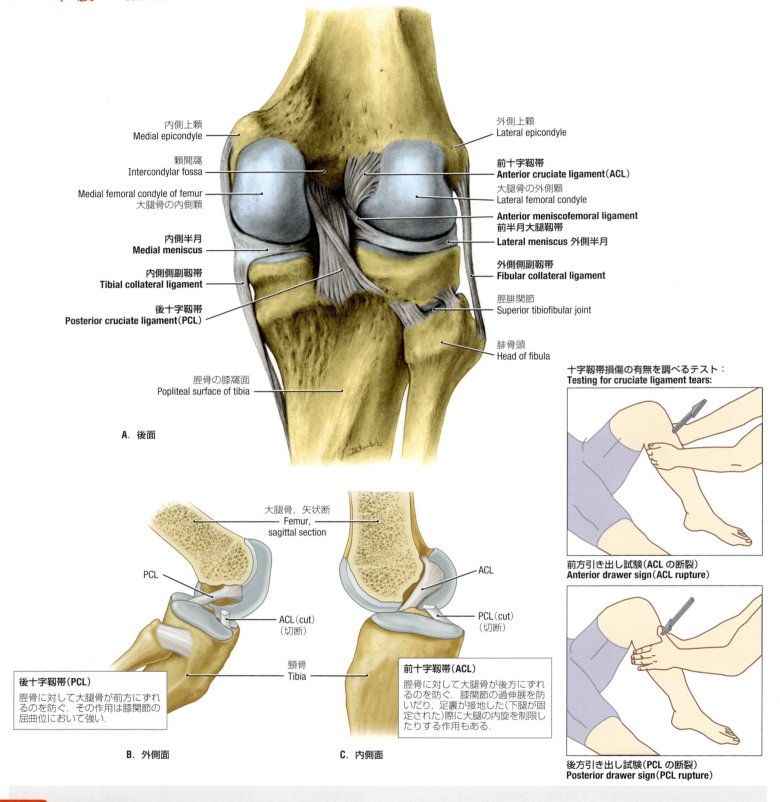

A．後面

B．外側面　　C．内側面

後十字靱帯（PCL）
脛骨に対して大腿骨が前方にずれるのを防ぐ．その作用は膝関節の屈曲位において強い．

前十字靱帯（ACL）
脛骨に対して大腿骨が後方にずれるのを防ぐ．膝関節の過伸展を防いだり，足裏が接地した（下腿が固定された）際に大腿の内旋を制限したりする作用もある．

十字靱帯損傷の有無を調べるテスト：
Testing for cruciate ligament tears:

前方引き出し試験（ACL の断裂）
Anterior drawer sign (ACL rupture)

後方引き出し試験（PCL の断裂）
Posterior drawer sign (PCL rupture)

6.48　膝関節の靱帯

A　膝関節の後面．
B　前十字靱帯（ACL）．C　後十字靱帯（PCL）．B と C のそれぞれで，大腿骨が矢状断され，十字靱帯の一部が取り除かれている．

　膝関節の外傷が生じやすいのは，伸展位の膝に外側から衝撃が加わった場合や屈曲位の膝を過剰に外旋した場合である．このような場合には，内側側副靱帯が損傷され，併せて内側半月の裂傷や内側半月と関節包の分離（あるいはその両方）が生じる．このタイプの外傷は，走行中に屈曲位で膝を回旋するようなスポーツ（ラグビーやサッカー）の選手によくみられる．前十字靱帯は膝の回旋運動の軸として働き，屈曲時に緊張する．この靱帯の断裂には，内側側副靱帯と内側半月の損傷を伴うことがある．

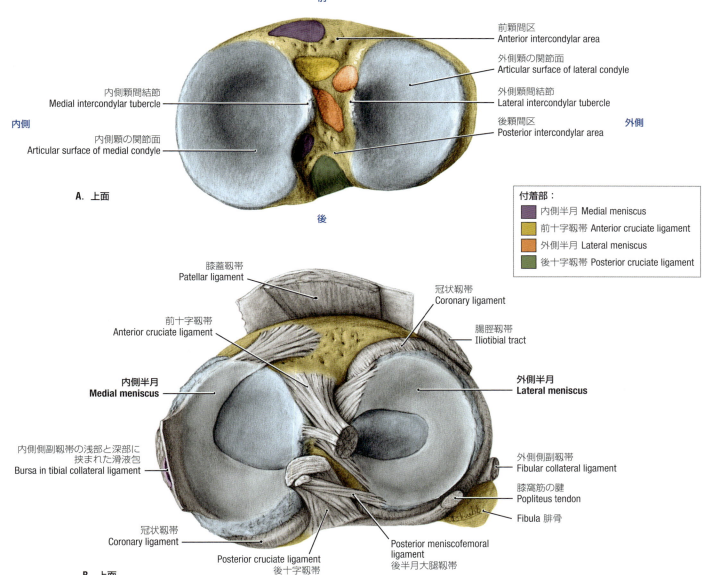

6.49 十字靭帯と半月

A 靭帯の脛骨への付着部．**B** 原位置での半月．

- 脛骨外側顆の関節面はより平坦で，前後に短く円形に近い．内側顆の関節面は凹面をなし，前後に長く楕円形に近い．
- 半月は，そこに載っている構造の表面に合った形状をしている．外側半月はその両方の角が近接していてかつ冠状靭帯が弛緩しているため，平坦な外側顆の上で前後に動くことができる．内側半月の2つの角はより離れているため，凹面をなす内側顆の上での移動は制限されている．

C 膝関節の関節鏡．

関節鏡（内視鏡の一種）により，少ない侵襲で膝関節腔の内面を観察することができる．関節鏡は，皮膚の小さな切開口から関節内に挿入したカニューレを通じて入れられる．これとは別に，1本ないし数本のカニューレを挿入し，種々の器具（外から操作できる探触子や鉗子，損傷した組織を切削・除去する装置）を通す場合もある．関節鏡とこれらの器具を用いれば，損傷した半月や関節内の遊離物（骨片など）を除去したり，関節腔内のデブリードメント（進行した関節炎にみられる関節軟骨の変性部を削り取ること）を行うことができる．また，同様に関節鏡下で十字靭帯の修復や再建を行うこともできる．

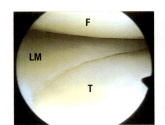

正常な外側半月

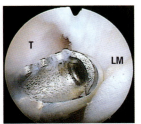

損傷を受けた外側半月を削り取っているところ

C. 大腿骨（F），脛骨（T），外側半月（LM）

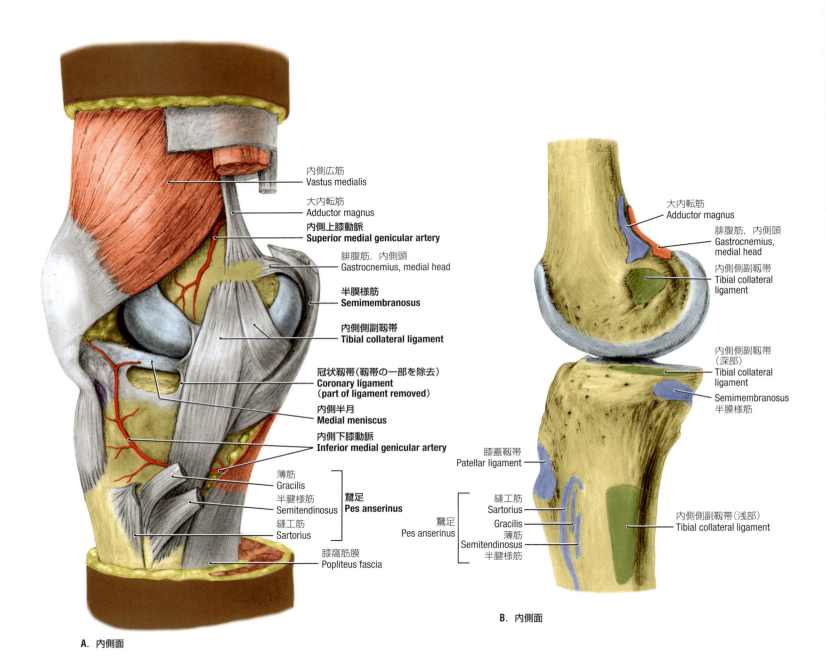

6.50 膝の内側面

A 解剖図．内側側副靱帯の帯状の部分が大腿骨（内側顆）と脛骨（半膜様筋腱停止部の近傍）を結ぶ．この靱帯はまた内側下膝動脈と交叉し，さらに遠位では鵞足を形成する筋（縫工筋，薄筋，半腱様筋）の3本の腱とも交叉する．
B 筋の起始・停止．

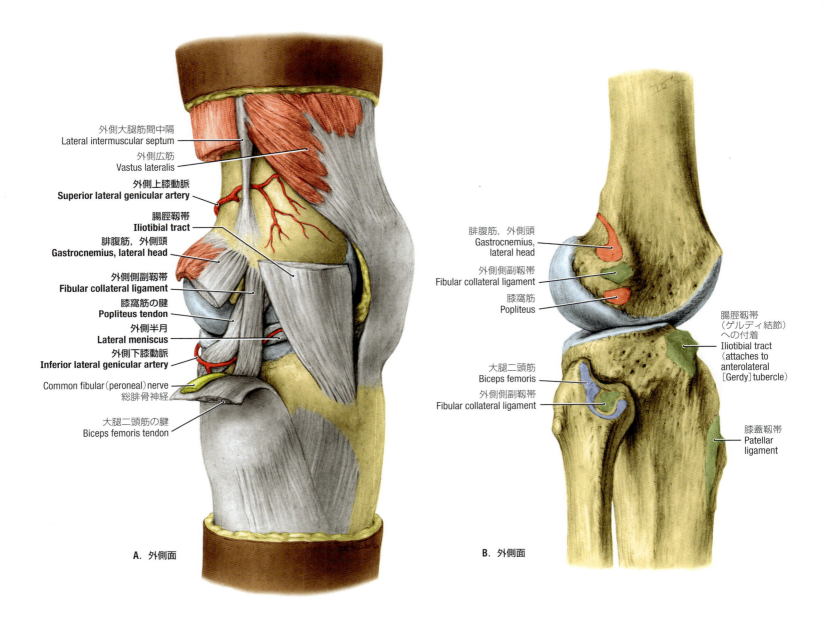

6.51　膝の外側面

A　解剖図．外側上顆から起こる以下の3つの構造が，大腿二頭筋を反転することで剖出されている．後上方から腓腹筋の外側頭，前下方から膝窩筋が起始する．そして両者の間から外側側副靱帯が起こり，膝窩筋の浅部を交叉しながら下行する．外側下膝動脈は外側半月に沿って走行する．B　筋の起始・停止．

534　下肢　膝関節

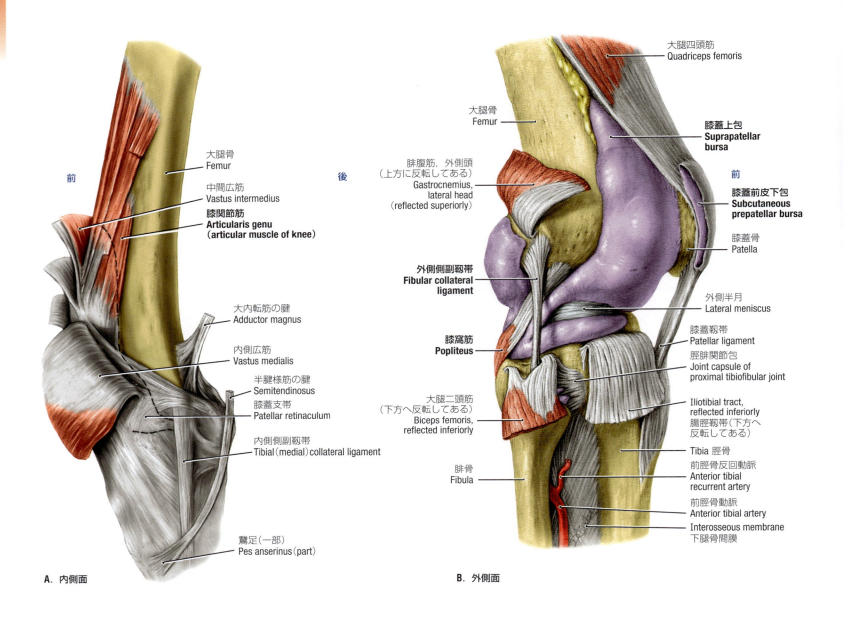

A．内側面

B．外側面

6.52　膝関節筋と膝関節周囲の関節包

A　膝関節筋．この筋は中間広筋の深部にあり，大腿骨の前面から起こり膝関節の滑液包に停止する線維からなる．膝関節筋は膝関節の伸展時に膝蓋上包（点線）の滑膜を上方へ引き，膝関節の中でこの滑膜が膝蓋骨と大腿骨の間に挟まれないようにする．

B　膝関節の外側面．ラテックス樹脂を関節腔に注入し，酢酸で硬化させた標本．関節腔や膝蓋上包の広がりがよくわかる．腓腹筋の起始は上方へ，大腿二頭筋の停止と腸脛靱帯は下方へ反転してある．膝蓋上包は，膝蓋骨の上方にまで達する．この部位では，膝蓋上包は脂肪層に乗っているため関節の動きに応じて自由にスライドすることができる．また関節包は，後方へは腓腹筋の起始部の高さまで，外側へは膝窩筋と外側側副靱帯が大腿骨の外側顆に付着する部位の下まで，下方へは外側半月の下まで達し一部は脛骨と接する（見やすくするため冠状靱帯を取り除いてある）．

　膝蓋前皮下包は，皮膚と膝蓋骨の間に挟まれており，この間の摩擦により滑液包炎（家政婦膝 housemaid's knee）をきたす場合がある．膝蓋上包は，膝蓋骨の上方に広がっており，この部分に深い刺傷ができると，包内に細菌が入り感染を引き起こす場合がある．また，膝蓋上包と膝関節は腔がつながっているので，**膝蓋上包の感染**が膝関節腔に拡大することもある．

C　膝関節の後面．

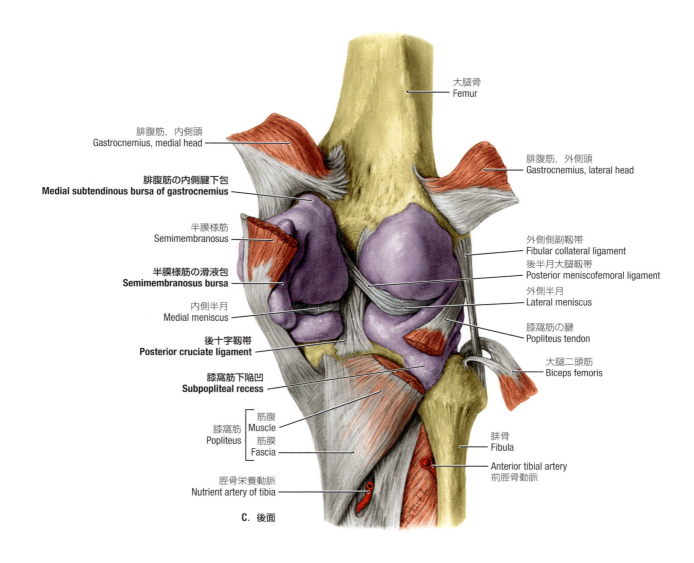

C. 後面

6.52 膝関節筋と膝関節周囲の関節包（続き）

表6.9 膝関節周囲の滑液包

滑液包	位置	構造上の特徴と機能
膝蓋上包	大腿骨と大腿四頭筋腱の間	膝関節筋によって位置が保たれる．膝関節腔とつながっている．
膝窩筋下陥凹	膝窩筋と脛骨外側顆の間	外側半月の下方で膝関節腔とつながっている．
鵞足包	縫工筋・薄筋・半腱様筋の腱と脛骨および内側側副靱帯の間	これらの筋の腱が脛骨に停止する領域は鵞鳥の足に似ている．
腓腹筋の内側腱下包	腓腹筋内側頭起始部の深部	膝関節の滑膜が伸び出してできた滑液包である．
半膜様筋腱下包	腓腹筋内側頭と半膜様筋腱の間	半膜様筋の停止部の深層にできる．
膝蓋前皮下包	皮膚と膝蓋骨前面の間	下腿の運動の際に膝蓋骨を覆う皮膚が自由に動けるようにしている．
膝蓋下皮下包	皮膚と脛骨粗面の間	膝立ちの際に膝を体重から保護する[a]．
深膝蓋下包	膝蓋靱帯と脛骨前面の間	膝蓋下脂肪体によって膝関節と隔てられる[a]．

[a] 図6.56参照

536　下肢　膝関節

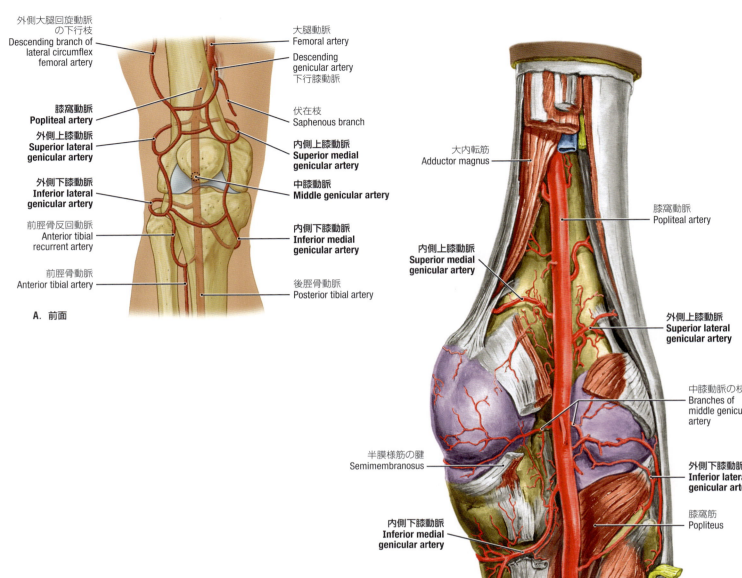

A．前面

B．後面

6.53　膝周囲の血管網

A　膝前面の血管網．B　膝窩における膝窩動脈．

- 膝窩動脈は，近位では［内転筋］腱裂孔から，遠位では膝窩筋下縁までをいい，前・後脛骨動脈に分かれて終わる．
- 膝窩動脈の前方には，大腿骨（脂肪層を挟む），膝関節の関節包，膝窩筋がある．
- 膝動脈は，膝関節を取り巻くようにして膝関節周囲動脈網を形成する．膝が完全に屈曲した際に膝窩動脈がねじれても，膝関節動脈網が側副血行路となり下腿への血流は維持される．
- 膝窩動脈からは膝動脈が分枝され，膝関節の関節包や靱帯に分布する．膝動脈には次の5種類がある：外側上膝動脈，内側上膝動脈，中膝動脈，外側下膝動脈，内側下膝動脈．
- この動脈網に関与するその他の重要なものとして，上内側から入る下行膝動脈（大腿動脈の枝），上外側から入る外側大腿回旋動脈の下行枝，下外側から入る前脛骨反回動脈が挙げられる．

膝関節 下肢 537

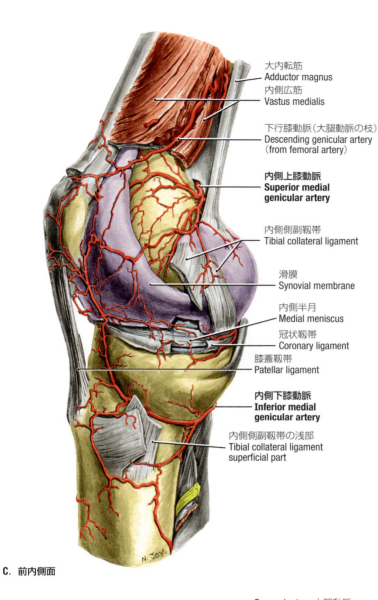

C. 前内側面

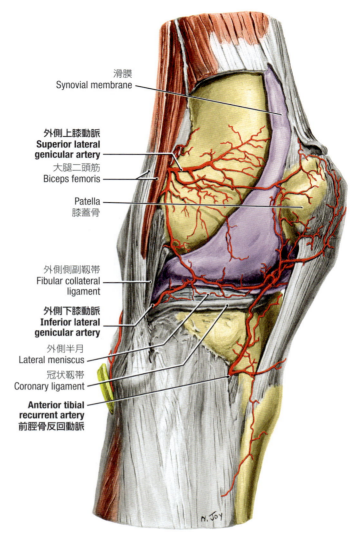

E. 前外側面

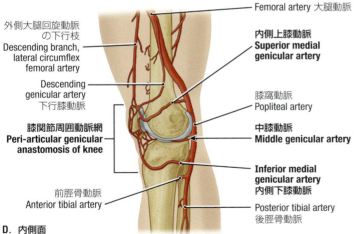

D. 内側面

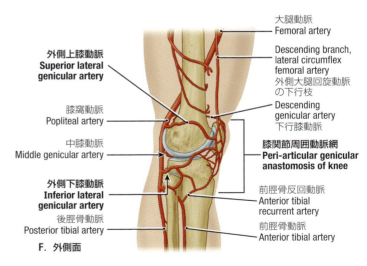

F. 外側面

6.53 膝周囲の血管網(続き)

C, D 膝の内側面で内側上・下膝動脈を示す． E, F 膝の外側面で外側上・下膝動脈を示す．

538 下肢　膝関節

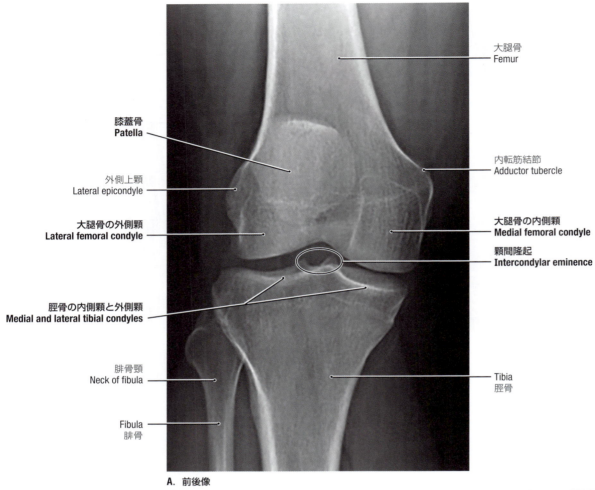

A. 前後像

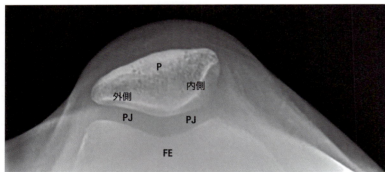

B. スカイライン撮影像（膝の屈曲位）

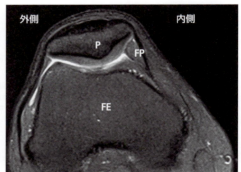

C. 水平断 MR 像

6.54 膝関節と膝蓋大腿関節の画像

A 膝の前後方向 X 線像．**B** 膝蓋骨の X 線像（膝関節の屈曲位）．**C** 膝蓋大腿関節の水平断 MR 像．FE：大腿骨，FP：膝蓋下脂肪体，P：膝蓋骨，PJ：膝蓋大腿関節．

膝蓋骨の深部に生じた痛みは，過度なランニングに起因することが多い．それゆえに，このタイプの痛みはしばしば走者膝（runner's knee）と呼ばれる．膝蓋骨が大腿骨の膝蓋面に対して異常な動きをすると，微小な傷が繰り返し形成され，痛みの原因となる．したがってこのような状態を**膝蓋大腿症候群**とも呼ぶ．この症候群は膝蓋骨に直接衝撃が加わった場合や膝蓋大腿関節における変形性関節症（関節軟骨が機械的に磨耗した状態）においてもみられ，内側広筋の筋力と膝蓋大腿関節の機能不全が関連している場合もある．内側広筋は膝蓋骨の外側への脱臼を防いでおり，これは内側広筋が膝蓋骨内側縁に停止し，これをほぼ水平に牽引していることによる．したがって，内側広筋の筋力が低下した患者では，膝蓋大腿関節の機能不全や膝蓋骨脱臼を生じる可能性が高くなる．

膝関節　下肢　539

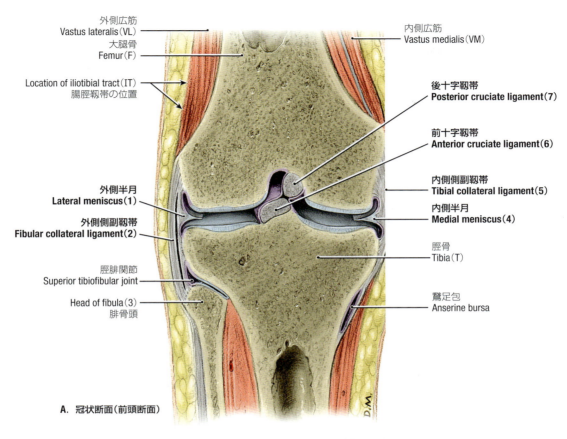

A. 冠状断面（前頭断面）

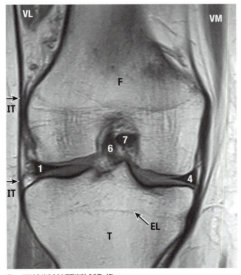

B. 冠状断（前頭断）MR像

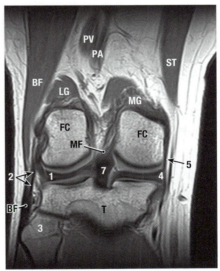

C. 冠状断（前頭断）MR像

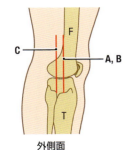

外側面

6.55 膝の冠状断面（前頭断面）とMR像

A 大腿骨顆間窩，脛骨，腓骨を通る冠状断面（前頭断面）．B 大腿骨顆間窩と脛骨を通るMR像．C 大腿骨顆，脛骨，腓骨を通るMR像．

番号はAに対応する．BF：大腿二頭筋，EL：骨端線，F：大腿骨，FC：大腿骨顆，IT：腸脛靱帯，LG：腓腹筋外側頭，MF：後半月大腿靱帯，MG：腓腹筋内側頭，PA：膝窩動脈，PV：膝窩静脈，ST：半腱様筋，T：脛骨，VM：内側広筋．

540 下肢　膝関節

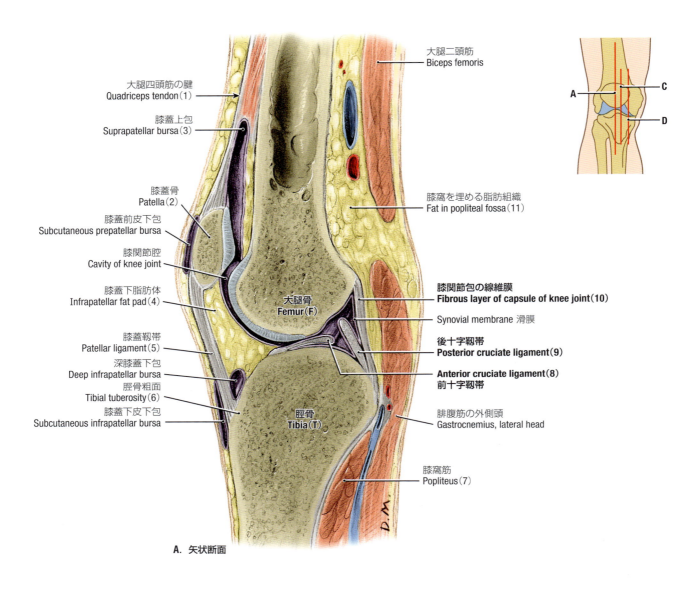

A. 矢状断面

6.56 膝の矢状断と画像

A 大腿骨顆間窩の外側面を通る断面.

　大腿骨の遠位端骨折，あるいは大腿前面の断裂は，膝蓋上包にも傷害が及び，膝関節の炎症を起こすことがある．膝関節が感染し炎症を起こすと，滑液の量が増えることがある．これは，血液やリンパから液体が漏出する**関節滲出液**が増加するためである．膝蓋上包は膝関節の滑液包上部とつながっているので，膝蓋上包が拡張している場合は，滑液の増加を示唆する．試験のため膝蓋上包から液体を吸い出すことができる．**膝関節穿刺**は，患者をテーブルなどに座らせて膝を屈曲させて行うのが通常である．関節には側面からアプローチし，脛骨の前外側結節（ゲルディ結節），大腿骨外側上顆，膝蓋骨尖の3点を目印に針を挿す．この3点の領域は，膝関節障害の治療で薬物を注射する際にも使われる．

膝関節　下肢　541

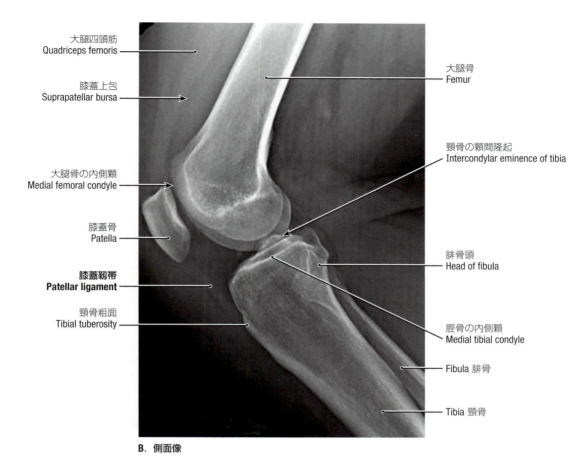

B. 側面像

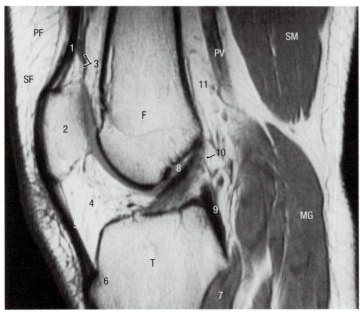

C. 矢状断MR像

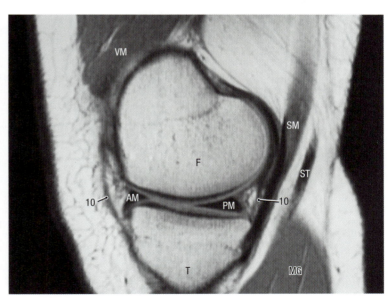

D. 矢状断MR像

　膝の矢状断と画像（続き）

B　屈曲位で側方からのX線像．ファベラ（fabella）とは，腓腹筋外側頭にある種子骨を指す．C　大腿骨顆間窩の内側面を通るMR像で十字靱帯を示す．D　大腿骨と脛骨の内側顆を通るMR像．番号はAの構造に対応する．AM：内側半月の前角，F：大腿骨，MG：腓腹筋内側頭，PF：大腿骨前面の脂肪組織，PM：内側半月の後角，PV：膝窩動静脈，SF：膝蓋骨前面の脂肪組織，SM：半膜様筋，ST：半腱様筋，T：脛骨，VM：内側広筋．

542　下肢　下腿の前面，側面，足背

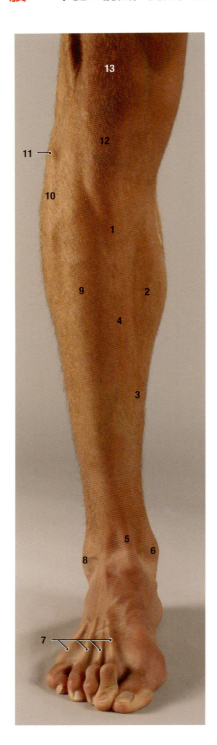

A．前面

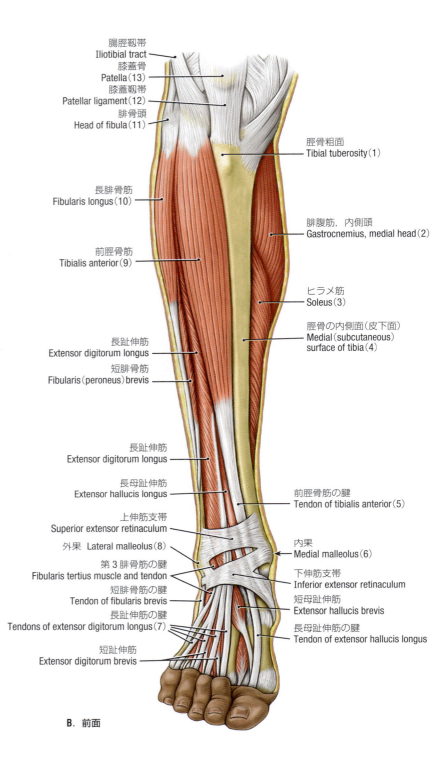

B．前面

6.57　下腿前面の体表解剖と浅層の筋

A 体表解剖（番号は**B**の構造に対応する）．**B** 解剖図．
　下腿の前区画にある筋は，距腿関節の背屈や趾の伸展を行い，歩行時によく働いている．これらの筋は，歩行周期の遊脚相において距腿関節を背屈位に保ち，足先が地面に着かないようにしている．また，遊脚相から立脚相への転換時に足首を強く背屈し，踵を接地させる際に足首を安定に保つ働きもある．

　前区画の筋（特に前脛骨筋）に微小な傷が繰り返し形成されると，**下腿の遠位1/3**に腫脹や**痛み**が現れ，軽度の**前コンパートメント症候群**を呈する場合もある．この場合の痛みは通常，受傷を繰り返している間や筋を酷使した際に現れる．また，筋の浮腫や筋・腱の炎症により筋が腫脹すると，筋への血流が減少する．腫脹し，虚血に陥った筋では，自発痛や圧痛がみられる．

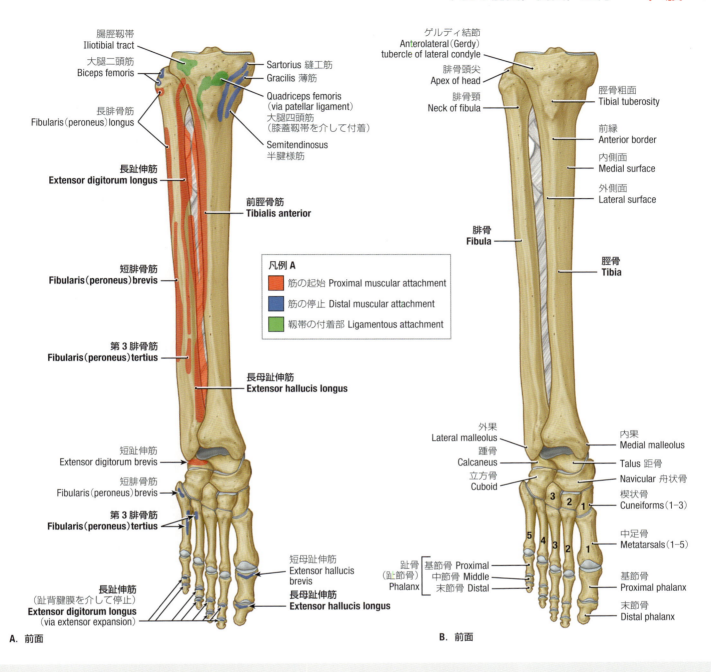

6.58 下腿前面と足背の骨と筋の付着部

A 筋の付着部. B 骨.

表6.10 下腿前区画の筋群

筋	起始	停止	神経支配[a]	主な作用
前脛骨筋	脛骨の外側顆および外側面の上半部	内側楔状骨の内側面および下面と第1中足骨の基底部	深腓骨神経(L4, L5)	距腿関節の背屈と内反
長母趾伸筋	腓骨前面の中央部および下腿骨間膜	母趾末節骨基底部の背側面	深腓骨神経(L5, S1)	母趾の伸展と距腿関節の背屈
長趾伸筋	脛骨の外側顆および下腿骨間膜の上部3/4	母趾以外の4趾の中節骨および末節骨		母趾以外の4趾の伸展と距腿関節の背屈
第3腓骨筋	腓骨前面の下1/3および下腿骨間膜	第5中足骨基底部の背面		距腿関節の背屈,および外反の補助

[a] 支配神経の脊髄分節については表6.3も参照すること.

544 下肢　下腿の前面，側面，足背

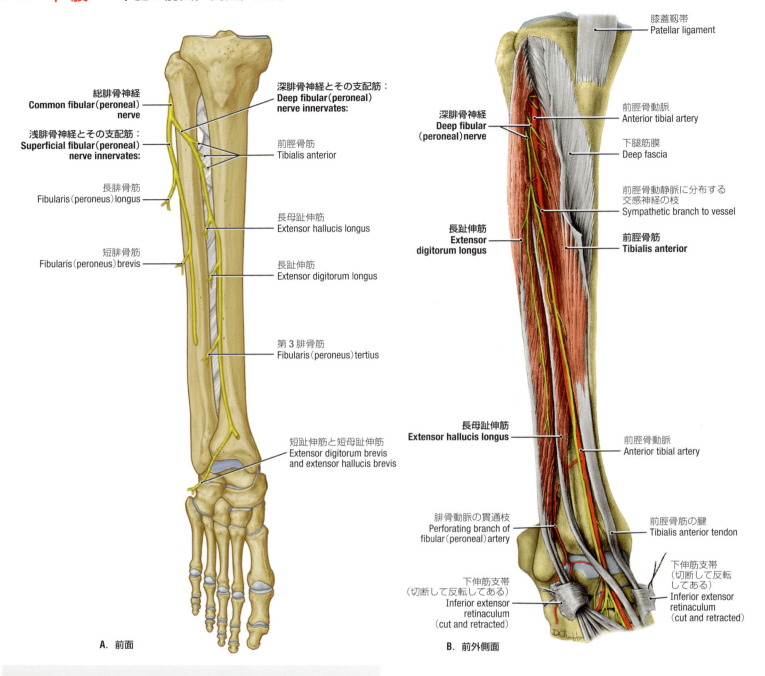

6.59 下腿前面の深部にある筋，神経，動脈

表 6.11　総腓骨神経，浅腓骨神経，深腓骨神経

神経	起始	走行	分布
総腓骨神経	坐骨神経	坐骨神経が膝窩の頂点で2分岐し，総腓骨神経と脛骨神経となる．総腓骨神経は大腿二頭筋の内側縁に沿って走り，次いで，腓骨頸に接しながら前方に回り込み，浅腓骨神経と深腓骨神経に分かれる．	下腿後面（外側部）の皮膚（外側腓腹皮神経を介して）膝（外側部）の皮膚
浅腓骨神経	総腓骨神経	総腓骨神経が長腓骨筋の深部で，浅腓骨神経と深腓骨神経に分かれる．浅腓骨神経は下腿の外側区画を下行し，下腿の遠位1/3辺りで下腿筋膜を貫き足背の皮神経となる．	下腿外側区画の筋（長腓骨筋，短腓骨筋）下腿前外側面（遠位1/3）の皮膚 足背の皮膚
深腓骨神経	総腓骨神経	総腓骨神経が長腓骨筋の深部で，浅腓骨神経と深腓骨神経に分かれる．深腓骨神経は長趾伸筋を貫いたのち，下腿骨間膜の表面に沿って下行し，足背に達する．	下腿前区画の筋（前脛骨筋，長母趾伸筋，長趾伸筋）足背の筋（短母趾伸筋，短趾伸筋）第1趾間の皮膚 距腿関節や足背の関節（背側部）

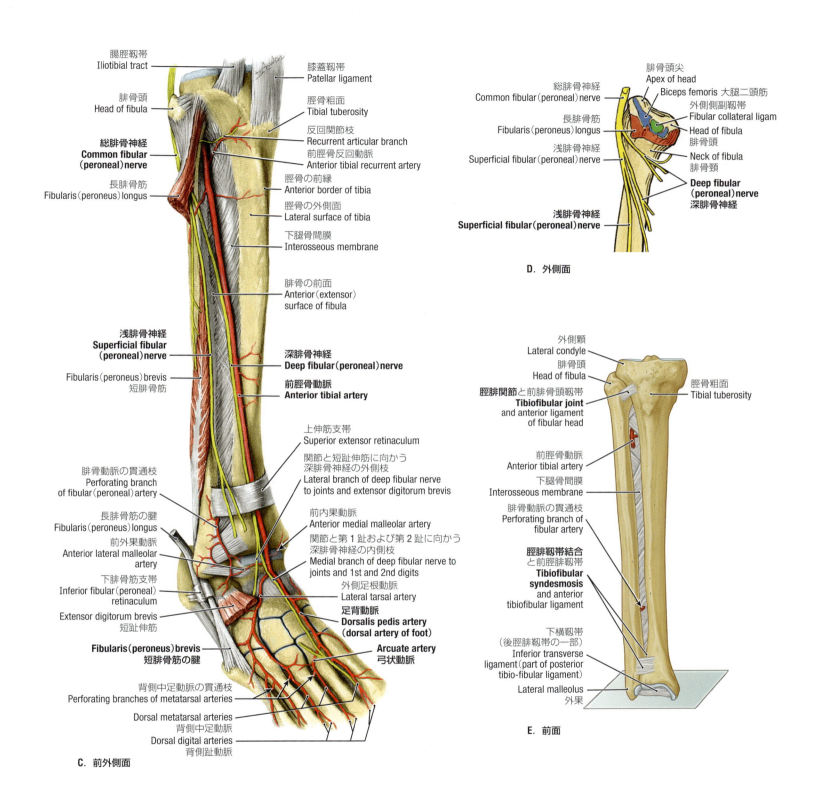

6.59 下腿前面の深部にある筋，神経，動脈（続き）

A 筋枝の概観．B 下腿前区画の深部．筋を分離して，前脛骨動脈と深腓骨神経を示している．C 前区画にある神経と動脈．D 腓骨近位部と接しながら走行する総腓骨神経とその枝．E 下腿骨間膜．

546 下肢　下腿の前面，側面，足背

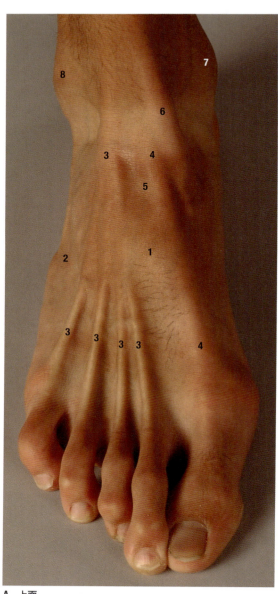

A. 上面

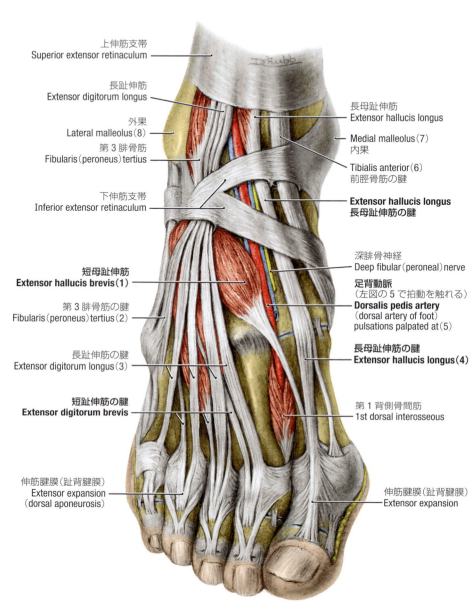

B. 上面

6.60 足背

A 体表解剖（図中の番号はBの構造に対応する）．
B 解剖図．足背静脈と深腓骨神経の一部を切り取ってある．足首の前面では，内果と外果の間の中央に足背動脈と深腓骨神経が走行する．足背では，足背動脈は短母趾伸筋と交叉し，第1背側骨間筋の2頭の間に隠れる．

臨床では，短母趾伸筋の筋腹による膨らみと浮腫による病的な膨らみを区別するために，この筋の筋腹の位置を把握しておく必要がある．また，短母趾伸筋が打撲を受けたり，筋や分布する血管に裂傷が生じると，**血腫**により外果の前内側面が腫脹する．このような状態を見たことのない者は，その大部分が足首のひどい捻挫と誤ってしまう．

足背動脈の拍動は足をやや背屈させると触知しやすい．この動脈は，長母趾伸筋腱の外側縁に沿って皮下をまっすぐに走っており，通常は容易に拍動を触知できる．足背動脈の拍動が消失あるいは減弱している場合には，動脈の閉塞性疾患が疑われる．

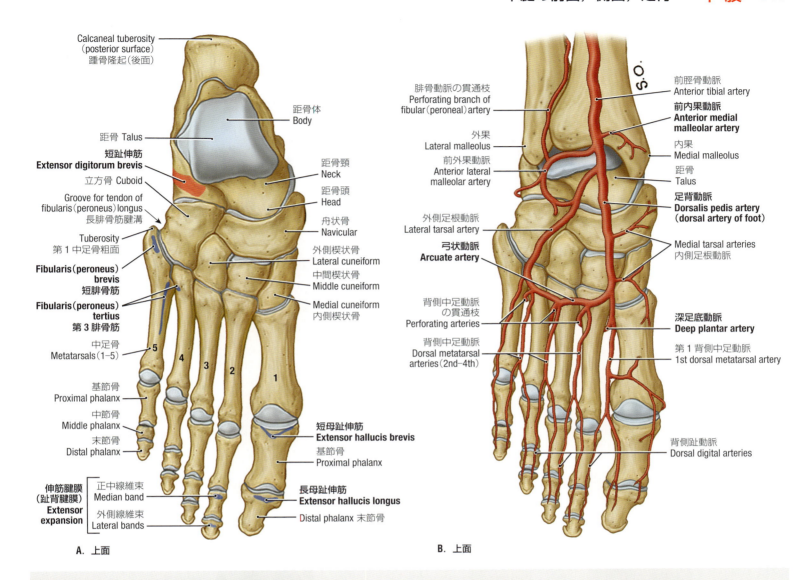

6.61 足背における筋の起始と停止，足背の動脈

A 筋の起始と停止． B 足背の動脈．

表 6.12 足背の動脈

動脈	起始	走行	分布
足背動脈	前脛骨動脈の延長であり，距腿関節よりも遠位で足背動脈となる．	足背の前内側を下行し，第1骨間隙に向かい，深足底動脈と弓状動脈に分岐する．	足背
外側足根動脈	足背動脈	短趾伸筋の直下を外側に向かって弓状に走る．弓状動脈の枝と吻合する．	
弓状動脈		第1骨間隙から外側に向かい，短趾伸筋の直下で第2-4中足骨底を横切る．	
深足底動脈		足底に向かい，足底動脈弓に接続する．	足底
第1背側中足動脈	深足底動脈	第1・2中足骨の間を走り，第1趾間に達すると2分岐して背側趾動脈となり，第1・2趾に入る．	足背
第2-4背側中足動脈	弓状動脈	走行は第1背側中足動脈と同様．弓状動脈から出る貫通枝は，足底動脈弓や底側中足動脈に接続する．	
背側趾動脈	背側中足動脈	趾の対向縁を走る．	趾

548 下肢　下腿の前面，側面，足背

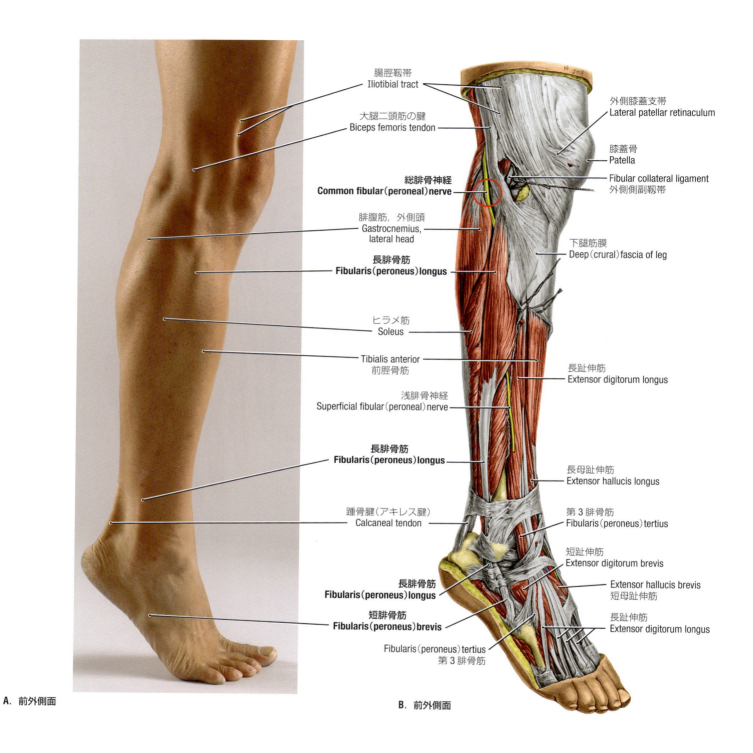

A. 前外側面
B. 前外側面

6.62 下腿外側区画の筋

A　体表解剖．B　解剖図．

- 長・短腓骨筋はともに腓骨の 2/3 に付着している．長腓骨筋は腓骨の上 2/3 から，短腓骨筋は下 2/3 から起こる．両者を重ねると，短腓骨筋のほうが前方にある．
- 長腓骨筋は立方骨を回り込んで足底に入り，内側へ走行して第 1 中足骨底と内側楔状骨に停止する．
- **総腓骨神経の障害**．この神経は長腓骨筋の深部で腓骨頸と接しており（Bの赤い丸の部分），この部分で損傷を受けやすい．総腓骨神経は下腿の伸筋群をすべて支配しているため，この損傷により**下垂足**（足を背屈することができない）や足の外反困難を伴う深刻な麻痺を生じうる．

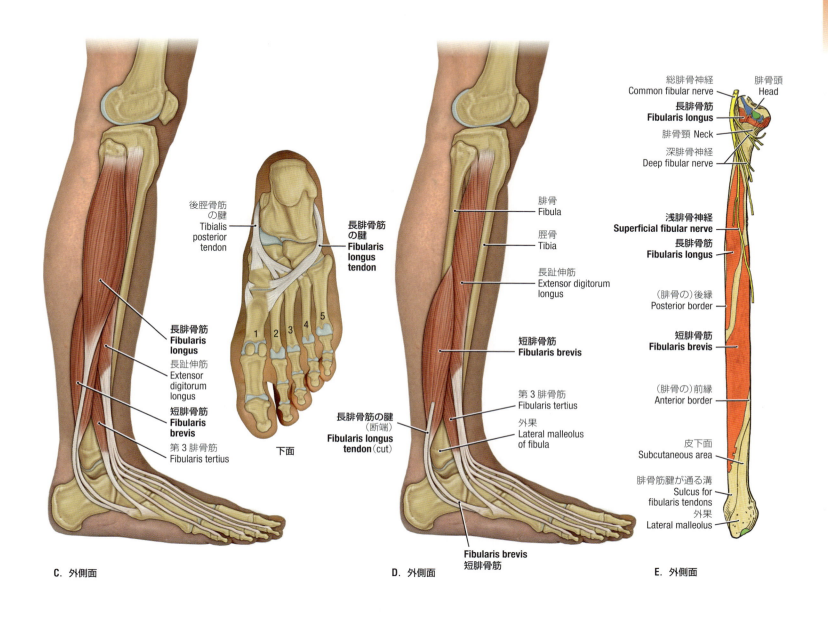

| 6.62 | 下腿外側区画の筋（続き） |

C 長腓骨筋． D 短腓骨筋． E 腓骨筋の起始．

表 6.13　下腿外側区画の筋群

筋	起始	停止	神経支配[a]	主な作用
長腓骨筋	腓骨頭と腓骨外側面の上 2/3	第 1 中足骨基底部と内側楔状骨	浅腓骨神経（L5，S1，S2）	足の外反と底屈
短腓骨筋	腓骨外側面の下 2/3	第 5 中足骨基底部の外側にある粗面の背面		

[a] 支配神経の脊髄分節については表 6.2 も参照すること．

550 下肢　下腿の前面，側面，足背

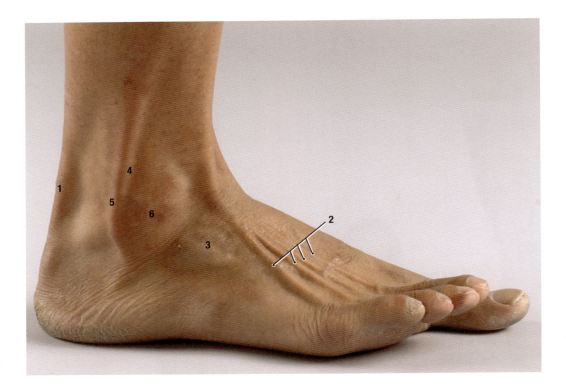

A. 外側面

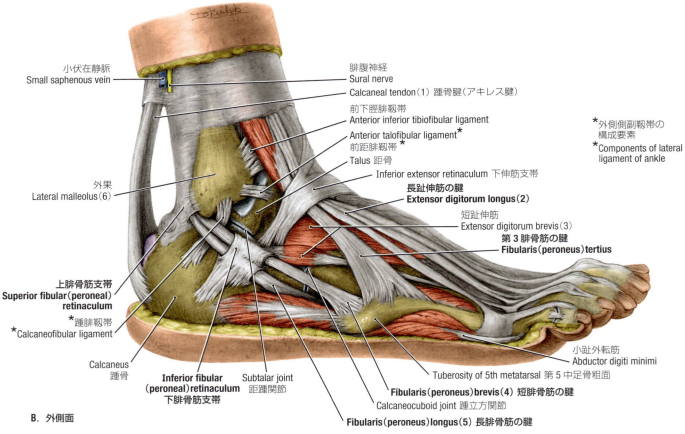

B. 外側面

- 小伏在静脈 Small saphenous vein
- 腓腹神経 Sural nerve
- Calcaneal tendon (1) 踵骨腱（アキレス腱）
- 前下脛腓靱帯 Anterior inferior tibiofibular ligament
- 前距腓靱帯* Anterior talofibular ligament*
- Talus 距骨
- 下伸筋支帯 Inferior extensor retinaculum
- 長趾伸筋の腱 Extensor digitorum longus (2)
- 短趾伸筋 Extensor digitorum brevis (3)
- 第3腓骨筋の腱 Fibularis (peroneus) tertius
- 外果 Lateral malleolus (6)
- 上腓骨筋支帯 Superior fibular (peroneal) retinaculum
- *踵腓靱帯 *Calcaneofibular ligament
- Calcaneus 踵骨
- 下腓骨筋支帯 Inferior fibular (peroneal) retinaculum
- 距踵関節 Subtalar joint
- 短腓骨筋の腱 Fibularis (peroneus) brevis (4)
- 踵立方関節 Calcaneocuboid joint
- 長腓骨筋の腱 Fibularis (peroneus) longus (5)
- 第5中足骨粗面 Tuberosity of 5th metatarsal
- 小趾外転筋 Abductor digiti minimi

*外側側副靱帯の構成要素
*Components of lateral ligament of ankle

6.63 足根部の滑液鞘と腱

A 体表解剖（番号はBの構造に対応する）．
B 足根部外側面の腱．

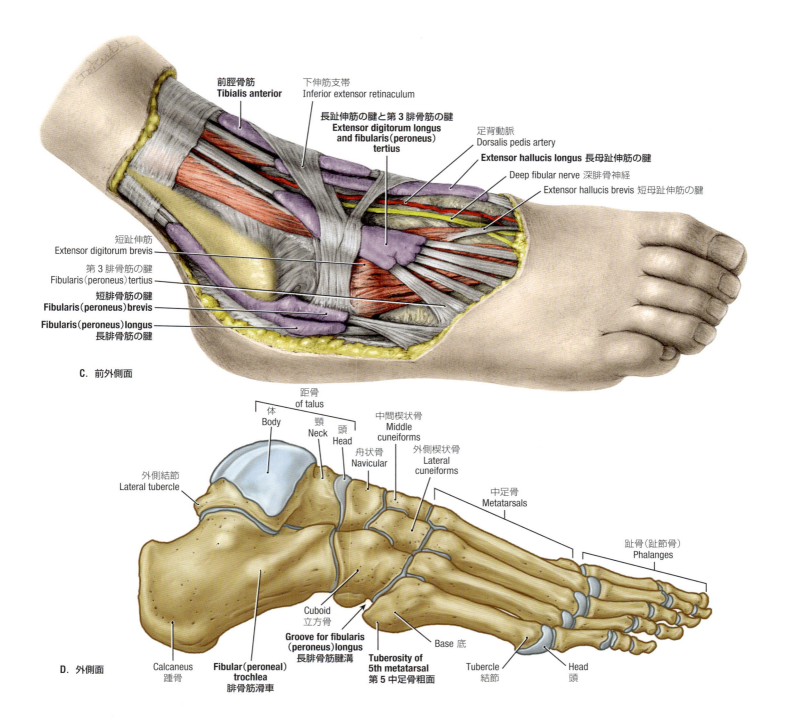

6.63 足根部の滑液鞘と腱（続き）

C 足根部前外側面の腱の滑液鞘．長・短腓骨筋の腱は外果の後方で共通の滑液鞘に包まれている．この滑液鞘は腓骨筋滑車の後方でそれぞれの腱に対応する2つの滑液鞘に分かれる．
D 足の骨（外側面）．

552 下肢　下腿の後面

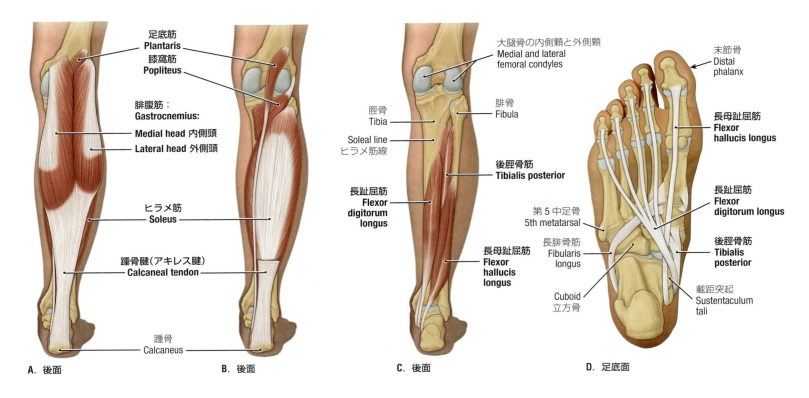

6.64 下腿後面の筋

A, B 表層の筋．C 深層の筋．D 深層の筋の停止腱．

表6.14 下腿後区画の筋群

筋	起始	停止	神経支配[a]	主な作用
浅層の筋				
腓腹筋	外側頭：大腿骨外側顆の外側面 内側頭：大腿骨膝窩面（内側顆より上部）	踵骨腱を介して踵骨の後面	脛骨神経（S1，S2）	距腿関節の底屈（膝関節の伸展時），歩行時の踵の挙上，膝関節での下腿の屈曲
ヒラメ筋	腓骨頭の後面，腓骨体後面の上1/4，脛骨のヒラメ筋線と内側縁			距腿関節の底屈（膝関節の状態によらず），足の上に下腿を固定
足底筋	大腿骨外側顆上線の下端，斜膝窩靱帯			距腿関節の底屈と膝関節の屈曲において腓腹筋をわずかに補助
深層の筋				
膝窩筋	腿骨外側顆と外側半月の外側面	脛骨後面（ヒラメ筋線より上方）	脛骨神経（**L4**，L5，S1）	完全伸展位の膝関節を緩める（脛骨に対して大腿骨を5°外旋する），膝関節を軽く屈曲する．
長母趾屈筋	腓骨後面の下2/3と下腿骨間膜の下部	母趾の末節骨底	脛骨神経（**S2**，S3）	すべての関節で母趾を屈曲，距腿関節の底屈，縦足弓内側部の支持
長趾屈筋	脛骨後面の中央部でヒラメ筋線より下方，広い腱で腓骨からも起始	母趾以外の4趾の末節骨底		母趾以外の4趾の屈曲，距腿関節の底屈，縦足弓の支持
後脛骨筋	下腿骨間膜，脛骨後面の中央部でヒラメ筋線より下方，腓骨後面	舟状骨の結節，楔状骨，立方骨，第2-4中足骨底	脛骨神経（L4，L5）	距腿関節の底屈と内反

[a] 支配神経の脊髄分節については表6.1も参照すること．数字は支配神経が由来する脊髄分節を表す（**太字**の分節は支配神経への線維を多く出している分節を表す）．単一ないし複数の脊髄分節の損傷は支配筋の麻痺を引き起こす．

下腿の後面

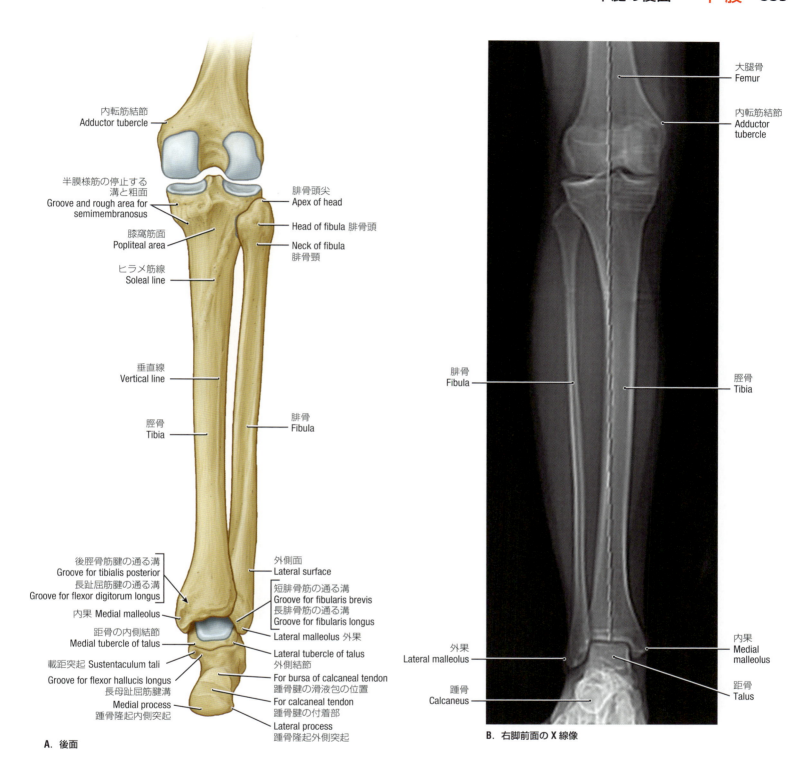

6.65 下腿後面の骨

A 筋の起始と停止． **B** X線像．

脛骨骨折．脛骨体の最も細い場所は，脛骨体を3等分したときの中間部と遠位部の境界にあたり，脛骨骨折の最も起こりやすい部位である．また，脛骨のこの部位は血管供給に乏しい部位でもある．

腓骨骨折．外果の遠位端から2-6cm上方で生じやすく，しばしば距腿関節の骨折や脱臼を伴う．腓骨骨折は脛骨骨折に伴うこともある．

足を滑らせて足首を過度に内反すると，足首の靱帯が断裂する．これは，強制的に距骨が傾けられ，外果が引き離されるためである．

554　下肢　下腿の後面

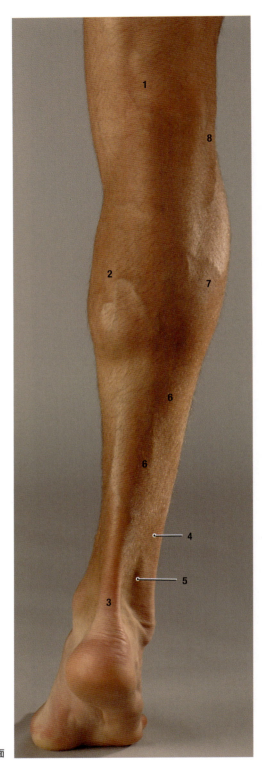

A. 後面

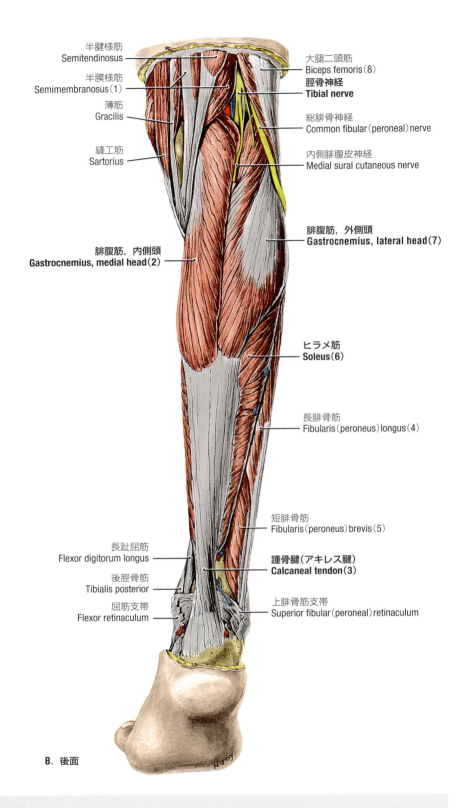

B. 後面

6.66　下腿後区画の浅層にある筋

A　体表解剖（番号はBの構造に対応する）．
B　解剖図．
　腓腹筋の肉離れ（テニス脚）は，ふくらはぎに生じる有痛性の損傷であり，腓腹筋内側頭が，筋腱移行部もしくはその付近において，部分的に断裂した状態である．このような断裂は腓腹筋が過剰に引き伸ばされた際に生じる，つまり，膝を完全に伸展するとともに，足首を背屈した場合に起こりやすい．

下腿の後面　下肢

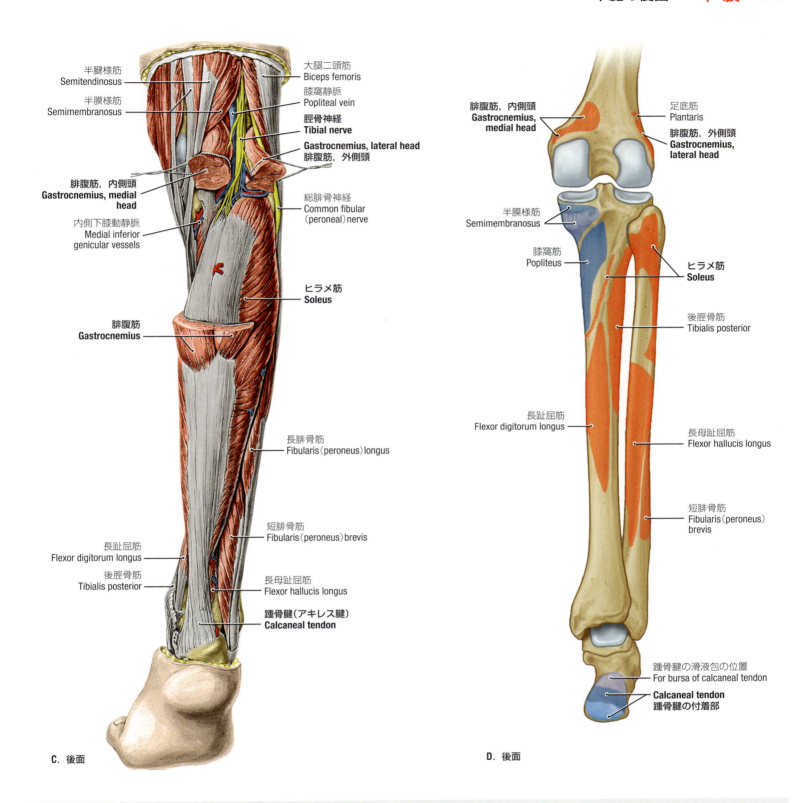

C. 後面　　　D. 後面

6.66　下腿後区画の浅層にある筋（続き）

C　腓腹筋の一部を切り取られ，ヒラメ筋が見えている．
D　下腿の骨への筋の起始と停止．
　踵骨腱（アキレス腱）をなすコラーゲン線維束に生じた微小な損傷により，**踵骨腱炎**が生じる場合がある．踵骨腱炎は，特に踵骨への付着部の直上で起こりやすく，歩行中に痛みを生じる．**踵骨腱の断裂**は下腿の急性筋損傷のうち，最も重度の高いものの1つである．踵骨腱が完全に断裂した場合には，足首は通常よりも背屈し，一定の抵抗に抗して底屈ができなくなる．

556 下肢　下腿の後面

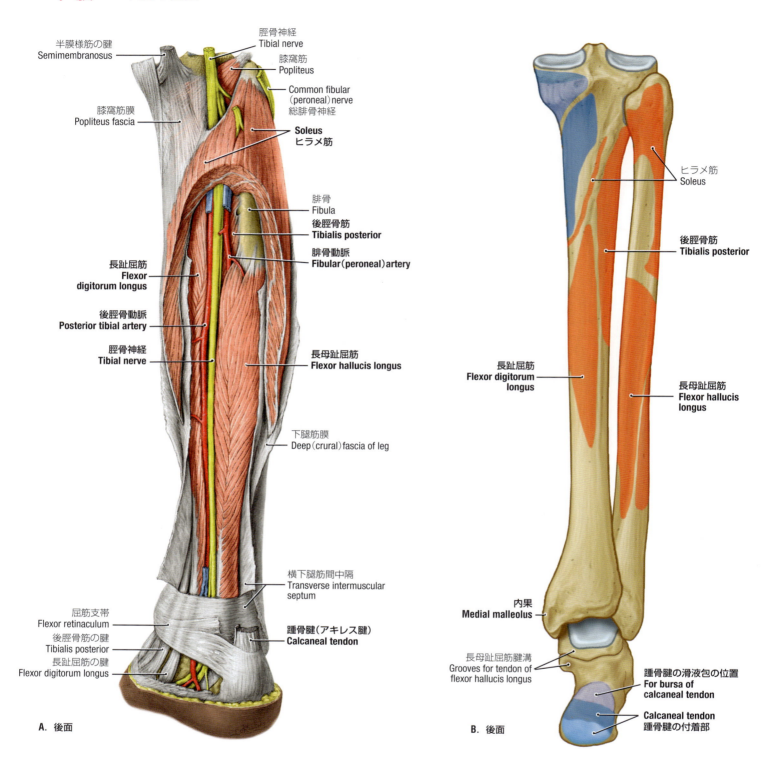

6.67 下腿後区画の深層にある筋

A 浅部の解剖図．踵骨腱（アキレス腱）は切断，腓腹筋は取り除き，ヒラメ筋は馬蹄形の起始部だけが残っている．
B 下腿の骨への筋の起始と停止．

足根管症候群は，足首（特に下腿後面の筋の停止腱を包む腱鞘）に浮腫や結合組織の増生が起こり，脛骨神経が内果から踵骨までの領域において絞扼もしくは圧迫され，麻痺などの症状をきたした状態である．脛骨神経が屈筋支帯により圧迫を受けると，踵に痛みを生じる．

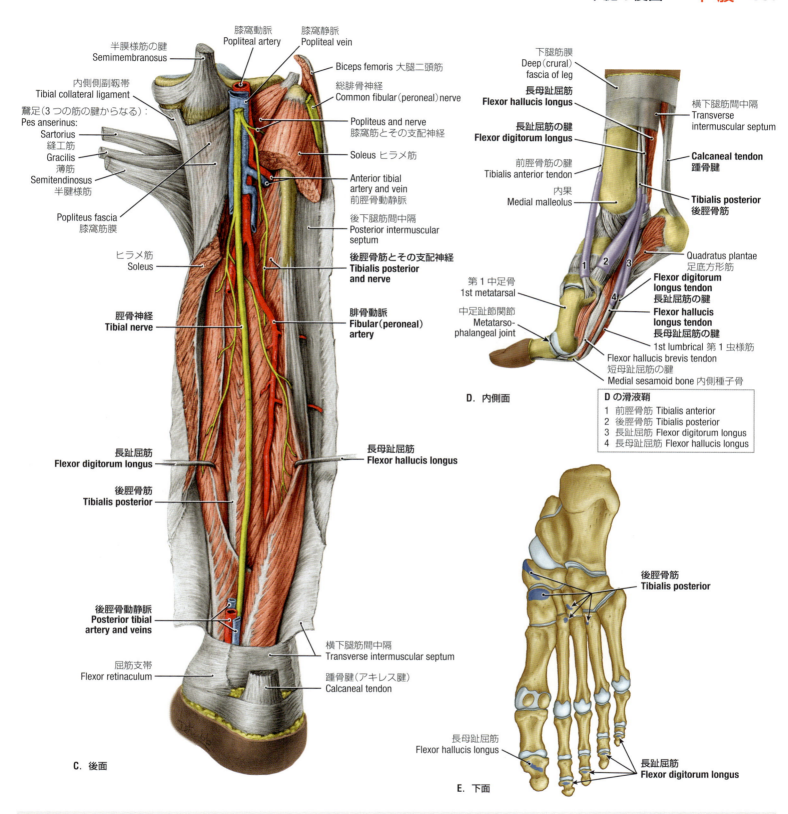

6.67 下腿後区画の深層にある筋（続き）

C 深部の解剖図．長母趾屈筋と長趾屈筋は左右に引っ張られ，後脛骨動脈の大部分が切り取られている．後脛骨筋は長母趾屈筋および長趾屈筋の深層に位置する．

D 内果の後方を通る構造．腱の滑液鞘は紫色で示し，名称は凡例に示した．

E 足の骨への筋の起始と停止．

558 下肢　下腿の後面

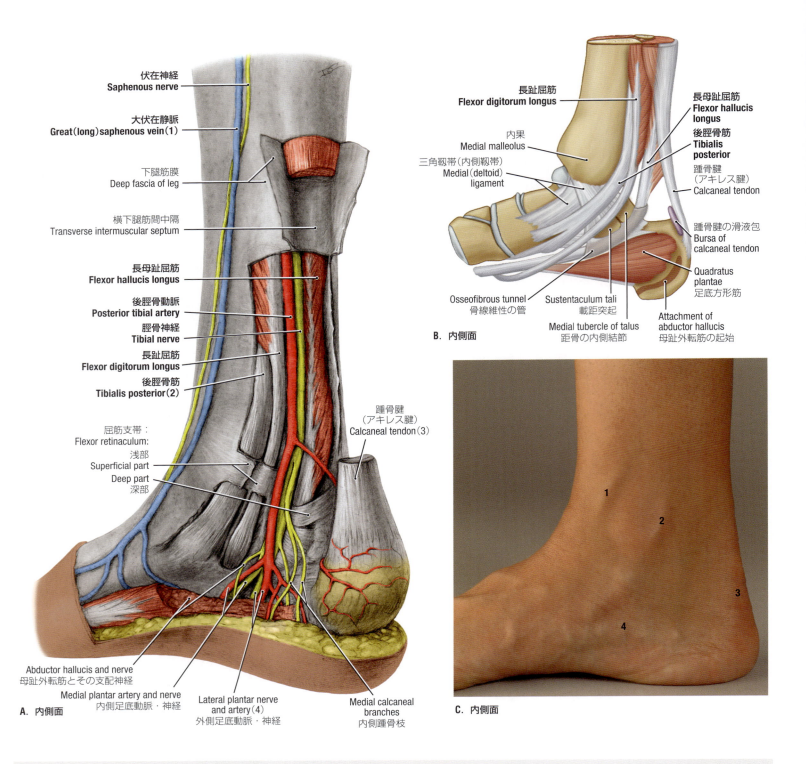

6.68 足根部の内側面

- A　解剖図．踵骨腱，および母趾外転筋は切り取られている．
- B　内果の後方を通過する腱の模式図．
- C　体表解剖（図中の番号は A の構造に対応する）．
- 後脛骨動脈と脛骨神経は，長趾屈筋と長母趾屈筋の間にあり，内側・外側足底動脈および内側・外側足底神経に分かれる．
- 後脛骨筋と長趾屈筋の腱は内果の後方で（屈筋支帯の）骨線維性の別々のトンネルを通る．
- **後脛骨動脈の拍動**は通常，内果の後面と踵骨腱の内側縁の間で触知できる．

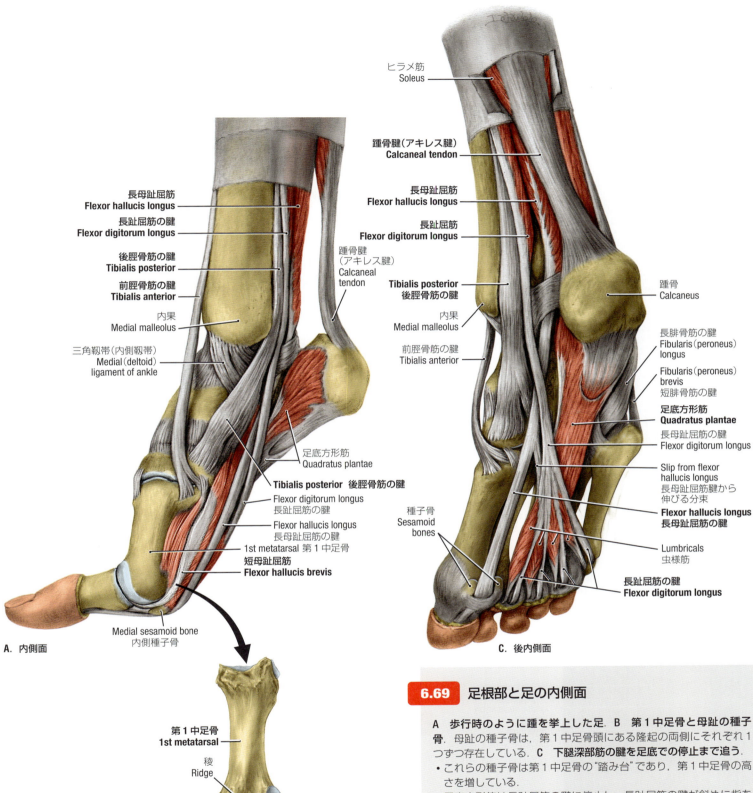

6.69 足根部と足の内側面

A 歩行時のように踵を挙上した足．B 第1中足骨と母趾の種子骨．母趾の種子骨は，第1中足骨頭にある隆起の両側にそれぞれ1つずつ存在している．C 下腿深部筋の腱を足底での停止まで追う．

- これらの種子骨は第1中足骨の"踏み台"であり，第1中足骨の高さを増している．
- 足底方形筋は長趾屈筋の腱に停止し，長趾屈筋の腱が斜めに指を引こうとするのを修正する．
- 長母趾屈筋は3つの滑車を使って方向を変える．第1は脛骨遠位端の後面の溝，第2は距骨後面の溝，第3は載距突起の下方の溝である．
- 長趾屈筋は後脛骨筋の表層でこれと交叉する．交叉する位置は内果の後上方である．

560 下肢　下腿の後面

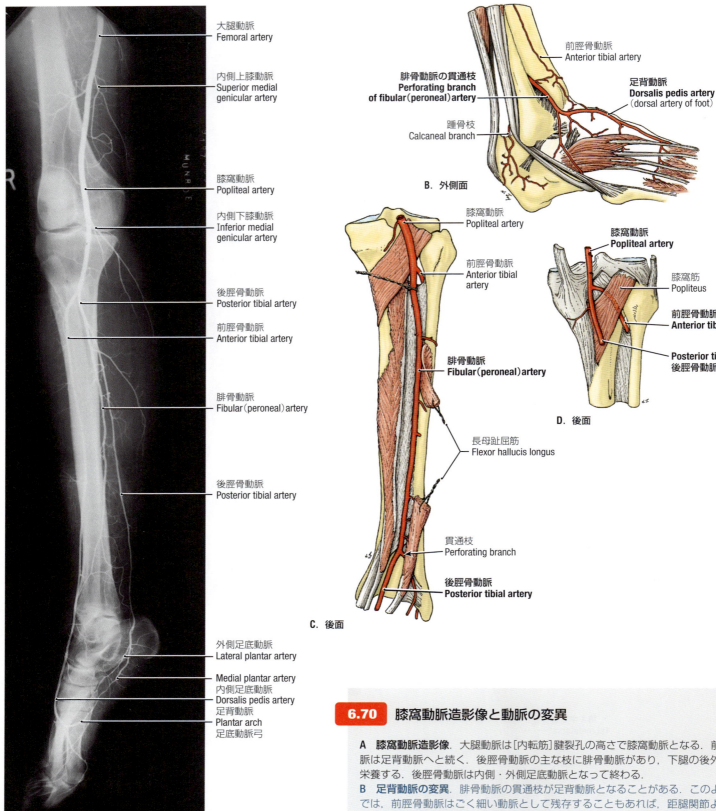

A. 前内側面像

B. 外側面

C. 後面

D. 後面

6.70　膝窩動脈造影像と動脈の変異

A　膝窩動脈造影像．大腿動脈は［内転筋］腱裂孔の高さで膝窩動脈となる．前脛骨動脈は足背動脈へと続く．後脛骨動脈の主な枝に腓骨動脈があり，下腿の後外側部を栄養する．後脛骨動脈は内側・外側足底動脈となって終わる．

B　足背動脈の変異．腓骨動脈の貫通枝が足背動脈となることがある．このような例では，前脛骨動脈はごく細い動脈として残存することもあれば，距腿関節より近位で消失することもある．

C　後脛骨動脈の欠損例．腓骨動脈が代償的に肥大するのがおよそ5％の脚でみられる．

D　膝窩動脈が高い位置で分岐し，前脛骨動脈が膝窩筋の前方を下行する．このような変異はおよそ2％の脚にみられる．

下腿の後面　下肢

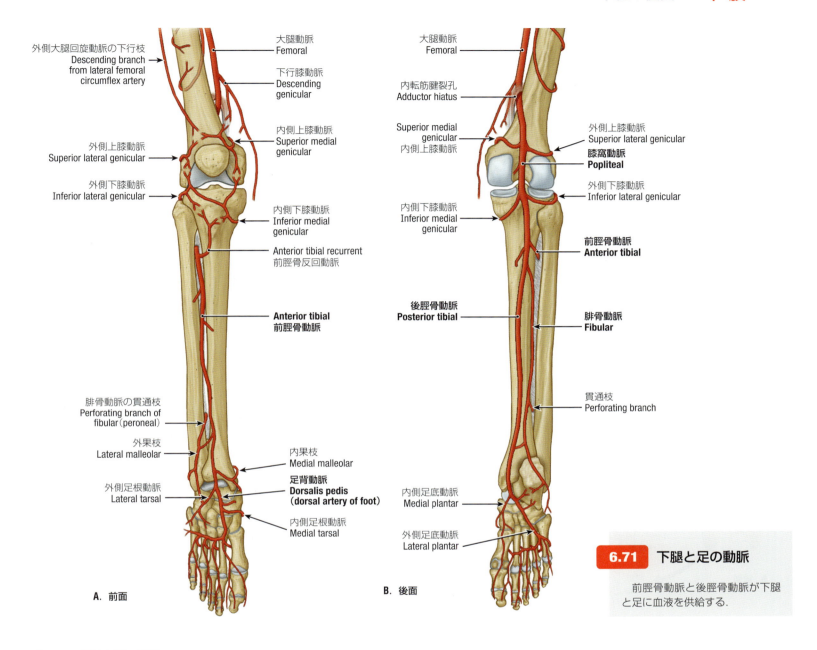

6.71 下腿と足の動脈

前脛骨動脈と後脛骨動脈が下腿と足に血液を供給する.

表 6.15 下肢と足の動脈

動脈	起始	走行	分布
膝窩動脈	大腿動脈の延長で，[内転筋]腱裂孔の高さから始まる.	膝窩を通過して下腿に入り，膝窩筋の下縁で前・後脛骨動脈に分かれる.	膝動脈を介して，膝の両側に分布する.
前脛骨動脈	膝窩動脈	下腿骨間膜の上方の隙間を通じて脛骨と腓骨の間を通り下腿の前区画へ出て，下腿骨間膜に沿って前脛骨筋と長趾伸筋の間を下行する.	下腿の前区画
足背動脈	前脛骨動脈の延長で，距腿関節の高さから始まる.	第1・2中足骨の間へ向かって下行し，足の第1骨間筋を貫いて深足底動脈となり，深足底動脈弓に接続する.	足背の筋群に分布する.
後脛骨動脈	膝窩動脈	下腿の後区画を通過し，内果の後方で内側・外側足底動脈に分かれて終わる.	下腿の後および外側区画に分布する. 脛骨の栄養動脈も分枝する.
腓骨動脈	後脛骨動脈	下腿骨間膜の後方で，下腿の後区画を下行する.	下腿の後区画に分布する. 貫通枝は外側区画にも分布する.
内側足底動脈	後脛骨動脈	母趾外転筋と短趾屈筋の間に位置する.	主に母趾の筋と足底の内側面の皮膚に分布する.
外側足底動脈	後脛骨動脈	母趾外転筋と短趾屈筋の深部を前外側方へ走行し，深足底動脈弓をつくりながら内側へ曲がる.	足底の残りの部分に分布する.

562　下肢　脛腓関節

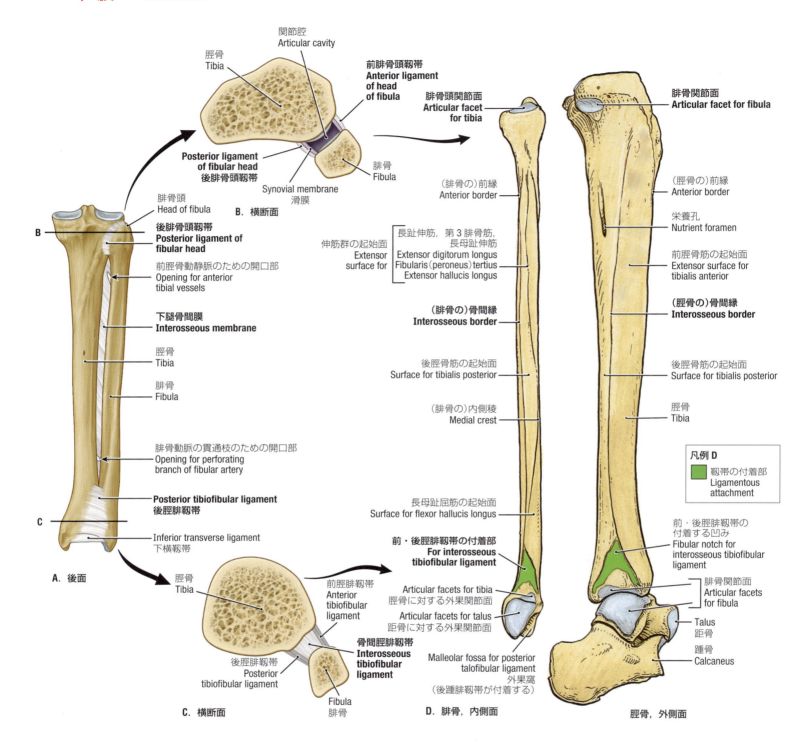

6.72 脛腓関節と脛腓靱帯結合

A　脛骨と腓骨の連結（脛腓関節，下腿骨間膜，脛腓靱帯結合）．B　脛腓関節．C　脛腓靱帯結合．D　脛骨と腓骨（分離した状態）．

- 脛腓関節は，滑膜性の平面関節であり，腓骨頭にある平らな関節面（腓骨頭関節面）と脛骨外側顆の後外側にある同様の関節面（腓骨関節面）との間で形成されている．関節包は，脛骨と腓骨にある関節面の辺縁に付着し，ピンと張っている．
- 脛腓靱帯結合は線維性の連結である．この結合は，外果を距骨の外側面にしっかりと接触させ，距腿関節の安定性に重要な役割を果たしている．骨間脛腓靱帯は強い靱帯で，脛骨と腓骨の遠位端を連結する主要な構造である．この靱帯は上方で下腿骨間膜に連なる．

足底　下肢　563

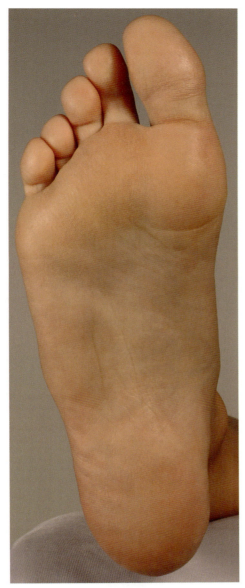

A. 足底面

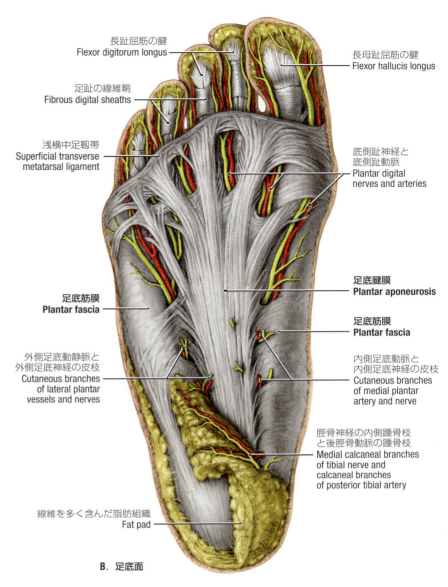

- 長趾屈筋の腱　Flexor digitorum longus
- 長母趾屈筋の腱　Flexor hallucis longus
- 足趾の線維鞘　Fibrous digital sheaths
- 浅横中足靱帯　Superficial transverse metatarsal ligament
- 底側趾神経と底側趾動脈　Plantar digital nerves and arteries
- 足底筋膜　Plantar fascia
- 足底腱膜　Plantar aponeurosis
- 足底筋膜　Plantar fascia
- 外側足底動静脈と外側足底神経の皮枝　Cutaneous branches of lateral plantar vessels and nerves
- 内側足底動脈と内側足底神経の皮枝　Cutaneous branches of medial plantar artery and nerve
- 脛骨神経の内側踵骨枝と後脛骨動脈の踵骨枝　Medial calcaneal branches of tibial nerve and calcaneal branches of posterior tibial artery
- 線維を多く含んだ脂肪組織　Fat pad

B. 足底面

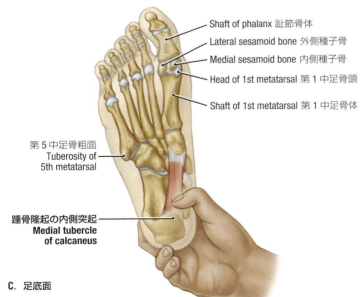

- Shaft of phalanx　趾節骨体
- Lateral sesamoid bone　外側種子骨
- Medial sesamoid bone　内側種子骨
- Head of 1st metatarsal　第1中足骨頭
- Shaft of 1st metatarsal　第1中足骨体
- 第5中足骨粗面　Tuberosity of 5th metatarsal
- 踵骨隆起の内側突起　Medial tubercle of calcaneus

C. 足底面

6.73　足底の浅部

A　体表解剖．B　解剖図．足底腱膜と足底筋膜，神経と動脈．
C　踵骨の内側結節の触知．

足底腱膜炎はランニングや運動量の多いエアロビクスにより生じることがあり，特に運動時の靴が足に合っていない場合に起こりやすい．足底腱膜炎では，踵の足底面や足の内側面に痛みが生じ，足底腱膜の踵骨隆起（内側突起）への付着部や踵骨の内側面に圧痛を認める．また，この炎症では母趾を他動的に伸展すると痛みが増し，足を背屈させたり体重をかけたりする（あるいはその両方を行う）と痛みがさらに増す場合がある．

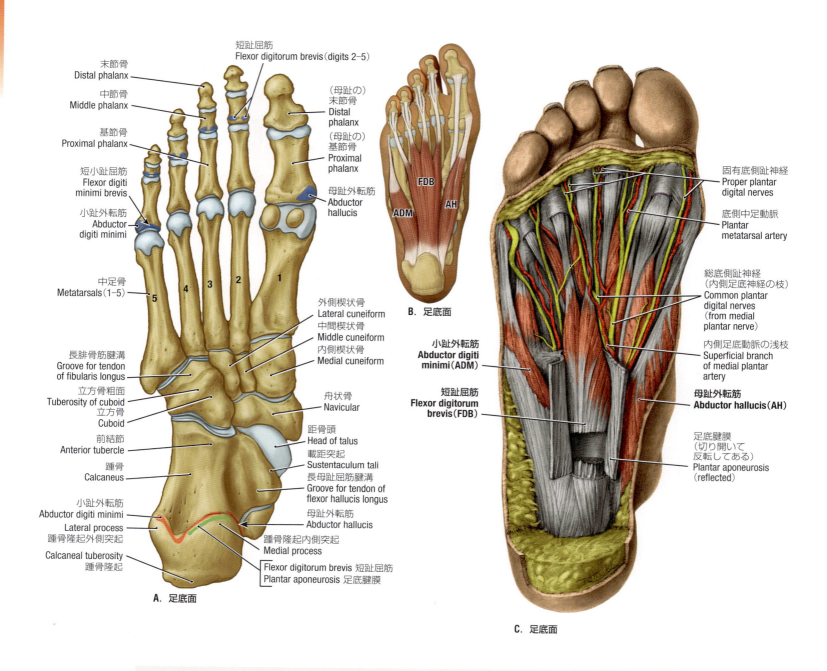

6.74 足底の筋（第1層）

A 筋の起始と停止． B 筋の概観． C 解剖図．筋と神経，動脈．

表 6.16 足底の筋群（第1層）

筋	起始	停止	神経支配	作用[a]
母趾外転筋	踵骨隆起内側突起，屈筋支帯，足底腱膜	母趾基節骨底の内側面	内側足底神経（L5，S1）	母趾の外転と屈曲
短趾屈筋	踵骨隆起内側突起，足底腱膜，筋間中隔	母趾以外の4趾中節骨の両面		母趾以外の4趾の屈曲
小趾外転筋	踵骨隆起（内側・外側突起），足底腱膜，筋間中隔	小趾基節骨底の外側面	外側足底神経（S1-S3）	小趾の外転と屈曲

[a] この表では個々の筋の作用を列挙しているが，足底筋群には共同して足底弓を負荷（足底弓を扁平化しようとする力）から保護する重要な役割もある．

足底　下肢

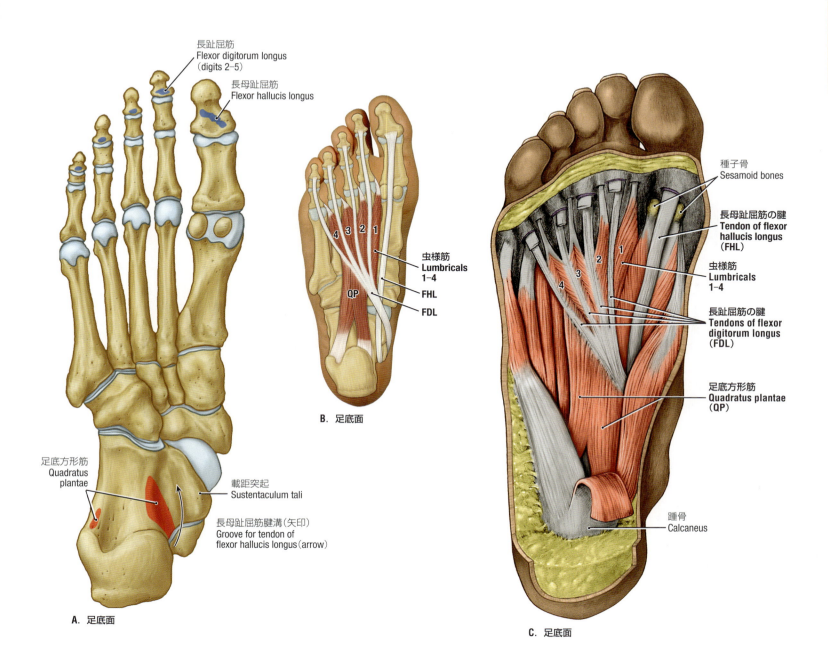

6.75 足底の筋（第2層）
A　筋の起始と停止．B　筋の概観．C　解剖図．原位置での筋肉．

表 6.17　足底の筋群（第2層）

筋	起始	停止	神経支配	作用[a]
足底方形筋	踵骨足底面の内側面と外側縁	長趾屈筋腱の後外側縁	外側足底神経（S1–S3）	長趾屈筋を補助
虫様筋	長趾屈筋腱	母趾以外の4趾の伸筋腱膜の内側面	第1虫様筋：内側足底神経（L5, S1） 第2–4虫様筋：外側足底神経（S1–S3）	母趾以外の4趾の基節骨を屈曲し，中節骨・末節骨を伸展

[a] この表では個々の筋の作用を列挙しているが，足底筋群には共同して足底弓を負荷（足底弓を扁平化しようとする力）から保護する重要な役割もある．

566 下肢　足底

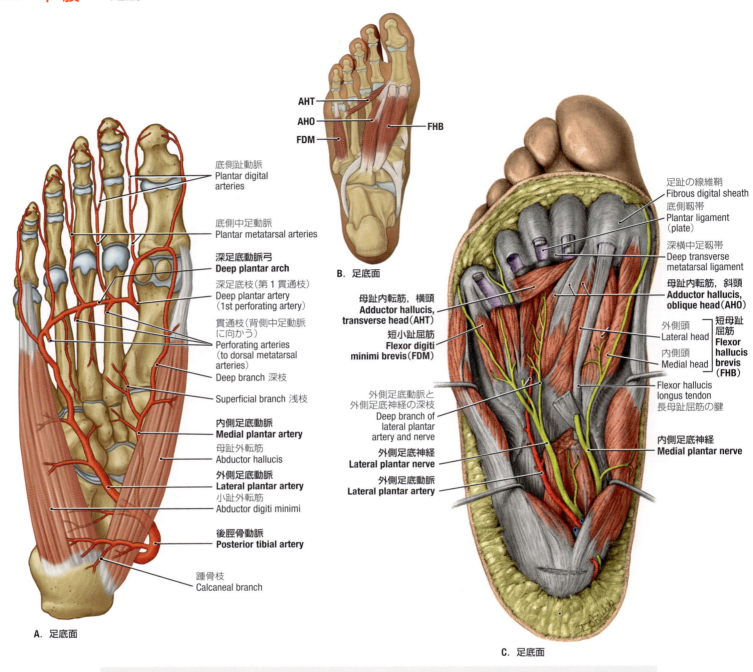

6.76 足底の筋（第3層）

A 足底の動脈．B 筋の概観．C 解剖図．筋，神経血管．

表6.18　足底の筋群（第3層）

筋	起始	停止	神経支配	作用[a]
短母趾屈筋	立方骨と外側楔状骨の足底面	母趾基節骨底の両面	内側足底神経（L5, S1）	母趾基節骨の屈曲
母趾内転筋	斜頭：第2-4中足骨の底 横頭：中足趾節関節（MP関節）の底側靱帯	両頭の腱が母趾基節骨底の外側面に停止	外側足底神経（S1-S3）深枝	母趾の内転，縦足弓の維持の補助
短小趾屈筋	第5中足骨の底	小趾基節骨底	外側足底神経（S1-S3）浅枝	小趾基節骨の屈曲とそれによる小母趾の屈曲の補助

[a] この表では個々の筋の作用を列挙しているが，足底筋群には共同して足底弓を負荷（足底弓を扁平化しようとする力）から保護する重要な役割もある．

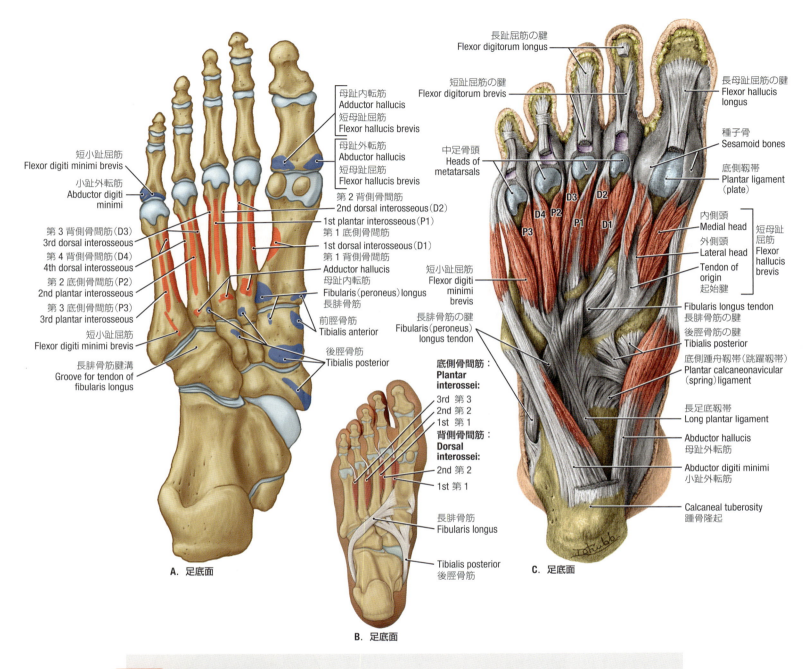

6.77 足底の筋（第4層）

A 第3, 4層の筋の起始と停止． B 筋の概観． C 解剖図．筋と靱帯．

表6.19 足底の筋群（第4層）

筋	起始	停止	神経支配	作用[a]
底側骨間筋（3筋，P1-P3）	第3-5中足骨の底と内側面	第3-5趾基節骨底の内側面	外側足底神経（S1-S3）	第3-5趾の内転，中足趾骨関節の屈曲
背側骨間筋（4筋，D1-D4）	第1-5中足骨のお互いに向かい合う面	第1背側骨間筋：第2趾基節骨の内側面 第2-4背側骨間筋：第2-4中足骨の外側面		第2-4趾の外転，中足趾骨関節の屈曲

[a] この表では個々の筋の作用を列挙しているが，足底筋群には共同して足底弓を負荷（足底弓を扁平化しようとする力）から保護する重要な役割もある．

568 下肢　距腿関節，距踵関節，足関節

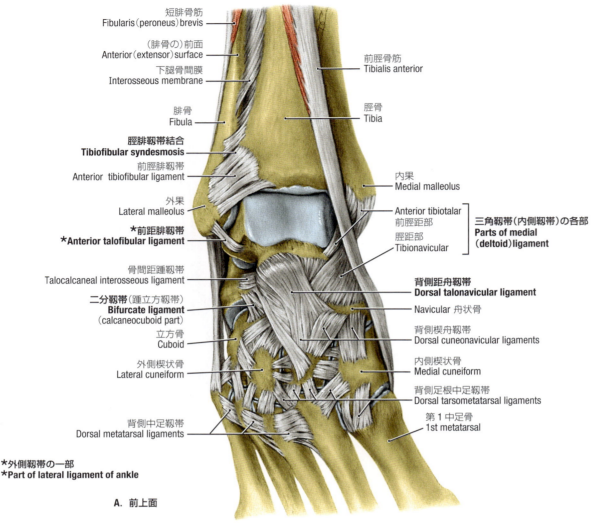

A. 前上面

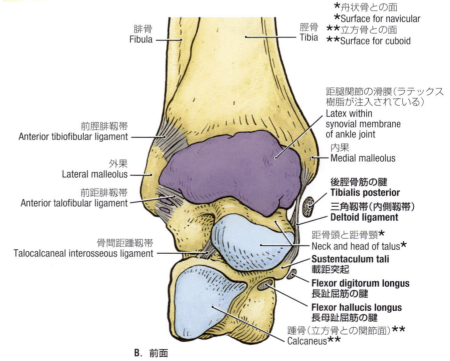

B. 前面

6.78　距腿関節，および足背の靱帯

A　解剖図．距腿関節は底屈し，その前面の関節包は取り除いてある．二分靱帯はY字型をしており，踵立方靱帯と踵舟靱帯からなる．背側距舟靱帯は横足根関節の背側にある主要な靱帯であることに注目すること．B　距腿関節の関節腔にラテックス樹脂を注入して，関節包を膨張させてある．以下の腱と載距突起の関係に注目すること．長母趾屈筋の腱は載距突起の下に，長趾屈筋の腱はその内側面に沿い，後脛骨筋の腱は載距突起の上方で三角靱帯（内側靱帯）と接している．

　足首が強制的に外反されると，三角靱帯（内側靱帯）が強い力で引き伸ばされ，この靱帯が断裂したり，靱帯の付着部である内果に剥離骨折が生じることが多い．さらにこのような場合，外果が距骨によって圧迫されるため，脛腓靱帯結合が離開したり，外果骨折を伴ったりすることも多い．足首の強制的な外反により，外果骨折，三角靱帯（内側靱帯）の断裂，脛腓靱帯結合の離開（脱臼）の3つが同時に生じた場合，これを**ポット(Pott)の脱臼骨折**と呼ぶ．

距腿関節，距踵関節，足関節

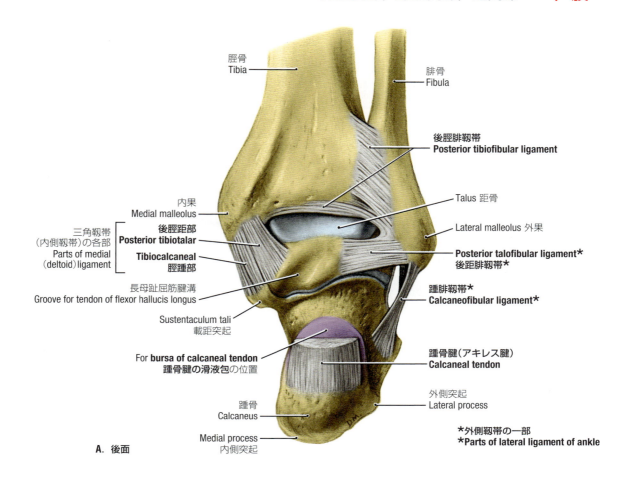

A. 後面

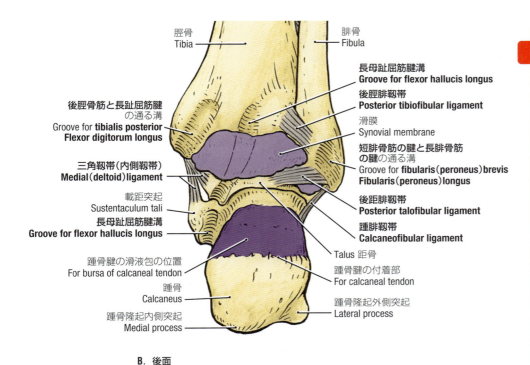

B. 後面

6.79 距腿関節の後面

A 解剖図．B 距腿関節の関節腔にラテックス樹脂を注入して，関節包を膨張させてある．距腿関節の後面中央を縦に走る長母趾屈筋腱溝，内果後面にある2本の腱のための溝，および外果後面にある2本の腱のための溝に注目すること．

- 距腿関節の後面は，後脛腓靱帯の下部線維（水平方向に走る部分）および後距腓靱帯によって強化されている．
- 距腿関節は，踵腓靱帯に外側から支えられ，三角靱帯（内側靱帯）の後脛距部および脛踵部に内側から支えられている．
- 長母趾屈筋腱溝は距骨の内側・外側結節の間にあり，距骨の載距突起の下方へと続いている．

踵骨腱と踵骨後面の上部の間には踵骨腱包が存在し，ここに炎症（**踵骨腱包炎**）が起こると踵の後部に痛みが生じる．踵骨腱包炎は，長距離走やバスケットボール，テニスの選手にみられる場合が多く，こういった運動に伴い踵骨腱は踵骨腱包の表面で連続的に滑り，踵骨腱包が繰り返し擦られることで生じる．

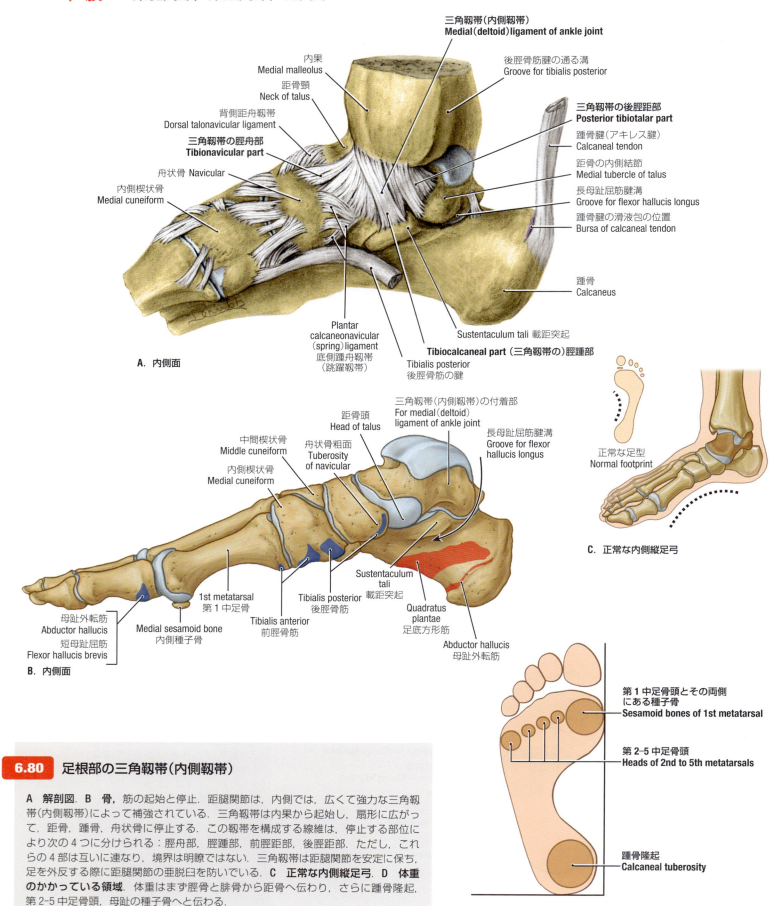

6.80 足根部の三角靭帯（内側靭帯）

A 解剖図．B 骨，筋の起始と停止．距腿関節は，内側では，広くて強力な三角靭帯（内側靭帯）によって補強されている．三角靭帯は内果から起始し，扇形に広がって，距骨，踵骨，舟状骨に停止する．この靭帯を構成する線維は，停止する部位により次の4つに分けられる：脛舟部，脛踵部，前脛距部，後脛距部．ただし，これらの4部は互いに連なり，境界は明瞭ではない．三角靭帯は距腿関節を安定に保ち，足を外反する際に距腿関節の亜脱臼を防いでいる．C 正常な内側縦足弓．D 体重のかかっている領域．体重はまず脛骨と腓骨から距骨へ伝わり，さらに踵骨隆起，第2-5中足骨頭，母趾の種子骨へと伝わる．

距腿関節，距踵関節，足関節　下肢

A	踵骨腱（アキレス腱） Calcaneal (Achilles) tendon
Ca	踵骨 Calcaneus
Cb	立方骨 Cuboid
Cu	楔状骨 Cuneiforms
F	皮下脂肪 Fat
L	外果 Lateral malleolus
M	内果 Medial malleolus
MT	中足骨 Metatarsals
N	舟状骨 Navicular
S	載距突起 Sustentaculum tali
Su	重なって写っている脛骨と腓骨 Superimposed tibia and fibula
T	距骨 Talus
TF	脛腓靱帯結合 Tibiofibular syndesmosis
TH	距骨頭 Head of talus
TN	距骨頚 Neck of talus
TS	足根洞 Tarsal sinus

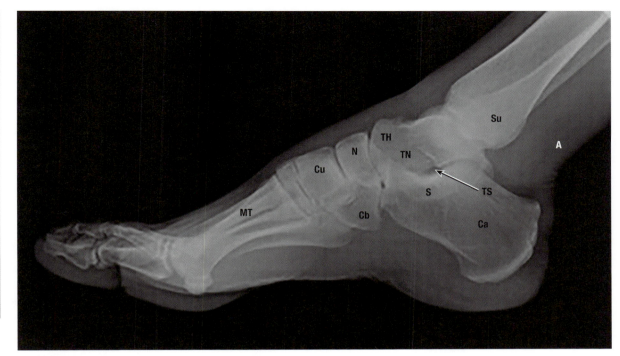

A. 内側面

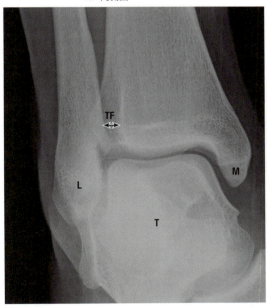

B. 前後像

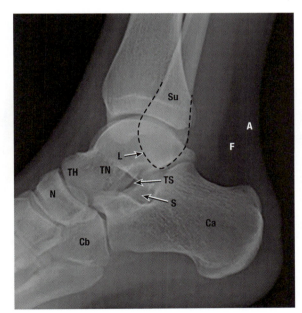

C. 外側面

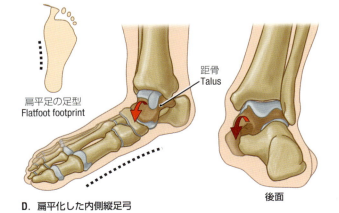

D. 扁平化した内側縦足弓

6.81　足首と足のX線像

A–C 足首の領域と足根骨の画像．**D 扁平足**．後天性の扁平足は後脛骨筋が外傷や加齢による変性，神経損傷により機能不全に陥った場合に二次的に生じる．後脛骨筋による能動的な支持がなくなると，底側踵舟靭帯は距骨頭を支えきれなくなり，距骨頭は下内側方に偏位する．結果として，内側縦足弓が扁平化し，足の前部は外側に偏位する．扁平足は高齢者によくみられ，特に普段あまり立っていない人が長時間起立を続けたり，急激に体重が増加することで，足底弓を支える筋や靭帯に過度の負荷がかかる場合に生じやすい．

572 下肢　距腿関節，距踵関節，足関節

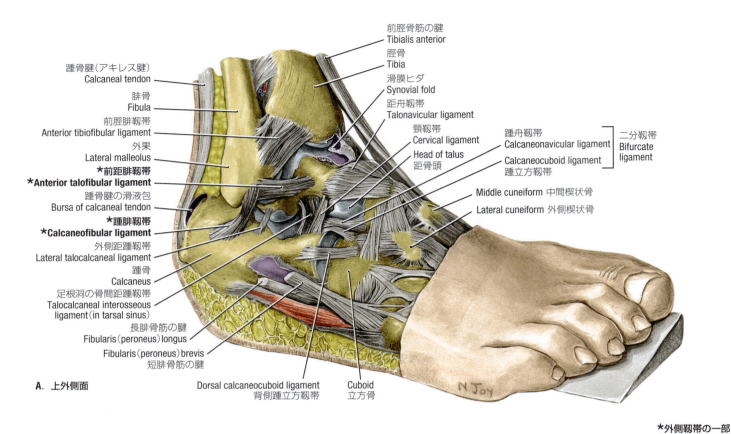

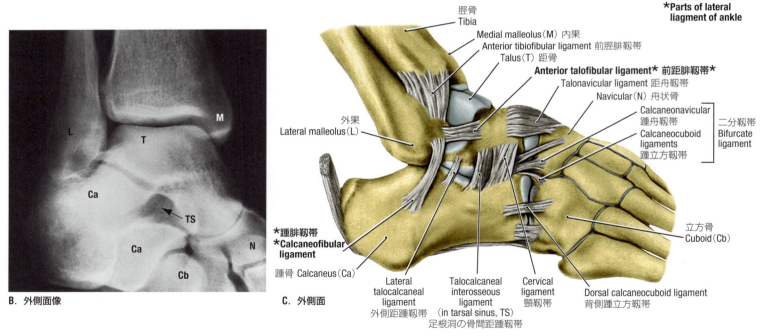

6.82 足根部の外側靱帯

A　解剖図．楔形の板に足を載せ，足を内反してある．B　足首のX線像（側面像，略号はCと対応する）．C　解剖図．

距腿関節は，外側では外側靱帯によって補強されている．外側靱帯は次の3つの分離した靱帯からなる．(1)前距腓靱帯，扁平で脆弱な靱帯，(2)踵腓靱帯，断面の丸い索状の靱帯であり，外果から後下方に向かって走る，(3)後距腓靱帯，外果から後内側に向かって走る強力な靱帯（図6.79A参照）．

足首の捻挫（靱帯の一部あるいは全体が断裂した状態）はよくみられる外傷の1つで，底屈位で荷重がかかり強制的に内反された際に生じることが多い．足首の捻挫では，前距腓靱帯が最も傷害を受けやすく，踵腓靱帯もしばしば断裂する．これらの靱帯の断裂により距腿関節は不安定になる．

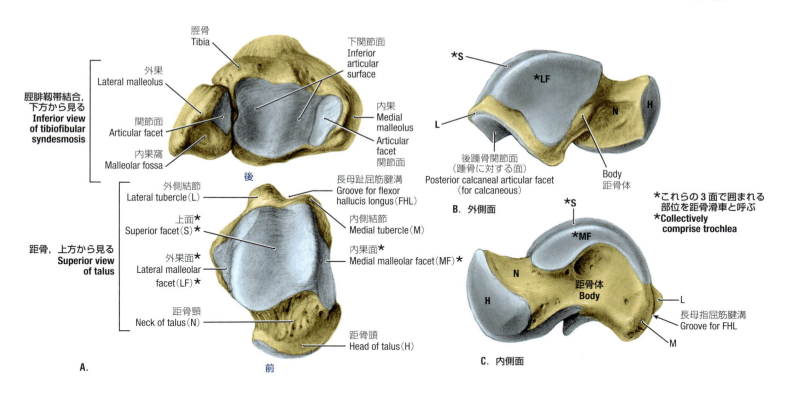

6.83 距腿関節の関節面

A 脛骨および腓骨の遠位部から外された距骨の上面．距骨上部の関節面は，後方より前方の方が幅広いため，距骨を両側から挟んでいる内果と外果は，足の背屈時に両者を引き離すような力を受ける．距腿関節は完全底屈時より完全背屈位のほうが安定する．これは底屈時には，脛骨および腓骨は距骨上面の関節面のうちより幅が狭い後部と関係するため，距腿関節を左右に振る動きが可能となり，この肢位では関節が不安定になるためである．

B 距骨の外側面．三角形の領域が外果と関節をなす．

C 距骨の内側面．"コンマ"型の領域が内果と関節をなす．

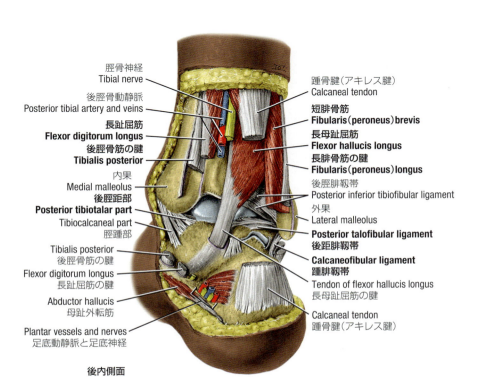

6.84 足首の靱帯と筋・神経血管構造との関係

- 長母趾屈筋は内果と外果の中間にあり，長趾屈筋と後脛骨筋の腱は長母趾屈筋の内側に，長・短腓骨筋の腱は外側に位置する．
- 足根部で最も強靱な靱帯は，下腿の骨が前方にずれるのを防ぐ部分，すなわち三角靱帯の後部（後脛距部と脛踵部）と外側靱帯（後距腓靱帯と踵腓靱帯）である．

574 下肢　距腿関節，距踵関節，足関節

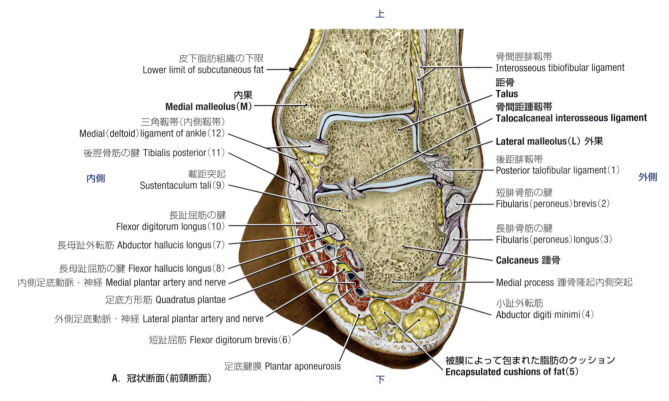

A．冠状断面（前頭断面）

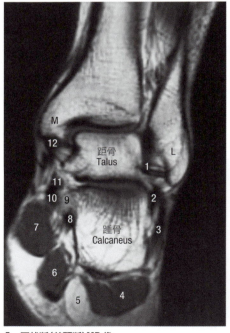

B．冠状断（前頭断）MR像

6.85 足根部を通る冠状断面（前頭断面）とMR像

A　冠状断面（前頭断面）．B　冠状断（前頭断）MR像（番号はAの構造に対応する）．
- 脛骨は距骨に載り，距骨は踵骨に載っている．踵骨と皮膚の間には，被膜で包まれた脂肪のクッションがある．
- 外果は内果より低い位置にある．
- 距骨と踵骨の間にある骨間距踵靱帯が，距踵関節と距踵舟関節を隔てている．

距腿関節，距踵関節，足関節 下肢 575

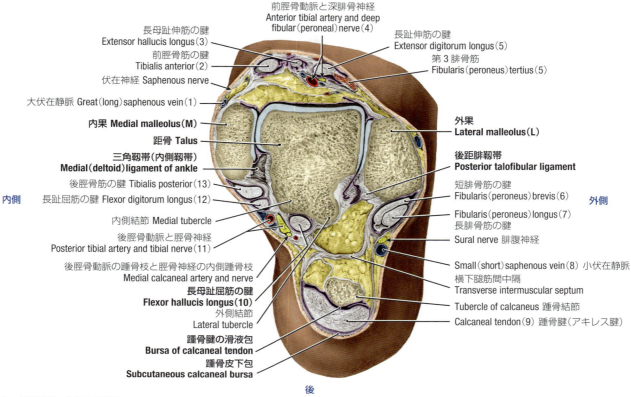

A. 水平断面，上方から見る

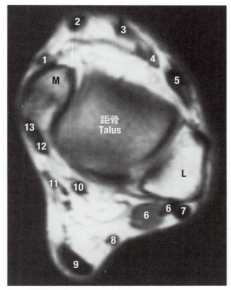

B. 水平断MR像

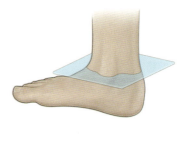

6.86 足根部を通る水平断面とMR像

A 水平断面．B 水平断MR像（番号はAの構造に対応する）．
- 距骨体は楔形で，内果と外果の間に位置し，三角靱帯（内側靱帯）および後距腓靱帯によって内果・外果と結合している．
- 長母趾屈筋は距骨の内側結節と外側結節の間にある骨線維性の鞘を通る．
- 踵骨腱（アキレス腱）の深層には大きな滑液包（踵骨腱の滑液包）が常に存在し，踵骨腱と皮膚の間には不定の小さな滑液包（踵骨皮下包）がみられる場合がある．

576 下肢　距腿関節，距踵関節，足関節

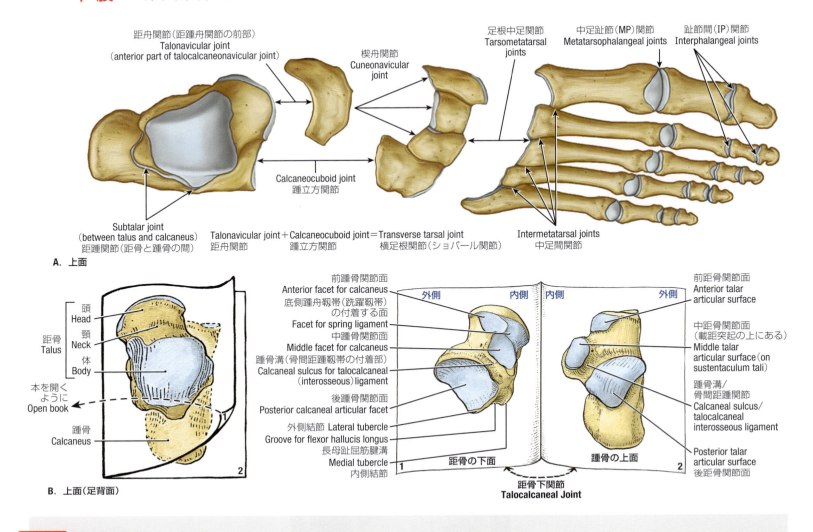

6.87 足の関節

A 概観．B 距骨下関節．

表6.20 足の関節

関節	種類	関節面	関節包	靱帯	運動
距踵関節	滑膜性，平面関節	距骨体下面が踵骨上面と関節	関節面の縁に付着	内側・外側・後距踵靱帯が関節包を支持，骨間距踵靱帯が骨どうしを結合	足の内反と外反
距踵舟関節	滑膜性，距舟部はボールとソケットのような形状	距骨頭が踵骨と舟状骨に関節	関節を不完全に覆う	底側踵舟靱帯(跳躍靱帯)が距骨頭を支持	滑りと回旋
踵立方関節	滑膜性，平面関節	踵骨前端が立方骨後面と関節	関節を覆う	背側踵立方靱帯，底側踵立方靱帯，長足底靱帯が関節包を支持	足の内反と外反
楔舟関節	滑膜性，平面関節	舟状骨前面が内側・中間・外側楔状骨の後面と関節	共通の関節包	足背と足底の靱帯	可動性はほとんどない
足根中足関節	滑膜性，平面関節	足根骨前面が中足骨底と関節	関節を覆う	足背，足底，骨間の靱帯	滑走運動
中足間関節	滑膜性，平面関節	中足骨の底どうしが関節	それぞれの関節を覆う	足背，足底，骨間の靱帯が骨同士を結合	可動性はほとんどない
中足趾節関節(MP関節)	滑膜性，顆状関節	中足骨遠位端が基節骨底と関節	それぞれの関節を覆う	側副靱帯と底側靱帯が関節を支持	屈曲，伸展，若干の外転，内転
趾節間関節(IP関節)	滑膜性，蝶番関節	基節骨もしくは中節骨の頭がそれより遠位にある指骨の底と関節	それぞれの関節を覆う	側副靱帯と底側靱帯が関節を支持	屈曲と伸展

距腿関節，距踵関節，足関節　下肢 577

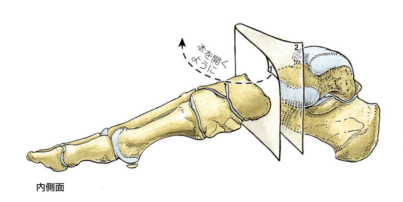

内側面

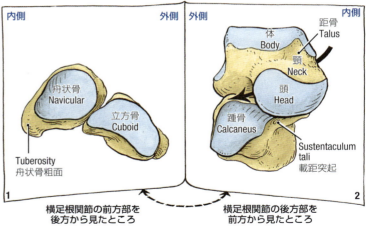

C．横足根関節（ショパール関節）

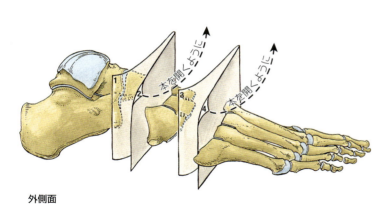

外側面

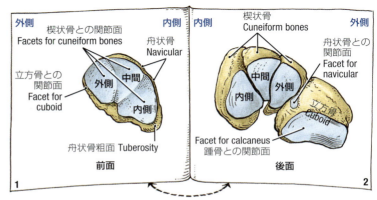

D．楔舟関節と立方舟関節

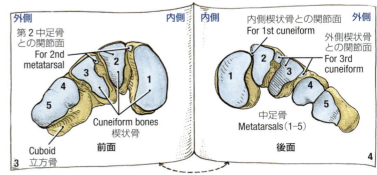

E．足根中足関節

6.87 足の関節（続き）

C　横足根関節（ショパール関節）．黒く太い矢印は足根洞を通っているが，その中には骨間距踵靱帯がある．D　楔舟関節，立方舟関節．E　足根中足関節．

- 内反や外反を可能にする関節は，距踵関節，距踵舟関節，横足根関節〔ショパール（Chopart）関節，踵立方関節と距舟関節の複合〕である．

- 距骨は，距腿関節，前・後距踵関節，距舟関節によって他の骨と接する．**中足骨骨折（ダンサー骨折）**はダンサーがバランスを失い，中足骨に全体重がかけられた場合に生じることが多い．**中足骨の疲労骨折**は長時間の歩行により中足骨に反復性のストレスがかけられた際に生じることがある．

578 下肢　距腿関節，距踵関節，足関節

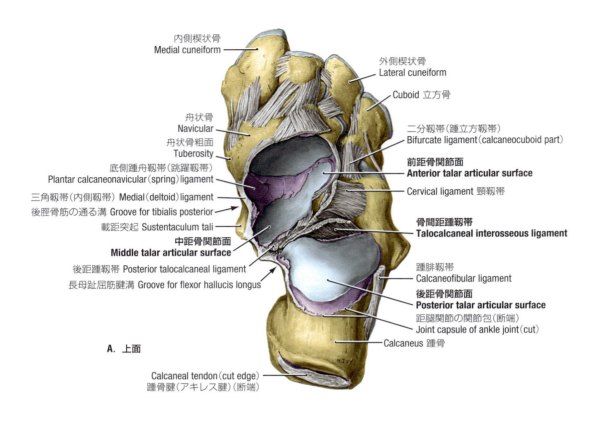

A．上面

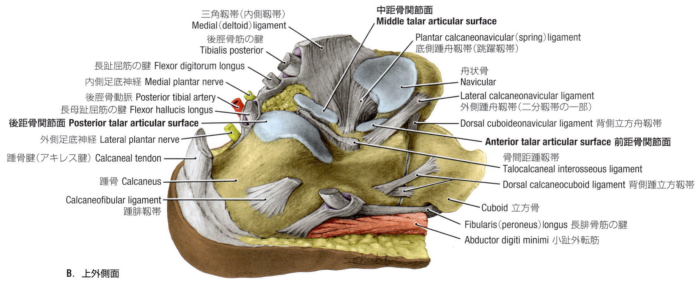

B．上外側面

6.88 内反と外反にかかわる関節

　内反や外反を可能にする関節は，距踵関節，距踵舟関節，横足根関節〔ショパール（Chopart）関節，踵立方関節と距舟関節の複合〕である．
A　足の後部と中央部．距骨は取り除いてある．
B　足の後部．距骨は取り除いてある．凸面をなす後距骨関節面と，凹面をなす中・前距骨関節面とは，足根洞の中にある骨間距踵靱帯によって分けられている．前距踵関節と後距踵関節は，距骨溝と踵骨溝によって隔てられて

いる．この2つの溝は，距骨と踵骨が関節しているときには合わさって足根洞となる．
　踵骨骨折．転落して踵を強く打ち付けた（例えば，梯子を踏み外して落下した）際に，踵骨がいくつかの断片に骨折する場合がある（粉砕骨折）．踵骨骨折では，距踵関節での運動を妨げられ，重篤な歩行障害をきたす．

距腿関節，距踵関節，足関節　　下　肢　579

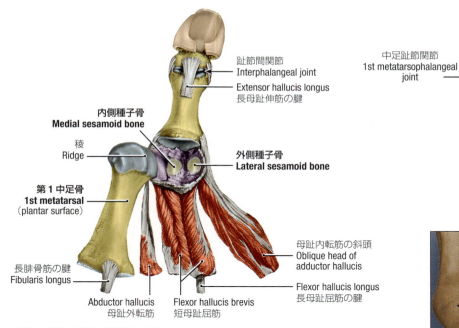

A. 指節骨，爪，右母趾の上面，第1中足骨の側面，種子骨の上面

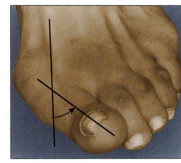

B. 外反母趾

6.89 母趾の中足趾節関節

A　**第1中足骨と母趾の種子骨**．第1中足骨は内側に反転してある．
B　**外反母趾**は靴による母趾の圧迫や関節の変性疾患によって生じる足の変形であり，第1中足骨頭と母趾の基節骨頭の外側への偏位を特徴とする．母趾の偏位が著しくなり，母趾が第2趾の上に乗りかかるようになる場合もある．このような重症の患者では，本来第1中足骨頭の下に位置している種子骨が第1・2中足骨頭の間に偏位しており，このため母趾を第2趾から離すことができない．また，外反母趾の患者では，靴の圧迫と摩擦により，二次的に皮下滑液包が形成される場合もある．この滑液包に炎症が生じ，滑液包水腫や滑液包壁の肥厚を伴うようになると，これを**腱膜瘤（バニオン）**と呼ぶ．

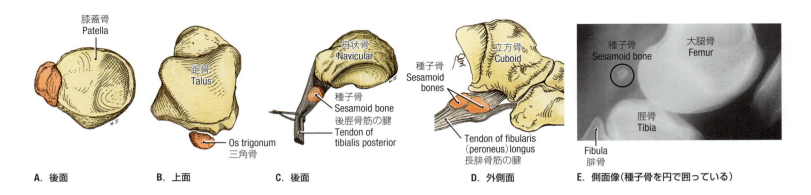

A. 後面　　B. 上面　　C. 後面　　D. 外側面　　E. 側面像（種子骨を円で囲っている）

6.90 骨の変異

A　**二分膝蓋骨**（bipartite patella）．膝蓋骨の上外側角が独立に骨化して別の骨として残ることがある．
B　**三角骨**（足根三角骨，os trigonum）．距骨の外側（後）突起は独立した骨化中心を持ち，7-13歳のころに現れる．これが，この図の左のように距骨体と融合できない場合，三角骨（足根三角骨）と呼ばれる．この変異は成人558足のうち7.7%にみられ，22例では両側性，21例では一側性であった．
C　**後脛骨筋の腱にある種子骨**が，成人348例の23%にみられた．
D　**長腓骨筋の腱にある種子骨**が，92足のうち26%にみられた．この標本では，種子骨は二分し，長腓骨筋には第5中足骨へ停止する過剰腱がある．
E　**ファベラ**（fabella）．腓腹筋外側頭に位置する種子骨で，116足のうち21.6%にみられた．

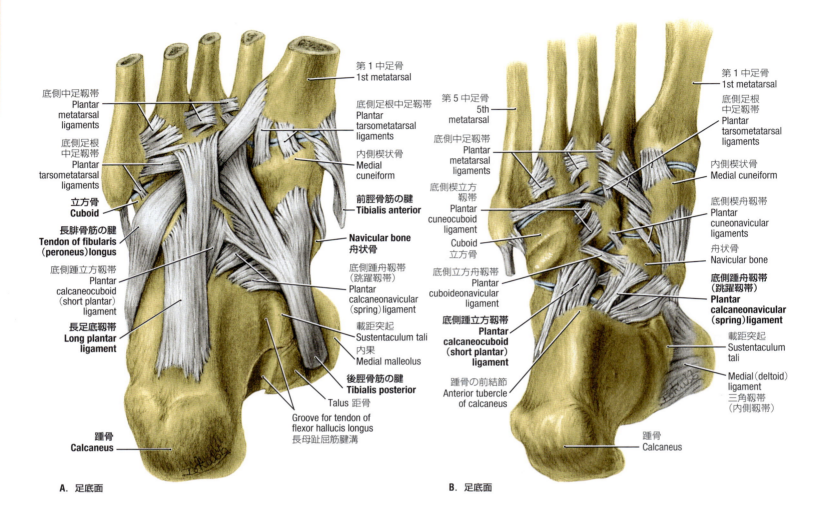

A. 足底面

B. 足底面

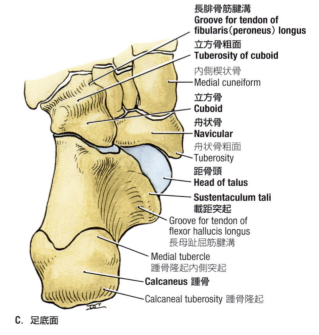

C. 足底面

6.91 足底の靱帯

A 浅部の靱帯の解剖図．B 深部の靱帯の解剖図．C 示した靱帯より深部にある骨．距骨頭は踵骨の載距突起と舟状骨の間に位置する．

Aでは
- 長腓骨筋，前脛骨筋，後脛骨筋の3本の長い腱の停止に注目すること．
- 長腓骨筋の腱は立方骨前部にある長腓骨筋腱溝を通って足底を横断し，長足底靱帯の線維の一部と連絡して，第1中足骨底に停止する．
- 後脛骨筋の腱が横足根関節〔ショパール（Chopart）関節〕より前方の骨まで伸びている点に注目すること．

Bでは
- 底側踵立方靱帯（短足底靱帯）と底側踵舟靱帯（跳躍靱帯）は横足根関節を足底側で支える主要な靱帯である．
- 歩行時に母趾に体重がかかると，第1中足骨を後方へ押し出そうとする反力が生じる．この反力は，内側楔状骨を介して，舟状骨と距骨へ直線的に伝わる．また，第3中足骨および外側楔状骨の両側から後側方に向かって靱帯が複数の靱帯が広がっているため，第1中足骨にかかる反力は，第2中足骨・中間楔状骨・第3中足骨・外側楔状骨を介して，舟状骨へ伝わる．
- 第4・5中足骨を後方へ押し出そうとする反力は，立方骨と踵骨へと直線的に伝わる．

断層解剖と断層画像　下肢

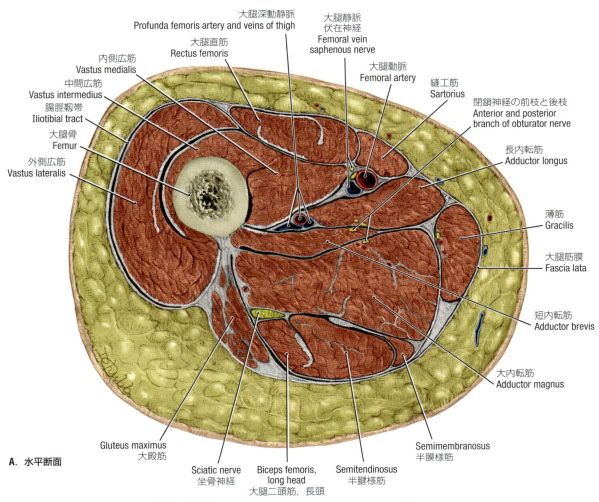

A. 水平断面

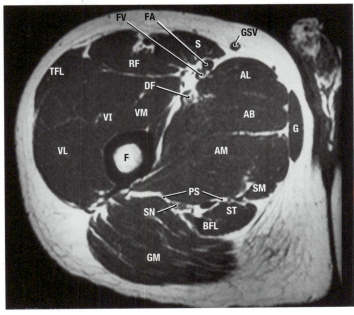

B. 水平断MR像

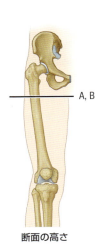

断面の高さ

6.92　大腿の水平断面とMR像

A　大腿近位部の断面．B　大腿近位部の水平断T1強調MR像．

582 下肢　断層解剖と断層画像

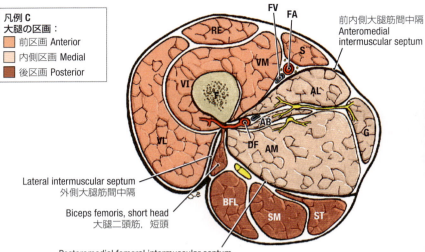

凡例 C
大腿の区画：
- 前区画 Anterior
- 内側区画 Medial
- 後区画 Posterior

C. 水平断面

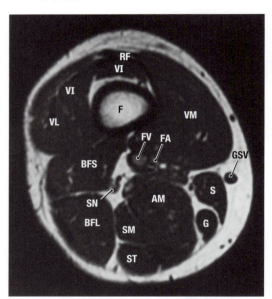

D. 水平断MR像

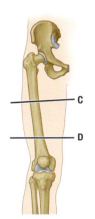

断面の高さ

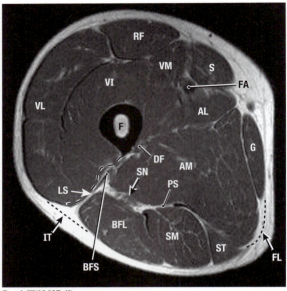

E. 水平断MR像

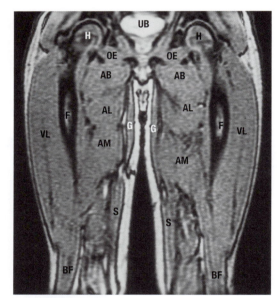

F. 冠状断MR像

凡例 B–F			
AB	短内転筋 Adductor brevis	IT	腸脛靱帯 Iliotibial tract
AL	長内転筋 Adductor longus	LS	外側大腿筋間中隔 Lateral intermuscular septum
AM	大内転筋 Adductor magnus	OE	外閉鎖筋 Obturator externus
BF	大腿二頭筋 Biceps femoris	PS	後大腿筋間中隔 Posterior intermuscular septum
BFL	大腿二頭筋の長頭 Long head of biceps femoris	RF	大腿直筋 Rectus femoris
BFS	大腿二頭筋の短頭 Short head of biceps femoris	S	縫工筋 Sartorius
DF	大腿深動脈 Profunda femoris artery	SM	半膜様筋 Semimembranosus
F	大腿骨 Femur	SN	坐骨神経 Sciatic nerve
FA	大腿動脈 Femoral artery	ST	半腱様筋 Semitendinosus
FL	大腿筋膜 Fascia lata	TFL	大腿筋膜張筋 Tensor fasciae latae
FV	大腿静脈 Femoral vein	UB	膀胱 Urinary bladder
G	薄筋 Gracilis	VI	中間広筋 Vastus intermedius
GM	大殿筋 Gluteus maximus	VL	外側広筋 Vastus lateralis
GSV	大伏在静脈 Great saphenous vein	VM	内側広筋 Vastus medialis
H	大腿骨頭 Head of femur		

6.92 大腿の水平断面とMR像（続き）

C　大腿中央部の断面（模式図）．D　大腿遠位部の水平断MR像．
E　水平断MR像．F　大腿の冠状断MR像．

　大腿には3つの筋膜区画（前区画，内側区画，後区画）がある．1つの区画内の筋群は共通の神経で支配され，その主要な機能も共通している．前区画の筋群は大腿神経支配で膝関節を伸展し，内側区画の筋群は閉鎖神経支配で股関節を内転し，後区画の筋群は坐骨神経支配で膝関節を屈曲する．

断層解剖と断層画像　下　肢

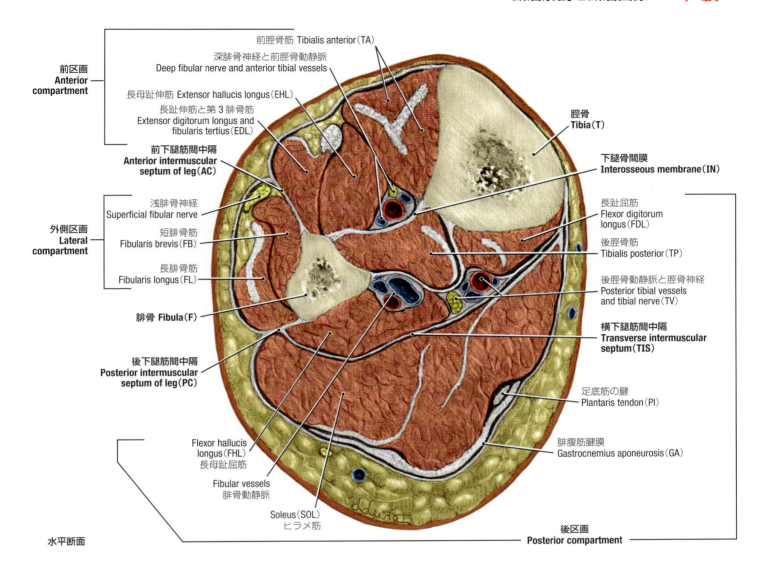

6.93　下腿の水平断面

下腿には3つの筋膜区画（前区画，外側区画，後区画）がある．前区画は，脛骨，下腿骨間膜，腓骨，前下腿筋間中隔，下腿筋膜によって囲まれている．外側区画は，腓骨，前・後下腿筋間中隔，下腿筋膜によって囲まれている．後区画は，脛骨，下腿骨間膜，腓骨，後下腿筋間中隔，下腿筋膜によって囲まれている．後区画は横下腿筋間中隔によって，さらに浅部と深部に分けられる．

下腿のコンパートメント内感染．筋膜区画（コンパートメント）の境界を形成する筋間中隔と深筋膜は強靱であるため，筋膜区画内で化膿性感染が生じ内部の容積が増加すると，区画内の内圧が上昇する．前区画と後区画の感染は主に遠位方向に進展し，外側区画の感染は近位方向に進展し，（おそらくは総腓骨神経に沿って）膝窩に達する．筋膜区画内の圧が著しく高まり，コンパートメント症候群（図6.15参照）を生じた場合は，**筋膜切開**を行い区画内の圧を下げるとともに，デブリードメント（壊死組織や膿瘍の除去）を行う必要がある．

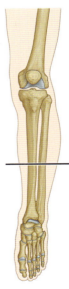

断面の高さ

584 下肢　断層解剖と断層画像

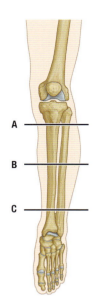

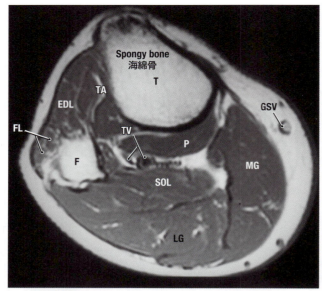

A. 水平断 MR 像

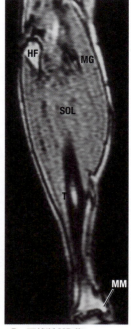

D. 冠状断 MR 像

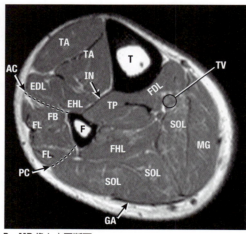

B. MR 像と水平断面

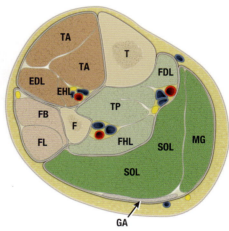

AC	前下腿筋間中隔	Anterior intermuscular septum
AV	前脛骨動静脈と深腓骨神経	Anterior tibial vessels and deep fibular nerve
EDL	長趾伸筋	Extensor digitorum longus
EHL	長母趾伸筋	Extensor hallucis longus
F	腓骨	Fibula
FB	短腓骨筋	Fibularis brevis
FDL	長趾屈筋	Flexor digitorum longus
FHL	長母趾屈筋	Flexor hallucis longus
FL	長腓骨筋	Fibularis longus
GA	腓腹筋腱膜	Gastrocnemius aponeurosis
GSV	大伏在静脈	Great saphenous vein
HF	腓骨頭	Head of fibula
IN	下腿骨間膜	Interosseous membrane
LG	腓腹筋の外側頭	Lateral head of gastrocnemius
MG	腓腹筋の内側頭	Medial head of gastrocnemius
MM	内果	Medial malleolus
P	膝窩筋	Popliteus
PC	後下腿筋間中隔	Posterior intermuscular septum
SOL	ヒラメ筋	Soleus
SSV	小伏在静脈	Small saphenous vein
T	脛骨	Tibia
TA	前脛骨筋	Tibialis anterior
TC	踵骨腱（アキレス腱）	Calcaneal tendon
TP	後脛骨筋	Tibialis posterior
TV	脛骨神経と後脛骨動静脈	Tibial nerve and posterior tibial vessels

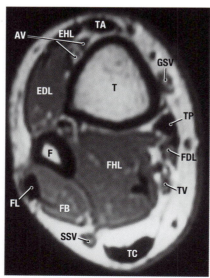

C. 水平断 MR 像

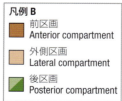

凡例 B
- 前区画 Anterior compartment
- 外側区画 Lateral compartment
- 後区画 Posterior compartment

6.94 下腿の MR 像

A-C 水平断 MR 像. D 冠状断 MR 像.

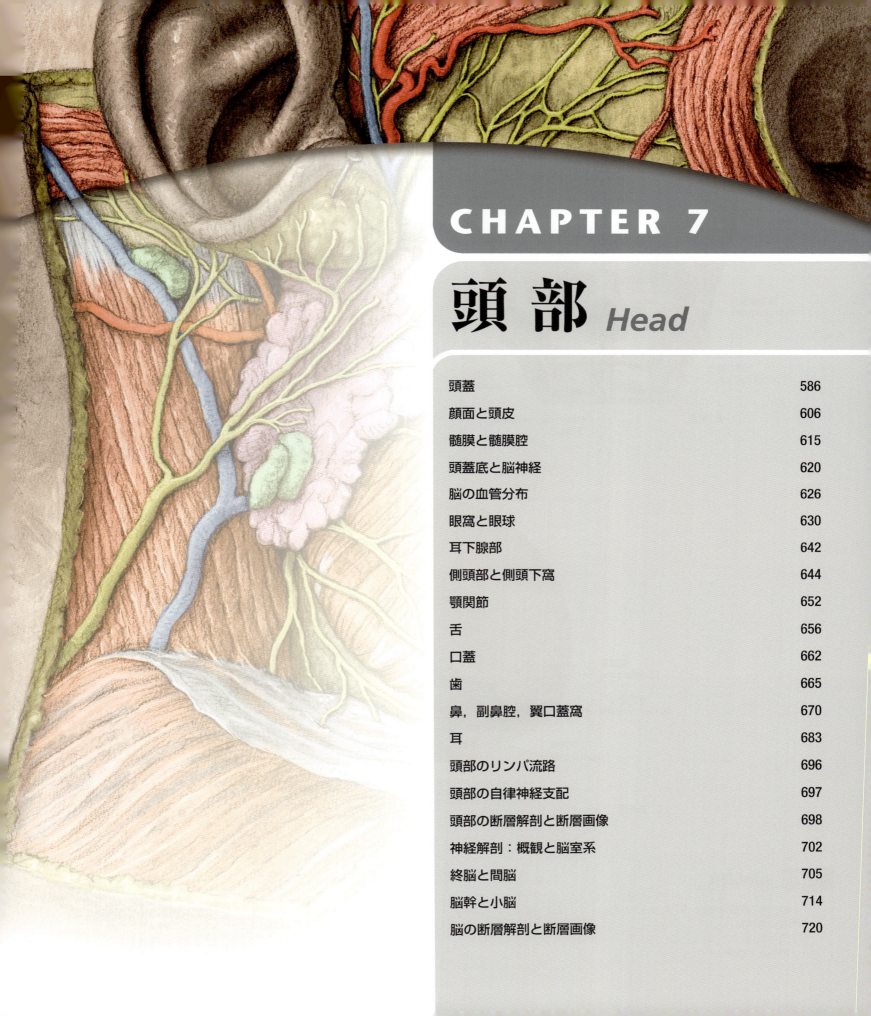

CHAPTER 7

頭部 Head

頭蓋	586
顔面と頭皮	606
髄膜と髄膜腔	615
頭蓋底と脳神経	620
脳の血管分布	626
眼窩と眼球	630
耳下腺部	642
側頭部と側頭下窩	644
顎関節	652
舌	656
口蓋	662
歯	665
鼻，副鼻腔，翼口蓋窩	670
耳	683
頭部のリンパ流路	696
頭部の自律神経支配	697
頭部の断層解剖と断層画像	698
神経解剖：概観と脳室系	702
終脳と間脳	705
脳幹と小脳	714
脳の断層解剖と断層画像	720

586 頭部　頭蓋

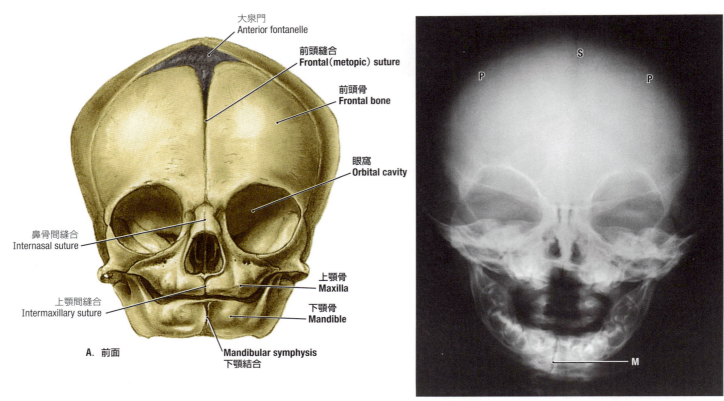

A. 前面

B. 前後 X 線像

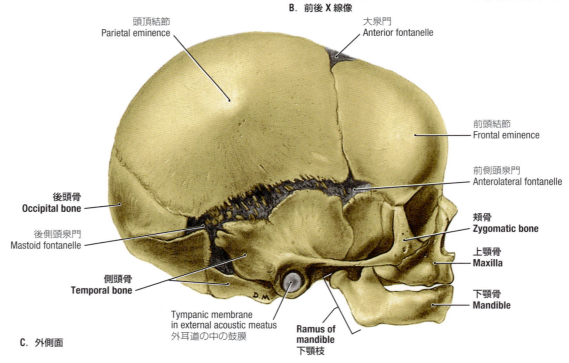

C. 外側面

| 7.1 | 小児の頭蓋 |

A　出生時の頭蓋の前面．B　生後 6.5 か月の小児の頭蓋 X 線像．C　出生時の頭蓋の外側面．
成人の頭蓋（図 7.2-7.4）と比較して：
- 上顎骨と下顎骨は小さい．
- 1 歳の間に閉じる下顎結合と，5 歳の間に閉じる前頭縫合はまだ開いている（融合していない）．
- 眼窩は大きいが顔面は小さい．この時期の顔面頭蓋は頭蓋全体の 1/8 を占めるにすぎないが，成体になると 1/3 に達する．

頭蓋　頭部

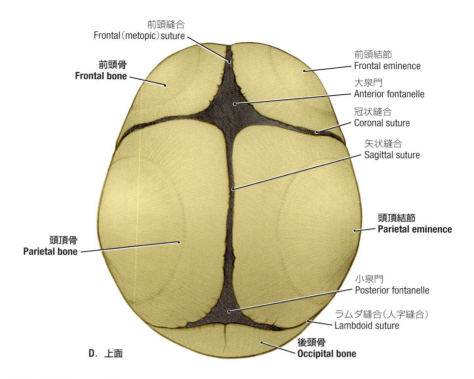

凡例 B, E, F
- A　下顎角 Angle of mandible
- B　下顎体 Body of mandible
- C　冠状縫合 Coronal suture
- F　前頭骨 Frontal bone
- L　ラムダ縫合 Lambdoid suture
- M　下顎結合 Mandibular symphysis
- O　後頭骨 Occipital bone
- P　頭頂結節 Parietal eminence
- S　矢状縫合 Sagittal suture
- SP　蝶形骨 Sphenoid
- T　側頭骨 Temporal bone
- X　上顎骨 Maxilla
- Y　乳様突起 Mastoid process
- Z　頬骨 Zygomatic bone

矢じり＝頭頂骨の輪郭

D．上面

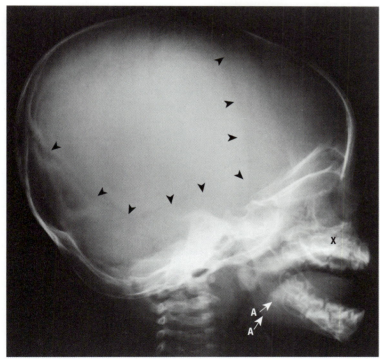

E．側面 X 線像

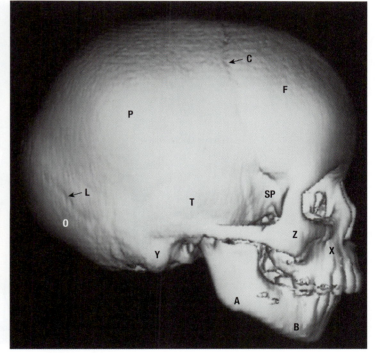

F．CT 再構築像，外側面

7.1　小児の頭蓋（続き）

D　出生時の頭蓋の上面．E　生後 6.5 か月の小児の頭蓋 X 線像．F　3 歳児の頭蓋，コンピュータで再構成された 3 次元画像．

- 頭頂結節は丸みを帯びた円錐形をしている．骨化は結節から始まり，まだ頭頂骨の四隅には達していない．そのためこれらの領域は膜構造をしており，外は骨膜に移行し，内は硬膜に移行して，大小の泉門をつくる．通常これらの泉門は 2 歳までに閉じる．1 歳の間はまだ乳様突起が形成されていない．

588 頭部　頭蓋

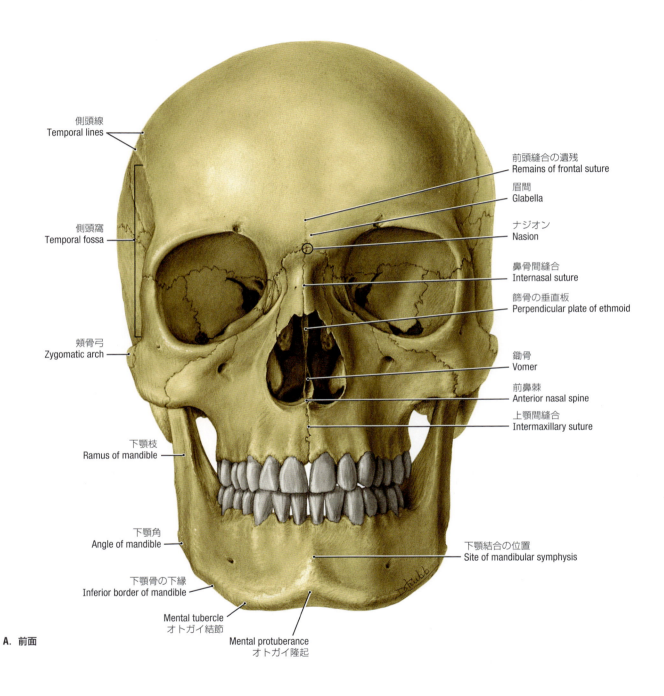

A. 前面

7.2　頭蓋の前面

A　頭蓋．B　頭蓋骨とその各部分．頭蓋を構成する個々の骨が色分けされている．眼窩については図 7.36A も参照．

頭蓋 頭部

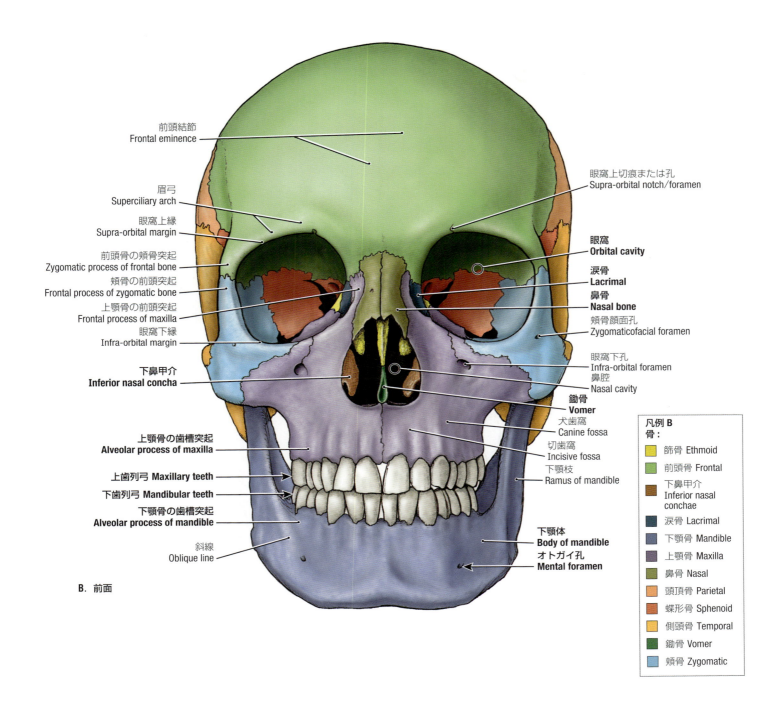

B. 前面

7.2 頭蓋の前面(続き)

抜歯するとその部分の歯槽が吸収される．上顎の歯がすべて失われると，歯槽の内部は骨で満たされ，歯槽突起は吸収され始める．同様に，下顎の歯が失われると歯槽突起の骨が吸収される．その結果オトガイ孔が下顎体の上縁に近づいていき，場合によってはオトガイ孔がなくなって，オトガイ神経が損傷を受けやすくなることがある．

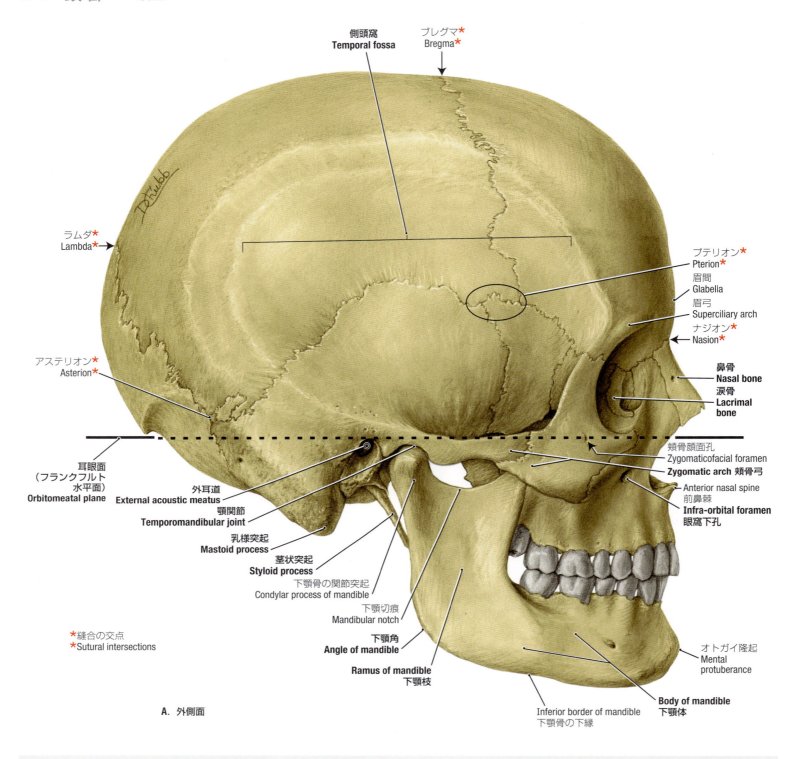

7.3 頭蓋の外側面

A 頭蓋．**B** 骨を色分けした頭蓋の模式図．頭蓋は耳眼面が水平に位置するように向けられている．**C** 頭蓋の支柱（骨梁）．支柱とは，頭蓋骨の厚い部分を指し，骨の弱い眼窩や鼻腔の周囲で力を伝える．

神経頭蓋（脳函）の凸面は，打撃を受けた場合にそれを分散し，影響を最小限にとどめるように働く．しかしながら，頭蓋の骨の薄い領域（例えば側頭窩）に強い打撃を受けると，**陥没骨折**を起こすことが多い．その際，骨片は内に向かって押されて脳を圧迫し，損傷を与えることもある．**粉砕骨折**の場合は骨がいくつもの骨片に分かれる．最も多くみられる**線状骨折**は衝撃の加わった位置で起こり，骨折線が多くの場合2つ以上の方向に放射状に走る．

*訳注：アステリオン；星状点．頭頂骨，側頭骨，後頭骨の接合部．
ナジオン；鼻根点．前頭骨と鼻骨との縫合の正中点．
ブレグマ；頭蓋骨表面上の冠状縫合と矢状縫合の接合点．
プテリオン；前頭骨，側頭骨，頭頂骨，および蝶形骨大翼の結合点．
ラムダ；ラムダ縫合と矢状縫合とが交わる小泉門の部位にある点．

頭蓋 頭部

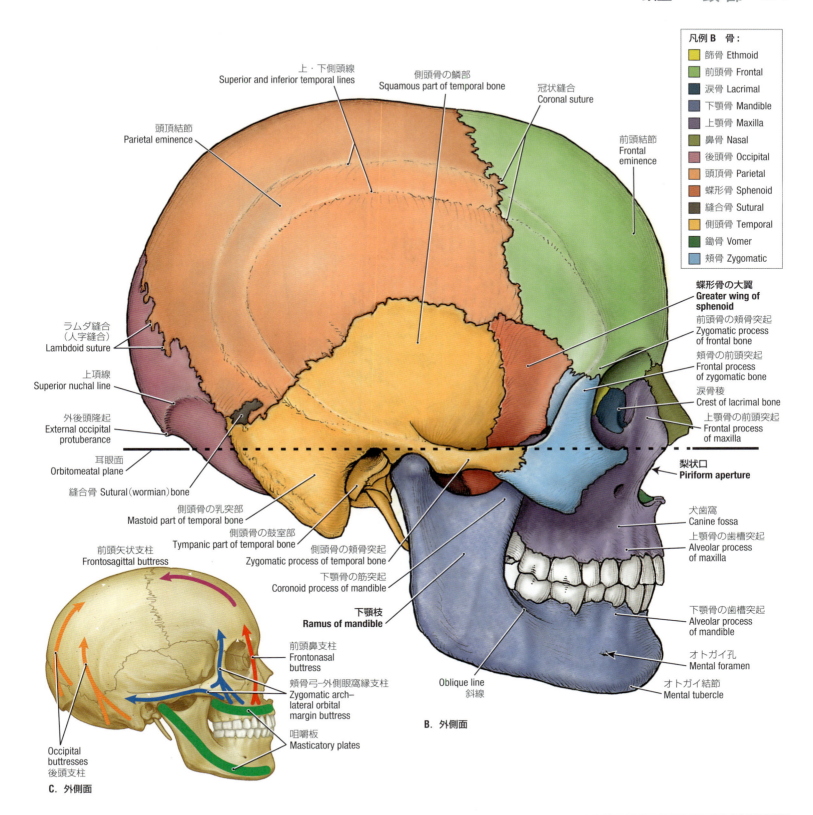

B. 外側面

C. 外側面

7.3 頭蓋の外側面（続き）

打撃を受けた位置の神経頭蓋が厚い場合は，骨は通常折れることなく内向きに曲がる．それでも，直接力の加わった位置から離れた骨の薄いところで骨折の起こることがある．衝撃を受けた位置でなく対側に骨折が起こる場合もあり，**反衝損傷（コントルクー損傷）**と呼ぶ．ラムダ縫合や乳様突起の周辺に1つあるいは複数の縫合骨を認める場合がある．

592 頭部　頭蓋

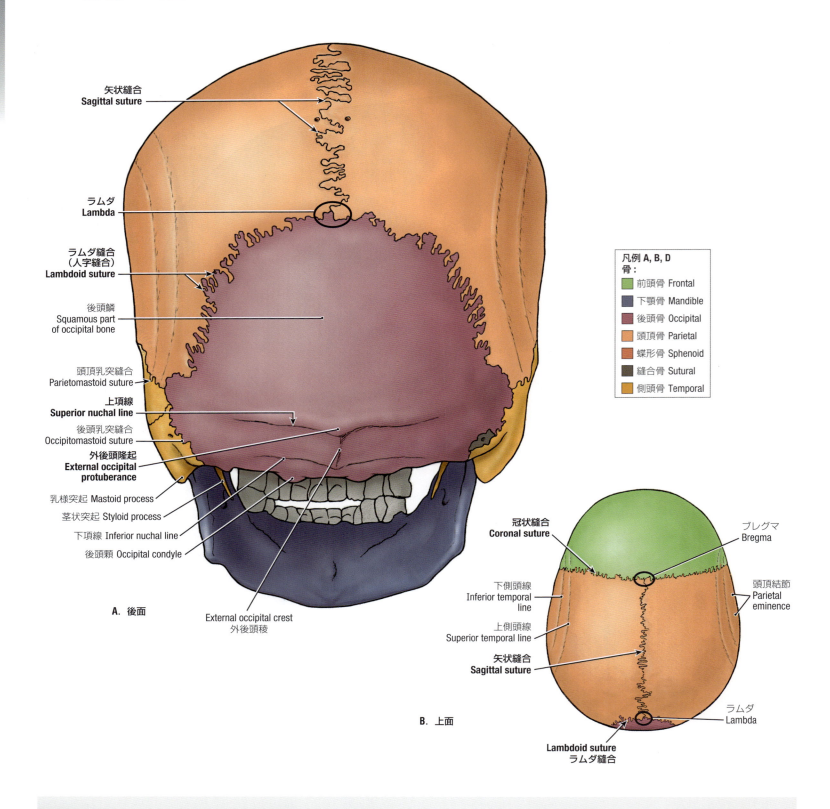

7.4 頭蓋の後面，頭蓋冠，後頭蓋窩の前面

A　頭蓋，後面．凸面をなす頭蓋後面の中央近くにあるラムダは，矢状縫合とラムダ縫合の交点である．

B　頭蓋，上面．神経頭蓋の上面を頭蓋冠と呼び，主に左右の頭頂骨，前頭骨，後頭骨で構成される．

冠状縫合が早期に閉鎖すると，頭蓋が塔状に高くなる．これを**尖頭症**（oxycephaly）または**塔状頭蓋**（turricephaly）と呼ぶ．縫合が早期に閉鎖してもふつう脳の発達には影響しない．一側にだけ早期の閉鎖が起こると，**斜頭蓋**（plagiocephaly）として知られる頭蓋が非対称な状態になる．

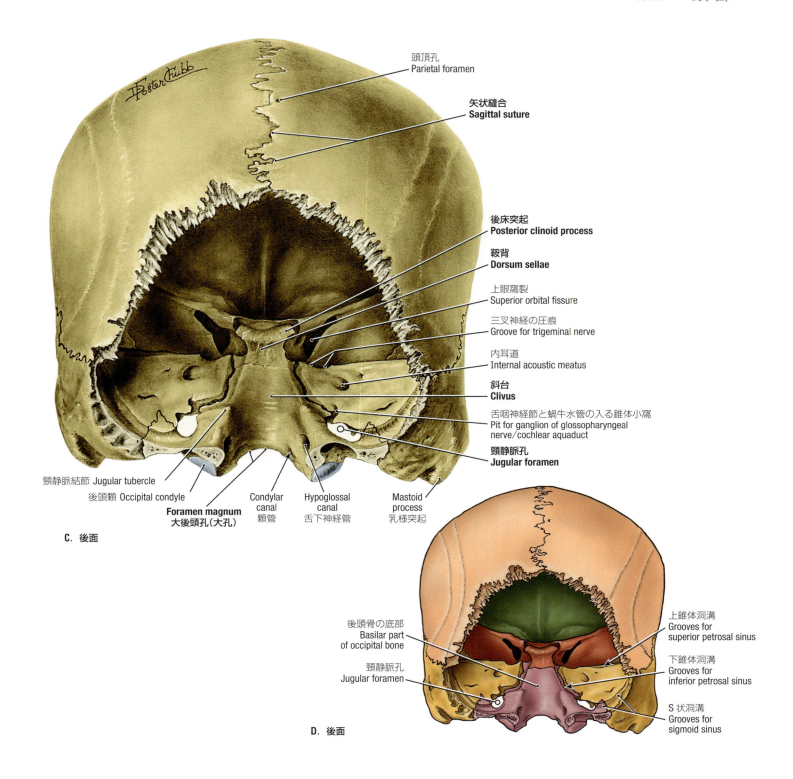

7.4 頭蓋の後面，頭蓋冠，後頭蓋窩の前面（続き）

C, D 脳頭蓋（神経頭蓋）から後頭鱗を取り除いてある．
- 鞍背は蝶形骨体から突き出している．鞍背の上外側の角が後床突起をつくる．
- 斜台は鞍背から大後頭孔に下る斜面である．
- S状洞溝と下錐体洞溝は下方で頸静脈孔に至る．
矢状縫合が早期に閉鎖すると，大泉門が小さくなったりなくなったりするが，その場合，**舟状頭蓋**（scaphocephaly）として知られる前後に長い楔状の頭蓋となる．

594 頭部　頭蓋

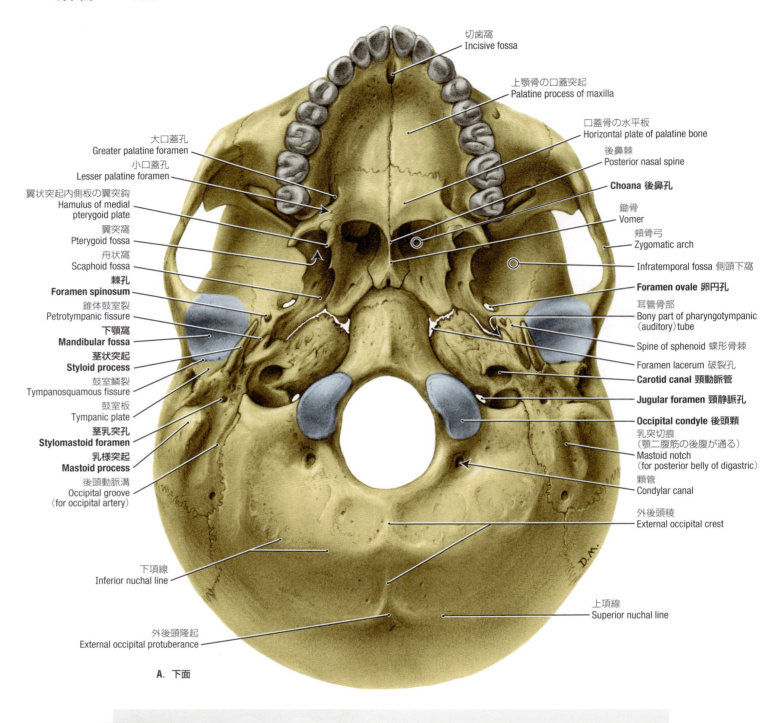

A. 下面

7.5 頭蓋の下面

A 頭蓋． B 骨を色分けした頭蓋の模式図．

表7.1　頭蓋底の孔と通るもの（図7.2-6 を参照）

盲孔：鼻腔に通じる導出静脈（1%の頻度）	視神経管：視神経（II），眼動脈
篩板：嗅神経（I）	上眼窩裂：上・下眼静脈；眼神経（V_1）；動眼神経（III），滑車神経（IV），外転神経（VI）；交感性の神経線維
前および後篩骨孔：同名の血管と神経	正円孔：上顎神経（V_2）
卵円孔：下顎神経（V_3），中硬膜動脈副硬膜枝	頸静脈孔：舌咽神経（IX），迷走神経（X），副神経（XI）；頸静脈上球；下錐体静脈洞，S状静脈洞；後硬膜動脈，後頭動脈硬膜枝

頭蓋 頭部

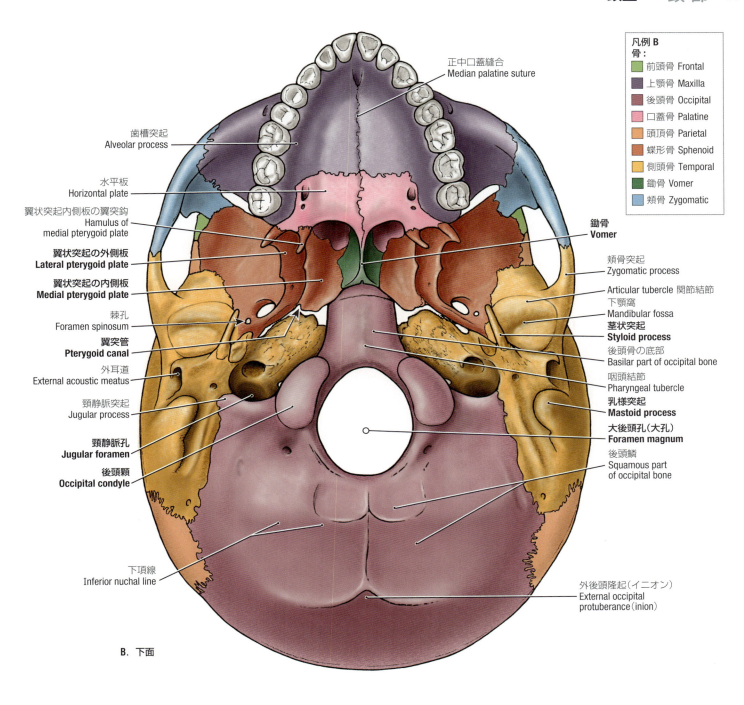

B. 下面

7.5 頭蓋の下面（続き）

表 7.1　頭蓋底の孔と通るもの（図 7.2-6 を参照）（続き）

棘孔：中硬膜動脈/静脈，下顎神経（V₃）硬膜枝	舌下神経管：舌下神経（XII）
破裂孔[a]：深錐体神経，硬膜への動脈枝，破裂孔導出静脈	大後頭孔（大孔）：脊髄，副神経脊髄根（XI）；椎骨動脈；内椎骨静脈叢
大錐体神経溝：大錐体神経，中硬膜動脈岩様部枝	顆管：顆導出静脈（S 状静脈洞と頸部の椎骨静脈を結ぶ）
頸動脈管：内頸動脈，内頸動脈神経叢，頸動脈管静脈叢	茎乳突孔：顔面神経（VII）
内耳道：顔面神経/中間神経（VII）；内耳神経（VIII）；迷路動脈	乳突孔：S 状静脈洞からの乳突導出静脈，後頭動脈硬膜枝

[a] 破裂孔は骨を人為的に乾燥させたときにできるもので，生存中は軟骨によって閉じている．内頸動脈，内頸動脈神経叢，頸動脈管静脈叢はこの領域を垂直方向に貫通するのではなく，水平方向に通過する．

596 頭部　頭蓋

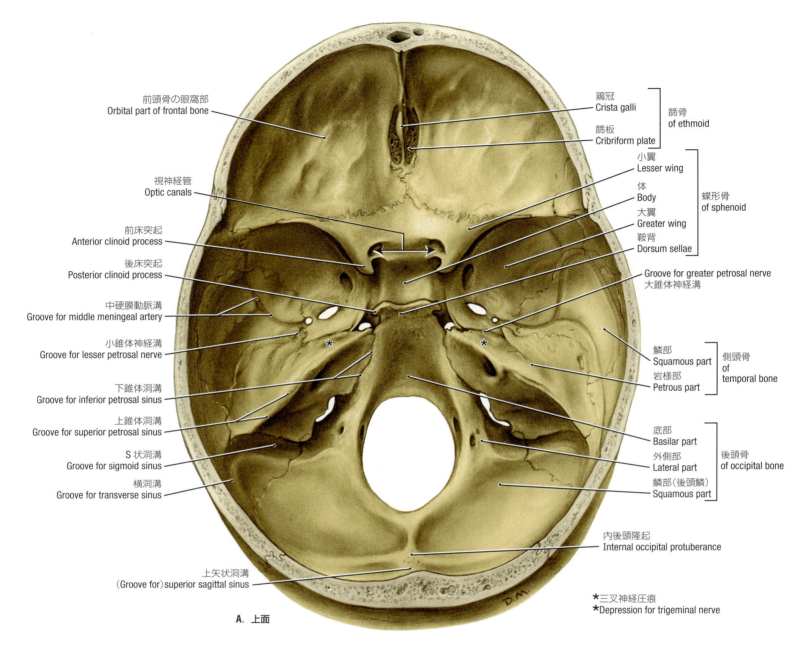

A. 上面

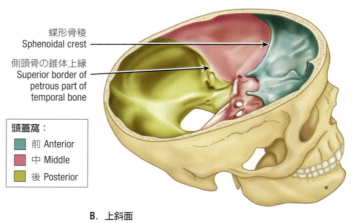

B. 上斜面

頭蓋窩：
- 前 Anterior
- 中 Middle
- 後 Posterior

7.6　内頭蓋底

A　内頭蓋底．B　前頭蓋窩，中頭蓋窩，後頭蓋窩．C　骨を色分けした内頭蓋底の模式図．

前頭蓋窩の骨折は篩骨篩板に及ぶことがあり，脳脊髄液の鼻腔への漏出を引き起こす**(髄液漏)**．頭蓋底骨折は髄液漏以外にあまり徴候がないことがある．髄液漏の場合，耳や鼻からの感染が髄膜に広がるため，髄膜炎を起こす危険が高まる．

頭蓋　頭部

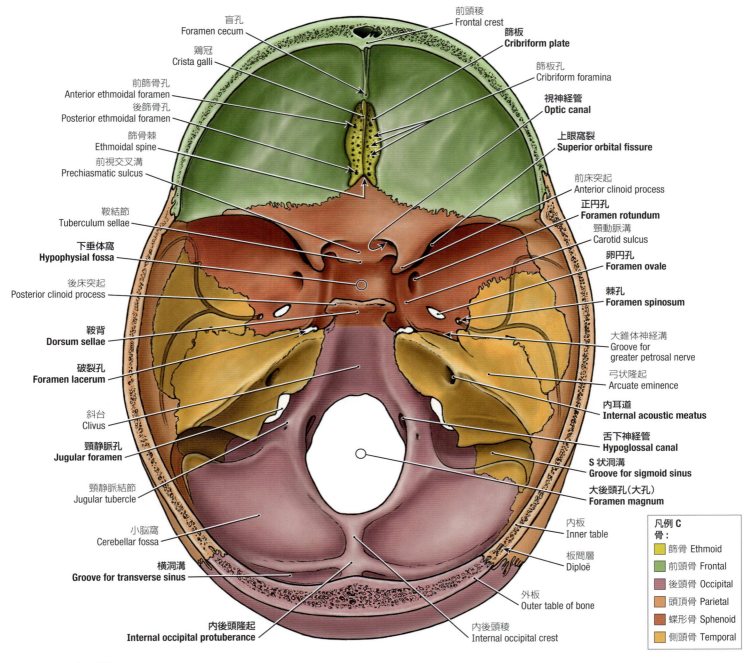

C．上面

7.6　内頭蓋底（続き）

C　次の正中線上の特徴に注意する．
- 前頭蓋窩には前頭稜と鶏冠があり，大脳鎌の前方付着部となっている．前頭稜と鶏冠の間には盲孔がある．盲孔は，発生の途中で上矢状静脈洞と前頭洞ならびに鼻根の静脈とを連絡する静脈が通っていた部位である．
- 中頭蓋窩の中では，鞍結節と下垂体窩と鞍背と後床突起がトルコ鞍をつくる．
- 後頭蓋窩には斜台，大後頭孔，内後頭稜，内後頭隆起などがある．内後頭稜は小脳鎌の付着部となり，内後頭隆起から外側に向かって横洞溝が走る．

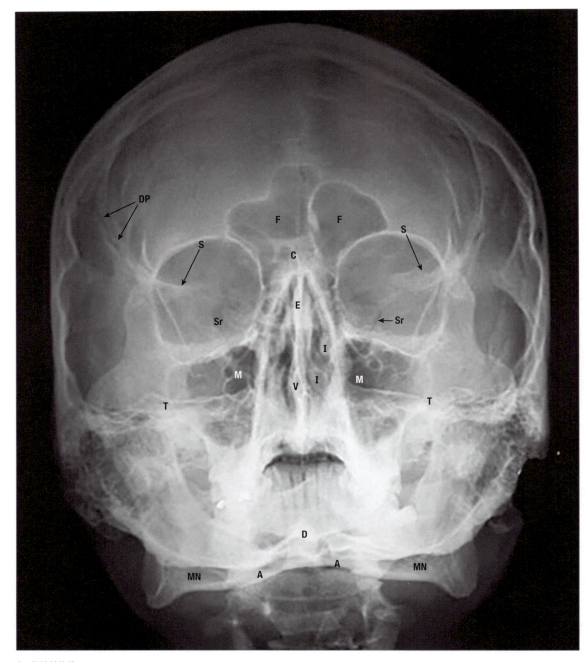

A. X線前後像

7.7 頭蓋の X 線像

A 後頭前頭法撮影〔コールドウェル(Caldwell)撮影法〕．この撮影では眼窩が頭部の中央に写り，眼窩や副鼻腔を検査するときに使用される．
- 上眼窩裂(Sr)，蝶形骨小翼(S)，側頭骨岩様部上面(T)，鶏冠(C)，前頭洞(F)，下顎骨(MN)，上顎洞(M)，板間静脈(DP).
- 鼻中隔は篩骨垂直板(E)と鋤骨(V)でつくられる．鼻腔の外側壁には下鼻甲介と中鼻甲介(I)が見える．
- 顔面の骨格に重なって，軸椎の歯突起(D)と環椎の外側塊(A)が見える．

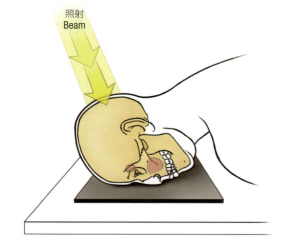

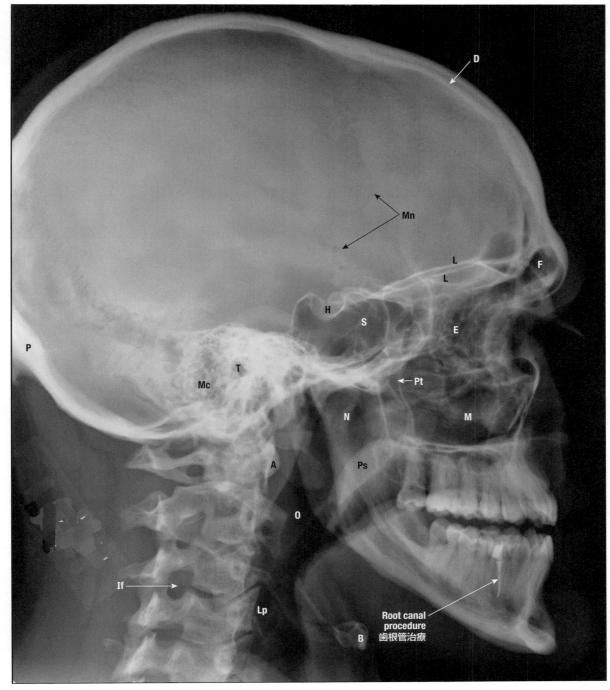

B. X線側面像

7.7 頭蓋の X 線像（続き）

B　頭蓋の側面像. 顔面骨（内臓頭蓋）の比較的薄い骨の多くは放射線の透過率が高く，黒く見える．

- 側面像には次のものがみられる．環椎の前結節（A），篩骨蜂巣（E），前頭洞（F），蝶形骨洞（S），上顎洞（M），下垂体の収まる下垂体窩（H），側頭骨岩様部（T），乳突蜂巣（Mc），中硬膜動脈溝（Mn），内後頭隆起（P），板間層（D），翼口蓋窩（Pt），軟口蓋（Ps），椎間孔（If），舌骨（B），咽頭鼻部（N），咽頭口部（O），咽頭喉頭部（Lp）．
- 前頭骨の眼窩の天井をつくる部分は，左右が完全には重ならないため前頭蓋窩の床は 2 つの線（L）となって見える．

600 頭部　頭蓋

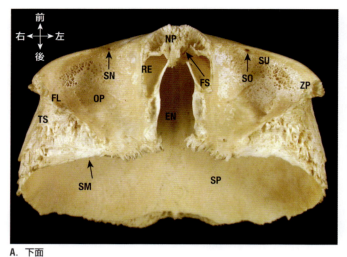

A. 下面　　B. 前面

凡例 A, B
前頭骨：

EN	篩骨切痕 Ethmoidal notch	NP	鼻部 Nasal part	SA	眉弓 Superciliary arch	SU	眼窩上縁 Supra-orbital margin
FL	涙腺窩 Fossa for lacrimal gland	NS	鼻棘 Nasal spine	SM	蝶形骨縁 Sphenoidal margin	TL	側頭線 Temporal line
FS	前頭洞口 Opening of frontal sinus	OP	眼窩部 Orbital part	SN	眼窩上切痕 Supra-orbital notch	TS	側頭面 Temporal surface
GL	眉間 Glabella	RE	篩骨蜂巣の根 Root of ethmoid cells	SO	眼窩上孔 Supra-orbital foramen	ZP	頬骨突起 Zygomatic process
				SP	前頭鱗 Squamous part		

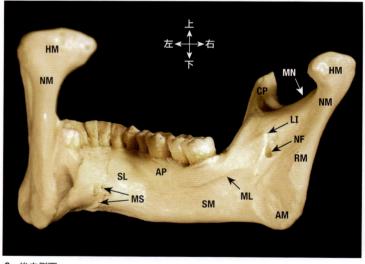

C. 後内側面　　D. 外側面

凡例 C, D
下顎骨：

AM	下顎角 Angle of mandible (gonial angle)	MN	下顎切痕 Mandibular notch	PF	翼突筋窩 Pterygoid fovea
AP	歯槽部 Alveolar part	MS	上・下オトガイ棘 Mental (genial) spines	RM	下顎枝 Ramus of mandible
CP	筋突起 Coronoid process	MT	オトガイ孔 Mental foramen	SL	舌下腺窩 Sublingual fossa
HM	下顎頭 Head of mandible	NF	下顎孔 Mandibular foramen	SM	顎下腺窩 Submandibular fossa
LI	下顎小舌 Lingula	NM	下顎頸 Neck of mandible		
ML	顎舌骨筋神経溝 Mylohyoid groove	OL	斜線 Obilque line		

7.8　下顎骨，上顎骨，前頭骨，篩骨，口蓋骨

A, B　前頭骨．C, D　下顎骨．

頭蓋　頭部

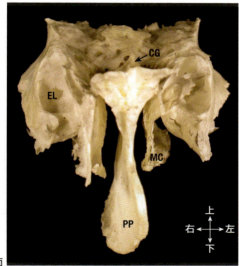

E. 前面

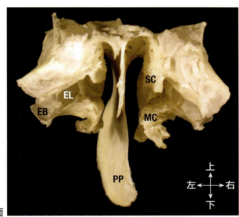

F. 後面

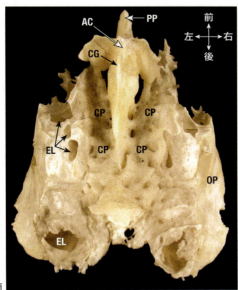

G. 上面

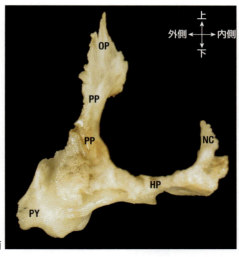

H. 前面

凡例 H
口蓋骨：
- HP　水平板 Horizontal plate
- NC　鼻稜 Nasal crest
- OP　眼窩突起 Orbital process
- PP　垂直板 Perpendicular plate
- PY　錐体突起 Pyramidal process

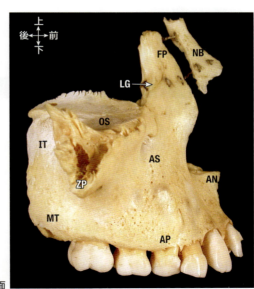

I. 外側面

凡例 I
上顎骨と鼻骨：
- AN　前鼻棘 Anterior nasal spine
- AP　歯槽部 Alveolar part
- AS　上顎骨の前面 Anterior surface
- FP　上顎骨の前頭突起 Frontal process
- IT　上顎骨の側頭下面 Infratemporal surface
- LG　涙嚢溝 Lacrimal groove
- MT　上顎結節 Maxillary tuberosity
- NB　鼻骨 Nasal bone
- OS　眼窩面 Orbital surface
- ZP　頬骨突起 Zygomatic process

凡例 E-G　篩骨：
- AC　鶏冠翼 Ala of crista galli
- CG　鶏冠 Crista galli
- CP　篩板 Cribriform plate
- EB　篩骨胞 Ethmoidal bulla
- EL　篩骨迷路（篩骨蜂巣） Ethmoidal labyrinth (cells)
- MC　中鼻甲介 Middle nasal concha
- OP　眼窩板 Orbital plate
- PP　垂直板 Perpendicular plate
- SC　上鼻甲介 Superior nasal concha

7.8　下顎骨，上顎骨，前頭骨，篩骨，口蓋骨（続き）

E-G　篩骨．H　口蓋骨．I　上顎骨．

602 頭部　頭蓋

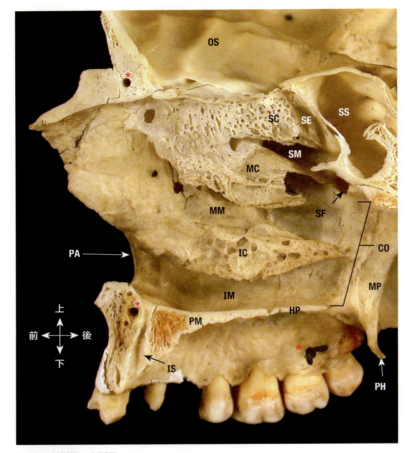

A. 鼻の外側壁，内側面

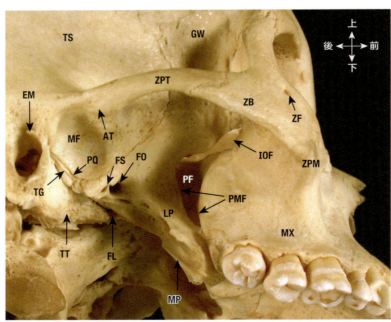

B. 側頭下部，下外側面

7.9 鼻の外側壁，側頭下部

A　鼻の外側壁．B　側頭下部．

凡例 A
鼻の外側壁：

CO	後鼻孔	Choana (posterior nasal aperture)
HP	口蓋骨の水平板	Horizontal plate of palatine bone
IC	下鼻甲介	Inferior nasal concha
IM	下鼻道	Inferior nasal meatus
IS	切歯管	Incisive canal
MC	中鼻甲介	Middle nasal concha
MM	中鼻道	Middle nasal meatus
MP	翼状突起の内側板	Medial pterygoid plate
OS	前頭骨の眼窩面	Orbital surface of frontal bone
PA	梨状口	Piriform aperture
PH	翼突鈎	Pterygoid hamulus
PM	上顎骨の口蓋突起	Palatine process of maxilla
SC	上鼻甲介	Superior nasal concha
SE	蝶篩陥凹	Spheno-ethmoidal recess
SF	蝶口蓋孔	Sphenopalatine foramen
SM	上鼻道	Superior nasal meatus
SS	蝶形骨洞	Sphenoidal sinus

＊人工産物（ドリルの穴と金具）
＊Artifact (drilled holes and wire)

凡例 B
側頭下部：

AT	関節結節	Articular tubercle
EM	外耳道	External acoustic meatus
FL	破裂孔	Foramen lacerum
FO	卵円孔	Foramen ovale
FS	棘孔	Foramen spinosum
GW	蝶形骨の大翼	Greater wing of sphenoid
IOF	下眼窩裂	Inferior orbital fissure
LP	翼状突起の外側板	Lateral pterygoid plate
MF	下顎窩	Mandibular fossa
MP	翼状突起の内側板	Medial pterygoid plate
MX	上顎骨	Maxilla
PF	翼口蓋窩	Pterygopalatine fossa
PMF	翼上顎裂	Pterygomaxillary fissure
PQ	錐体鱗裂	Petrosquamous fissure
TG	鼓室蓋	Tegmen tympani
TS	側頭骨（鱗部）	Temporal bone (squamous part)
TT	側頭骨（鼓室部）	Temporal bone (tympanic part)
ZB	頬骨	Zygomatic bone
ZF	頬骨顔面孔	Zygomaticofacial foramen
ZPM	上顎骨の頬骨突起	Zygomatic process of maxilla
ZPT	側頭骨の頬骨突起	Zygomatic process of temporal bone

頭蓋　頭部

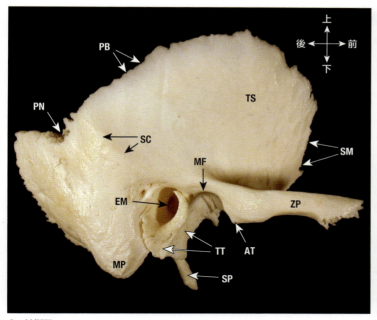

A. 外側面
B. 内側面

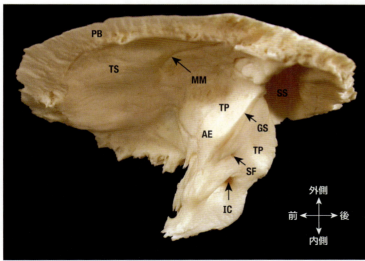

C. 上面

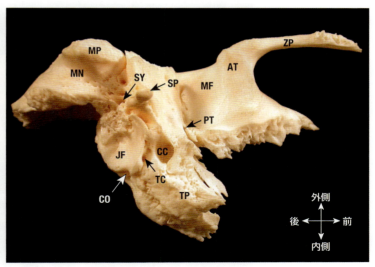

D. 下面

側頭骨：

AE	弓状隆起 Arcuate eminence	MM	中硬膜動脈溝 Groove for middle meningeal artery	SP	茎状突起 Styloid process
AT	関節結節 Articular tubercle	MN	乳突切痕 Mastoid notch	SS	S状洞溝 Groove for sigmoid sinus
CC	頸動脈管 Carotid canal	MP	乳様突起 Mastoid process	SY	茎乳突孔 Stylomastoid foramen
CO	蝸牛小管 Cochlear canaliculus	OB	後頭縁 Occipital border	TC	鼓室神経小管 Tympanic canaliculus
EM	外耳道 External acoustic meatus	PB	頭頂縁 Parietal border	TP	側頭骨（岩様部）Temporal bone (petrous part)
GP	大錐体神経管裂孔 Hiatus for greater petrosal nerve	PN	頭頂切痕 Parietal notch	TS	側頭骨（鱗部）Temporal bone (squamous part)
GS	上錐体洞溝 Groove for superior petrosal sinus	PT	錐体鼓室裂 Petrotympanic fissure	TT	側頭骨（鼓室部）Temporal bone (tympanic part)
IC	内耳道 Internal acoustic meatus	SC	乳突上稜 Supramastoid crest	VC	前庭小管 Vestibular canaliculus
JF	頸静脈窩 Jugular fossa	SF	弓下窩 Subarcuate fossa	ZP	頬骨突起 Zygomatic process
MF	下顎窩 Mandibular fossa	SM	蝶形骨縁 Sphenoidal margin		

7.10 側頭骨

604 頭部　頭蓋

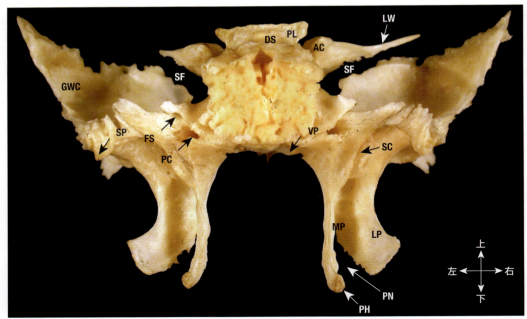

A. 後面

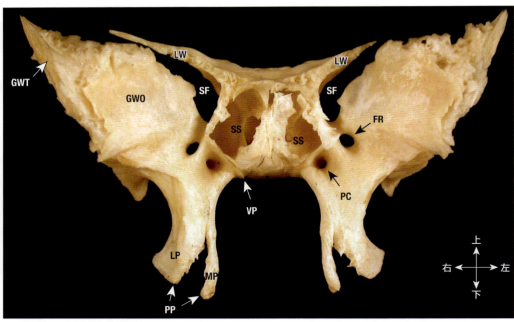

B. 前面

蝶形骨:					
AC	前床突起 Anterior clinoid process	FO	卵円孔 Foramen ovale	GWO	大翼(眼窩面) Greater wing (orbital surface)
CG	頸動脈溝 Carotid sulcus	FR	正円孔 Foramen rotundum	GWT	大翼(側頭面) Greater wing (temporal surface)
CS	前視交叉溝 Prechiasmatic sulcus	FS	棘孔 Foramen spinosum	H	下垂体窩 Hypophysial fossa
DS	鞍背 Dorsum sellae	GWC	大翼(大脳面) Greater wing (cerebral surface)	LP	翼状突起の外側板 Lateral pterygoid plate
ES	篩骨棘 Ethmoidal spine	GWI	大翼(側頭下面) Greater wing (infratemporal surface)	LW	小翼 Lesser wing

7.11　蝶形骨

A　後面．B　前面．蝶形骨は不規則な形をした無対性の骨で，前頭骨，側頭骨，後頭骨の間にクサビのようにはまりこんでいる．

頭蓋　頭部　**605**

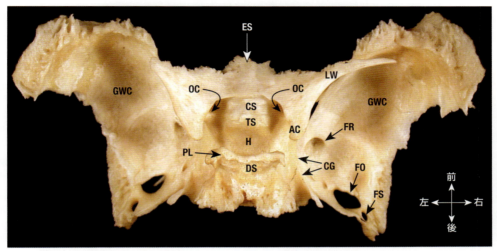

C. 上面

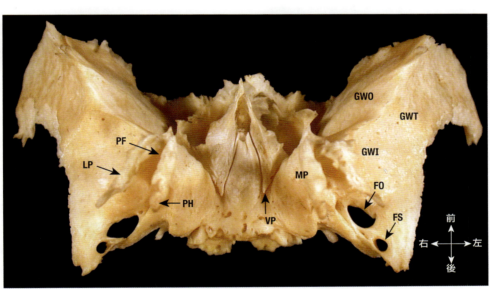

D. 下面

蝶形骨(続き):					
MP	翼状突起の内側板 Medial pterygoid plate	PL	後床突起 Posterior clinoid process	SP	蝶形骨棘 Spine of sphenoid
OC	視神経管 Optic canal	PN	翼突切痕 Pterygoid notch	SS	蝶形骨洞(蝶形骨の体にある)
PC	翼突管 Pterygoid canal	PP	翼状突起 Pterygoid process		Sphenoidal sinus (in body of sphenoid)
PF	翼突窩 Pterygoid fossa	SC	舟状窩 Scaphoid fossa	TS	鞍結節 Tuberculum sellae
PH	翼突鈎 Pterygoid hamulus	SF	上眼窩裂 Superior orbital fissure	VP	鞘状突起 Vaginal process

7.11 蝶形骨(続き)

C　上面．D　下面．蝶形骨は体部と3つの突起，すなわち大翼，小翼，翼状突起からなる．

606 頭部　顔面と頭皮

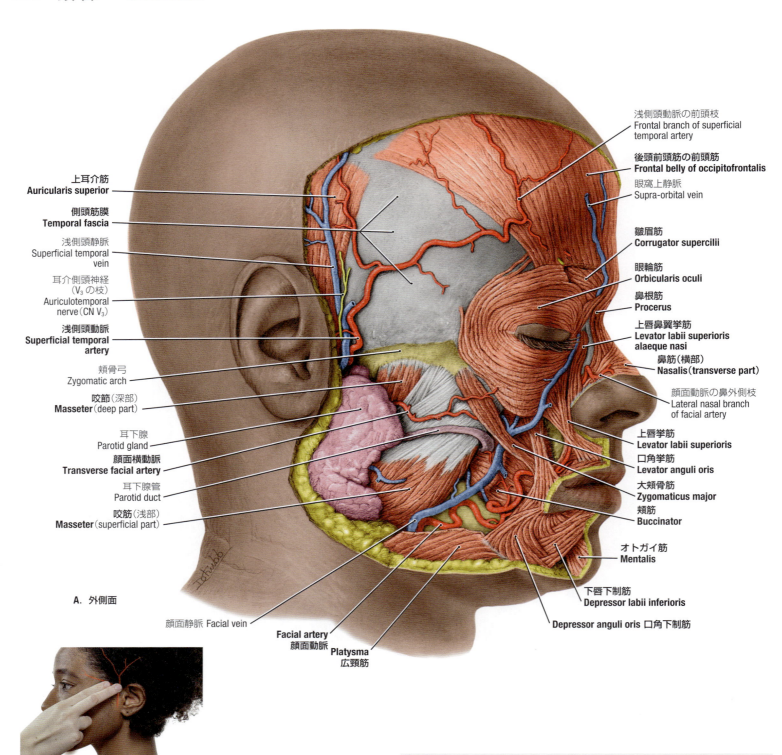

A. 外側面

B. 外側部

C. 前外側部

7.12 顔面筋（表情筋）と顔面の動脈

A　顔面筋（表情筋）．顔面筋（表情筋）は，頭部の表層において開口部を閉じたり開いたりする筋で，すべて顔面神経（VII）支配である．咬筋と側頭筋は三叉神経（V）に支配される咀嚼筋である．側頭筋は側頭筋膜で覆われている．

B　浅側頭動脈の拍動．浅側頭動脈が頭皮に向かうために耳の前で頬骨弓を越えるところで脈を確認する．**C　顔面動脈の拍動**．咬筋のすぐ前方で顔面動脈が下顎骨下縁を越えるところで触れることができる．

顔面と頭皮　頭部　607

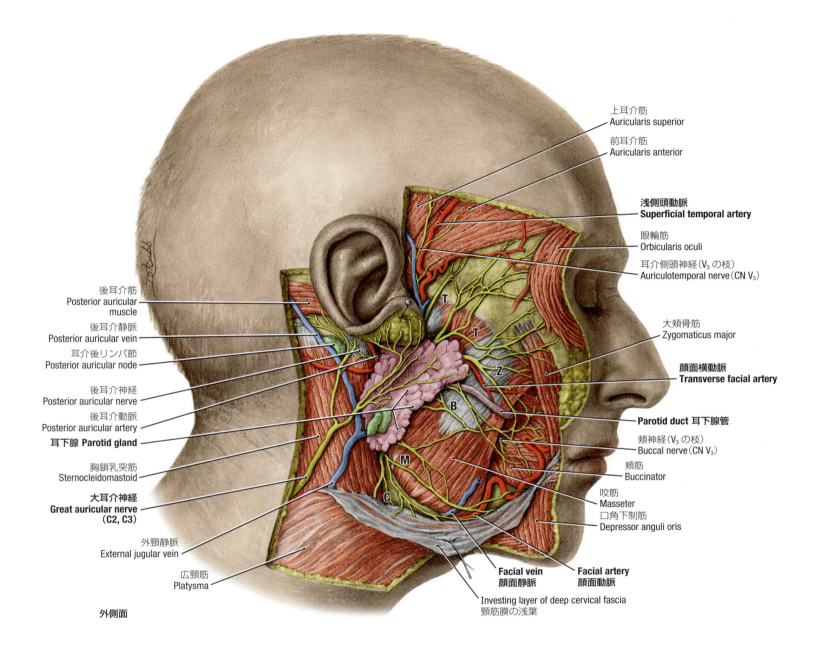

7.13 顔面神経の枝と耳下腺・耳下腺管に向かう血管との位置関係

- 耳下腺管は頬骨弓の直下で咬筋を越え，内側に曲がると頬筋を貫いて口腔前庭に開く．
- 顔面神経(VII)は表情筋を支配する．顔面神経の本幹は茎乳突孔から出ると，後耳介神経，二腹筋枝，茎突舌骨筋枝を出す．耳下腺神経叢からは側頭枝(T)，頬骨枝(Z)，頬筋枝(B)，下顎縁枝(M)，頸枝(C)と後耳介枝が出る．これらの枝は耳下腺の内部で神経叢を形成し，そこから起こる枝が互いに吻合したり三叉神経の枝と吻合したりしながら，顔面全体に広がる．
- **耳下腺切除術**(外科的に耳下腺を取り除くこと)の際に，顔面神経の枝を同定して剖出し，温存することはきわめて重要である．
- 耳下腺は血流に乗ってくる病原体によって感染を起こすことがある．例えば急性の伝染性ウイルス疾患である流行性耳下腺炎がそれに当たる．耳下腺の感染は炎症(耳下腺炎)と腫脹を起こす．大耳介神経に支配される耳下腺筋膜に腫脹による張力がかかるために，激しい痛みが生じる．

608 頭部　顔面と頭皮

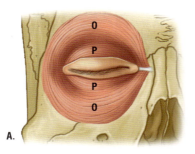
A.

B.

C. 鼻 Nose (N)

後頭前頭筋
Occipitofrontalis

皺眉筋
Corrugator supercilii

鼻根筋＋鼻筋の横部
Procerus + transverse part of nasalis

眼輪筋
Orbicularis oculi

上唇鼻翼挙筋＋鼻筋の鼻翼部
Lev. labii sup. alaeque nasi + alar part of nasalis

頬筋＋口輪筋
Buccinator + orbicularis oris

大頬骨筋＋小頬骨筋
Zygomaticus major + minor

笑筋
Risorius

笑筋＋下唇下制筋
Risorius + depressor labii inferioris

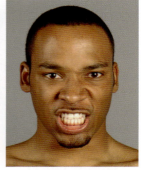
上唇挙筋＋下唇下制筋
Levator labii sup. + depressor labii

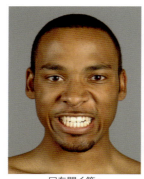
口を開く筋：
笑筋＋上唇挙筋＋下唇下制筋
Dilators of mouth:
Risorius + levator labii superioris + depressor labii inferioris

口輪筋
Orbicularis oris

口角下制筋
Depressor anguli oris

オトガイ筋
Mentalis

広頸筋
Platysma

D.

前面

7.14　顔面筋（表情筋）

A 眼輪筋．眼輪筋には**眼瞼部（P）**と**眼窩部（O）**がある．眼瞼の動きで角膜上の涙液が拡散する．**B** 眼瞼部の収縮によって**眼瞼が軽く閉じられる**．**C** 眼窩部の収縮によって**眼瞼が強く閉じられる**．**D** それぞれの表情筋の作用．

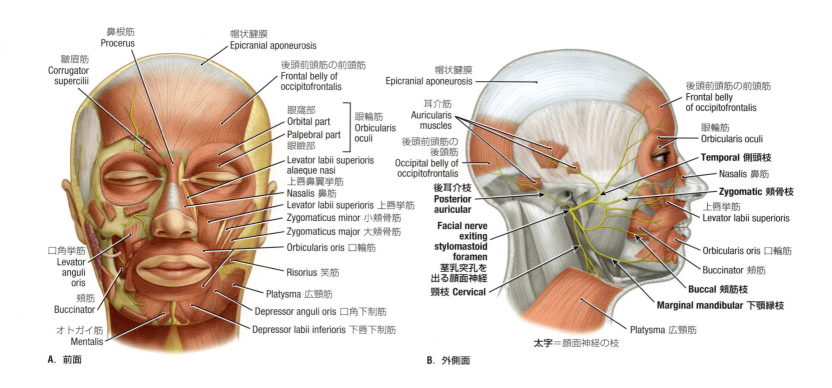

7.15 顔面神経と顔面筋（表情筋）

A　筋．B　顔面神経．

表 7.2　主な表情筋

筋[a,b]	起始	停止	作用
後頭前頭筋の前頭筋	帽状腱膜	前頭部と眉の皮膚・皮下組織	眉毛を挙上する．額に皺を寄せる；驚きや興味を示す．
後頭前頭筋の後頭筋	上項線の外側 2/3	帽状腱膜	頭皮の後退，前頭筋の効果の増強
眼輪筋	眼窩の内側縁，内側眼瞼靱帯；涙骨	眼窩周縁の皮膚；瞼板	閉眼；眼瞼部は軽く，眼窩部は強く眼瞼を閉じる（ウインク）．
口輪筋	上顎骨と下顎骨の正中側；口周囲の皮膚の深層；口角（口角筋軸）	口唇粘膜	口を閉じる；口唇を圧迫し突き出す（キスをする），息を吹くときに口裂の拡大を防ぐ．
上唇挙筋	上顎骨の眼窩下縁	上唇の皮膚	開口に関与；上唇の挙上・外反；鼻唇溝を深くする（悲しみを表現する）．
小頬骨筋	頬骨の前部		
頬筋	下顎骨，上顎骨と下顎骨の歯槽突起；翼突下顎縫線	口角（口角筋軸）；口輪筋	頬部を臼歯に押し付け；舌と協調して口腔前庭から食物を出し，咬合面の間に保持する；息を吹くときに口裂の拡大を防ぐ．
大頬骨筋	頬骨の外側部	口角（口角筋軸）	開口に関与；両側の唇交連を上げて笑い（幸福）；片側で冷笑（軽蔑）を示す．
笑筋	耳下腺筋膜，頬の皮膚（個体差が大きい）		開口に関与；口裂を外側に広げる．
広頸筋	鎖骨周囲の皮下組織	下顎底；頬部と下唇の皮膚；口角（口角筋軸）；口輪筋	（抵抗するときに）下顎を下制；顔面下部や頸部の皮膚の緊張（緊張やストレスを伝える）

[a] これらの筋はすべて顔面神経（VII）支配である．
[b] 鼻部の筋（鼻根筋，鼻筋，上唇鼻翼挙筋）は含まない．

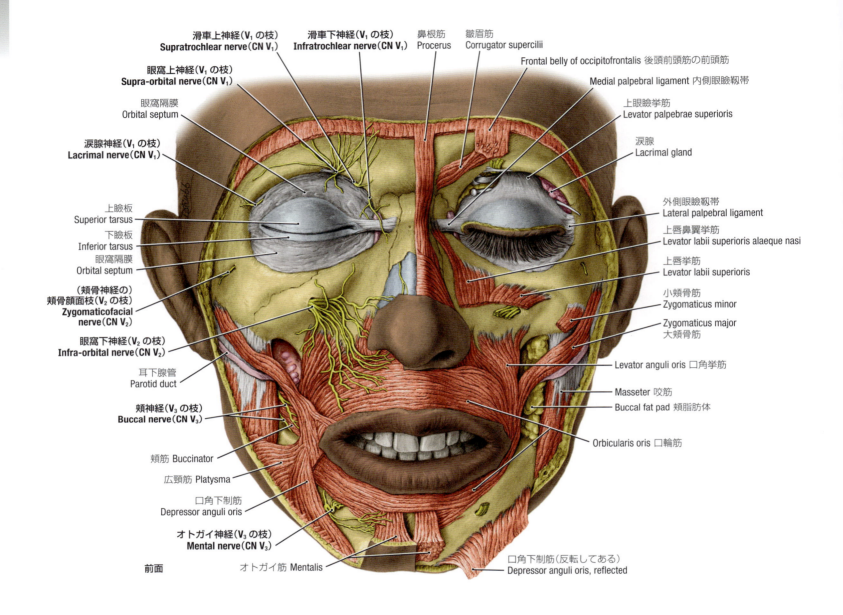

| 7.16 | 三叉神経の皮枝，顔面筋（表情筋），眼瞼 |

　顔面神経（VII）やその枝の損傷によって同側の顔面筋のすべて，ないし一部に麻痺が起こる（ベル麻痺 Bell's palsy）．障害のある領域は下垂して，表情がなくなる．眼輪筋の筋緊張の低下によって下眼瞼が外反する（眼球表面から離れて垂れ下がる）．その結果，涙液が角膜表面に広がらず，角膜の適切な潤滑，水分補給，洗浄が妨げられる．その結果，角膜に潰瘍ができやすくなる．顔面神経の損傷によって頰筋と口輪筋の筋力が低下したり麻痺したりすると，咀嚼の際に食物が口腔前庭に溜まり，いつも指で取り除かなければならなくなる．口裂を閉じたり開いたりする筋が障害されると，重力によって口裂の変形（口角の下垂）が起こる．収縮によって対側の筋とのバランスを取ることができなくなるため，食物や唾液が障害側の口裂から漏れてしまう．口唇の筋力が低下すると発語も影響を受ける．患者は口笛を吹いたり管楽器をうまく吹いたりすることができない．患者はしばしばハンカチを目や口に当てて，垂れ下がった眼瞼や口から漏れる涙液や唾液を拭く．

　顔面には深部膜の独立した層がなく，顔面筋付着部位の間の皮下組織が疎であって，**顔面の裂傷**は大きく開く傾向がある．そのため皮膚を注意深く縫合して傷跡が広がるのを防がなければならない．皮下組織が疎で疎性結合組織の中に体液や血液が貯留しやすいため，顔面には**あざ**ができやすい．

顔面と頭皮　頭部

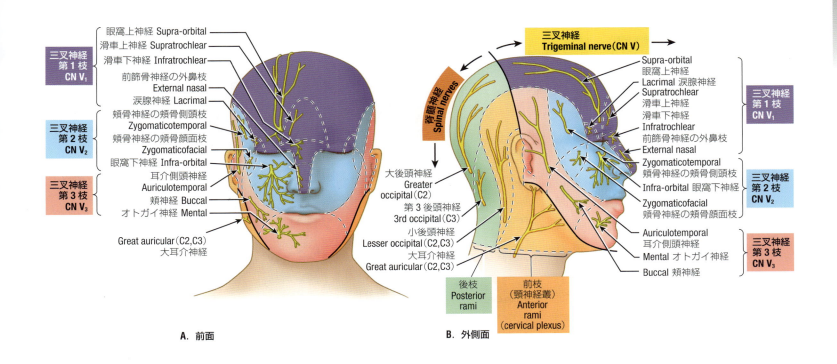

A. 前面　　B. 外側面

7.17　顔面と頭皮の皮神経

顔面と，頭皮前上部の皮膚の感覚神経支配は，主に三叉神経（CN V）由来である．

表7.3　顔面と頭皮の神経

神経	起始	走行	分布
前頭神経	眼神経（V_1）	上眼瞼挙筋の上面に沿って眼窩を通り抜け，眼窩上神経と滑車上神経に分かれる．	前頭部の皮膚，頭皮，上眼瞼，鼻の皮膚；上眼瞼結膜と前頭洞の粘膜
眼窩上神経	前頭神経（V_1の枝）の延長	眼窩上切痕ないし眼窩上孔を通って現れ，細い枝に分かれる．	前頭洞の粘膜，上眼瞼結膜；前頭部から頭頂までの皮膚
滑車上神経	前頭神経（V_1の枝）	眼窩上壁に沿って前内側に向かい，滑車の外側を通る．	前頭部中央の髪の生え際までの皮膚
滑車下神経	鼻毛様体神経（V_1の枝）	眼窩内側壁に沿って走行し，滑車の下を通って上眼瞼に至る．	上眼瞼の皮膚と結膜
涙腺神経	眼神経（V_1）	外眼角付近で上眼瞼の眼瞼筋膜を貫く．	涙腺ならびに上眼瞼外側部の皮膚と結膜
外鼻枝	前篩骨神経（V_1の枝）	鼻腔内を走り，鼻骨と外側鼻軟骨の間から顔面に現れる．	鼻背から鼻尖の皮膚
頬骨神経	上顎神経（V_2）	眼窩底から起こり，頬骨顔面枝と頬骨側頭枝に分かれ，それぞれ頬骨顔面孔と頬骨側頭孔を通る．	頬骨弓と側頭部前域の皮膚；翼口蓋神経節から涙腺に至る副交感神経節後線維が通る
眼窩下神経	上顎神経（V_2）の終枝	眼窩底を通り眼窩下孔から顔面に現れる．	頬部の皮膚，下眼瞼の皮膚，鼻の外側面の皮膚，鼻中隔下部，上唇の皮膚，上の切歯と犬歯；上顎洞と上唇の粘膜
耳介側頭神経	下顎神経（V_3）	下顎神経の後部から起こり，下顎頸と外耳道の間を通り，浅側頭動脈に伴行する．	耳前部の皮膚，側頭部後域，耳介の耳珠と耳輪，外耳道上部と鼓膜上部
頬神経	下顎神経（V_3）	側頭下窩の中で下顎神経の前部から起こり，前方に走って頬部に至る．	頬部の皮膚と粘膜，第2・3大臼歯付近の歯肉
オトガイ神経	下歯槽神経（V_3の枝）の終枝	下顎管からオトガイ孔を通って現れる．	オトガイと下唇の皮膚，下唇の粘膜

612 頭 部　顔面と頭皮

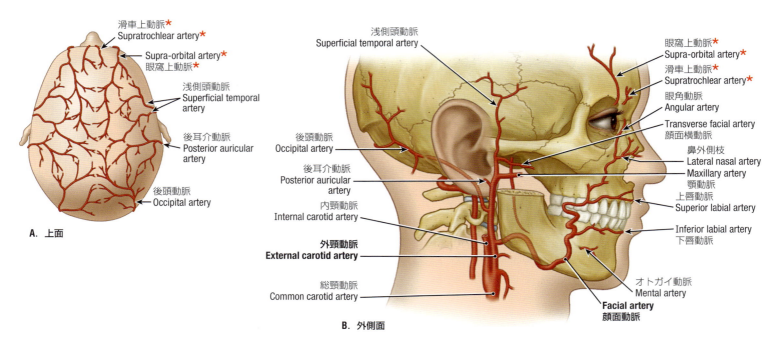

＊起始：内頸動脈から分岐した眼動脈．
表示した他の動脈はすべて外頸動脈から起こる．

7.18　顔面と頭皮の動脈

顔面浅層の動脈の大半は外頸動脈から派生している．顔面の動脈血は，外頸動脈の枝である顔面動脈が主に供給する．顔面動脈は，咬筋のすぐ前にある下顎骨の下縁まで進み，そこから顔面を通って，上眼瞼と下眼瞼がつながる内眼角に至る．

表7.4　顔面と頭皮の動脈

動脈	起始	走行	分布
顔面動脈	外頸動脈	顎下腺の奥を上行し，下顎骨の下縁で方向を変えて顔面に入る．	顔面筋（表情筋）と顔面
下唇動脈	顔面動脈の口角付近	下唇の中を内側に走行する．	下唇とオトガイ
上唇動脈		上唇の中を内側に走行する．	上唇，鼻翼，鼻中隔
鼻外側枝	顔面動脈が鼻の脇を上行する途中	鼻翼を通る．	鼻翼と鼻背の皮膚
眼角動脈	顔面動脈の終枝	内眼角を通る．	頬の上部と下眼瞼
後頭動脈	外頸動脈	顎二腹筋後腹と乳様突起の内側を通り，後頭部で大後頭神経に伴行する．	後頭部から頭頂部までの皮膚
後耳介動脈		耳下腺の深層から茎状突起に沿って乳様突起と耳の間を後方に走行する．	耳介と耳介後方の皮膚
浅側頭動脈	外頸動脈の終枝のうち細いほう	耳の前を側頭部へ上行し，頭皮に至る．	前頭部と側頭部の顔面筋（表情筋）と皮膚
顔面横動脈	耳下腺内を通る浅側頭動脈	咬筋の表層で頬骨弓の下を通る．	耳下腺，耳下腺管，顔面筋（表情筋）と顔面皮膚
オトガイ動脈	下歯槽動脈の終枝	オトガイ孔から現れオトガイに至る．	オトガイの顔面筋（表情筋）と皮膚
眼窩上動脈＊	内頸動脈の枝である眼動脈の終枝	眼窩上孔から上方へ．	前頭部と頭部の筋と皮膚
滑車上動脈＊		滑車上切痕から上方へ．	頭部の筋と皮膚

顔面と頭皮　頭部

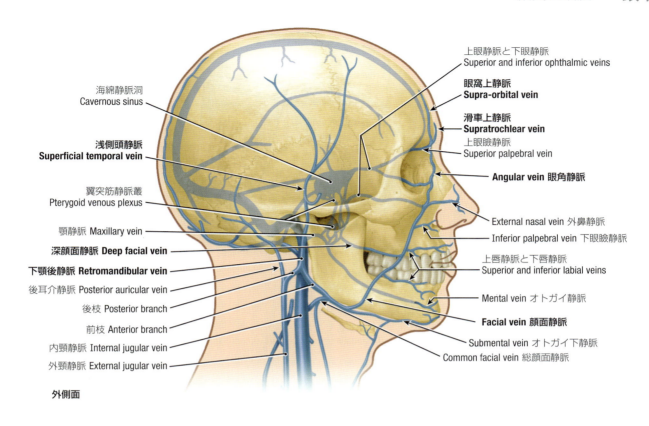

外側面

7.19 顔面の静脈

表7.5　顔面の静脈

静脈	起始	走行	終止	分布
滑車上静脈	前頭部と頭皮の静脈叢から起こる．この静脈叢を経由して浅側頭静脈の前頭枝，対側の滑車上静脈，眼窩上静脈と交通する．	前頭部の正中線近くを下行し，鼻根に至り，そこで眼窩上静脈と吻合する．	鼻根の眼角静脈	頭皮の前部と前頭部の皮膚
眼窩上静脈	浅側頭静脈の前頭枝と吻合して，前頭部で起こる．	眼窩の上で内側に走行し，滑車上静脈と吻合する；枝は眼窩上切痕を通って上眼静脈と吻合する．		
眼角静脈	滑車上静脈ならびに眼窩上静脈が吻合して鼻根で起こる．	鼻根と鼻の側面に沿って斜めに下行し，眼窩下縁に至る．	眼窩下縁で顔面静脈になる．	上記の他に，上眼瞼，下眼瞼，結膜；また海綿静脈洞からの血液も受ける．
顔面静脈	眼角静脈が眼窩下縁を越えて続いたもの．	鼻の外側縁に沿って下行し，外鼻静脈と下眼瞼静脈からの血液を受け，そのあと顔面を斜めに横切って下顎に至る；下顎後静脈の前部の血液を受ける．これより下流は総顔面静脈と呼ばれることがある．	舌骨の高さか，それより下で内頸静脈に合流	頭皮前部，前頭部の皮膚，眼瞼，外鼻，頬の前部，口唇，オトガイ，顎下腺
深顔面静脈	翼突筋静脈叢	上顎骨の上で頬筋の表層，咬筋の深層を前方に走行し，咬筋前縁の内側で顔面に現れる．	顔面静脈に後ろから合流する．	側頭下窩（大部分は顎動脈の灌流域）
浅側頭静脈	頭皮外側部と頬骨弓沿いの広範囲の静脈叢から起こる．	前頭部と頭頂部の支流が耳介の前で合流した後，側頭骨頬骨突起を横切り，側頭部から耳下腺の実質に入る．	下顎頸の後ろで顎静脈に合流し，下顎後静脈を形成する．	頭皮外側部，側頭筋表層部，外耳
下顎後静脈	浅側頭静脈と顎静脈が耳の前で合流して形成される．	下顎枝の後部深層を走行し，耳下腺実質の内部を通る．下端は顔面静脈に交通する．	前枝：顔面静脈に合流し総顔面静脈をつくる．後枝：後耳介静脈と合流し外頸静脈をつくる．	耳下腺と咬筋

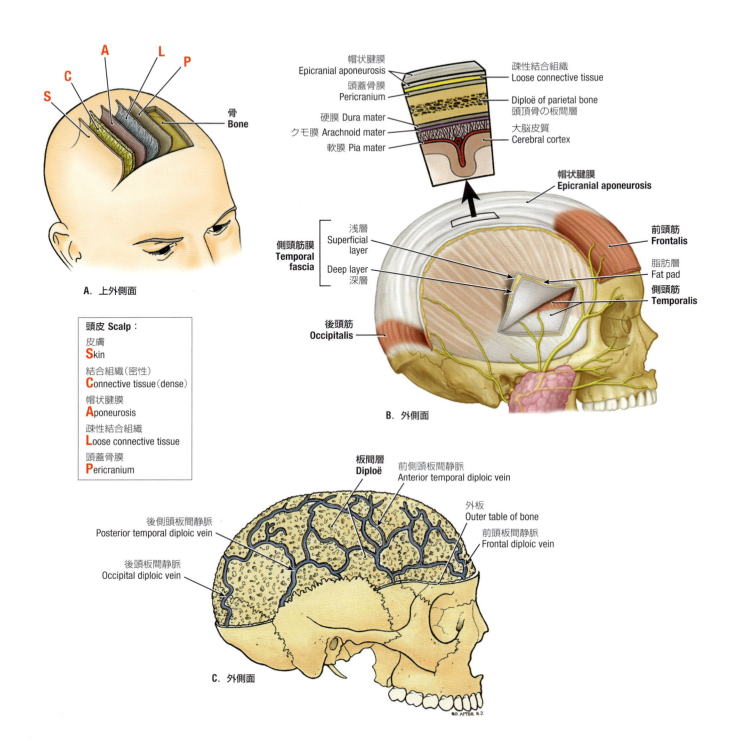

7.20 頭皮

A 頭皮の層構造．**B** 帽状腱膜．**C** 板間静脈．頭蓋骨の外板を取り除いて，海綿骨の板間層を通る板間静脈の経路を剖出してある．

頭皮の傷害と感染．疎性結合組織の層は，膿や血液がその中を容易に広がっていくので，頭皮の中で危険な領域である．この層に感染が起こると，頭蓋に開いている頭頂孔から頭蓋内の構造（例えば髄膜）に達する導出静脈を通って頭蓋内に広がることがある．前頭後頭筋の一部をなす後頭筋が後頭骨と側頭骨乳突部に付着するので，感染は頸部には広がらない．外側では帽状腱膜が側頭筋膜につながって頬骨弓に付着するので，頭皮の感染が頬骨弓を越えて広がることもない．前方では前頭筋が皮膚と密性結合組織に付着していて骨には付着しないので，感染や液体（膿や血液）が眼瞼と鼻根部に入ることがある．上眼瞼と周囲の皮下組織や真皮に血液が漏出する結果，<u>斑状出血</u>や紫斑が発生する．

髄膜と髄膜腔　頭部　615

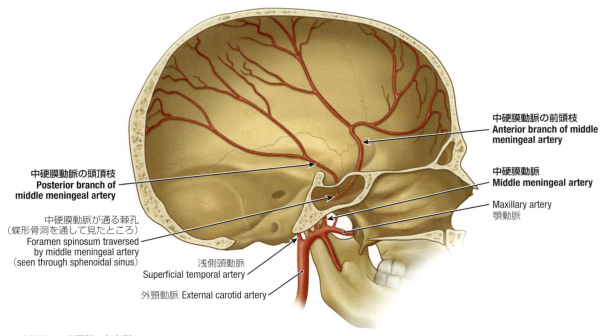

A. 内側面，二分頭蓋の左半側

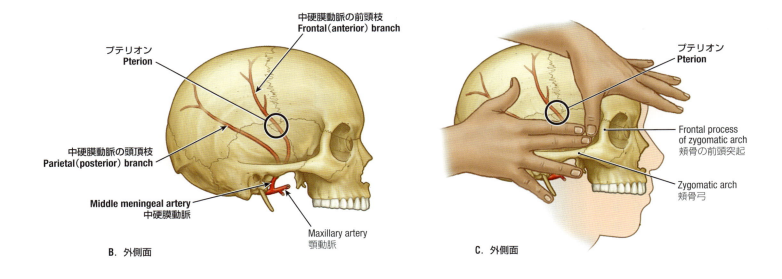

B. 外側面

C. 外側面

7.21　中硬膜動脈とプテリオン

A 頭蓋内の中硬膜動脈の走行．
B 中硬膜動脈を表面に投影した模式図．
C プテリオンの位置．プテリオンは頬骨弓の2横指上で頬骨前頭突起の1横指後ろにある（頬骨弓の中央の約4cm上）．中硬膜動脈の前頭枝はプテリオンを通過する．

側頭部を強打するとプテリオンを構成する薄い骨が骨折して，プテリオンを通る中硬膜動脈の前頭枝が破れることがある．その結果生じる**硬膜外血腫**がその奥にある大脳皮質を圧迫する．中硬膜動脈の出血を治療しないと数時間で死に至る場合がある．

616 頭部 髄膜と髄膜腔

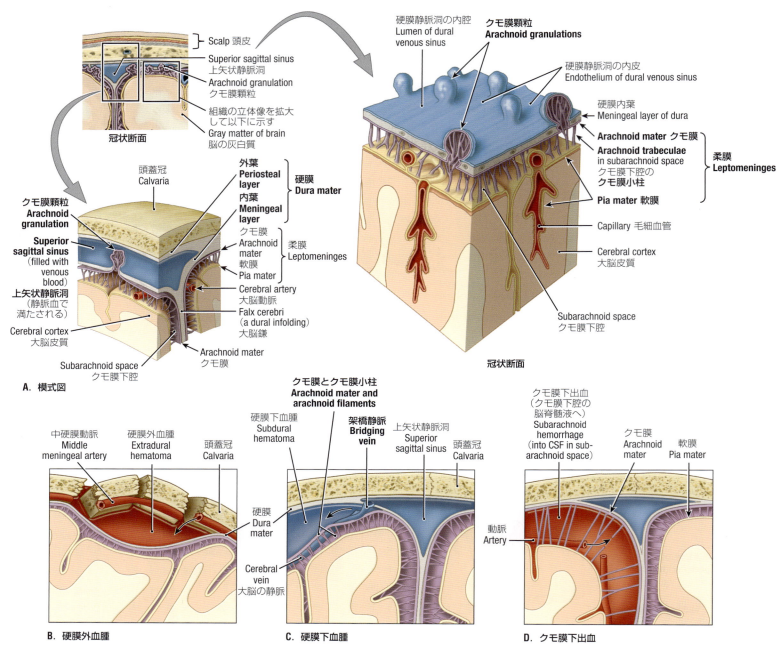

7.22 髄膜

A 頭蓋と髄膜．髄膜腔は3つある．硬膜外（硬膜上）腔は，頭蓋骨と硬膜の間にあり，正常では空間となっていないが，血液が貯留するような病的な場合に容積を持つ空間となる．硬膜とクモ膜の間にある硬膜下腔も，正常では空間となっていない．クモ膜下腔はクモ膜と軟膜の間にあり，正常でも容積を持った空間であり，脳脊髄液（CSF）を容れる．

B 硬膜外血腫は中硬膜動脈が破綻して出血した結果，生じる．

C 硬膜下血腫は，通常，上矢状静脈洞に大脳静脈が入るところで破綻した結果，生じる．

D クモ膜下出血はクモ膜下腔内の出血（例えば動脈瘤の破裂）の結果，生じる．

髄膜と髄膜腔　頭部

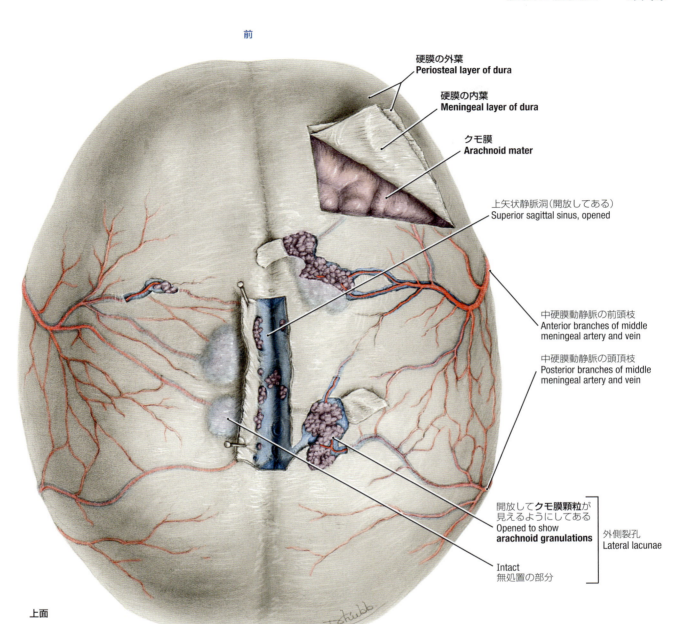

7.23　硬膜とクモ膜顆粒

- 頭蓋冠を取り除いてある．正中面には上矢状静脈洞の厚い天井があるが，その一部を開いてピンで留めてある．外側では外側裂孔の薄い天井も反転してある．
- 中硬膜動脈は静脈（中硬膜静脈）と並走する．中硬膜静脈は上方で拡大して外側裂孔をつくる．外側裂孔は上矢状静脈洞に連絡している．
- 外側裂孔にあるクモ膜顆粒は，脳脊髄液をクモ膜下腔から吸収して静脈系に排出する役割を果たす．
- **硬膜**は，とりわけ硬膜静脈洞と硬膜動脈の部分で痛みに敏感である．**頭痛**の原因は数多くあるが，頭皮や硬膜血管（ないし両方）の拡張が頭痛の原因の１つであるとされている．頭痛の多くは硬膜に原因がある．例えば腰椎穿刺で脳脊髄液を採取した後に起こる頭痛である．この頭痛は硬膜内の感覚神経終末が刺激された結果起こると考えられている．

618　頭部　髄膜と髄膜腔

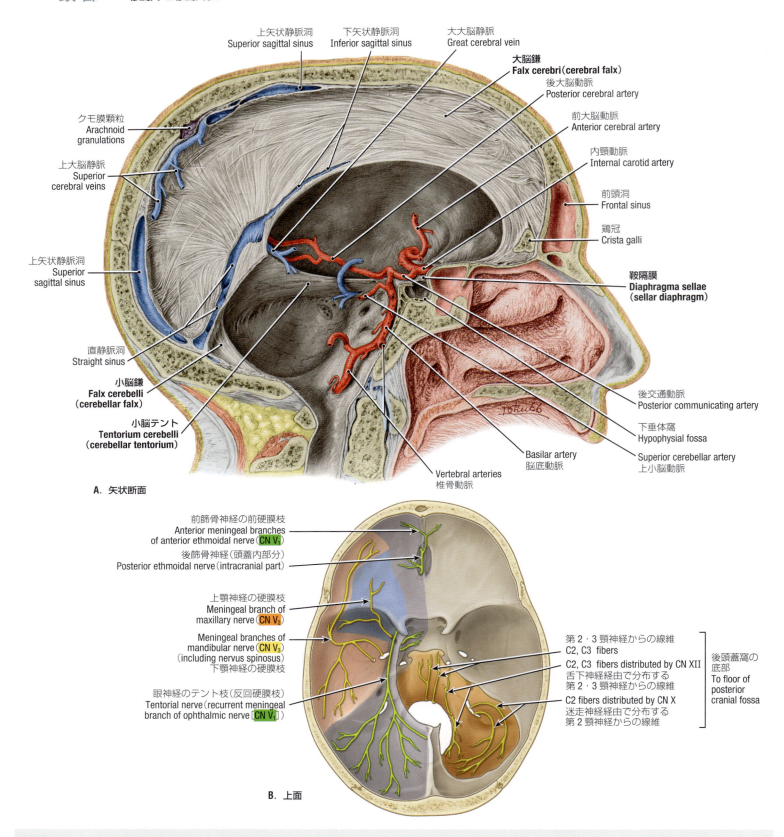

A．矢状断面

B．上面

7.24　硬膜

A　硬膜のヒダ．B　頭蓋底の硬膜の神経支配．
頭蓋底の硬膜は三叉神経の枝と頸神経（C2，C3）の感覚線維によって支配される．それらの線維はそれぞれの神経から直接硬膜に至るものもあれば，迷走神経（X）と舌下神経（XII）の硬膜枝を経由するものもある．

髄膜と髄膜腔　頭部　619

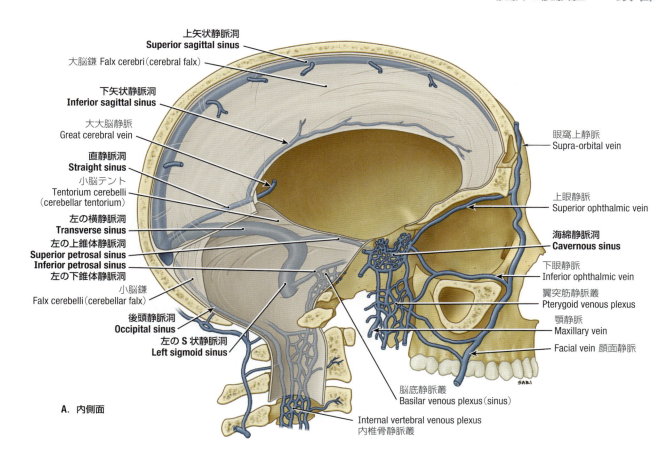

A. 内側面

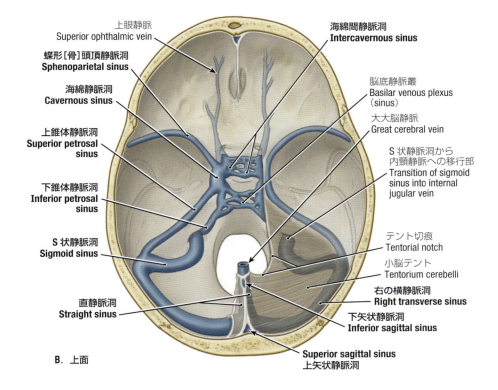

B. 上面

7.25 硬膜静脈洞

A 矢状断した頭部の模式図. 左の頭蓋腔と右の顔面骨が見えている. **B** 内頭蓋底の静脈洞.

- 上矢状静脈洞は大脳鎌の上縁にあり, 下矢状静脈洞は下縁にある. 大大脳静脈は下矢状静脈洞と合流して直静脈洞をつくる.
- 上矢状静脈洞は, 通常右の横静脈洞となり, さらに右のS状静脈洞から右の内頸静脈へと続く. 直静脈洞は同様に左の横静脈洞, 左のS状静脈洞, 左の内頸静脈へと続く.
- 海綿静脈洞は, 眼静脈と翼突筋静脈叢を介して顔面の静脈と交通があり, 上・下錐体静脈洞を介してはS状静脈洞と交通がある.
- **硬膜静脈洞への腫瘍細胞の転移.** 脳底静脈叢と後頭静脈洞は大後頭孔を経て内椎骨静脈叢と交通している. これらの静脈経路には弁がないので, 胸部, 腹部, ないし骨盤部が激しい咳や「いきみ」によって圧迫されると, この領域の静脈血が内椎骨静脈叢に入ってさらに硬膜静脈洞に流入することがある. その結果, これらの領域の膿瘍内の膿や腫瘍細胞が椎骨や脳に広がることがある.

620 頭部　頭蓋底と脳神経

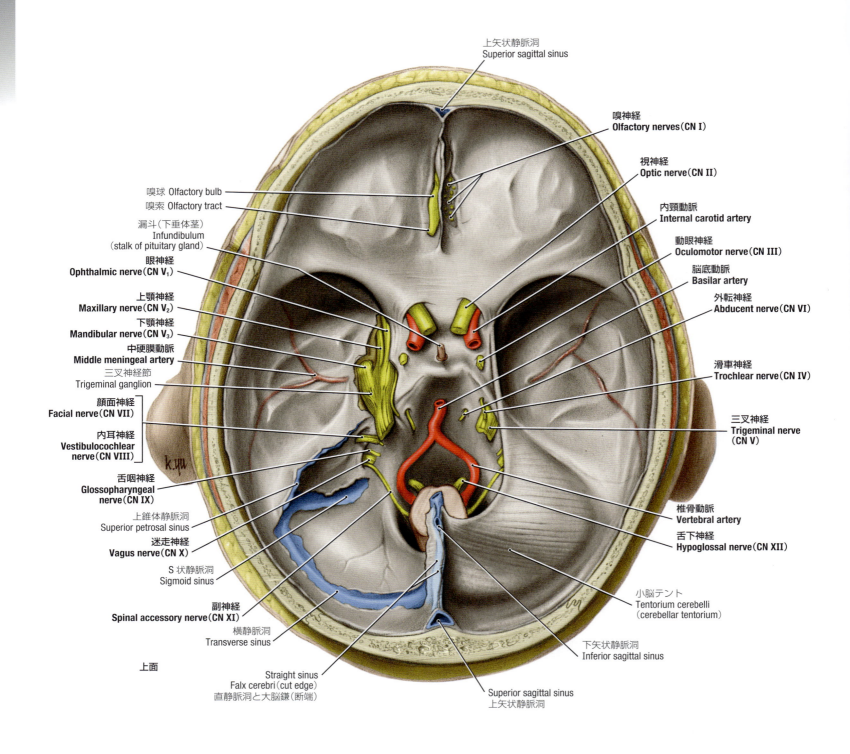

7.26　内頭蓋底の神経と血管

- 図の左側では，三叉神経腔の天井をつくる硬膜が切除されて，三叉神経（V）とその3つの枝が見えている．S状静脈洞も開かれている．また，小脳テントが取り除かれて横静脈洞と上錐体静脈洞が開かれている．
- 大脳の前頭葉は前頭蓋窩に，側頭葉は中頭蓋窩に，脳幹と小脳は後頭蓋窩に位置しており，後頭葉は小脳テントの上に載っている．
- 硬膜を貫く12対の脳神経，内頸動脈，椎骨動脈，脳底動脈，ならびに中硬膜動脈の位置が示されている．

頭蓋底と脳神経　頭部　621

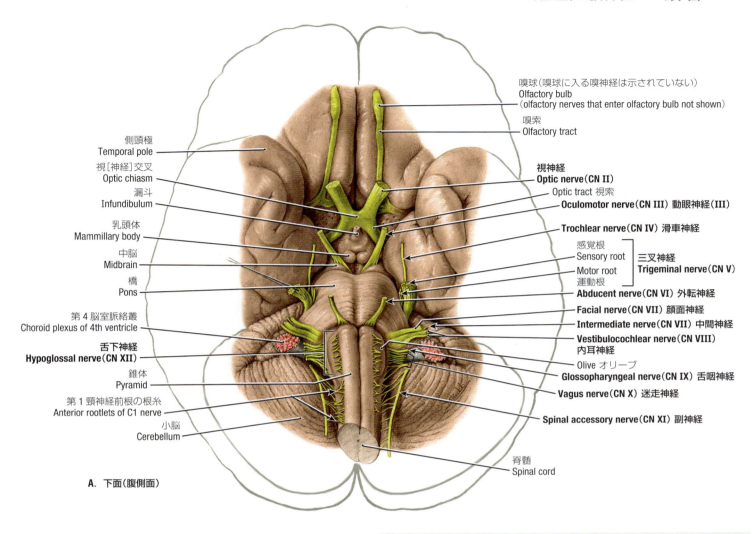

A. 下面（腹側面）

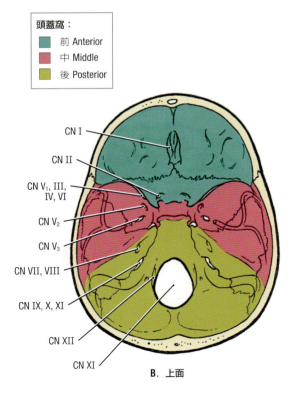

B. 上面

7.27 脳底部と脳神経の起始部

A　脳神経と脳底部の関係．B　頭蓋窩．
頭蓋の孔とそれを通る脳神経を表7.6に挙げる．

表7.6　脳神経が頭蓋腔から出る開口部

孔/開口部	脳神経
前頭蓋窩	
篩板孔	嗅上皮にある嗅細胞の軸索が嗅神経（I）を形成する．
中頭蓋窩	
視神経管	視神経（II）
上眼窩裂	眼神経（V_1），動眼神経（III），滑車神経（IV），外転神経（VI）
正円孔	上顎神経（V_2）
卵円孔	下顎神経（V_3）
後頭蓋窩	
内耳道	顔面神経（VII），内耳神経（VIII）
大後頭孔	副神経脊髄根（XI）
頸静脈孔	舌咽神経（IX），迷走神経（X），副神経（XI）
舌下神経管	舌下神経（XII）

622 頭部　頭蓋底と脳神経

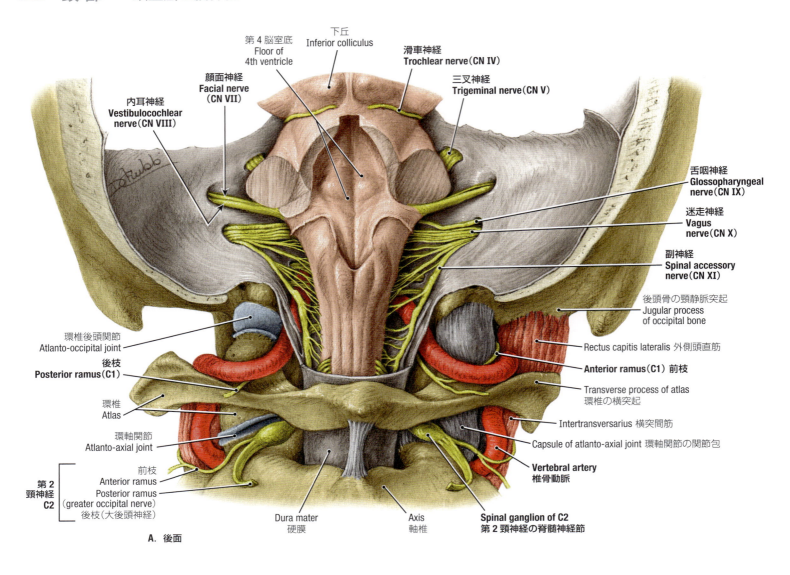

A．後面

7.28　後方から見た脳神経

A，B　大後頭孔より後ろの後頭鱗を取り除き，後頭蓋窩を露出したところ．A　原位置での脳幹．B　右側で脳幹を除去したところ．滑車神経（IV）は，中脳背側面の下丘のすぐ下から起こる．

- 三叉神経（V）の感覚根と運動根は前外側に向かって走行し，三叉神経腔の入り口に入る．
- 顔面神経（VII）と内耳神経（VIII）は外側に向かい，内耳道に入る．
- 舌咽神経（IX）は独立して硬膜を貫くが，頸静脈孔を通るときは迷走神経（X）や副神経（XI）とともに走行する．
- **聴神経腫瘍**は，神経鞘細胞〔シュワン（Schwann）細胞〕の良性腫瘍で，発育は遅い．腫瘍は内耳道の内耳神経（VIII）に起こる．聴神経腫瘍の初期症状は通常，聴覚の障害である．平衡障害と耳鳴が付随することもある．

*訳注：副神経については，814頁を参照．

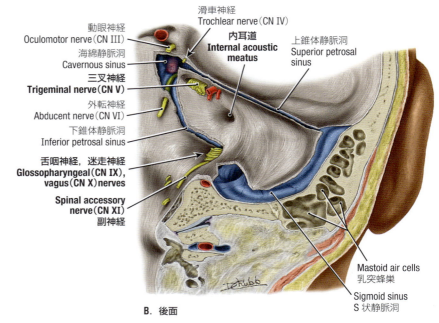

B．後面

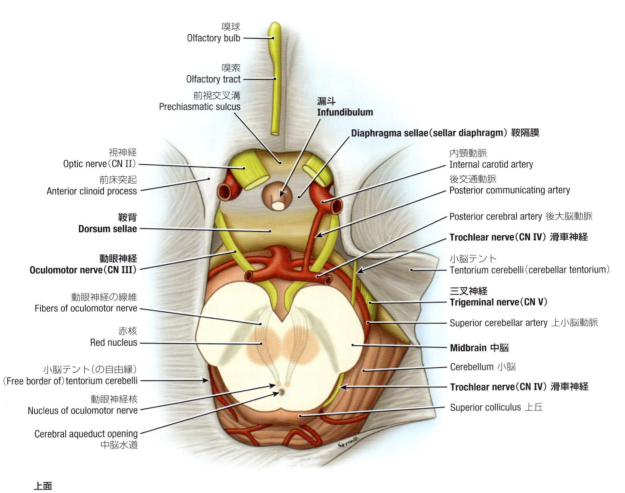

上面

7.29 テント切痕

- 中脳を切断し，大脳を取り除いて，テント切痕が見えるようにしてある．脳幹は，テント切痕を通って後頭蓋窩から中頭蓋窩に続く．
- 図の右側では小脳テントを切開して反転してある．滑車神経（Ⅳ）は，小脳テントの自由縁の下で中脳を回り込むように走行する．三叉神経（Ⅴ）の根が三叉神経腔に入る．
- 鞍隔膜は円形に開いていて，そこを漏斗（下垂体の柄）が通る．
- 動眼神経（Ⅲ）は，後大脳動脈と上小脳動脈の間を通り抜けて，後床突起の外側を回って走行する．
- テント切痕とは小脳テントの開口部で，そこに脳幹が通る．開口部は中脳よりもやや広くなっている．そのためテント上の空間に腫瘍のような占拠性病変が生じると，頭蓋内圧が上昇して隣接する側頭葉の一部がテント切痕を通ってヘルニアを起こすことがある．**テントヘルニア**の場合，丈夫な小脳テントによって側頭葉が裂傷を起こして，動眼神経（Ⅲ）が引き伸ばされたり圧迫されたり，その両方が起こったりする．動眼神経が損傷されると，それに支配される外眼筋の麻痺が生じることがある．

624 頭部　頭蓋底と脳神経

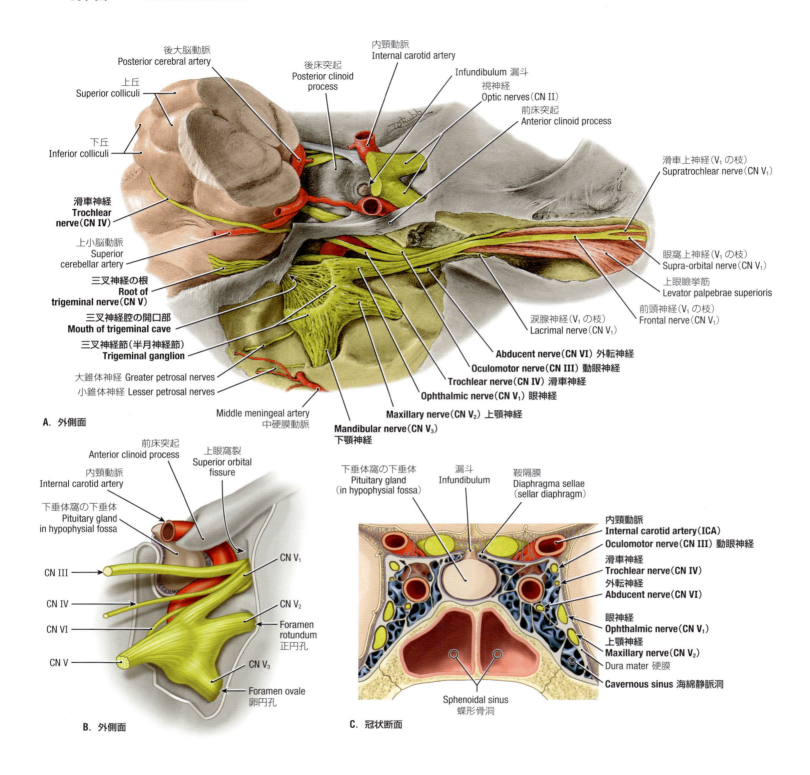

A. 外側面
B. 外側面
C. 冠状断面

7.30 中頭蓋窩の神経と血管-I

A 頭蓋底の表層を剖出したところ．小脳テントを切除し，中頭蓋窩の硬膜は大部分取り除いてある．眼窩の上壁も一部取り除いてある．
B 内頸動脈と，動眼神経・滑車神経・三叉神経・外転神経の関係．
C 海綿静脈洞を通る冠状断面．
　頭蓋底の骨折の際，海綿静脈洞の中で内頸動脈が裂けて動静脈瘻が形成される場合がある．動脈血が静脈洞内に噴出して静脈洞を拡張させ，それに接続する静脈，とくに眼静脈に血液が逆流する．その結果，眼球が突出し，結膜浮腫をきたす．動眼神経(III)，滑車神経(IV)，外転神経(VI)，眼神経(V₁)，上顎神経(V₂)が海綿静脈洞の側壁内やその近傍にあるので，これらの脳神経もまた障害されることがある．

頭蓋底と脳神経　頭部

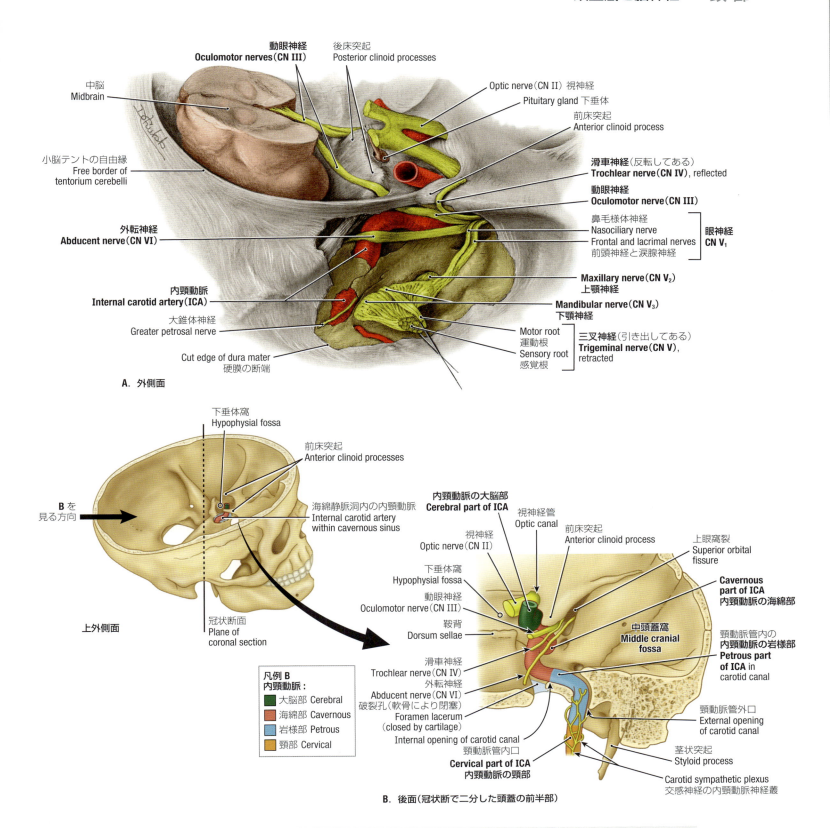

7.31 中頭蓋窩の神経と血管-II

A　深部の剖出．三叉神経根を分離して三叉神経腔の入り口から引き出して前方に反転してある．滑車神経（IV）は前方に反転してある．　B　内頸動脈の走行．

626 頭部　脳の血管分布

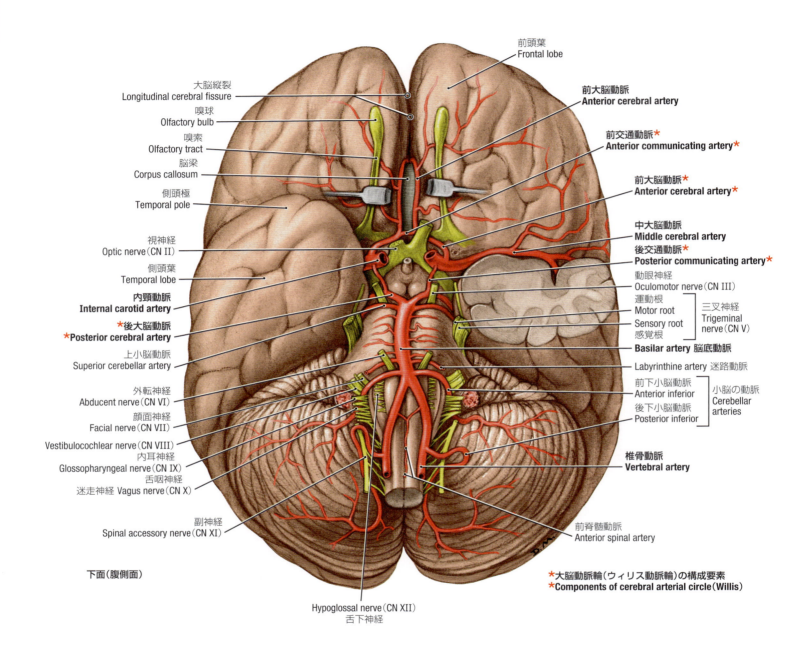

7.32　脳底と大脳動脈輪

　左の側頭葉の前部を取り除いて，外側溝内の中大脳動脈を見えるようにした．前頭葉は左右を分けて，前大脳動脈と脳梁を露出してある．
　脳虚血発作の徴候は，脳血流の障害の結果起こる突然始まる神経学的機能欠損である．脳卒中の最も多い原因は特発性の脳血管異常，すなわち脳塞栓，脳血栓，脳出血，そしてクモ膜下出血である(Louis, 2016)．大脳動脈輪は，その主要動脈の1つに閉塞が徐々に進行した場合には重要な側副循環の手段となる．突然の閉塞は，たとえ部分的であっても神経学的欠損をもたらす．高齢者の場合，大きな動脈(例えば内頸動脈)が閉塞したときには，それがたとえ徐々に進行したとしても十分な吻合とはならない．そうした症例では少なくともある程度の機能障害をきたす．
　動脈や動脈瘤が破裂すると**脳出血発作**が起こる．動脈瘤とは動脈壁の脆弱な部分が嚢状に拡張したものである．嚢状動脈瘤の最も多い型は，桑実状動脈瘤であり，大脳動脈輪やその近傍の動脈に起こる．特に高血圧のある人の場合，動脈壁の脆弱部がやがて拡大して破裂し，クモ膜下腔に血液が出る．

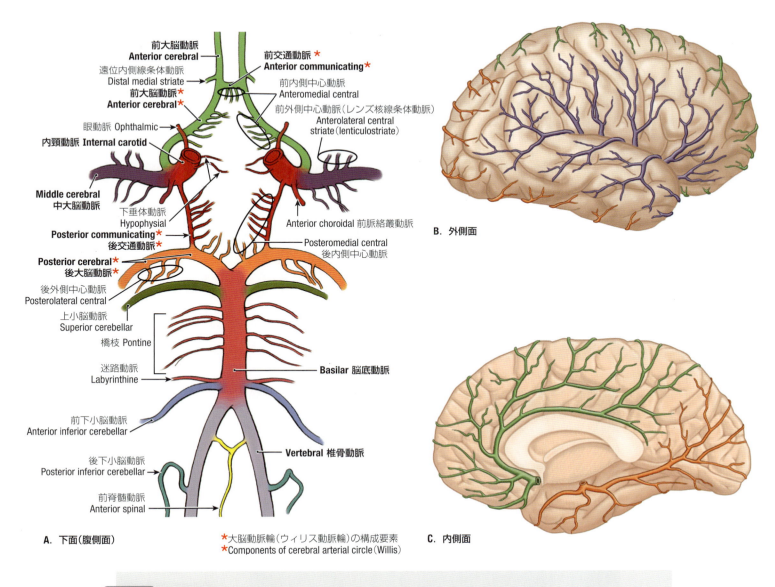

7.33 脳の動脈

A 模式図. B, C 前・中・後大脳動脈の分布.

表7.7 脳の動脈分布

動脈	起始	分布
椎骨動脈	鎖骨下動脈	脳硬膜と小脳
後下小脳動脈	椎骨動脈	小脳の後下面
脳底動脈	左右の椎骨動脈が合流	脳幹，小脳，大脳
橋枝	脳底動脈	脳幹へ多くの枝
前下小脳動脈		小脳の下面
上小脳動脈		小脳の上面
内頸動脈	甲状軟骨上縁の高さで総頸動脈から	海綿静脈洞内で枝を出し，脳への血管を出す
前大脳動脈	内頸動脈	後頭葉以外の大脳半球
中大脳動脈	内頸動脈の前大脳動脈分岐後の続き	大脳半球外側面の大部分
後大脳動脈	脳底動脈の終枝	大脳半球の下面と後頭葉
前交通動脈	前大脳動脈	大脳動脈輪
後交通動脈	内頸動脈	

628 頭部　脳の血管分布

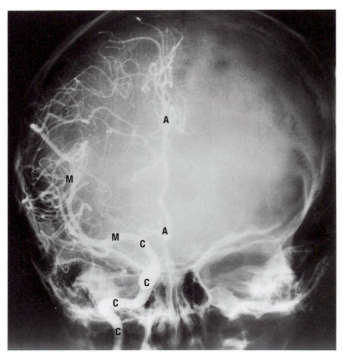

A. X線後前像

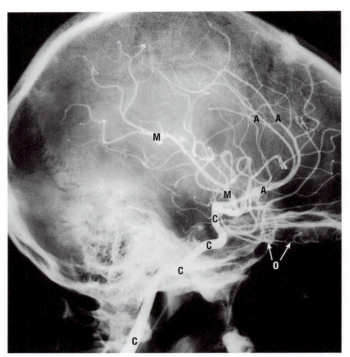

B. X線側面像

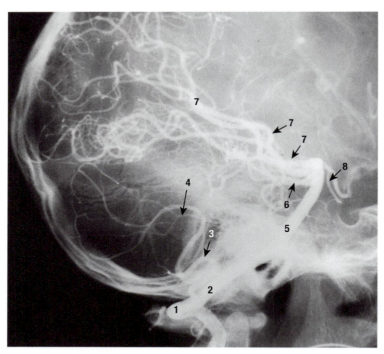

C. X線側面像

A	前大脳動脈	Anterior cerebral artery
C	内頸動脈	Internal carotid artery
M	中大脳動脈	Middle cerebral artery
O	眼動脈	Ophthalmic artery
1	環椎後弓の上を通る椎骨動脈	Vertebral artery on posterior arch of atlas
2	大後頭孔を通って頭蓋に入る椎骨動脈	Vertebral artery entering skull through foramen magnum
3	後下小脳動脈	Posterior inferior cerebellar artery
4	前下小脳動脈	Anterior inferior cerebellar artery
5	脳底動脈	Basilar artery
6	上小脳動脈	Superior cerebellar artery
7	後大脳動脈	Posterior cerebral artery
8	後交通動脈	Posterior communicating artery

7.34　大脳の血管造影像

A, B　**内頸動脈造影像**．4つのCは内頸動脈の各部を示す．頸部：頭蓋に入る前の部分，岩様部：側頭骨の中にある部分，海綿部：海綿静脈洞の中にある部分，大脳部：頭蓋内のクモ膜下腔にある部分．
C　**椎骨動脈造影像**．

一過性脳虚血発作（TIA）とは脳の虚血（血液供給の障害）の結果起こる神経学的徴候のことを指す．TIAの徴候は，歩行障害，めまい感，頭部のふらふら感，卒倒，異常感覚（手足のびりびり感）など，はっきりしないことがある．TIAの多くは数分しか続かないが，もっと長く残る場合もある．TIAの経験者は心筋梗塞や虚血性脳卒中のリスクが高い（Marshall, 2016）．

脳の血管分布　頭部　**629**

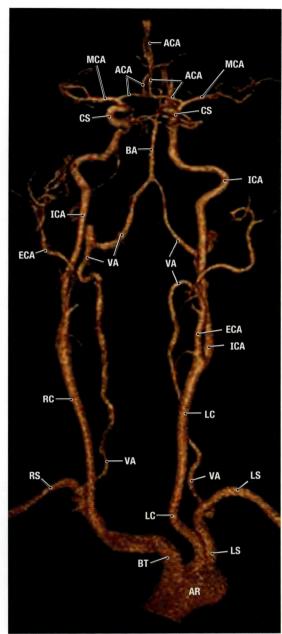

A．CT 血管造影像，前面

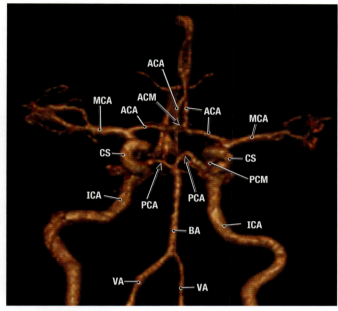

B．CT 血管造影像，前面

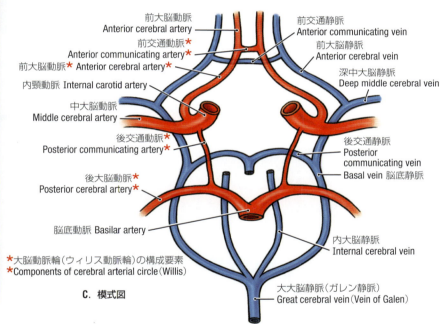

C．模式図

*大脳動脈輪（ウィリス動脈輪）の構成要素
*Components of cerebral arterial circle (Willis)

凡例 A, B					
ACA	前大脳動脈 Anterior cerebral artery	CS	頸動脈サイホン Carotid syphon	MCA	中大脳動脈 Middle cerebral artery
ACM	前交通動脈 Anterior communicating artery	ECA	外頸動脈 External carotid artery	PCA	後大脳動脈 Posterior cerebral artery
AR	大動脈弓 Arch of aorta	ICA	内頸動脈 Internal carotid artery	PCM	後交通動脈 Posterior communicating artery
BA	脳底動脈 Basilar artery	LC	左の総頸動脈 Left common carotid artery	RC	右の総頸動脈 Right common carotid artery
BT	腕頭動脈 Brachiocephalic trunk	LS	左の鎖骨下動脈 Left subclavian artery	RS	右の鎖骨下動脈 Right subclavian artery
				VA	椎骨動脈 Vertebral artery

7.35　頭頸部の血液供給

A　頭頸部の動脈の CT 血管造影像．B　大脳動脈輪（ウィリス動脈輪）の CT 血管造影像．C　大脳動脈輪と脳底の静脈の模式図．

630 頭部　眼窩と眼球

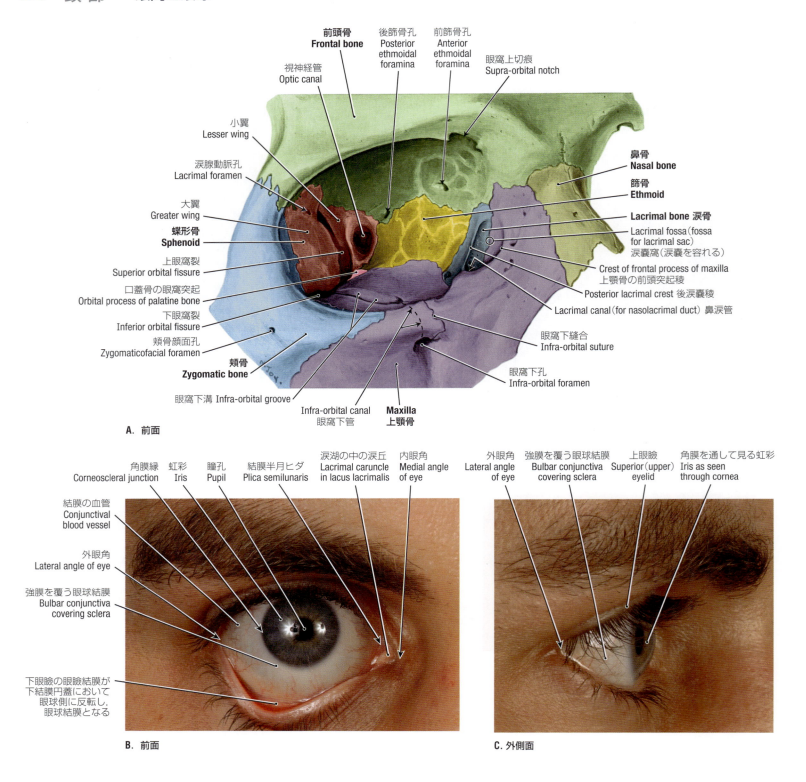

A. 前面

B. 前面

C. 外側面

7.36　眼窩と眼の体表解剖

A　眼窩の骨と特徴．B, C　眼の体表解剖．B では，下眼瞼を外反して，眼瞼結膜が見えるようにしてある．

眼窩縁の骨が直接強い打撃を受けると，その結果，通常は眼窩縁を形成する骨の間の縫合に眼窩骨折が起こる．内側壁が骨折する場合は篩骨洞と蝶形骨洞の壁に起こり，下壁が骨折する場合は上顎洞の壁に起こる．上壁は内側壁や下壁よりも強いが，半透明なほど薄いので異物が貫通することは十分起こりうる．そのような場合，先の尖った物が脳の前頭葉に突き刺さることになる．眼窩骨折はしばしば眼窩内の出血を起こし，眼球を圧迫して**眼球突出**を生じる．

眼窩と眼球　頭部　631

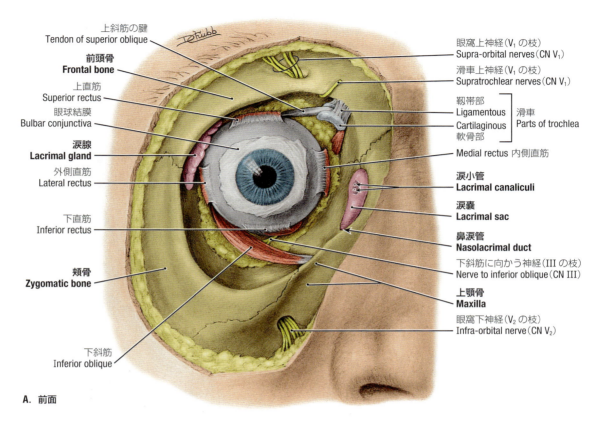

A. 前面

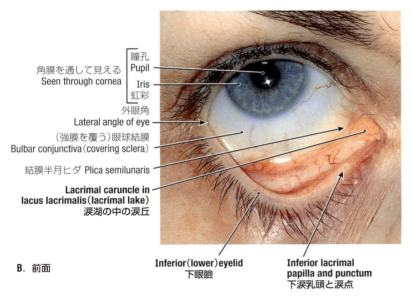

B. 前面

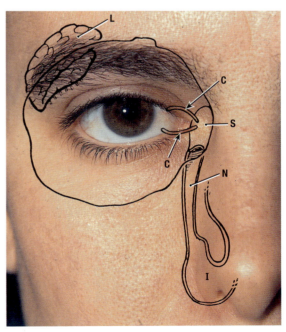

C. 前面

| 7.37 | 眼と涙器 |

A　眼窩を前から剖出したところ．眼瞼，眼窩隔膜，上眼瞼挙筋ならびに一部の脂肪を取り除いてある．
B　表面の特徴．下眼瞼を反転してある．
C　涙器を体表に投影したところ．涙液は，眼窩の上外側隅にある涙腺(L)で分泌され，眼球表面を流れて内眼角にある涙湖に入る．そこから涙点，涙小管(C)，涙嚢(S)を通って排水される．涙嚢からは鼻涙管(N)を経て鼻腔の下鼻道(I)に流れる．

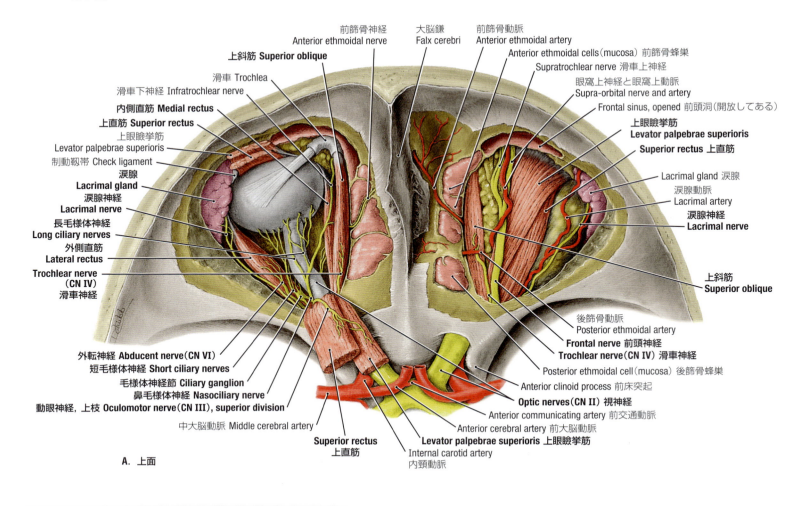

A. 上面

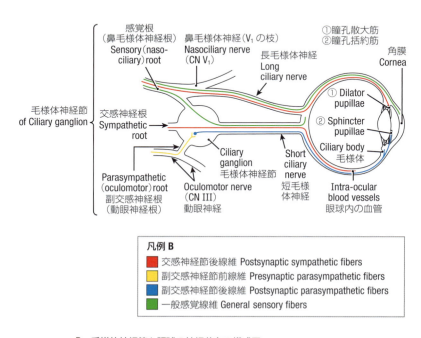

B. 毛様体神経節と眼球の神経分布の模式図

7.38 上面から見た眼窩

A 浅層の解剖.

右側：前頭骨の眼窩部を取り除いてある．
左側：上眼瞼挙筋と上直筋を反転してある．

- 滑車神経(IV)は上斜筋の内側を，外転神経(VI)は外側直筋の内側を通る．
- 涙腺神経は外側直筋の上を通る．この神経は上眼瞼の結膜と皮膚に感覚線維を送る．涙腺神経は頬骨神経からの交通枝を受けるが，そこから合流する線維は翼口蓋神経節由来で涙腺の分泌を促す臓性運動線維である．
- 毛様体神経節は副交感神経系の神経節で，外側直筋と視神経(II)の間にあり，多数の短毛様体神経を出す．鼻毛様体神経は2本の長毛様体神経を分岐させる．長毛様体神経は互いに吻合する他に，短毛様体神経とも吻合する．

B 毛様体神経節と眼球の神経分布.

頸部交感神経幹が遮断されると，頭部の同側における交感神経系の刺激がなくなるために**ホルネル(Horner)症候群**が起こる．ホルネル症候群の症状には，同側の瞳孔収縮（**縮瞳**），上眼瞼の下垂（**眼瞼下垂**），顔面皮膚の発赤と温度上昇（**血管拡張**），発汗の欠如（**無汗症**）がある．

- 毛様体神経節は，三叉神経の枝である鼻毛様体神経からの感覚線維，内頸動脈神経叢から眼動脈に沿って続く交感神経系の節後線維，ならびに動眼神経下枝からの副交感神経系節前線維を受ける．副交感神経系節前線維のみが毛様体神経節でシナプスをつくる．

凡例 B

- 交感神経節後線維 Postsynaptic sympathetic fibers（赤）
- 副交感神経節前線維 Presynaptic parasympathetic fibers（黄）
- 副交感神経節後線維 Postsynaptic parasympathetic fibers（青）
- 一般感覚線維 General sensory fibers（緑）

眼窩と眼球　頭部　633

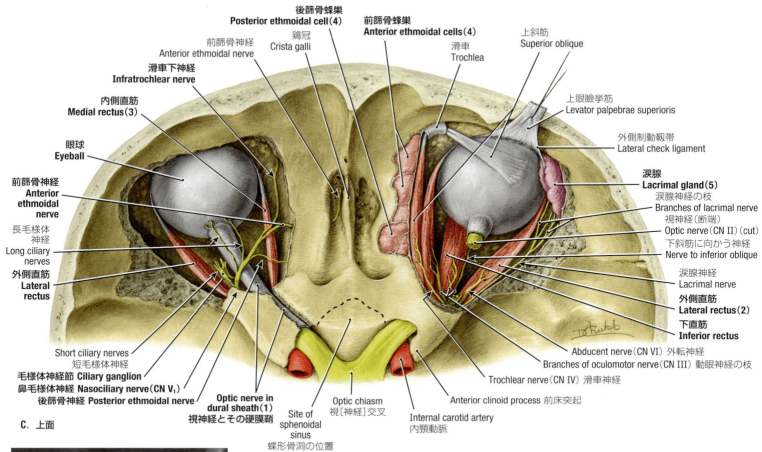

C. 上面

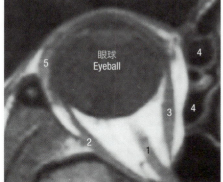

D. 水平断 MR 像（左眼窩）

7.38　上面から見た眼窩（続き）

C　深層の解剖．左側の視神経（II）はそのままで，右側は切断されている．
D　眼窩の水平断 MR 像（番号は C と対応する）．

C の右側：
- 眼球は眼窩の前半分を占める．

C の左側：
- 副交感性の毛様体神経節は，眼球の後ろで，外側直筋と視神経鞘の間にある．
- 鼻毛様体神経（V_1 の枝）は毛様体神経節への枝を出した後，視神経（II）の上を横切りながら2本の長毛様体神経と後篩骨神経を出す．長毛様体神経は眼球と角膜の感覚を伝える．後篩骨神経は蝶形骨洞と後篩骨蜂巣の感覚を伝える．鼻毛様体神経はその後，前篩骨神経と滑車下神経に分かれる．

表 7.8　眼窩の筋

筋	起始	停止	神経支配	主な作用[a]
上眼瞼挙筋	蝶形骨の小翼，視神経管の上前方	上眼瞼の瞼板と皮膚	動眼神経（III）．深部にある上瞼板筋は交感神経線維が支配	上眼瞼の挙上
上斜筋	蝶形骨の体	腱が滑車（線維の輪）を通って方向を変え，上直筋の下で強膜に停止	滑車神経（CN IV）	眼球の外転，下制，内旋
下斜筋	眼窩下壁の前部	外側直筋の内側で強膜に停止	動眼神経（CN III）	眼球の外転，挙上，外旋
上直筋	総腱輪	角膜のすぐ後方で強膜に停止		眼球を挙上，内転，内旋
下直筋				眼球を下制，内転，外旋
内側直筋				眼球を内転
外側直筋			外転神経（CN VI）	眼球を外転

[a]すべての筋が眼球運動に常に関与するので，臨床においては個別の筋の作用を検査できないことがある．

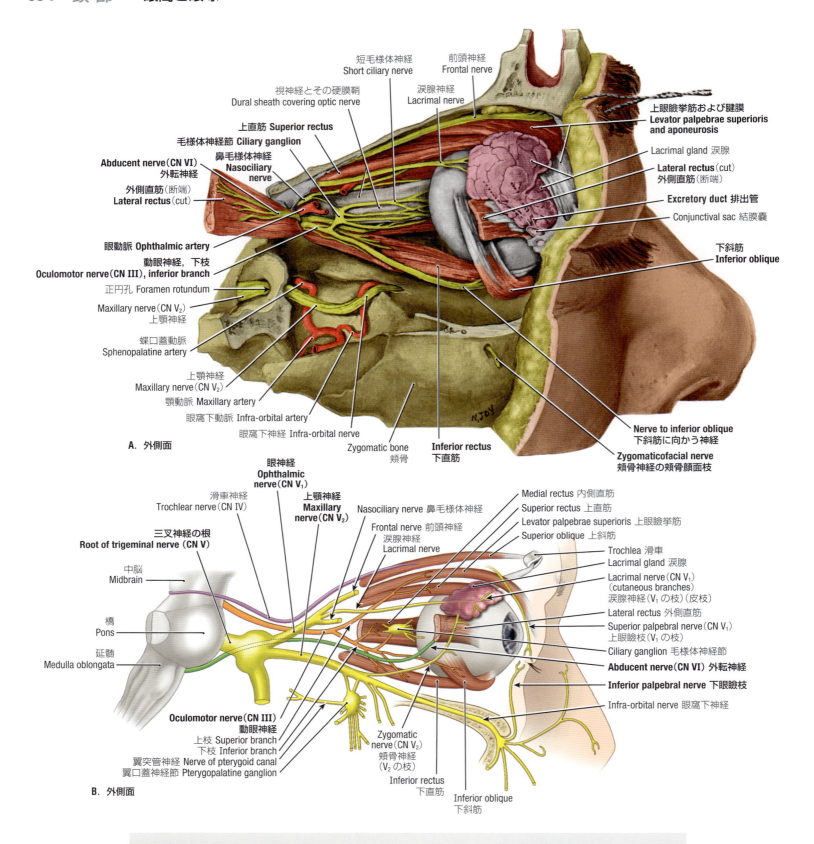

7.39 眼窩外側面と眼瞼の構造

A 解剖．B 神経．C 視神経の矢状断面と横断面．視神経周囲のクモ膜下腔は脳のクモ膜下腔に続く．D 矢状断MR像（番号はCに対応する）．C字型の囲み：視神経管の出口．M：上顎洞，S：上眼静脈．E 眼瞼の構造．

眼窩と眼球　頭部

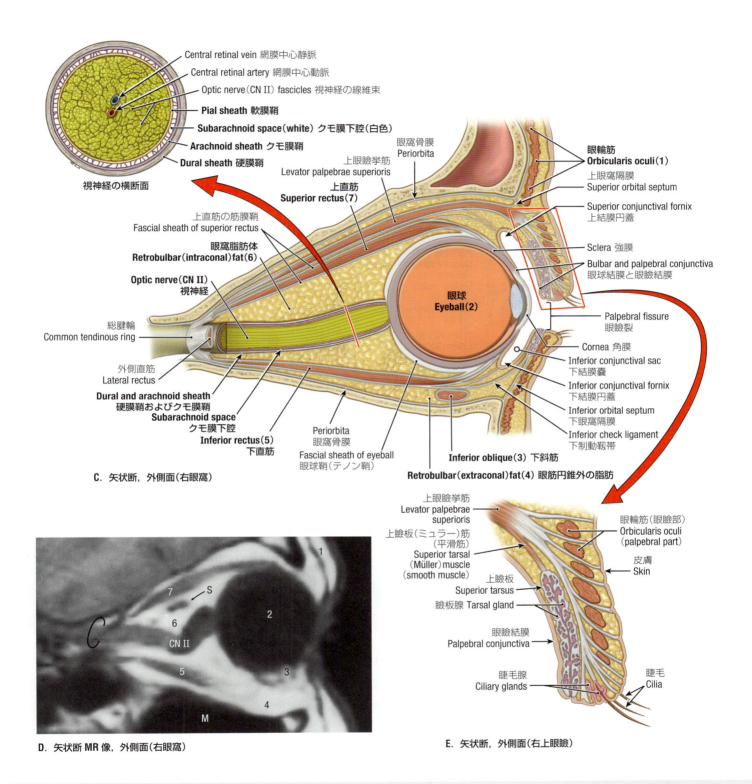

C. 矢状断，外側面（右眼窩）

D. 矢状断 MR 像，外側面（右眼窩）

E. 矢状断，外側面（右上眼瞼）

7.39　眼窩外側面と眼瞼の構造（続き）

- 砂や金属粉といった異物が**角膜上皮の剥離**を起こすと，眼球に突然の刺すような痛みと涙を生じる．眼瞼の開閉も痛みを生じる．**角膜の裂傷**は手の爪や本のページの角のような尖った物体によって引き起こされる．
- 眼瞼にある腺はどれも感染や導管の閉塞によって炎症を起こし腫脹することがある．睫毛腺の導管が閉塞すると痛みのある赤い化膿性の（膿を伴う）腫脹，すなわち麦粒腫が眼瞼に生じる．**瞼板腺の閉塞**は炎症，すなわち**霰粒腫**を生じる．霰粒腫は眼球側に突出するので瞬きをする度に眼球がこすられる．

636 頭部　眼窩と眼球

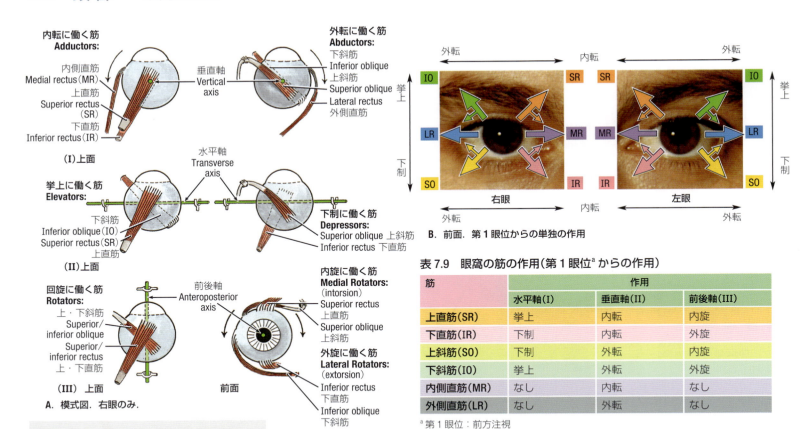

B．前面．第1眼位からの単独の作用

表7.9　眼窩の筋の作用（第1眼位[a]からの作用）

筋	作用		
	水平軸(I)	垂直軸(II)	前後軸(III)
上直筋(SR)	挙上	内転	内旋
下直筋(IR)	下制	内転	外旋
上斜筋(SO)	下制	外転	内旋
下斜筋(IO)	挙上	外転	外旋
内側直筋(MR)	なし	内転	なし
外側直筋(LR)	なし	外転	なし

[a] 第1眼位：前方注視

7.40　外眼筋とその作用

A　右眼球の軸・筋の方向・運動．眼球運動の軸に対する外眼筋の作用方向．外眼筋の作用を理解するには眼窩の方向が重要となる．直筋群の起始をなす総腱輪，下斜筋の起始，上斜筋の滑車は，眼球および前後軸と垂直軸に対してすべて内側に位置する．(I)内側直筋と外側直筋は主に眼球の内転と外転にそれぞれかかわる．しかし，第1眼位（前方注視）を基準にすると：(1)垂直軸より内側かつ前方で作用する上直筋と下直筋は副次的に内転にかかわり，(2)垂直軸より内側かつ後方で作用する上斜筋と下斜筋は，副次的に外転にかかわる．(II)水平方向に関しては逆向きに作用する上直筋と下斜筋は協調して挙上にかかわり，下直筋と上斜筋は協調して下制にかかわる．(III)内側で作用する上直筋と上斜筋は眼球の上側に付着するので，副次的に内旋にかかわり，内側で作用する下直筋と下斜筋は眼球の下側に付着するので，副次的に外旋にかかわる．

B　第1眼位を基準にした，外眼筋の単独の作用．大矢印は主要6方向へ主にかかわる筋を示す．大矢印の中間方向への動き，例えば垂直挙上や垂直下制などは，隣接筋の協調作用を必要とする．両眼の共同注視にかかわる外眼筋の組を共同筋（共役筋，ともむき筋）という．例えば，右の外側直筋と左の内側直筋は右方注視で共同筋として働く．

C　外眼筋の解剖学的運動（第1眼位からの単独の運動）．

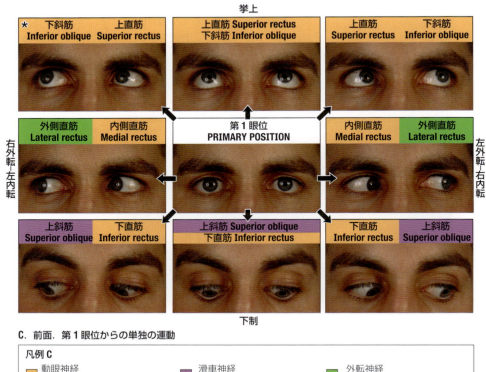

C．前面．第1眼位からの単独の運動

眼窩と眼球　頭部　637

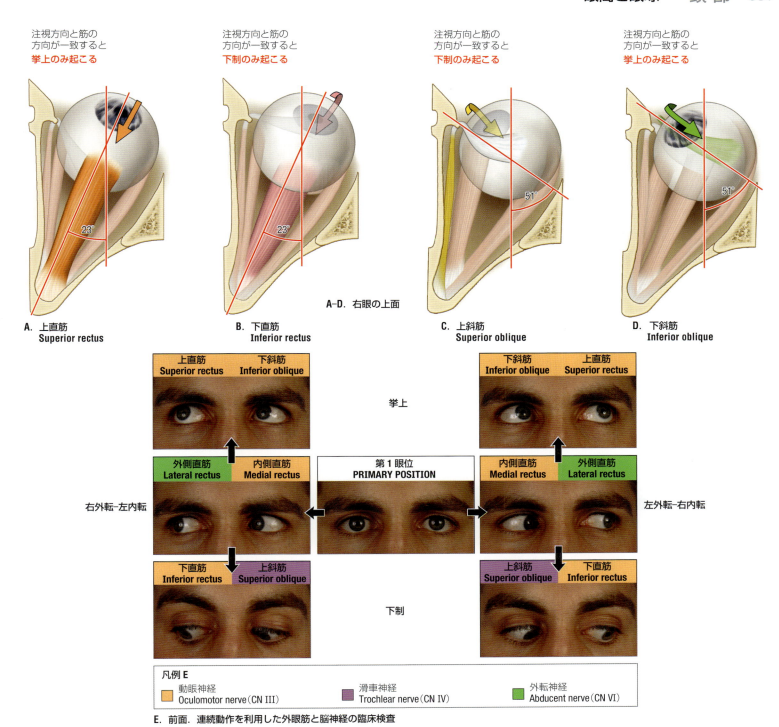

注視方向と筋の方向が一致すると **挙上のみ起こる**

注視方向と筋の方向が一致すると **下制のみ起こる**

注視方向と筋の方向が一致すると **下制のみ起こる**

注視方向と筋の方向が一致すると **挙上のみ起こる**

A–D. 右眼の上面

A. 上直筋　Superior rectus
B. 下直筋　Inferior rectus
C. 上斜筋　Superior oblique
D. 下斜筋　Inferior oblique

上直筋 Superior rectus ／ 下斜筋 Inferior oblique
下斜筋 Inferior oblique ／ 上直筋 Superior rectus

外側直筋 Lateral rectus ／ 内側直筋 Medial rectus
第1眼位 PRIMARY POSITION
内側直筋 Medial rectus ／ 外側直筋 Lateral rectus

下直筋 Inferior rectus ／ 上斜筋 Superior oblique
上斜筋 Superior oblique ／ 下直筋 Inferior rectus

挙上
右外転–左内転
左外転–右内転
下制

凡例 E
- 動眼神経 Oculomotor nerve (CN III)
- 滑車神経 Trochlear nerve (CN IV)
- 外転神経 Abducent nerve (CN VI)

E. 前面．連続動作を利用した外眼筋と脳神経の臨床検査

7.41　外眼筋と運動神経（III，IV，VI）の臨床検査

A, B　眼球がまず外側直筋によって外転すると，直筋のみが挙上と下制を行える．C, D　眼球が内側直筋によって内転すると，斜筋のみが挙上と下制を行える．E　2つの連続動作を利用した外眼筋の臨床検査（左/右注視後の挙上/下制）．個々の外眼筋とその支配神経の健全性を調べるために，検者の指を，横に引き伸ばしたHの文字の形に動かして目で追ってもらう．

- **動眼神経**が完全に**麻痺**すると，外眼筋の多くや上眼瞼挙筋，瞳孔括約筋が影響を受ける．上眼瞼が垂れ下がり（**眼瞼下垂**），眼輪筋（顔面神経支配）の筋力に拮抗できないために，随意的に挙上することができない．瞳孔も，瞳孔散大筋に拮抗できないために完全に散大し，光に対して反応しない．外側直筋と上斜筋の筋力に拮抗できないため，瞳孔は外側下方に完全に偏位する．
- **外転神経の損傷**では，外側直筋が麻痺するために同側への側方注視ができなくなる．前方を注視する際には，外側直筋の正常な安静時筋緊張がないために眼球が内側に偏位し，そのために物が二重に見える（複視）．

638 頭部　眼窩と眼球

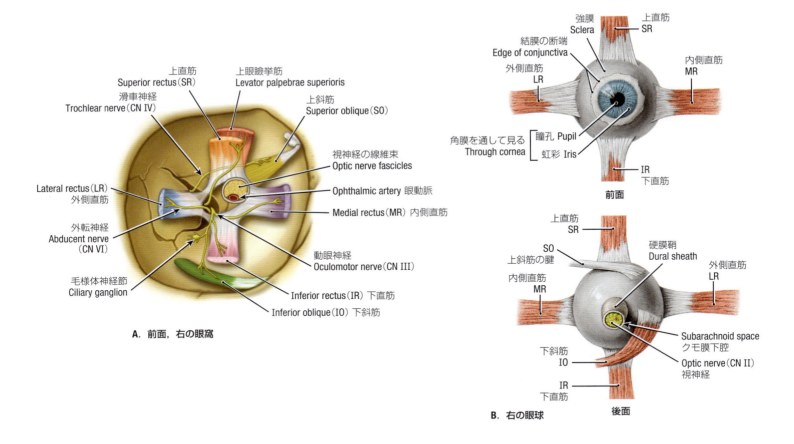

7.42　眼窩の神経と筋

A　眼球摘出後の筋と神経．B　眼球の筋．

7.43　眼窩尖部での神経と筋の関係

眼窩腫瘍．視神経は蝶形骨洞と後篩骨蜂巣に近いので，これらの副鼻腔の悪性腫瘍が眼窩の薄い骨壁を浸潤し，視神経や眼窩内容を圧迫することがある．眼窩内の腫瘍は**眼球突出**を起こす．中頭蓋窩の腫瘍は上眼窩裂を，また側頭窩や側頭下窩の腫瘍は下眼窩裂を通って眼窩内に侵入することがある．

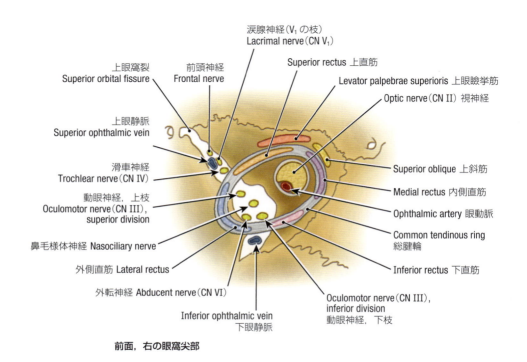

眼窩と眼球　　頭部

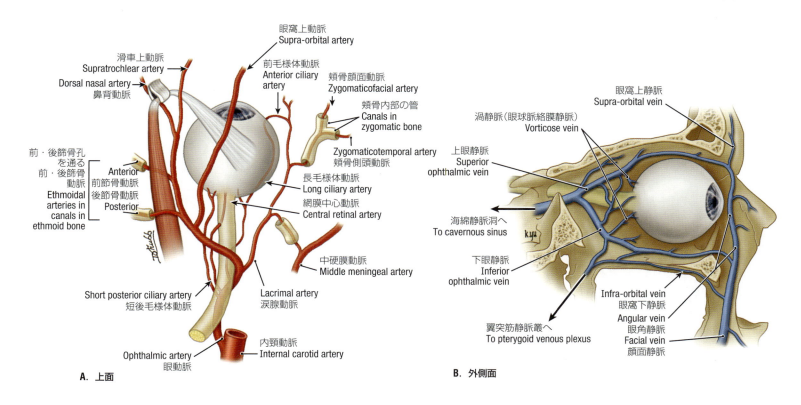

A．上面　　　B．外側面

7.44　眼窩の動脈と静脈

A　動脈．

網膜中心動脈の閉塞．網膜中心動脈の終枝は終動脈である．この動脈が塞栓を起こして閉塞すると即座にかつ恒久的に視覚を失う．この動脈の閉塞は通常一側に起こり，高齢者に多い．

B　静脈．上眼静脈と下眼静脈は眼球からの渦静脈の血液を受け，後方の海綿静脈洞と下方の翼突筋静脈叢に流す．また，眼静脈は前方の眼角静脈や眼窩上静脈と交通している．

- 顔面の静脈が上眼静脈を通して海綿静脈洞と連絡していることは臨床上重要である．**海綿静脈洞の血栓**は多くの場合，眼窩や副鼻腔や顔面上部（危険三角）の感染の結果起こる．顔面静脈に血栓性静脈炎がある人では，感染した血栓のかけらが海綿静脈洞に及ぶことがあり，**血栓性海綿静脈洞炎**を生じる．感染は通常はじめは一側であるが，海綿間静脈洞を経由して対側に広がる場合がある．

- **網膜中心静脈の閉塞**．網膜中心静脈は海綿静脈洞に注ぐ．この静脈洞の血栓性静脈炎によって血栓が網膜中心静脈に及び，網膜の小静脈の1つに閉塞を起こす．中心静脈の枝が閉塞すると，普通は痛みを伴わない，緩徐に進行する視覚障害が起こる．

表7.10　眼窩の動脈

動脈	起始	走行と分布
眼動脈	内頸動脈	視神経管を通って眼窩に至る．
網膜中心動脈	眼動脈	視神経外鞘の中を通り，眼球近くで神経内に進入する．視神経円板（乳頭）の中央に現れ，網膜に分布する（錐体と杆体を除く）．
眼窩上動脈		眼窩上孔から上後方に向かい前頭部の皮膚と頭皮に分布する．
滑車上動脈		眼窩上縁を通り，前頭部の皮膚と頭皮に分布する．
涙腺動脈		外側直筋の上縁に沿って走り，涙腺，結膜，眼瞼に分布する．
鼻背動脈		鼻の背側面に沿って走り，その部分の皮膚に分布する．
短後毛様体動脈		視神経の周縁部で強膜を貫き，脈絡膜に分布する．脈絡膜は網膜の錐体と杆体を養う．
長後毛様体動脈		強膜を貫き，毛様体と虹彩に分布する．
後篩骨動脈		後篩骨孔を通り，後篩骨蜂巣に分布する．
前篩骨動脈		前篩骨孔を通り，前頭蓋窩に至り，前篩骨蜂巣と中篩骨蜂巣，前頭洞，鼻腔，鼻背の皮膚に分布する．
前毛様体動脈	眼動脈と眼窩下動脈の筋枝	直筋の付着部で強膜を貫き，虹彩と毛様体の血管網を形成する．
眼窩下動脈	顎動脈の翼口蓋部	眼窩下溝と眼窩下孔を通って顔面へ分布する．

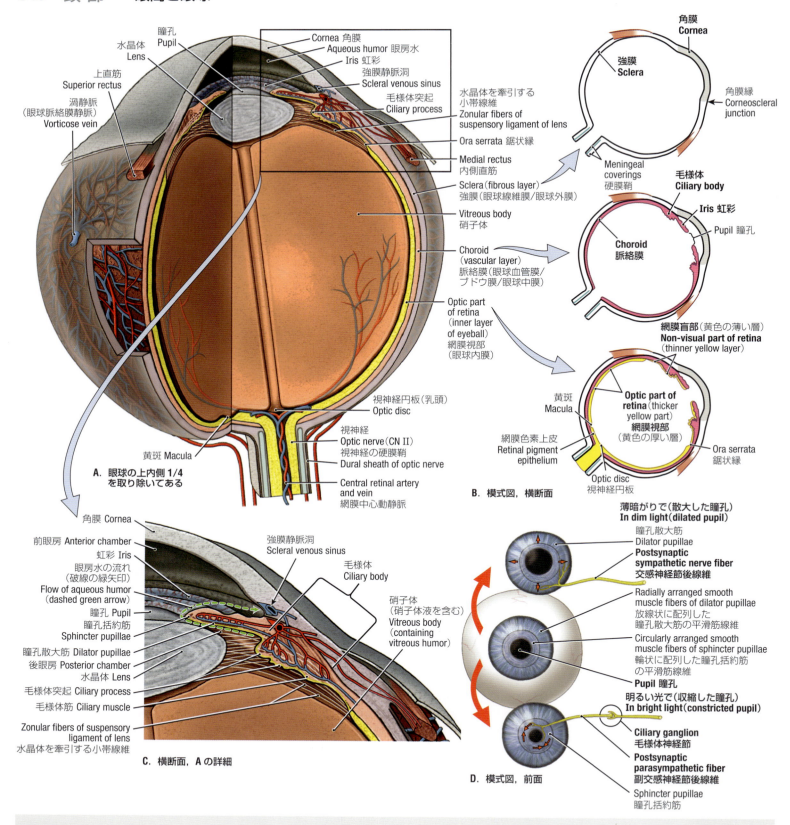

7.45 眼球の内部構造

A 眼球の各部. B 眼球の層. C 眼球の前部. D 虹彩の構造と機能.
眼房水は毛様体突起で産生され, 血管のない角膜や水晶体に栄養素を供給する. 眼房水は強膜静脈洞(シュレム管)に吸収される.

眼房水の吸収が著しく低下すると, 眼球内圧が上昇する(**緑内障**). 眼房水の産生が減らず, 正常な眼圧を維持できないと, 網膜の内層と網膜動脈が圧迫されることによって失明することがある.

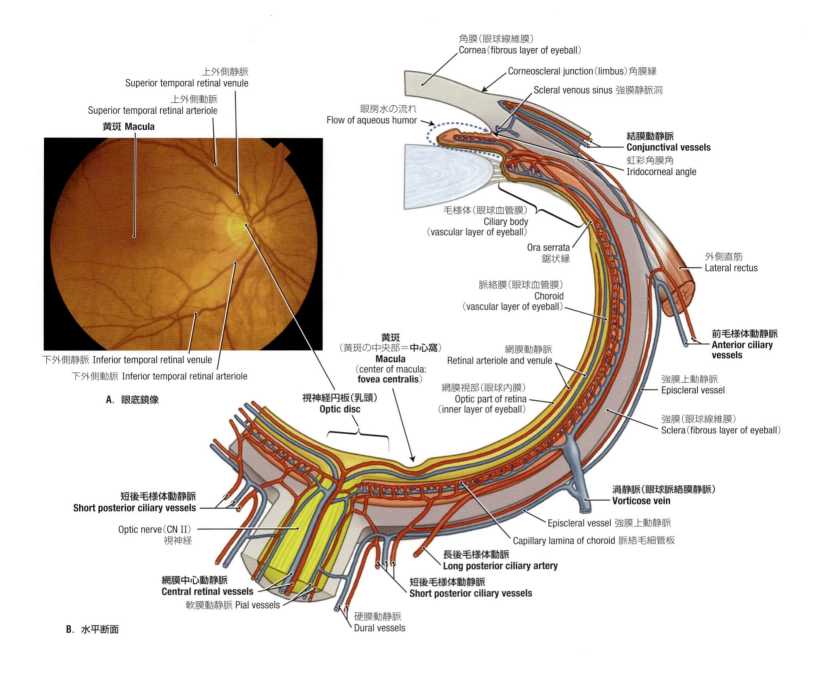

| 7.46 | 眼底の構造と眼球の血管支配 |

A 右の眼底を眼底鏡で見たところ．網膜の小静脈（幅の広いほう）と小動脈（幅の狭いほう）は，楕円形の視神経円板の中心から放射状に走行する．視神経円板とは視神経が眼球に入る部分である．視神経円板の外側にある円形の暗い領域が，黄斑である．網膜の血管の枝はこの領域にも広がるが，その中心部である中心窩には達しない．中心窩は窪んだ部分で，そこの視力が最も良い．中心窩には血管がないが，網膜の他の部分の最外層（錐体と杆体）と同じように，隣接する脈絡膜の血管に栄養される．視神経を囲むクモ膜下腔の脳脊髄液を介して頭蓋内圧の上昇が伝わり，視神経円板を突出させる．この状態をうっ血乳頭と呼び，眼底鏡で観察される．

B 眼球の血管支配．眼球は3層からなる：(1)外側の線維性の層である強膜と角膜，(2)中間の血管に富んだ層である脈絡膜，毛様体ならびに虹彩，(3)内側の神経からなる層である網膜．網膜は色素細胞層と神経層からなる．網膜中心動脈は眼動脈の枝で，終動脈である．8本の後毛様体動脈のうち6本は短後毛様体動脈で脈絡膜を栄養し，その脈絡膜が網膜の外側の血管のない層を栄養する．2本の長後毛様体動脈は眼球の内側と外側に1本ずつあり，強膜と脈絡膜の間を走行し，眼動脈の筋枝に由来する前毛様体動脈と吻合する．脈絡膜の血液は後毛様体静脈に流れ，4ないし5本の渦静脈を経て眼静脈に流れる．

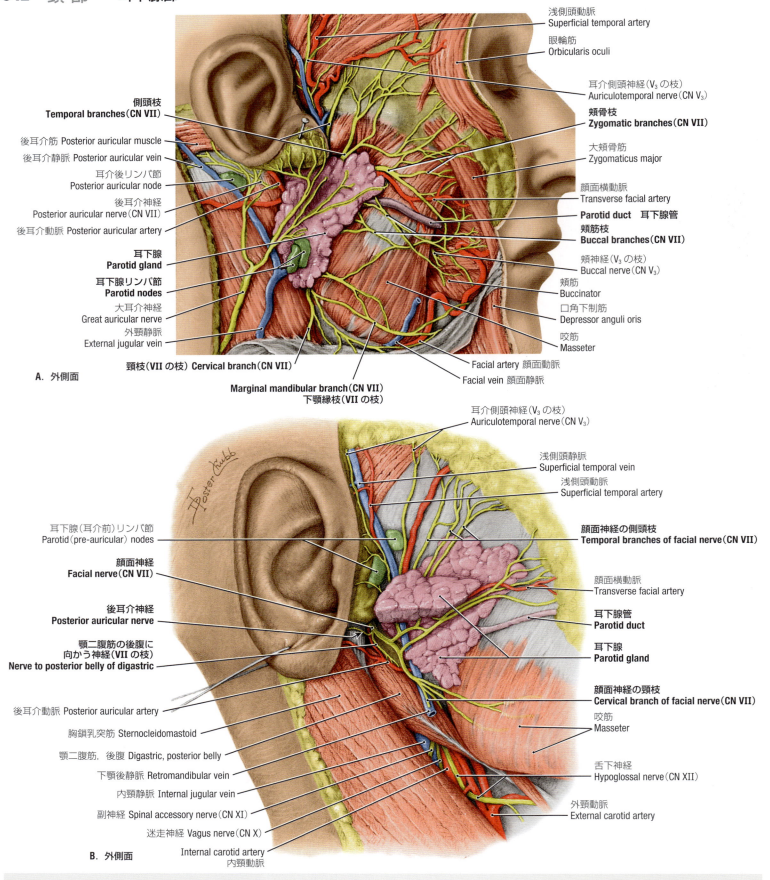

7.47 耳下腺領域

耳下腺部　頭部

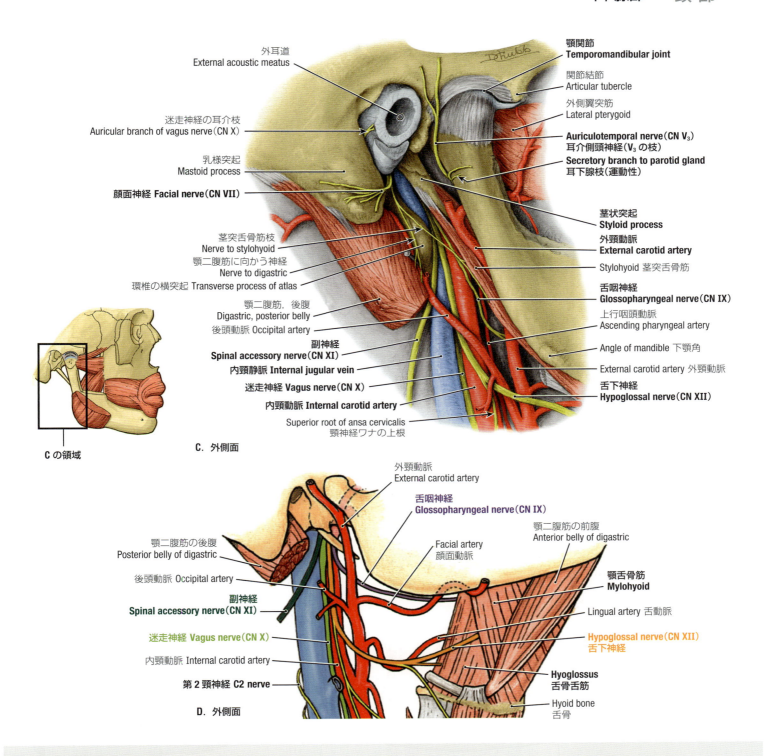

7.47　耳下腺領域（続き）

A　浅層の解剖．

B　中間層の解剖．耳下腺の一部を取り除いてある．**耳下腺摘除術**（耳下腺を外科的に摘出すること）の際には，顔面神経の枝を同定して剖出し，保存することがきわめて重要である．耳下腺には浅部と深部がある．耳下腺摘除術では，浅部をまず摘出し，次に神経叢を牽引して保護した後に，深部を取り除く．

C　深層の解剖．耳下腺と耳介を取り除いてある．顔面神経と顎二腹筋の後腹と顎二腹筋への神経が後方に牽引されている．外頸動脈，茎突舌骨筋，ならびに茎突舌骨筋への神経は本来の位置にある．内頸静脈，内頸動脈と舌咽神経（IX），迷走神経（X），副神経（XI），舌下神経（XII）が，環椎横突起の前，茎突突起の奥を交錯して走行する．

D　神経と血管の関係．

　舌下神経麻痺．下顎骨の骨折のような外傷によって，舌下神経（XII）が損傷され舌の一側の麻痺が生じたり，そこがやがて萎縮したりすることがある．舌を突き出そうとすると麻痺のある側に偏位する．

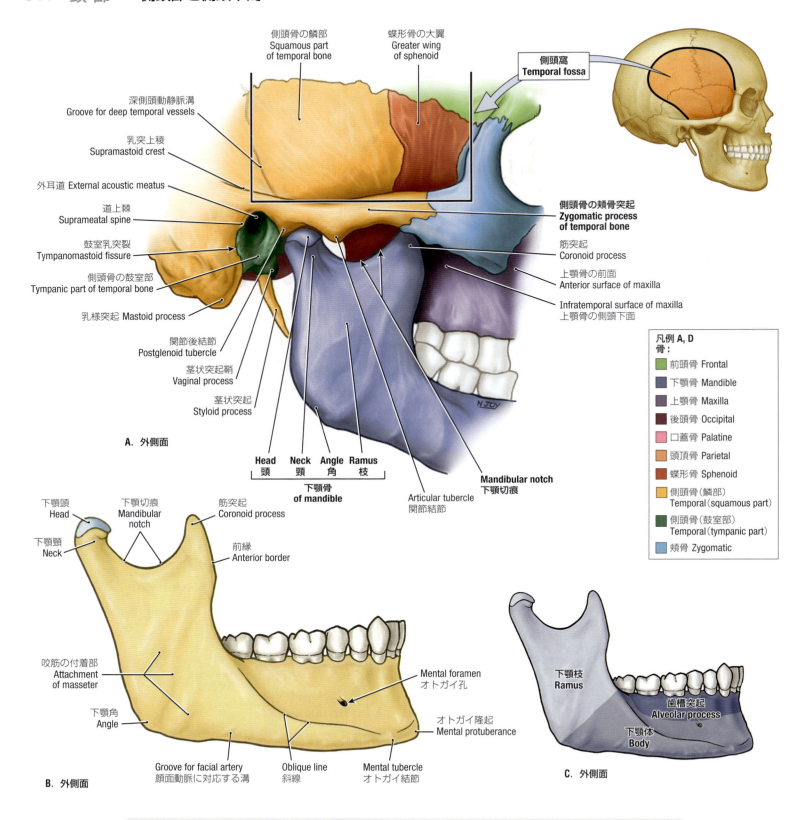

7.48 側頭窩，側頭下窩，下顎骨

A 骨とその特徴．側頭骨の頬骨突起が側頭窩の下縁と側頭下窩の上縁を境する．
B 下顎骨の外面．
C 下顎骨の区分．

側頭部と側頭下窩　頭部

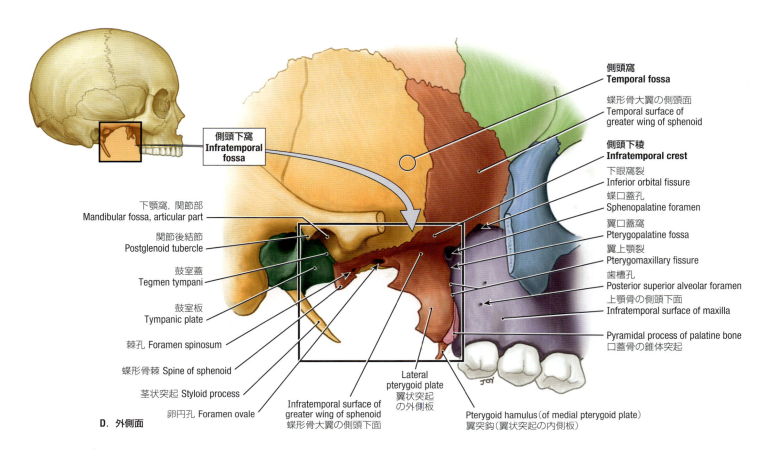

D．外側面

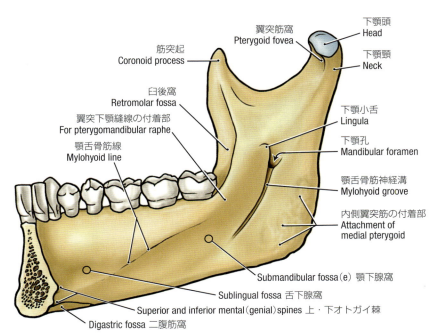

E．内側面

7.48 側頭窩，側頭下窩，下顎骨（続き）

D　側頭下窩の骨とその特徴．下顎骨と頬骨弓の一部を取り除いてある．深部において側頭下稜が側頭窩と側頭下窩を分ける．

E　下顎骨の内面．

- 側頭部とは，頬骨弓の上にある頭の領域で，頭皮の側面と側頭窩を被覆する軟部組織を含む．側頭窩は，主に側頭筋の上部で占められており，下側頭線が境界となる（図7.3Bを参照）．
- 側頭下窩は頬骨弓より下で奥，下顎枝の奥で上顎骨の後部にあたる不規則な形の空間であり，頬骨弓と頭蓋骨の間を通って側頭窩と連絡する．

646　頭 部　側頭部と側頭下窩

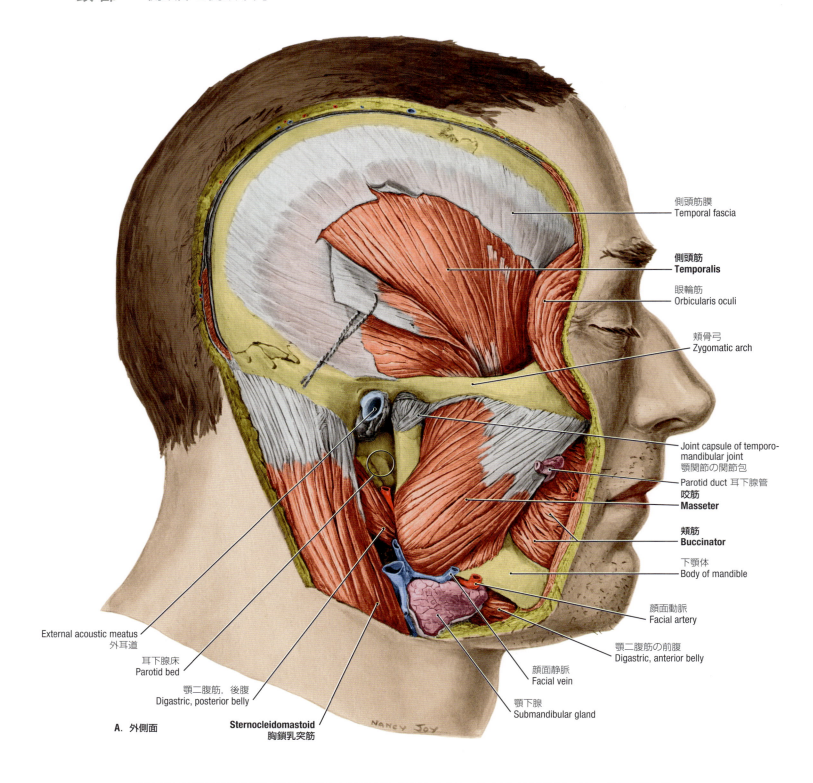

A．外側面

| 7.49 | 側頭筋と咬筋 |

A　浅層の解剖．
- 側頭筋と咬筋は下顎神経（V_3）支配である．両筋はともに下顎骨を挙上する．頬筋は顔面神経（VII）支配で，咀嚼時に食物を歯の間に保つ働きがあるが，下顎骨には作用しない．
- 胸鎖乳突筋は副神経（XI）脊髄根支配で，頭部と頸部の主要な屈筋である．胸鎖乳突筋は耳下腺領域後縁の外側部をなす．

側頭部と側頭下窩　頭部

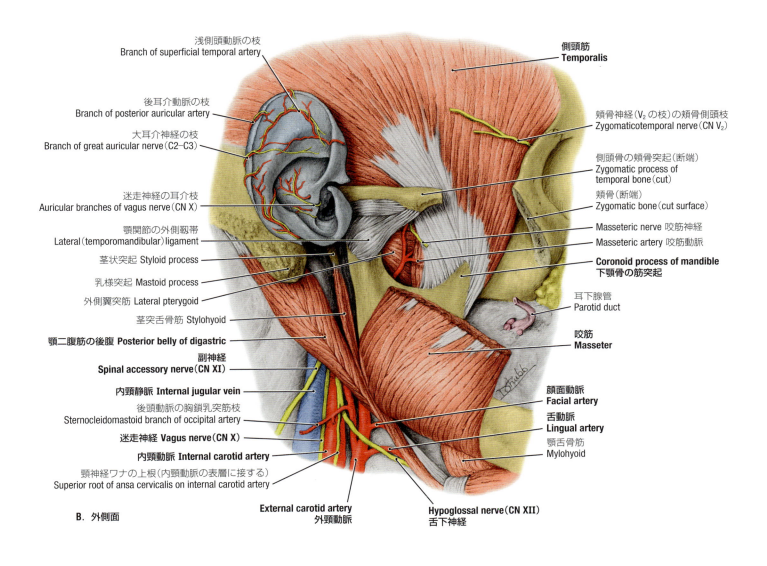

B. 外側面

7.49　側頭筋と咬筋（続き）

B　深層の解剖.
- 頬骨弓と咬筋の一部を取り除き，側頭筋が下顎骨の筋突起に停止するところが見えるようにした.
- 内頸動静脈と迷走神経（X）を取り囲む頸動脈鞘は除去されている．外頸動脈とその枝である舌動脈，顔面動脈，後頭動脈，副神経（XI），舌下神経（XII）は顎二腹筋の後腹の深層を通る.

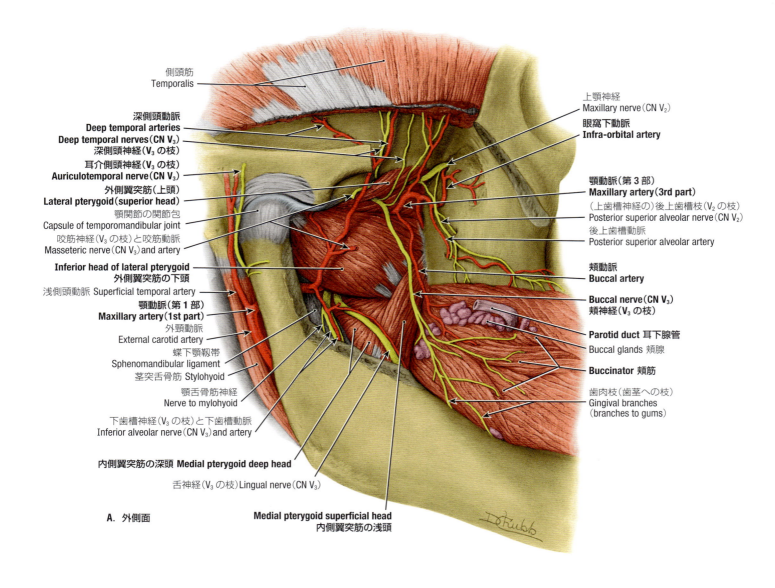

7.50 側頭下領域

A 浅層の解剖.
- 顎動脈は、外頸動脈の終枝のうちの太いほうである。これは外側翼突筋との位置関係によって3部に分けられる。
- 頬筋を貫くものは、耳下腺管、頬腺の導管、頬神経の枝（感覚性）である。
- 外側翼突筋は2頭を持って起こる。1つは側頭下窩の上壁から、もう1つは内側壁からである。両頭とも停止は顎関節に関係している。上頭は主に顎関節の関節円板に停止し、下頭は主に下顎頸の前面（翼突筋窩）に停止する。
- 顔面神経と耳介側頭神経は顎関節と密接な関係にあるので、**顎関節の手術**の際には顎関節の手前を走行する顔面神経の枝と、顎関節の後部に入る耳介側頭神経関節枝を温存するために注意を払わなければならない。顎関節を支配する耳介側頭神経関節枝の損傷は、外傷による脱臼と関節包や外側靱帯の断裂に伴って起こる。脱臼や断裂によって顎関節の弛緩症と不安定化が起こる。

側頭部と側頭下窩　頭部

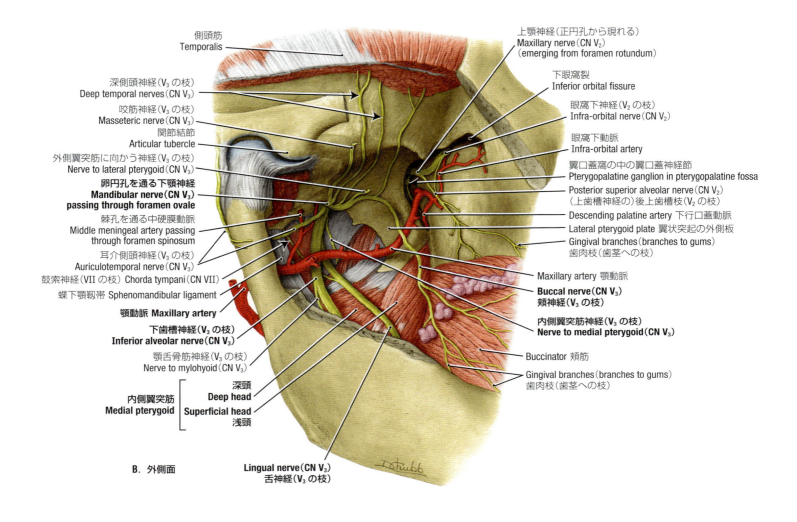

7.50　側頭下領域（続き）

B　深層の解剖.

- 外側翼突筋と顎動脈の枝のほとんどを取り除き, 下顎神経 (V₃) が卵円孔を通って側頭下窩に入るところ, ならびに中硬膜動脈が棘孔を通るところを見えるようにしてある.
- 内側翼突筋の深頭は, 翼状突起外側板の内側面と口蓋骨の錐体突起から起こり, 浅頭は上顎結節から起こる.
- 下歯槽神経と舌神経は, 内側翼突筋の表層に接して下行する. 下歯槽神経からは顎舌骨筋神経が分岐して顎舌骨筋と顎二腹筋の前腹を支配する. 舌神経はまた鼓索神経の線維を受ける. 鼓索神経は副交感神経系の節前線維と味覚線維を通す.
- 下顎神経 (V₃) から起こる筋枝は, 咀嚼に関連する4つの筋：咬筋, 側頭筋, 外側・内側翼突筋を支配する. 下顎神経の枝である頬神経は頬筋の感覚を, 顔面神経の頬筋枝は頬筋の運動を支配する.
- **下顎神経をブロック**するために, 下顎神経が側頭下窩に入る部位の近くに麻酔薬を注入する. このブロックによって, 通常は耳介側頭神経, 下歯槽神経, 舌神経, 頬神経が麻酔される.

頭部　側頭部と側頭下窩

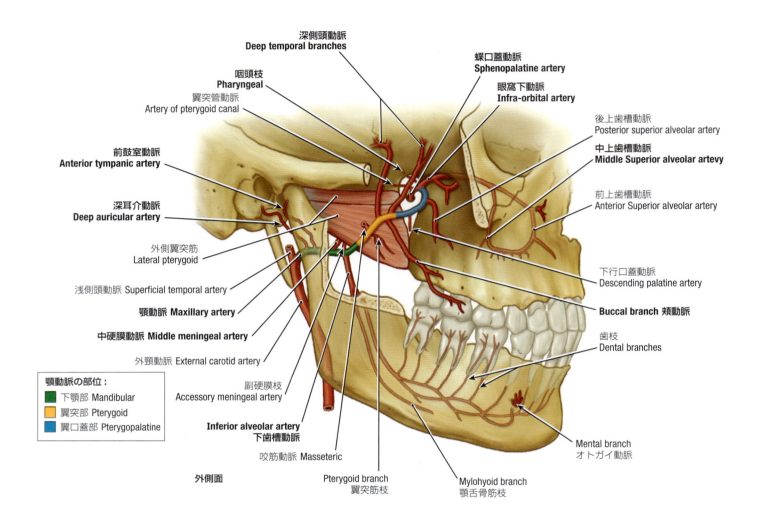

7.51　顎動脈の枝

- 顎動脈は下顎頸のところで起こり，外側翼突筋によって3つの部分（下顎部，翼突部，翼口蓋部）に分けられる．顎動脈は外側翼突筋の内側を通ることも外側を通ることもある．
- 第1部（下顎部）：分枝は，頭蓋骨の孔や管を通る．深耳介動脈は外耳道に，前鼓室動脈は鼓室に，中硬膜動脈と副硬膜枝は頭蓋腔に，下歯槽動脈は下顎骨と歯に至る．
- 第2部（翼突部）：外側翼突筋に接する部分で，咬筋動脈，深側頭動脈，翼突筋枝，頬動脈を分枝してそれぞれ筋に分布する．
- 第3部（翼口蓋部）：後上歯槽動脈，眼窩下動脈，下行口蓋動脈，蝶口蓋動脈を，翼口蓋窩のすぐ手前か内部で分枝する．

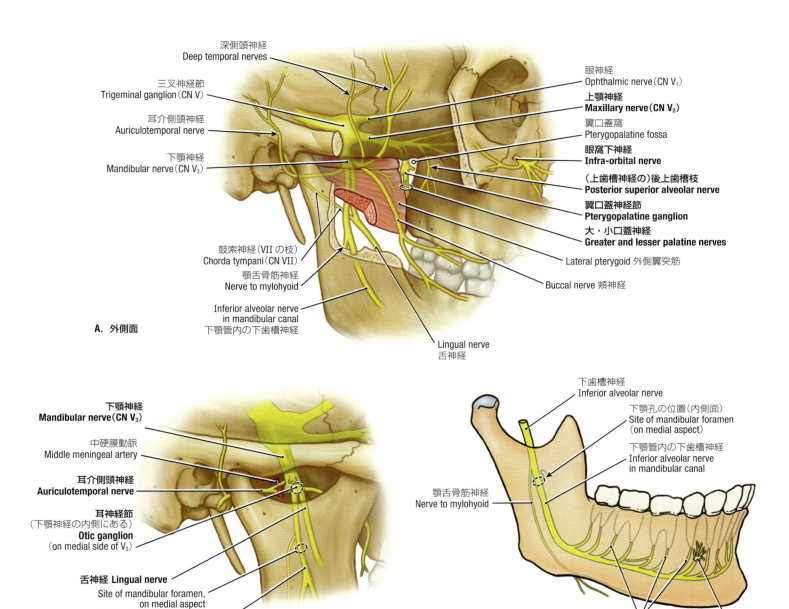

7.52 上顎神経と下顎神経の枝

A 側頭下領域と翼口蓋窩．上顎神経（V₂）と下顎神経（V₃）の枝が顎動脈の3つの部分からの枝に伴行する．
B 側頭下窩の神経と耳神経節．
C 下顎骨と下歯槽神経．
下歯槽神経ブロックは歯科医が下顎歯の治療のために下歯槽神経（下顎神経V₃の枝）を麻酔するときに通常用いられる．下顎枝の内側面で下顎管の入口となっている下顎孔に麻酔薬を注入する．下顎管には下歯槽神経と下歯槽動静脈が通る．この神経ブロックが成功すると，正中線までの同側の下顎歯がすべて麻酔される．下唇の皮膚と粘膜，下唇側の下歯槽粘膜と歯肉，オトガイの皮膚も麻酔される．これらの構造が下歯槽神経に由来するオトガイ神経によって支配されるからである．

652 頭部 顎関節

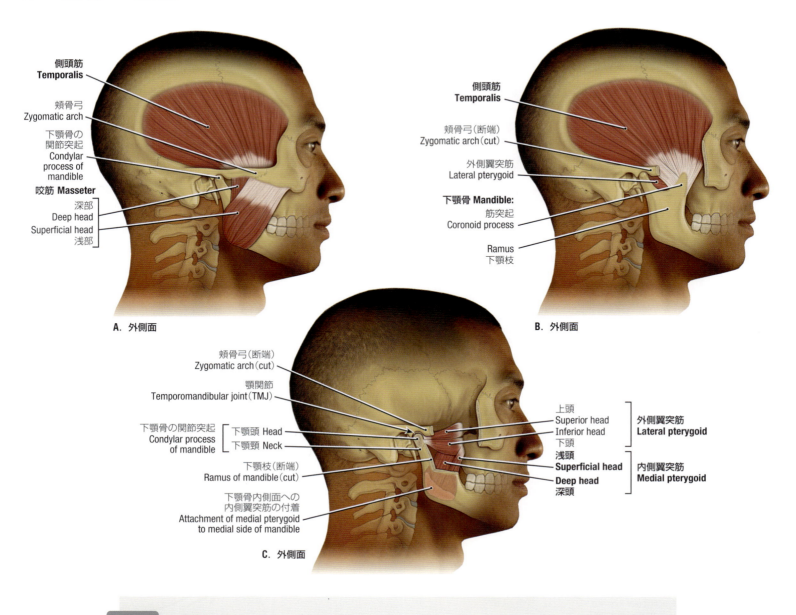

7.53 咀嚼筋

A 側頭筋と咬筋．B 側頭筋．頬骨弓は除去してある．C 内側翼突筋と外側翼突筋．

表 7.11 咀嚼筋（顎関節に作用する筋）

筋	起始	停止	神経支配	主な作用
側頭筋	側頭窩の壁と側頭筋膜の内側面	下顎骨筋突起の先端と内側面，下顎枝の前縁	下顎神経(V_3)の枝の深側頭神経	下顎骨を挙上し顎を閉じる．後部の線維は前突した下顎骨を後退させる．
咬筋	頬骨弓の下縁と内側面	下顎枝の外側面と筋突起	下顎神経(V_3)の枝の咬筋神経が筋の内側面から入る．	下顎骨を挙上かつ前突させて顎を閉じる．深部の線維は下顎骨を後退させる．
外側翼突筋	上頭：蝶形骨大翼の側頭下面と側頭下稜 下頭：翼状突起外側板の外側面	下顎頸，顎関節の関節円板と関節包	下顎神経(V_3)の枝の外側翼突筋神経が筋の内側面から入る．	両側が作用すると下顎を前突させ，オトガイを下制する．一側が単独ないし交互に作用すると下顎骨を左右に動かす．
内側翼突筋	深頭：翼状突起外側板の内側面と口蓋骨の錐体突起 浅頭：上顎結節	下顎枝の内側面の下顎孔より下	下顎神経(V_3)の枝の内側翼突筋神経	下顎骨の挙上と顎の閉鎖を助ける．両側が作用すると下顎骨の前突を助ける．一側が単独で作用すると顎の片側を前突させ，交互に作用するとすりつぶし運動を起こす．

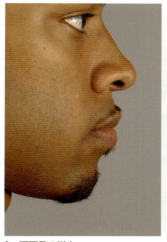
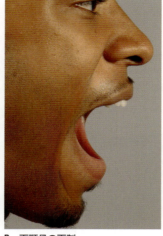
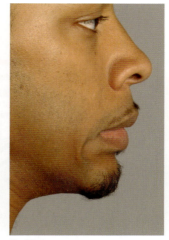
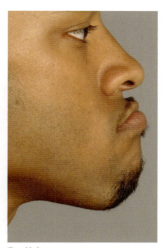

A. 下顎骨の挙上　　B. 下顎骨の下制　　C. 後退　　D. 前突

外側面

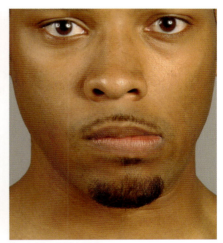

E. 前突　　F. 右側への側方運動　　G. 左側への側方運動

前面

7.54　顎関節の運動

顎関節の運動は主に咀嚼筋によってもたらされる．4つの咀嚼筋（側頭筋，咬筋，内側翼突筋，外側翼突筋）は，第1咽頭弓の中胚葉から発生し，その咽頭弓の神経，すなわち下顎神経運動根の支配を受ける．

表 7.12　顎関節の運動

運動	筋
挙上（閉口）(A)	側頭筋，咬筋，内側翼突筋
下制（開口）(B)	外側翼突筋；舌骨上筋群，舌骨下筋群；重力
後退（オトガイを引く）(C)	側頭筋（後部の斜めや水平に近い線維），咬筋
前突（オトガイを突き出す）(D, E)	外側翼突筋，咬筋，内側翼突筋
側方運動（すりつぶし運動）(F, G)	同側の側頭筋，対側の翼突筋，咬筋

654 頭部　顎関節

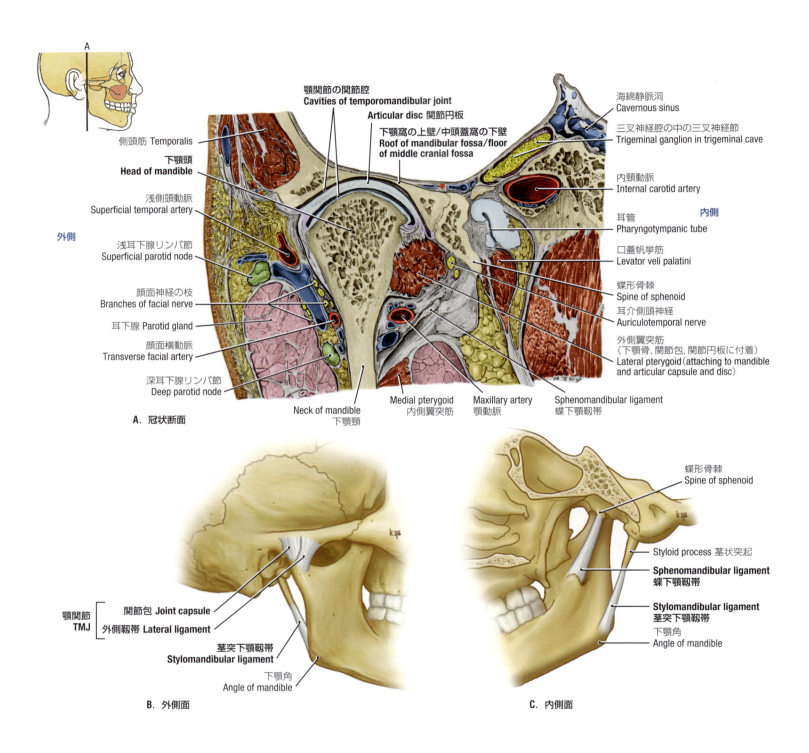

A. 冠状断面

B. 外側面

C. 内側面

7.55 顎関節

A 冠状断面.

B 顎関節(TMJ)と茎突下顎靱帯. 顎関節の関節包は側頭骨の下顎窩と関節結節の辺縁部, ならびに下顎頸周囲に付着する. 外側靱帯は関節の外側面を補強する.

C 茎突下顎靱帯と蝶下顎靱帯. 強力な蝶下顎靱帯が蝶形骨棘の近傍から下顎骨小舌へ下行しており, 下顎骨を吊り下げる役割を果たす. それより弱い茎突下顎靱帯は深頸筋膜の耳下腺を包む部分が一部肥厚したもので, 茎状突起と下顎角を結ぶ.

顎関節　頭部

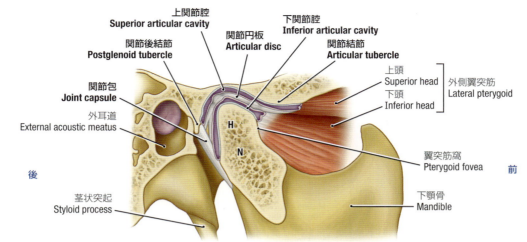

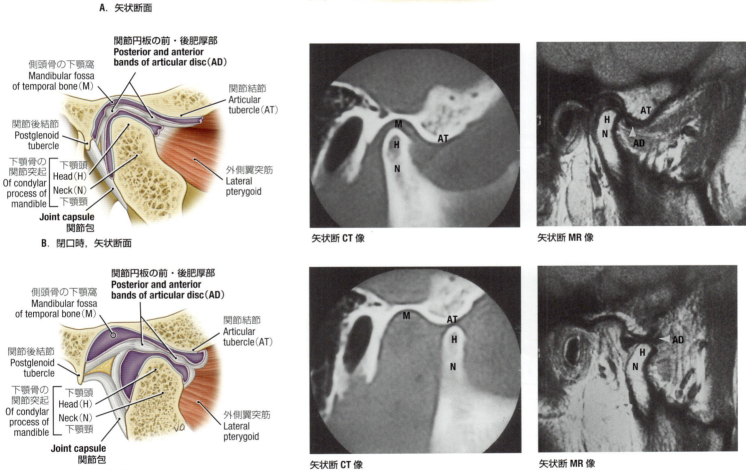

7.56 顎関節の断面

- A 顎関節と関連構造の矢状断面．
- B 矢状断 CT 像と MR 像：閉口したとき．
- C 矢状断 CT 像と MR 像：大きく開口したとき．
  関節腔は関節円板によって上部と下部に分けられる．独立した滑膜が，一方は関節円板より上の関節腔を，他方は関節円板より下の関節腔を裏打ちする．

下顎の脱臼． あくびをしたり大きく開口したりするときに外側翼突筋が過度に収縮すると，下顎頭が偏位して脱臼する（関節結節を前方に乗り越える）ことがある．この位置をとると，口は大きく開いたままになり，用手的に整復しなければ閉じることができない．

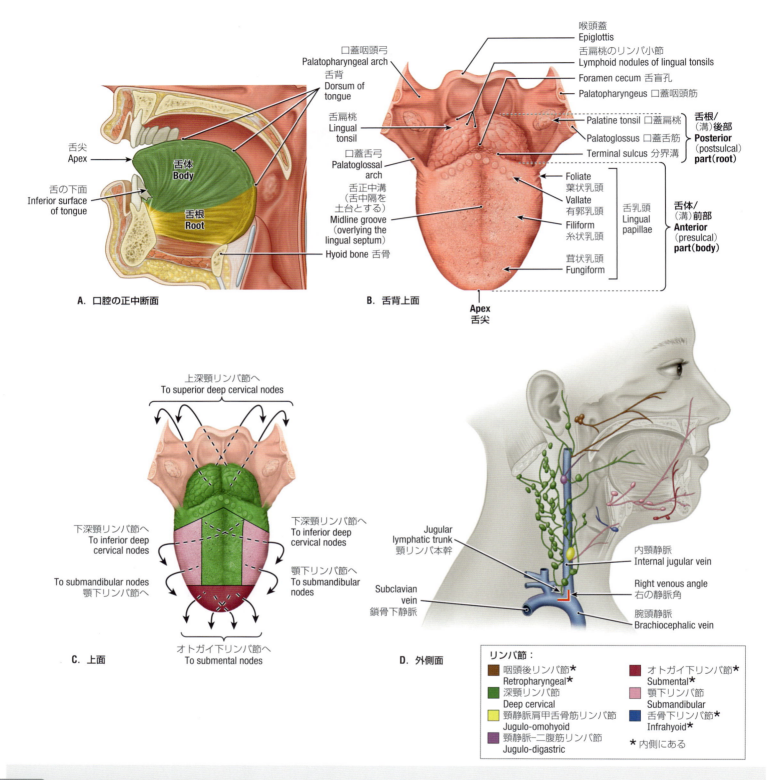

7.57 舌の部位とリンパ流路

A 舌の部位．**B** 舌背の各部分．舌盲孔は胎生期の甲状舌管の上端部である．舌盲孔から両側へとV字型に伸びるのは分界溝である．分界溝は舌の前2/3と後ろ1/3を分ける．
C 舌背のリンパ流路．
D 舌，口腔，鼻腔，鼻からのリンパ流路．
舌癌．舌の後部の悪性腫瘍は両側の上深頸リンパ節に転移する．それに対して舌尖や前外側部のものは通常，進行するまで下深頸リンパ節に転移しない．深頸リンパ節は内頸静脈に沿って分布するため，癌転移がオトガイ下領域や顎下領域，ならびに内頸静脈に沿った領域に広がることがある．

催吐反射．舌の前部に触れても不快感はないが，後部に触れると吐き気を催すことが多い．舌咽神経（IX）と迷走神経（X）が同側の咽頭収縮を司る．舌咽神経は催吐反射の感覚入力を伝えているのである．

舌 頭部

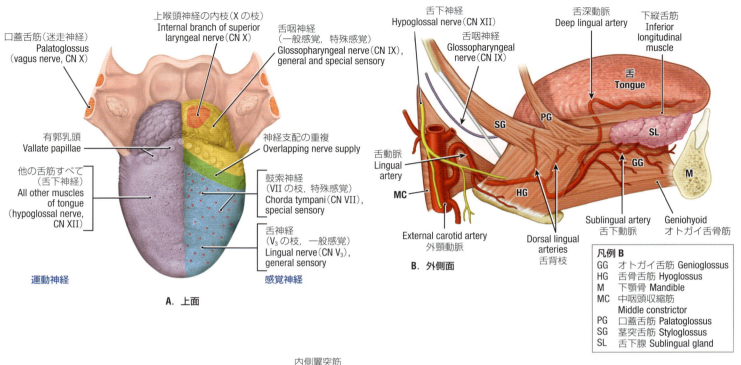

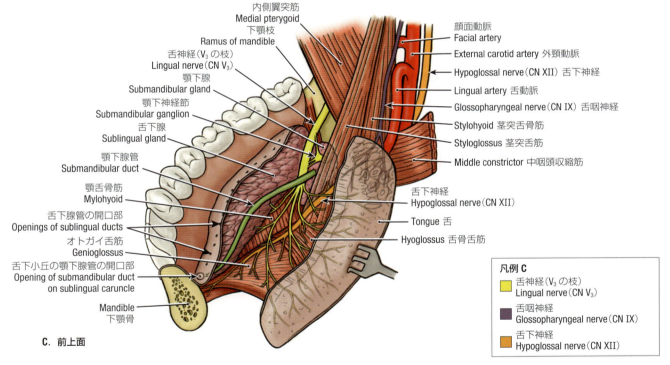

7.58 舌の動脈と神経

A 舌の神経支配．一般感覚，特殊感覚(味覚)ならびに運動．
B 舌動脈の走行と分布．C 右側の口腔底の解剖．
　唾液腺造影．耳下腺と顎下腺はその導管に造影剤を注入するとX線で描写される．この特別な放射線診断法(唾液腺造影)によって唾液腺管と唾液腺分泌部の一部が示される．舌下腺管は細い上に数が多いので通常は造影剤を注入することができない．

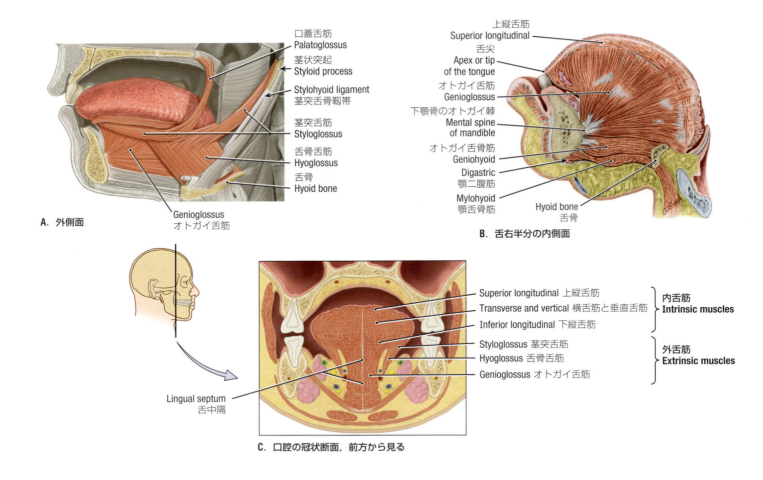

7.59 舌筋群

A 外舌筋．B 正中断面．C 冠状断面．外舌筋は舌の外部に起始を持ち，舌に停止する．内舌筋は起始・停止ともに舌の内部にあり，骨には付着しない．

表 7.13 舌筋群

外舌筋				
筋	起始	停止	神経支配	主な作用
オトガイ舌筋	下顎骨オトガイ棘の上部	舌背と舌骨体	舌下神経（XII）	舌の下制．後部は舌を前方に引いて突出させる[a]
舌骨舌筋	舌骨体と大角	舌の側面と下面		舌の下制と後退
茎突舌筋	側頭骨の茎状突起と茎突舌骨靱帯	舌の側面と下面		舌を後退させ引き上げて嚥下の際の通り道をつくる．
口蓋舌筋	軟口蓋の口蓋腱膜	舌の側面	迷走神経（X；咽頭神経叢を経由）	舌の後部を挙上
内舌筋				
筋	起始	停止	神経支配	主な作用
上縦舌筋	粘膜下の線維層と舌中隔	舌の辺縁と粘膜	舌下神経（XII）	舌の先端と側面を上に曲げ，舌を短くする．
下縦舌筋	舌根と舌骨体	舌尖		舌の先端を下に曲げ，舌を短くする．
横舌筋	舌中隔	舌の辺縁の線維組織		舌の幅を狭くし前後に長くする[a]．
垂直舌筋	舌の上面	舌の下面		舌を扁平で幅広くする[a]．

[a] 同時に作用すると舌を前方に突き出す．

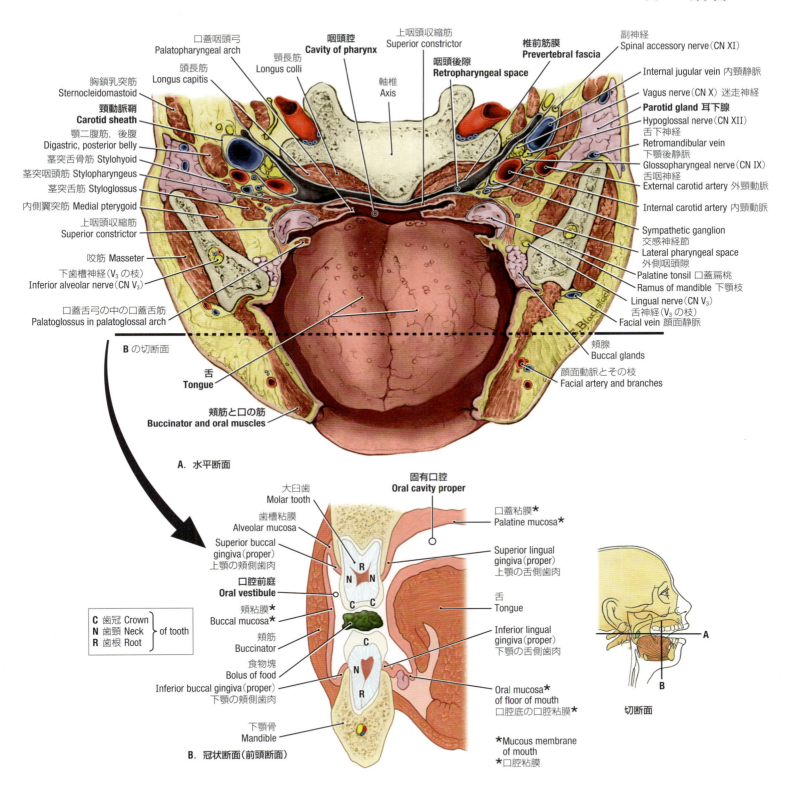

7.60 口の断面

A 内臓頭蓋をC2レベルで水平断したところ．断面は前方で口裂を通る．咽頭後隙（この標本では開いている）があることで，咽頭は嚥下時に収縮したり弛緩したりすることができる．咽頭後隙は外側では頸動脈鞘のところで終わり，後ろは椎前筋膜で境されている．耳下腺床の位置も図示されている．

B 頬筋．冠状断面（前頭断面）の模式図．舌と頬筋（あるいは前方では口輪筋）がともに作用することによって，咀嚼時に食物が歯の間に保持される．頬筋と口輪筋上部は，顔面神経（VII）の頬筋枝に支配される．

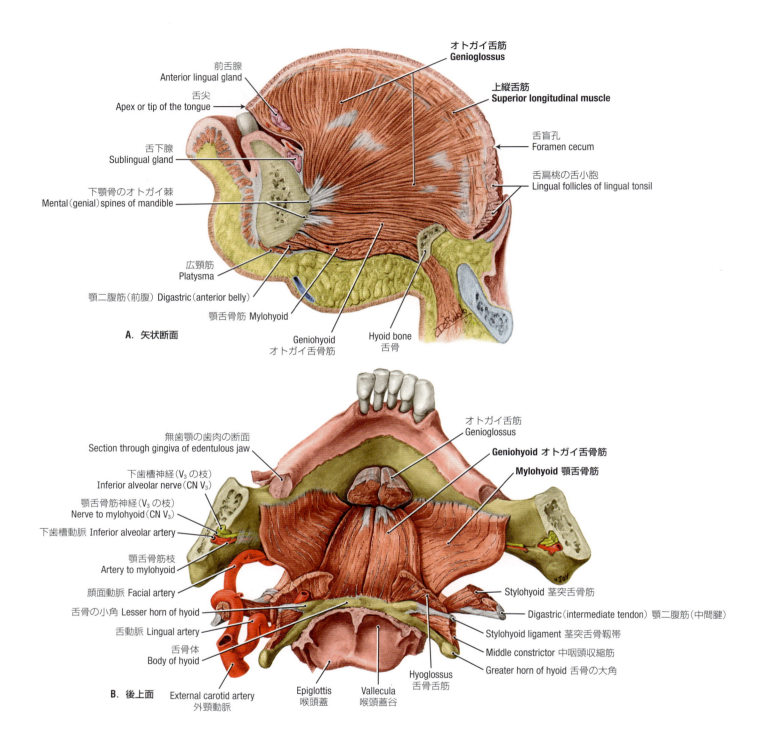

7.61 舌と口腔底

A 舌と下顎の正中断面．舌は主に筋でできている．外舌筋は舌の位置を変え，内舌筋は舌の形を変える．この断面で明らかな外舌筋はオトガイ舌筋，内舌筋は上縦舌筋である．

B 口腔底の筋を上後方から見る．顎舌骨筋は，下顎骨の左右の顎舌骨筋線の間に広がる．顎舌骨筋は後縁が厚く，前に行くほど薄くなる．

オトガイ舌筋麻痺．オトガイ舌筋が麻痺すると，舌が後方に移動する傾向にあり，気道を閉塞して窒息の危険がある．全身麻酔の際にオトガイ舌筋が完全に弛緩することがある．そのために麻酔のときには挿管して気道の閉塞を防がなければならない．

舌　頭部

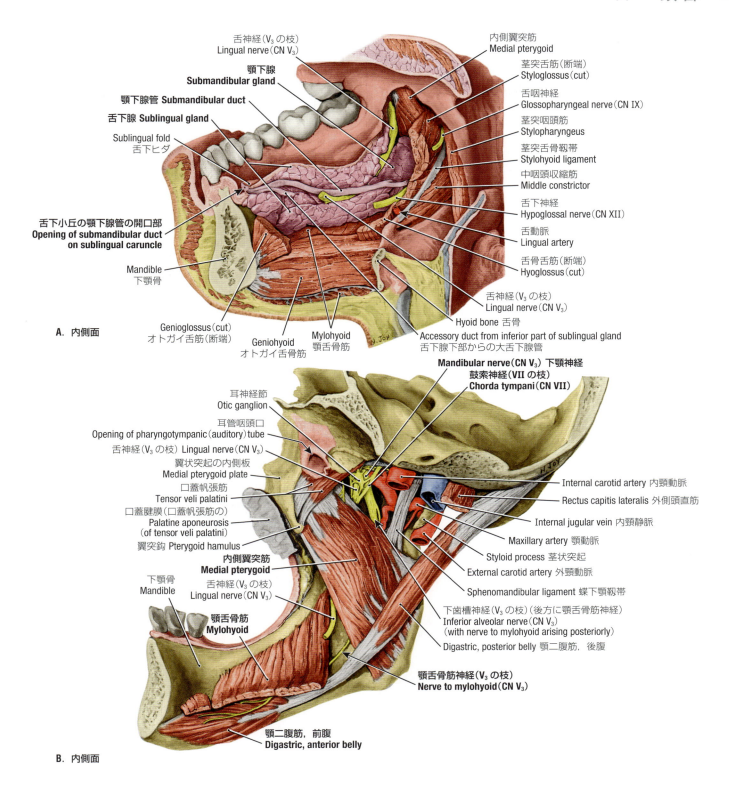

7.62 口腔底と下顎骨内側面の筋，腺，血管

A 舌下腺と顎下腺．舌を取り除いたところ．
B 下顎骨内側面に関連する構造．耳神経節は下顎神経（V₃）の内側にあり，上には卵円孔，下には内側翼突筋がある．

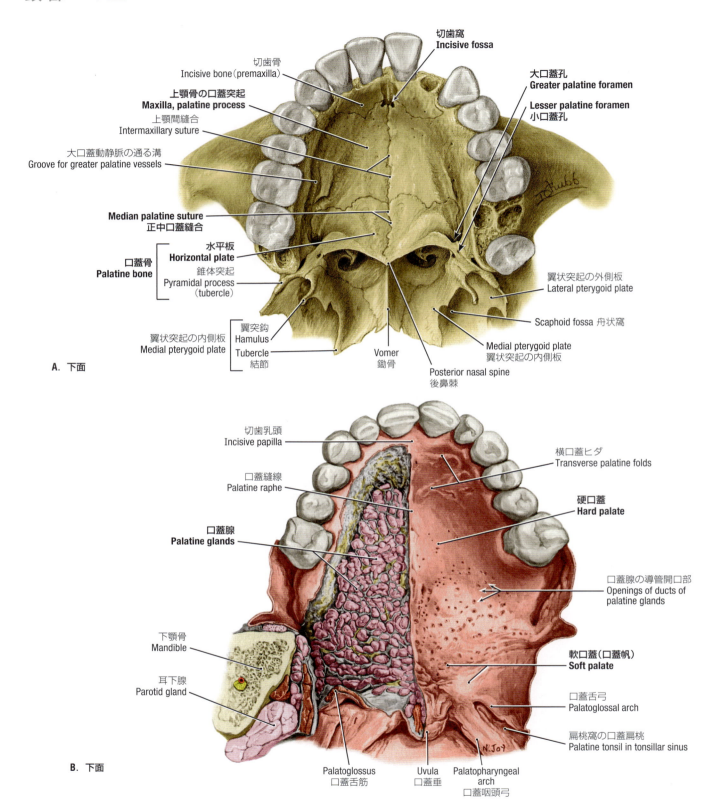

7.63 口蓋

A 硬口蓋と咽頭鼻部の骨．軟口蓋の線維性「骨格」をつくる口蓋腱膜は，左右の翼突鈎の間に張っている．
B 口蓋の粘膜と腺．

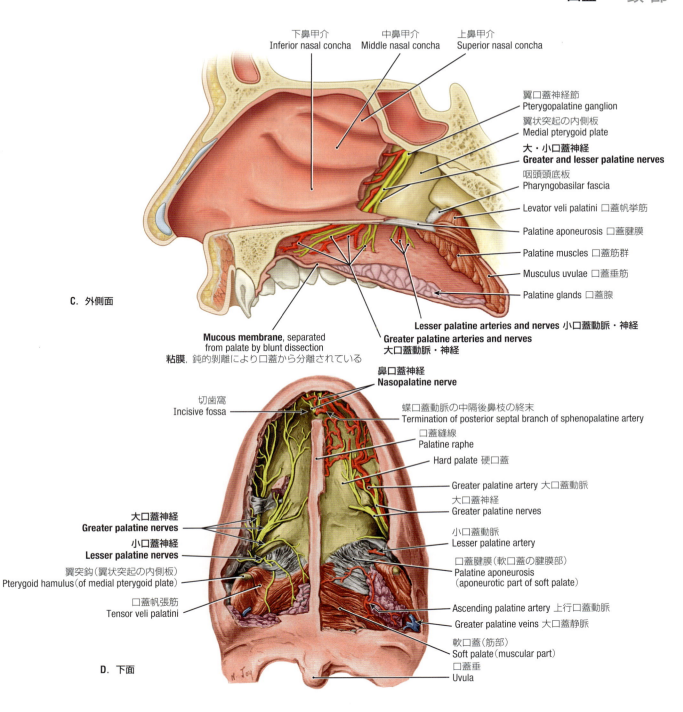

7.63 口蓋（続き）

C　口蓋管の神経と血管．鼻腔外側壁．中鼻甲介と下鼻甲介の後端が粘膜とともに切除され口蓋骨の薄い垂直板が取り除かれて，大・小口蓋神経と大・小口蓋動脈が見える．

D　無歯顎の口蓋の解剖．大口蓋神経は歯肉と硬口蓋を支配し，鼻口蓋神経は切歯領域を支配し，小口蓋神経は軟口蓋を支配する．**鼻口蓋神経と大口蓋神経の麻酔**．硬口蓋の切歯窩に麻酔薬を注入することによって鼻口蓋神経の麻酔が可能である．麻酔される組織は，口蓋粘膜，舌側の歯肉，前6本の上顎歯（切歯と犬歯）ならびに歯槽の骨である．大口蓋神経は麻酔薬を大口蓋孔に注入することで麻酔できる．大口蓋神経は上顎の第2，第3大臼歯の間から口蓋に入る．大口蓋神経のブロックによって，犬歯より後ろの口蓋粘膜，舌側の歯肉ならびにその奥にある口蓋の骨が麻酔される．

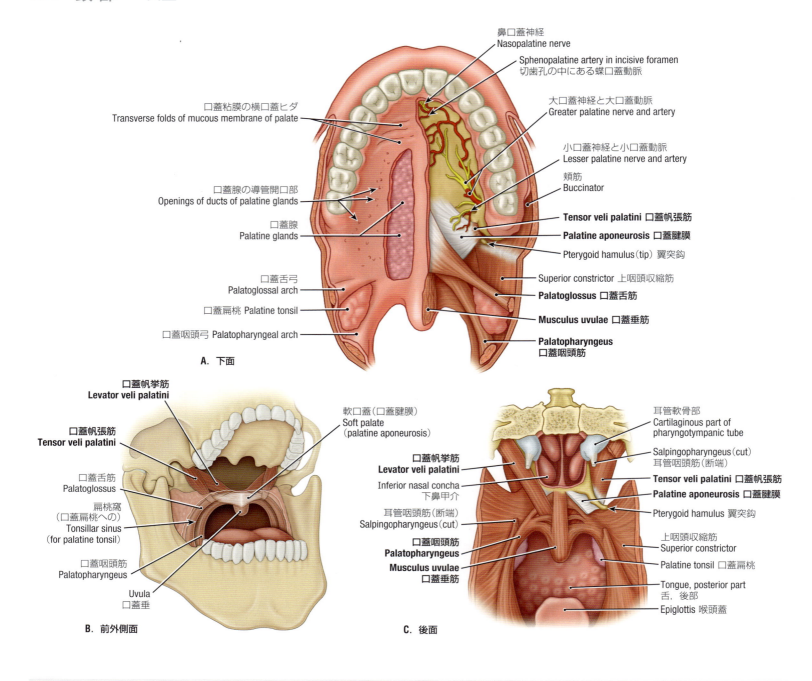

A. 下面
B. 前外側面
C. 後面

7.64 軟口蓋の筋

表 7.14 軟口蓋の筋

筋	上部の付着部	下部の付着部	神経支配	主な作用
口蓋帆挙筋	耳管軟骨と側頭骨岩様部	口蓋腱膜	迷走神経(X)咽頭枝，咽頭神経叢経由	嚥下時や欠伸時に軟口蓋を挙上
口蓋帆張筋	翼状突起内側板の舟状窩，蝶形骨棘，耳管軟骨	口蓋腱膜	内側翼突筋神経(V_3の枝)，耳神経節経由	口蓋帆を緊張させ，嚥下時や欠伸時に耳管咽頭口を開く．
口蓋舌筋	口蓋腱膜	舌の側面	迷走神経(X)咽頭枝，咽頭神経叢経由	舌の後部を挙上し，軟口蓋を舌に向かって引く．
口蓋咽頭筋	硬口蓋と口蓋腱膜	咽頭外側壁		軟口蓋を緊張させ，嚥下時に咽頭壁を上，前，内側に引く．
口蓋垂筋	後鼻棘と口蓋腱膜	口蓋垂粘膜		口蓋垂を短縮し挙上する．

歯　頭部

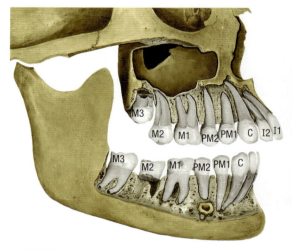

A. 外側面

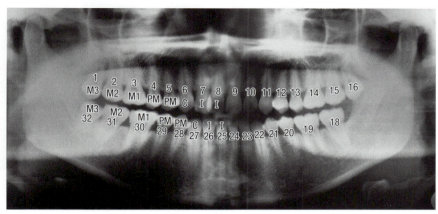

B. パントモグラフィー像

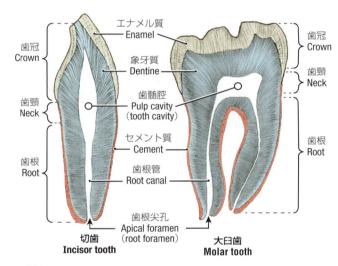

C. 縦断面

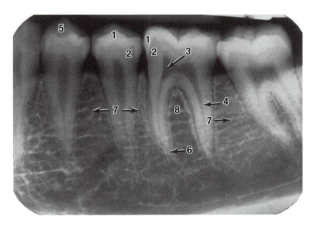

D. 側面 X 線像

凡例 D
1 エナメル質 Enamel　　5 頬側咬頭 Buccal cusp
2 象牙質 Dentine　　　　6 歯根尖 Root apex
3 歯髄腔 Pulp cavity　　 7 槽間中隔 Interalveolar septa（alveolar bone）
4 歯根管 Root canal　　　8 根間中隔 Interradicular septum（alveolar bone）

7.65　永久歯-I

A　原位置にある歯．その歯根を露出してある．切歯（I1-2），犬歯（C），小臼歯（PM1-2），大臼歯（M1-3）．第2大臼歯の根は除去されている．

B　下顎骨と上顎骨のパントモグラフィー．左下の第3大臼歯（No.17）は存在しない．

C　切歯と大臼歯の縦断面．

D　側面 X 線像．
　歯の硬組織が変質すると**齲歯（う歯）**となる．齲歯の歯質欠損（齲窩）が歯髄に及ぶと歯髄腔の組織に感染や刺激を引き起こす．この状態により歯髄炎と呼ばれる炎症過程が起こる．歯髄腔は閉鎖した空間なので歯髄組織の腫脹は痛み（歯痛）を起こす．

666　頭部　歯

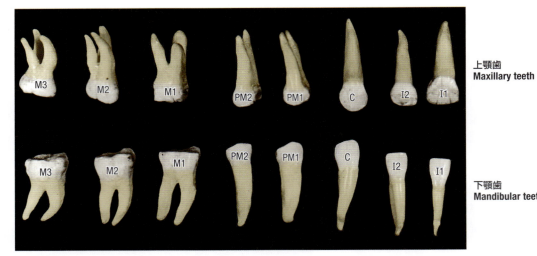

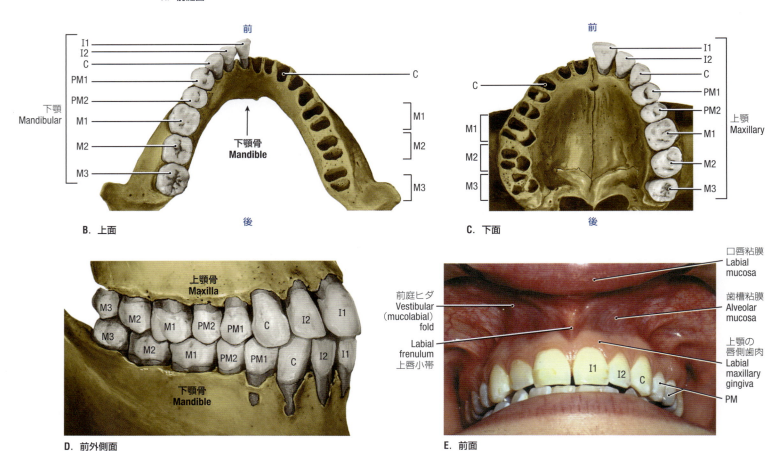

7.66　永久歯-II

A　抜歯した歯の歯根を示す．永久歯は32本あり，左右それぞれの上歯列弓（上顎歯）と下歯列弓（下顎歯）が8本ずつある．I1-2：2本の切歯，C：1本の犬歯，PM1-2：2本の小臼歯，M1-3：3本の大臼歯．
B　下顎の永久歯と歯槽．
C　上顎の永久歯と歯槽．
D　咬合した状態の歯．
E　口腔前庭と上顎の歯肉．

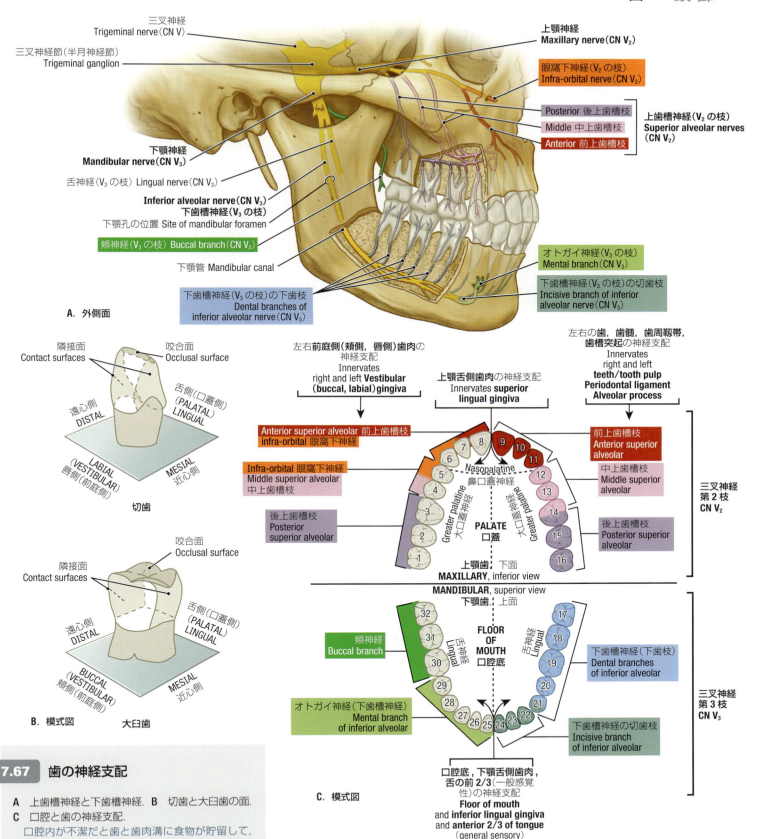

7.67 歯の神経支配

A 上歯槽神経と下歯槽神経． B 切歯と大臼歯の面．
C 口腔と歯の神経支配．

口腔内が不潔だと歯と歯肉溝に食物が貯留して，歯肉の炎症（歯肉炎）を起こすことがある．治療しないで放置すると，歯肉炎は歯槽骨をはじめとする他の支持組織に広がり，**歯周炎**となる．歯周炎によって歯槽骨が吸収され，歯肉が後退する．歯肉の後退によって敏感な歯のセメント質が露出される．

668 頭部 歯

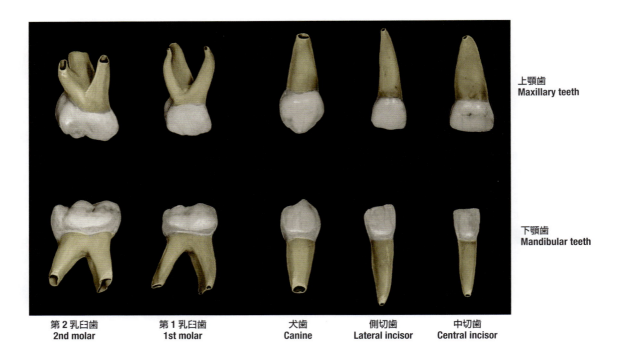

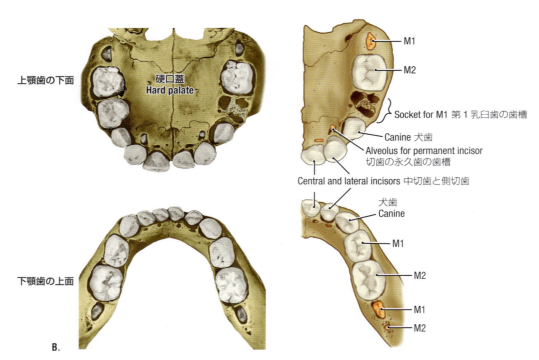

| 7.68 | 乳歯 |

A 脱落した歯. 乳歯は20本あり，左右それぞれの上歯列弓に5本，下歯列弓に5本ある．これらは順に中切歯，側切歯，犬歯，第1乳臼歯（M1），第2乳臼歯（M2）である．乳歯は永久歯よりも小さく，色が白い．永久歯と比べると，乳臼歯の歯冠は丸みを帯び，歯根は離れる．
B 2歳以前の原位置の歯. 永久歯はオレンジ色に塗ってある．まだ萌出していない第1大臼歯と第2大臼歯が一部見えている．

歯 頭部

表 7.15 乳歯と永久歯

乳歯	中切歯	側切歯	犬歯	第1乳臼歯	第2乳臼歯
萌出（月）[a]	6-8	8-10	16-20	12-16	20-24
脱落（歳）	6-7	7-8	10-12	9-11	10-12

[a] 正常でも最初の乳歯（中切歯）が 12-13 か月まで萌出しないことがある．

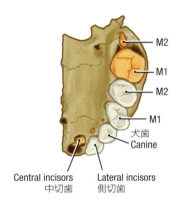
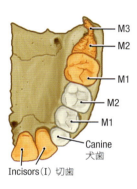
下面
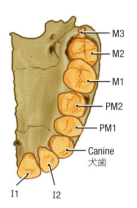

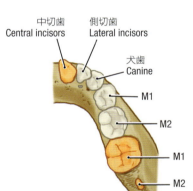
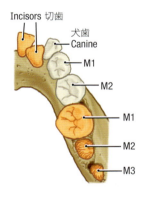
上面
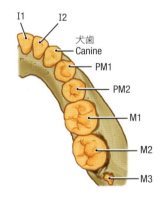

A. 年齢：6-7歳　　B. 年齢：8歳　　C. 年齢：12歳

7.69 乳歯と永久歯

表 7.15 乳歯と永久歯（続き）

永久歯	中切歯	側切歯	犬歯	第1小臼歯	第2小臼歯	第1大臼歯	第2大臼歯	第3大臼歯
萌出（歳）	7-8	8-9	10-12	10-11	11-12	6-7	12	13-25

670 頭部　鼻，副鼻腔，翼口蓋窩

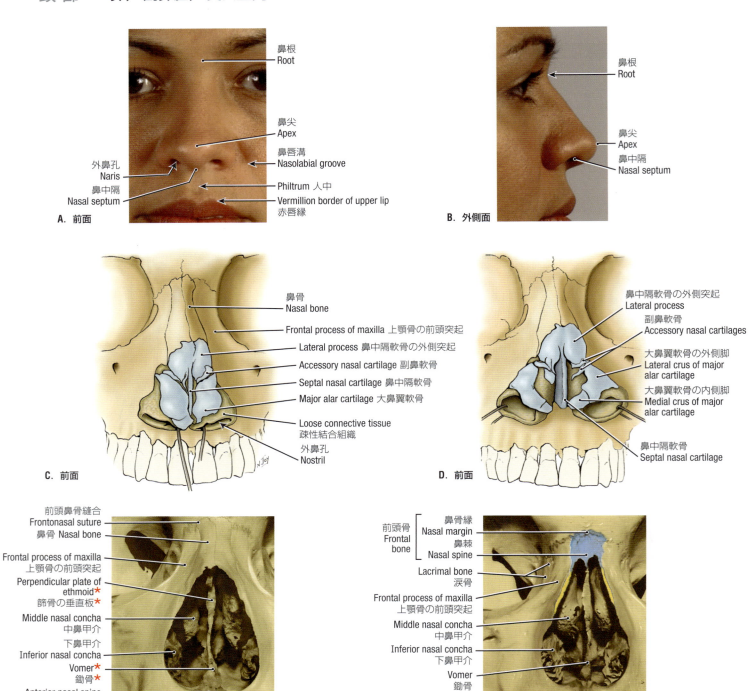

7.70 鼻の体表解剖，軟骨，骨

A 鼻の前面の体表解剖．
B 鼻の外側面の体表解剖．
C 鼻の軟骨．鼻中隔は下方に牽引されている．
D 鼻の軟骨を分離し外側に寄せたところ．
E 梨状口から中鼻甲介，下鼻甲介，鼻中隔を見たところ．梨状口の辺縁は鋭く，上顎骨と鼻骨で形成される．
F 鼻骨を取り除いたところ．鼻骨と連結している上顎骨の前頭突起（黄）と前頭骨（青）の領域が見える．

鼻，副鼻腔，翼口蓋窩　頭部　671

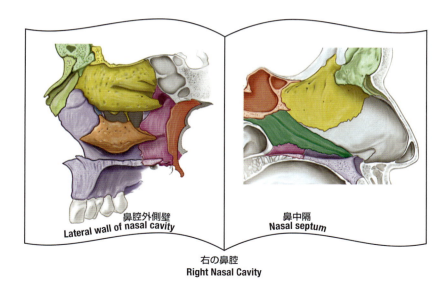

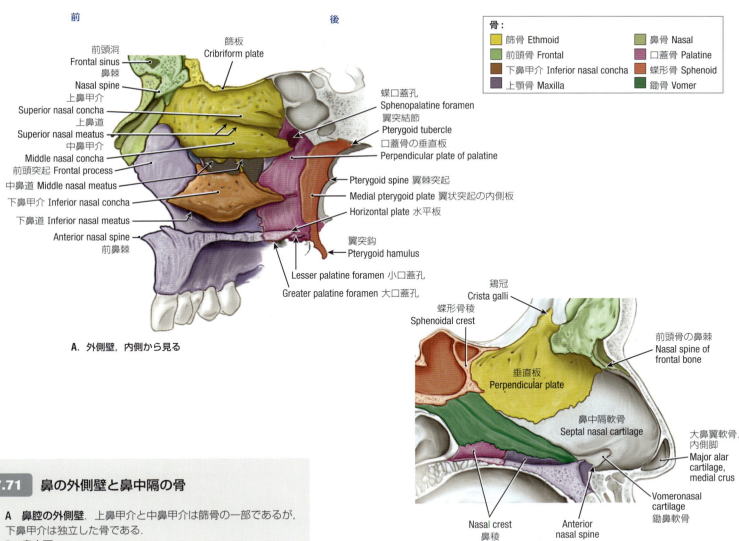

| 7.71 | 鼻の外側壁と鼻中隔の骨 |

A　鼻腔の外側壁．上鼻甲介と中鼻甲介は篩骨の一部であるが，下鼻甲介は独立した骨である．
B　鼻中隔．
　外鼻の変形は通常，骨折を伴う．例えば他者の肘などによって，とりわけ側方から力が加わった場合など．直達する打撃（例えばホッケーのスティックによる）で損傷が起こる場合には篩骨篩板が骨折することがあり，その結果，髄液漏を生じる．

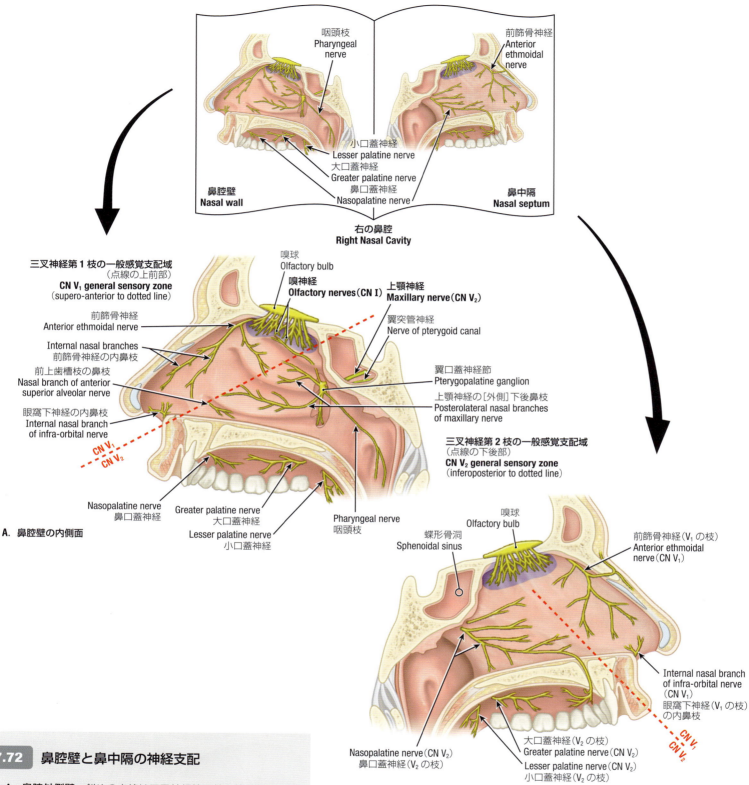

7.72 鼻腔壁と鼻中隔の神経支配

A 鼻腔外側壁．斜めの点線は三叉神経第1枝と第2枝の一般感覚支配域の境界を示す．嗅上皮は鼻腔外側壁と鼻中隔の上部にある．嗅細胞の中枢側の突起は，左右それぞれ約20本の線維束を形成する．それらの線維束全体が嗅神経（I）である．

B 鼻中隔．翼口蓋神経節から起こる鼻口蓋神経が鼻中隔の後下部に分布し，眼神経（V_1）の枝である前篩骨神経が鼻中隔の前上部に分布する．

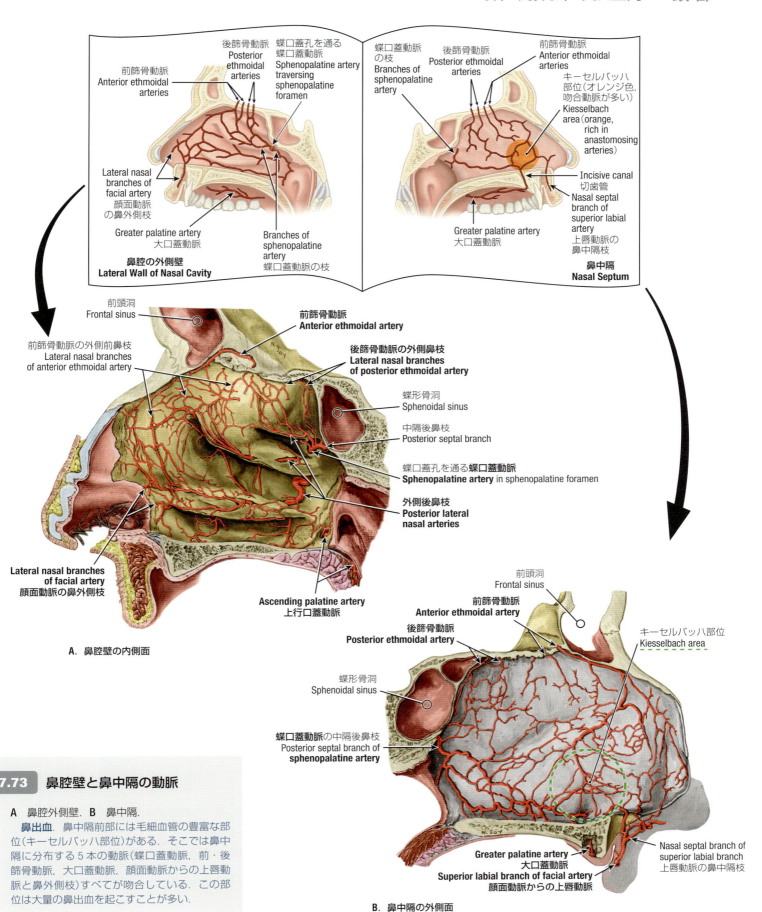

7.73 鼻腔壁と鼻中隔の動脈

A 鼻腔外側壁．B 鼻中隔．

鼻出血．鼻中隔前部には毛細血管の豊富な部位（キーセルバッハ部位）がある．そこでは鼻中隔に分布する5本の動脈（蝶口蓋動脈，前・後篩骨動脈，大口蓋動脈，顔面動脈からの上唇動脈と鼻外側枝）すべてが吻合している．この部位は大量の鼻出血を起こすことが多い．

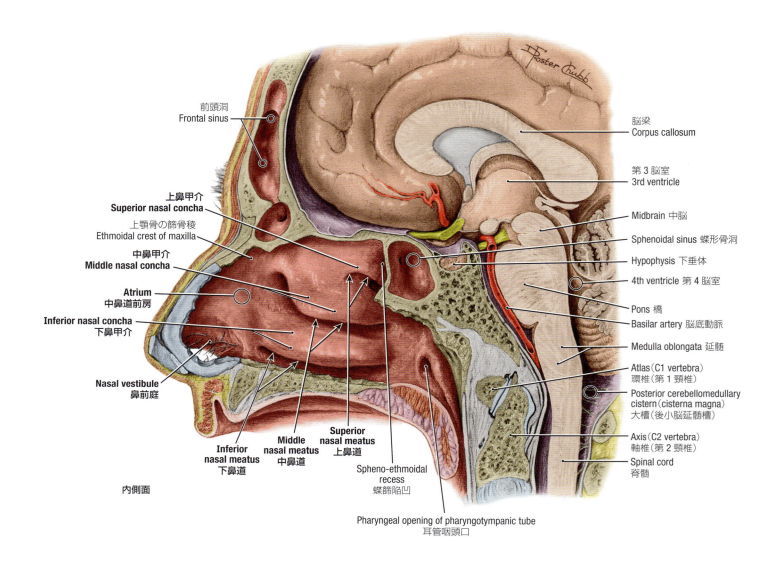

| 7.74 | 正中断した頭部の右側で見る上気道 |

- 鼻前庭は外鼻孔の上, 下鼻道の前の領域である. この部分は皮膚で覆われ毛が生えている. 中鼻道前房は鼻前庭の上, 中鼻道の前の領域である.
- 下鼻甲介と中鼻甲介は鼻腔外側壁から下内側に曲がり, 鼻腔を3つの部分に分ける. 下鼻道と中鼻道はそれぞれ下鼻道と中鼻道を囲む. 後方では中鼻甲介は蝶形骨洞の下で終わり, 下鼻甲介は中鼻甲介後端の下, 耳管咽頭口のすぐ前で終わる. 上鼻甲介は蝶形骨洞の前にあって小さい.
- 鼻腔の上壁は, 鼻梁にあたる傾斜した前部, 水平な中央, 蝶形骨洞の前にある垂直部, 蝶形骨洞の下にある屈曲部からなる. 最後の部分が咽頭鼻部の上壁に続く.

鼻，副鼻腔，翼口蓋窩　頭部　675

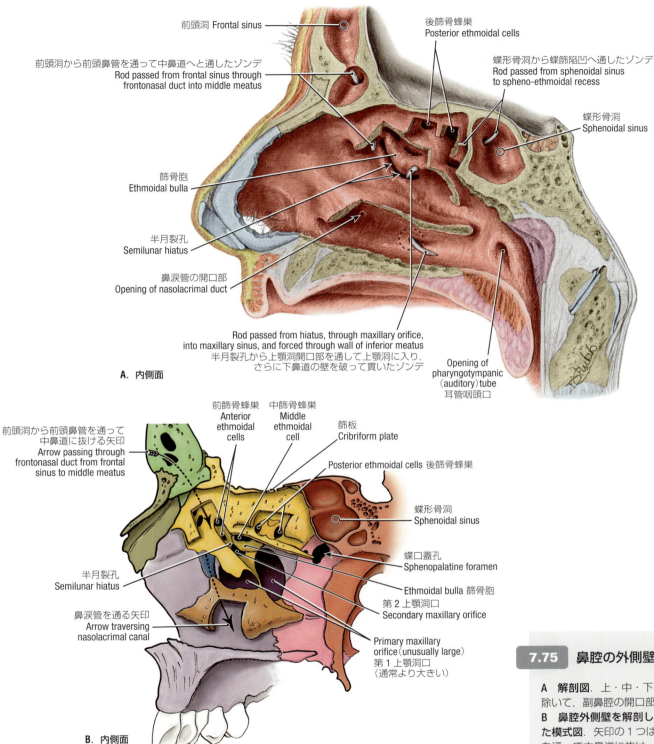

A．内側面

B．内側面

凡例 B
骨：
- 篩骨 Ethmoid
- 前頭骨 Frontal
- 下鼻甲介 Inferior nasal concha
- 涙骨 Lacrimal
- 上顎骨 Maxilla
- 鼻骨 Nasal
- 口蓋骨 Palatine
- 蝶形骨 Sphenoid

開口部：
- 鼻腔壁に隣接する副鼻腔の開口部 Openings of adjacent spaces in nasal wall

7.75　鼻腔の外側壁を通る連絡路

A　解剖図．上・中・下鼻甲介の一部を取り除いて，副鼻腔の開口部を露出してある．

B　鼻腔外側壁を解剖して骨と開口部を示した模式図．矢印の1つは前頭洞から前頭鼻管を通って中鼻道に抜け，もう1つは眼窩前内側部から鼻涙管を経て下鼻道に至る．

　上気道の感染やアレルギー反応（例えば花粉症）によって鼻粘膜が腫脹して炎症を起こす（鼻炎）．鼻粘膜は血管と粘液腺が豊富なので，粘膜の腫脹が容易に起こる．鼻腔の感染は篩骨篩板を通して前頭蓋窩に，耳管を通して中耳に，その他の経路で咽頭鼻部，咽頭後方の軟部組織，副鼻腔，涙器，ならびに結膜に波及することがある．

676 頭部　鼻，副鼻腔，翼口蓋窩

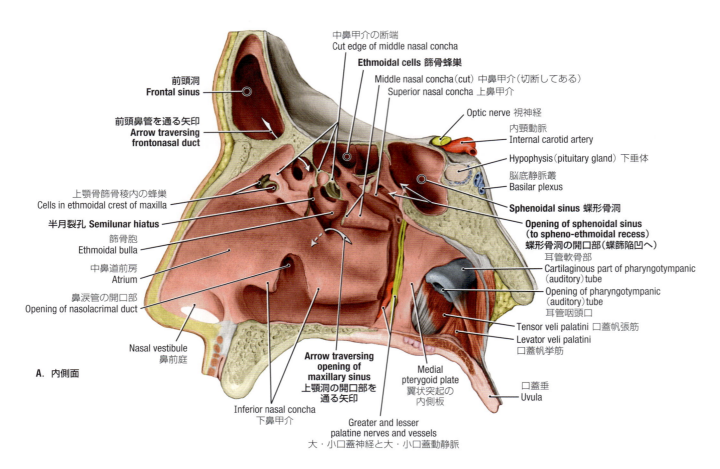

A．内側面

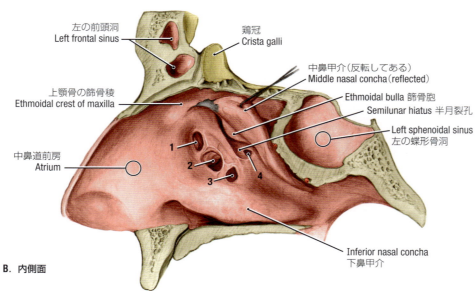

B．内側面

7.76 副鼻腔とその開口部，鼻腔外側壁の口蓋筋群

A　解剖図．中鼻甲介と下鼻甲介ならびに鼻腔外側壁の一部を取り除き，口蓋管内の神経と血管および口蓋筋群が見えるようにしてある．

B　上顎洞の副開口部．正常な開口部（図示していない）の他に，後天的な開口部が4つある（図中の1-4）．

鼻，副鼻腔，翼口蓋窩　頭部

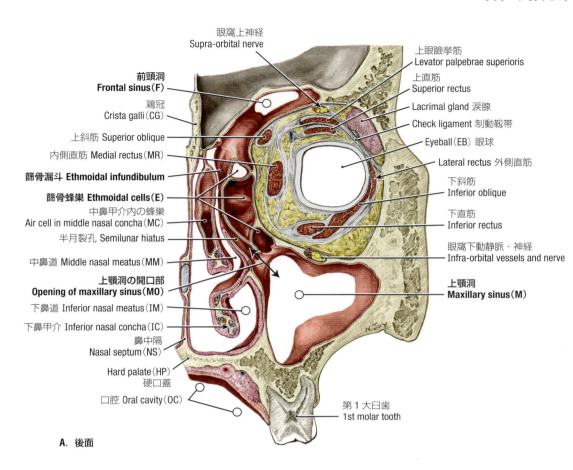
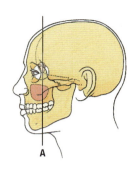

A. 後面

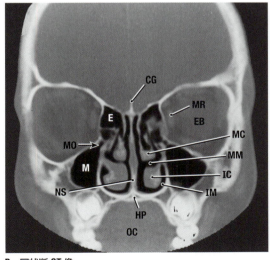

B. 冠状断 CT 像

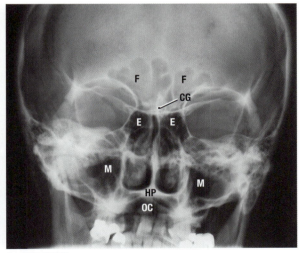

C. 前後 X 線像

7.77　副鼻腔と鼻腔

A　頭部右側の冠状断面（前頭断面）．B　CT 像．C　頭蓋の X 線像．
B と C の略号は A の構造に対応する．

鼻腔からの流路が閉塞すると，**篩骨蜂巣（篩骨洞）の感染**が繊細な眼窩内側壁を破ることがある．この原因で重篤な感染が起こると失明を起こしうるだけでなく，視神経を包む硬膜に波及して**視神経炎**を起こす可能性もある．

上顎の大臼歯抜歯の際に，**歯根の折れる**ことがある．適切な方法で除去しないと，残った歯根を上顎洞に押し込んでしまうことがある．

前頭洞の X 線像や CT 像が**身元不明者の個体識別**に使われることがある．前頭洞の形状は指紋と同様，人ごとに異なる．

678　頭部　鼻，副鼻腔，翼口蓋窩

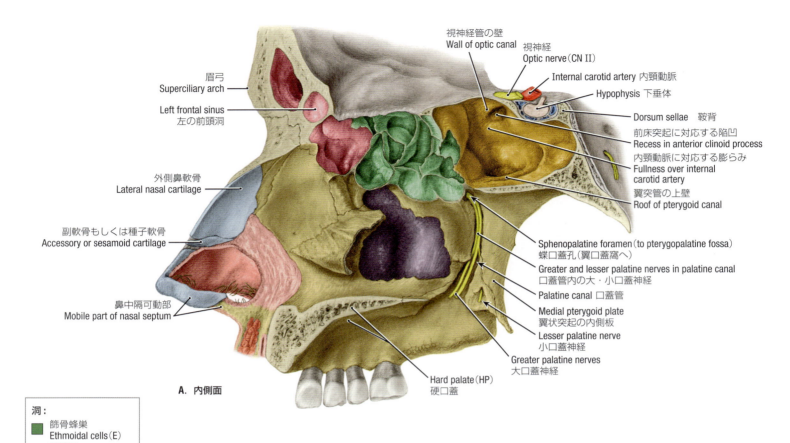

A. 内側面

洞：
- 篩骨蜂巣 Ethmoidal cells (E)
- 前頭洞 Frontal sinus (F)
- 上顎洞 Maxillary sinus (M)
- 蝶形骨洞 Sphenoidal sinus (S)

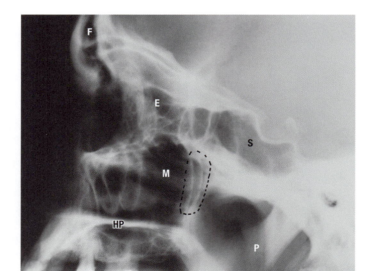

B. 側面 X 線像

| 7.78 | 副鼻腔 |

A　副鼻腔を開放して色分けしたところ．
B　頭蓋のX線像．破線：翼口蓋窩，HP：硬口蓋，P：咽頭．**上顎洞炎**．上顎洞は最も感染を起こしやすい．その理由はおそらく開口部が小さくて内側壁の上部に位置しており，洞内から内容物が自然に流出しにくいからである．上顎洞内の粘膜がうっ血を起こすと，上顎洞開口部が閉塞することが多い．鼻孔から上顎洞開口部へカニューレを通して，上顎洞から排液することができる．**上顎洞炎**は抗菌薬で治療される．カニューレを通して排液することもできる．慢性上顎洞炎では，上顎洞の開口部を広げて流路を改善するために，洞形成術や上顎洞開放術が用いられる．

鼻，副鼻腔，翼口蓋窩　　頭部　679

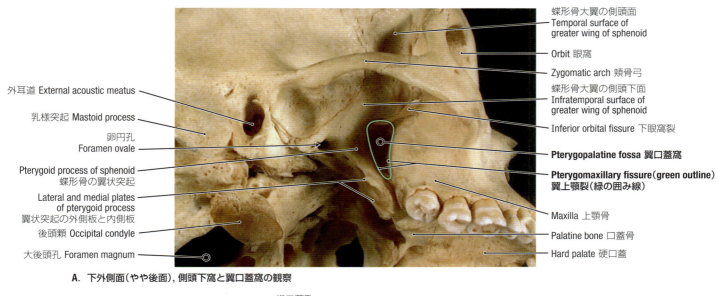

A. 下外側面（やや後面），側頭下窩と翼口蓋窩の観察

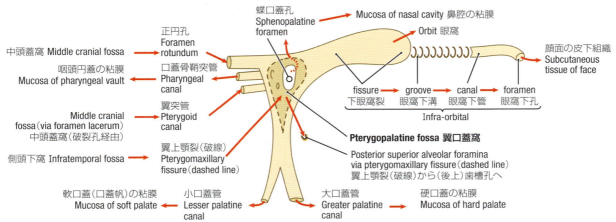

B. 外側面，模式図

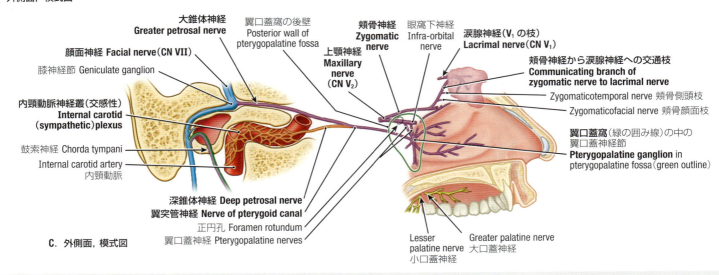

C. 外側面，模式図

7.79　翼口蓋窩

A　骨の関係．翼口蓋窩は眼窩尖部の下，蝶形骨の翼状突起の前で上顎骨の後面にあり，蝶口蓋孔を頂点とする小さなピラミッド型の空間である．

B　模式図．（Paff GH. Anatomy of the Head and Neck. Philadelphia, PA: W.B. Saunders Company; 1973. より）

C　翼口蓋神経節と，関連する神経．

680　頭部　鼻，副鼻腔，翼口蓋窩

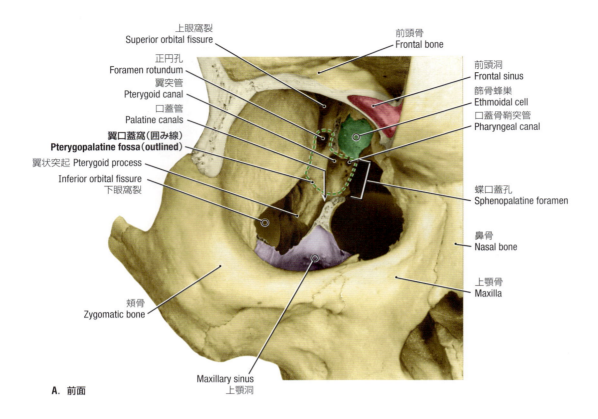

A．前面

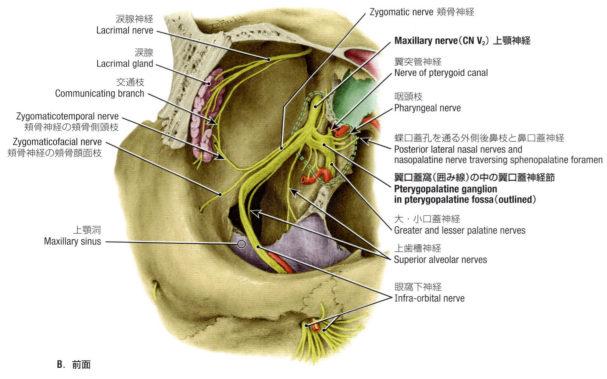

B．前面

7.80 翼口蓋窩の神経

A　眼窩から見た骨と孔．B　眼窩から見た血管と神経．AとBでは眼窩下壁と上顎洞を通して翼口蓋窩が見えるようにしてある．

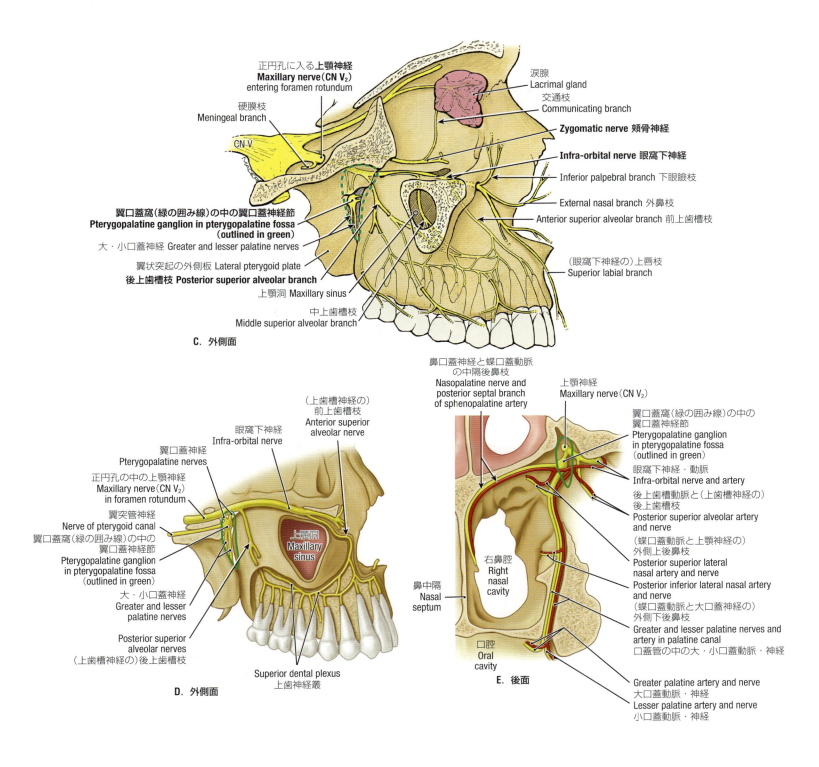

7.80 翼口蓋窩の神経（続き）

C 上顎神経（V_2）とその枝． D 翼口蓋窩を側方から見る．上顎洞の壁の一部を取り除いてある．
E 鼻口蓋神経，大口蓋神経，小口蓋神経．

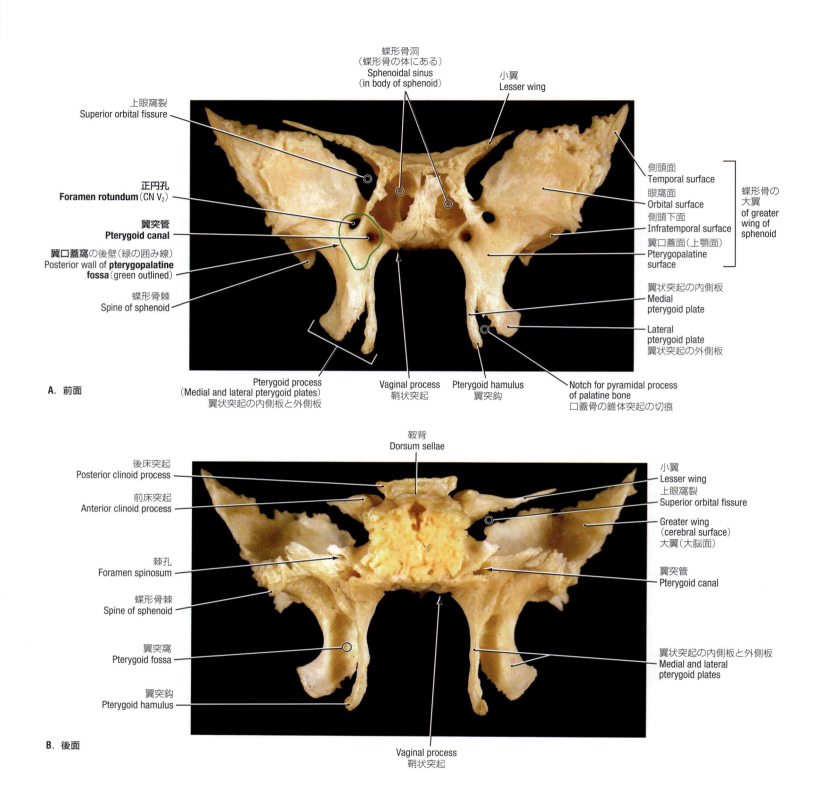

7.81 蝶形骨：特徴と翼口蓋窩との関係

A, B 骨の特徴. 翼口蓋窩の後上方に中頭蓋窩があり，正円孔と翼突管で連絡している.

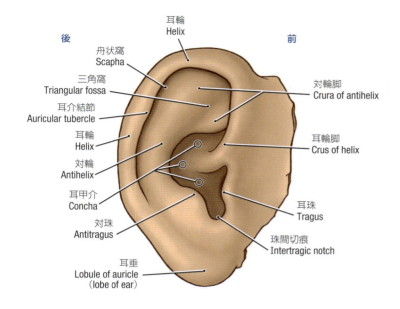
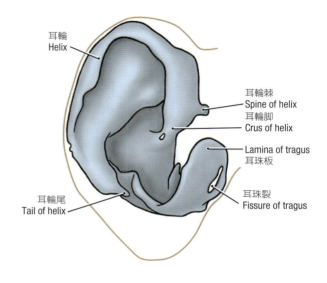
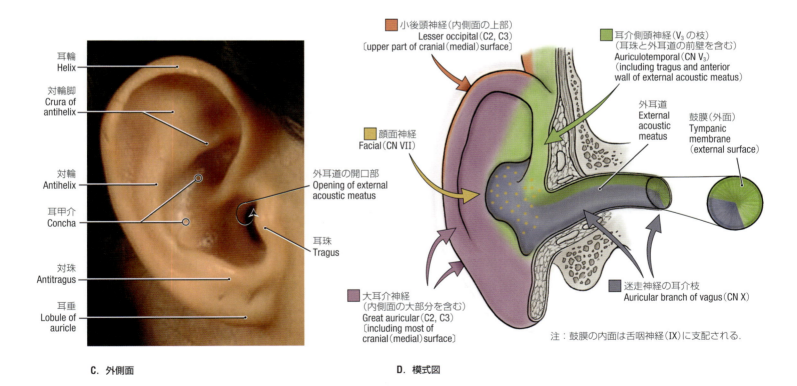

7.82 耳介

A 耳介の各構造. B 耳介軟骨. C 耳介の体表解剖. D 外耳の神経支配.

684 頭部　耳

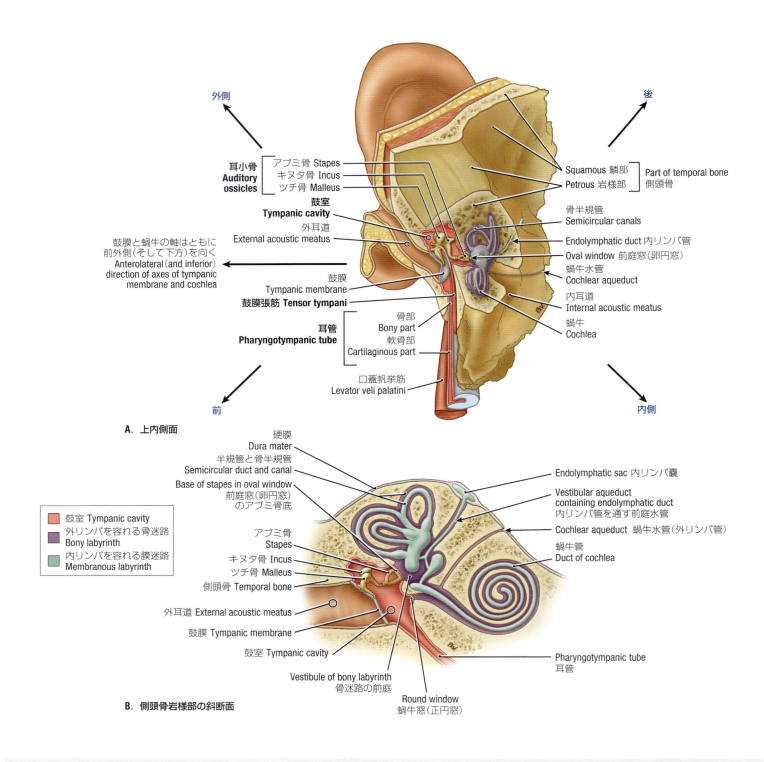

A. 上内側面

B. 側頭骨岩様部の斜断面

7.83　外耳，中耳，内耳-Ⅰ：概観

A　右側頭骨と耳介の，外耳道と耳管を通る断面．B　側頭骨岩様部断面の模式図．
- 外耳は耳介と外耳道からなる．
- 中耳（鼓室）は鼓膜と内耳の間である．3つの耳小骨が鼓室の外側壁から内側壁にわたっている．耳小骨のうちツチ骨が鼓膜に付着している．アブミ骨は前庭窓（卵円窓）の輪状靱帯に付着しており，キヌタ骨がツチ骨とアブミ骨を連結する．耳管は咽頭鼻部と鼓室前壁をつなぐ．
- 膜迷路は膜でできた管と膨らみの閉鎖した系であり，内部には内リンパを容れ，外部は外リンパに浸っている．膜迷路も外リンパも骨迷路の内部にある．

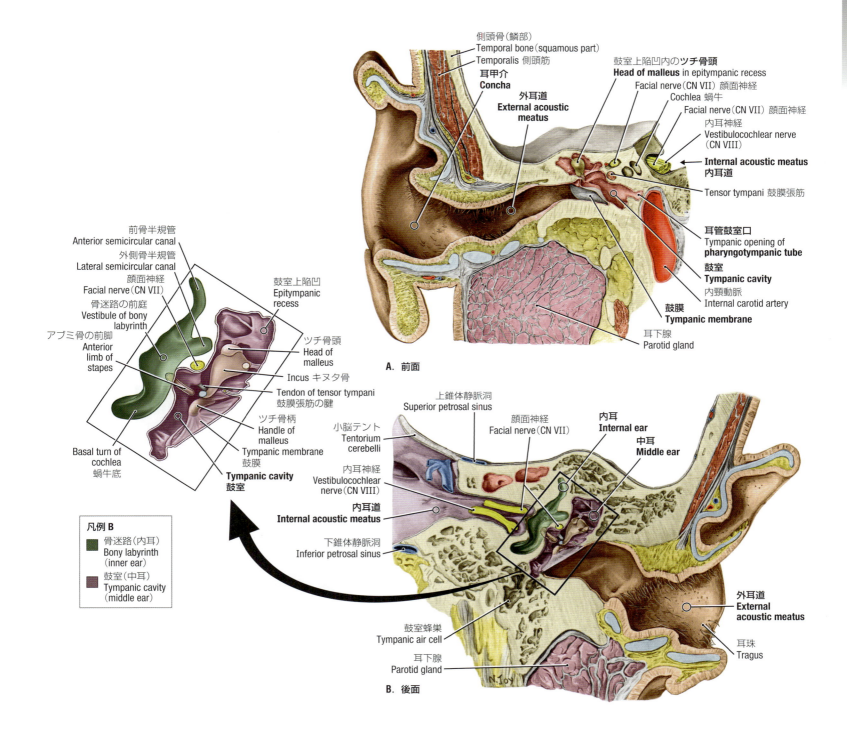

7.84 外耳，中耳，内耳-Ⅱ：冠状断面（前頭断面）

- **A** 前寄りの断面を前方から見る．
- **B** 後ろ寄りの断面を後方から見る．Bでは長方形で囲んだ中耳と内耳の構造を，左側に拡大して示した．
- 外耳道は長さ約3cmであり，その壁の半分は軟骨で，半分は骨でできている．外耳道は軟骨性部と骨性部の境界に近い部分が最も狭く，峡部と呼ばれる．
- 外耳道の支配神経は，下顎神経（V₃）の枝である耳介側頭神経と迷走神経（X）の耳介枝であり，中耳の支配神経は舌咽神経（IX）である．
- 外耳道の軟骨性部は厚い皮膚で裏打ちされている．骨性部は骨膜に付着する薄い上皮で裏打ちされており，この上皮が鼓膜の最外層をつくる．

686 頭部 耳

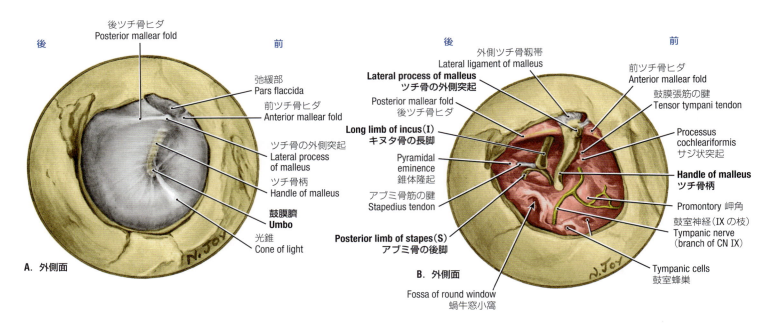

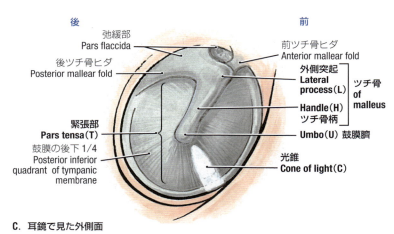

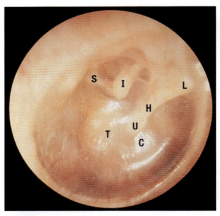

| 7.85 | 鼓膜 |

A 鼓膜の外表面（外側面）．
B 鼓膜を取り除いて，その内側にある構造を見えるようにしてある．
C 耳鏡で見た鼓膜の模式図．
D 耳鏡で見た鼓膜．略号はBとCに対応する．

- 鼓膜は楕円形で，中心部を頂点とした低い円錐状をしている．この中心部は鼓膜臍と呼ばれ，ツチ骨柄の先端が付着する．ツチ骨柄は鼓膜臍から前上方に向かうが，その全長が鼓膜に付着している．
- ツチ骨の外側突起より上では鼓膜が薄い（弛緩部）．弛緩部には鼓膜の他の部分（緊張部）にある放線状線維と輪状線維が欠けている．弛緩部と緊張部の境界は前ツチ骨ヒダと後ツチ骨ヒダにより明瞭に認められる．
- 鼓膜の外側面は下顎神経（V₃）の枝である耳介側頭神経の耳介枝と迷走神経（X）の耳介枝によって支配され，内側面は舌咽神経（IX）の枝の鼓室神経によって支配される．

外耳道と鼓膜の診察は，まず外耳道をまっすぐにすることから始める．成人の場合，耳輪をつまんで後外側上方に牽引する．この動きによって外耳道の屈曲が減って耳鏡の挿入が容易になる．幼児では外耳道が比較的短いので，鼓膜を傷つけないようにとりわけ注意を払わなければならない．

耳　頭部

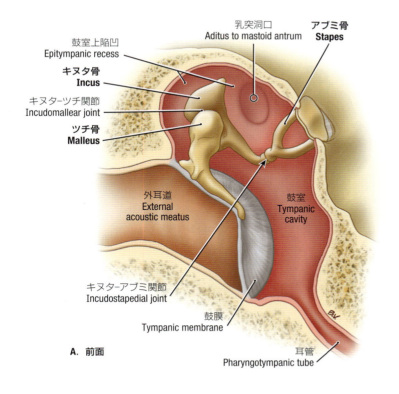

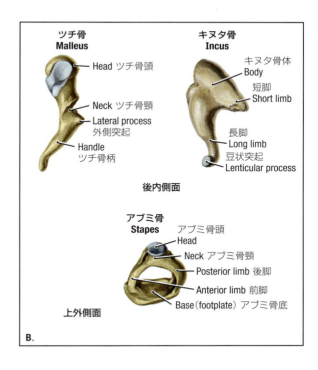

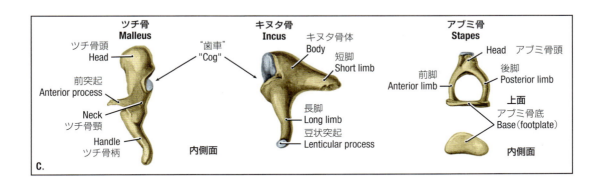

7.86　中耳の耳小骨

A　側頭骨を冠状断して見た原位置の耳小骨．
B, C　分離した耳小骨．

- ツチ骨頭，キヌタ骨体ならびにキヌタ骨短脚は鼓室上陥凹に位置する．ツチ骨柄は鼓膜に半ば埋まっている．
- ツチ骨頭にある鞍状の関節面はキヌタ骨体の関節面と相補的な形状をしていて，キヌタ-ツチ関節をつくる．
- キヌタ骨長脚の先端にある凸面をなした関節面がアブミ骨頭とキヌタ-アブミ関節をつくる．

- 耳に痛みがあって鼓膜が発赤して膨隆している場合は，中耳に膿や液体が貯留していることを示し，これは**中耳炎**の徴候である．中耳の感染は上気道の感染に続発することが多い．鼓室を裏打ちする粘膜の炎症と腫脹は耳管を部分的ないし完全に閉塞する．鼓膜が発赤・膨隆し，患者は「耳がツンとする」と訴えることがある．中耳炎を治療せずに放置すると，耳小骨に瘢痕をきたし，音に反応して耳小骨が動くことのできる範囲を狭めて，聴覚を障害することがある．

688 頭部 耳

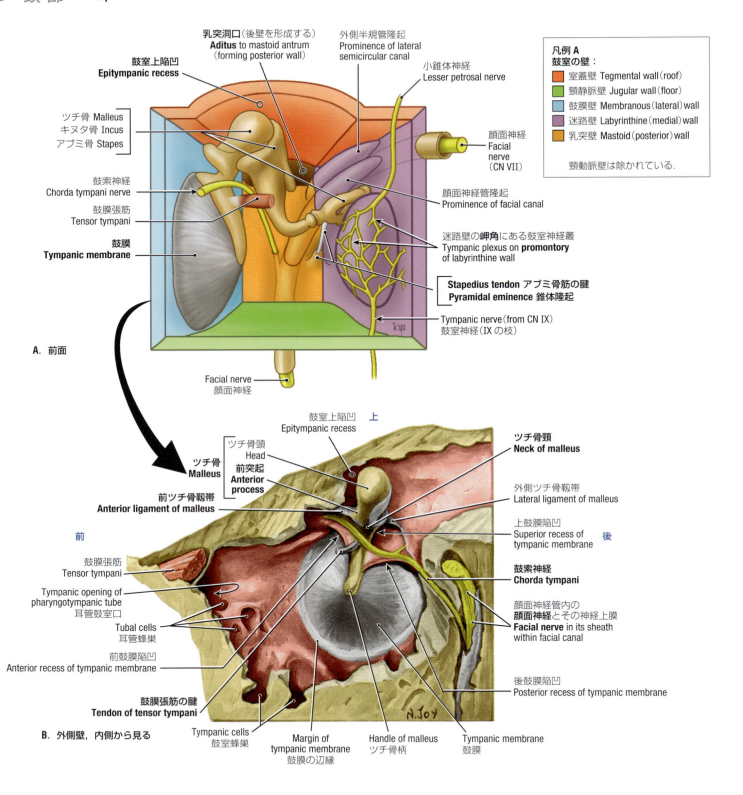

7.87 鼓室の構造

A 前壁（頸動脈壁）を除いた鼓室の模式図. B 鼓室の外側壁.
　顔面神経は顔面神経管の中にあって，丈夫な骨膜でできた管で囲まれている．鼓索神経は顔面神経から分かれ，2つの三日月状の粘膜ヒダに覆われて鼓膜張筋の腱の上でツチ骨頸を横切る．

中耳炎の結果，**鼓膜が穿孔**を起こすことがある．穿孔は外耳道に入った異物，外傷，過度の圧力でも起こる．鼓膜の上半分は下半分よりもはるかに血管が豊富なので，鼓膜を切開するときは後下部に行う．ここに切開を行うことによって，鼓索神経と耳小骨の損傷も避けることができる．

耳　頭部

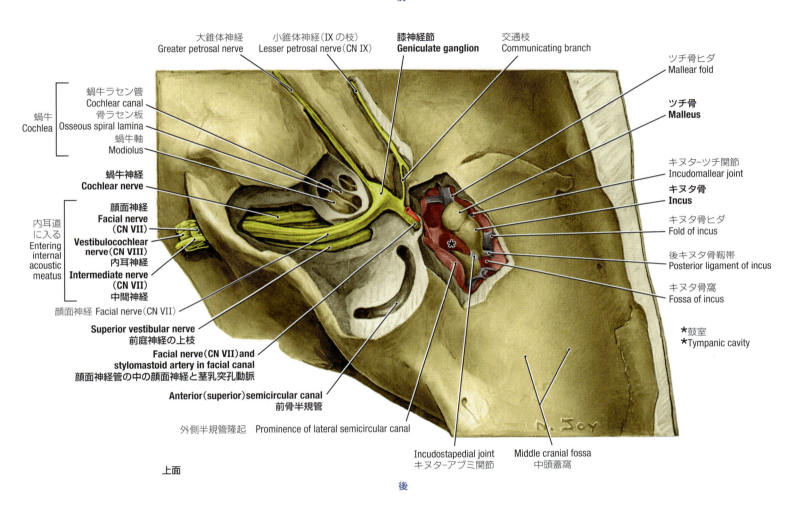

7.88　中耳と内耳

鼓室蓋を取り除いて中耳を露出し，弓状隆起を取り去って前骨半規管が見えるようにし，内耳道と内耳を通る顔面神経と内耳神経を示した．顔面神経は膝神経節のところで鋭角に曲がり（顔面神経膝），そのあと顔面神経管の中で後下方に曲がる．顔面神経管の薄い外側壁は，顔面神経と中耳の鼓室とを隔てる．

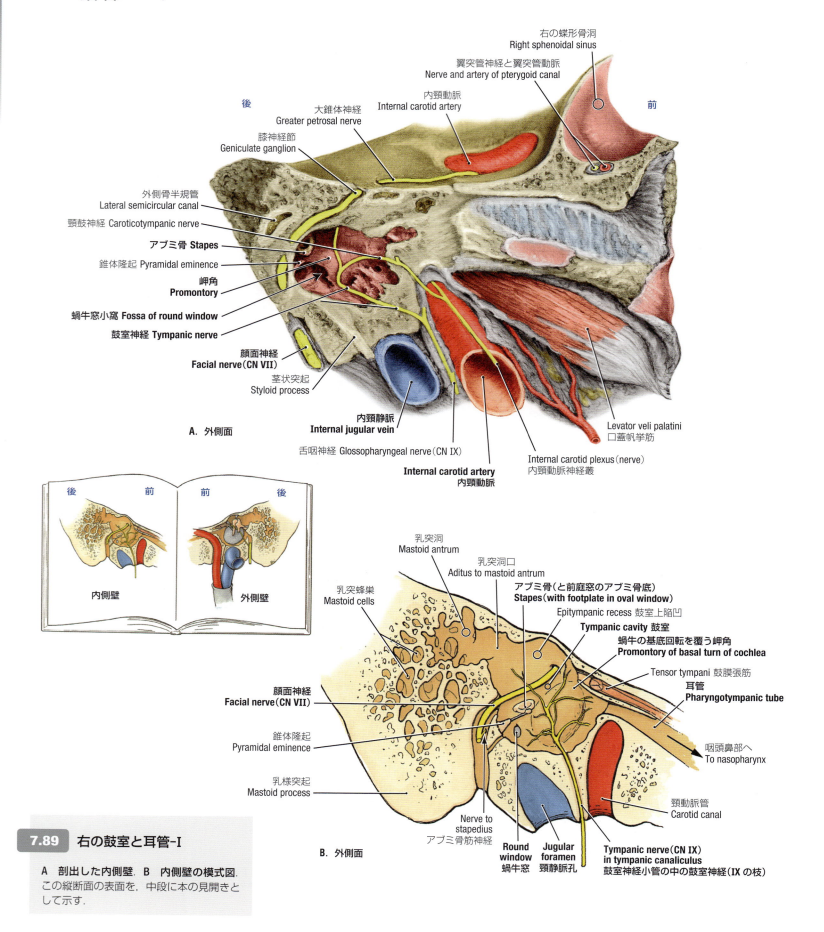

7.89 右の鼓室と耳管-I

A 剖出した内側壁. B 内側壁の模式図. この縦断面の表面を，中段に本の見開きとして示す．

耳　頭部　691

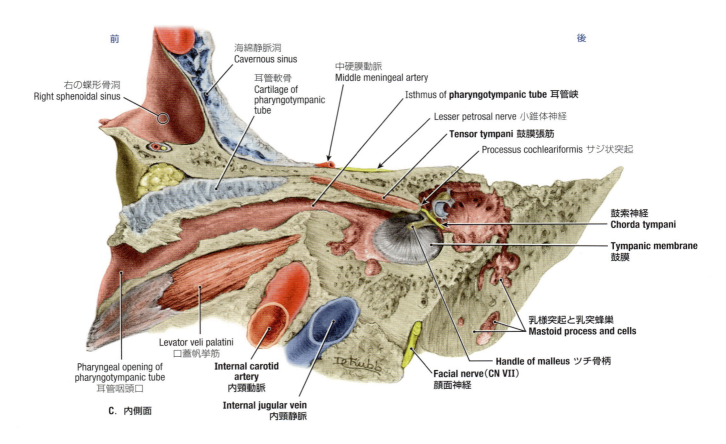

C．内側面

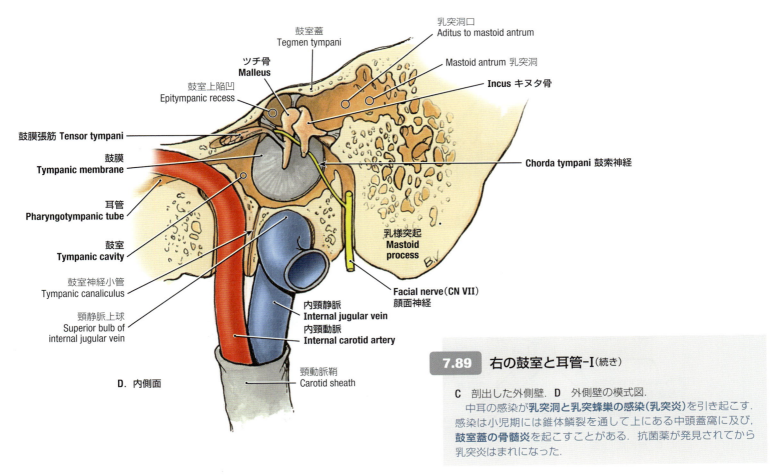

D．内側面

7.89　右の鼓室と耳管-I（続き）

C　剖出した外側壁．D　外側壁の模式図．
　中耳の感染が**乳突洞と乳突蜂巣の感染（乳突炎）**を引き起こす．感染は小児期には錐体鱗裂を通して上にある中頭蓋窩に及び，**鼓室蓋の骨髄炎**を起こすことがある．抗菌薬が発見されてから乳突炎はまれになった．

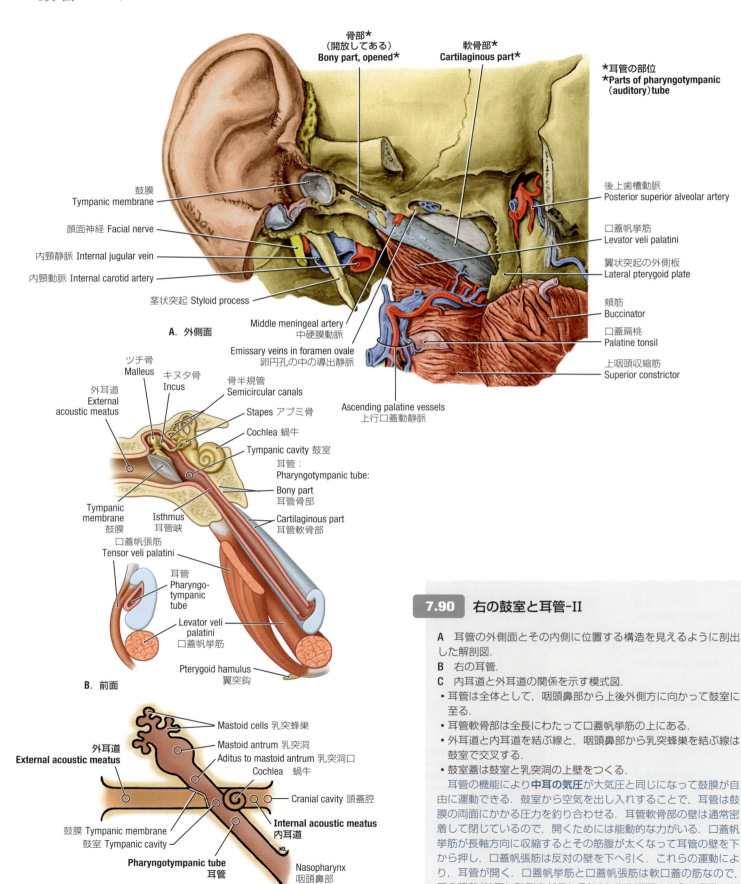

7.90 右の鼓室と耳管-II

A 耳管の外側面とその内側に位置する構造を見えるように剖出した解剖図.
B 右の耳管.
C 内耳道と外耳道の関係を示す模式図.

- 耳管は全体として, 咽頭鼻部から上後外側方に向かって鼓室に至る.
- 耳管軟骨部は全長にわたって口蓋帆挙筋の上にある.
- 外耳道と内耳道を結ぶ線と, 咽頭鼻部から乳突蜂巣を結ぶ線は鼓室で交叉する.
- 鼓室蓋は鼓室と乳突洞の上壁をつくる.

耳管の機能により**中耳の気圧**が大気圧と同じになって鼓膜が自由に運動できる. 鼓室から空気を出し入れすることで, 耳管は鼓膜の両面にかかる圧力を釣り合わせる. 耳管軟骨部の壁は通常密着して閉じているので, 開くためには能動的な力がいる. 口蓋帆挙筋が長軸方向に収縮するとその筋腹が太くなって耳管の壁を下から押し, 口蓋帆張筋は反対の壁を下へ引く. これらの運動により, 耳管が開く. 口蓋帆挙筋と口蓋帆張筋は軟口蓋の筋なので, 圧の調整(鼓膜に破裂音が伝わる)は欠伸や嚥下のような運動に付随して起こる.

耳 頭部

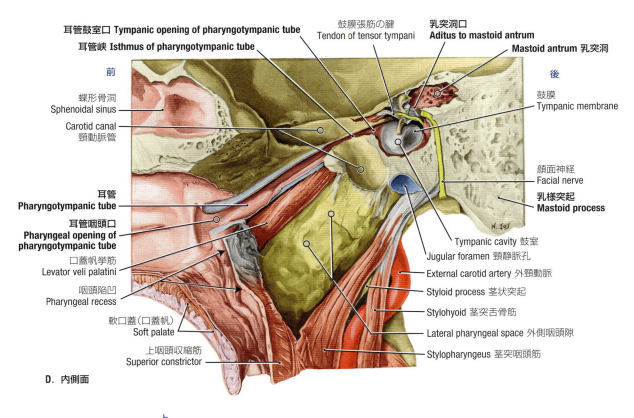

D. 内側面

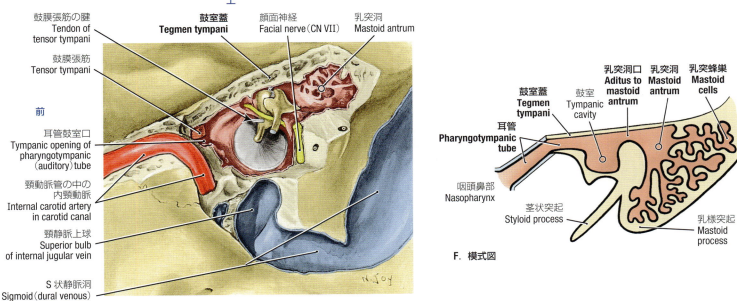

E. 内側面

F. 模式図

7.90 右の鼓室と耳管-II（続き）

D 側頭骨鼓室部の空間．
E 鼓室と内頸動脈，S状静脈洞，中頭蓋窩の位置関係．
F 鼓室蓋の模式図．
- 内頸動脈は主に鼓室前壁に接しており，内頸静脈は主に鼓室下壁に接している．顔面神経は主に鼓室後壁に接する．

694 頭部 耳

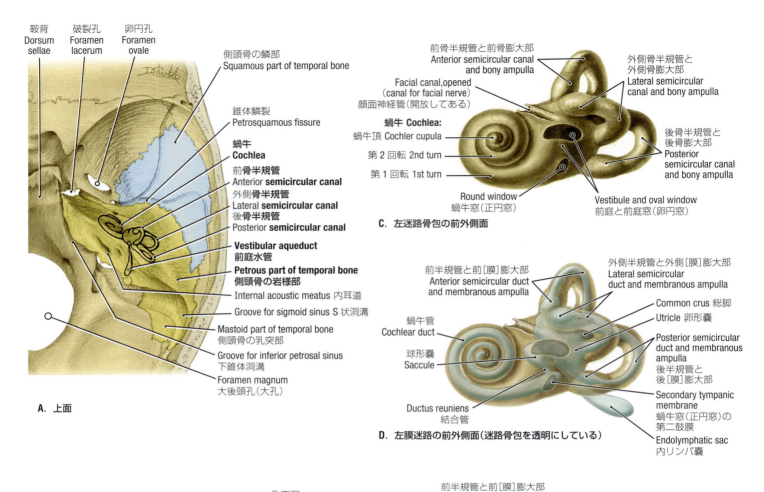

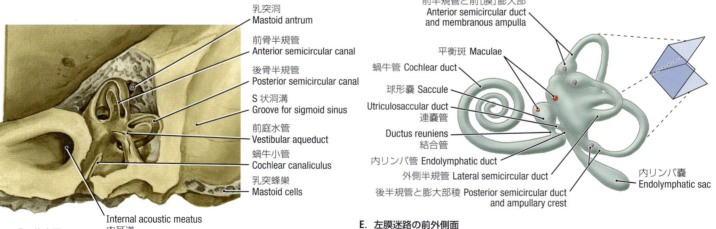

| 7.91 | 骨迷路と膜迷路 |

A 側頭骨岩様部における骨迷路の位置と方向．
B 原位置の骨半規管と水管．鼓室蓋を除去して迷路骨包の緻密な骨を取り囲む軟らかな骨を掘削してある．
C 左の骨迷路の壁（迷路骨包）．骨迷路は液体で満たされた空間である．
D 骨迷路で囲まれた膜迷路．
E 取り出した膜迷路．

耳　頭部

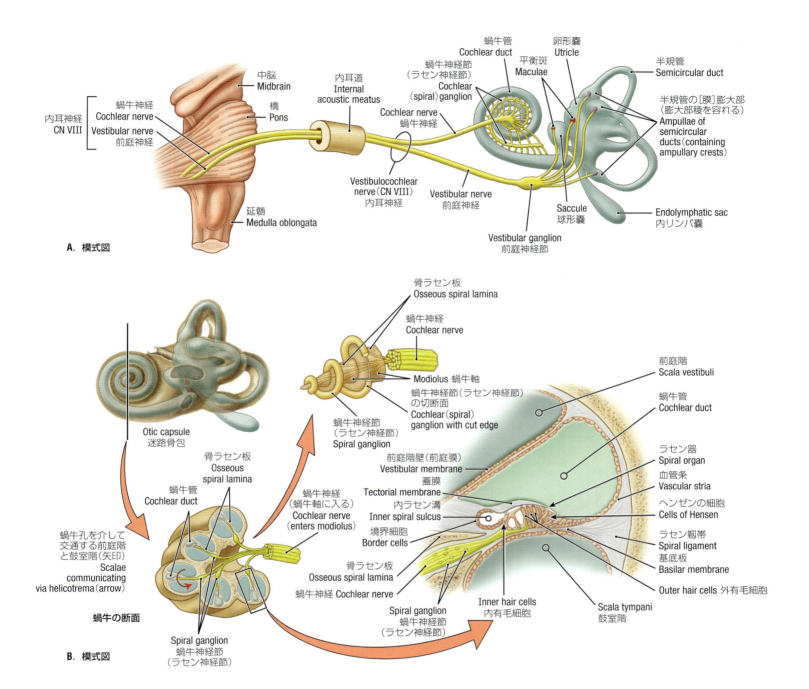

7.92 内耳神経（第VIII脳神経）と蝸牛の構造

A　内耳神経の分布（模式図）．

B　蝸牛の構造． 蝸牛の骨の芯（蝸牛軸）に沿って切断してある．蝸牛は蝸牛軸のまわりを取り巻いている．蝸牛管などを取り除いて，骨ラセン板が蝸牛軸の周りに巻き付いているところだけを見えるようにしてある．右の大きな図は，長方形で囲んだ領域の細部を示す．膜迷路の蝸牛管の断面が見える．

- 迷路の中の平衡斑は平衡感覚の主要な受容器である．平衡斑には有毛細胞に沿って高密度な微粒子（平衡砂）が備わっている．重力の影響で平衡砂が

有毛細胞の不動毛を曲げると，前庭神経が刺激されて空間内における頭部の位置の感覚が生じる．有毛細胞は急速な傾斜運動にも直線的な加速や減速にも応答する．**乗り物酔い**は多くの場合，前庭からの刺激と視覚刺激の乖離の結果生じる．

- 過度の大音量に長時間曝されるとラセン器（コルチ器）の変性が起こり，**高音が聞こえにくくなる**．このタイプの難聴は大きな騒音に曝されながら防護用の耳当てをしない労働者に多く生じる．

696 頭部　頭部のリンパ流路

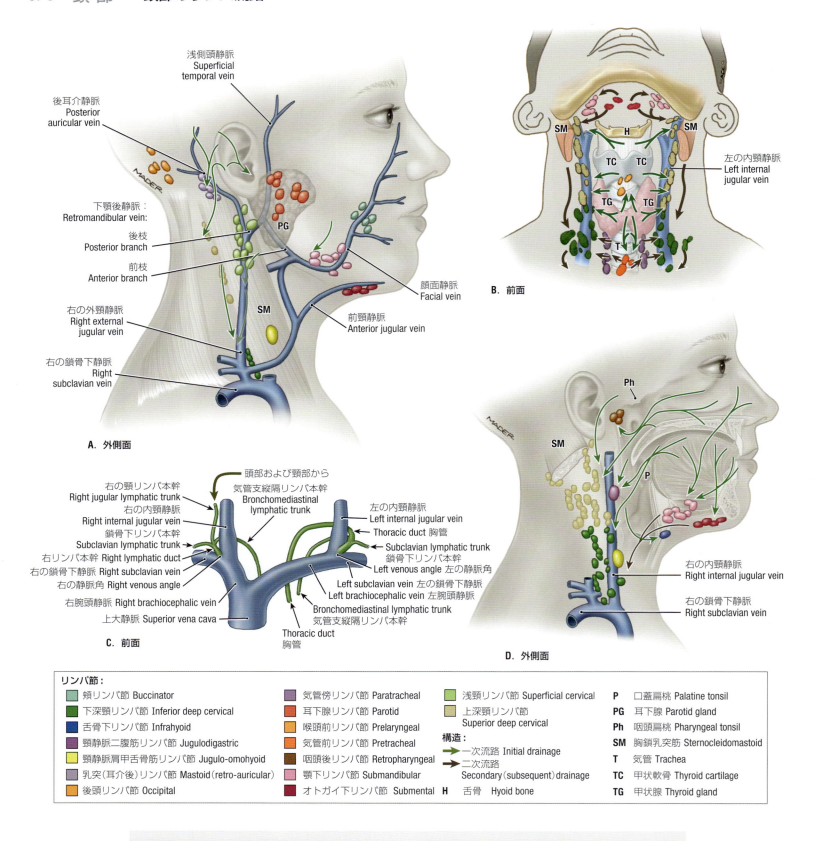

7.93　頭頸部のリンパ流路と静脈

A　浅層のリンパ流路．　B　気管，甲状腺，喉頭，ならびに口腔底のリンパ流路．　C　左右の頸リンパ本幹の終末部．　D　深層のリンパ流路．

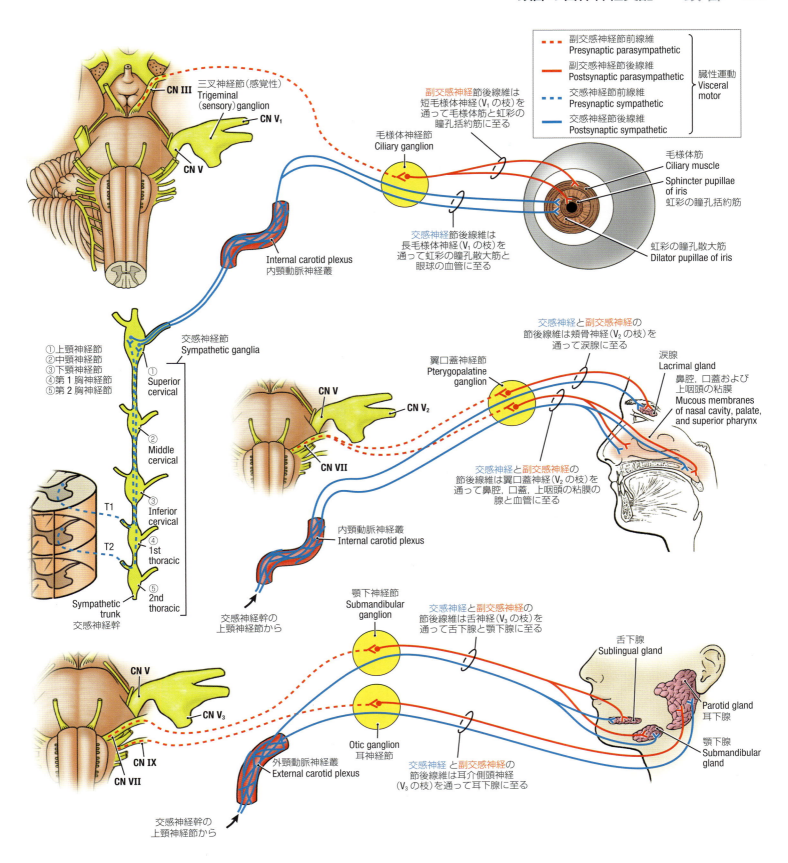

7.94 頭部の自律神経支配

698 頭部　頭部の断層解剖と断層画像

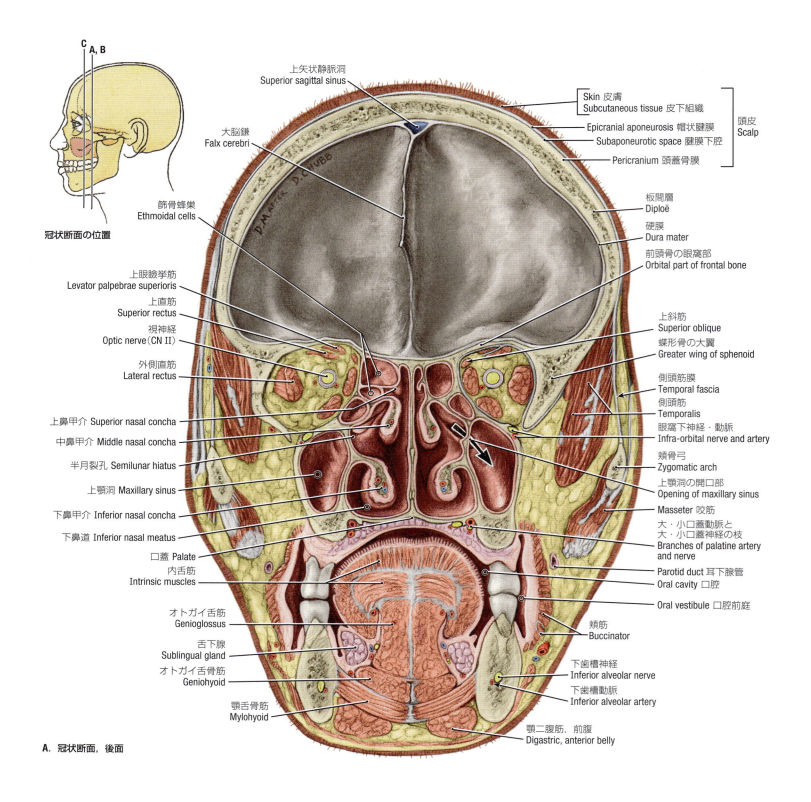

A. 冠状断面，後面．

7.95 咽頭鼻部と口腔の断面とMR像

A　冠状断面．

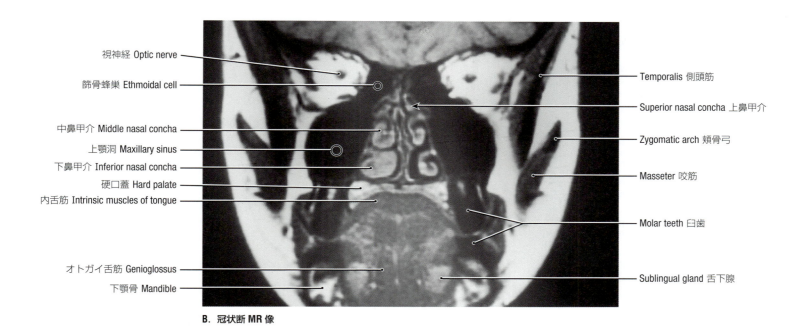

B. 冠状断 MR 像

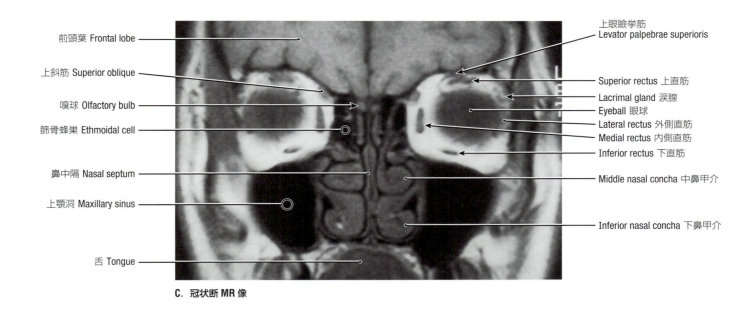

C. 冠状断 MR 像

> **7.95** 咽頭鼻部と口腔の断面と MR 像（続き）
>
> B, C 冠状断 MR 像．
> **鼻中隔の偏位**．鼻中隔は通常，どちらかに偏っている．出生時の傷害によることもあるが，より多いのは，思春期や成人してからの外傷による偏位である．時に，鼻中隔が鼻腔の外側壁に触れるほど激しく偏位することがある．そのような偏位は，しばしば呼吸を妨げ，いびきを悪化させる．偏位は手術によって是正できる．

700 頭部　頭部の断層解剖と断層画像

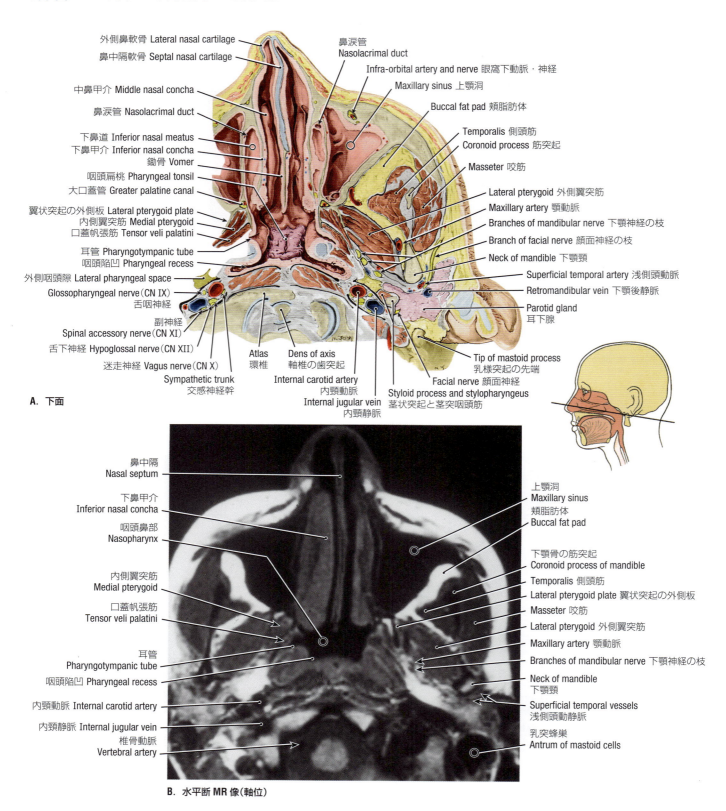

7.96　鼻腔と咽頭鼻部の水平断面と MR 像

A　頭部左側の水平断面．B　水平断 MR 像．顎動脈は，外側翼突筋の浅層(A)を走行することも，深層(B)を走行することもある．

頭部の断層解剖と断層画像　頭部

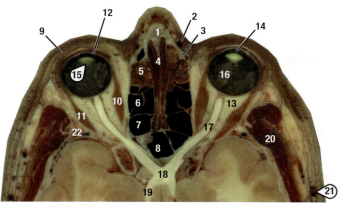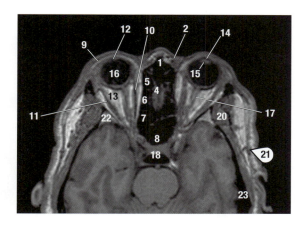

A. 水平断面と水平断（軸位）MR 像

凡例 A

1. 鼻骨 Nasal bones
2. 眼角動脈 Angular artery
3. 上顎骨の前頭突起 Frontal process of maxilla
4. 鼻中隔 Nasal septum
5. 前篩骨蜂巣 Anterior ethmoidal cell
6. 中篩骨蜂巣 Middle ethmoidal cell
7. 後篩骨蜂巣 Posterior ethmoidal cell
8. 蝶形骨洞 Sphenoidal sinus
9. 眼輪筋 Orbicularis oculi
10. 内側直筋 Medial rectus
11. 外側直筋 Lateral rectus
12. 角膜 Cornea
13. 眼窩脂肪体 Retrobulbar fat
14. 前眼房 Anterior chamber
15. 水晶体 Lens
16. 硝子体 Vitreous body
17. 視神経 Optic nerve
18. 視[神経]交叉 Optic chiasm
19. 視索 Optic tract
20. 側頭筋 Temporalis
21. 浅側頭動静脈 Superficial temporal vessels
22. 蝶形骨の大翼 Greater wing of sphenoid
23. 側頭骨の鱗部 Squamous part of temporal bone

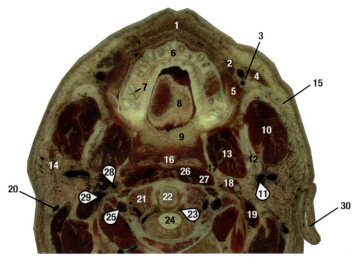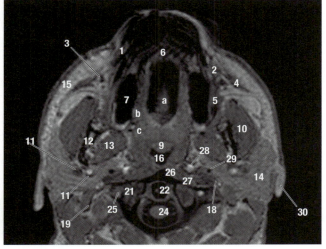

B. 水平断面と水平断（軸位）MR 像

凡例 B

1. 口輪筋 Orbicularis oris
2. 口角挙筋 Levator anguli oris
3. 顔面動静脈 Facial artery and vein
4. 大頬骨筋 Zygomaticus major
5. 頬筋 Buccinator
6. 上顎骨 Maxilla
7. 上顎骨の歯槽突起 Alveolar process of maxilla
8. 舌背 Dorsum of tongue
9. 軟口蓋（MR 像で口蓋垂が見える） Soft palate (uvula apparent in image)
10. 咬筋 Masseter
11. 下顎後静脈 Retromandibular vein
12. 下顎枝 Ramus of mandible
13. 外側翼突筋 Lateral pterygoid
14. 耳下腺 Parotid gland
15. 皮下組織 Subcutaneous tissue
16. 咽頭結節の部位 Region of pharyngeal tubercle
17. 蝶形骨 Sphenoid
18. 茎突舌骨靱帯と茎突舌骨筋 Stylohyoid ligament and muscle
19. 顎二腹筋の後腹 Posterior belly of digastric
20. 後頭動脈 Occipital artery
21. 第 1 頸椎（環椎） First cervical vertebrae (atlas)
22. 歯突起（軸椎） Dens (axis)
23. 環椎横靱帯 Transverse ligament of atlas
24. 脊髄 Spinal cord
25. 横突孔の椎骨動脈 Vertebral artery in foramina transversaria
26. 頸長筋 Longus colli
27. 頭長筋 Longus capitis
28. 内頸動脈 Internal carotid artery
29. 内頸静脈 Internal jugular vein
30. 耳輪の下部 Inferior portion of helix of auricle
a. 硬口蓋 Hard palate
b. 口蓋舌筋 Palatoglossus
c. 口蓋咽頭筋 Palatopharyngeus

7.97　眼窩，口腔，上顎領域の MR 像

A　視神経の面を通る水平断面と MR 像．B　環椎／歯突起の高さでの水平断面と MR 像．

702 頭部　神経解剖：概観と脳室系

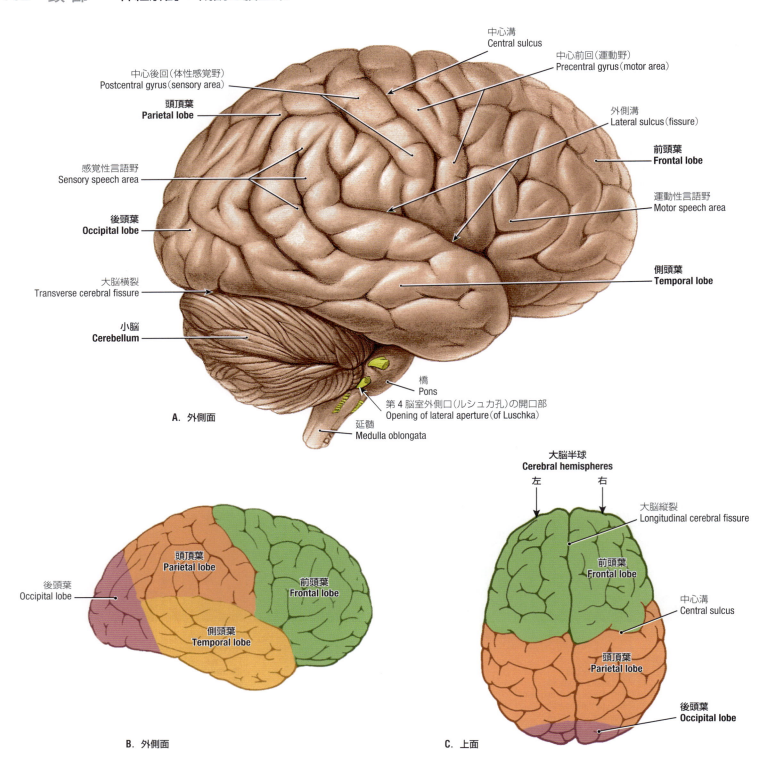

7.98　脳

A　大脳，小脳，脳幹の外側面．B　大脳半球の脳葉，外側面．C　大脳半球の脳葉，上面．
　脳挫傷は外傷によって起こり，その際に軟膜が傷ついた脳表面から剥がれたり裂けたりして血液がクモ膜下腔に漏れることがある．脳挫傷は，突然の衝撃によって静止している頭蓋に対して脳が動くことにより，または静止している脳に対して頭蓋が動くことにより生じる．脳挫傷によって意識障害が長時間続くことがある．

神経解剖：概観と脳室系　頭部

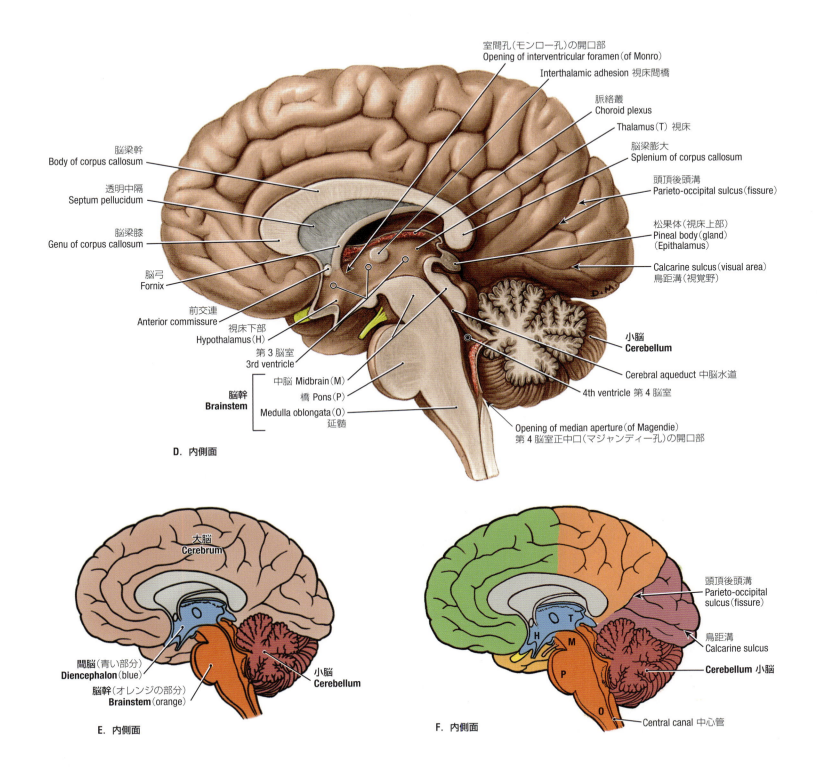

7.98 脳（続き）

D　大脳，小脳，脳幹の正中断面．E　脳の各部，正中断面．F　大脳半球の脳葉，正中断面（略号はDと対応する）．
頭蓋内に血液が貯留したり，脳脊髄液の循環や吸収が阻害されたり，頭蓋内に腫瘍や膿瘍ができたり，脳浮腫によって脳が腫大したり，水分や塩分の増加によって脳容積が増大したりすると**脳が圧迫される**．

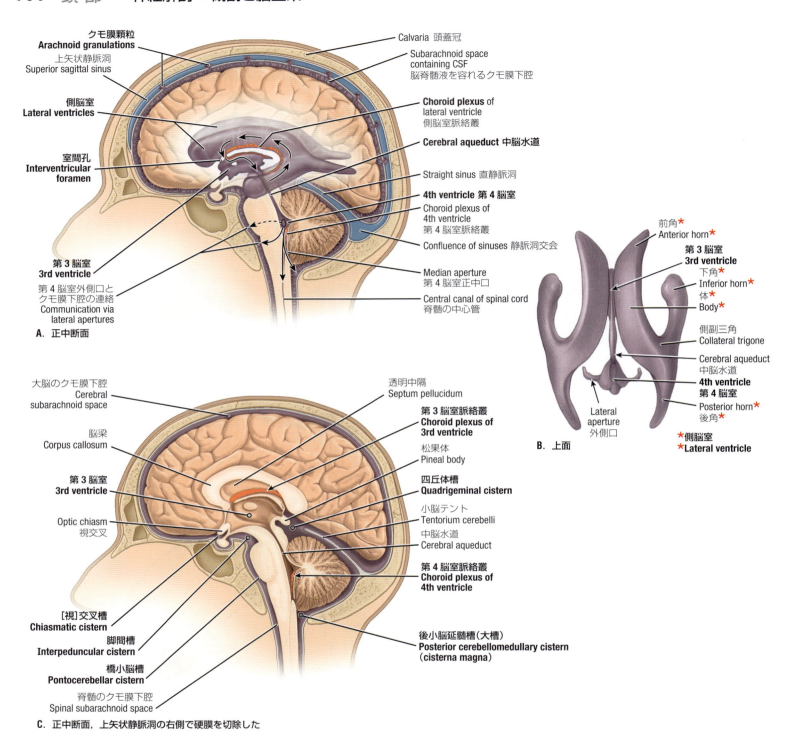

7.99 脳室系

A 脳脊髄液（CSF）の循環． B 脳室：側脳室，第3脳室，第4脳室． C クモ膜下槽．

- 脳室系は，大脳半球の中にある2つの側脳室，左右の間脳の間にある第3脳室，橋と延髄の後部にある第4脳室からなる．
- CSFは脈絡叢から分泌され，室間孔を通って側脳室から第3脳室へ流れ，中脳水道を通って第3脳室から第4脳室へ流れ，正中口と外側口を通ってクモ膜下腔に出る．CSFはクモ膜顆粒で吸収されて静脈洞に入る（特に上矢状静脈洞）．
- 水頭症．CSFが過剰に産生されたり，循環が停滞したり，吸収が阻害されたりすると，脳室内のCSFが過剰になって頭部が大きくなる．これを水頭症と呼ぶ．過剰なCSFは脳室を拡大し，脳を薄くして，幼児の場合は頭蓋の縫合や泉門がまだ閉鎖していないので頭蓋冠の骨が解離する．

終脳と間脳　頭部　705

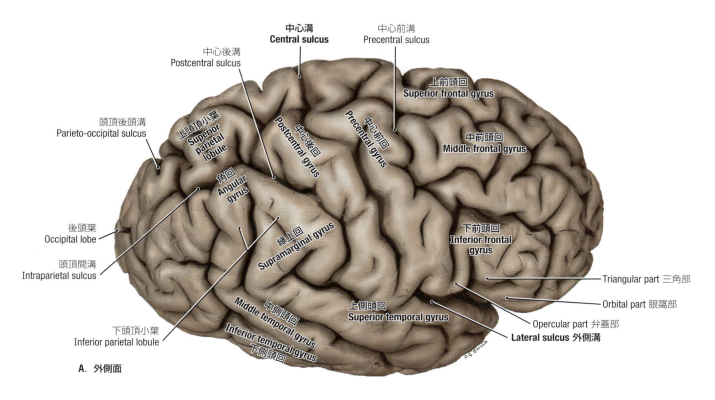

A. 外側面

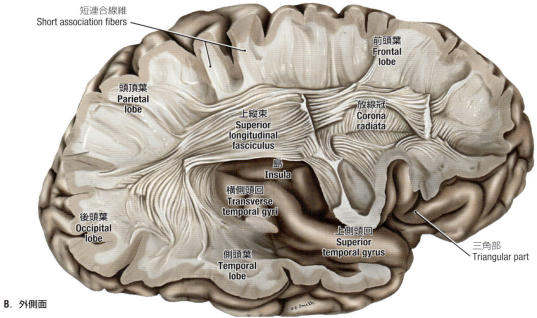

B. 外側面

7.100　大脳半球外側面の剖出

大脳半球の外側面から始めて（A），順に内側に向かう（B-F）．

A　大脳半球外側面の脳溝と脳回．脳回（回，回転）とは大脳皮質がヒダをつくった部分で，内部に白質がある．溝は脳溝（溝）と呼ばれる．出生直前に形成される脳溝と脳回のパターンは，この標本のように成体の脳でも認められることがある．通常は皮質が拡張するために二次的な褶曲ができるので，この基本パターンを同定することが出生時より困難になる．

B　上縦束，横側頭回，島．外側溝周辺の皮質と短い連合線維を取り除いてある．

706 頭部 終脳と間脳

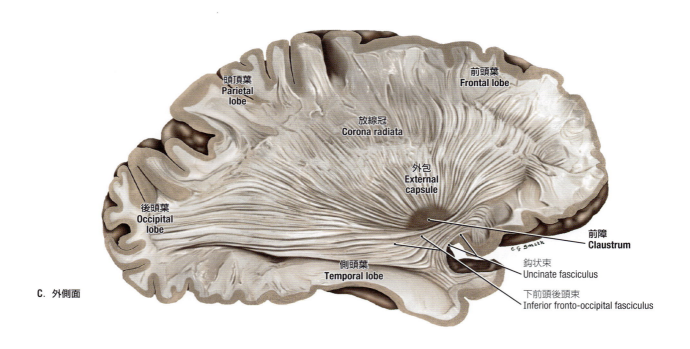

C. 外側面

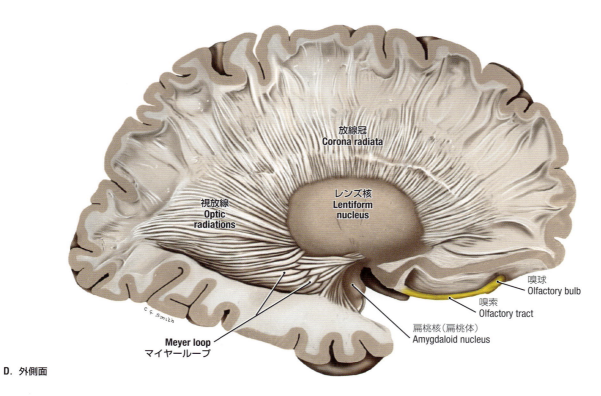

D. 外側面

7.100 大脳半球外側面の剖出（続き）

C 鉤状束，下前頭後頭束，外包．外包は，外側の前障と内側のレンズ核の間を通る投射線維からなる．

D レンズ核と放線冠．下縦束，鉤状束，前障，ならびに外包は取り除いてある．視放線の線維は，それぞれの目の右半分の網膜から興奮を伝える．側頭極に非常に近づく線維（マイヤーループ）は，網膜の下部からの興奮を伝える．

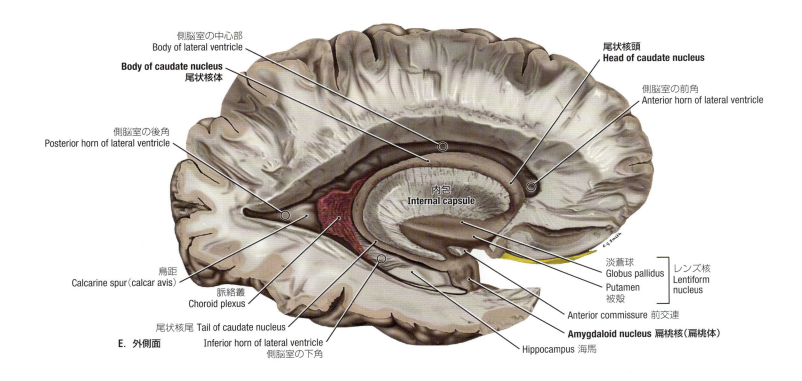

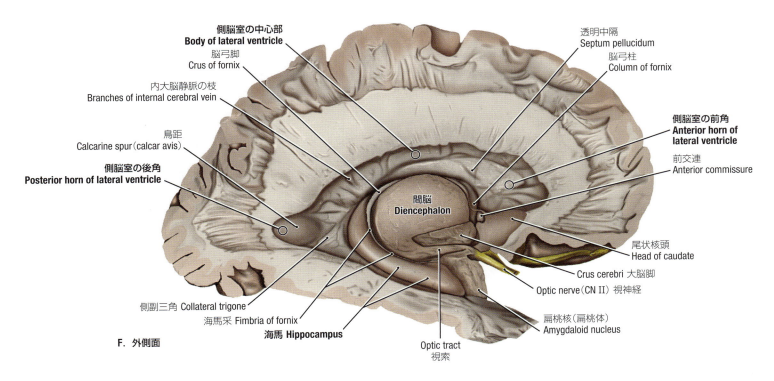

7.100 大脳半球外側面の剖出（続き）

E 尾状核，扁桃体（扁桃核），内包．側脳室の外側壁，内包の辺縁部，前交連およびレンズ核の上部は取り除いてある．

F 側脳室，海馬，間脳．レンズ核の下部，内包，および尾状核は取り除いてある．

708 頭部　終脳と間脳

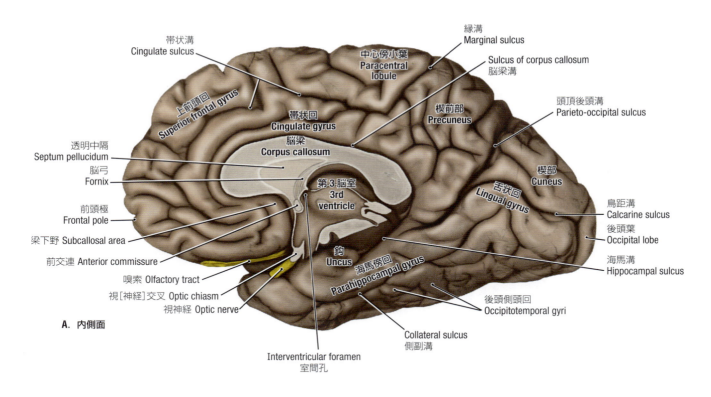

A. 内側面

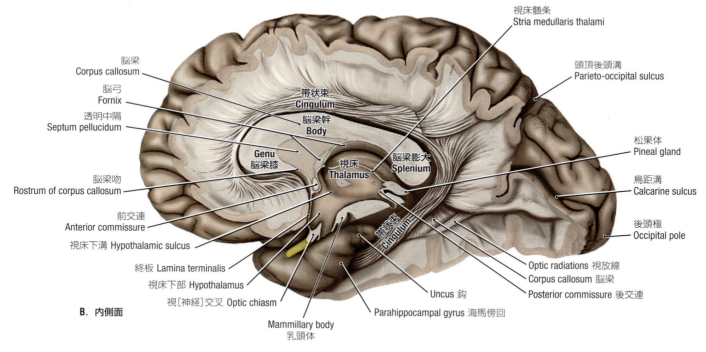

B. 内側面

7.101　大脳半球内側面の剖出

大脳半球の内側面から始めて（A），順に外側に向かう（B-D）．

A **大脳半球内側面の脳溝と脳回**．脳梁は脳梁吻，脳梁膝，脳梁幹，脳梁膨大の各部からなる．帯状回と海馬傍回が辺縁葉をつくる．

B **帯状束**．半球内側面から皮質と短い連合線維を取り除いてある．帯状束は，長い連合線維の束で，帯状回と海馬傍回の深部にある．

終脳と間脳　頭部　709

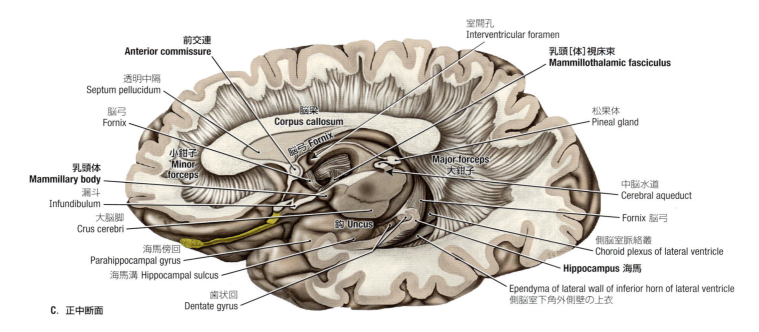

C. 正中断面

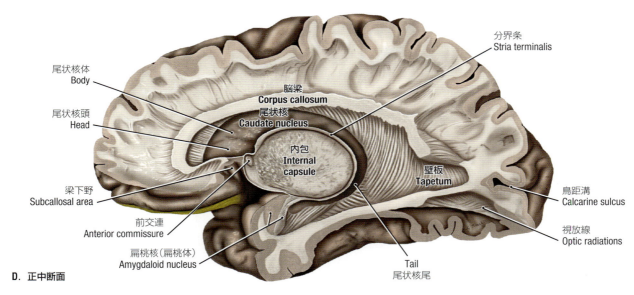

D. 正中断面

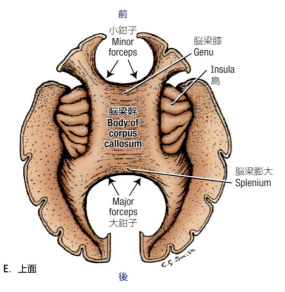

E. 上面

7.101　大脳半球内側面の剖出（続き）

C　脳弓，乳頭[体]視床束，大鉗子と小鉗子．帯状束と第3脳室の壁の一部を取り除いてある．脳弓は海馬から起こり乳頭体に終わる．その走行の途中で室間孔の前と前交連の後ろを通る．乳頭[体]視床束は乳頭体から起こり視床前核に終わる．

D　尾状核と内包．間脳を取り除き，さらに側脳室の上衣を，尾状核や扁桃体を覆う部分を除いて剥がしてある．

E　脳梁．脳梁は左右の大脳半球を連絡する．小鉗子（脳梁膝の部分の線維）は左右の前頭葉を，大鉗子（脳梁膨大の部分の線維）は左右の後頭葉を連絡する．

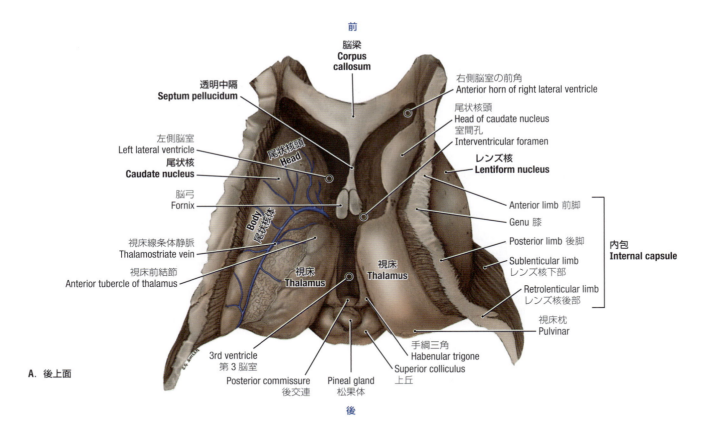

A. 後上面

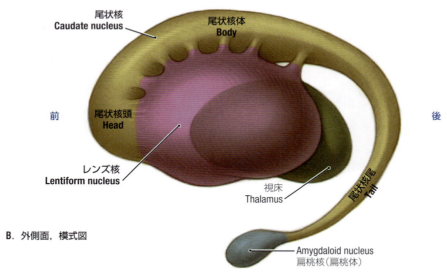

B. 外側面, 模式図

7.102 尾状核とレンズ核

A 側脳室と内包との関係. 大脳半球を除去して間脳の背側面を露出してある. 脳梁の前部, 透明中隔の下部, 内包ならびに尾状核とレンズ核は残っている. 右側では視床, 尾状核, レンズ核が室間孔の高さで水平に切られている. 内包には, 前脚, 後脚, レンズ核後部, レンズ核下部, 膝の各部がある.

B 尾状核とレンズ核と視床の模式図.

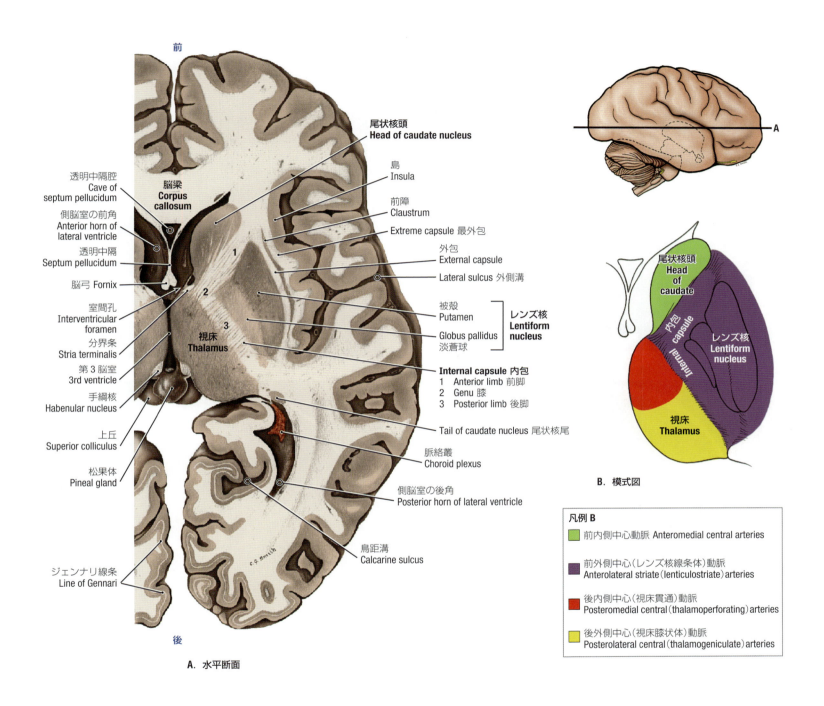

7.103 視床，尾状核，レンズ核を通る水平断面

A　内包の位置関係．　B　各部の血管支配．

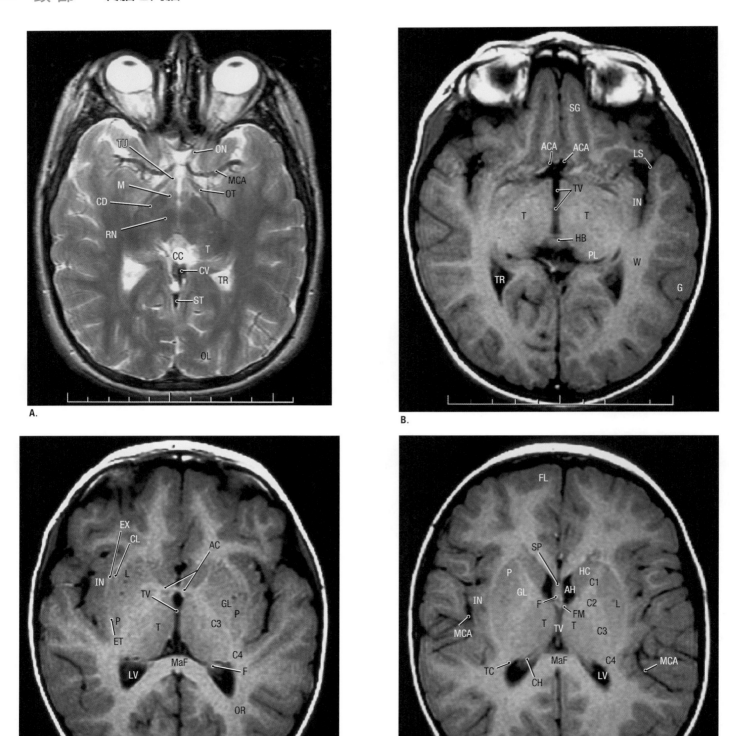

7.104 大脳半球を通る水平断 MR 像

A-F の位置は右頁右上の図を参照．A は T2 強調画像，B-F は T1 強調画像．

終脳と間脳　頭部

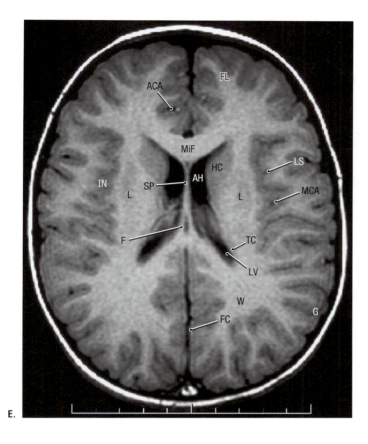

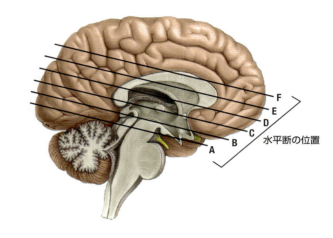

水平断の位置

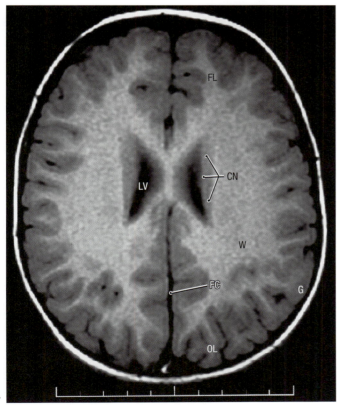

AC	前交連 Anterior commissure	HC	尾状核頭 Head of caudate nucleus
ACA	前大脳動脈 Anterior cerebral artery	IN	島皮質 Insular cortex
AH	側脳室の前角 Anterior horn of lateral ventricle	L	レンズ核 Lentiform nucleus
		LS	外側溝 Lateral sulcus
C1	内包前脚 Anterior limb of internal capsule	LV	側脳室 Lateral ventricle
		M	乳頭体 Mammillary body
C2	内包膝 Genu of internal capsule	MaF	大鉗子 Major forceps
C3	内包後脚 Posterior limb of internal capsule	MCA	中大脳動脈 Middle cerebral artery
		MiF	小鉗子 Minor forceps
C4	内包のレンズ核後部 Retrolenticular limb of internal capsule	OL	後頭葉 Occipital lobe
		ON	視神経 Optic nerve
CC	四丘体槽（大大脳静脈槽）Collicular cistern	OR	視放線 Optic radiations
		OT	視索 Optic tract
CD	大脳脚 Cerebral peduncle	P	被殻 Putamen
CH	脈絡叢 Choroid plexus	PL	視床枕 Pulvinar
CL	前障 Claustrum	RN	赤核 Red nucleus
CN	尾状核 Caudate nucleus	SG	直回 Straight gyrus
CV	大大脳静脈 Great cerebral vein	SP	透明中隔 Septum pellucidum
ET	外包 External capsule	ST	直静脈洞 Straight sinus
EX	最外包 Extreme capsule	T	視床 Thalamus
F	脳弓 Fornix	TC	尾状核尾 Tail of caudate nucleus
FC	大脳鎌 Falx cerebri	TR	側副三角 Trigone of lateral ventricle
FL	前頭葉 Frontal lobe	TU	灰白隆起 Tuber cinereum
FM	室間孔 Interventricular foramen	TV	第3脳室 Third ventricle
G	灰白質 Gray matter	W	白質 White matter
GL	淡蒼球 Globus pallidus		
HB	手綱交連 Habenular commissure		

7.104 大脳半球を通る水平断 MR 像（続き）

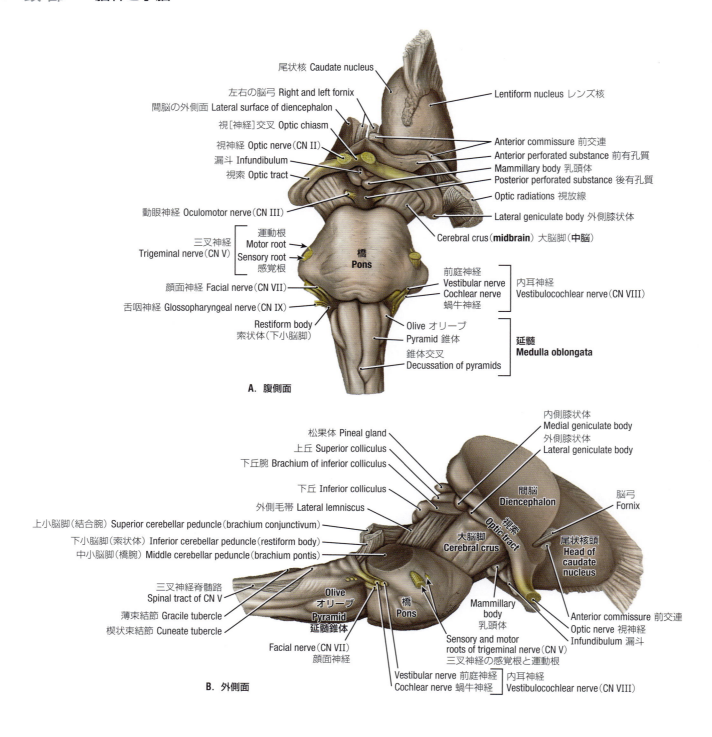

7.105 脳幹

小脳，右大脳半球はすべて，また左大脳半球の大部分を除去して，脳幹を露出してある．

A 腹側面．
- 脳幹は延髄・橋・中脳からなる．
- 錐体は延髄腹側面にある．錐体交叉は外側皮質脊髄路の交叉によって形成される．
- 三叉神経(V)の起始部には感覚根と運動根がある．
- 大脳脚は中脳の一部である．
- 動眼神経(III)は脚間窩から起こる．

B 外側面．
- 内耳神経(VIII)は前庭神経と蝸牛神経の2つの神経からなる．
- 三叉神経脊髄路は延髄の表面に現れて灰白結節（三叉神経結節）を形成する．
- 小脳脚には上・中・下の3つがある．
- 内側毛帯と外側毛帯は中脳の外側面にある．

脳幹と小脳　頭部

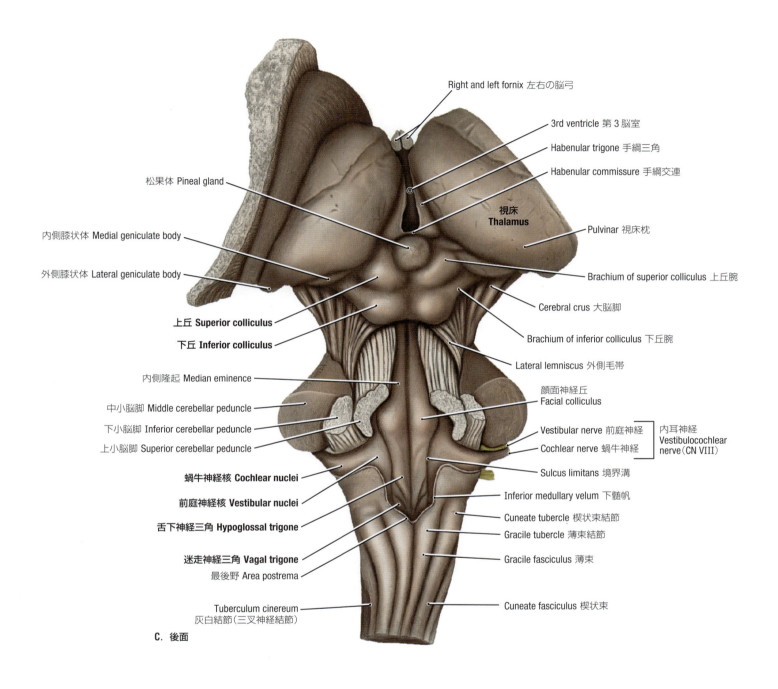

7.105 脳幹（続き）

C　背側面.
- 薄束と楔状束によって結節が形成される.
- 薄束結節と楔状束結節の中には薄束核と楔状束核がある.
- 第4脳室底は菱形をしている. 境界溝の外側に前庭神経核と蝸牛神経核が, 内側に舌下神経三角と迷走神経三角ならびに顔面神経丘がある.
- 上丘と下丘が中脳の背側面を形成する.

716 頭部　脳幹と小脳

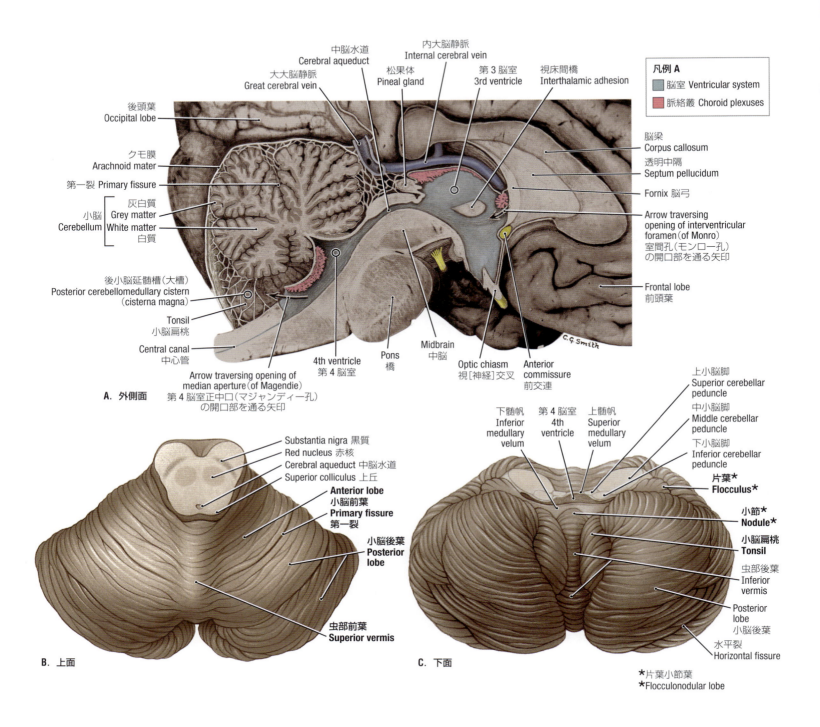

7.106 小脳

A　正中断面．クモ膜は小脳と後頭葉を覆う部分のみ残してある．**後頭下穿刺**．診断目的で脳脊髄液を後小脳延髄槽から採取することがあり，この手技を後頭下穿刺と呼ぶ．クモ膜下腔や脳室系はまた，脳脊髄液の圧を測定したり，抗菌薬を投与したり，造影剤を注入したりするために穿刺されることがある．

B　小脳の上面．左右の小脳半球は虫部で連結されている．小脳前葉と小脳後葉は第一裂で隔てられる．

C　小脳の下面．片葉小節葉は小脳の中で最も古い部分であり，片葉と小節からなる．小脳扁桃は通常，大後頭孔まで至る．

脳幹と小脳　頭部

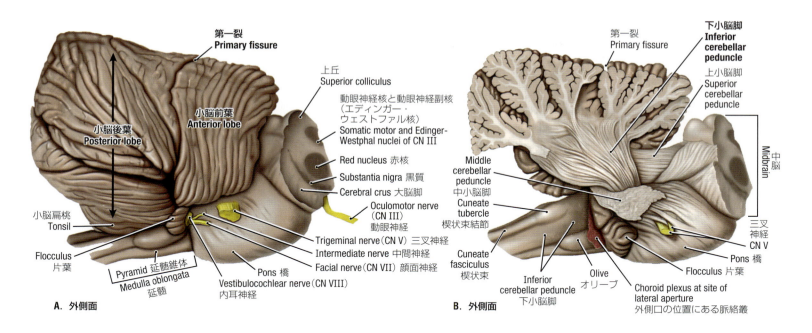

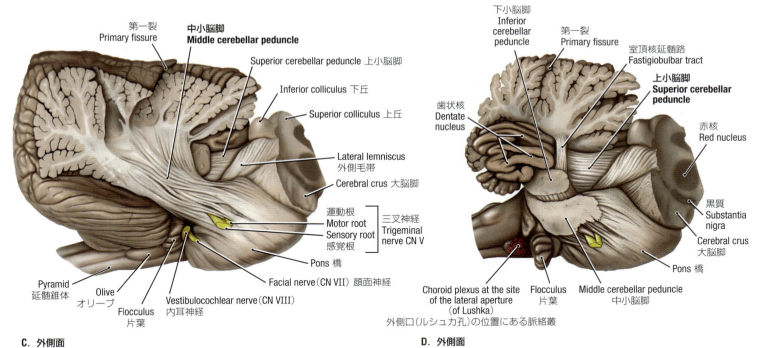

| 7.107 | 小脳の剖出 |

小脳半球の外側面から始めて（**A**），順に内側に進む（**B**–**D**）．

- **A** 小脳と脳幹．
- **B** 下小脳脚．中小脳脚の線維は三叉神経（Ⅴ）の背側で切断して取り除かれ，下小脳脚の線維を露出してある．
- **C** 中小脳脚．小脳半球外側部の葉を除去して中小脳脚の線維が見えるようにしてある．
- **D** 上小脳脚と歯状核．下小脳脚の線維を，**B** で中小脳脚を切断した位置のすぐ背側で切断し，歯状核の灰白質が見えるまで剥がしてある．

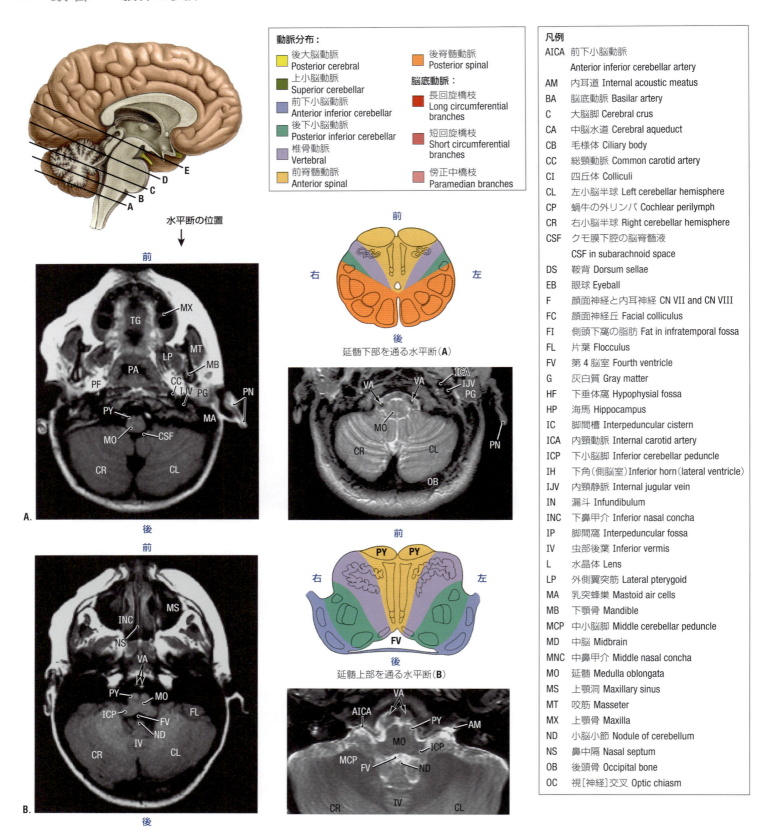

7.108 脳幹を通る水平断 MR 像，下方から見る

左側の画像は T1 強調，右側の画像は T2 強調.

脳幹と小脳　頭部　719

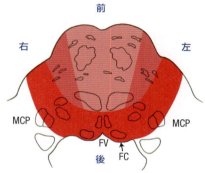
橋を通る水平断（C, D）

凡例（続き）
OL	後頭葉	Occipital lobe
ON	視神経	Optic nerve（CN II）
P	橋	Pons
PA	咽頭	Pharynx
PCA	後大脳動脈	Posterior cerebral artery
PF	咽頭周囲脂肪	Parapharyngeal fat
PG	耳下腺	Parotid gland
PH	後角（側脳室）Posterior horn（lateral ventricle）	
PN	耳介	Pinna
PY	延髄錐体	Pyramid
RN	赤核	Red nucleus
SC	骨半規管	Semicircular canal
SCP	上小脳脚	Superior cerebellar peduncle
SE	鞍上槽	Suprasellar cistern
SN	黒質	Substantia nigra
SNC	上鼻甲介	Superior nasal concha
SS	上矢状静脈洞	Superior sagittal sinus
ST	直静脈洞	Straight sinus
SV	虫部前葉	Superior vermis
TG	舌	Tongue
TL	側頭葉	Temporal lobe
TP	側頭筋	Temporalis
UN	鈎	Uncus
VA	椎骨動脈	Vertebral artery
VP	前庭の外リンパ	Vestibular perilymph
VT	硝子体	Vitreous body
W	白質	White matter

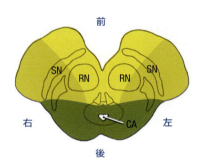
中脳を通る水平断（E）

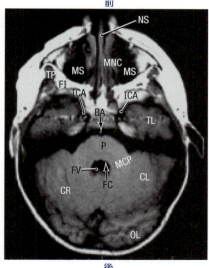

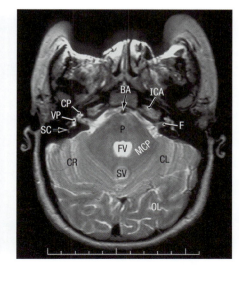

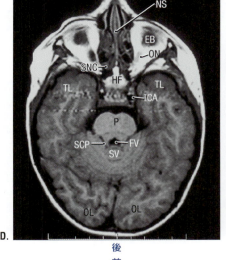

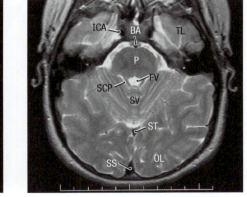

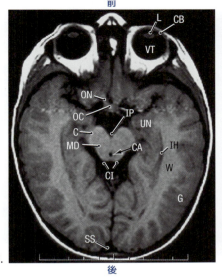

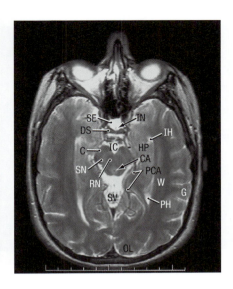

7.108　脳幹を通る水平断 MR 像，下方から見る（続き）

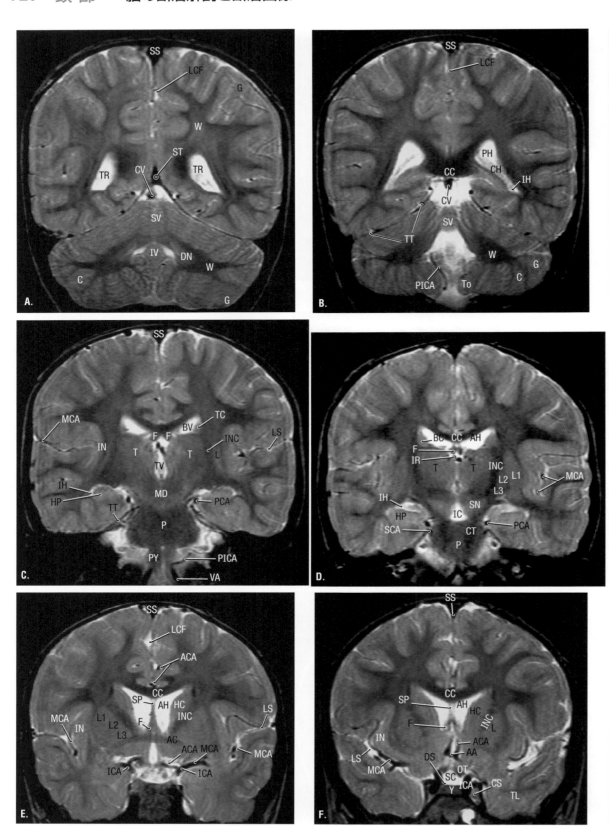

7.109 脳の冠状断 MR 像（T2 強調）と標本の冠状断

A-F 冠状断 MR 像.

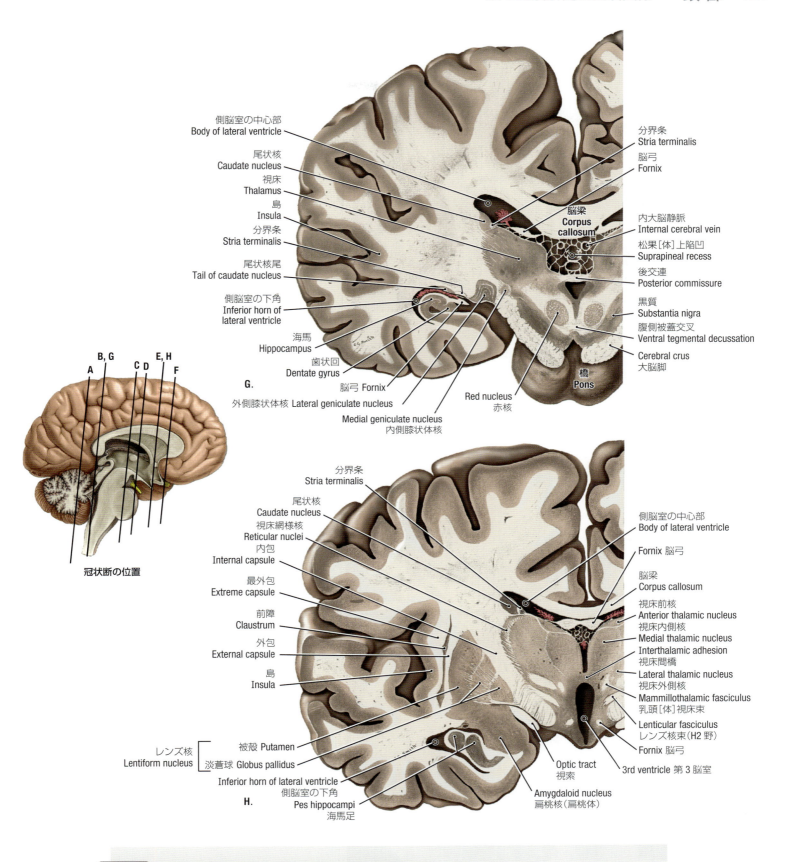

7.109 脳の冠状断 MR 像（T2 強調）と標本の冠状断（続き）

G, H 脳標本の冠状断，後面．

722　頭部　脳の断層解剖と断層画像

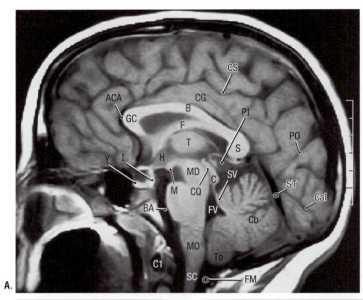

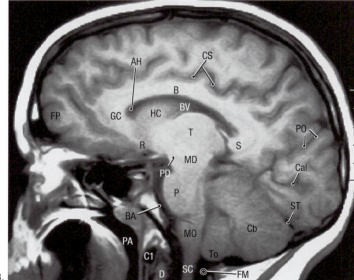

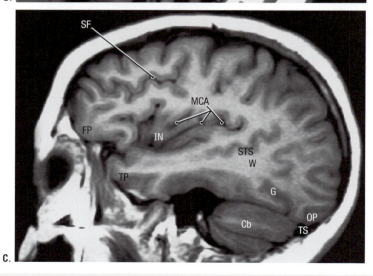

ACA	前大脳動脈	Anterior cerebral artery
AH	側脳室の前角	Anterior horn of lateral ventricle
B	脳梁幹	Body of corpus callosum
BA	脳底動脈	Basilar artery
BV	側脳室の中心部	Body of lateral ventricle
C	四丘体	Colliculi
C1	環椎の前結節	Anterior tubercle of atlas
Cal	鳥距溝	Calcarine sulcus
Cb	小脳	Cerebellum
CG	帯状回	Cingulate gyrus
CQ	中脳水道	Cerebral aqueduct
CS	帯状溝	Cingulate sulcus
D	歯突起	Dens (odontoid process)
F	脳弓	Fornix
FM	大後頭孔（大孔）	Foramen magnum
FP	前頭極	Frontal pole
FV	第4脳室	Fourth ventricle
G	大脳皮質（灰白質）	Cerebral cortex (gray matter)
GC	脳梁膝	Genus of corpus callosum
H	視床下部	Hypothalamus
HC	尾状核頭	Head of caudate nucleus
I	漏斗	Infundibulum
IN	島皮質	Insular cortex
M	乳頭体	Mammillary body
MCA	中大脳動脈	Middle cerebral artery
MD	中脳	Midbrain
MO	延髄	Medulla oblongata
OP	後頭極	Occipital pole
P	橋	Pons
PA	咽頭	Pharynx
PD	大脳脚	Cerebral peduncle
PI	松果体	Pineal gland
PO	頭頂後頭溝	Parieto-occipital sulcus
R	脳梁吻	Rostrum of corpus callosum
S	脳梁膨大	Splenium of corpus callosum
SC	脊髄	Spinal cord
SF	上前頭溝	Superior frontal sulcus
ST	直静脈洞	Straight sinus
STS	上側頭溝	Superior temporal sulcus
SV	上髄帆	Superior medullary velum
T	視床	Thalamus
To	小脳扁桃	Cerebellar tonsil
TP	側頭極	Temporal pole
TS	横静脈洞	Transverse sinus
W	白質	White matter
Y	下垂体	Hypophysis

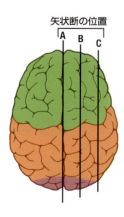

矢状断の位置

7.110 脳の矢状断MR像（T1強調）と頭部の正中断

脳の断層解剖と断層画像　頭部

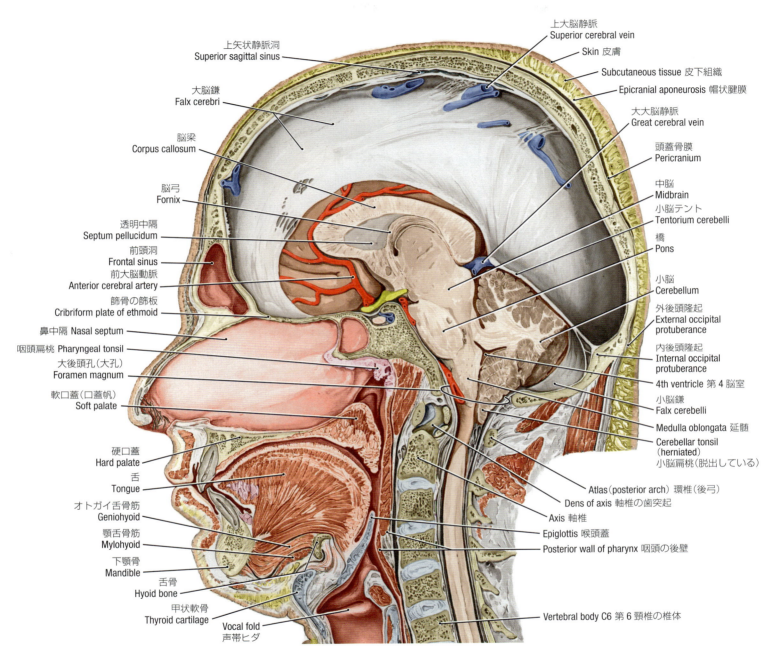

D．正中断面

7.110　脳の矢状断 MR 像（T1 強調）と頭部の正中断（続き）

A-C の位置は左頁右下の図を参照．
　頭蓋内圧が上昇すると（例えば腫瘍によって）小脳扁桃が大後頭孔を通って移動し，大後頭孔ヘルニア（小脳扁桃ヘルニア）を起こす．脳幹への圧迫が重篤な場合は呼吸停止と心停止をきたす．

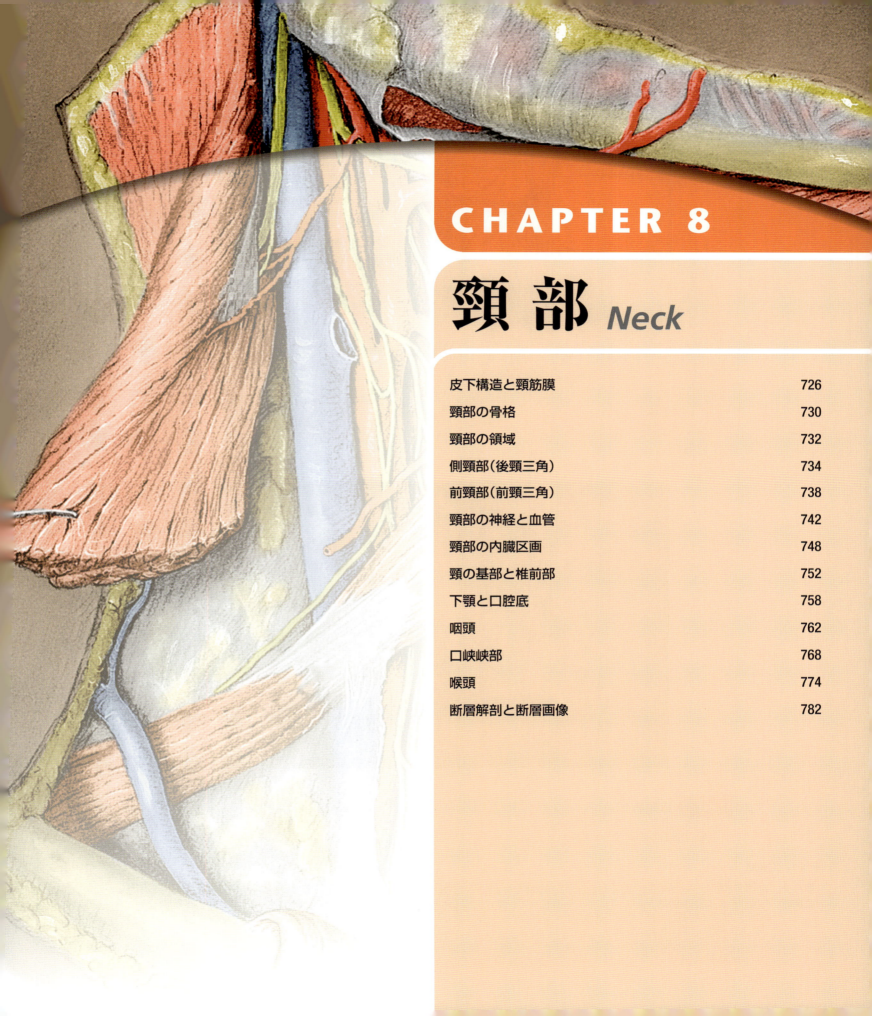

CHAPTER 8

頸部 Neck

皮下構造と頸筋膜	726
頸部の骨格	730
頸部の領域	732
側頸部（後頸三角）	734
前頸部（前頸三角）	738
頸部の神経と血管	742
頸部の内臓区画	748
頸の基部と椎前部	752
下顎と口腔底	758
咽頭	762
口峡峡部	768
喉頭	774
断層解剖と断層画像	782

726 頸部　皮下構造と頸筋膜

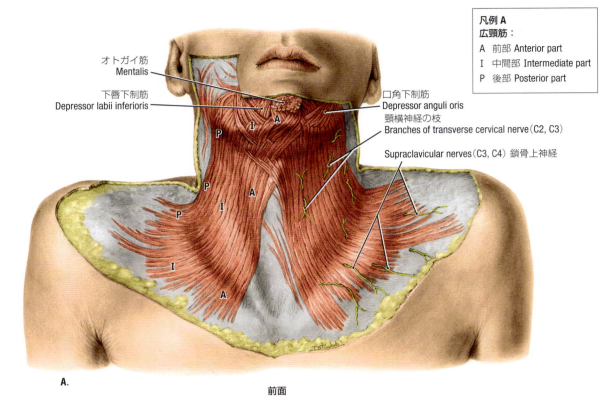

A. 前面

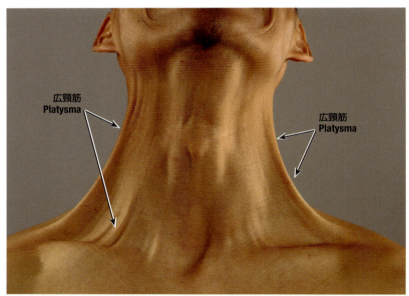

B.

8.1 広頸筋

A　広頸筋の各部．B　体表解剖．

表8.1 広頸筋

筋	上方の付着部	下方の付着部	神経支配	主な作用
広頸筋	前部：対側の筋線維と絡み合う 中間部：口角下制筋と下唇下制筋の深層を通り下顎骨下縁に付着 後部：口より外側の顔面下部の真皮ないし皮下組織	大胸筋上部を覆う皮下組織（時には三角筋を覆う部位にも）	顔面神経（VII）の頸枝	口角を下外側に引く（悲しみや恐怖の表情をつくる）．頸部の皮膚を上方に引く（前頸部表面に垂直ないし斜め方向の緊張した隆線をつくる）．

皮下構造と頸筋膜　頸部

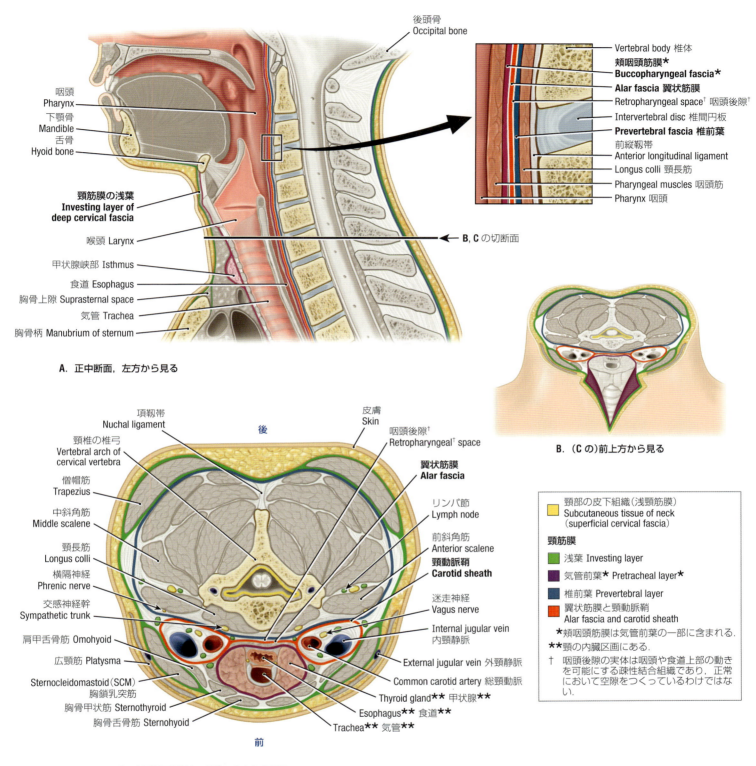

A. 正中断面, 左方から見る

B. (C の)前上方から見る

C. 水平断面(C7 レベル), 上方から見る

凡例:
- 頸部の皮下組織（浅頸筋膜）Subcutaneous tissue of neck (superficial cervical fascia)
- 頸筋膜
  - 浅葉 Investing layer
  - 気管前葉* Pretracheal layer*
  - 椎前葉 Prevertebral layer
  - 翼状筋膜と頸動脈鞘 Alar fascia and carotid sheath

* 頬咽頭筋膜は気管前葉の一部に含まれる.
** 頸の内臓区画にある.
† 咽頭後隙の実体は咽頭や食道上部の動きを可能にする疎性結合組織であり, 正常において空隙をつくっているわけではない.

8.2 皮下組織と深頸筋膜

A 正中断面. 頸筋膜は下方では胸部の筋膜に, 上方では頭部の筋膜に連続している. 右の図には咽頭後部の筋膜が図示されている.

B, C　C7 の高さでの横断面. 頸筋膜の主な層と頸動脈鞘の関係. 頸部の内臓に到達するには, 正中から入ると組織の損傷が最小ですむ.
A で示した切断面における筋膜の同心円状の構造が明らかになっている.

頸部　皮下構造と頸筋膜

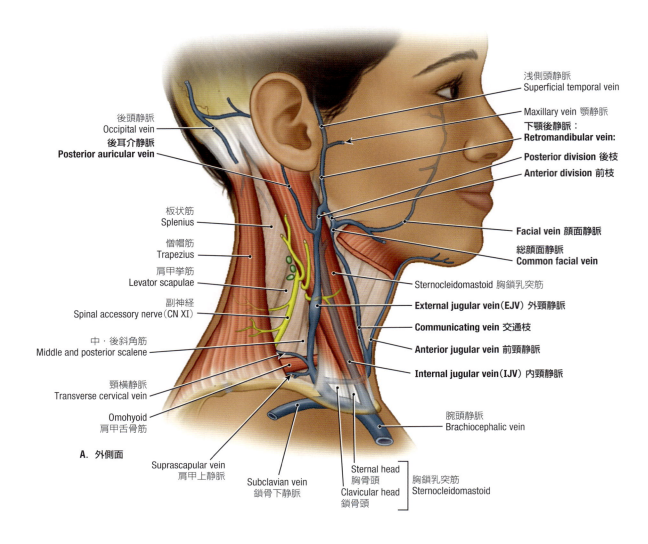

A. 外側面

8.3 頸部浅層の静脈

A 頸部浅層の静脈の模式図．浅側頭静脈と顎静脈は合流して下顎後静脈を形成する．下顎後静脈の後枝が後耳介静脈と合流して外頸静脈をつくる．顔面静脈は下顎後静脈の前枝と合流して総顔面静脈を形成し，それが内頸静脈に接続する．変異が多い．

B 外側頸三角部（後頸三角）の体表解剖．外頸静脈と筋がこの部位の辺縁をつくることに注目すること．

　外頸静脈．外頸静脈は体内の圧力計として役立つことがある．静脈圧が正常範囲の場合は，外頸静脈は通常鎖骨の上のごく短い長さだけ体表からみえる．しかし，静脈圧が上昇すると（例えば心不全の際），外頸静脈は頸部全長にわたってはっきりとみえる．そのため，身体診察の際に習慣として外頸静脈の膨隆を観察していると，心不全，上大静脈の閉塞，鎖骨上リンパ節の腫脹，胸腔内圧の上昇などの診断に役立つ徴候を見つけられる場合がある．

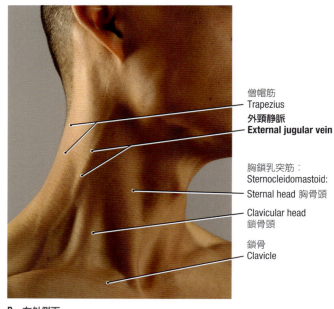

B. 右外側面

皮下構造と頸筋膜　頸部

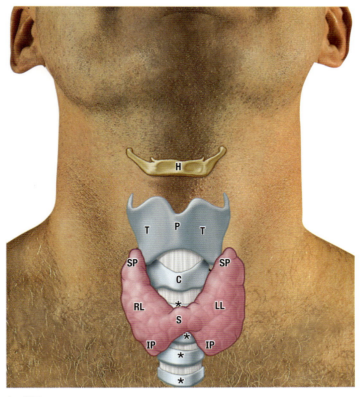

A．前面

凡例 A		
C	輪状軟骨	Cricoid cartilage
H	舌骨	Hyoid bone
IP	甲状腺の下極	Inferior pole of thyroid gland
LL	甲状腺の左葉	Left lobe of thyroid gland
P	喉頭隆起	Laryngeal prominence
RL	甲状腺の右葉	Right lobe of thyroid gland
S	甲状腺峡部	Isthmus
SP	甲状腺の上極	Superior pole of thyroid gland
T	甲状軟骨	Thyroid cartilage
*	気管軟骨	Tracheal rings

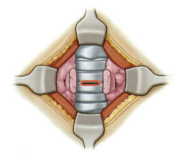

舌骨下筋群を牽引して甲状腺峡部を切開し，気管を切開する

気管開口部に挿入された気管切開チューブ

B．気管切開術

8.4　舌骨ならびに前頸部の軟骨の体表解剖

A　体表解剖．B　気管切開術． U字型をした舌骨は甲状軟骨の上，第3ないし第4頸椎の高さにある．喉頭隆起は左右の喉頭軟骨板の正中融合部で形成される．輪状軟骨は喉頭隆起の下に触れることができる．これは第6頸椎の高さである．気管軟骨は下頸部に触れる．第2から第4軟骨は甲状腺の右葉と左葉をつなぐ峡部に隠れて触れることができない．第1軟骨は甲状腺峡部のすぐ上にある．

気管切開． 頸部の皮膚と気管の前壁を切開（気管切開）すると，上気道の閉塞や呼吸不全のある患者の気道を確保することができる．舌骨下筋群は外側に牽引し，甲状腺峡部は切断するか上方に牽引する．気管の切開は第1気管軟骨と第2気管軟骨の間で横に行うか，第2から第4気管軟骨を縦に切開する．続いて気管切開用チューブを挿入し，固定する．気管切開の際の合併症を予防するために，以下の解剖学的位置関係が重要である．

- 下甲状腺静脈が甲状腺表面の静脈叢から起こって気管の前を下行する（図8.10参照）．
- 約10％の例で細い最下甲状腺動脈が存在する．この動脈は腕頭動脈または大動脈弓から上行して甲状腺峡部に至る（図8.21参照）．
- 特に幼児や小児において，左腕頭静脈，頸静脈弓，あるいは胸膜に遭遇することがある．
- 幼児と小児では気管の下部を胸腺が覆う．
- 幼児では気管が細く可動性に富み，軟らかいので，後壁まで切開して食道を傷つけてしまいやすい．

輪状甲状靱帯切開． 輪状甲状膜を切開し，甲状軟骨と輪状軟骨の間にチューブを挿入する．

730 頸部　頸部の骨格

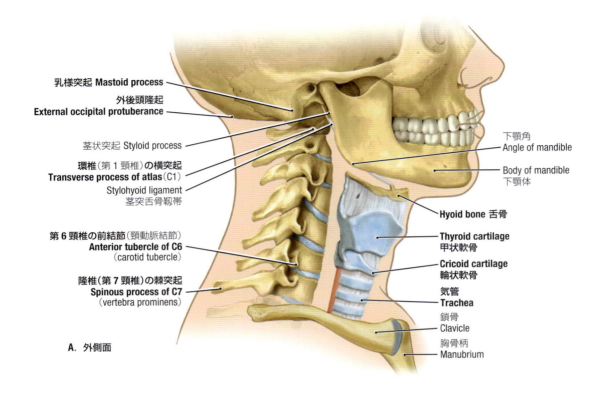

A. 外側面

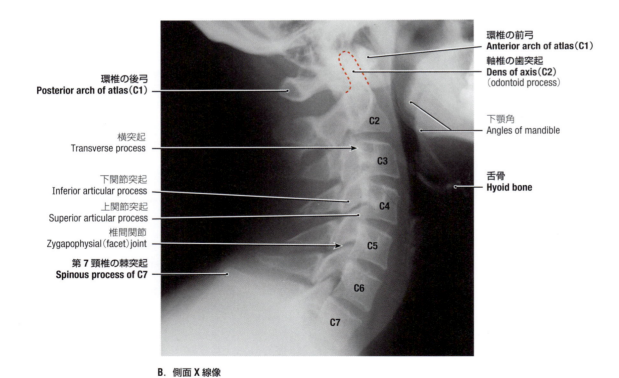

B. 側面 X 線像

8.5 頸部の骨と軟骨

A　目印となる頸部の骨と軟骨．B　舌骨と頸椎(C1-C7)のX線像．上部頸椎は上顎や下顎ならびにそれらの歯の後方に位置しているので，側面像，あるいは開口した状態での前面像(図1.9 C参照)で最もよく見ることができる．

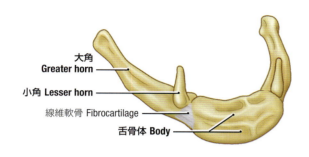

C. 舌骨の右前外側面

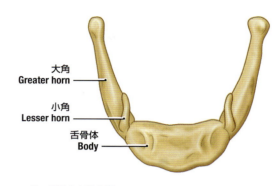

D. 舌骨の右前上面

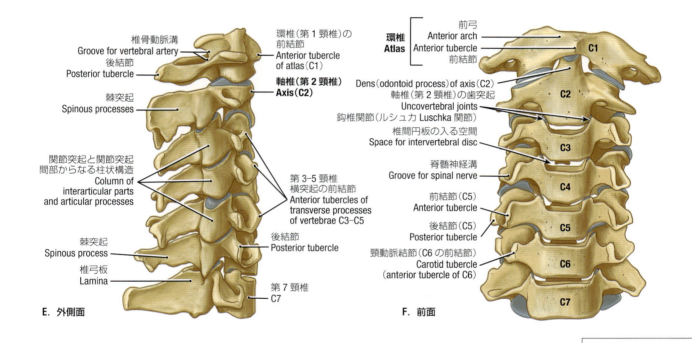

E. 外側面

F. 前面

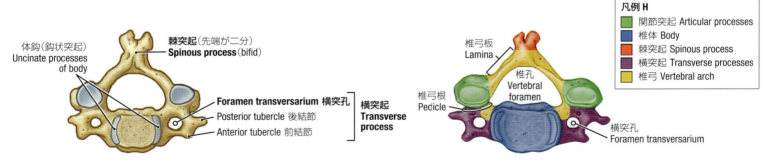

G. 典型的な頸椎の上面（例：C4）

H. 上面

| 8.5 | 頸部の骨と軟骨（続き） |

C, D 舌骨の各部． E, F 互いに連結した頸椎． G, H 典型的な頸椎の各部．

732 頸部　頸部の領域

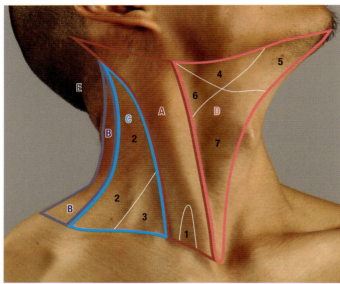

A	胸鎖乳突筋部	Sternocleidomastoid region
B	後頸部	Posterior cervical region
C	側頸部	Lateral cervical region
D	前頸部	Anterior cervical region
E	後頭下部	Suboccipital region
SCM	胸鎖乳突筋	Sternocleidomastoid
CH	鎖骨頭	Clavicular head
SH	胸骨頭	Sternal head
TRAP	僧帽筋	Trapezius

A．前外側面

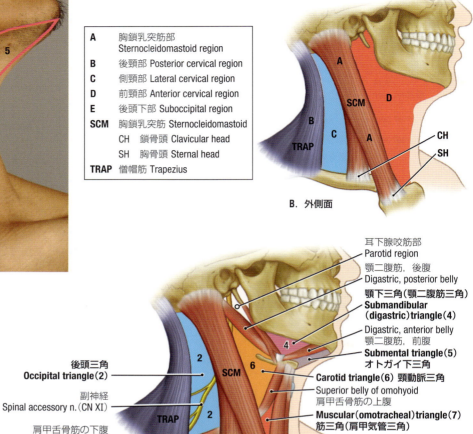

B．外側面

C．外側面

8.6　頸部の領域

A　体表解剖．B，C　頸部の領域と三角．

表 8.2　頸部の三角とその中にある構造[a]

領域	中にある主な構造
胸鎖乳突筋部（A）	胸鎖乳突筋（SCM），外頸静脈の上部，大耳介神経，頸横神経
小鎖骨上窩（1）	内頸静脈の下部
後頸部（B）	僧帽筋，頸神経後枝の皮枝，この領域の上部の深層には後頭下領域（E）がある
側頸部（後頸三角）（C）	
後頭三角（2）	外頸静脈の一部，頸神経叢の後方への枝，副神経脊髄根，腕神経叢の神経幹，頸横動脈，頸リンパ節
肩甲鎖骨三角（大鎖骨上窩）（3）	鎖骨下動脈，鎖骨下静脈の一部（時に），肩甲上動脈，鎖骨上リンパ節
前頸部（前頸三角）（D）	
顎下三角（顎二腹筋三角）（4）	顎下腺がここをほぼ満たす，顎下リンパ節，舌下神経，顎舌骨筋神経，顔面動静脈の一部
オトガイ下三角（5）	オトガイ下リンパ節，前頸静脈に合流する細い静脈
頸動脈三角（6）	総頸動脈とその枝，内頸静脈とその枝，迷走神経，外頸動脈とその枝の一部，舌下神経と頸神経ワナ上根，副神経脊髄根，甲状腺，喉頭，咽頭，深頸リンパ節，頸神経叢の枝
筋三角（肩甲気管三角）（7）	胸骨甲状筋，胸骨舌骨筋，甲状腺と上皮小体（副甲状腺）

[a] アルファベットと数字は A-C に対応．

頸部の領域　頸部

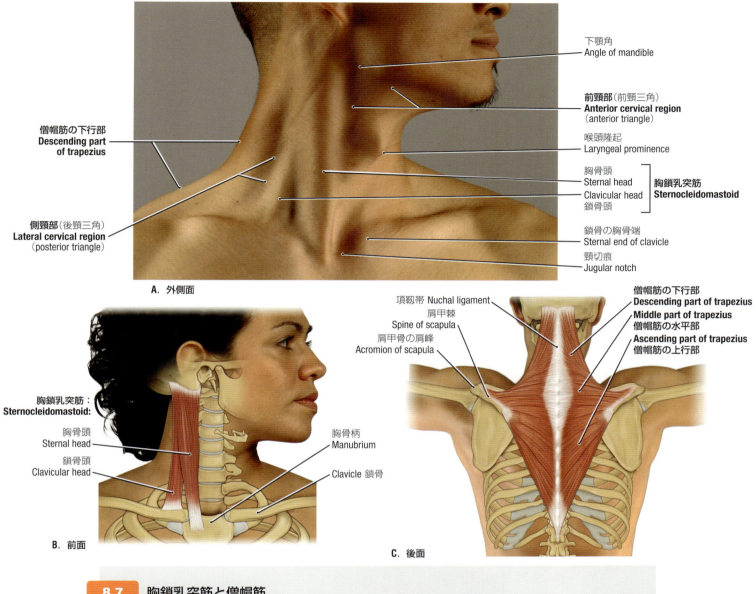

8.7　胸鎖乳突筋と僧帽筋

A　体表解剖．B　胸鎖乳突筋．C　僧帽筋．

表 8.3　胸鎖乳突筋と僧帽筋

筋	上方の付着部	下方の付着部	神経支配	主な作用
胸鎖乳突筋	側頭骨乳様突起の外側面と上項線の外側半	胸骨頭：胸骨柄の前面 鎖骨頭：鎖骨の内側1/3の上面	副神経（XI，運動性）と第2・3頸神経（痛覚と固有感覚）	一側の収縮：頸部を側屈し，顔面が対側上方に向かうように回旋する． 両側の収縮：(1)環椎後頭関節を伸展，または(2)オトガイが胸骨柄に近づくように頸椎を屈曲，または(3)上部頸椎は伸展し下部頸椎は屈曲する．それによって頭部の高さを保ったままオトガイが前方に突き出る． 頸椎が固定されている場合は，胸骨柄と鎖骨内側端を挙上し，深い吸息を補助する．
僧帽筋	上項線の内側1/3，外後頭隆起，項靱帯，C7-T12の棘突起，腰椎と仙椎の棘突起	鎖骨の外側1/3，肩甲骨の肩峰と肩甲棘	副神経（XI，運動性）と第3・4頸神経（痛覚と固有感覚）	下行部の線維は上肢帯を挙上，重量に抗して肩の高さを保つ水平部の線維は肩甲骨を後退させる． 上行部の線維は肩を下制する． 下行部と上行部の線維が同時に働くと，上肢の挙上を補助するように肩甲骨を回旋する． 肩が固定されている場合は，両側が収縮すると頸部を伸展し，一側が収縮するとその側に側屈させる．

734 頸部　側頸部（後頸三角）

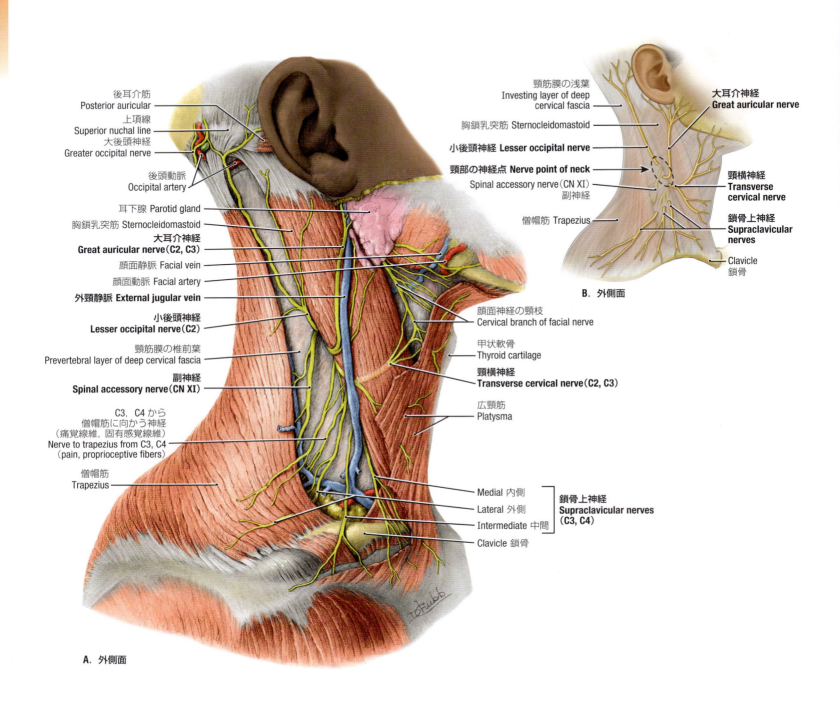

A. 外側面

B. 外側面

8.8　側頸部（後頸三角）の剖出

A　外頸静脈と頸神経叢の皮枝．皮下脂肪，広頸筋のうち側頸部を覆う部分，ならびに頸筋膜の浅葉は取り除いてある．外頸静脈が胸鎖乳突筋を横切って，その後縁に向かって垂直に下行する．そこで外頸静脈は鎖骨上方の頸筋膜椎前葉を貫いて深部に入る．

- 副神経は胸鎖乳突筋と僧帽筋の両方を支配する．両筋の間で副神経は肩甲挙筋に沿って走るが，肩甲挙筋との間は頸筋膜椎前葉で隔てられている．

B　頸部の神経点．頸部の皮下神経は，乳様突起と鎖骨の中間点辺りの狭い範囲で，胸鎖乳突筋の後縁から現れる（図8.8E参照）．

＊訳注：副神経については814頁を参照．

側頸部（後頸三角） 頸部

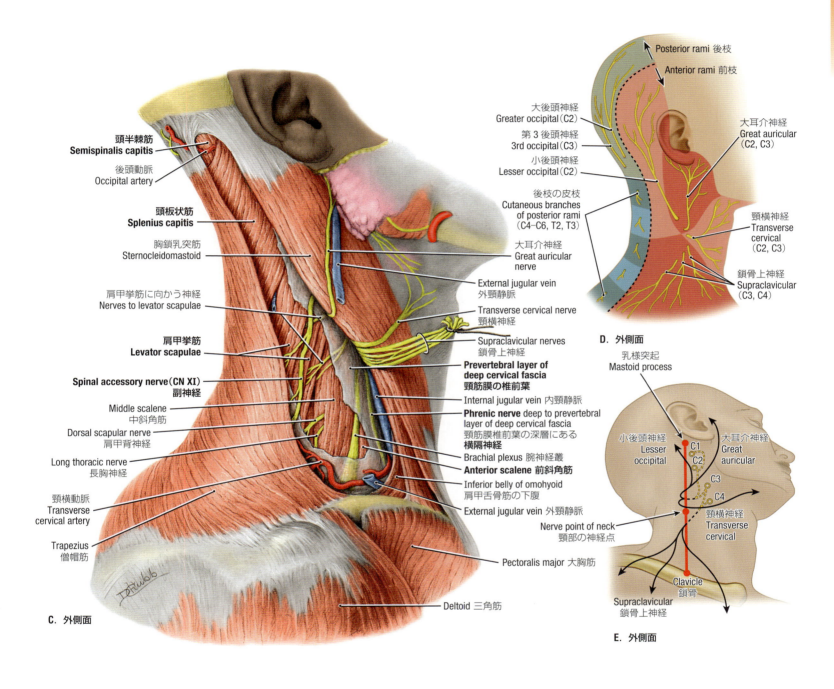

8.8 側頸部（後頸三角）の剖出（続き）

C 側頸部の底面を形成する筋．頸筋膜の椎前葉を一部取り除いて，筋を支配する神経と後頸三角の底面を大部分露出したところ．

- 横隔神経（C3–C5）は横隔膜を支配する．横隔神経は頸筋膜の椎前葉より深層にあり，前斜角筋の前面に沿って走る．
  横隔神経が切断されると同側半の横隔膜が麻痺する．横隔神経ブロックは同じ側の横隔膜を短時間麻痺させる（例えば肺の手術のために）．横隔神経が前斜角筋の前面に沿って走る部分で，横隔神経の周囲に麻酔薬を注入する．

D, E 頸神経叢の感覚神経．C2 と C3 の前枝の吻合部から起こる枝は小後頭神経，大耳介神経，頸横神経である．C3 と C4 の前枝の吻合部から起こる枝は鎖骨上神経である．鎖骨上神経は胸鎖乳突筋に隠された本の共通幹から起こり，複数に分かれる．

頸部や上肢の外科的処置の際には局所麻酔がよく用いられる．**頸神経叢ブロック**の場合，麻酔薬を胸鎖乳突筋後縁に沿ったいくつかの点で注入する．主に用いるのが中点，すなわち頸部の神経点である．

736 頸部　側頸部（後頸三角）

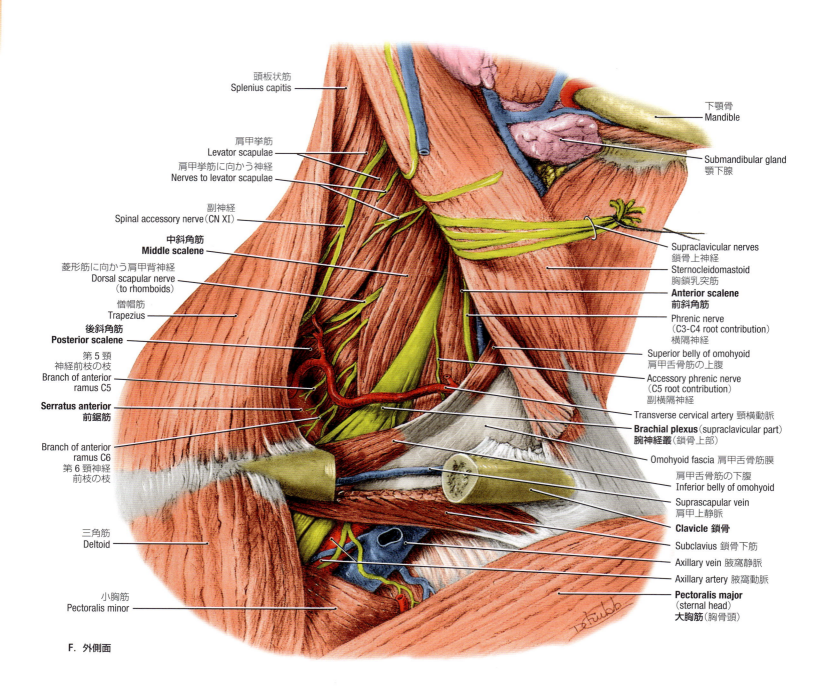

F. 外側面

8.8 側頸部（後頸三角）の剖出（続き）

F　側頸部の血管と神経．大胸筋の鎖骨頭と鎖骨の一部を取り除いてある．
この領域の底面を形成する筋は，上部では頭半棘筋，頭板状筋，肩甲挙筋，下部では前・中・後斜角筋と前鋸筋である．

上肢の麻酔のために**腕神経叢ブロック鎖骨上アプローチ**が用いられることがある．麻酔薬は腕神経叢の鎖骨上部の周囲に注入される．主な注入位置は鎖骨中点の上である．

側頸部（後頸三角） 頸部

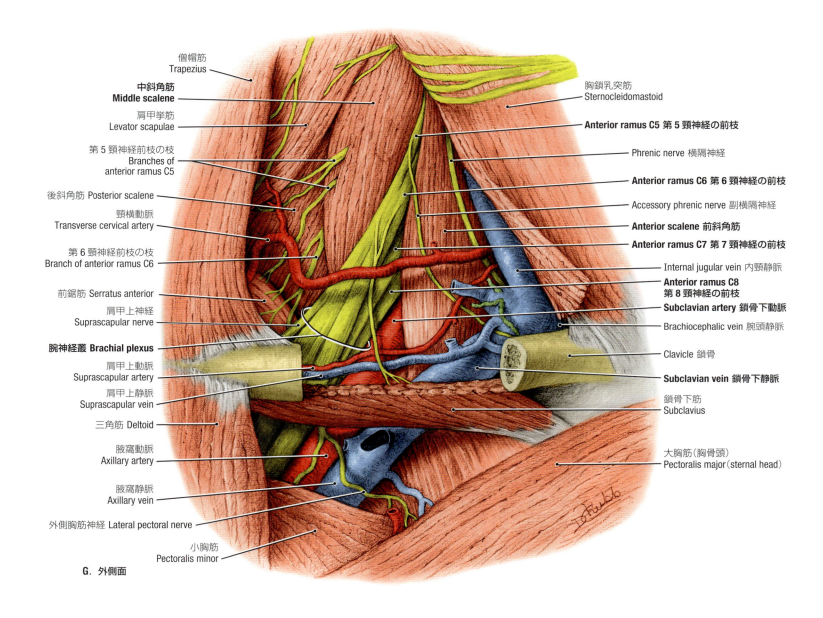

G. 外側面

8.8 側頸部（後頸三角）の剖出（続き）

G 肩甲鎖骨三角（大鎖骨上窩）の構造．肩甲舌骨筋とその筋膜を取り除き，腕神経叢と鎖骨下動静脈が見えるようにしてある．

- 第5頸神経-第1胸神経の前枝が腕神経叢をつくる．第1胸神経の前枝は鎖骨下動脈の後ろにある．
- 腕神経叢と鎖骨下動脈は前斜角筋と中斜角筋の間から現れる．
- 前斜角筋は鎖骨下動静脈の間にある．

鎖骨下静脈は，**中心静脈カテーテルを挿入**する際に使われることが多い．その目的は腸管外栄養や投薬，血液生化学検査，中心静脈圧の測定，心臓ペースメーカーの電極挿入などである．そのため，鎖骨下静脈と，胸鎖乳突筋，鎖骨，胸鎖関節ならびに第1肋骨との位置関係は臨床的に重要である．正しい手技をとらないと，胸膜や鎖骨下動脈を穿刺する危険性がある．

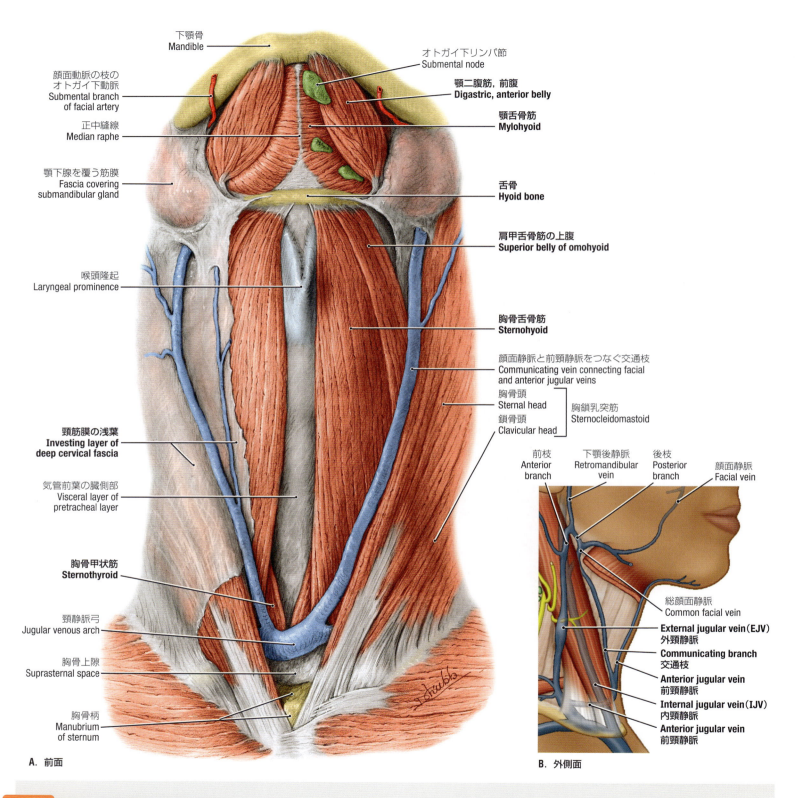

738 頸部　前頸部（前頸三角）

8.9　舌骨上筋群と舌骨下筋群

A　解剖図．頸筋膜の浅葉を大部分取り除いてある．
- 顎二腹筋の前腹が，前頸部のうち舌骨より上の部分すなわちオトガイ下三角（口腔底）の2辺をつくる．舌骨が三角の底辺をつくり，顎舌骨筋が三角の底面となる．
- 前頸部のうち舌骨より下の部分は縦長の菱形で，上部は胸骨舌骨筋が，下部は胸骨甲状筋が辺縁を形成する．
- 縦方向の前頸静脈はみられない．

B　表層の静脈流路の概略．

前頸部（前頸三角） 頸部 739

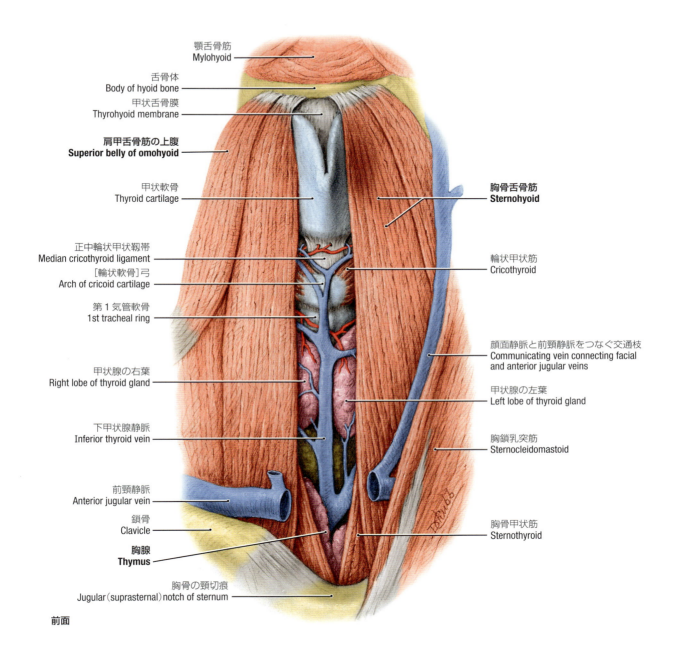

前面

| 8.10 | 舌骨下部，表層の筋 |

気管前葉，右の前頸静脈，および頸静脈弓は取り除いてある．
- 胸腺がまだ残っており，胸郭から上方に突出している．
- 喉頭を下制する2つの浅筋（舌骨下筋群）とは，肩甲舌骨筋（ここでは上腹のみが見える）と胸骨舌骨筋である．

舌骨の骨折．これによって舌骨体が甲状軟骨の上に押し下げられる．舌骨を挙上させて舌の下へ前進させることができなくなるため，嚥下すること，ならびに食物の経路と気道を分離しておくことが困難になり，**誤嚥性肺炎**を起こすことがある．

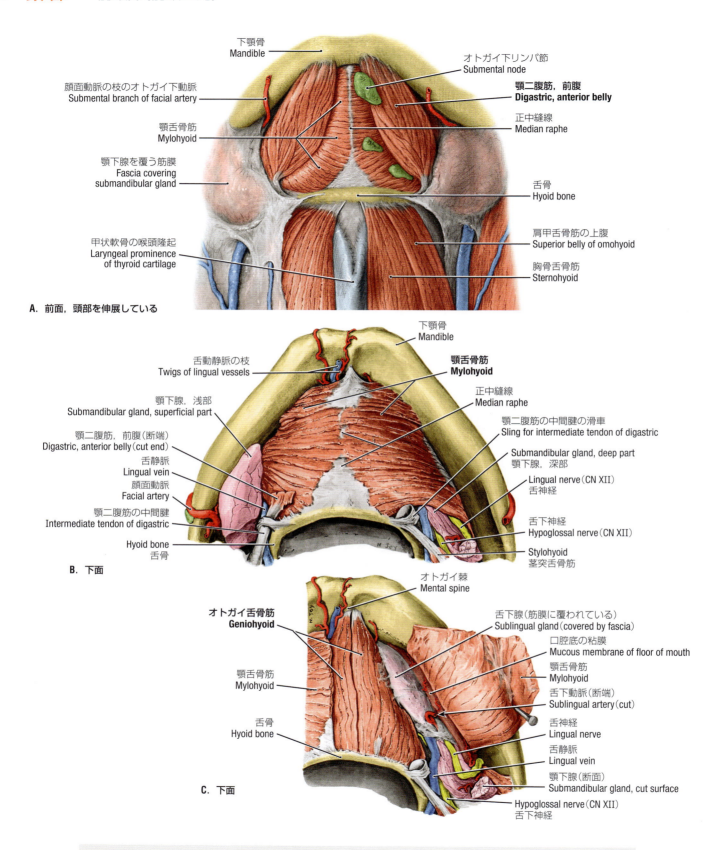

8.11 舌骨上部（オトガイ下三角）

A 表層：顎二腹筋，前腹． B 中間層：顎舌骨筋． C 深層：オトガイ舌骨筋．

前頸部（前頸三角） 頸部

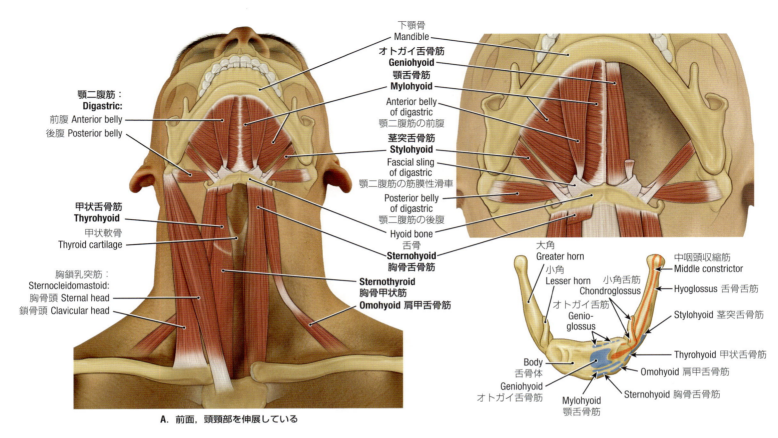

A．前面，頭頸部を伸展している
B．舌骨の上面

8.12 舌骨上筋群と舌骨下筋群

A 概観．B 舌骨の筋付着部．

表 8.4 舌骨上筋群と舌骨下筋群

筋	上方の付着部	下方の付着部	支配神経	主な作用
舌骨上筋群				
顎舌骨筋	下顎骨の顎舌骨筋線	縫線と舌骨体	顎舌骨筋神経〔下顎神経由来の下歯槽神経（V₃の枝）の枝〕	嚥下と発声の際に舌骨，口腔底，舌を挙上する．
顎二腹筋	前腹：下顎骨の二腹筋窩 後腹：側頭骨の乳突切痕	中間腱を介して舌骨体と大角	前腹：顎舌骨筋神経〔下顎神経由来の下歯槽神経（V₃の枝）の枝〕 後腹：顔面神経（VII）	嚥下と発声の際に舌骨を挙上して保持する．下顎骨を抵抗に逆らって下制する．
オトガイ舌骨筋	下顎骨の下オトガイ棘	舌骨体	C1〔舌下神経（XII）経由〕	舌骨を前上方に引き，口腔底を短縮し，咽頭を広げる．
茎突舌骨筋	側頭骨の茎状突起		顔面神経（VII）頸枝	舌骨を挙上，後退させることにより口腔底を延長する．
舌骨下筋群				
胸骨舌骨筋	舌骨体	胸骨柄と鎖骨内側端	C1-C3（頸神経ワナ経由）	嚥下時に挙上された舌骨を下制する．
肩甲舌骨筋	舌骨下縁	肩甲骨上縁の肩甲切痕付近		舌骨を下制，後退し保持する．
胸骨甲状筋	甲状軟骨の斜線	胸骨柄の後面	C2-C3（頸神経ワナ経由）	舌骨と喉頭を下制する．
甲状舌骨筋	舌骨体と大角の下縁	甲状軟骨の斜線	C1〔舌下神経（XII）経由〕	舌骨を下制し喉頭を挙上する．

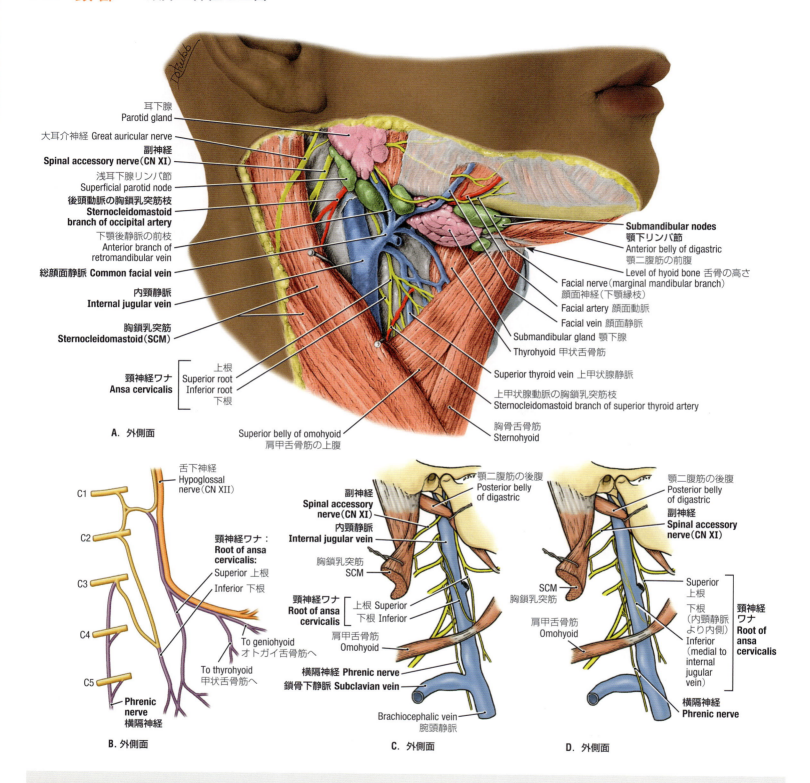

742 頸部　頸部の神経と血管

A. 外側面

B. 外側面

C. 外側面

D. 外側面

8.13 頸動脈三角の表層の剖出

A　頸動脈三角の側面．皮膚，広頸筋と皮下組織，深頸筋膜の浅葉（耳下腺と顎下腺の鞘を含む）を取り除いてある．
- 副神経（XI）が胸鎖乳突筋の深層側から入る．後頭動脈の胸鎖乳突筋枝が胸鎖乳突筋の前縁で副神経に近づく．
- 総顔面静脈は，舌骨の高さ付近で内頸静脈に合流する．総顔面静脈には，この付近で他のいくつかの静脈も合流する．
- 顎下リンパ節は顎下三角の中にあり，頸筋膜の浅葉より深部にある．このリンパ節のいくつかは顎下腺の内部にある．

B　頸神経叢筋枝の模式図．

C　頸神経ワナ，副神経（XI）ならびに横隔神経の，内頸静脈や鎖骨下静脈に対する典型的な位置関係．

D　非典型的な位置関係．

頸部の神経と血管　頸部

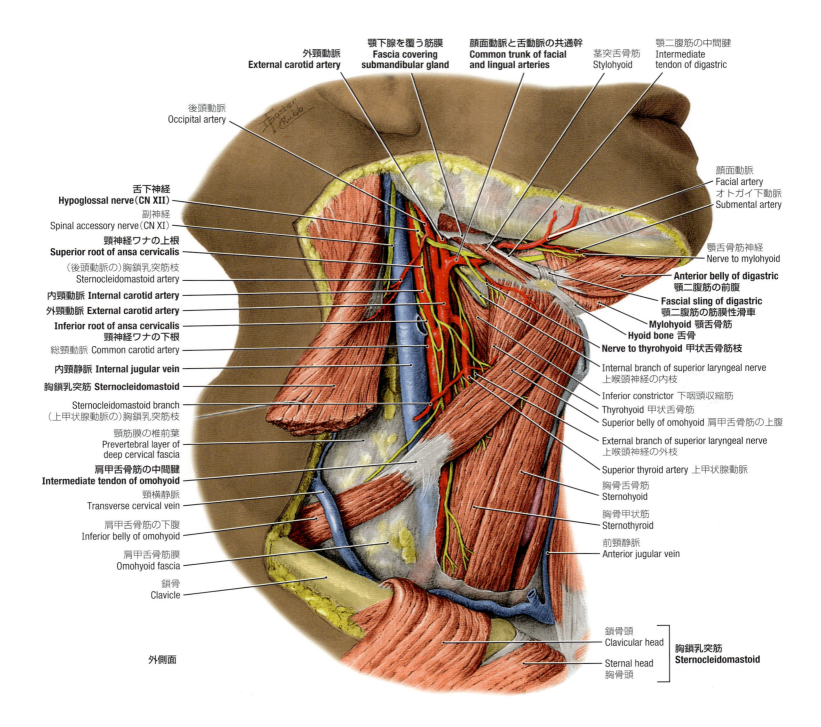

8.14 頸動脈三角の深層の剖出

胸鎖乳突筋を切断し，下部を下方に反転，上部を後方に牽引してある．

- 顎二腹筋の腱は筋膜性滑車によって舌骨につながれている．この滑車は深頸筋膜の気管前葉筋部に由来する．肩甲舌骨筋の腱も同じように鎖骨につながれている．
- この標本では顔面動脈と舌動脈が共通幹をつくって起こり，茎突舌骨筋と顎二腹筋の深層を通っている．
- 舌下神経(XII)は内頸動脈と外頸動脈を横切って，前方で顎舌骨筋の深層に入る前に，2本の枝を出す．頸神経ワナの上根と甲状舌骨筋枝である．この例では，頸神経ワナの下根が内頸静脈の深層を通っており，内頸静脈の内側縁から現れている．

744 頸部　頸部の神経と血管

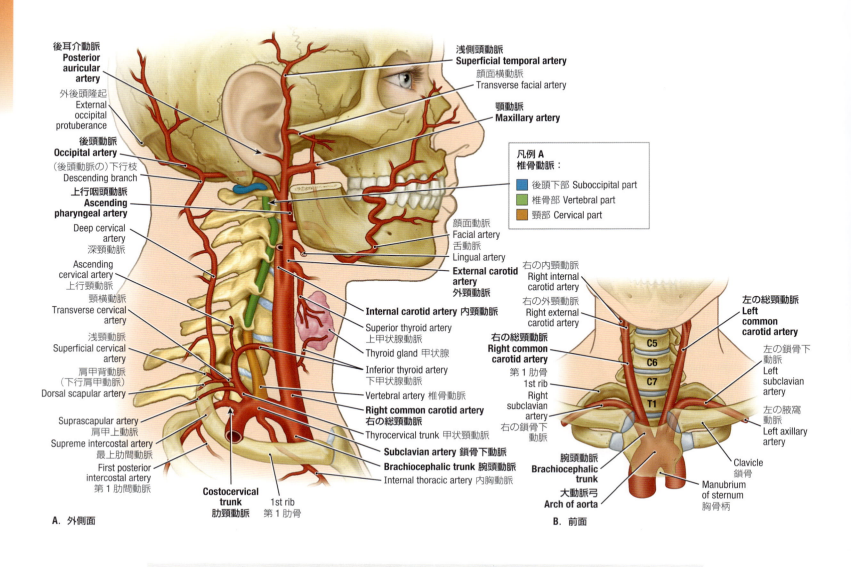

8.15 頸部の動脈

A 概観．B 総頸動脈と鎖骨下動脈．

表 8.5 頸部の動脈

動脈	起始	走行と分布
右の総頸動脈	腕頭動脈	頸動脈鞘に包まれて内頸静脈・迷走神経(X)とともに頸部を上行する．甲状軟骨の上縁(第4頸椎の高さ)で内頸動脈と外頸動脈に分岐して終わる．
左の総頸動脈	大動脈弓	
左右の内頸動脈	左右の総頸動脈	頸部では枝を出さない．頸動脈管を通って頭蓋腔に入り脳と眼窩に分布する．起始部は頸動脈洞という圧受容器で，動脈圧の変化に反応する．頸動脈小体と呼ばれる化学受容器が総頸動脈分岐部にあって，血液の酸素濃度をモニターしている．
左右の外頸動脈		頭蓋の外のほとんどの構造に分布する．眼窩と前頭部の一部および頭皮が主な例外で，それらには内頸動脈の頭蓋内の枝である眼動脈が分布する．
上行咽頭動脈	外頸動脈	咽頭を上行して，咽頭，椎前筋，中耳ならびに脳硬膜に分布する．
後頭動脈		顎二腹筋後腹の内側に沿って後方に向かい，頭皮の後部に分布する．
後耳介動脈		外耳道と乳様突起の間を後方に上って，周囲の筋，耳下腺，顔面神経，耳介ならびに頭皮に分布する．

頸部の神経と血管　頸部

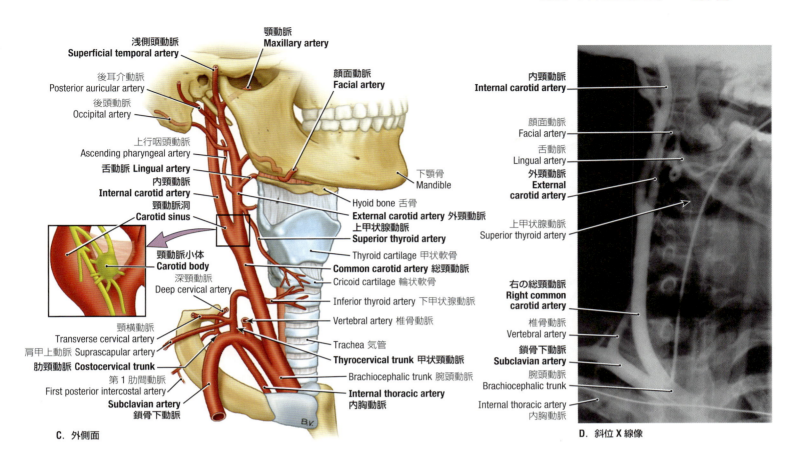

8.15　頸部の動脈（続き）

C　外頸動脈と鎖骨下動脈の枝．頸動脈洞は動脈圧の変化に応答する圧受容器で，内頸動脈近位部の拡張した部分にある．頸動脈小体は総頸動脈分岐部に位置する楕円体の組織塊である．頸動脈小体は血中の酸素濃度をモニターする化学受容器である．
D　頸部の動脈造影像．

表 8.5　頸部の動脈（続き）

動脈	起始	走行と分布
上甲状腺動脈	外頸動脈	舌骨下筋群の深層を前下方に走行して甲状腺に至る．甲状腺，舌骨下筋群，胸鎖乳突筋（SCM）ならびに上喉頭動脈経由で喉頭に分布する．
舌動脈		中咽頭収縮筋の脇を通り，前上方に曲がって舌下神経（XII），茎突舌骨筋ならびに顎二腹筋後腹の深層を走行して，そのあと舌骨舌筋の深層を通り，舌の後部に枝を出し，舌深動脈と舌下動脈に二分する．
顔面動脈		上行口蓋動脈と扁桃枝を分岐させてから，下顎角の奥を上方に走行する．そこで前方に屈曲して顎下腺に分布すると，オトガイ下動脈が分かれて口腔底に向かった後，顔面に入る．
顎動脈	外頸動脈の終枝	下顎頸の後ろを走行し，側頭下窩，次いで翼口蓋窩に入り，歯，鼻，耳，および顔面に分布する．
浅側頭動脈		耳介の前を上行して側頭部に向かい，頭皮に分布する．
椎骨動脈	鎖骨下動脈	第 6 から第 1 頸椎の横突起にある横突孔を通り，環椎後弓にある溝に沿って走り，大後頭孔を通って頭蓋腔に入る．
内胸動脈		頸部には枝を出さない．胸腔に入る．
甲状頸動脈		2 つの枝がある．下甲状腺動脈と頸背動脈幹である．前者は頸部の主たる内臓枝であり，後者は側頸部，僧帽筋に枝を出し，また肩甲背動脈（下行肩甲動脈）を分岐する．
肋頸動脈		後上方に向かい，最上肋間動脈と深頸動脈に分岐する．前者は第 1，第 2 肋間に後者は後頸部深層の筋に分布する．

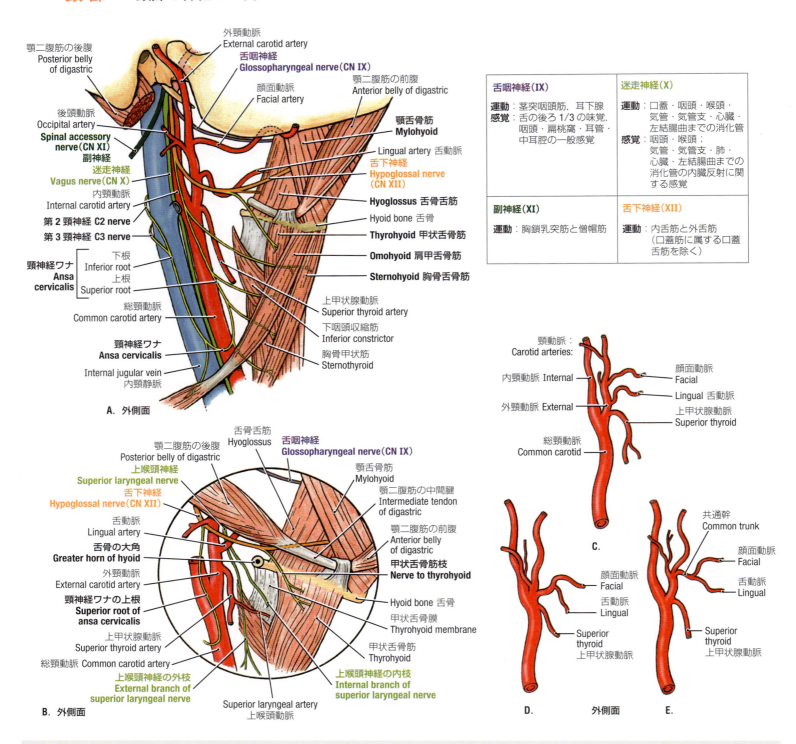

8.16 頸動脈三角の神経と血管の位置関係

A 頸神経ワナと舌骨下筋群.
B 舌下神経（XII）と上喉頭神経（Xの枝）の内枝と外枝. 円で囲んだ舌骨大角の先端は, 多くの構造を同定するための目印となる.
C-E Grant 博士の研究室によって211例で調べられた**舌動脈の起始の変異**. 80% の例において上甲状腺動脈, 舌動脈, 顔面動脈は別々に起こっていた（**C**）. 20% の例では舌動脈と顔面動脈が外頸動脈の低い位置（**D**）, ないし高い位置（**E**）で共通幹から起こっていた. 1例においては, 上甲状腺動脈と舌動脈が共通幹から起こっていた.

頸動脈閉塞は狭窄を起こす. 動脈の起始部を開いて動脈の内膜と動脈硬化性プラークを除去することで緩和できる. これは**血管内膜除去術**と呼ばれる. 内頸動脈と神経の位置関係から, この処置によって脳神経の損傷を起こすことがある. 障害されるのは以下の脳神経の1つないし複数である：IX, X（あるいはその枝である上喉頭神経）, XI, XII.

頸部の神経と血管　頸部

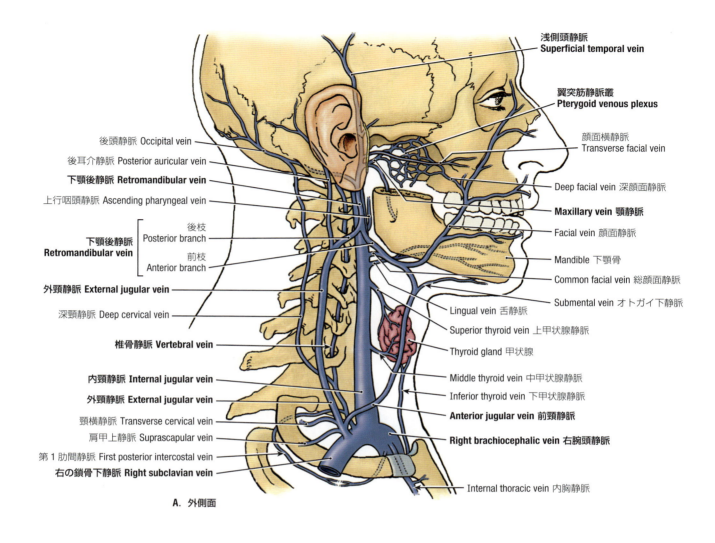

A. 外側面

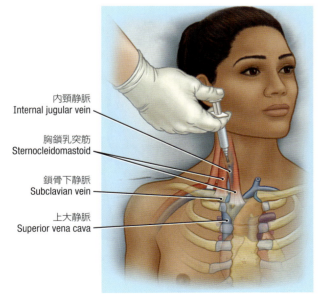

B. 内頸静脈穿刺

8.17 頸部深層の静脈

A　概観．S状静脈洞は頸静脈孔において内頸静脈に移行する．起始部は頸静脈上球と呼ばれ，拡張している．そこから頸動脈鞘の中を下方に走行し，鎖骨胸骨端の後ろで鎖骨下静脈にほぼ直角に合流する．この合流部を静脈角と呼び，ここから腕頭静脈が始まる．内頸静脈の下端はその終末弁の上で拡張しており，これを頸静脈下球と呼ぶ．この弁は血液が心臓のほうにのみ向かい，内頸静脈に逆流しないように作用する．外頸静脈は後頭部と後頸部の血液を鎖骨下静脈に導き，前頸静脈は頸部前面の血液を鎖骨下静脈に導く．

B　内頸静脈穿刺．診断ないし治療を目的に，超音波ガイド下で内頸静脈に穿刺針とカテーテルを挿入することがある．右の内頸静脈のほうが通常左より太くてまっすぐなので，好んで使われる．この手技にあたって，医師は総頸動脈の拍動を触れて，そのすぐ外側にある内頸静脈に30°の角度で針を挿入する．その際，胸鎖乳突筋の胸骨頭と鎖骨頭でできる三角形の頂点を狙うように刺入する．それから針を下外側，すなわち同側の乳頭のほうに向ける．

　静脈アクセスは他にも鎖骨上または鎖骨下の経路から確保することができる．

748 頸部 頸部の内臓区画

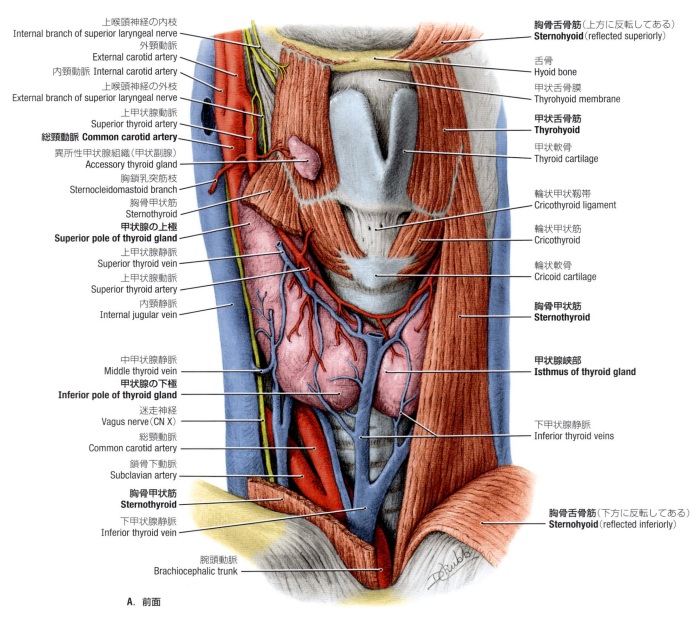

A. 前面

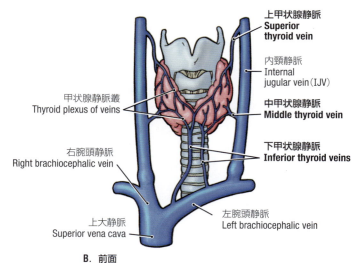

B. 前面

8.18 頸部内臓区画の内分泌層-I

A 解剖図. 標本の左側では胸骨舌骨筋を反転して、胸骨甲状筋と甲状舌骨筋を露出してある。右側では胸骨甲状筋を大部分切除してある。
B 甲状腺の静脈分布の模式図. 上甲状腺静脈を除いて、甲状腺の静脈は同名の動脈に伴行しない.

頸動脈の拍動は、側頸部において総頸動脈が気管と舌骨下筋群の間の溝を走る部分で触診すると容易に触れる。甲状軟骨上縁の高さで胸鎖乳突筋の前縁のすぐ深部でも通常簡単に触れる。**心肺蘇生（CPR）の際にはこの拍動を確認するのが常である。頸動脈の拍動がない**のは心停止を意味する.

頸部の内臓区画　頸部　749

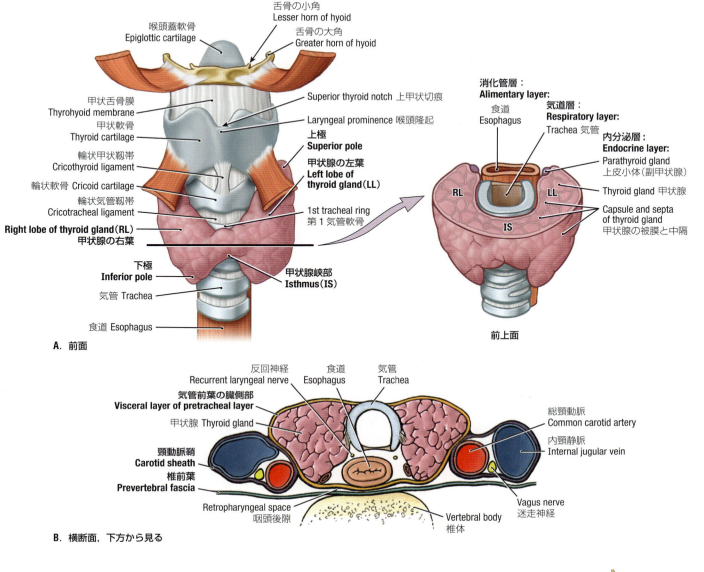

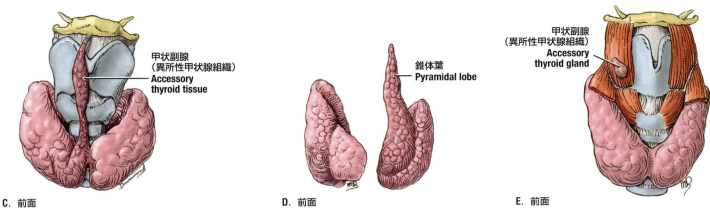

8.19　頸部内臓区画の内分泌層-II

A　甲状腺の位置関係．頸部内臓区画の消化管層，気道層，内分泌層を表す**横断面の図を併せて示す．B**　**筋膜の関係．C**　**甲状副腎．**この組織は甲状舌管の経路に沿って存在する異所性の甲状腺組織である．甲状舌管とは甲状腺組織がその発生母体の場所から移動してきた経路にあたる．**D**　**錐体葉．**約50%の例で錐体葉がみられる．錐体葉は甲状腺峡部付近から舌骨の方に向かって伸びる．峡部が欠けていることもある．その場合甲状腺は左右2つに分かれることになる．**E**　**甲状副腎**は舌骨上部から大動脈弓にかけて存在することもある（図8.18A参照）．

750 頸部　頸部の内臓区画

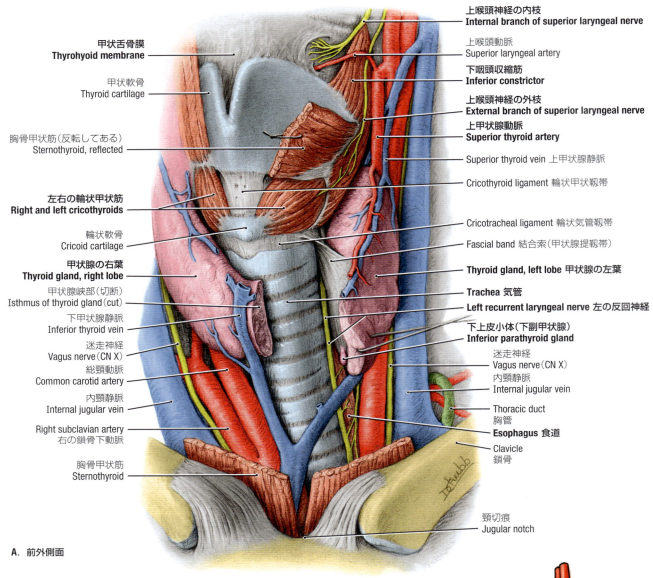

A. 前外側面

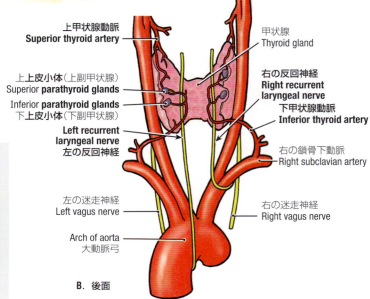

B. 後面

8.20 頸部内臓区画の気道層

A　解剖図．甲状腺峡部を切断して甲状腺左葉を牽引してある．左の反回神経が気管と食道の間を気管の外側面に沿って上行する．上喉頭神経の内枝は下咽頭収縮筋の上縁に沿って走行し，甲状舌骨膜を貫く．上喉頭神経の外枝は下咽頭収縮筋に隣接して走行し，その下部を支配する．外枝はさらに上甲状腺動脈の前縁に沿って走行して胸骨甲状筋の上方の付着部の深層を通り，輪状甲状筋を支配する．

B　上皮小体(副甲状腺)の動脈分布と左右の反回神経の走行．

頸部の内臓区画　頸部

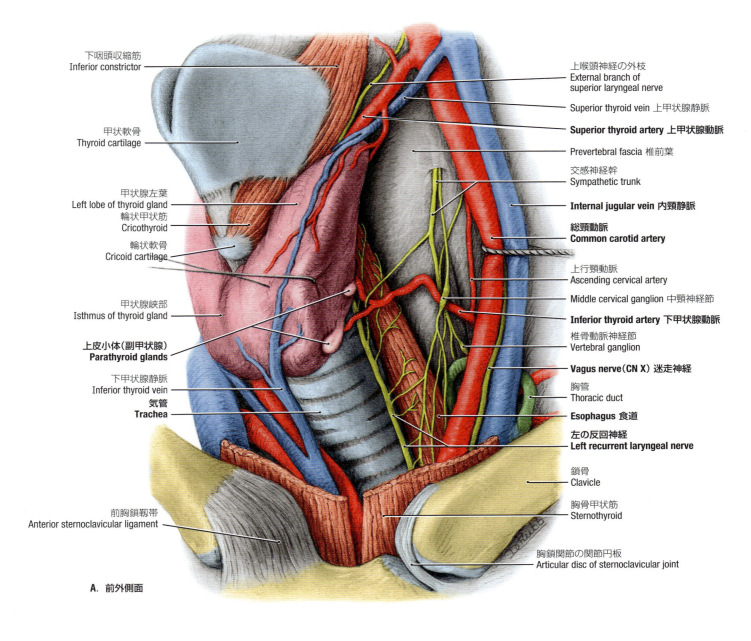

A. 前外側面

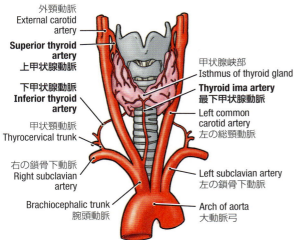

B. 前面

8.21 頸部内臓区画の消化管層

A 頸の基部左半の剖出．頸動脈鞘に入っている3つの構造（内頸静脈，総頸動脈，迷走神経）を牽引してある．左の反回神経は，気管と食道の間の窪みのすぐ前で気管の外側面に沿って上行する．

B 甲状腺の動脈分布．最下甲状腺動脈が存在するのは10％と少なく，その起始はさまざまである．

甲状腺全摘術（例えば悪性の甲状腺腫瘍の切除）を行っている際に，上皮小体（副甲状腺）を不注意にも損傷したり取り除いてしまったりする危険がある．**甲状腺部分摘除術**の場合は，通常甲状腺の最も後方の組織を温存するので上皮小体は安全である．上皮小体，とりわけ下上皮小体は位置に変異が多いので，除去されてしまう危険がある．上皮小体が除去されてしまうと，患者は激しい痙攣である**テタニー**を起こす．全身の筋の痙縮は血中カルシウム濃度の低下が原因である．

752 頸部　頸の基部と椎前部

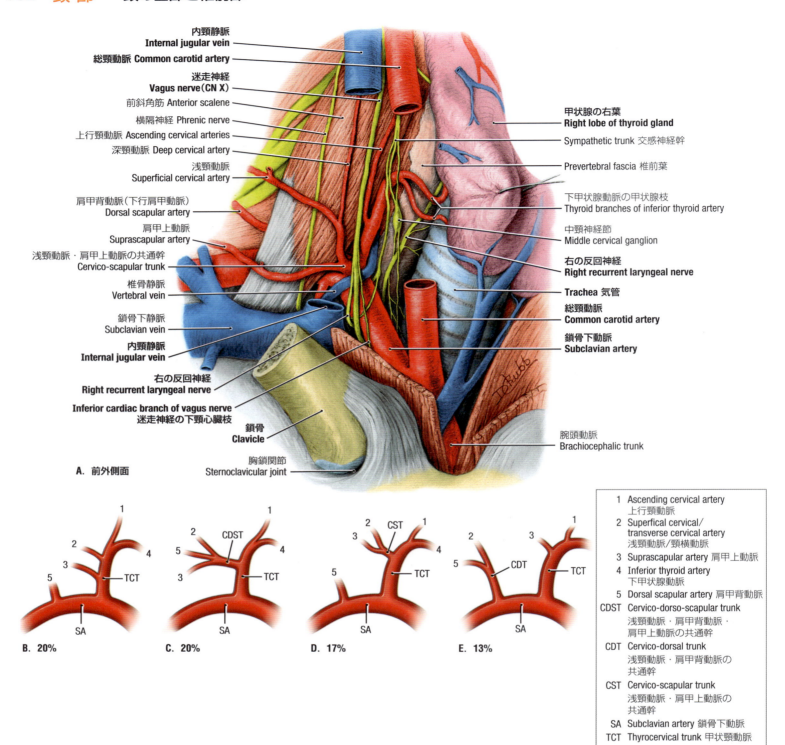

8.22 頸の基部

A 頸の基部右半の剖出．鎖骨を切断，総頸動脈と内頸静脈の一部を除去し，甲状腺右葉を牽引してある．右の迷走神経が鎖骨下動脈第1部を横切り，下心臓枝と右の反回神経とを分岐している．右の反回神経は鎖骨下動脈の下で反転し，総頸動脈の後ろを通って気管の後外側面に向かう．

- 反回神経は甲状腺摘出術をはじめとする前頸部の外科手術時の損傷に弱い．この神経の終枝である下喉頭神経が声帯を動かす筋を支配しているため，この神経の損傷によって声帯の麻痺が起こる．

- 月経や妊娠でのさまざまな程度の腫大，腫瘤，ならびに炎症を除く甲状腺の腫大を甲状腺腫と呼ぶ．甲状腺腫はヨウ素の欠乏によって起こる．

B–E 後頸部の動脈の変異．**B** 甲状頸動脈から2と3が独立して起こる．**C** 甲状頸動脈から浅頸動脈・肩甲背動脈・肩甲上動脈の共通幹が起こる（2, 3, 5）．**D** 甲状頸動脈から浅頸動脈・肩甲上動脈の共通幹が起こる（2, 3）．**E** 鎖骨下動脈から浅頸動脈・肩甲背動脈の共通幹が起こる（2, 5）．

頸の基部と椎前部　頸部　753

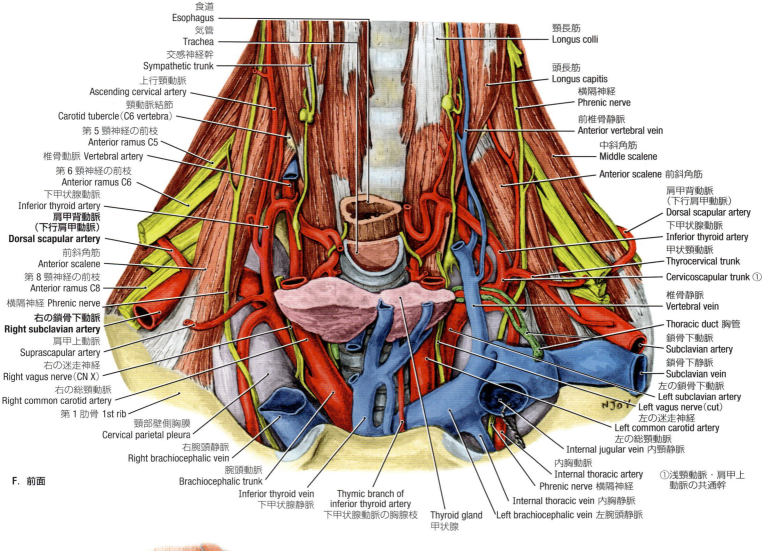

F. 前面

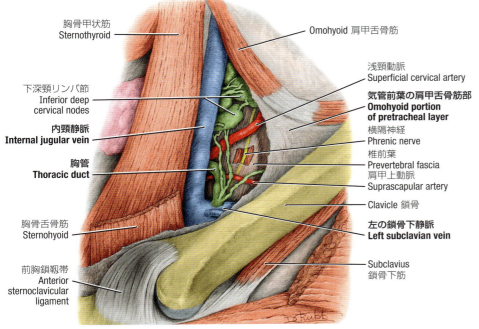

G. 前外側面

8.22 頸の基部（続き）

F 前方から見た深部の剖出．よくある変異だが，右の肩甲背動脈（下行肩甲動脈）が鎖骨下動脈から直接分かれていることに注意．

G 胸管の終末部の剖出．胸鎖乳突筋を取り除き，胸骨舌骨筋を切除し，気管前葉の肩甲舌骨筋部を一部除去してある．胸管は頸部で外側に曲がり，頸動脈鞘の後方，椎骨動脈・甲状頸動脈・鎖骨下動脈の前方を通る．胸管は，左の鎖骨下静脈と内頸静脈が合流して左腕頭静脈になることによってできる角（左の静脈角）に入る．

754 頸部 頸の基部と椎前部

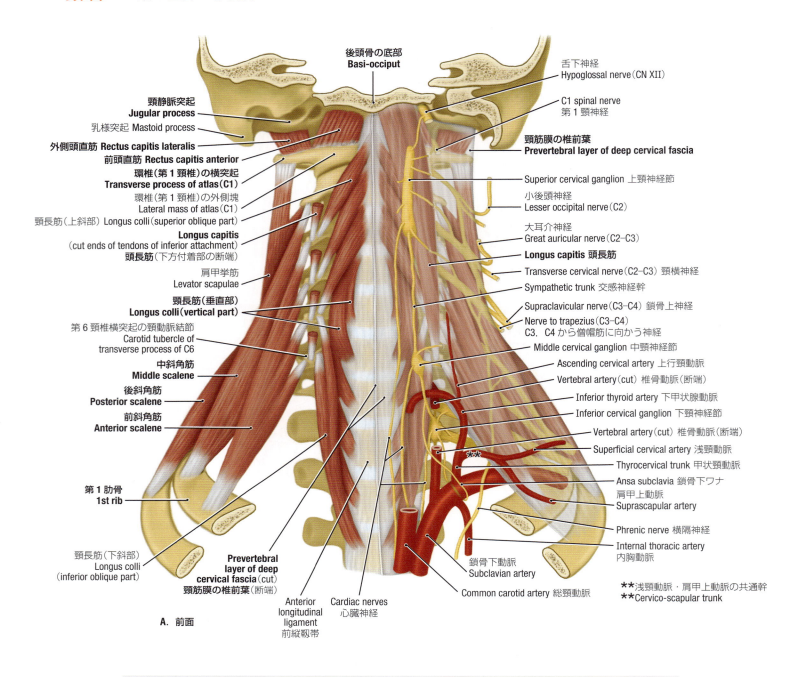

8.23 椎前領域

A, B 筋，神経，血管の概観．Aでは標本の左側で頸筋膜の椎前葉が見えるが，右側では取り除かれている．

表 8.6 椎前筋群と斜角筋群

筋	上方の付着部	下方の付着部	神経支配	主な作用
頸長筋				
上斜部	環椎（C1）の前結節	C3-C5 横突起の前結節	C2-C6 脊髄神経の前枝（頸神経叢）	頸椎を対側に回旋する（一側のみ作用すると）．
垂直部	C2-C4 の椎体	C5-T3 の椎体		
下斜部	C5-C6 横突起の前結節	T1-T3 の椎体		頸椎の屈曲（両側が作用すると）．
頭長筋	後頭骨底部	C3-C6 横突起の前結節	C1-C3 脊髄神経の前枝（頸神経叢）	頭部（環椎後頭関節）の屈曲

頸の基部と椎前部　頸部

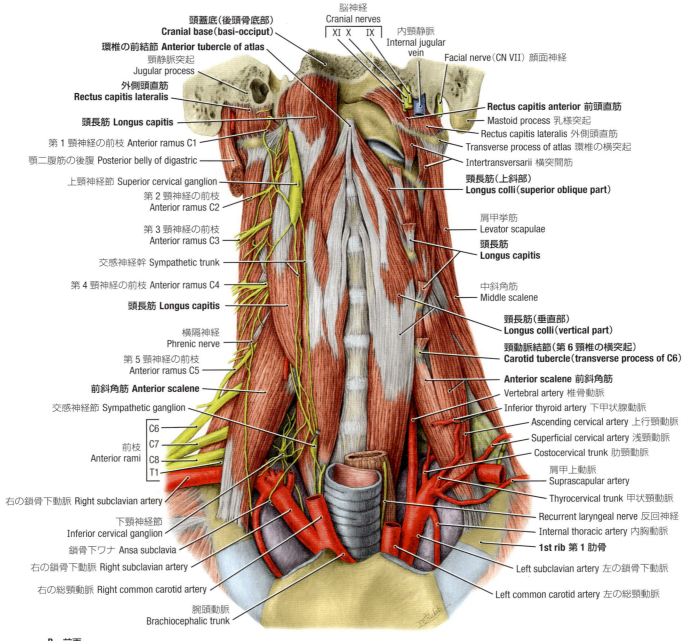

B. 前面

8.23 椎前領域（続き）

表8.6　椎前筋群と斜角筋群（続き）

筋	上方の付着部	下方の付着部	神経支配	主な作用
前頭直筋	後頭顆のすぐ前の頭蓋底	環椎（C1）外側塊の前面	C1とC2脊髄神経の吻合枝からの枝	環椎後頭関節の側屈（一側のみ作用すると）．
外側頭直筋	後頭顆のすぐ外側の頭蓋底	環椎（C1）の横突起		環椎後頭関節の屈曲（両側が作用すると）．
前斜角筋	C3-C6横突起の前結節	第1肋骨の前斜角筋結節	C3-C8の前枝（頸神経叢と腕神経叢）	肋骨に可動性があるときは，上位の肋骨を挙上することによって強制的に吸息する．肋骨が固定されているときは，（一側が作用すると）頸椎の側屈，（両側が作用すると）頸椎の屈曲．
中斜角筋	C1-C2横突起	第1肋骨の上面の鎖骨下動脈溝より後ろ		
	C3-C7横突起の後結節			
後斜角筋	C5-C7横突起の後結節	第2肋骨の外側縁		

頸部　頸の基部と椎前部

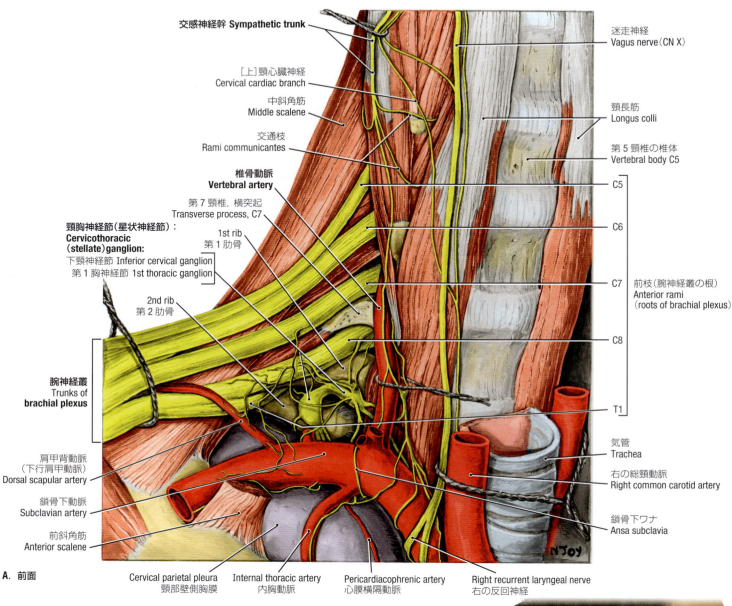

A．前面

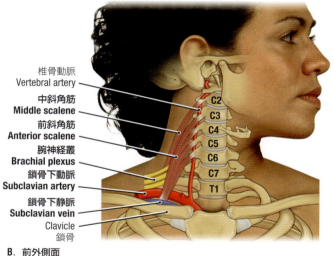

B．前外側面

8.24 頸の基部の腕神経叢と交感神経幹

A 標本右側の剖出．胸膜を下に押さえ，椎骨動脈を内側に牽引して頸胸神経節（星状神経節）（下頸神経節と第1胸神経節の合体したもの）が見えるようにしてある．頸胸神経節（星状神経節）の周囲に麻酔薬を注入すると，交感神経幹の頸神経節と胸神経節を経由した刺激の伝達がブロックされる．**星状神経節ブロック**は脳や上肢の血管攣縮を緩和する場合がある．同側の上肢に過度な血管収縮がある患者で，星状神経節を外科的に切除するのが患者の利益になるという決断をしなければならない場合に，星状神経節ブロックで効果を確認してみることが有益である．

B 腕神経叢と鎖骨下動脈の前・中斜角筋に対する位置関係．

頸の基部と椎前部　頸部

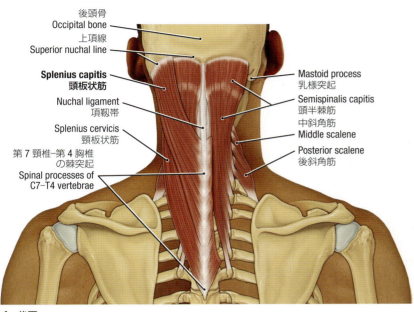

A. 後面

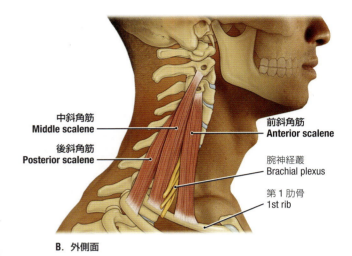

B. 外側面

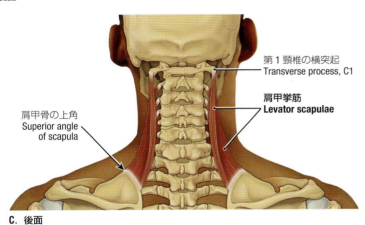

C. 後面

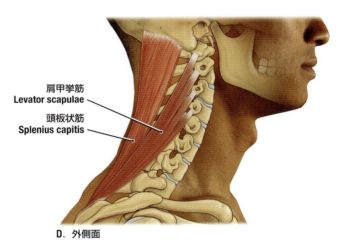

D. 外側面

8.25　脊柱の外側の筋群

A 概観．B 斜角筋群．C 肩甲挙筋．D 肩甲挙筋と頭板状筋．

表8.7　脊柱の外側の筋群[a]

筋	上方の付着部	下方の付着部	神経支配	主な作用
頭板状筋	乳様突起外側面と上項線の外側1/3	項靱帯下半部，C7と上部3-4胸椎の棘突起	中部頸神経の後枝	頭部と頸部を側屈し同側に回旋する．両側が作用すると頭部と頸部を伸展する[b]．
肩甲挙筋	C1-C4 横突起の後結節	肩甲骨内側縁の上部	肩甲背神経(C5)とC3-C4脊髄神経	肩甲骨を挙上し，やや回旋させて関節窩を下げる．

[a] 中斜角筋・後斜角筋は表8.6参照．
[b] 頭部の回旋は環軸関節で起こる．

758 頸部　下顎と口腔底

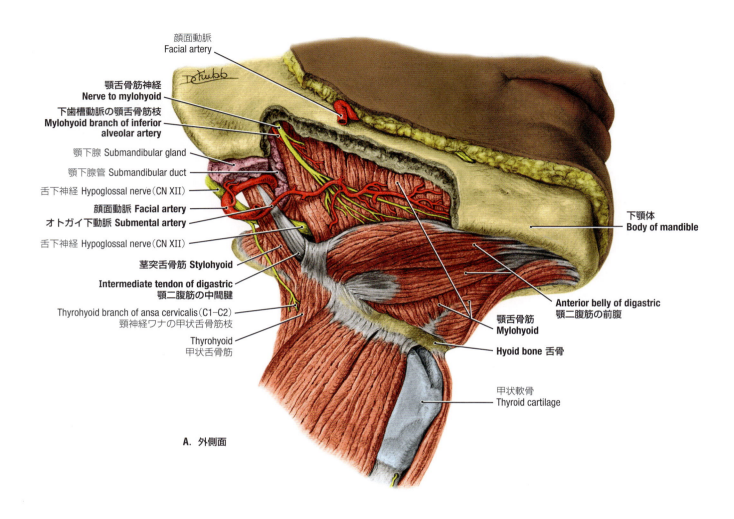

A. 外側面

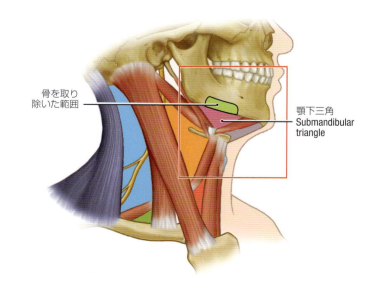

8.26 顎下領域と口腔底の剖出

A 顎舌骨筋と顎二腹筋．下顎骨を覆う構造ならびに下顎体の一部は取り除いてある．

- 茎突舌骨筋と顎二腹筋の後腹ならびに中間腱が顎下三角の後縁をつくる．顔面動脈はこれらの筋より浅層を通る．
- 顎二腹筋の前腹は顎下三角の前縁をつくる．この標本では前腹に舌骨からの起始が加わっている．顎舌骨筋は顎下三角の内側壁をつくる．顎舌骨筋の後縁は厚い自由縁となっている．
- 顎舌骨筋神経は顎舌骨筋と顎二腹筋の前腹を支配する．この神経には後方では下歯槽動脈の顎舌骨筋枝が，前方では顔面動脈の枝であるオトガイ下動脈が伴行する．

下顎と口腔底　頸部

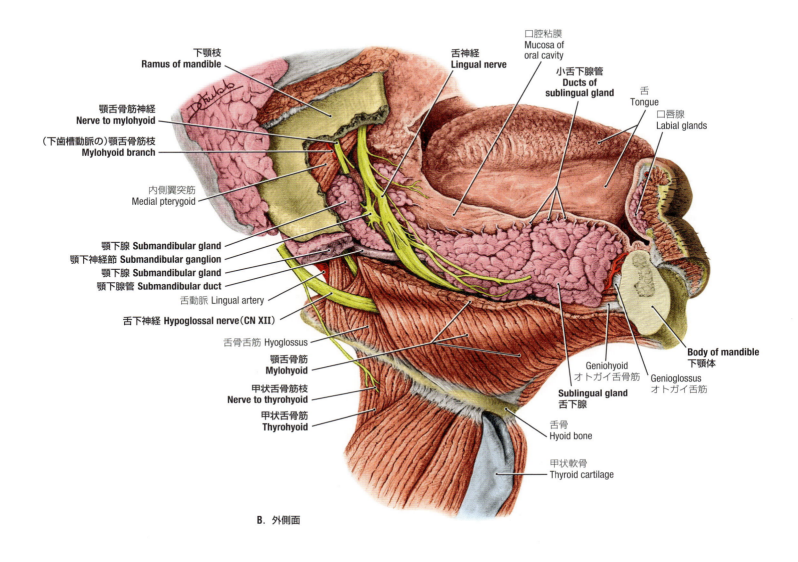

B．外側面

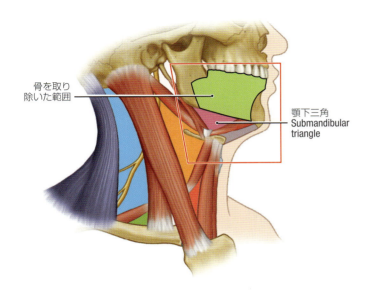

8.26 顎下領域と口腔底の剖出（続き）

B　舌下腺と顎下腺．下顎体とそれに隣接する下顎枝の一部は取り除いてある．
- 舌下腺は下顎骨の後ろにあり，後部は顎下腺の深部に接している．
- 舌下腺の上縁からは多くの細い導管が出て上を覆う粘膜の舌下ヒダに開口する．
- 舌神経は舌下腺と顎下腺深部の間にあり，この神経から顎下神経節が吊り下がっている．
- 第1頸神経（C1）の線維が舌下神経（XII）を通って，舌下神経が顎舌骨筋の深層を通る前に，甲状舌骨筋に至る．

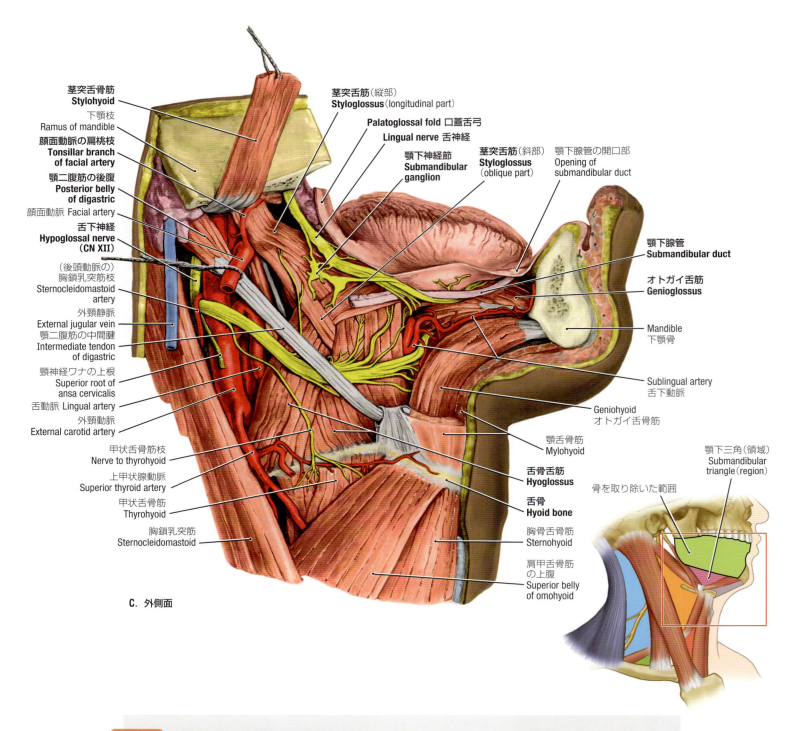

8.26 顎下領域と口腔底の剖出（続き）

C 舌骨舌筋，舌神経（V₃の枝），舌下神経（XII）．下顎骨の右半分を，下顎枝上部を残してすべて取り除いたところ．茎突舌筋は上方に反転してあり，顎二腹筋の後腹は原位置に残してある．
- 舌骨舌筋は舌骨大角と舌骨体から起こって上行し，舌の側面に向かう．
- 茎突舌筋の後上部を顔面動脈の扁桃枝が横切り，斜部は舌骨舌筋と噛み合っている．
- 舌下神経（XII）は外舌筋も内舌筋も含めて舌筋すべてを支配する．口蓋舌筋のみが例外で迷走神経の支配を受ける．
- 顎下腺管は前方では舌骨舌筋やオトガイ舌筋と接しながら前方に走り，舌小帯の両側で開口する．
- 舌神経は後部では下顎骨に接しながら走行し，顎下腺管の下で方向を変えて舌に終止する．顎下神経節は舌神経から吊り下がっている．細い枝が舌神経から分かれて粘膜を支配する．

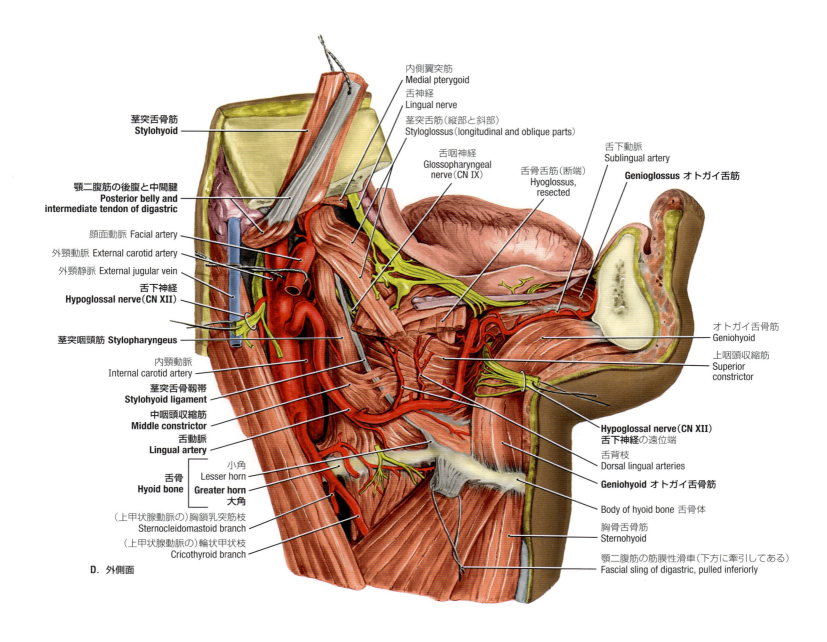

8.26 顎下領域と口腔底の剖出（続き）

D オトガイ舌筋とオトガイ舌骨筋． 茎突舌骨筋と顎二腹筋の後腹ならびに中間腱を上方に反転し，舌下神経（XII）を切断して舌骨舌筋を大部分取り除いたところ．

- 舌動脈は舌骨舌筋（切断してある）より深層で舌骨大角の近くを通り，それから中咽頭収縮筋と茎突舌骨靱帯とオトガイ舌筋の外側を通って，向きを変えると舌深動脈となって舌に分布する．
- この標本では，舌咽神経が茎突咽頭筋の外側を螺旋状に下降する通常の走行をしておらず，内側を下降している．

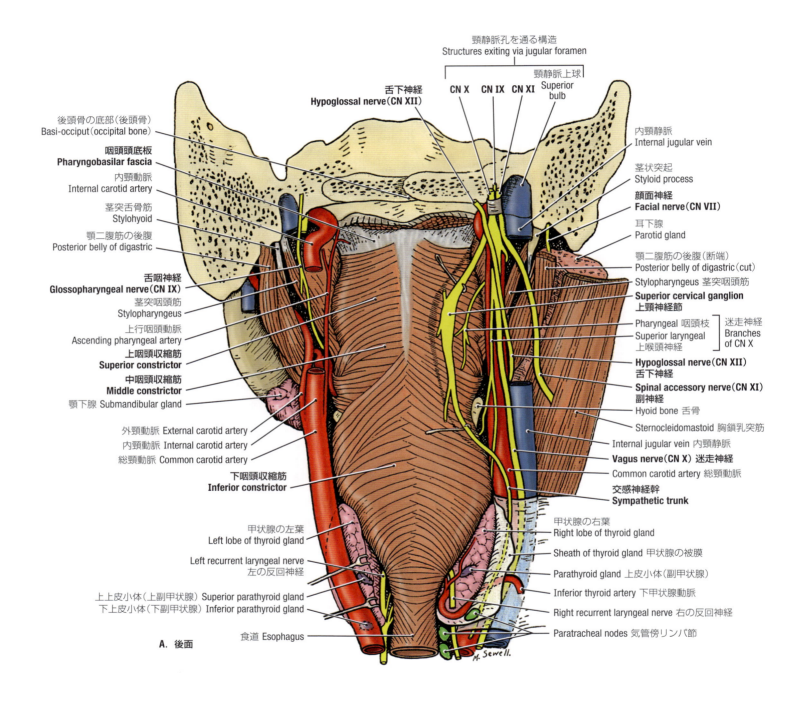

8.27 咽頭の外面，後方から

A　模式図．交感神経幹（上頸神経節を含む）は通常，内頸動脈の後ろに位置するが，ここでは内側に牽引してある．
- 咽頭頭底板は上咽頭収縮筋と頭蓋底の間にあり，咽頭を後頭骨に接着し，咽頭陥凹の壁をつくる．この部分は収縮しないので内腔が虚脱できない．
- 舌咽神経（IX）は，頸静脈孔を出る際に，迷走神経（X）や副神経（XI）より前を走行する．舌下神経管を通る舌下神経（XII）はこれらより内側にある．

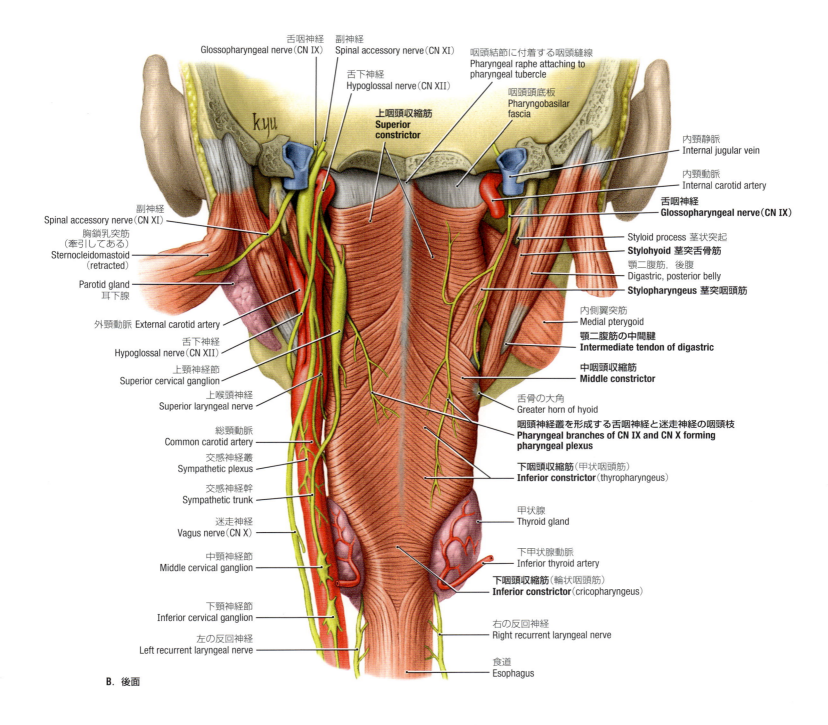

8.27 咽頭の外面，後方から（続き）

B 解剖図． 後頭骨を大後頭孔を含む楔形に頭部の残りの部分から分離して取り除き，それに関節でつながっている頸椎も咽頭後隙で離して取り除いてある．

- 咽頭は消化管の中でも特徴的な部分であり，輪状筋が外に，縦走筋が内にある．
- 咽頭の輪状筋は3つの咽頭収縮筋（上・中・下）からなる．それらは互いに重なり合っている．
- この標本の右側では，茎突咽頭筋と舌咽神経（IX）が茎状突起の内側面から起こり，前内側に進んで上咽頭収縮筋と中咽頭収縮筋の間を貫いて，内部の縦走筋の一部となっている．茎突舌骨筋は茎状突起の外側面から起こり，前外側に進んで途中で二分し，間に顎二腹筋の中間腱を通したのち舌骨に停止する．
- 舌咽神経（IX）と迷走神経（X）の咽頭枝が咽頭神経叢を形成する．咽頭神経叢は咽頭の神経支配のほとんどを担う．舌咽神経が感覚を伝えるのと茎突咽頭筋の運動支配をするのに対して，迷走神経はその他の筋の運動を司る．

764 頸部　咽頭

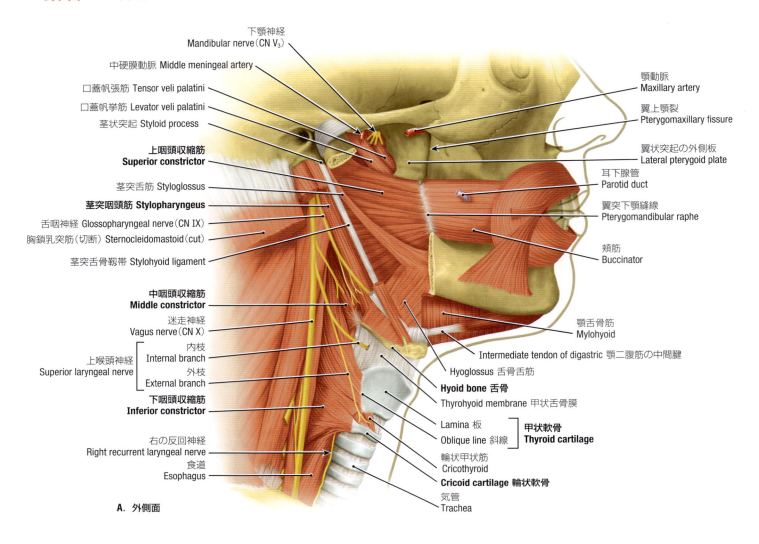

8.28 咽頭の外面，外側から

A　模式図．

表 8.8　咽頭筋

筋	起始	停止	神経支配	主な作用
上咽頭収縮筋	翼突鈎，翼突下顎縫線，下顎骨の顎舌骨筋線後端，舌の側面	咽頭縫線	迷走神経(X)咽頭枝と上喉頭神経(咽頭神経叢経由)	嚥下時に咽頭壁を収縮させる．
中咽頭収縮筋	茎突舌骨靱帯，舌骨大角と小角			
下咽頭収縮筋	甲状軟骨の斜線			
甲状咽頭筋				
輪状咽頭筋	輪状軟骨の側面	輪状軟骨の対側	迷走神経(X)咽頭枝と上喉頭神経(咽頭神経叢経由)ならびに外喉頭神経叢	食道上部の括約筋として働く．
口蓋咽頭筋（図 8.29B 参照）	硬口蓋と口蓋腱膜	甲状軟骨の右板・左板の後縁と咽頭ならびに食道の側面	迷走神経(X)咽頭枝と上喉頭神経(咽頭神経叢経由)	嚥下時と発声時に咽頭と喉頭を挙上する．
耳管咽頭筋（図 8.29B 参照）	耳管軟骨	口蓋咽頭筋と融合		
茎突咽頭筋	側頭骨の茎状突起	口蓋咽頭筋とともに甲状軟骨後上縁	舌咽神経(X)	

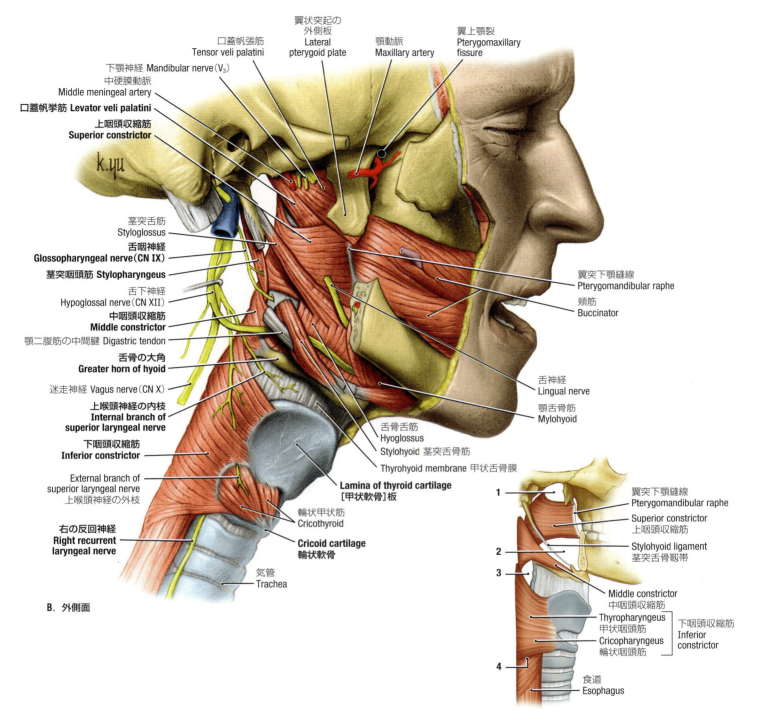

8.28 咽頭の外面，外側から（続き）

B 解剖図．**C** 咽頭収縮筋の関係．咽頭筋には隙間（**C**の**1-4**）があり，咽頭に入っていく構造はそこを通ることができる．

1. 上咽頭収縮筋の上：口蓋帆挙筋と耳管．
2. 上咽頭収縮筋と中咽頭収縮筋の間：茎突咽頭筋，舌咽神経（IX），茎突舌骨靱帯．
3. 中咽頭収縮筋と下咽頭収縮筋の間：上喉頭神経内枝と上喉頭動静脈（図示されていない）．
4. 下咽頭収縮筋の下：反回神経．

766 頸部　咽頭

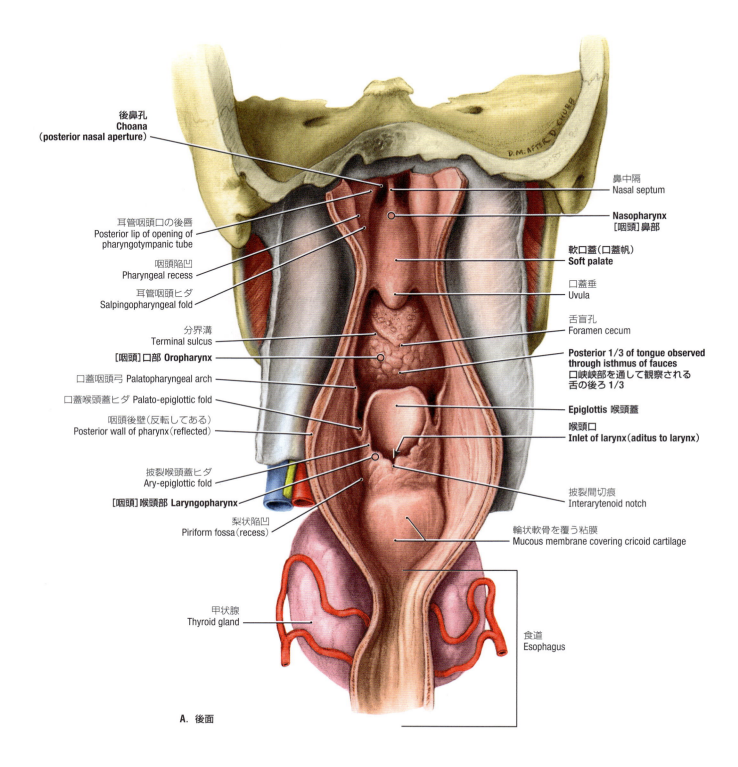

A. 後面

8.29 咽頭の内面

A　解剖図．咽頭後壁を正中で切開して，左右それぞれの壁を外側に牽引し，咽頭前壁の内面を露出してある．咽頭は3つの連続した部分からなる．(1)咽頭鼻部（鼻咽頭）は軟口蓋の高さよりも上の部分で，前方は後鼻孔を通して鼻腔と連絡する．(2)咽頭口部（口咽頭）は軟口蓋と喉頭蓋の間の部分で，前方は口峡を通して口腔と連絡する．(3)咽頭喉頭部（喉頭咽頭）は喉頭の後ろに位置する部分で，喉頭口を通して喉頭前庭と連絡する．咽頭は頭蓋底から輪状軟骨下縁の高さまで続く．

咽頭　頸部

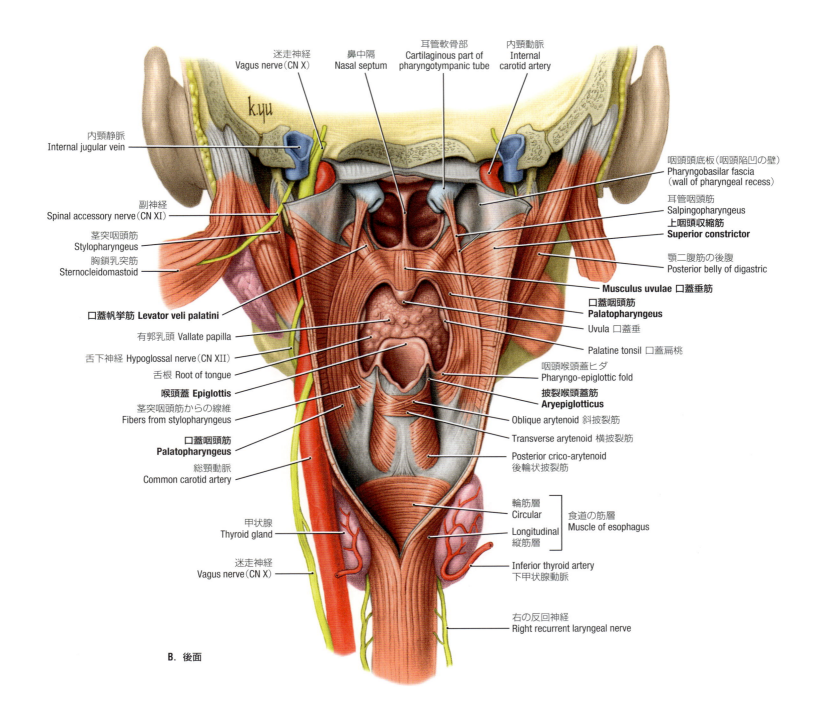

B．後面

8.29　咽頭の内面（続き）

B Aと同様に咽頭後壁を正中で切開して，左右それぞれの壁を外側に牽引してある．さらに粘膜を取り除いて，その奥にある筋層が見えるようにしてある．軟口蓋，咽頭，喉頭の筋は嚥下の際に協調して働いて軟口蓋を挙上し，咽頭峡部（咽頭鼻部と口部の移行部）と喉頭口を狭くし，喉頭蓋を引いて声門を閉じる．それによって食物や飲物が咽頭鼻部と喉頭に入らずに，口腔から食道へ送られる．鼻をかむときなどは，口腔への開口部を部分的に取り囲む口蓋咽頭筋が口峡を絞って軟口蓋を下制し，舌の後部の位置や張り出しと相まって，呼気を鼻腔に送る．

768 頸部　口峡峡部

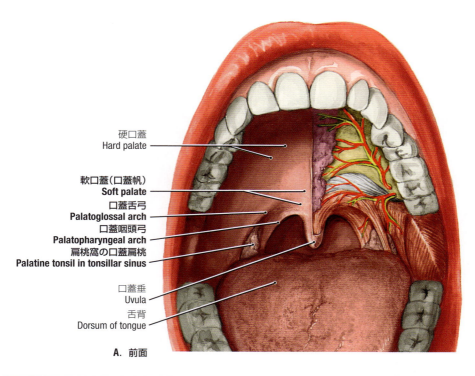

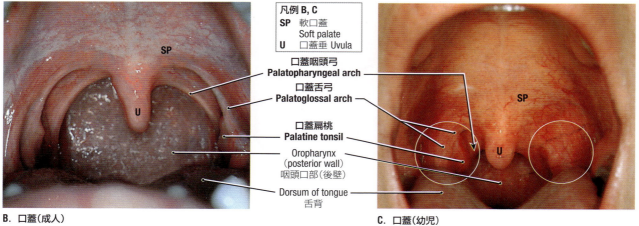

8.30　口峡峡部（口咽頭峡部）の表面

A　口腔と口峡峡部．扁桃窩を見えるようにしたところ．
B, C　成人（B）と幼児（C）の原位置での扁桃窩と口蓋扁桃ならびに咽頭口部．

- 口峡，すなわち口腔から咽頭への通り道は，上は軟口蓋で，下は舌根で，外側は口蓋舌弓と口蓋咽頭弓によって境されている．
- 口蓋扁桃は口蓋舌弓と口蓋咽頭弓の間に位置する．口蓋舌弓と口蓋咽頭弓は同じ名前の筋とその表面を覆う粘膜からなる．これら2つの弓が扁桃窩の前後の境界をつくり，上咽頭収縮筋が扁桃窩の底面をつくる．
- 正常な口蓋扁桃．成人の正常な口蓋扁桃は退縮して若干の腺組織が扁桃窩に残る（B）．それに対して幼児の口蓋扁桃は成人に比べて大きい．リンパ系の発達はほとんど思春期以前に起こるからである．幼児の扁桃は，炎症を起こしておらず嚥下や呼吸に支障をきたしていない限り，大きさにかかわりなく正常と考えられる．

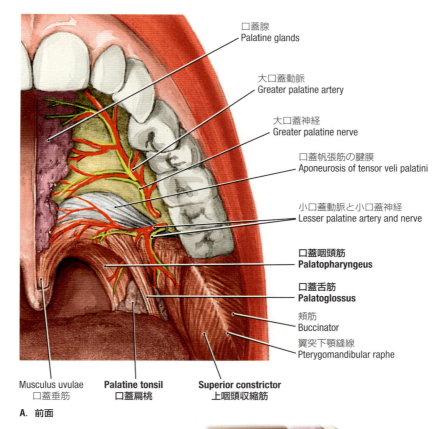

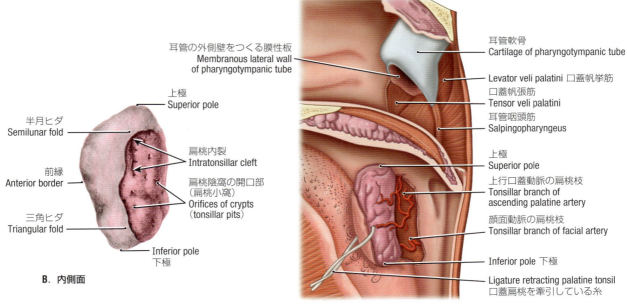

| 8.31 | 口蓋扁桃 |

A　口蓋扁桃と口蓋腺が本来の位置にある．
B　単離した口蓋扁桃．
C　扁桃摘出．この処置には口蓋扁桃と扁桃窩を覆う筋膜の除去が含まれる．口蓋扁桃には血流が豊富なので，多くの場合太い外口蓋静脈から出血するが，動脈の扁桃枝やその他の細い枝から出血することもある．咽頭の外側壁には動脈の扁桃枝に舌咽神経が伴行しており，壁が薄いために損傷を受けやすい．内頸動脈が蛇行している場合には，口蓋扁桃のすぐ外側に位置するのでとりわけ傷つきやすい．

770 頸部　口峡峡部

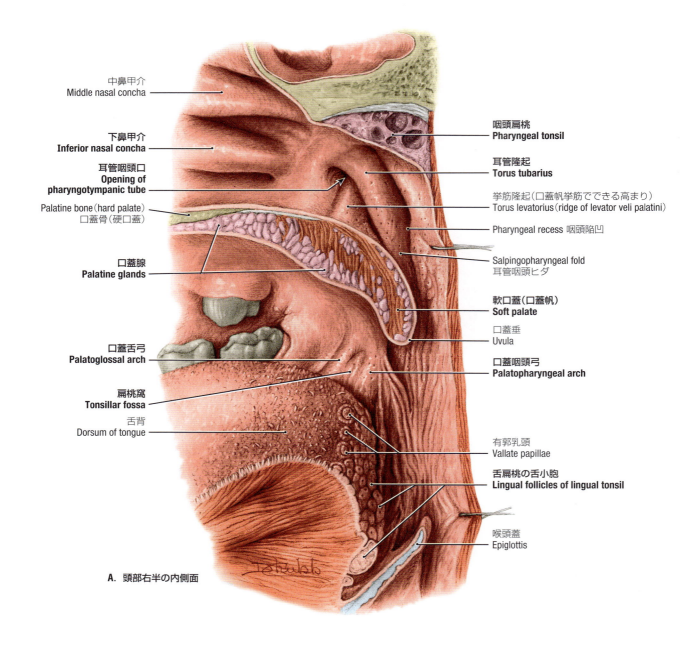

A. 頭部右半の内側面

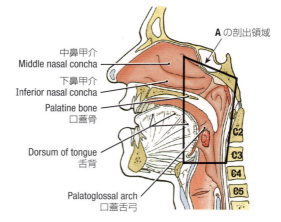

8.32　口峡峡部と咽頭鼻部外側壁の剖出

A：
- 耳管咽頭口は下鼻甲介の約1cm後方にある．
- 咽頭扁桃は咽頭鼻部の天井と後壁の粘膜にある．
- 口蓋腺は軟口蓋にある．
- 口蓋扁桃は口蓋舌弓と口蓋咽頭弓の間の扁桃窩にある．
- 舌小胞1つ1つの表面に粘液腺の導管が開口している．舌小胞をまとめて舌扁桃と呼ぶ．

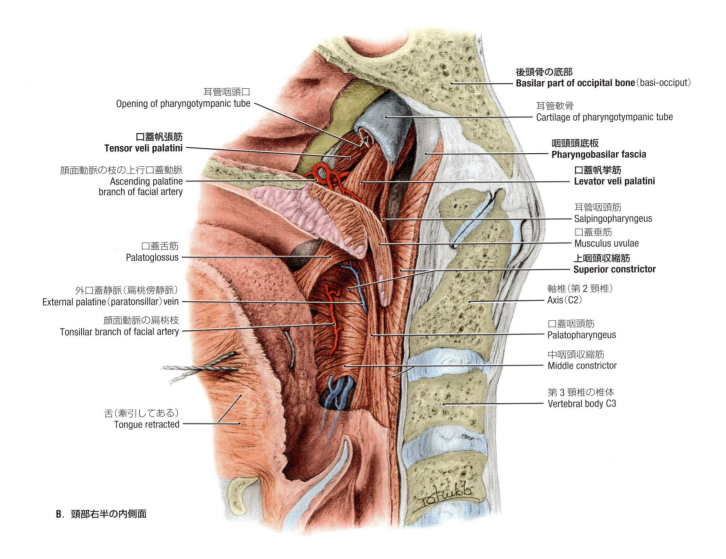

B. 頭部右半の内側面

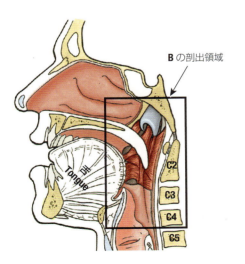

8.32 口峡峡部と咽頭鼻部外側壁の剖出（続き）

B 扁桃窩と咽頭鼻部の壁をつくる筋．口蓋扁桃，咽頭扁桃，ならびに粘膜を取り除いてある．咽頭を後頭骨底部につなぐ咽頭頭底板も取り除いてあるが，上咽頭収縮筋の弧を描いた上縁は温存してある．

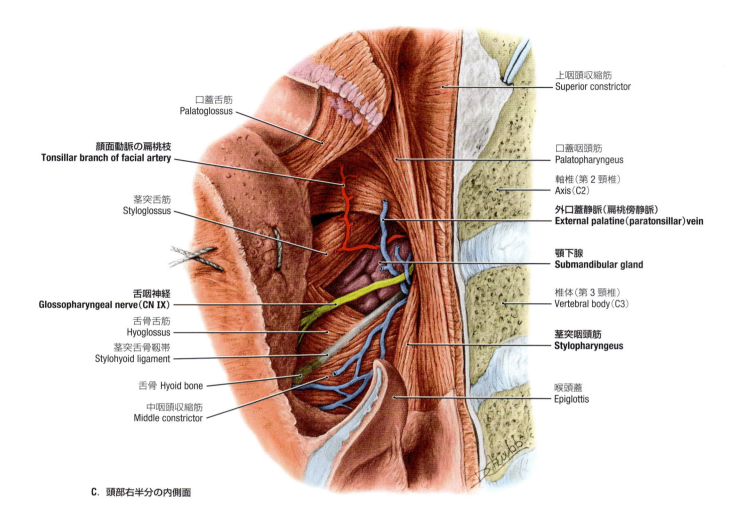

C. 頭部右半分の内側面

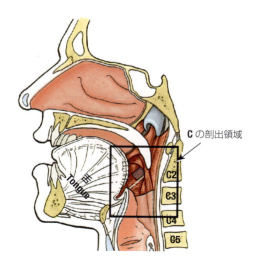

8.32 口峡峡部と咽頭鼻部外側壁の剖出（続き）

C 扁桃窩の神経・血管と咽頭の縦走筋．
- この深部の剖出では，舌を前方に牽引し上咽頭収縮筋起始部の下部を切除してある．
- 舌咽神経は舌の後ろ1/3に向かってこの部位を通過する．その際に茎突咽頭筋の前を通る．
- 顔面動脈の扁桃枝から出る枝（ここでは短く切断されている）は舌咽神経に伴行して舌に向かう．顎下腺がこの動脈と外口蓋静脈（扁桃傍静脈）の外側に見える．

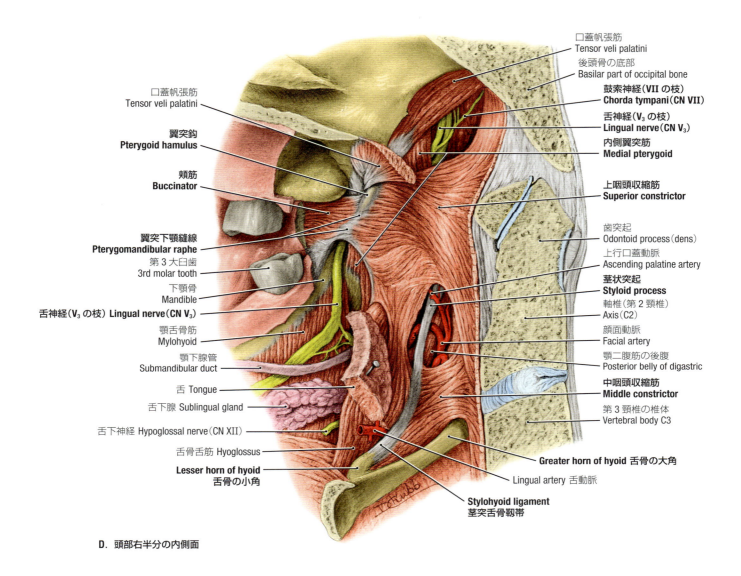

D．頭部右半分の内側面

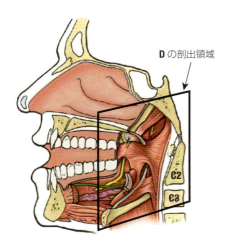

8.32 口峡峡部と咽頭鼻部外側壁の剖出（続き）

D：
- 上咽頭収縮筋は，(1)翼突下顎縫線（この縫線によって上咽頭収縮筋は頬筋につながる），(2)翼突下顎縫線両端の骨（上は翼状突起内側板の翼突鈎，下は下顎骨），(3)舌根（舌の後部）から起こる．
- 中咽頭収縮筋は，舌骨の大角と小角がつくる角と茎突舌骨靱帯から起こる．この標本では茎状突起が長く，口蓋扁桃の外側にまで達している．
- 舌神経には鼓索神経が合流する．舌神経は内側翼突筋後縁で隠れ，前縁で再び現れ下顎骨に沿って走行する．

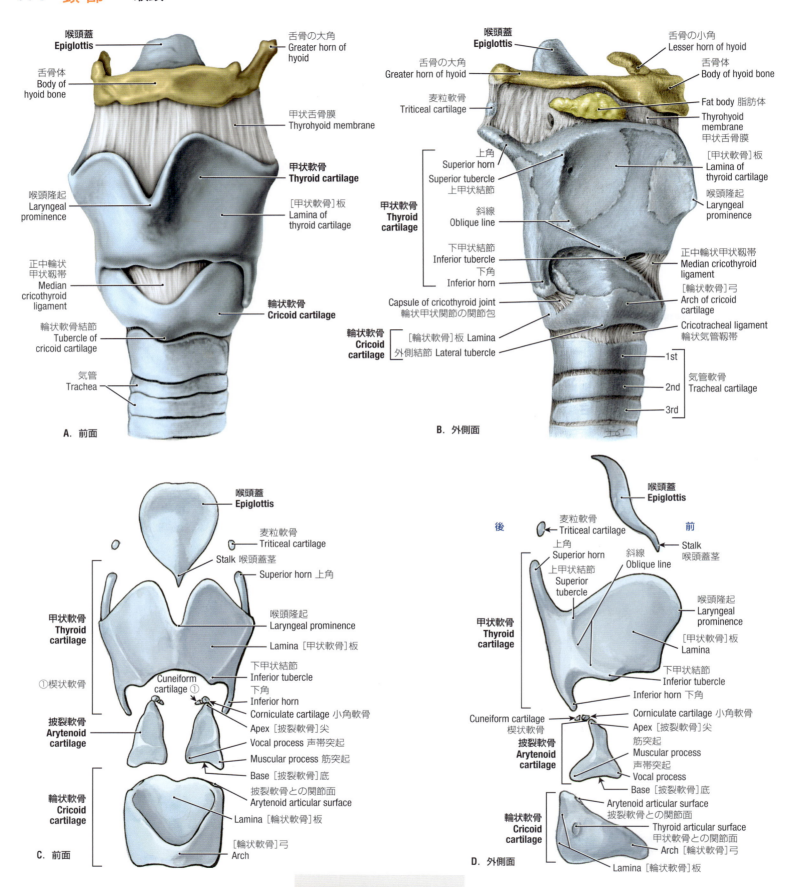

8.33 喉頭の軟骨

喉頭　頸部

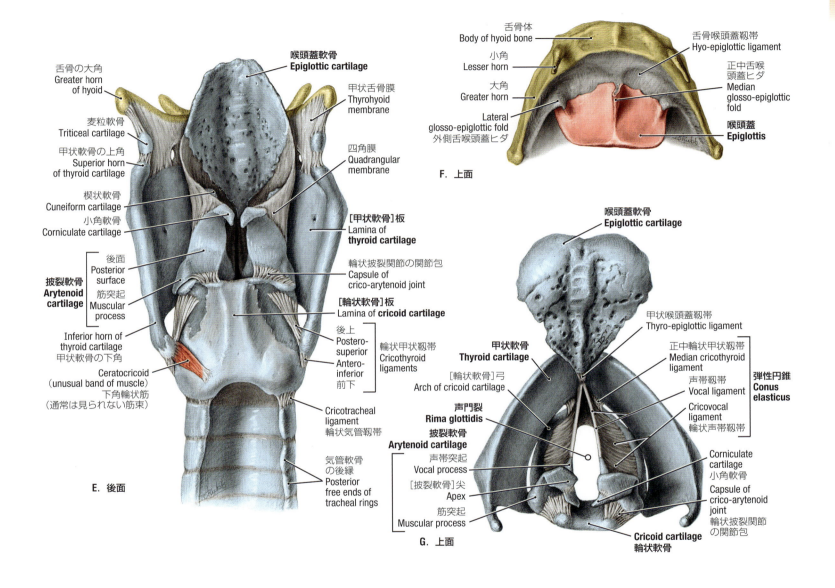

8.33　喉頭の軟骨（続き）

A, B, E　関節で連結した喉頭の軟骨．C, D　関節を外して分離した軟骨．F　喉頭蓋と舌骨喉頭蓋靱帯．G　弾性円錐と声門裂．

- 喉頭の上縁は喉頭蓋先端，下縁は輪状軟骨の下縁である．一般に舌骨は喉頭の一部と見なさない．
- 輪状軟骨は，気道を完全に一周取り囲む唯一の軟骨である．
- 声門裂は声帯ヒダの間の開口部である．正常に呼吸をする際には声門裂は狭く楔形であるが，力を込めて呼吸するときには広く開く．声帯ヒダの緊張度と長さの変化，声門裂の広さ，呼息の力の強さが声の高さを変化させる．
- 喉頭の軟骨骨折はキックボクシングやホッケーといったスポーツで打撃を受けた際や，交通事故においてシートベルトで圧迫された際に起こることがある．喉頭軟骨骨折は粘膜下出血，浮腫，気道閉塞，嗄声，時には発声障害を引き起こす．甲状軟骨，輪状軟骨，披裂軟骨は加齢によってしばしば骨化する．甲状軟骨の骨化はおよそ25歳で始まる．

776 頸部　喉頭

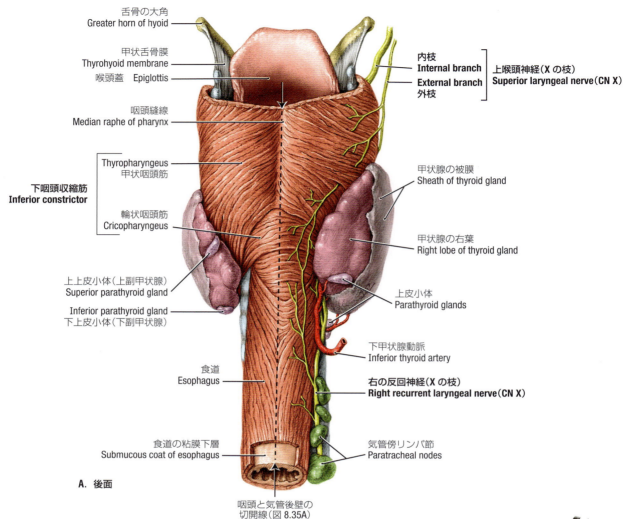

8.34 喉頭の外面と神経

A　喉頭の後面.
- 上喉頭神経の内枝は，声帯ヒダより上方の粘膜を支配し，外枝は下咽頭収縮筋と輪状甲状筋を支配する．
- 反回神経は食道，気管，下咽頭収縮筋を支配し，さらに喉頭へと続く．喉頭では声帯ヒダより下方の粘膜の感覚を伝え，輪状甲状筋以外のすべての喉頭筋の運動を司る．

B　喉頭気腫．喉頭小嚢が拡大したものを喉頭気腫と呼ぶ．これは甲状舌骨膜を貫いて突出するが，その内腔は喉頭室を通して喉頭と交通する．この気嚢はとりわけ咳嗽時に頸部に膨隆をつくることがある．反回神経の終枝である下喉頭神経は前頸三角の手術の際に傷つきやすい．**下喉頭神経の損傷**によって声帯に麻痺をきたす．始めのうちは麻痺した声帯ヒダが対側の正常な声帯ヒダに近づくことができないため，声が出にくい．両側が麻痺するとほとんど声が出なくなる．**上喉頭神経外枝が損傷**されると声の質が単調になる．輪状甲状筋が声帯ヒダの緊張を変化させることができなくなるからである．嗄声は喉頭の重篤な疾患の際に最も高頻度で現れる徴候である．

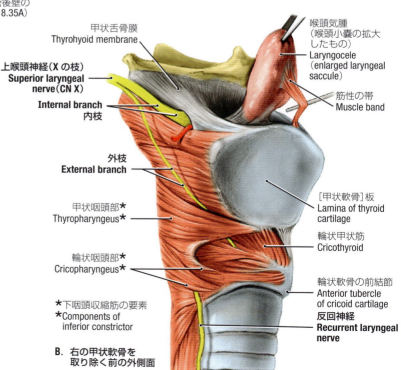

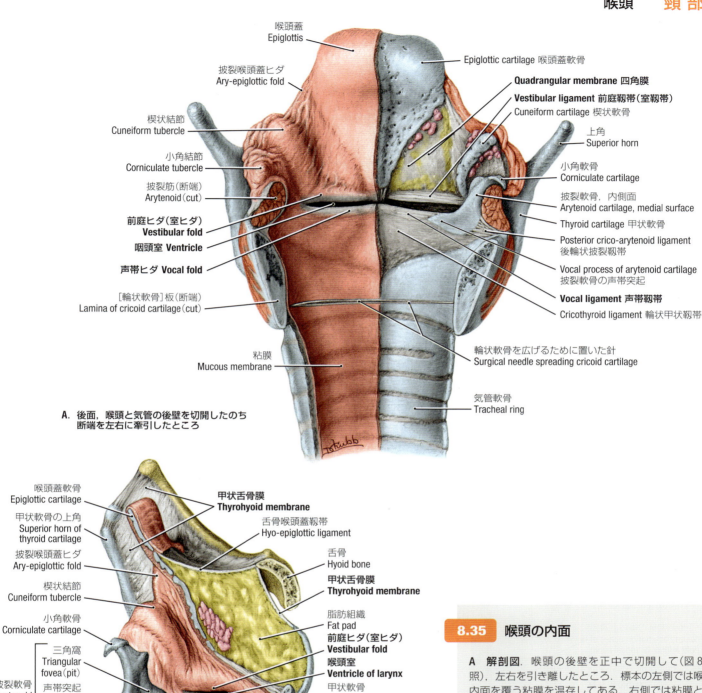

8.35 喉頭の内面

A 解剖図．喉頭の後壁を正中で切開して（図 8.34A 参照），左右を引き離したところ．標本の左側では喉頭の最内面を覆う粘膜を温存してある．右側では粘膜と粘膜下層を剥がして，その深層にある軟骨，靱帯，喉頭弾性膜が見えるようにしてある．

B 声帯ヒダより上方の喉頭内面．喉頭を正中面近くで切断し，左側の内面が見えるようにしたところ．この高さ（声帯ヒダ）より下では右側の喉頭外壁が剖出されている．

- 喉頭の3区分とは，(1) 前庭ヒダより上の高さの前庭上部，(2) 前庭ヒダと声帯ヒダの間の中部，(3) 声帯ヒダより下の高さの下部，ないし声門下腔，である．
- 四角膜は上方で披裂喉頭蓋ヒダの深層に位置し，下方で肥厚して前庭靱帯（室靱帯）をつくる．輪状甲状靱帯（弾性円錐）は，下方で強靱な正中輪状甲状靱帯として起こり，上方で肥厚して声帯靱帯となって終わる．声帯靱帯と前庭靱帯の間が粘膜に覆われたまま外側に陥凹したのが喉頭室である．

778　頸部　喉頭

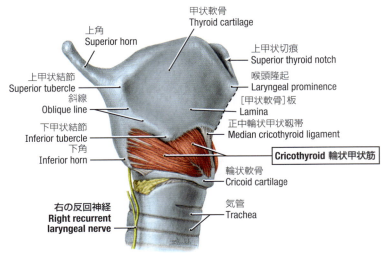

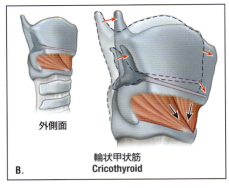

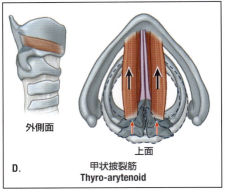

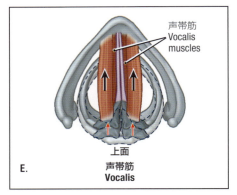

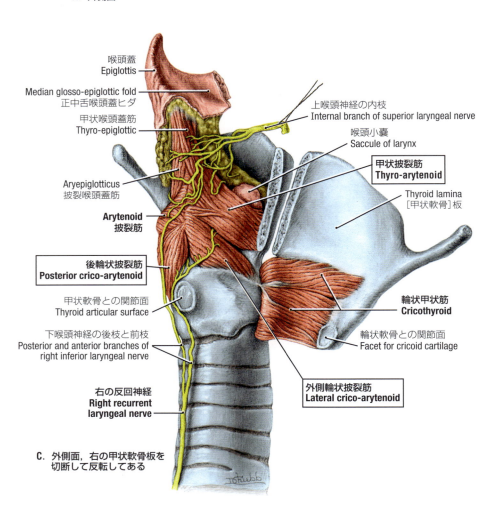

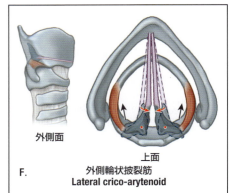

8.36　喉頭筋群

A, B　輪状甲状筋．C　甲状軟骨より深部にある喉頭筋群．甲状軟骨は破線(A)で切断されており，右側の甲状軟骨板は前方に反転されている．　D　甲状披裂筋．E　声帯筋．F　外側輪状披裂筋．B, D-Fでは，赤の矢印は軟骨の移動方向を示し，黒の矢印は筋の収縮方向を示す．

喉頭　頸部

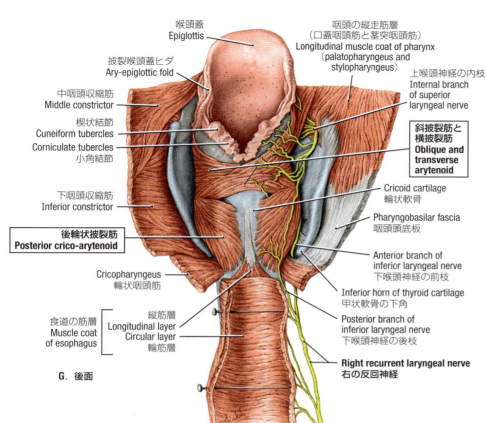

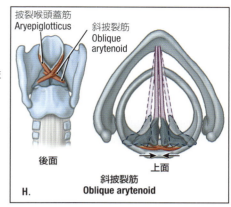

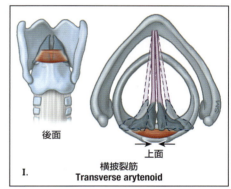

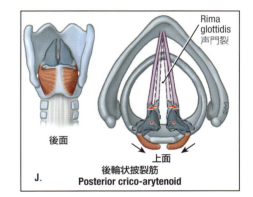

8.36　喉頭筋群(続き)

G　喉頭筋の後面．H　斜披裂筋．I　横披裂筋．J　後輪状披裂筋．

固有の喉頭筋群は喉頭軟骨を動かし，声帯ヒダの長さと張力，声門裂の大きさと形を変化させる．1つを除くすべての固有の喉頭筋群は，下喉頭神経と呼ばれる，反回神経(CN X)の終枝が支配する．輪状甲状筋(A，B)は，上喉頭神経の2本の終枝の1つである外枝に支配される．

表 8.9　喉頭の筋

筋	起始	停止	支配神経	主な作用
輪状甲状筋	輪状軟骨の前外側部	甲状軟骨の下縁と下角	上喉頭神経(Xの枝)外枝	声帯ヒダを緊張させる．
後輪状披裂筋	［輪状軟骨］板の後面	披裂軟骨の筋突起	反回神経(Xの枝)	声帯ヒダを離す．
外側輪状披裂筋	［輪状軟骨］弓			声帯ヒダを近づける．
甲状披裂筋[a]	甲状軟骨の後面			声帯ヒダを弛緩させる．
横披裂筋と斜披裂筋[b]	一側の披裂軟骨	対側の披裂軟骨		披裂軟骨を近づけて喉頭の入口を閉じる．
声帯筋[c]	甲状軟骨右板と左板の間の角	声帯靱帯，その起始と披裂軟骨声帯突起の間		発声時に声帯ヒダを変形する．

[a] 甲状披裂筋の上筋線維束は披裂喉頭蓋ヒダの中へ入り，その一部は喉頭蓋軟骨に至る．これらの線維は甲状喉頭蓋筋をつくり，喉頭の入口を広げる．
[b] 斜披裂筋の線維の一部は披裂喉頭蓋筋に続く．
[c] 一部の薄い筋線維束は甲状披裂筋の下部深層線維に由来する．

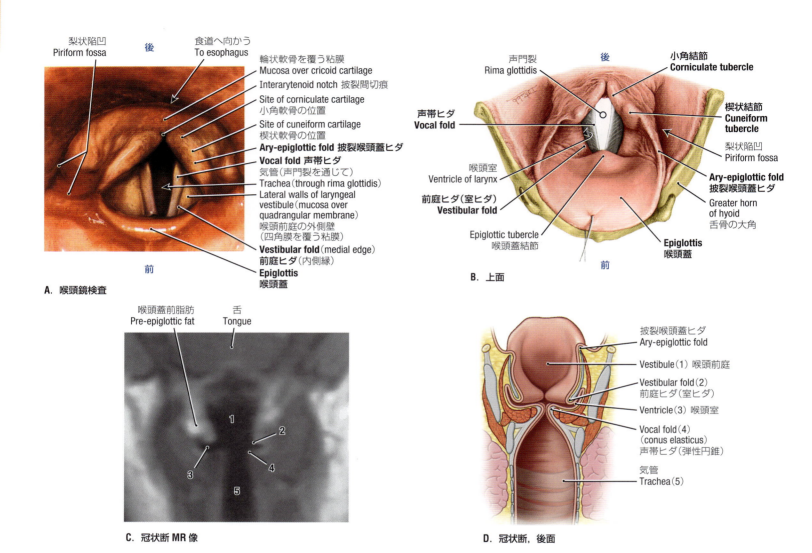

8.37 喉頭鏡検査と喉頭のMR像

A 喉頭鏡検査．喉頭鏡は喉頭の内部を検査するときに用いる手技である．喉頭の検査は喉頭鏡によって間接的に行うこともできるし，チューブ状の内視鏡装置によって直接観察することもできる．前庭ヒダと声帯ヒダが観察される．

B 声帯ヒダと声門裂．喉頭の入口は前縁が喉頭蓋で，後縁が披裂軟骨と披裂間ヒダで，外側縁が披裂喉頭蓋ヒダで境される．披裂軟骨には小角軟骨が乗っていて，左右の披裂軟骨は披裂間ヒダでつながっている．披裂喉頭蓋ヒダの中には楔状軟骨の上端が入っている．喉頭の発声器官である声門は，声帯ヒダ，披裂軟骨の声帯突起，ならびに声門裂，すなわち声門ヒダの間の空間からなる．

C 冠状断 MR 像．D 冠状断面（略号は C に対応する）．

ステーキのかけらなどの**異物**が喉頭口を通して喉頭前庭に誤って吸い込まれると，前庭ヒダの上に引っかかる．喉頭前庭に異物が入ると喉頭筋が痙縮を起こして声帯ヒダの緊張が高まる．声門裂は閉じて空気が気管に入らなくなる．**窒息**が起こった場合に異物を取り除かないと，患者は酸素欠乏のために5分程度で死に至る．気道を開く救急治療を行わなければならない．方法は患者の状態，利用可能な設備，応急治療を施す者の経験によって異なる．肺にはまだ空気が入っているので，腹部を急に圧迫すると〔**ハイムリック（Heimlich）法**〕横隔膜が挙上されて，肺に圧力がかかり，気管から喉頭に空気を送り出すことができる．この手技によって食物やその他の異物を喉頭から取り除くことがある．

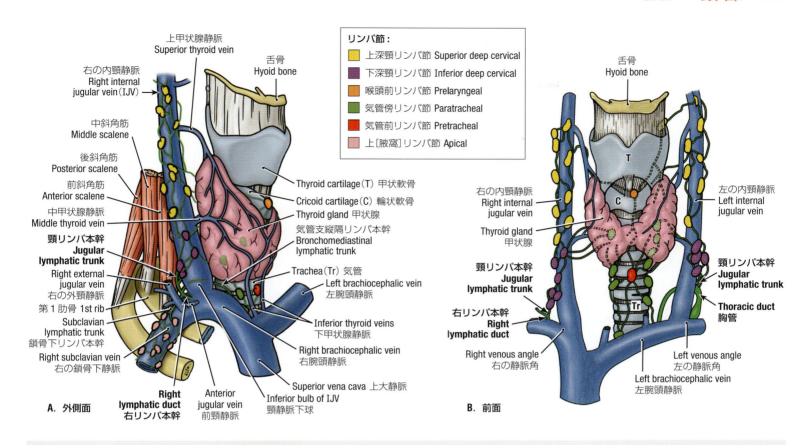

8.38 甲状腺，喉頭，気管からのリンパ流路

癌がリンパ系に浸潤した場合には**根治的頸部郭清術**が行われる．この手術では深頸リンパ節とその周囲の組織をできる限り完全に除去する．主要な動脈，腕神経叢，迷走神経，横隔神経は温存されるが，頸神経叢の皮枝はほとんど取り除かれる．この手術の目的はリンパ節を1つでも含む組織をすべて取り除くことにある．

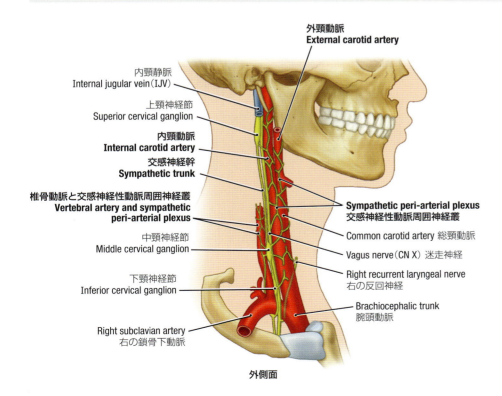

8.39 交感神経幹と交感神経性動脈周囲神経叢

頸部の**交感神経幹の損傷**によって，**ホルネル(Horner)症候群**と呼ばれる交感神経系の障害が起こる．その特徴は，以下の通りである．

- 瞳孔散大筋の麻痺による**縮瞳**
- 上眼瞼挙筋に混在する眼瞼の平滑筋が麻痺することによる**眼瞼下垂**（上眼瞼の下垂）
- 眼窩底の平滑筋の麻痺によると思われる**眼球陥凹**
- 血管と汗腺に対する交感神経支配がなくなることによる顔面と頸部の血管拡張と無汗症

782　頸部　断層解剖と断層画像

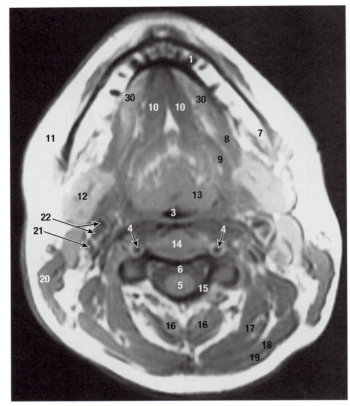

A. 水平断 MR 像, 第 3 頸椎の位置

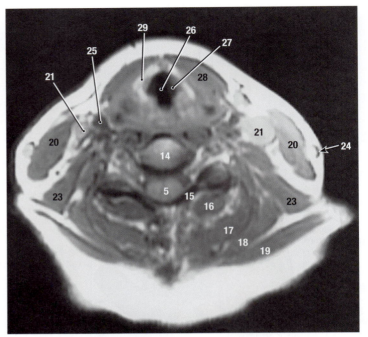

B. 水平断 MR 像, 第 6 頸椎上部

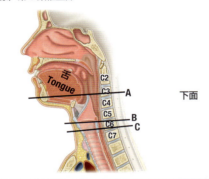

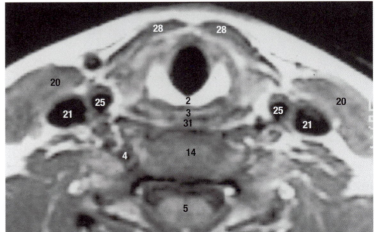

C. 水平断 MR 像, 第 6 頸椎下部

1	歯 Tooth	16	頸半棘筋 Semispinalis cervicis
2	輪状軟骨 Cricoid cartilage	17	頭半棘筋 Semispinalis capitis
3	咽頭 Pharynx	18	頭板状筋 Splenius capitis
4	椎骨動脈 Vertebral artery	19	僧帽筋 Trapezius
5	脊髄 Spinal cord	20	胸鎖乳突筋 Sternocleidomastoid
6	クモ膜下腔の脳脊髄液 Cerebrospinal fluid in subarachnoid space	21	内頸静脈 Internal jugular vein
		22	総頸動脈分岐部 Bifurcation of common carotid artery
7	下顎体 Body of mandible	23	肩甲挙筋 Levator scapulae
8	顎舌骨筋 Mylohyoid	24	外頸静脈 External jugular vein
9	舌骨舌筋 Hyoglossus	25	総頸動脈 Common carotid artery
10	オトガイ舌筋 Genioglossus	26	声門裂 Rima glottidis
11	頬脂肪体 Buccal fat pad	27	声帯ヒダ Vocal fold
12	顎下腺 Submandibular gland	28	舌骨下筋群 Strap muscles
13	内舌筋 Intrinsic muscles of tongue	29	甲状軟骨 Thyroid cartilage
		30	舌下腺 Sublingual gland
14	椎体 Vertebral body	31	下咽頭収縮筋 Inferior constrictor
15	椎弓板 Lamina of vertebra		

8.40　頸部の水平断 MR 像

各断面の高さを右中段の図に示す.

断層解剖と断層画像　頸部

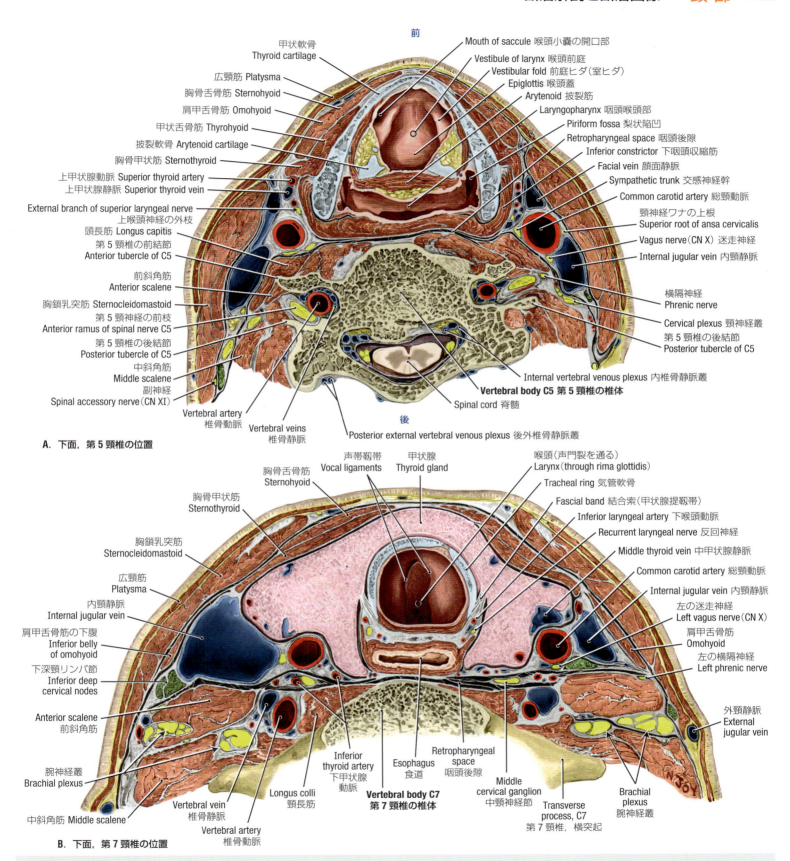

8.41 頸部の水平断

A 咽頭喉頭部の高さ．B 気管の高さ．

784 頸部　断層解剖と断層画像

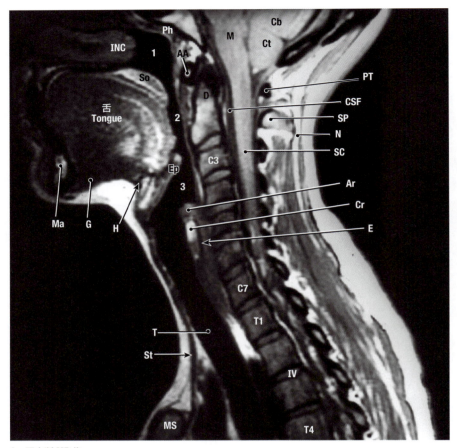

A. 正中断 MR 像

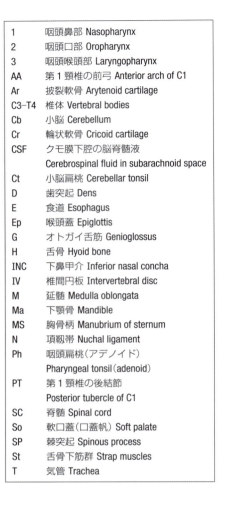

1	咽頭鼻部 Nasopharynx
2	咽頭口部 Oropharynx
3	咽頭喉頭部 Laryngopharynx
AA	第1頸椎の前弓 Anterior arch of C1
Ar	披裂軟骨 Arytenoid cartilage
C3–T4	椎体 Vertebral bodies
Cb	小脳 Cerebellum
Cr	輪状軟骨 Cricoid cartilage
CSF	クモ膜下腔の脳脊髄液 Cerebrospinal fluid in subarachnoid space
Ct	小脳扁桃 Cerebellar tonsil
D	歯突起 Dens
E	食道 Esophagus
Ep	喉頭蓋 Epiglottis
G	オトガイ舌筋 Genioglossus
H	舌骨 Hyoid bone
INC	下鼻甲介 Inferior nasal concha
IV	椎間円板 Intervertebral disc
M	延髄 Medulla oblongata
Ma	下顎骨 Mandible
MS	胸骨柄 Manubrium of sternum
N	項靱帯 Nuchal ligament
Ph	咽頭扁桃（アデノイド）Pharyngeal tonsil (adenoid)
PT	第1頸椎の後結節 Posterior tubercle of C1
SC	脊髄 Spinal cord
So	軟口蓋（口蓋帆）Soft palate
SP	棘突起 Spinous process
St	舌骨下筋群 Strap muscles
T	気管 Trachea

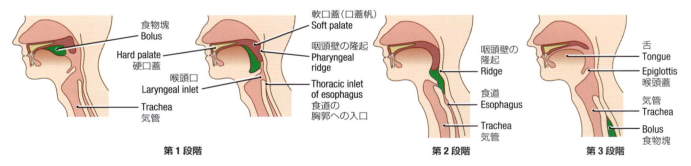

B. 嚥下（正中断面）

8.42　呼吸と嚥下における空気と食物の通過の関係と機能

A　呼吸時における正中断での正常構造の関係．B　嚥下．嚥下には主に3つの段階がある．
- 第1段階：随意的．食物塊は口蓋に押し付けられ，口から咽頭口部に押し出される．これは主に，舌と軟口蓋の筋の協調した動きによるものである．
- 第2段階：不随意かつ迅速．軟口蓋が上昇し，咽頭鼻部を咽頭口部・咽頭喉頭部から遮断する．咽頭は広がり短くなって食物塊を受け入れる．舌骨上筋と咽頭の縦走筋が収縮して喉頭を上昇させる．
- 第3段階：不随意．3つすべての咽頭収縮筋の連続した収縮が，食物塊を食道へと押し下げる．

断層解剖と断層画像　頸部

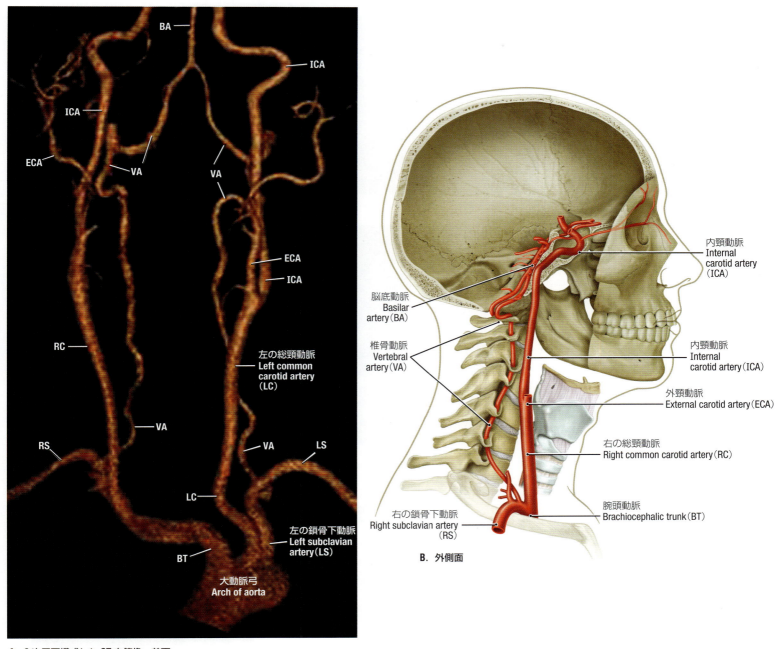

A. 3次元再構成したCT血管像，前面

B. 外側面

8.43 頭頸部への血液供給画像

A　頭蓋底と頸部の動脈．文字はBに対応する．　B　動脈と骨格の位置関係の模式図．頭蓋骨後部は正中線で切除されている．

786 頸部　断層解剖と断層画像

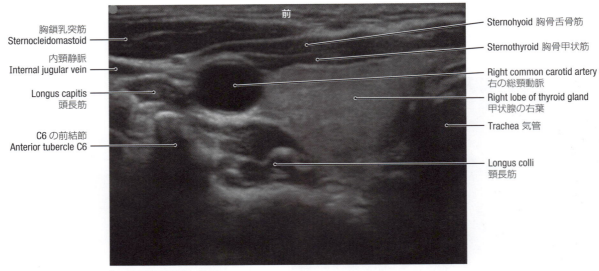

A. 水平断超音波像，下面

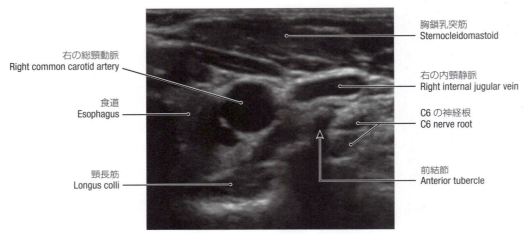

B. 水平断超音波像，下面

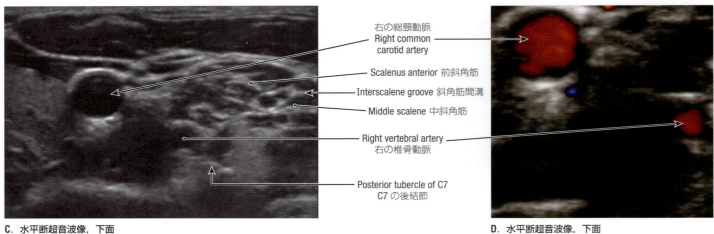

C. 水平断超音波像，下面　　　　　　　　　　　　　　　　　D. 水平断超音波像，下面

8.44　頭頸部の超音波画像

超音波検査は頸部の軟部組織を調べるのに有用な画像診断技術である．超音波は比較的安い費用で苦痛なく多くの異常を非侵襲的に画像化できる．超音波は，例えば内科的診察では区別の難しい，嚢状の物体と充実性の物体を識別するのに有用である．画像はプローブを血管の上にあてることで取得できる．ドップラー超音波検査技術は血管を通る血流の評価に役立つ（例えば頸動脈の硬化［狭窄］の検知）．

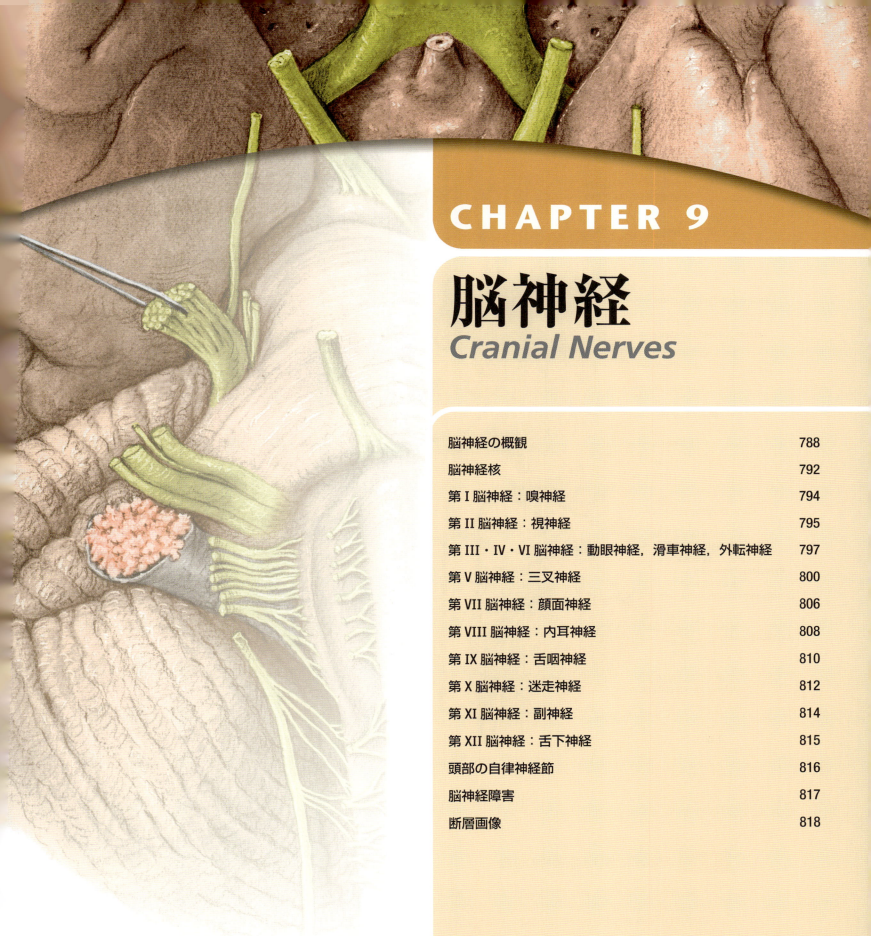

CHAPTER 9

脳神経
Cranial Nerves

脳神経の概観	788
脳神経核	792
第 I 脳神経：嗅神経	794
第 II 脳神経：視神経	795
第 III・IV・VI 脳神経：動眼神経，滑車神経，外転神経	797
第 V 脳神経：三叉神経	800
第 VII 脳神経：顔面神経	806
第 VIII 脳神経：内耳神経	808
第 IX 脳神経：舌咽神経	810
第 X 脳神経：迷走神経	812
第 XI 脳神経：副神経	814
第 XII 脳神経：舌下神経	815
頭部の自律神経節	816
脳神経障害	817
断層画像	818

788 脳神経　脳神経の概観

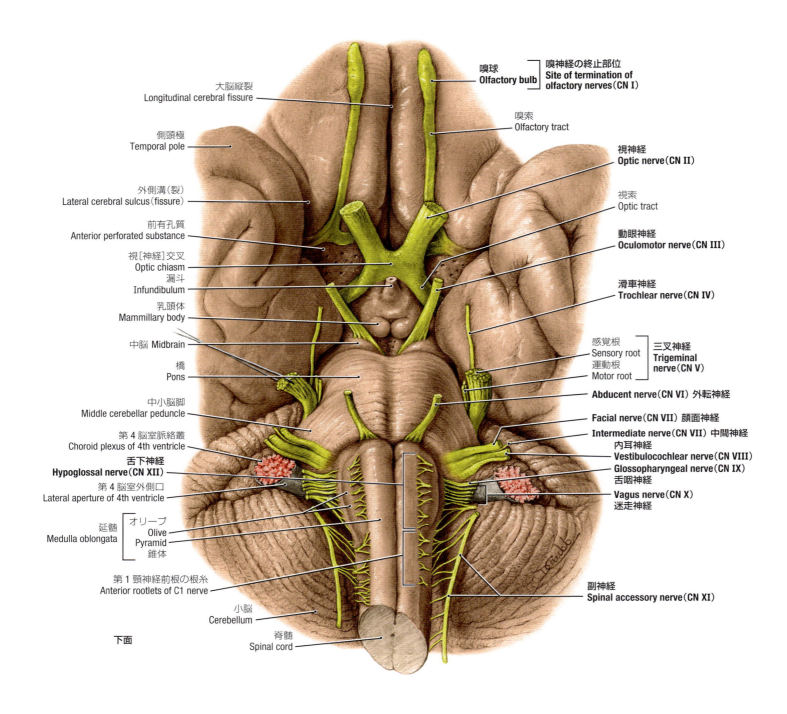

9.1 脳底部における脳神経の位置

脳神経は，頭蓋の孔を通って頭蓋腔を出る神経である．脳神経は12対あり，脳と脊髄上部の表面で起こる位置が吻側のものから尾側のものへと順に番号をつけて呼ばれている．嗅神経（I，図示されていない）は嗅球に終わる．副神経（XI）の脊髄根の起始は脊髄にある．脊髄根の起始の下縁はここでは図示されていないが，第6頸髄まで至る．

*訳注：副神経については，814頁を参照．

脳神経の概観

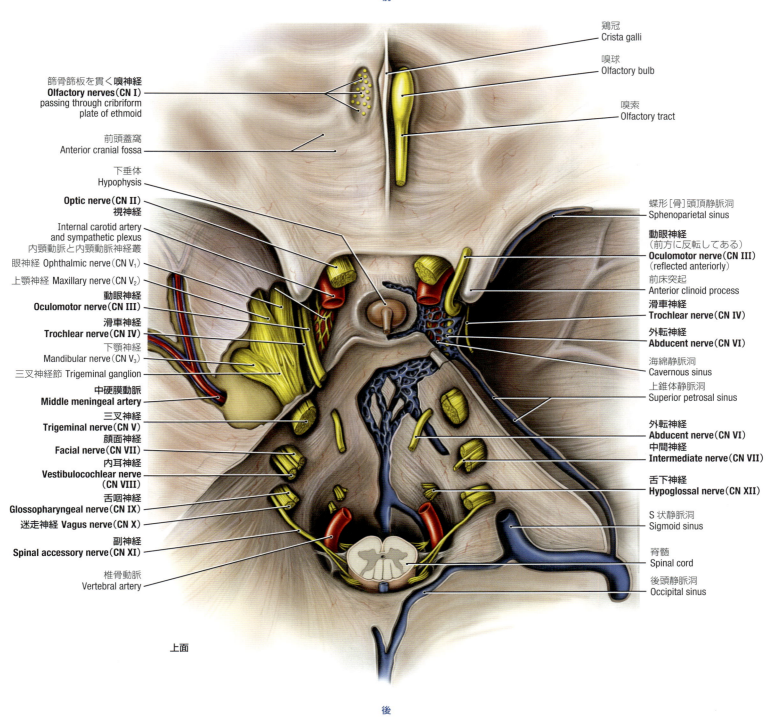

9.2 内頭蓋底における脳神経の位置

硬膜静脈洞は右側で開放されている．三叉神経（V）の第1枝である眼神経，滑車神経（IV），動眼神経（III）は海綿静脈洞の外側壁から剖出されている．脳神経は交感性の神経線維を持たずに脳を離れる．交感神経節後線維は主要な血管とともに上行し，脳神経の枝に合流（ヒッチハイク）する．

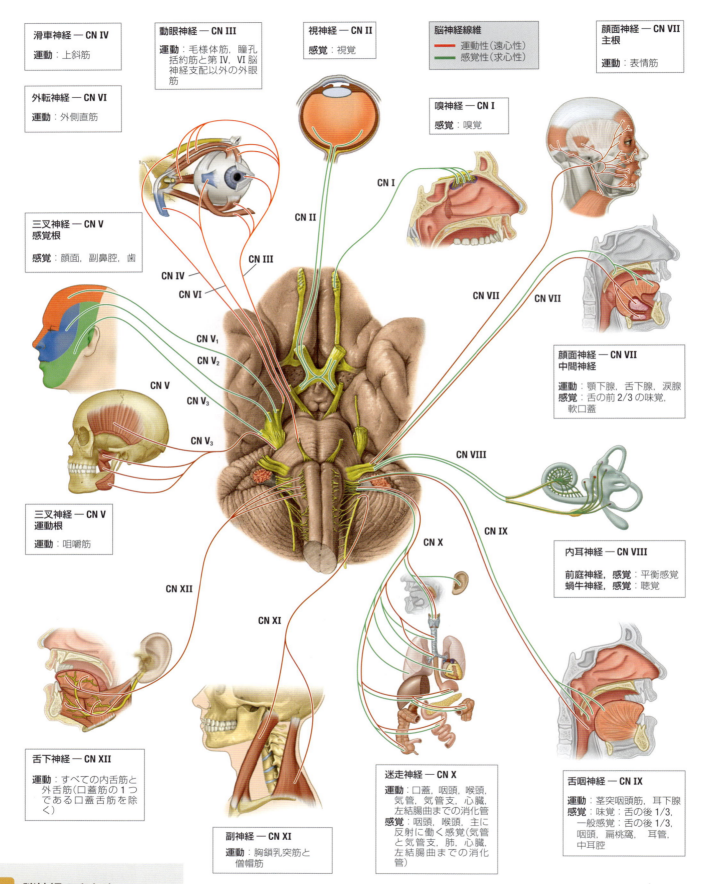

9.3 脳神経のまとめ

表 9.1　脳神経のまとめ

神経	機能区分	神経細胞の位置	通る頭蓋の孔	主な作用
嗅神経（第Ⅰ脳神経）	特殊感覚	嗅上皮（嗅細胞）	篩骨の篩板孔	鼻腔最上部，鼻中隔最上部，および上鼻甲介の鼻粘膜からの嗅覚
視神経（第Ⅱ脳神経）	特殊感覚	網膜（神経節細胞）	視神経管	網膜からの視覚
動眼神経（第Ⅲ脳神経）	体性運動	中脳（動眼神経核）	上眼窩裂	上・下・内側直筋，下斜筋，上眼瞼挙筋の運動支配：上眼瞼を挙上し，眼球を上・下・内側に向ける．
	臓性運動	節前：中脳（エディンガー・ウェストファル核） 節後：毛様体神経節		瞳孔括約筋と毛様体筋への副交感性支配：瞳孔を収縮させ水晶体の厚みを増す．
滑車神経（第Ⅳ脳神経）	体性運動	中脳（滑車神経核）		上斜筋の運動支配：眼球を下外側に向ける．
三叉神経（第Ⅴ脳神経）	一般感覚	三叉神経節 シナプス：三叉神経感覚核		角膜，前頭部の皮膚，頭皮，眼瞼，鼻，鼻腔と副鼻腔の粘膜からの感覚
眼神経（第1枝）				
上顎神経（第2枝）			正円孔	上唇を含む上顎部の皮膚，上顎歯，鼻腔・上顎洞・口蓋の粘膜からの感覚
下顎神経（第3枝）			卵円孔	下唇と側頭部を含む下顎部の皮膚，下顎歯，顎関節，口腔と舌の前2/3の粘膜からの感覚
	体性運動（鰓弓運動）	橋（三叉神経運動核）		咀嚼筋，顎舌骨筋，顎二腹筋前腹，口蓋帆張筋，鼓膜張筋の運動支配
外転神経（第Ⅵ脳神経）	体性運動	橋（外転神経核）	上眼窩裂	外側直筋の運動支配：眼球を外側に向ける．
顔面神経（第Ⅶ脳神経）	体性運動（鰓弓運動）	橋（顔面神経核）	内耳道，顔面神経管，茎乳突孔	顔面と頭部の表情筋，中耳のアブミ骨筋，茎突舌骨筋，顎二腹筋後腹の運動支配
	特殊感覚	膝神経節 シナプス：孤束核		舌の前2/3，口蓋からの味覚
	一般感覚	膝神経節 シナプス：三叉神経感覚核		外耳道の皮膚からの感覚
	臓性運動	節前：橋（上唾液核） 節後：翼口蓋神経節，顎下神経節		顎下腺，舌下腺，涙腺，鼻腺，口蓋腺の副交感性支配
内耳神経（第Ⅷ脳神経）	特殊感覚	前庭神経節 シナプス：前庭神経核	内耳道	半規管，卵形嚢，球形嚢からの，頭部の位置と運動に関する平衡感覚
前庭神経				
蝸牛神経	特殊感覚	ラセン神経節 シナプス：蝸牛神経核		ラセン器からの聴覚
舌咽神経（第Ⅸ脳神経）	体性運動（鰓弓運動）	延髄（疑核）	頸静脈孔	茎突咽頭筋の運動支配：嚥下を補助
	臓性運動	節前：延髄（下唾液核） 節後：耳神経節		耳下腺の副交感性支配
	臓性感覚	下神経節		耳下腺，頸動脈小体，頸動脈洞，咽頭，中耳からの臓性感覚
	特殊感覚	下神経節 シナプス：孤束核		舌の後1/3からの味覚
	一般感覚	上神経節 シナプス：三叉神経感覚核		外耳からの皮膚感覚
迷走神経（第Ⅹ脳神経）	体性運動（鰓弓運動）	延髄（疑核）		咽頭収縮筋，喉頭筋，口蓋帆張筋を除く口蓋筋，食道上2/3の横紋筋の運動支配
	臓性運動	節前：延髄 節後：内臓の内部や近傍のニューロン		気管，気管支，消化管，心筋の副交感性支配
	臓性感覚	下神経節 シナプス：孤束核		舌の基部，咽頭，喉頭，気管，気管支，心臓，食道，胃，腸からの臓性感覚
	特殊感覚	下神経節 シナプス：孤束核		喉頭蓋と口蓋からの味覚
	一般感覚	上神経節 シナプス：三叉神経感覚核		耳介，外耳道，後頭蓋窩の硬膜からの感覚
副神経（第Ⅺ脳神経）	体性運動	頸髄		胸鎖乳突筋と僧帽筋の運動支配
舌下神経（第Ⅻ脳神経）	体性運動	延髄（舌下神経核）	舌下神経管	舌筋群（口蓋舌筋以外）の運動支配

＊訳注：副神経については814頁を参照．

脳神経　脳神経核

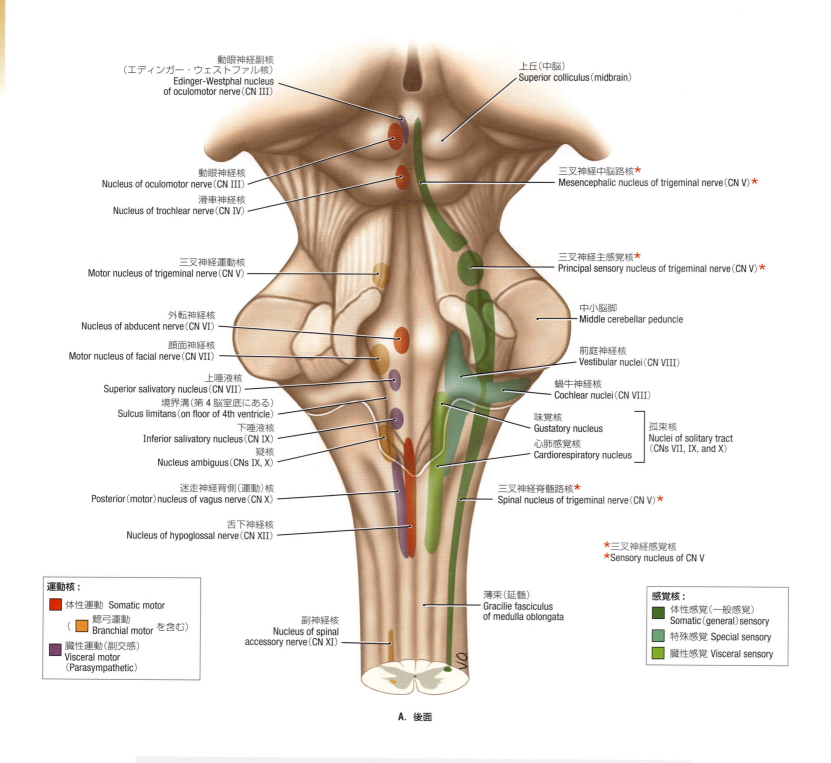

A. 後面

9.4 脳神経核

脳神経の線維は脳神経核（中枢神経系にある神経細胞体の集団）につながっている．求心（感覚）線維は脳神経核に終止し，遠心（運動）線維は脳神経核から起こる．運動，感覚，副交感，特殊感覚といった機能の共通した脳神経核は脳幹の中で大体カラム状に並んでおり，運動性のカラムと感覚性のカラムの間を境界溝が分けている．

体性運動：随意筋（横紋筋）に分布する運動線維を指す．胎生期の咽頭弓由来の筋に分布する体性運動性の神経支配を特に，**鰓弓運動**と呼ぶ．

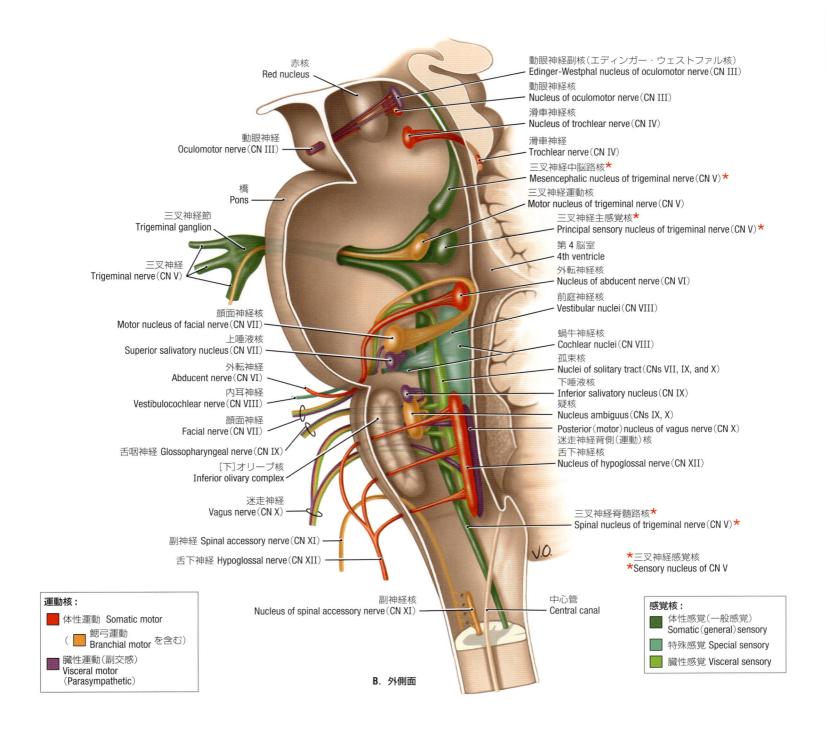

9.4 脳神経核(続き)

臓性運動：腺と不随意筋(平滑筋)に分布する副交感性線維を指す．
体性感覚(一般感覚)：皮膚・粘膜からの一般感覚(触覚・圧覚・温覚・冷覚など)を伝える線維．
臓性感覚：内臓(器官)および粘膜からの感覚を伝える線維．
特殊感覚：味覚，嗅覚，視覚，聴覚，平衡覚．

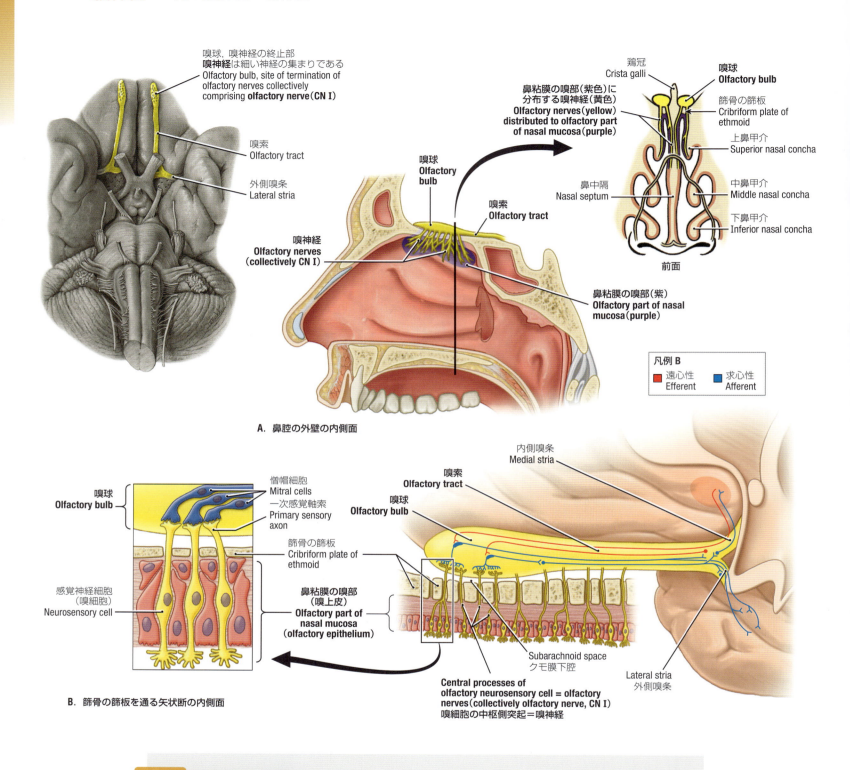

9.5 嗅神経（第Ⅰ脳神経）

A 嗅粘膜と嗅球との関係．B 嗅上皮の神経支配．

表 9.2 嗅神経（第Ⅰ脳神経）

神経	機能区分	起始細胞/終止	通る頭蓋の孔	分布と作用
嗅神経	特殊感覚	嗅上皮（嗅細胞）/嗅球	篩骨の篩板孔	鼻腔最上部，鼻中隔最上部，および上鼻甲介の鼻粘膜からの嗅覚

第II脳神経：視神経　脳神経

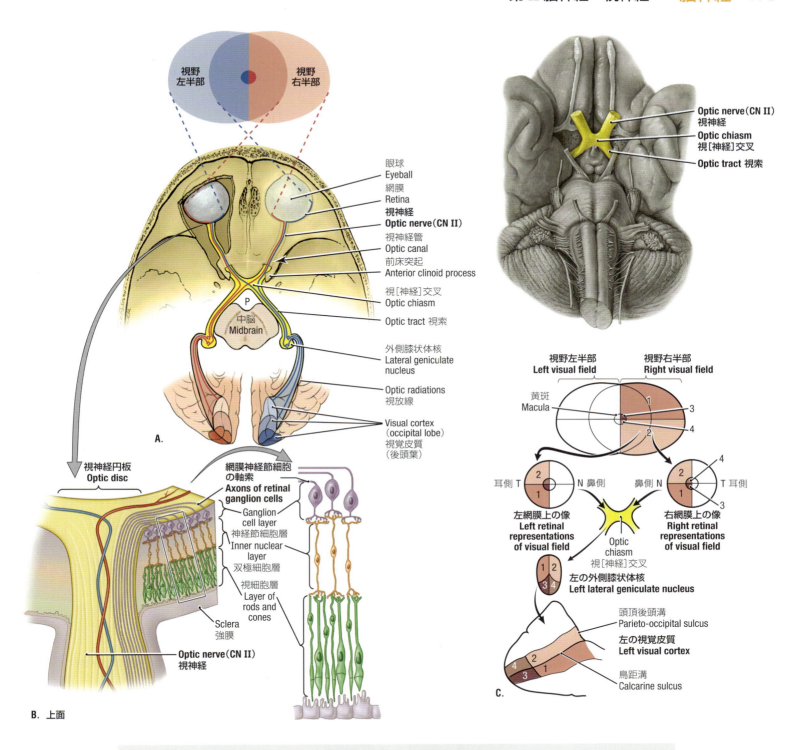

9.6 視神経（第II脳神経）

A　視覚路．p：脳下垂体の位置．B　網膜視細胞層（杆体および錐体）．C　網膜，左外側膝状体核，左視覚皮質における視野右半部の像．右視野の(1)上部全般，(2)下部全般，(3)黄斑上部，(4)黄斑下部に対応する領域．視野の向き：N，鼻側；T，耳側．

表9.3　視神経（第II脳神経）

神経	機能区分	起始細胞/終止	通る頭蓋の孔	分布と作用
視神経	特殊感覚	網膜（神経節細胞）/外側膝状体（核）	視神経管	網膜からの視覚

796 脳神経　第 II 脳神経：視神経

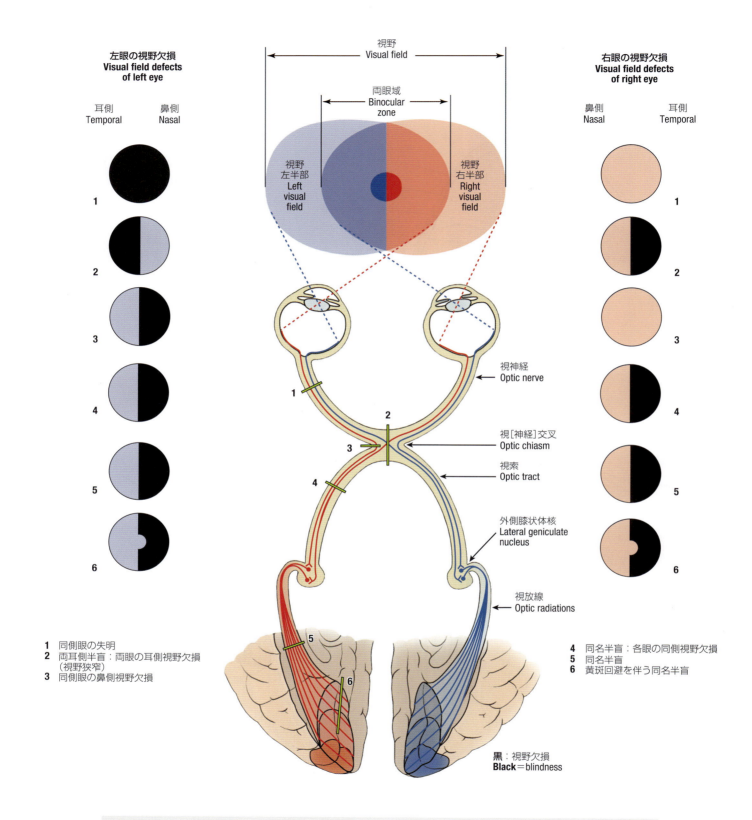

9.7 視野欠損（第 II 脳神経）

視野欠損は数多くの神経疾患で生じうる．欠損の様式を病変の部位と関連づけられることが臨床的に重要である．

第 III・IV・VI 脳神経：動眼神経，滑車神経，外転神経　　脳神経

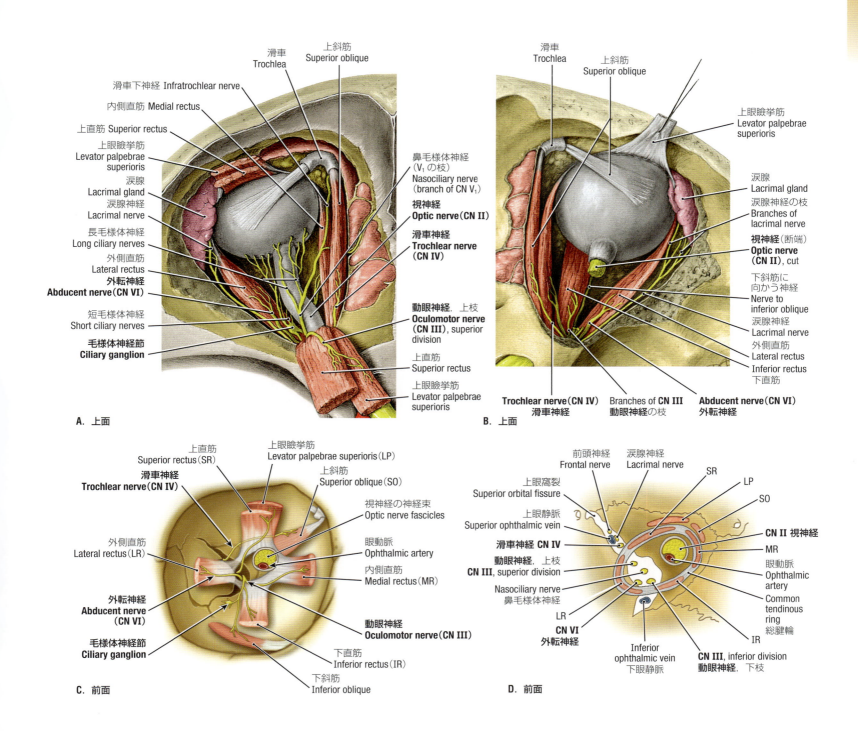

9.8　眼窩の筋と神経の概観

A, B　上面から剖出した眼窩．C, D　眼窩尖部における筋付着部と神経の位置関係．A では視神経を残し，B–D では切除してある．

798 脳神経　第 III・IV・VI 脳神経：動眼神経，滑車神経，外転神経

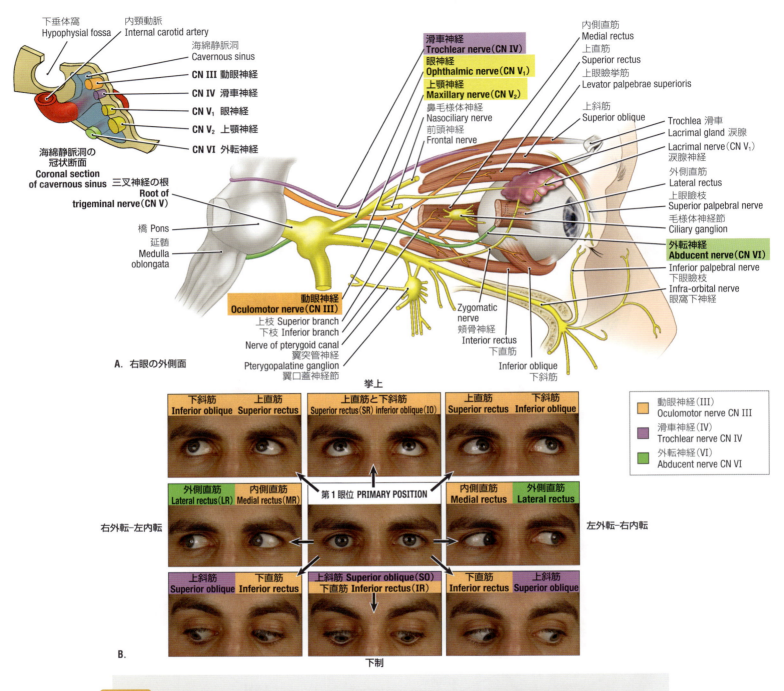

A. 右眼の外側面

B.

9.9 動眼神経（第 III 脳神経），滑車神経（第 IV 脳神経），外転神経（第 VI 脳神経）

A 概念図．**B** 外眼筋の解剖学的運動．単独の運動は中央（安静位または第 1 眼位）から始まる（外眼筋と脳神経の臨床検査で使われる連続動作については図 7.41E を参照）．

表 9.4　動眼神経（第 III 脳神経），滑車神経（第 IV 脳神経），外転神経（第 VI 脳神経）

神経	機能区分	起始細胞	通る頭蓋の孔	分布と作用
動眼神経（第 III 脳神経）	体性運動	動眼神経核	上眼窩裂	上・下・内側直筋，下斜筋，上眼瞼挙筋の運動支配：上眼瞼を挙上し，眼球を上・下・内側に向ける．
	臓性運動（副交感）	節前：中脳〔動眼神経副核（エディンガー・ウェストファル核）〕 節後：毛様体神経節		瞳孔括約筋と毛様体筋への副交感性支配：瞳孔を収縮させ水晶体の厚みを増す．
滑車神経（第 IV 脳神経）	体性運動	滑車神経核		上斜筋の運動支配：眼球を下外側に向ける．
外転神経（第 VI 脳神経）	体性運動	外転神経核		外側直筋の運動支配：眼球を外側に向ける．

第 III・IV・VI 脳神経：動眼神経，滑車神経，外転神経

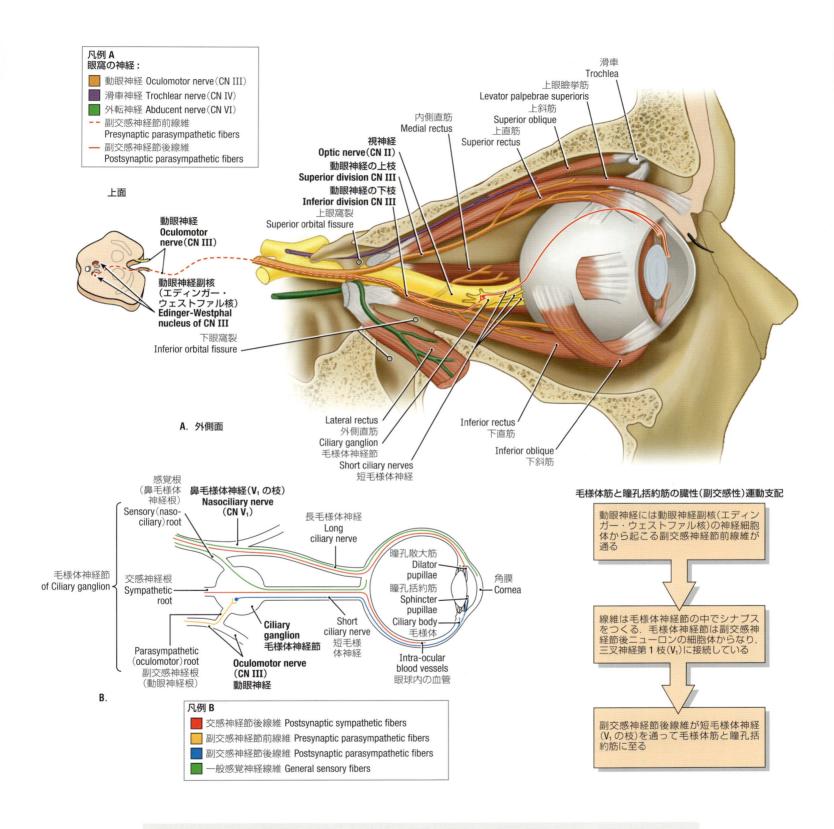

9.10 眼球の神経支配

A 眼窩の神経．B 眼球の体性および自律神経支配．

800 脳神経　第Ⅴ脳神経：三叉神経

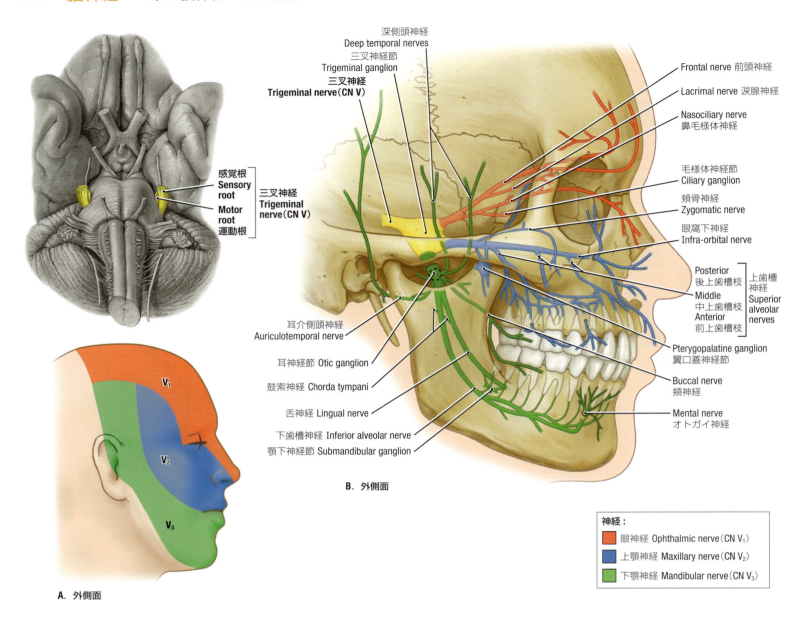

9.11 三叉神経（第Ⅴ脳神経）

A 皮膚の（体性感覚）神経支配．**B** 眼神経（V_1），上顎神経（V_2），下顎神経（V_3）の枝．

表9.5　三叉神経（第Ⅴ脳神経）

神経	機能区分	起始細胞/終止	通る頭蓋の孔	分布と作用[a]
眼神経（第1枝）	体性感覚（一般感覚）	三叉神経節/三叉神経脊髄路核，主感覚核，中脳路核	上眼窩裂	角膜，前頭部の皮膚，頭皮，上眼瞼，鼻，鼻腔と副鼻腔の粘膜からの感覚
上顎神経（第2枝）			正円孔	上唇を含む上顎部の皮膚，上顎歯，鼻腔・上顎洞・口蓋の粘膜からの感覚
下顎神経（第3枝）			卵円孔	下唇と側頭部を含む下顎部の皮膚，下顎歯，顎関節，口腔と舌の前2/3の粘膜からの感覚
	体性運動（鰓弓運動）	三叉神経運動核		咀嚼筋，顎舌骨筋，顎二腹筋前腹，口蓋帆張筋，鼓膜張筋の運動支配

[a] 詳細は後述．

第Ⅴ脳神経：三叉神経　脳神経　801

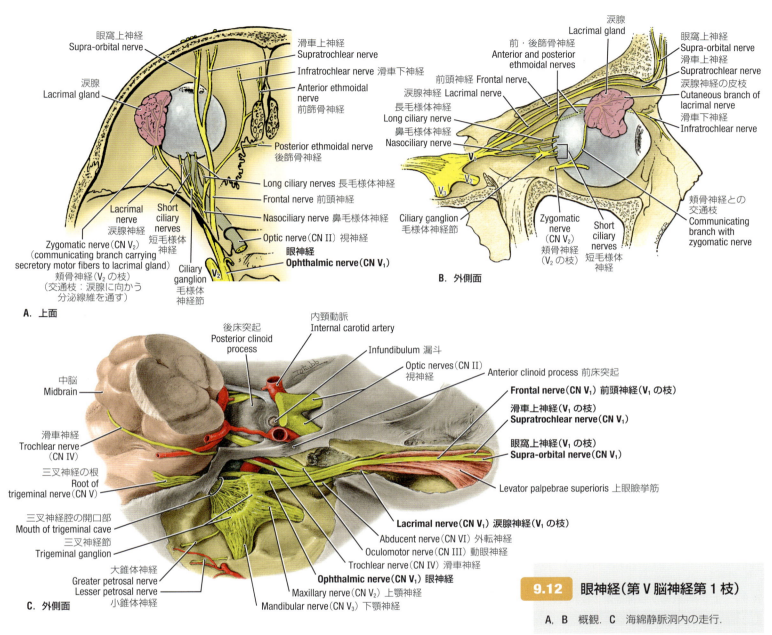

9.12　眼神経（第Ⅴ脳神経第1枝）

A, B　概観. C　海綿静脈洞内の走行.

表9.6　眼神経（第Ⅴ脳神経第1枝）の枝

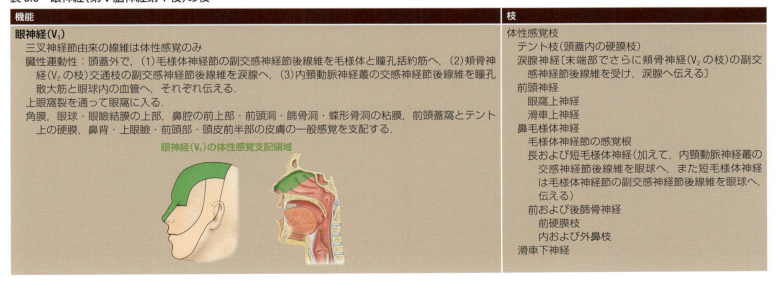

機能	枝
眼神経（V₁） 三叉神経節由来の線維は体性感覚のみ 臓性運動性：頭蓋外で，(1)毛様体神経節の副交感神経節後線維を毛様体と瞳孔括約筋へ，(2)頬骨神経（V₂の枝）交通枝の副交感神経節後線維を涙腺へ，(3)内頸動脈神経叢の交感神経節後線維を瞳孔散大筋と眼球内の血管へ，それぞれ伝える． 上眼窩裂を通って眼窩に入る． 角膜，眼球・眼瞼結膜の上部，鼻腔の前上部・前頭洞・篩骨洞・蝶形骨洞の粘膜，前頭蓋窩とテント上の硬膜，鼻背・上眼瞼・前頭部・頭皮前半部の皮膚の一般感覚を支配する． 眼神経（V₁）の体性感覚支配領域	体性感覚枝 　テント枝（頭蓋内の硬膜枝） 　涙腺神経〔末端部でさらに頬骨神経（V₂の枝）の副交感神経節後線維を受け，涙腺へ伝える〕 　前頭神経 　　眼窩上神経 　　滑車上神経 　鼻毛様体神経 　　毛様体神経節の感覚根 　　長および短毛様体神経（加えて，内頸動脈神経叢の交感神経節後線維を眼球へ，また短毛様体神経は毛様体神経節の副交感神経節後線維を眼球へ，伝える） 　　前および後篩骨神経 　　　前硬膜枝 　　　内および外鼻枝 　　滑車下神経

802　脳神経　第Ⅴ脳神経：三叉神経

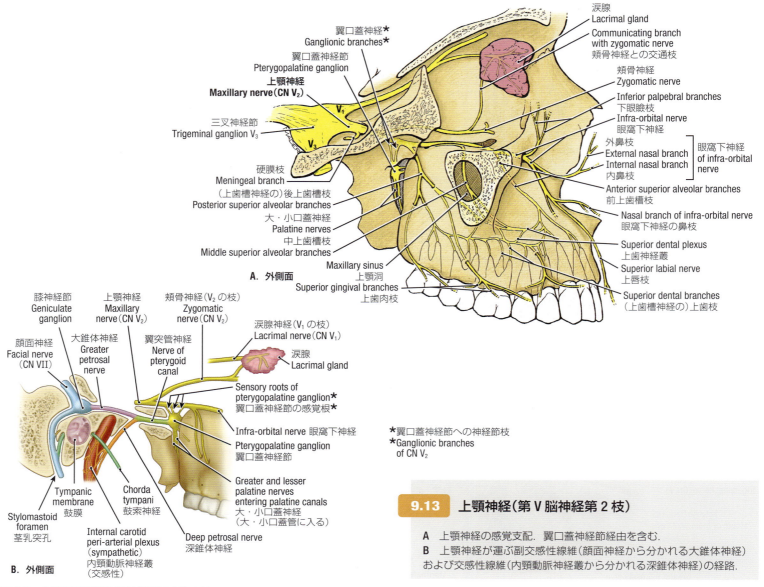

9.13　上顎神経（第Ⅴ脳神経第2枝）

A　上顎神経の感覚支配．翼口蓋神経節経由を含む．
B　上顎神経が運ぶ副交感性線維（顔面神経から分かれる大錐体神経）および交感性線維（内頚動脈神経叢から分かれる深錐体神経）の経路．

表 9.7　上顎神経（第Ⅴ脳神経第2枝）の枝

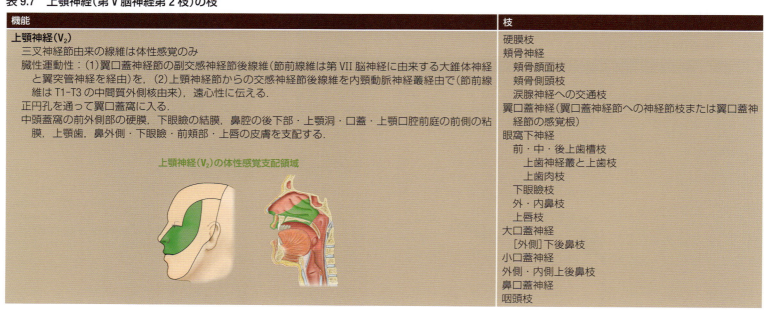

機能	枝
上顎神経（V₂） 三叉神経節由来の線維は体性感覚のみ 臓性運動性：(1) 翼口蓋神経節の副交感神経節後線維（節前線維は第Ⅶ脳神経に由来する大錐体神経と翼突管神経を経由）を，(2) 上頚神経節からの交感神経節後線維を内頚動脈神経叢経由で（節前線維はT1-T3の中間質外側核由来），遠心性に伝える． 正円孔を通って翼口蓋窩に入る． 中頭蓋窩の前外側部の硬膜，下眼瞼の結膜，鼻腔の後下部・上顎洞・口蓋・上顎口腔前庭の前側の粘膜，上顎歯，鼻外側・下眼瞼・前頬部・上唇の皮膚を支配する．	硬膜枝 頬骨神経 　頬骨顔面枝 　頬骨側頭枝 　涙腺神経への交通枝 翼口蓋神経（翼口蓋神経節への神経節枝または翼口蓋神経節の感覚根） 眼窩下神経 　前・中・後上歯槽枝 　　上歯神経叢と上歯枝 　　上歯肉枝 　下眼瞼枝 　外・内鼻枝 　上唇枝 大口蓋神経 　[外側]下後鼻枝 小口蓋神経 外側・内側上後鼻枝 鼻口蓋神経 咽頭枝

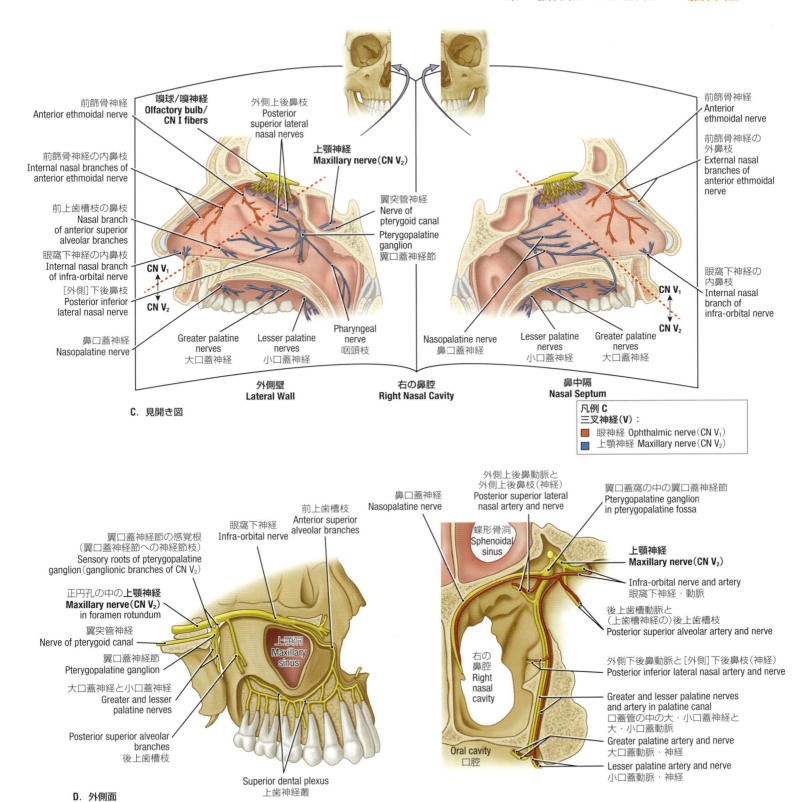

9.13 上顎神経（第Ⅴ脳神経第2枝）（続き）

C　右側の鼻腔側壁と中隔および口蓋の神経支配．　D　神経と上顎洞の関係．　E　冠状断で鼻口蓋神経と大・小口蓋神経の走行を示す．

804 脳神経　第Ⅴ脳神経：三叉神経

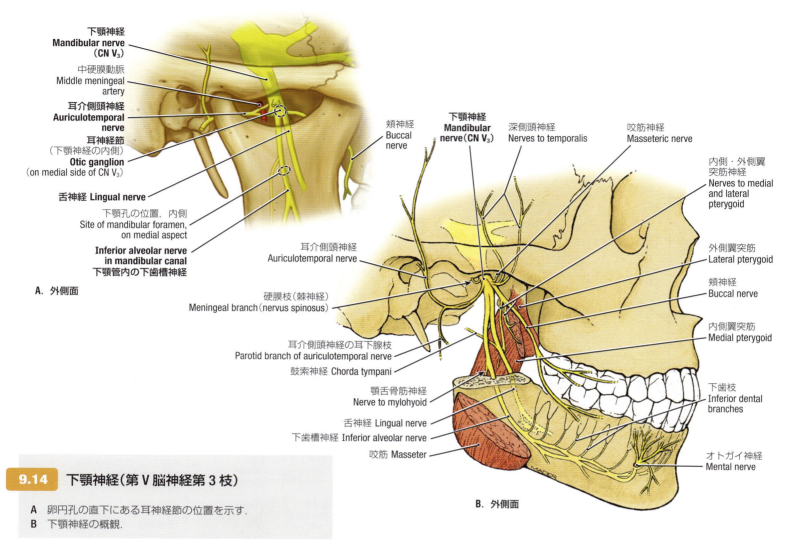

9.14 下顎神経（第Ⅴ脳神経第3枝）

A 卵円孔の直下にある耳神経節の位置を示す．
B 下顎神経の概観．

表9.8 下顎神経（第Ⅴ脳神経第3枝）の枝

機能	枝
下顎神経（V₃） 体性感覚および体性運動（鰓弓運動）． 特殊感覚：頭蓋外で，第Ⅶ脳神経に由来する鼓索神経の味覚線維を舌の前2/3へ伝える． 臓性運動：頭蓋外で，(1)鼓索神経を通る副交感神経節前線維を顎下神経節へ，(2)顎下神経節からの副交感神経節後線維を顎下腺と舌下腺へ，(3)耳神経節からの副交感神経節後線維を耳下腺へ，伝える． 卵円孔を通って側頭下窩に入る． 舌の前2/3・口腔底・下顎口腔前庭の粘膜，下顎歯，下唇・頬部と側頭部・耳（耳介の上前部，外耳道の上部，鼓膜の外側面）の皮膚の一般感覚を支配する． 4つすべての咀嚼筋・顎舌骨筋・顎二腹筋の前腹・鼓膜張筋・口蓋帆張筋の運動を支配する．	体性感覚枝： 　硬膜枝（棘神経） 　頬神経 　耳介側頭神経（加えて，臓性運動線維を伝える） 　　浅側頭枝 　　耳下腺枝 　舌神経（加えて，臓性運動線維と特殊感覚線維を伝える） 　下歯槽神経 　　顎舌骨筋神経 　　下歯神経叢 　　　下歯枝 　　　下歯肉枝 　　オトガイ神経 体性運動（鰓弓運動）枝： 　咬筋神経 　内側・外側翼突筋神経 　深側頭神経 　顎舌骨筋神経 　鼓膜張筋神経 　口蓋帆張筋神経

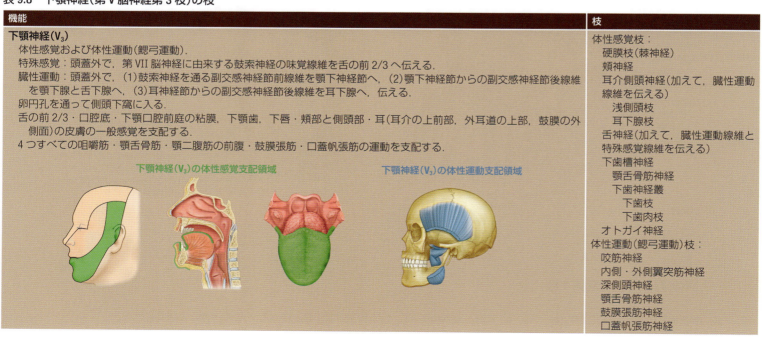

第 V 脳神経：三叉神経　　**脳神経**　805

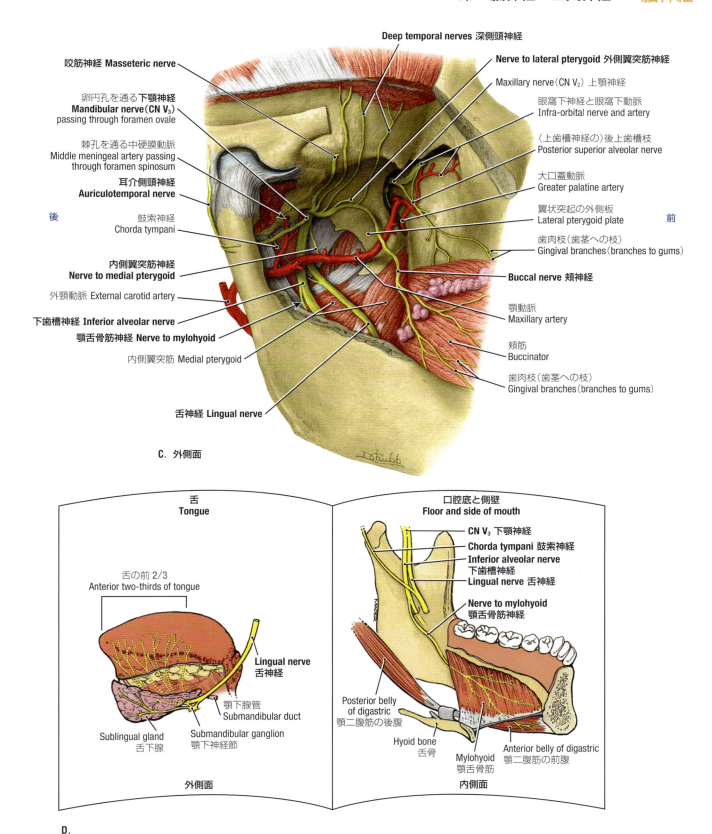

9.14 下顎神経（第 V 脳神経第 3 枝）（続き）

C　卵円孔での下顎神経とその枝．D　舌の外側面と下顎の内側面．舌を下顎から反転し，見開き図とした．

第 VII 脳神経：顔面神経

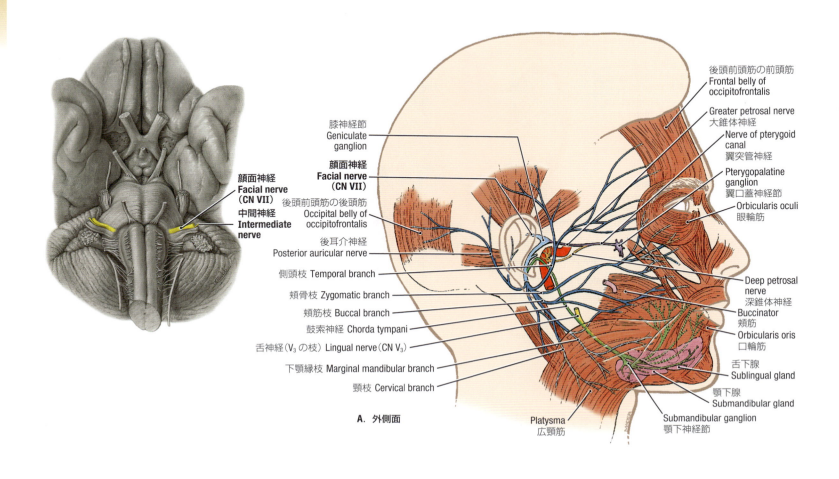

A. 外側面

9.15 顔面神経（第 VII 脳神経）

A 概観． B 涙腺，顎下腺，舌下腺の副交感神経（臓性運動）支配． C 翼突管神経．

表 9.9 顔面神経（第 VII 脳神経）：中間神経を含む[a]

神経の枝	機能区分	起始細胞/終止	通る頭蓋の孔	分布と作用
側頭枝，頬骨枝，頬筋枝，下顎縁枝，頸枝，後耳介神経，二腹筋枝，茎突舌骨筋枝，アブミ骨筋神経	体性運動（鰓弓運動）	顔面神経核	茎乳突孔	表情筋，後頭前頭筋，中耳のアブミ骨筋，茎突舌骨筋，顎二腹筋後腹の運動支配
中間神経-鼓索神経	特殊感覚	膝神経節/孤束核	内耳道/顔面神経管/錐体鼓室裂	舌の前 2/3，口腔底，口蓋からの味覚
中間神経	体性感覚（一般感覚）	膝神経節/三叉神経脊髄路核	内耳道	外耳道の皮膚からの感覚
中間神経-大錐体神経	臓性感覚	孤束核	内耳道/顔面神経管/大錐体神経管裂孔	咽頭鼻部と口蓋の粘膜からの臓性感覚
大錐体神経 鼓索神経	臓性運動	節前：上唾液核 節後：翼口蓋神経節（大錐体神経），顎下神経節（鼓索神経）	内耳道/顔面神経管/大錐体神経管裂孔（大錐体神経）/錐体鼓室裂（鼓索神経）	涙腺，鼻腺，口蓋腺への副交感性支配（大錐体神経）；顎下腺，舌下腺（鼓索神経）の分泌

[a] 表 9.15 も参照．

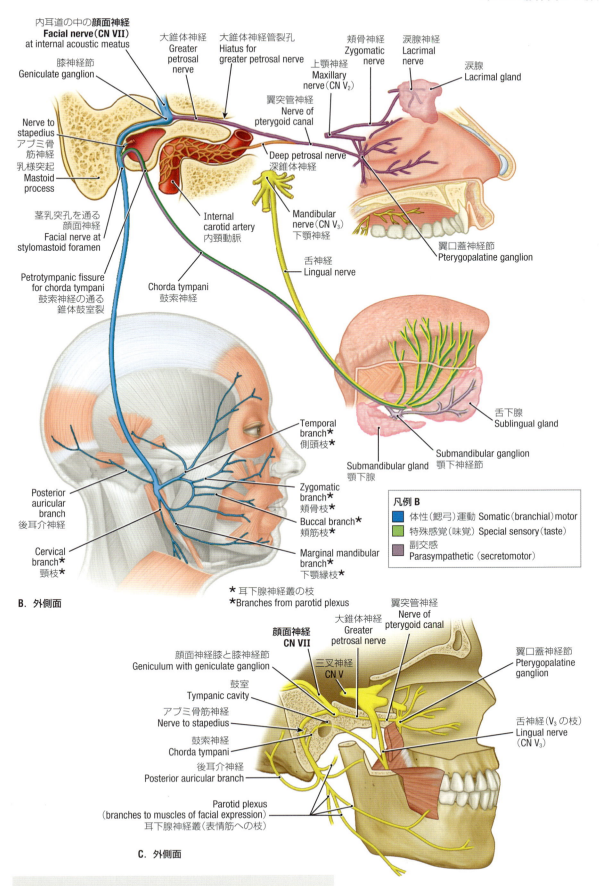

9.15 顔面神経（第VII脳神経）（続き）

808　脳神経　第VIII脳神経：内耳神経

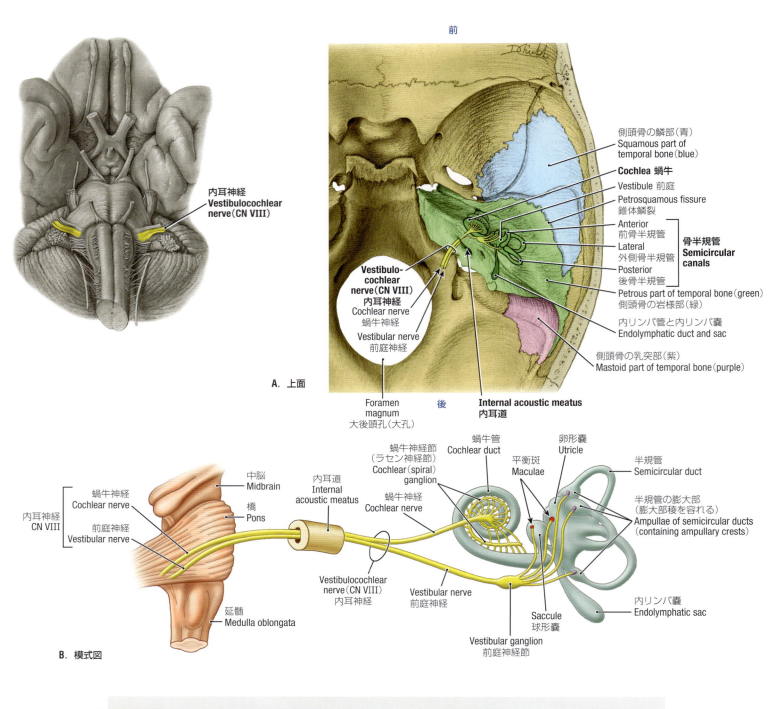

9.16　内耳神経（第VIII脳神経）
A　頭蓋における蝸牛と骨半規管の位置．B　神経分布の模式図．

表9.10　内耳神経（第VIII脳神経）

内耳神経の部分	機能区分	起始細胞/終止	通る頭蓋の孔	分布と作用
前庭神経	特殊感覚	前庭神経節/前庭神経核	内耳道	半規管，卵形嚢，球形嚢からの頭部の位置と運動に関する平衡感覚
蝸牛神経		蝸牛神経節（ラセン神経節）/蝸牛神経核		ラセン器からの聴覚

第VIII脳神経：内耳神経　脳神経

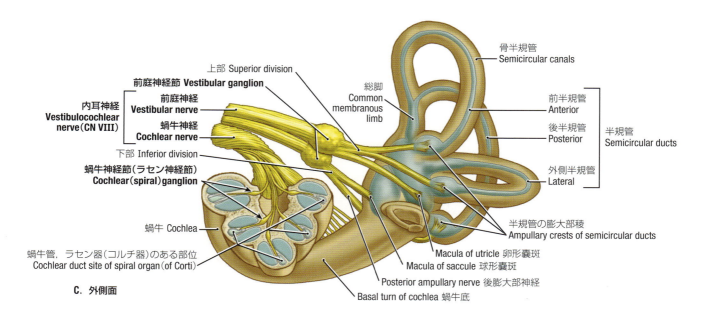

C. 外側面

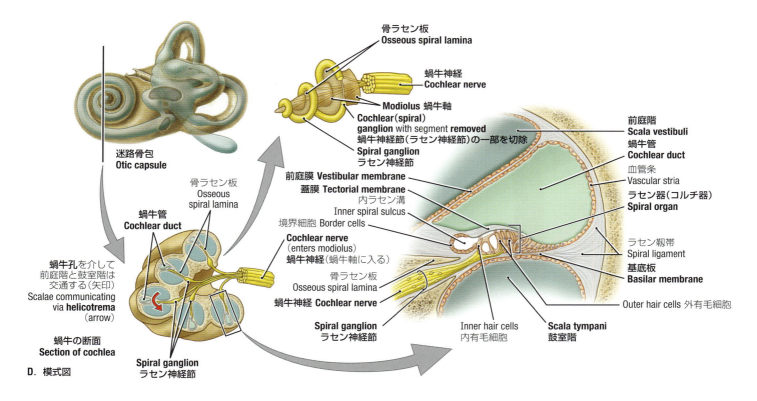

D. 模式図

9.16　内耳神経（第VIII脳神経）（続き）

C　迷路，蝸牛，蝸牛神経・神経節．D　蝸牛の構造．
Dの模式図で次のことを確認すること．

- 蝸牛管は三角形の断面をもつラセン形の管で，骨ラセン板と蝸牛外壁の間にある（ラセン靱帯）．
- 蝸牛管の上面は前庭膜でできており，底面は基底板と骨ラセン板でできている．
- 聴覚刺激の受容器はラセン器（コルチ器）であり，基底板の上に位置している．ラセン器の上にはゼラチン様の蓋膜が載っている．
- ラセン器には有毛細胞があり，音波によって引き起こされた内リンパの振動に応答する．
- 蝸牛神経の線維は蝸牛神経節（ラセン神経節）のニューロンから出た軸索である．その末梢側突起がラセン器（コルチ器）に入る．

810 脳神経　第 IX 脳神経：舌咽神経

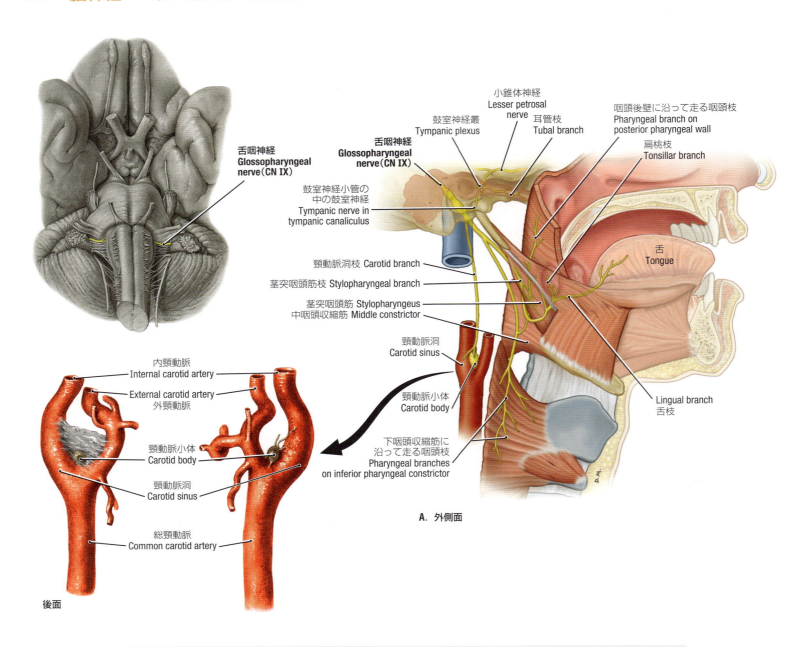

9.17　舌咽神経（第 IX 脳神経）

A　分布の概観．

表 9.11　舌咽神経（第 IX 脳神経）[a]

神経	機能区分	起始細胞/終止	通る頭蓋の孔	分布と作用
舌咽神経	体性運動（鰓弓運動）	疑核	頸静脈孔	茎突咽頭筋の運動支配：嚥下を補助
	臓性運動	節前：下唾液核 節後：耳神経節		耳下腺の副交感性支配
	臓性感覚	下神経節/孤束核，三叉神経脊髄路核		頸動脈小体と頸動脈洞からの臓性感覚
	特殊感覚	下神経節/孤束核		舌の後 1/3 からの味覚
	一般感覚	上・下神経節/三叉神経脊髄路核		外耳，舌の後 1/3，鼓室，鼓膜，耳管，口峡峡部，咽頭からの一般感覚

[a] 表 9.15 も参照．

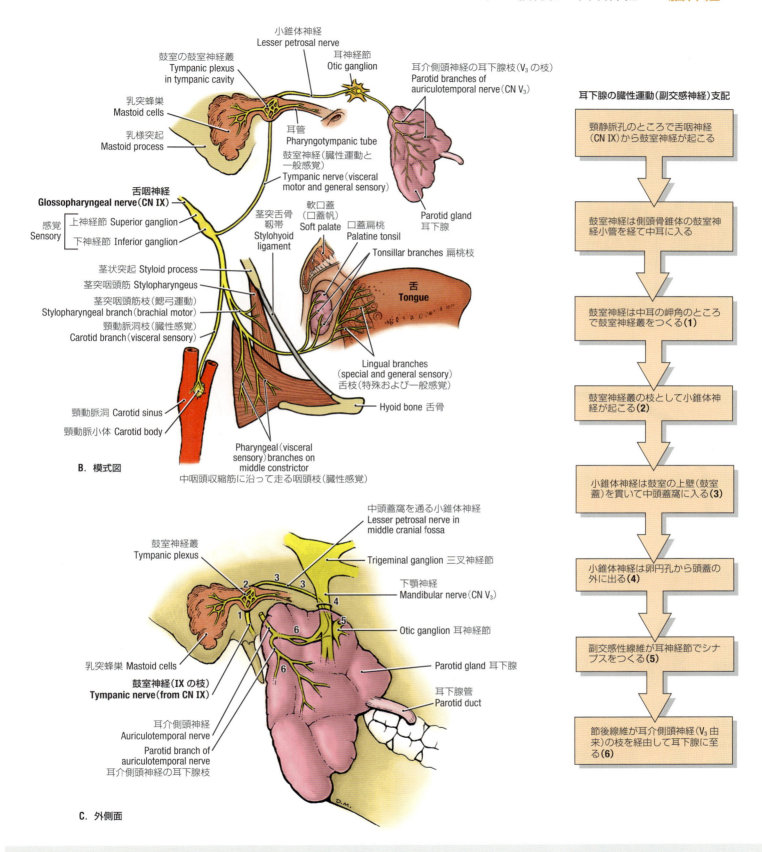

9.17 舌咽神経(第IX脳神経)(続き)

B 分布の概観. C 耳下腺の副交感性支配.

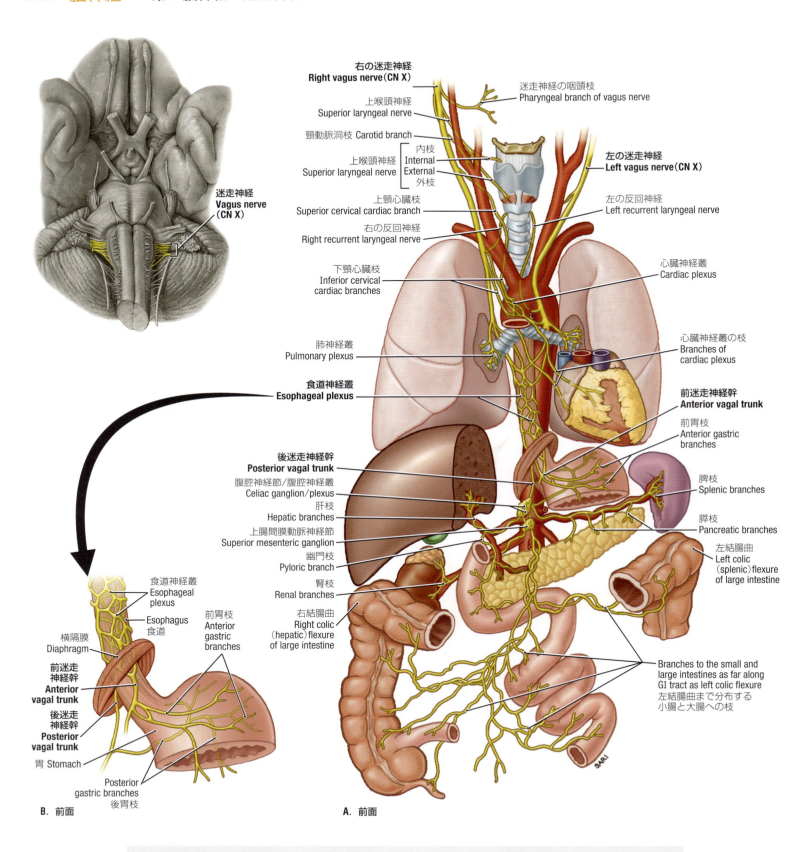

9.18 迷走神経(第X脳神経)

A 頸部, 胸部, 腹部における走行. B 前および後迷走神経幹.

第 X 脳神経：迷走神経

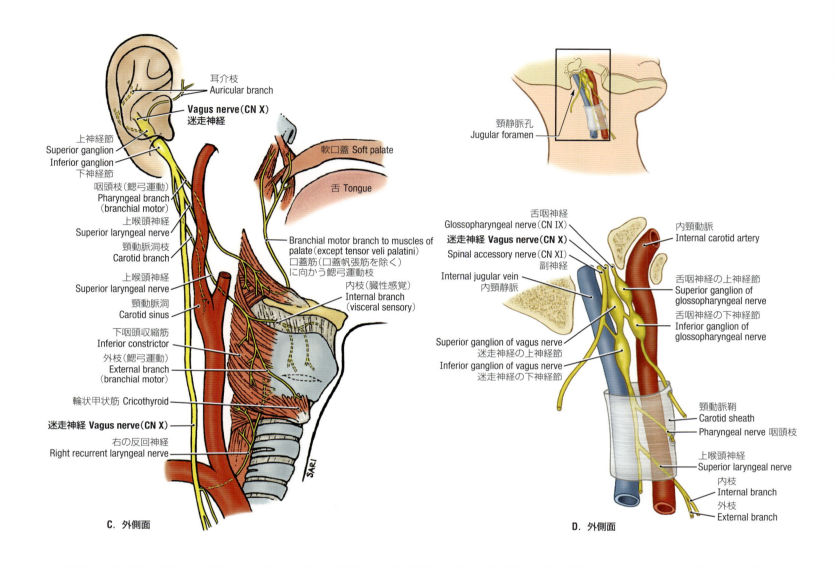

9.18 迷走神経（第 X 脳神経）（続き）

C 頸部の枝． D 迷走神経と舌咽神経の上・下神経節．

表 9.12 迷走神経（第 X 脳神経）

神経	機能区分	起始細胞/終止	通る頭蓋の孔	分布と作用
迷走神経	体性運動（鰓弓運動）	疑核	頸静脈孔	咽頭収縮筋，喉頭筋，口蓋帆張筋を除く口蓋筋，食道上 2/3 の横紋筋の運動支配
	臓性運動	節前：迷走神経背側核 節後：内臓の内部や近傍のニューロン		気管，気管支，消化管，心筋の副交感性支配
	臓性感覚	下神経節/孤束核，三叉神経脊髄路核		舌の基部，咽頭，喉頭，気管，気管支，心臓，食道，胃，腸，頸動脈小体，頸動脈洞からの臓性感覚
	特殊感覚	下神経節/孤束核		喉頭蓋と口蓋からの味覚
	一般感覚	上神経節/三叉神経脊髄路核		耳介，外耳道，後頭蓋窩の硬膜からの感覚

814 脳神経　第 XI 脳神経：副神経

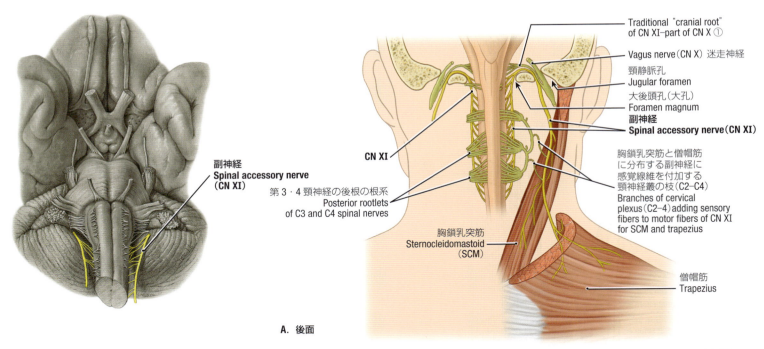

9.19　副神経（第 XI 脳神経）

A　神経分布の模式図．B　頭蓋内の走行．

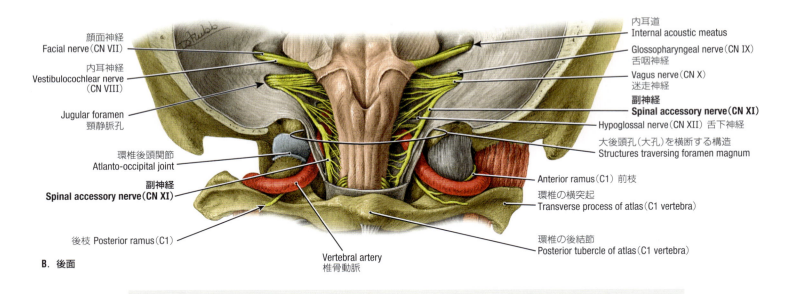

①副神経延髄根は迷走神経の一部となる（表 9.13 の訳注 1 を参照）

表 9.13　副神経（第 XI 脳神経）

神経	機能区分	起始細胞/終止	通る頭蓋の孔	分布と作用[a]
副神経	体性運動	脊髄の副神経核	頸静脈孔	胸鎖乳突筋と僧帽筋の運動支配

[a] 筋に向かう末梢の枝に含まれる一般感覚線維は，副神経の近位部には存在しない．頸神経叢の枝（C2-C4）の一般感覚線維が頸部で合流するためである．

*訳注1：従来の成書では，副神経に延髄根と脊髄根が区別されている．これらは合して副神経をつくると間もなく内枝と外枝に分離する．延髄根由来の線維からなる副神経内枝はすぐに迷走神経に合流してしまい，脊髄根由来の線維からなる副神経外枝のみが独立して走行し，僧帽筋と胸鎖乳突筋に至る．そのため本書では，延髄根と内枝を迷走神経の一部として扱い，脊髄根とそれに由来する外枝を副神経（第 XI 脳神経）としている．日本語版では副神経外枝にあたる Spinal accessory nerve の訳語を「副神経」とした．

*訳注2：本書において副神経は体性運動性とされている．副神経核が鰓弓運動性の神経核で構成されるカラムの延長にあることから，副神経を鰓弓運動性に分類する見方もある（図 9.4）．

第 XII 脳神経：舌下神経　脳神経　815

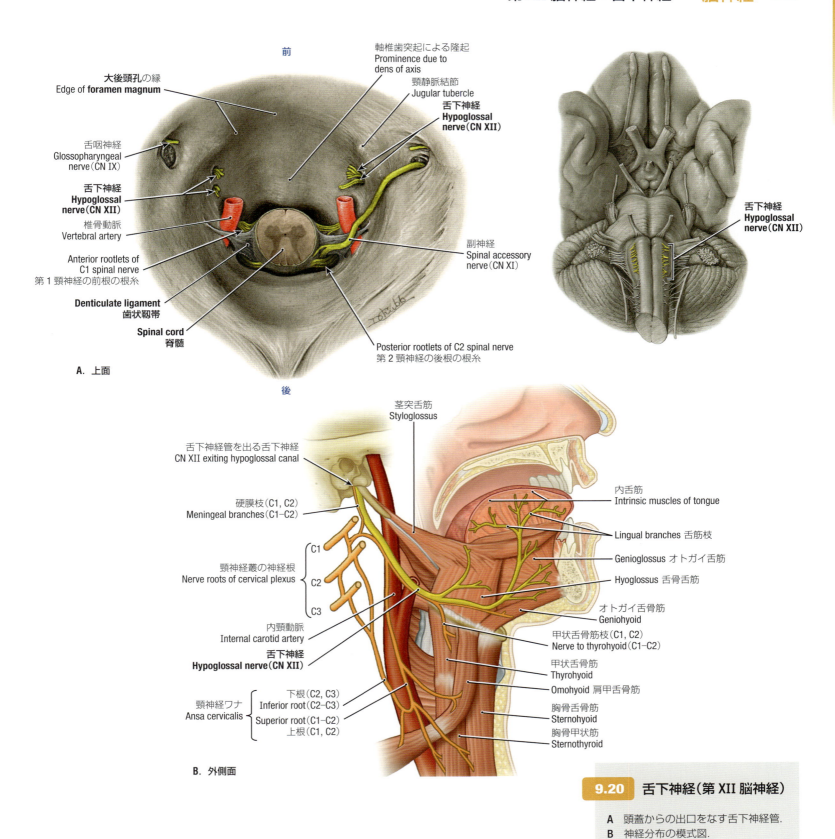

9.20 舌下神経（第 XII 脳神経）

A 頭蓋からの出口をなす舌下神経管.
B 神経分布の模式図.

表 9.14 舌下神経（第 XII 脳神経）

神経	機能区分	起始細胞/終止	通る頭蓋の孔	分布と作用
舌下神経	体性運動	舌下神経核	舌下神経管	舌筋群（口蓋舌筋以外）の運動支配

816 脳神経　頭部の自律神経節

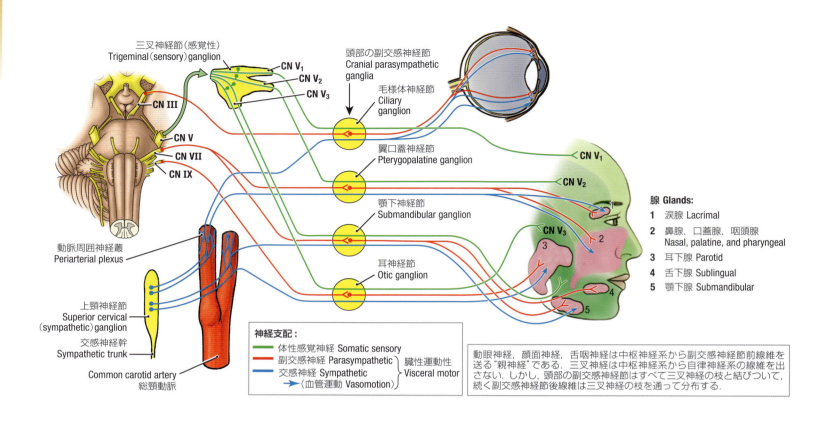

9.21 頭部副交感神経節のまとめと関連する臓性線維の分布

表 9.15　頭部の自律神経節

神経節	位置	副交感神経線維の経路（起始核）[a]	交感神経線維の経路[b]	主な分布
毛様体神経節	視神経と外側直筋の間，眼窩最後部の近くにある．	動眼神経（III）の下枝〔動眼神経副核（エディンガー・ウェストファル核）〕	上頸神経節からの節後線維は海綿静脈洞内の内頸動脈神経叢から分かれる．	副交感：毛様体神経節からの節後線維が毛様体筋と虹彩の瞳孔括約筋に分布する． 交感：上頸神経節からの節後線維が瞳孔散大筋と眼球の血管に分布する．
翼口蓋神経節	翼口蓋窩の中に位置する．翼突管開口部のすぐ前，上顎神経の下にあり，上顎神経とは翼口蓋神経でつながっている．	顔面神経（VII）からの大錐体神経（上唾液核）	深錐体神経（頸部交感神経幹の節後線維の続きである内頸動脈神経叢）の枝），上頸神経節からの線維が翼口蓋神経節を通過して上顎神経の枝に入る．	副交感：翼口蓋神経節からの節後線維が上顎神経の枝である頬骨神経経由で涙腺を支配する． 交感：上頸神経節からの節後線維が翼口蓋神経の枝を通って鼻腔，口蓋，咽頭上部に分布する．
耳神経節	卵円孔の下で，口蓋帆張筋と下顎神経の間に位置する．	舌咽神経（IX）から分かれる鼓室神経，鼓室神経は鼓室神経叢からは小錐体神経として続く（下唾液核）．	上頸神経節からの線維が中硬膜動脈に沿った神経叢を通る．	副交感：耳神経節からの節後線維が耳介側頭神経（下顎神経の枝）経由で耳下腺に分布する． 交感：上頸神経節からの節後線維が耳下腺とその血管に分布する．
顎下神経節	顎下腺管の下，舌骨舌筋の表面にあり，舌神経に2本の神経でつながっている．	副交感神経線維が顔面神経（VII）を通って鼓索神経に入り，舌神経に合流する（上唾液核）．	上頸神経節からの線維が顔面動脈に沿った神経叢を通る．	副交感：顎下神経節からの節後線維が舌下腺と顎下腺に分布する． 交感：上頸神経節からの節後線維が舌下腺と顎下腺に分布し，こちらも分泌を促す．

[a] 神経核の位置については図 9.4 を参照．
[b] 交感神経系の線維は血管や瞳孔散大筋に向かう途中で頭部の副交感神経節を通過するのであって，そこで神経伝達を行うのではない．

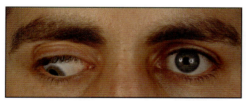

右眼：外側下方に偏位，　　　　　左眼
瞳孔散大，眼瞼下垂

前方を注視
Gaze directed anteriorly
A. 右の動眼神経(III)麻痺

右眼：正常　　　　　左眼：外転しない

注視の方向
Direction of gaze →
B. 左の外転神経(VI)麻痺

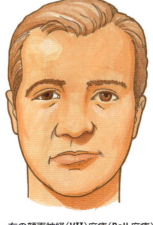

C. 右の顔面神経(VII)麻痺(Bell麻痺)

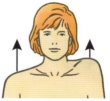

D. 右の副神経(XI)障害

E. 右の舌下神経(XII)障害

9.22 脳神経障害

表9.16　脳神経障害

神経	損傷の種類ないし位置	異常所見
嗅神経(I)	篩板の骨折	無嗅覚(嗅覚の消失)，脳脊髄液鼻漏(鼻からの脳脊髄液漏出)
視神経(II)	眼窩または眼球への直接の外傷，視神経管に及ぶ骨折	瞳孔収縮の消失
	視覚路への圧迫，側頭葉，頭頂葉，後頭葉の裂創や脳内の血腫	視野障害
	脳圧亢進	視神経円板の腫脹(うっ血乳頭)
動眼神経(III)	鉤ヘルニアによる神経の圧迫，海綿静脈洞に及ぶ骨折，動脈瘤	瞳孔散大，眼瞼下垂，眼球の下制と外転，損傷側の対光反射が消失する(A).
滑車神経(IV)	脳幹を迂回して走行する神経の伸展，眼窩骨折	眼球内転時の下制不能
三叉神経(V)	上顎洞の上での終末枝(特に上顎神経)への損傷，三叉神経に及ぶ病的変化(腫瘍，動脈瘤，感染)	顔面の痛覚と触覚の消失ないし異常感覚，角膜反射(角膜を触れた際のまばたき)の消失，咀嚼筋の麻痺，開口時の下顎骨の損傷側への偏位
外転神経(VI)	脳底部の損傷，海綿静脈洞や眼窩に及ぶ骨折	眼球の外転障害，側方注視時の複視(B)
顔面神経(VII)[a]	耳下腺領域の裂創や挫傷	顔面筋の麻痺，閉眼障害，口角の低下，前額部のしわの消失(C)
	側頭骨の骨折	上記に加えて蝸牛神経と鼓索神経の障害：角膜の乾燥，舌の前2/3の味覚消失が起こりうる．
	頭蓋内血腫(脳卒中)	対側の下部顔面筋の筋力低下(麻痺)，上部顔面筋は両側性支配なので影響を受けない．
内耳神経(VIII)	神経の腫瘍	進行性の片側の聴覚低下，耳鳴り，回転性のめまい(平衡障害)
舌咽神経(IX)[b]	脳幹の損傷ないし頸部の深い裂創	舌の後1/3の味覚消失，損傷側の軟口蓋の感覚消失，損傷側の咽頭反射消失
迷走神経(X)	脳幹の損傷ないし頸部の深い裂創	軟口蓋の落ち込み，口蓋垂の健側への偏位，声帯筋麻痺による嗄声，嚥下と発声の障害
副神経(XI)	頸部の裂創	胸鎖乳突筋，僧帽筋上部の麻痺，肩の低下(D)
舌下神経(XII)	頸部の裂創，頭蓋底骨折	舌を前方に突き出すと損傷側へ偏位する．中等度の構音障害(発音の障害)(E)

[a] 内耳道にできた内耳神経の腫瘍(聴神経腫瘍など)は顔面神経損傷の症状を引き起こすことがある．
[b] 舌咽神経(IX)の単独損傷はまれであり，通常は舌咽(IX)・迷走(X)・副神経(XI)が頸静脈孔を通る際に，一緒に障害される．

818　脳神経　断層画像

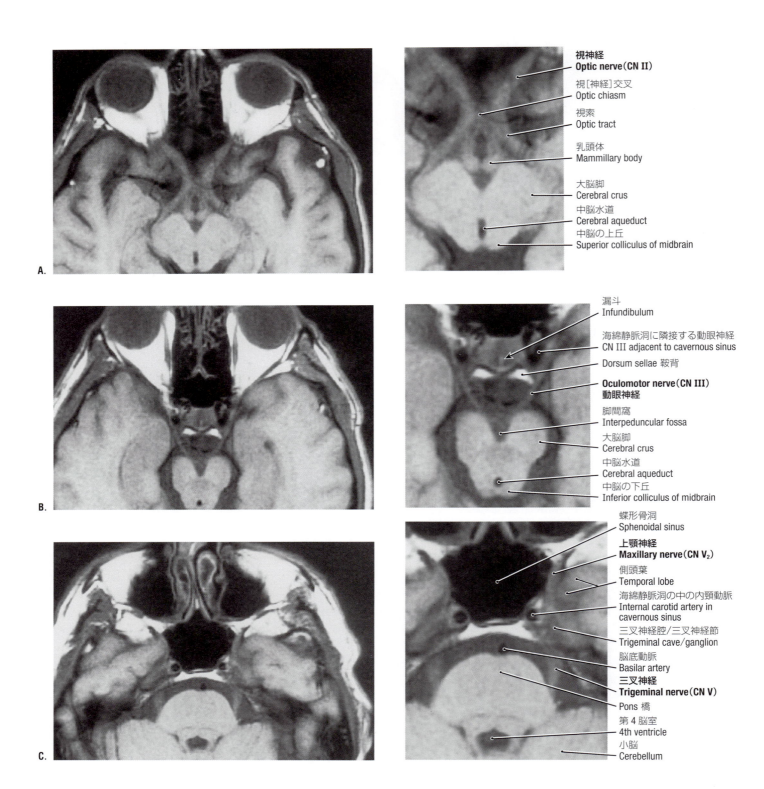

9.23 脳神経の見える頭部水平断 MR 像

A 視神経(II). B 動眼神経(III). C 三叉神経(V).

断層画像　脳神経

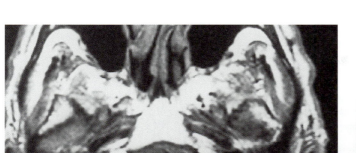
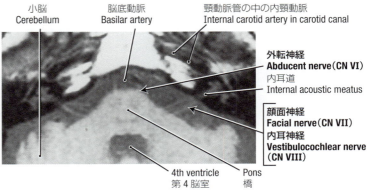
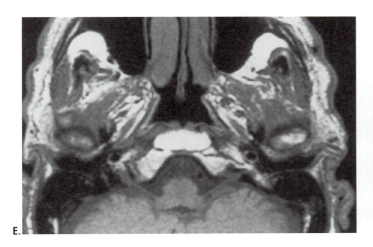
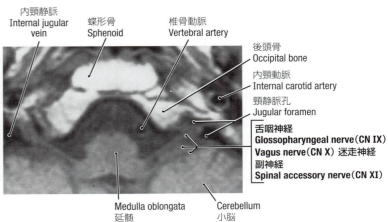
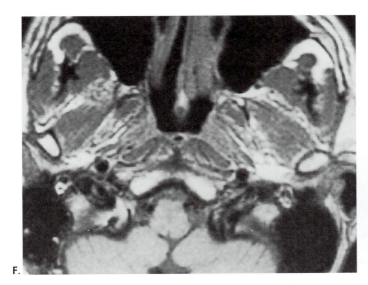
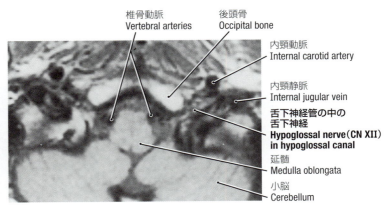

9.23 脳神経の見える頭部水平断MR像（続き）

D 外転神経（VI），顔面神経（VII），内耳神経（VIII）．E 舌咽神経（IX），迷走神経（X），副神経（XI）．
F 舌下神経（XII）．

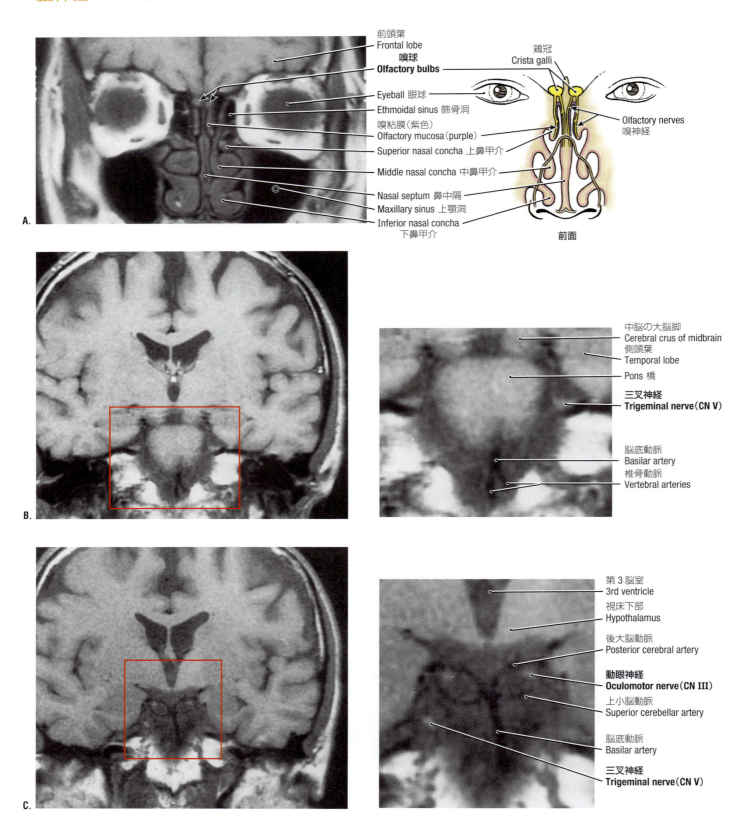

9.24 脳神経の見える頭部冠状断（前頭断）MR像

A 嗅球. B 三叉神経(V). C 動眼神経(III)と三叉神経(V).

文献 REFERENCES

第 1 章　背部

Foerster O. The dermatomes in man. *Brain*. 1933;56:1.

第 2 章　上肢

Foerster O. The dermatomes in man. *Brain*. 1933;56:1
Keegan JJ, Garrett FD. The segmental distribution of the cutaneous nerves in the limbs of man. *Anat Rec*. 1948;102:409–437.

第 3 章　胸郭

Moore KL, Persaud TVN, Torchia MG. *The Developing Human: Clinically Oriented Embryology*. 10th ed. Philadelphia, PA: Elsevier/Saunders, 2016.

第 4 章　腹部

Moore KL, Persaud TVN, Torchia MG. *The Developing Human: Clinically Oriented Embryology*. 10th ed. Philadelphia, PA: Elsevier/Saunders, 2016.

第 6 章　下肢

Foerster O. The dermatomes in man. *Brain*. 1933;56:1
Keegan JJ, Garrett FD. The segmental distribution of the cutaneous nerves in the limbs of man. *Anat Rec*. 1948;102:409–437.

第 7 章　頭部

Paff GH. *Anatomy of the Head and Neck*. Philadelphia, PA: W.B. Saunders Company, 1973.

欧文索引　INDEX

索引語は，アルファベット順で配列している．
語頭の「―」は，そのすぐ上の索引語と同じであることを示し，「―，」の後の語句は，索引語の補足のために付している．
ページの**太字**は主要説明箇所を示す．

数字

1st metacarpal　178
1st molar　668
2nd molar　668
3rd head of biceps brachii　135
3rd occipital nerve　33, 108, 611, 735
3rd ventricle　674, 703, **704**, 708, 710, 711, 713, 715, 716, 720, 721
4th ventricle　674, 703, **704**, 716, 718, 722, 723, 793, 818
5th metacarpal　179

A

Abdominal aorta　249, 270, 321, 331, 361, 373, 388, 411
Abdominal aortic plexus　375, 441
Abdominal hysterectomy　430
Abdominal ostium of uterine tube　429, 431
Abdominal part of pectoralis major　88, 92
Abducent nerve　620, 621, 624, 625, 632, 634, 788, 789, 793, 797, **798**, 801, 819
Abductor digiti minimi
　― of foot　550, 564, 566, 567, 574
　― of hand　150, 151, 157, 158, 160, 161, 164, 179, 192
Abductor hallucis　564, 566, 567, 573
Abductor hallucis longus　574
Abductor pollicis brevis　150, 155, 158, 160, 161, 164, 192
Abductor pollicis longus　160, 161, **169**, 170, 173, 174, 176, 177, 188, 189
Accessory artery to bulb　459
Accessory atlanto-axial ligament　13
Accessory hemi-azygos vein　274, 275, 277
Accessory meningeal artery　650
Accessory middle colic artery　325
Accessory nasal cartilage　670
Accessory pancreatic duct　331, 354, 355
Accessory phrenic nerve　736, 737
Accessory thyroid gland　748
Accessory thyroid tissue　749
Accompanying veins　485
Acetabular branch of obturator artery　521
Acetabular fossa　518-520
Acetabular labrum　516
Acetabular margin　504, 518
Acetabular notch　518, 519
Acetabulum　394, 396, 519
Achilles tendon　571
Acquired inguinal hernia　313
Acromial angle　111, 113
Acromial branch
　― of suprascapular artery　125
　― of thoraco-acromial artery　94, 125
　― of thoraco-acromial vein　94
Acromial end of clavicle　70
Acromial part of deltoid　118
Acromioclavicular joint　124, 130
Acromioclavicular ligament　125
Acromion　30, 112, 113, 123, 126, 130

Adductor brevis　497, 498, 500, 502, 581, 582
Adductor canal　495
Adductor hallucis　566
Adductor hiatus　495, 500, 515, 561
Adductor longus　494, 495-498, 500-502, 515, 581, 582
Adductor magnus　497, **500**-502, 506, 507, 509-511, 515, 532, 581, 582
Adductor pollicis　158, 160, 161, 164, 192
Adductor tubercle　495, 504, 505, 507, 538, 553
Aditus　688
　― to mastoid antrum　687, 690, 691, 693
Afferent glomerular arteriole　365
Ala
　― of crista galli　601
　― of sacrum　25, 28, 395
Alar fascia　727
Alar ligament　13
Alveolar capillary plexus　233
Alveolar ducts　233
Alveolar mucosa　659, 666
Alveolar process　644
　― of mandible　589, 591
　― of maxilla　589, 591, 701
Alveolar sac　233
Amniotic cavity　434
Ampulla
　― of ductus deferens　415, 416, 419
　― of uterine tube　430, 431
Ampullary crest　694
Amygdaloid nucleus　706, 707, 709, 710, 721
Anal canal　453, 460, 469
Anal column　407, 409
Anal pecten　409
Anal sinus　409
Anal triangle　466
Anal valve　409
Anatomical neck　112, 113
Anatomical snuff box　172, 177
Anconeus　136, 137, 143, 189
Angle
　― of clitoris　465
　― of mandible　587, 588, 590, 600, 654, 730, 733
Angular artery　612, 701
Angular gyrus　705
Angular incisure　327, 329
Angular vein　613, 639
Ankle joint　472
Anococcygeal body　402, 426, 453, 454, 466
Anococcygeal ligament　444, 450
Anococcygeal nerves　404, 405
Anocutaneous line　409
Anorectal junction　409
Ansa cervicalis　742, 746, 815
Ansa subclavia　268, 754-756
Anserine bursa　539
Antebrachial fascia　87, 132, 133, 143, 188
Anterior tibiofibular ligament　568
Anterior abdominal cutaneous branch of intercostal nerve　297, 300

Anterior arch of atlas　8, 62, 730
Anterior atlanto-axial membrane　12
Anterior atlanto-occipital membrane　11, 12
Anterior axillary fold　89, 91, 119, 194, 196
Anterior axillary nodes　273
Anterior belly of digastric　643, 661, 698, 738, **740**-**743**, 746, 758, 805
Anterior bony ampulla　694
Anterior border of lung　226
Anterior branch
　― of lateral cutaneous branches of intercostal nerves　90, 203, 298
　― of lateral cutaneous nerve of thigh　480
　― of middle meningeal artery　615
　― of obturator artery　521
　― of obturator nerve　477
　― of retromandibular vein　742
Anterior cardiac vein　242, 245, 251
Anterior cavity of median atlanto-axial joint　11
Anterior cerebral artery　618, 626-629, 632, 713, 720, 722, 723
Anterior cerebral vein　629
Anterior cervical region (anterior triangle)　732, 733
Anterior chamber　640, 701
Anterior choroidal artery　627
Anterior ciliary artery　639, 641
Anterior ciliary vein　641
Anterior circumflex humeral artery　80, 99
Anterior circumflex humeral vein　82
Anterior clinoid process　**596**, 597, 604, 623-625, 632, 633, 682, 789, 795, 801
Anterior commissure　703, 707-709, 713, 714, 716, 720
　― of labia majora　447
Anterior communicating artery　626, 627, 629, 632, 720
Anterior communicating vein　629
Anterior compartment
　― of leg　491, 583
　― of thigh　491
Anterior costoxiphoid ligament　206
Anterior cranial fossa　789
Anterior cruciate ligament　529-531, 539, 540
Anterior cusp
　― of mitral valve　258, 259, 261
　― of pulmonary valve　260
　― of tricuspid valve　261
Anterior cutaneous branches of femoral nerve　480
Anterior cutaneous nerves of thigh　476
Anterior cystic vein　352
Anterior division of restromandibular vein　728
Anterior drawer sign　530
Anterior ethmoidal artery　632, 639, 673
Anterior ethmoidal cell　632, 633, 675, 701
Anterior ethmoidal foramen　597, 630
Anterior ethmoidal nerve　632, 633, 672, 801, 803
Anterior external vertebral venous plexus　52
Anterior facet for calcaneus of talus　576
Anterior fontanelle　586, 587
Anterior funiculus of spinal cord　49
Anterior gastric branches of anterior vagal trunk　812

Anterior gluteal line　473, 505, 508, 512, 519
Anterior horn　704
　— of gray matter　49
　— of lateral ventricle　707, 711, 713, 720, 722
Anterior inferior cerebellar artery　50, 626-628, 718
Anterior inferior iliac spine　24, 394, 396, 399, 473, 504, 519
Anterior inferior pancreaticoduodenal artery　332, 333
Anterior inferior tibiofibular ligament　550
Anterior intercondylar area　528, 531
Anterior intercostal artery　214, 216, 217
Anterior intercostal vein　216, 217
Anterior intermuscular septum of leg　491, 583, 584
Anterior internal vertebral venous plexus　51, 52
Anterior interosseous artery　80, 81, 144, 145, 150, 151, 167, 188
Anterior interosseous nerve　73, 150, 151, 188
Anterior interosseous vein　82
Anterior interventricular artery　242, 243
Anterior interventricular branch of left coronary artery (LCA)　245, 250
Anterior jugular vein　696, 728, 738, 739, 743, 747
Anterior labial artery　437
Anterior labial nerve　462
Anterior lateral malleolar artery　484, 545, 547
Anterior layer
　— of rectus sheath　300, 301
　— of thoracolumbar fascia　39
Anterior ligament
　— of head of fibula　562
　— of malleus　688
Anterior limb
　— of internal capsule　713
　— of stapes　685, 687
Anterior lingual gland　660
Anterior lobe of cerebellum　716, 717
Anterior longitudinal ligament　9, 11, 12, 20, 22, 48, 210, 211, 399, 727, 754
Anterior mallear fold　686
Anterior medial malleolar artery　484, 545, 547
Anterior mediastinal node　282
Anterior mediastinum　223
Anterior membranous ampulla　694
Anterior meningeal branches of anterior ethmoidal nerve　618
Anterior meniscofemoral ligament　530
Anterior nasal spine　588, 590, 601, 670, 671
Anterior pancreaticoduodenal arch　333
Anterior papillary muscle　254, 257, 259, 261
Anterior pectoral cutaneous branch　214
Anterior perforated substance　714, 788
Anterior perforating branch　214
Anterior process of malleus　687, 688
Anterior pulmonary plexus　245, 264
Anterior radicular artery　50, 51
Anterior ramus
　— of spinal nerve　46, 53
　— of thoracic nerve　211
Anterior recess of tympanic membrane　688
Anterior sacral foramina　25, 399
Anterior sacro-iliac ligament　26, 28, 399
Anterior sacrococcygeal ligament　26, 399-401
Anterior scalene　216, 218, 735-737, 753-757, 783
Anterior scrotal nerves　315
Anterior segmental medullary artery　50, 51
Anterior semicircular canal　685, 694, 808
Anterior semicircular duct　694, 809
Anterior spinal artery　50, 51, 626, 627, 718
Anterior spinal veins　51
Anterior sternoclavicular ligament　124, 206, 751, 753
Anterior sternocostal radiate ligaments　206

Anterior superior alveolar artery　650
Anterior superior alveolar branch of superior alveolar nerve　667, 681, 800, 802, 803
Anterior superior diaphragmatic nodes　383
Anterior superior iliac spine　24, 301, 392-396, 399, 473, 490, 504, 519, 472
Anterior superior pancreaticoduodenal artery　332, 333, 343
Anterior (superior) semicircular canal　689
Anterior surface of maxilla　601, 644
Anterior talar articular surface of calcaneus　576, 578
Anterior talofibular ligament　550, 568, 572
Anterior temporal diploic vein　614
Anterior thalamic nucleus　721
Anterior tibial artery　484, 515, 525, 534-537, 544, 545, 547, 557, 560, 561, 575, 583
Anterior tibial recurrent artery　484, 534, 536, 537, 545, 561
Anterior tibial vein　485, 557, 583
Anterior tibiofibular ligament　562, 572
Anterior tibiotalar of deltoid ligament　568
Anterior tubercle　8
　— of atlas　9, 13, 62, 722, 755
　— of C6　730
　— of thalamus　710
Anterior tympanic artery　650
Anterior ulnar recurrent artery　144
Anterior vagal trunk　267, 281, 379, 812
Anterior vertebral vein　753
Anterior triangle (anterior cervical region)　733
Antero-inferior segmental artery　365
Anterolateral central striate artery (lenticulostriate artery)　627, 711
Anterolateral fontanelle　586
Anterolateral tubercle　490, 504
Anteromedial central artery　627, 711
Anteromedial intermuscular septum　491, 582
Anteromedial lobule of prastate　416
Anterosuperior segmental artery　365
Antihelix　683
Antitragus　683
Anular ligament of radius　139-142, 145
Anulus fibrosus of intervertebral disc　18-21, 39
Aorta　48, 246, 384, 387, 484
Aortic arch node　237
Aortic hiatus　370, 372, 373
Aortic plexus　412, 413, 424
Aortic valve　238, 255
Aortic vestibule　259
Aorticorenal ganglion　59, 374-377
Apex
　— of axilla (cervico-axillary canal)　96
　— of coccyx　25
　— of head of fibula　504, 505
　— of heart　220, 242, 250
　— of lung　227
　— of nose　670
　— of patella　529
　— of sacrum　25
　— of tongue　656
　— (or tip) of the tongue　658, 660
Apical axillary nodes　83
Apical foramen　665
Apical ligament of dens　11
Apical node　200, 781
Aponeurosis
　— of erector spinae　38
　— of external oblique　300, 303
　— of internal oblique　303
Aponeurotic origin
　— of erector spinae　38

　— of transversus abdominis　369
Appendices epiploicae　342
Appendices of epididymis　314
Appendicular artery　337, 338
Appendicular node　383
Appendicular vein　358
Appendix　293, 334, 337, 442
　— of testis　314
Aqueous humor　640
Arachnoid granulation　616, 704
Arachnoid mater　45, 49, 616, 617
Arachnoid trabeculae　616
Arch
　— of aorta　219, 221, 242, 243, 245, 249, 253, 263-265, 270, 277, 286
　— of azygos vein　243, 270, 276
　— of cricoid cartilage　739, 774, 775
Arcuate artery　484, 545, 547
Arcuate eminence　597, 603
Arcuate line　301, 316
　— of ilium　24, 395, 397
Area postrema　715
Areola　194, 196
Areolar tubercles　196
Arm　66
Arteriole　273
Artery
　— of buld of vestibule　437
　— of ligament of head of femur　521
　— of pterygoid canal　650, 690
　— of round ligament　308
　— to bulb　414, 459
　— to ductus deferens　315, 420
　— to mylohyoid　660
　— to tail of pancreas　333
Articular facet for fibula　562
Articular (lunate) surface of acetabulum　519
Articular surface
　— of lateral condyle　531
　— of medial condyle　531
Articular tubercle　603
Articularis genu　534
Ary-epiglottic fold　766, 777, 779, 780
Aryepiglotticus　767, 778
Arytenoid　777, 778, 783
Arytenoid cartilage　774, 775, 777, 783, 784
Ascending aorta　242, 245, 249, 253, 263, 284, 286
Ascending branch
　— of lateral circumflex femoral artery　502, 521
　— of left colic artery　341
Ascending cervical artery　50, 744, 751, 752, 754, 755
Ascending colon　292, 293, 317, 331, 334, 336, 342, 384
Ascending lumbar vein　52, 275, 373
Ascending palatine artery　663, 673, 773
Ascending part
　— of duodenum　331
　— of trapezius　32, 33, 108, 123, 733
Ascending pharyngeal artery　744, 745, 762, 643
Ascending pharyngeal vein　747
Asterion　590
Atelectasis　222
Atlanto-occipital joint　11, 622
Atlas (C1)　8, 700, 701, 723, 731
Atrioventricular sulcus　242
Atrioventricular (AV) bundle　250, 254
Atrioventricular (AV) nodal branch of RCA　250
Atrioventricular (AV) node　250, 254
Atrium of middle meatus　674, 676
Auditory ossicles　684

Auricular branch of vagus nerve　643, 647, 683, 813
Auricular surface
　— of ilium　24, 395
　— of sacrum　24
Auricular tubercle　683
Auricularis anterior　607
Auricularis muscles　609
Auricularis superior　606, 607
Auriculotemporal nerve　607, 611, 642, 643, 648, 649, 651, 654, 683, 800, **804**, 805, 811
Axillary artery　80, 81, 97, 98, 102, **103**, 202, 216, 736, 737, 744
Axillary fascia　86
Axillary fat　97, 187
Axillary fossa　91, 119, 194
Axillary lymph nodes　97, 299
Axillary lymphatic plexus　282
Axillary nerve　55, 72, 100, 103, 104, 121, 122, 128
Axillary nerve injury　72
Axillary process (tail) of breast　197
Axillary sheath　96, 97
Axillary vein　82, 95, 97, 102, 202, 216, 299, 736, 737
Axis (C2)　8, 723, 731
Axis (dens)　701
Azygos vein　48, 271, 272, **274**-276, 278, 279, 284, 373, 384

B

Bare area of liver　318, 344, 345
Bartholin cyst　407
Basal turn of cochlea　685, 809
Basal vein　629
Base
　— of axilla　96
　— of coccyx　25
　— of lung　228
　— of patella　529
Base (footplate) of stapes　687
Basilar artery　12, 50, 618, 620, **626-629**, 674, 718, 722, 785, 818, 820
Basilar membrane　695, 809
Basilar part of occipital bone　596
Basilar plexus　676
Basilar venous plexus　619
Basilic vein　82-85, 95, 115, 132, 133, 187, 188
Basivertebral vein　51, 52
Bell's palsy　610, 817
Biceps brachii　114-116, 118, 187, 189
Biceps femoris　503, 506, 507, 509, 522, 523, 581, 582
　— tendon　548
Bicipital aponeurosis　87, 116, 132, 133, 143
Bicipital groove　131
Bicipital rib　208
Bicipitoradial bursa　151
Bifid pelvis　366
Bifid rib　208
Bifid ureter　366
Bifurcate ligament (calcaneocuboid part)　568, 572, 578
Bifurcation of common carotid artery　782
Bile canaliculi　349
Bile duct　321, 350-352, 354, 356, 357
Binocular zone　796
Bipartite patella　579
Body　3, 708
　— of caudate nucleus　707, 709, 720
　— of clitoris　465, 466
　— of corpus callosum　703, 709, 722
　— of gallbladder　354, 357
　— of hyoid bone　660, 731, 739, 774, 775
　— of ilium　63
　— of incus　687
　— of ischium　24, 395, 519
　— of lateral ventricle　707, 720-722
　— of mandible　587, 589, 590, 646, 730, 782
　— of pancreas　323, 384
　— of penis　446, 456, 458
　— of pubis　24, 473, 504, 521
　— of sacrum　395
　— of sternum　91, 204, 206, 244
　— of stomach　327
　— of tongue　656
　— of uterus　426, 432, 433
Bony nasal septum　670
Bony part of pharyngotympanic (auditory) tube　594
Bony spur　29
Border cells　809
Border of oval fossa (limbus fossae ovalis)　256
Brachial artery　80, 81, 98, 115, 119, 134, 143-145, 150
Brachial fascia　86, 87, 115, 132, 133
Brachial plexus　53, 216, 735-737, 756, 783
Brachial veins　82, 95
Brachialis　114-118, 133, 143, 150, 187
Brachiocephalic artery　80
Brachiocephalic node　282
Brachiocephalic trunk　270, 284, 744, 745, 748, 785
Brachiocephalic vein　217, 728, 737
Brachioradialis　116, 118, 120, 121, 133, 134, 136, 140, 143, 147, 148, 150, 153, 165, **169**, 170, 177, 187-189
Brachium
　— of inferior colliculus　714, 715
　— of superior colliculus　715
Brachium conjunctivum (superior cerebellar peduncle)　714
Brachium pontis (middle cerebellar peduncle)　714
Brainstem　703
　— of transverse cervical nerve　726
Bregma　590, 592
Broad ligament　468
　— of uterus　406, 426-430, 432, 436
Bronchial artery　229, 233, 265, 271
Bronchial capillaries　233
Bronchomediastinal lymphatic trunk　200, 696, 781
Bronchopulmonary (hilar) node　229, 237, 282, 283
Buccal artery　648
Buccal branch　642, 650
　— of facial nerve　806, 807
Buccal cusp　665
Buccal fat pad　700, 782
Buccal glands　648, 659
Buccal mucosa　659
Buccal nerve　607, 610, 611, 642, 648, 649, 651, 800, **804**, 805
Buccinator　606, 607, **609**, 610, 642, 646, 648, 649, 659, 664, 692, 698, 701, 764, 765, 773, 805, 806
Buccinator node　696
Buccopharyngeal fascia　727
Buck fascia of penis　450, 455
Bulb
　— of penis　407, 415, 454, 458-460
　— of vestibule　465, 467
Bulbar conjunctiva　631, 635
Bulbo-urethral duct　415
Bulbo-urethral gland　415
Bulbospongiosus　407, 408, 414, 448, 451-453, 463-465
Bursa of calcaneal tendon　569, 575

C

C1 (transverse process of atlas)　62, 730
Calcaneal branch
　— of posterior tibial artery　563, 566
　— of tibial nerve　479
Calcaneal sulcus for talocalcaneal　576
Calcaneal tendon　548, 550, 552, 554-556, **558**, 559, 569, 571, 575, 578, 584
Calcaneal tuberosity　564
Calcaneocuboid joint　550, 576
Calcaneocuboid ligament　572
Calcaneocuboid part (bifurcate ligament)　568, 578
Calcaneofibular ligament　550, 569, 572, 573, 578
Calcaneonavicular ligament　572
Calcaneus　472, 473, 543, 550, 552, **553**, 559, 564, 570-572, 574, 578
Calcarine spur (calcar avis)　707
Calcarine sulcus　703, 708, 709, 711, 722, 795
Calvaria　616, 704
Camper fascia　450
Canal for basivertebral vein　22
Canine　668, 669
Canine fossa　589, 591
Capillary lamina of choroid　641
Capitate　69, 146, 168, 180, 181, 183, 184, 191
Capitulum　112, 143
Caput medusae　359
Cardia　327
Cardiac impression　228, 229
Cardiac nerves　754
Cardiac notch　222, 227
　— of left lung　220
Cardiac plexus　264, 267, 280, 812
Cardiac vein　251
Cardial notch　327
Cardial orifice　327
Cardinal ligament　445
Cardiopulmonary splanchnic nerves　281
Cardiorespiratory nucleus　792
Carina　232
Caroticotympanic nerve　690
Carotid body　745, 810, 811
Carotid branch of glossopharyngeal nerve　810, 811
Carotid canal　594, 603, 690, 693
Carotid periarterial plexus　59
Carotid sheath　659, 691, 727, 749
Carotid sinus　745, 810, 811, 813
Carotid sulcus　597, 604
Carotid syphon　629
Carotid triangle　732
Carotid tubercle　730, 755
Carpal bones　66, 70
Carpal tunnel　182, 183, 190, 191
Carpometacarpal joint of thumb　154, 181
Cartilage of pharyngotympanic tube　691, 771
Cartilaginous part of pharyngotympanic tube　664, 676, 767
Cauda equina　44, 47, 49, 63
Caudal epidural block　441
Caudate lobe of liver　345, 384
Caudate nucleus　709, 710, 713, 714, 721
Caudate process of liver　345
Caval opening　372
Cave of septum pellucidum　711
Cavernous nerves of penis　425
Cavernous part of internal carotid artery　625
Cavernous sinus　613, 619, 622, 639, 654, 720, 789

Cavity
— of knee joint 540
— of pharynx 659
Cecum 292, 334, 336, 337, 342
Celiac branches of posterior vagal trunk 379
Celiac ganglion 59, 267, 281, 361, 375-377, 379, 812
Celiac node 380, 382, 383
Celiac plexus 375, 812
Celiac trunk 271, 278, 321, 325, **328**, 330, 331, 333, 353, 361, 373, 384, 386-388
Cells of Hensen 695
Cement 665
Central axillary nodes 83, 273
Central (median) band 175
Central canal 49, 793
— of spinal cord 703, 704, 716
Central incisor 668, 669
Central nodes 200
Central point of perineum 448
Central retinal artery 639-641
Central retinal vein 640, 641
Central sulcus 702, 705
Central tendon of diaphragm 269, 372
Central vein 349
Central (internal) zone of prostate 419
Centrum 3
Cephalic vein 82-85, 88, 94, 95, 115, 132, 187-189, 195
Ceratocricoid 775
Cerebellar fossa 597
Cerebellar hemisphere 718
Cerebellar falx (falx cerebelli) 618, 619
Cerebellar tentorium (tentorium cerebelli) 618, 619, 623
Cerebellar tonsil 720, 722, 723, 784
Cerebellum 621, 623, 702, 703, **716**, 720, 722, 723, 784, 788, 818
Cerebral aqueduct 703, 704, 709, 716, 718, 722, 818
Cerebral aqueduct opening 623
Cerebral arterial circle 626, 627, 629
Cerebral cortex (gray matter) 722
Cerebral crus 714, 715, 717, 718, 721, 818
Cerebral hemispheres 702
Cerebral part of internal carotid artery 625
Cerebral peduncle 713, 722
Cerebral falx (falx cerebri) 618, 619
Cerebrospinal fluid 64
Cervical branch of facial nerve 642, 734, 806, 807
Cervical canal 429, 433
Cervical cardiac branch 236, 756
Cervical cardiac nerves 264
Cervical cord 49
Cervical enlargement (spinal cord) 44
Cervical interspinales 41
Cervical intertransversarii 41
Cervical ligament 572, 578
Cervical lordosis 3
Cervical nerves 49
Cervical parietal pleura 756
Cervical part
— of internal carotid artery 625
— of parietal pleura 222
Cervical pleura 263
Cervical plexus 53, 783
Cervical ribs 208
Cervical vertebrae 2, 5
Cervicothoracic ganglion 267, 280, 281, 756
Cervix 406, 426
— of uterus 429, 431-434
Check ligament 677
Chiasmatic cistern 704

Choana 594, 602, 766
Chopart joint 577
Chorda tympani 649, 651, 661, 679, 691, 773, 800, 802, **804**-807
Chorda tympani nerve 688
Choroid 640, 641
Choroid plexus 703, 707, 711, 713, 720
— of 3rd ventricle 704
— of 4th ventricle 621, 704, 788
— of lateral ventricle 704, 709
Chyle cistern→cisterna chyli へ
Ciliary body 640, 641, 718, 799
Ciliary ganglion 632-634, 697, 797-801, 816
Ciliary glands 635
Ciliary muscle 697
Ciliary process 640
Cingulate gyrus 708, 722
Cingulate sulcus 708, 722
Cingulum 708
Circular layer of esophagus 779
Circular muscle coat 409
Circumflex branch 242, 243
— of left coronary artery (LCA) 246, 250
Circumflex fibular vein 485
Circumflex humeral artery 98
Circumflex scapular artery 80, 81, 96, 98, 99, 103, 104, 122
Circumflex scapular branch 123
Circumflex scapular vein 82
Cisterna chyli (chyle cistern) 270, 272, 273, 279, 283, 315, 380-382
Cisterna magna (posterior cerebellomedullary cistern) 716
Claustrum 706, 711, 713, 721
Clavicle 10, 66, 70, 194, 730
Clavicular branch of thoraco-acromial artery 94
Clavicular head of pectoralis major 88, 92, 194
Clavicular head of sternocleidomastoid 728, 732, 733
Clavicular notch 206
Clavicular part of deltoid 118
Clavipectoral fascia (costocoracoid membrane) 94
Clavipectoral triangle 195
Clivus 593, 597
CN V$_1$ 625
Coccygeal plexus 53, 404, 405
Coccygeal nerves 49
Coccygeus 400-403, 410, 449, 455, 466, 501
Coccyx 2, 31, 392-394, 396
Cochlea 684, 689, 694, 808, 809
Cochlear aqueduct 684
Cochlear canal 689
Cochlear canaliculus 603, 694
Cochlear duct 694, 695, 808, 809
Cochlear ganglion 695, 808, 809
Cochlear nerve 689, 695, 714, 808, 809
Cochlear nuclei 715, 792, 793
Cochlear perilymph 718
Colic area 330
— of liver 345
Colic vein 359
Collateral branch of intercostal nerve 212
Collateral ligament 185
Collateral sulcus 708
Collateral trigone 707
Collecting duct 365
Colles fascia (perineal fascia) 450, 453, 459
Collicular cistern 713
Colliculi 718, 722
Column
— of articular processes 9
— of fornix 707

Commissural cusps 261
Common carotid artery 80, 263, 284, 612, 718, 743, **744**-746, 748, 750-752, 754, 755, 782, 783, 785, 786
Common crus 694
Common dorsal digital veins 486
Common facial vein 613, 728, 738, 742, 747
Common fibular (peroneal) nerve 55, 371, **405**, 478, 506, 514, 515, 522-524, 544, 545, 548, 554, 555
Common fibular nerve injury 479
Common hepatic artery 324, 325, 328, 330, 333, 351, **353**, 384
Common hepatic duct 350-352, 354, 356, 357, 384
Common iliac artery **373**, 404, 413, 421, 437, 461, 470, 484, 500
Common iliac node 315, 380, 381, 411, 422, 423, 438, 439
Common iliac vein 275, 373, 421, 437, 461, 485
Common interosseous artery 80, 81, 144, 145, 151
Common membranous limb 809
Common palmar digital artery 81, 155, 164, 166, 167
Common palmar digital nerve 73, 74, 160, 161, 166
Common peroneal (fibular) nerve 544, 545, 548, 554, 555
Common plantar digital nerves 564
Compact bone 475
Compressor urethrae 400, 401, 403, 448, 451, 452
Concha 683, 685
Condylar canal 593, 594
Condylar process of mandible 590, 652, 655
Confluence of sinuses 704
Congenital inguinal hernia 313
Conjoint tendon 301, 305, 306, 313
Conjunctival artery 641
Conjunctival sac 634
Conjunctival vein 641
Conoid ligament 123, 126
Conus arteriosus 257
Conus elasticus 775
Conus medullaris 44, 47, 50
Coraco-acromial ligament 100, 111, 117, 124-127, 129
Coracobrachialis 96, 114-117, 187
Coracoclavicular ligament 100, 123, 124, 126
Coracohumeral ligament 111, 129
Coracoid process 110-112, 124, 130
Cornea (fibrous layer of eyeball) 635, 640, 641, 701
Corneoscleral junction 630, 641
Corniculate cartilage 774, 775, 777
Corniculate tubercle 777, 780
Cornua
— of coccyx 24
— of sacrum 24
Corona of glans 446, 456, 457
Corona radiata 705, 706
Coronal suture 587, 591, 592
Coronary artery 251
Coronary ligament 318, 320, 344, 360, 529, 531, 532
Coronary sinus 243, 251
Coronary sulcus 242
Coronoid fossa 138
Coronoid process 143, 644, 700
— of mandible 591, 600, 647, 652, 700
Corpora cavernosa penis 453, 457
Corpus callosum 674, 708-711, 716, 720, 721, 723
Corpus cavernosum penis 458, 461
Corpus spongiosum penis 415, 453, 457, 458, 461
Corrugator supercilii 606, 608-610
Corticospinal tract 720
Costal angle 207
Costal cartilage 204, 206, 218, 384
Costal groove 207
Costal margin 204, 218

Costal notches 206
Costal part of parietal pleura 222
Costal pleura 269
Costal surface of lung 219
Costocervical trunk 271, 744, 745, 755
Costochondral joint 204
Costochondral junction 220
Costoclavicular ligament 100, 124, 206
Costocoracoid membrane 86
Costodiaphragmatic recess 221, 222, 269, 286, 316, 317, 321, 323
Costomediastinal recess 223, 269
Costophrenic sulcus 221
Costotransverse joint 15, 209, 210
Costotransverse ligament 210
Cranial base 755
Cranial cavity 692
Cranial fossae 621
Cremaster 314
Cremaster fascia 310
Cremaster muscle 305, 306, 310
Cremasteric artery 306, 310, 315
Cremasteric vein 306
Crest
— of frontal process of maxilla 630
— of greater tubercle 112
— of head of rib 207
— of lacrimal bone 591
— of lesser tubercle 112
— of neck of rib 207
— of spine of scapula 123
Cribriform fascia 492
Cribriform foramina 597
Cribriform plate of ethmoid 596, 597, 601, 671, 675, 723
Cricoid cartilage 729, 730, 748-751, 764, 765, **774**, 782, 784
Cricopharyngeus 763, 776, 779
Cricothyroid 739, 748, 750, 751, 764, 765, 778, 813
Cricothyroid branch of superior thyroid artery 761
Cricothyroid ligament 748-750, 775, 777
Cricotracheal ligament 749, 750, 775
Cricovocal ligament 775, 777
Crista galli **596**, 597, 601, 618, 633, 671, 676, 677, 789, 820
Crista terminalis 256
Crown 665
Cruciform ligament 13
Crura
— of antihelix 683
— of penis 458
Crural fascia (deep fascia of leg) 490, 548, 556
Crus
— of clitoris 428, 465, 467, 469
— of fornix 707
— of helix 683
— of penis 454, 459
Crus cerebri 707, 709
Crux (cross) of heart 250, 254
CSF in subarachnoid space 718
Cubital fossa 119
Cubital lymph nodes 83
Cubital node 132, 273
Cuboid 473, 543, 552, 564, 568, 571, 572, 578, 580
Cuneate fasciculus 715, 717
Cuneate tubercle 714, 715, 717
Cuneiform cartilage 775
Cuneiform tubercle 777, 780
Cuneiforms 473, 543, 571
Cuneonavicular joint 576

Cuneus 708
Cusp of aortic valve 253, 285
Cutaneous branch
— of obturator nerve 477, 480
— of lateral plantar artery 563
— of lateral plantar nerves 563
— of medial plantar artery 563
— of medial plantar nerve 563
— of posterior rami 33
Cystic artery 328, 352, 353
Cystic duct 350-352, 354, 357, 384
Cystic node 380, 383
Cystic vein 352, 358
Cystohepatic triangle 352

D

Dartos fascia 450, 451
Deciduous teeth 669
Decussation of pyramids 714
Deep artery
— of clitoris 437
— of penis 459
— of thigh (profunda femoris artery) 515
Deep auricular artery 650
Deep back muscles 384
Deep branch
— of cystic artery 353
— of medial plantar artery 566
— of radial nerve 75
— of ulnar artery 161, 164
— of ulnar nerve 74, 161, 164, 165
Deep cervical artery 50, 271, 744, 745, 752
Deep cervical node 273, 283, 656
Deep cervical vein 42, 747
Deep circumflex iliac artery 297, 307, 373, 421, 470, 484, 493, 494
Deep circumflex iliac vein 307, 421, 437, 485
Deep dorsal vein of penis 314, 421, 456, 457, 459
Deep facial vein 613, 747
Deep fascia
— of leg (crural fascia) 490, 491, 548, 556, 558
— of penis 450, 451, 455, 457
— of tibialis posterior 491
Deep fibular (peroneal) nerve 55, **478**, 480, 544-546, 575, 583, 584
Deep head
— of medial pterygoid 649
— of pronator teres 134
Deep infrapatellar bursa 540
Deep inguinal node 273, 411, 422, 423, 438, 439, 488, **489**, 493
Deep inguinal ring 307, 309, 313, 316, 427
Deep lingual artery 657
Deep lymphatic vessels 273
Deep middle cerebral vein 629
Deep palmar arch 80, 81, 144, 164, 166, 167
Deep parotid node 654
Deep part of posterior compartment of leg 491
Deep perineal fascia 451
Deep perineal nerve 414, 462
Deep peroneal (fibular) nerve 544-546, 575
Deep petrosal nerve 679, 802, 806, 807
Deep plantar arch 566
Deep plantar artery 484, 547
Deep popliteal nodes 273
Deep postanal space 450
Deep temporal arteries 648
Deep temporal branches 650

Deep temporal nerves 648, 649, 651, 800, 805
Deep transverse metacarpal ligament 165
Deep transverse metatarsal ligament 566
Deep transverse perineal muscle 400, 401, 448
Deep venous palmar arch 82
Deep vein of thigh (profunda femoris vein) 485
Deferentectomy (vasectomy) 415
Deltoid 32, 94, 107, **111**, 117, 118, 120, 187, 194, 736
Deltoid branch of thoraco-acromial artery 94
Deltoid fascia 86, 87
Deltoid ligament 568, 574, 575, 578, 580
— of ankle 559
— of ankle joint 570
Deltoid tuberosity 112, 187
Deltopectoral groove 89, 119
Deltopectoral nodes 83
Deltopectoral triangle 88, 195
Dens of axis (odontoid process) 8, 13, 62, 701, 722, 723, 730, 784
Dental branches 650
— of inferior alveolar nerve 667
Dentate gyrus 709, 721
Dentate nucleus 717, 720
Denticulate ligament 44, 45, 815
Dentine 665
Depressor anguli oris 606-610, 642, 726
Depressor labii inferioris 606, 608, 609, 726
Descending aorta 63, 248, 277, 284
Descending branch
— of lateral circumflex femoral artery 502, 521, 536, 537
— of left colic artery 341
Descending colon 292, 317, 331, 334-336, 342, 384
Descending genicular artery 484, 536, 537, 561
Descending genicular vein 485
Descending palatine artery 649, 650
Descending part of duodenum 331, 343
Descending (superior) part of trapezius 32, 33, 106, 108, 120, 123, 733
Descending thoracic aorta 278
Detrusor muscle 417
Diaphragm 217, 384
Diaphragma sellae (sellar diaphragm) 618, 623, 720
Diaphragmatic area of liver 345
Diaphragmatic part of parietal pleura 222
Diaphragmatic pleura 269
Diaphragmatic surface of spleen 362
Diastole 255
Diencephalon 707, 714
Digastric 642, 646, 658, 741
Digastric fossa 645
Digastric triangle 732
Digital process of fat 462, 464
Dilator pupillae 640, 799
— of iris 697
Diploë 614, 698
Direct inguinal hernia 313
Distal commissural ligament 155
Distal convoluted tubule 365
Distal interphalangeal (DIP) joint 146, 154, 181, 185
Distal medial striate artery 627
Distal phalanx
— of foot 473, 543, 564
— of hand 69, 185
Distal radio-ulnar joint 139, 145, 154, 181
Distal wrist crease 154
Domes of diaphragm 221
Dorsal artery
— of clitoris 437, 465, 467
— of foot (dorsalis pedis artery) 484, 545-547, 560, 561

Dorsal artery of penis 456, 457, 459
Dorsal branch
— of median nerve 73
— of proper palmar digital artery 166
— of ulnar nerve 74, 153, 174, 179
Dorsal calcaneocuboid ligament 572
Dorsal carpal arch 81, 167, 170
Dorsal carpal branch
— of radial artery 81, 167
— of ulnar artery 81, 149, 150, 160, 167, 179
Dorsal cuneonavicular ligaments 568
Dorsal cutaneous branch of ulnar nerve 149, 150, 160
Dorsal digital artery
— of foot 484, 545, 547
— of hand 81, 166, 167, 170
Dorsal digital branches 76
— of radial nerve 166
Dorsal digital nerves 75
Dorsal digital vein 84, 174
Dorsal digital venous arches 84
Dorsal fascia 156
Dorsal interossei 74, 158, 567
Dorsal lingual arteries 657, 761
Dorsal metacarpal arteries 81, 170
Dorsal metacarpal artery 166
Dorsal metatarsal arteriy 545, 547
Dorsal metatarsal ligaments 568
Dorsal nasal artery 639
Dorsal nerve
— of clitoris 462, 463, 465, 467
— of penis 425, 456, 457, 459
Dorsal pancreas 355
Dorsal pancreatic artery 333
Dorsal scapular artery 81, 98, 123, 744, 752, 753, 756
Dorsal scapular nerve 100, 123, 735
Dorsal scapular vein 82, 95
Dorsal talonavicular ligament 568, 570
Dorsal tarsometatarsal ligaments 568
Dorsal tubercle of radius 168, 178, 182
Dorsal venous arch 485-487
Dorsal venous network of hand 82, 84, 172
Dorsalis indicis 167
Dorsalis indicis artery 192
Dorsalis pedis artery (dorsal artery of foot) 545-547, 560, 561
Dorsalis pollicis 167
Dorsalis pollicis artery 166, 192
Dorsum of tongue 656, 701, 768
Dorsum sellae 593, **596**, 597, 604, 623, 678, 682, 694, 718, 818
Duct of cochlea 684
Ducts of sublingual gland 759
Ductus arteriosus 249
Ductus deferens 311, 314, 316, 413-416, 418, 420, 456
Ductus reuniens 694
Ductus venosus 249
Duodenal area 345
Duodenal cap 329
Duodenojejunal junction 320, 335, 342, 343
Duodenum 292, 331, 387
Duplicated ureter 366
Dura mater 45, 46, 49, 616, 698
Dural artery 641
Dural vein 641
Dural sac 46

E

Edinger-Westphal nucleus of oculomotor nerve (CN III) 717, 792, 793, 799
Efferent ductules 315, 415
— of testis 311
Efferent glomerular arteriole 365
Ejaculatory duct 415, 416, 419
Elbow joint 66
Enamel 665
Endolymphatic duct 684
Endolymphatic sac 684, 694, 695, 808
Endometrium of uterus 426, 429, 468
Endopelvic fascia 442, 468
Endothoracic fascia 222, 268, 327
Enteric nervous system 58, 376
Epicolic node 383
Epicranial aponeurosis 42, 609, 614, 698, 723
Epididymis 310, 311, 314, 415, 456
Epidural fat 48
Epidural space 47
Epidural venous plexus 19
Epiglottic cartilage 749, 775, 777
Epiglottic tubercle 780
Epiglottis 656, 660, 723, **766**, 767, 770, 772, 774-777, 780, 783, 784
Episcleral artery 641
Episcleral vein 641
Epithalamus (pineal body) 703
Epitympanic recess 685, 687, 688, 690, 691
Erector spinae 32, 35, 40, 63, 369
Esophageal area of liver 345
Esophageal arteries 248
Esophageal branch 271
— of gastric veins 358
— of inferior phrenic artery 271
— of left gastric artery 271
Esophageal hiatus 270, 323, 370, 372
Esophageal plexus 236, 248, 267, 276, 281, 812
Esophageal vein 359
Esophagogastric junction 327
Esophagus 248, 262, 263, 270, 284, 384, 784
Ethmoid 596, 630
Ethmoidal bulla 601, 675, 676
Ethmoidal cell 676-678, 680, 698, 699
Ethmoidal crest of maxilla 674
Ethmoidal infundibulum 677
Ethmoidal labyrinth 601
Ethmoidal notch 600
Ethmoidal spine 597, 604
Excretory duct 634
Extensor carpi radialis brevis 134, 150, **169**, 170, 173, 174, 177, 188, 189
Extensor carpi radialis longus 118, 121, 134, 136, 143, 150, **169**, 170, 173, 174, 177, 188, 189
Extensor carpi ulnaris 169, 170, 173, 174, 179, 188, 189, 191
Extensor digiti minimi 169, 170, 173, 174, 188, 191
Extensor digitorum 169, 170, 173, 174, 188, 189
Extensor digitorum brevis 542, 545, 546, 548, 550
Extensor digitorum longus **542-544**, 546, 548-550, 575, 583, 584
Extensor expansion 169, 173-175, 546
Extensor hallucis brevis 542, 546, 548
Extensor hallucis longus 542-544, 546, 548, 575, 583, 584
Extensor indicis 169, 170, 173, 174, 188
Extensor pollicis brevis 169, 170, 172-174, 176, 177, 188, 189

Extensor pollicis longus **169**, 170, 172-174, 176, 177, 188, 189, 191, 192
Extensor retinaculum 169, 170, 490
External acoustic meatus 590, 602, 603, 646, 679, 684, 685, 692
External anal sphincter 407-410, 453, 455, 463, 466
External branch of superior laryngeal nerve 743, 746, 748, 750, 751, 765, 776, 783, 813
External capsule 706, 711, 713, 721
External carotid artery 612, 615, 647, 648, 650, 659, **744**-746, 748, 785, 805
External carotid plexus 697
External hemorrhoid 411
External iliac artery 297, 307, 309, 361, **373**, 402-404, 410, 413, 420, 421, 436, 437, 461, 468, 470, 484, 493, 500, 521
External iliac node 315, 380, 411, 422, 423, 438, 439, 489
External iliac vein 309, 361, **373**, 402, 403, 413, 420, 421, 437, 461, 468, 485, 493
External inguinal ring 314
External intercostal 37, 44, 211-216, 218, 279
External intercostal membrane 214, 215
External jugular vein 82, 95, 607, 613, 642, **728**, 734, 735, 738, 747, 782
External nasal branch
— of anterior ethmoidal nerve 803
— of infra-orbital nerve 681, 802
External nasal nerve 611
External nasal vein 613
External oblique 32-34, 39, 63, 90, 91, 108, 194, 203, 213, 216, 218, 294, 298, **302**, 367, 368
External occipital crest 592, 594
External occipital protuberance 9, 42, 43, 62, 591, **592**, 594, 595, 723, 730
External ostium 429, 433
— of cervical canal 434
— of uterus 431
External palatine vein 771, 772
External pudendal artery 300, 437, 484
External spermatic fascia 310, 311, 314, 456
External urethral orifice 448, 456, 457
External urethral sphincter 400, 403, 407, 448, 452
External (lateral) segment of globus pallidus 720
Extradural hematoma 616
Extraperitoneal fascia 351
Extraperitoneal fat 303
Extreme capsule 711, 713, 721
Extrinsic muscles 658
Eyeball 633, 699, 718, 795

F

Fabella 579
Facet for tubercle of rib 5
Facet (zygapophysial) joint 730
Facial artery 606, 607, **612**, 642, 646, 647, 660, 701, 740, 742-746, 758
Facial colliculus 715, 718
Facial nerve 620-622, 642, 643, 654, 679, 683, 685, 689, 690, 692, 700, 714, 717, 742, 762, 788, 789, 793, 802, **806**, 807, 819
Facial vein 606, 607, **613**, 619, 639, 642, 646, 659, 696, 701, 728, 738, 742, 747, 783
Falciform ligament 316, 317, 319, 320, 321, 324, 344, 384, 388
Falciform margin of saphenous opening 490
Falx cerebelli (cerebellar falx) 618, 619, 723
Falx cerebri (cerebral falx) 618, 619, 632, 698, 713, 723

Fascia lata   304, 307, 310, 451, 464, 467, **490**-493, 497, 581, 582
Fascial sheath of eyeball   635
Fascial sling of digastric   741
Fastigiobulbar tract   717
Fat in infratemporal fossa   718
Fatty fascia   450
Fatty layer of subcutaneous tissue (Camper fascia)   303, 304, 308
Femoral artery   297, 401, 437, 444, 469, 470, **484**, 494, 495, 502, 515, 537, 560, 561, 581, 582
Femoral branch of genitofemoral nerve   307, 310, 371, 480, 492
Femoral canal   316, 493
Femoral nerve   55, 316, 361, 370, 371, 410, 444, **476**, 493-495, 502
Femoral nerve injury   477
Femoral region   472
Femoral ring   316, 401, 493, 494
Femoral septum   493
Femoral sheath   492, 493, 495
Femoral triangle   494
Femoral vein   299, 401, 444, 469, **485**, 486, 493-495, 502, 581, 582
Femur   472, 473, 504, 505, 524, 553, 581, 582
Fibrous capsule of shoulder joint   126
Fibrous digital sheath   155, 162
Fibrous layer
— of capsule of knee joint   540
— of eyeball (cornea)   641
Fibrous pericardium   219, 223, 247, 248
Fibrous ring
— of aortic valve   255
— of mitral valve   255
— of pulmonary valve   255
— of tricuspid valve   255
Fibula   472, 473, 504, 505, 553, 583, 584
Fibular (peroneal) artery   556, 557, 560, 561, 583
Fibular collateral ligament   525, 529-531, 533-535, 539, 548
Fibular (peroneal) vein   485, 487, 583
Fibularis (peroneus) brevis   542, 545, **549**, 550, 554, 555, 573-575, 583, 584
Fibularis (peroneus) longus   542, 545, **549**, 550, 552, 554, 555, 567, 573-575, 583, 584
— tendon   549
Fibularis (peroneus) tertius   542, 543, 546, 548-550, 575, 583
Filiform papillae   656
Filum terminale externum   44, 46, 54
Filum terminale internum   47, 54
Fimbria of fornix   707
Fimbriae of uterine tube   430, 431
Fissure of tragus   683
Flexible colonoscope   336
Flexor carpi radialis   134, **147**, 148, 152, 153, 164, 165, 177, 188, 189, 191
Flexor carpi ulnaris   137, 143, **147**-153, 160, 162, 165, 188, 189
Flexor digiti minimi brevis   158, 161, 164, 566, 567
Flexor digitorum brevis   564, 574
Flexor digitorum longus   552, 554-559, 573-575, 583, 584
Flexor digitorum profundus   137, **147**, 149-151, 158, 164, 165, 188, 189, 191, 192
— tendon   162
Flexor digitorum superficialis   137, **147**, 149, 152, 160, 164, 165, 188, 189, 191, 192
——, humero-ulnar head   149
— tendon   162
Flexor hallucis brevis   566, 567

Flexor hallucis longus   **552**, 555, 556-559, 573-575, 583, 584
Flexor pollicis brevis   150, 155, 157, 158, 161, 164, 192
Flexor pollicis longus   **147**, 149-151, 153, 188, 189, 191, 192
Flexor retinaculum
— of foot   554, 558
— of hand (transverse carpal ligament)   147, 151, 183, 190, 191
Floating (free) ribs   205
Flocculonodular lobe   716
Flocculus   716-718
Floor of 4th ventricle   622
Fold of incus   689
Foliate papillae   656
Foot region   472
Foramen cecum   597, 656, 660, 766
Foramen lacerum   594, 597, 602, 694
Foramen magnum   44, 62, 593, **595**, 597, 679, 694, 722, 723, 808, 814
Foramen ovale   594, 597, 602, 604, 624, 645, 679, 694
Foramen rotundum   597, 604, 624, 634, 679, 680, 682
Foramen spinosum   594, 597, 602, 604, 645, 682
Foramen transversarium   5, 62, 701
— of cervical vertebra   731
Forearm   66
Fornix   703, 708-711, 713, 714, 716, 720-723
Fossa
— for gallbladder   352
— for lacrimal gland   600
— of incus   689
— of round window   686, 690
— ovalis (oval fossa)   256, 258
Fovea   521
Fovea centralis   641
Frenulum
— of clitoris   464
— of labia minora   447
— of prepuce   456, 457
Frontal belly of occipitofrontalis   609, 610, 806
Frontal bone   586, 587, 630, 631, 644, 680
Frontal branch of superficial temporal artery   606
Frontal crest   597
Frontal diploic vein   614
Frontal eminence   586, 587, 589, 591
Frontal lobe   699, 702, 705, 706, 713, 716
Frontal nerve   624, 625, 632, 634, 797, 798, 800, 801
Frontal pole   708, 722
Frontal process
— of maxilla   589, 591, 601, 670, 701
— of zygomatic bone   589, 591
Frontal sinus   618, 632, 671, 674, 677, 678, 680, 723
Frontal (metopic) suture   586, 587
Frontalis   614
Frontonasal suture   670
Fundiform ligament of penis   305, 451
Fundus
— of gallbladder   292, 317, 354, 357
— of stomach   327, 329
— of uterus   427-429, 431-434, 468
Fungiform papillae   656

G

Gallbladder   324, 344, 350, 352, 354, 384
Ganglionic branches   802
Gastric area of liver   330, 345
Gastric canal   327
Gastric folds   329

Gastro-esophagogastric junction   387
Gastro-omental node   382
Gastrocnemius   501, 503, 524, 552, 555
Gastrocnemius aponeurosis   583, 584
Gastrocolic ligament (greater omentum)   317, 322, 323, 325, 342
Gastroduodenal artery   325, 328, 330, 332, 333, 351, 388, 353
Gastrohepatic ligament   317
Gastropancreatic fold   324
Gastrophrenic ligament   317
Gastrosplenic ligament   317, 321, 323, 327
Geniculate anastomosis   484
Geniculate ganglion   689, 690, 802, 806, 807
Genioglossus   657, **658**, 660, 661, 698, 699, 759-761, 782, 784, 815
Geniohyoid   657, **658**, 660, 661, 698, 723, 740, 741, 759-761, 815
Genital branch of genitofemoral nerve   308, 309, 314, 371, 480
Genitofemoral nerve   361, 370, 413, 480, 493
Genu   708, 709
— of corpus callosum   703, 722
— of internal capsule   713
Genu valgum   527
Genu varum   527
Gerdy tubercle   490, 498, 504
Glabella   588, 590, 600
Glandular tissue   199
Glans of clitoris   447, 462, 464, 465
Glans penis   314, 415, 446, 456-458
Glenoid cavity   127, 129
Glenoid labrum   127, 129
Globus pallidus   707, 711, 713, 721
Glomerular capsule   365
Glomerulus   365
Glossopharyngeal nerve   45, 620-622, 643, 657, 659, 661, 690, 700, 714, 746, 761-765, 772, 788, 789, 793, **810**, 811, 813, 819
Gluteal fascia   33, 34, 108, 503
Gluteal fold   393
Gluteal tuberosity   473, 505
Gluteofemoral bursa   510
Gluteus maximus   32-34, 63, 108, 403, 444, 453, 454, 460, 463, 466, 469, 501, 503, **506-508**, 510, 511, 515, 520, 581, 582
Gluteus medius   32, 63, 403, 506-508, 510, 511, 520
Gluteus minimus   63, 497, 507, 511
Gracile fasciculus   715
— of medulla oblongata   792
Gracile tubercle   714, 715
Gracilis   495, **497**, 498, 500-502, 506, 509, 511, 522-524, 581, 582
Gracilis attachment   498
Gray matter (cerebral cortex)   713, 718, 720, 722
Gray ramus communicans   48, 53, 60
Great anterior segmental medullary artery   50
Great auricular nerve   607, 611, 642, 683, 734, 735, 742, 754
Great cardiac vein   243, 245, 246, 251
Great cerebral vein (vein of Galen)   618, 619, 629, 713, 716, 720, 723
Great saphenous vein   300, 301, **485-487**, 489, 490, 492-494, 502, 558, 582, 575, 584
Great auricular nerve   647
Greater curvature of stomach   322, 327, 329
Greater horn of hyoid bone   660, 731, 746, 749, 761, 763, 765, 773, 774
Greater occipital nerve   33, 42, 43, 108, 611, 734, 735

Greater omentum (gastrocolic ligament)　317-319
Greater palatine artery　663, 664, 673, 805, 769
Greater palatine canal　679, 700
Greater palatine foramen　594, 662, 671
Greater palatine nerve　651, 663, 664, 672, 678, 680, 681,
　769, 802, 803
Greater palatine veins　663
Greater pancreatic artery　332, 333
Greater pelvis　394
Greater petrosal nerve　624, 679, 689, 690, 801, 802, 806,
　807
Greater sac　318, 322
Greater sciatic foramen　26, 27, 399, 403, 512, 513
Greater sciatic notch　24, 395, 473, 505, 519
Greater splanchnic nerve　59, 267, 276-279, 281, 374, 376
Greater trochanter　472, 473, 504, 505, 507, 511-513, 516
Greater tubercle of humerus　30, 116
Greater vestibular gland　465, 467
Greater wing of sphenoid　591, 596, 602, 604, 630, 644, 682,
　698, 701
Groove
　— for deep temporal vessels　644
　— for flexor hallucis longus　570, 576, 578
　— for greater petrosal nerve　596, 597
　— for inferior petrosal sinus　593, 596, 694
　— for lesser petrosal nerve　596
　— for middle meningeal artery　596, 603
　— for sigmoid sinus　13, 593, 596, 597, 603, 694
　— for spinal nerve　8, 9, 731
　— for subclavian artery　207
　— for subclavian vein　207
　— for superior petrosal sinus　593, 596, 603
　— for superior sagittal sinus　596
　— for tendon of flexor hallucis longus　569, 580
　— for transverse sinus　596, 597
　— for ulnar nerve　113
　— for vertebral artery　12, 13
Gubernaculum　312
Gustatory nucleus　792
Guyon canal　152

H

Habenular commissure　713, 715
Habenular nucleus　711
Habenular trigone　710, 715
Hamate　69, 146, 168, 179, 183, 184, 191
Hamstrings　507
Hamulus of medial pterygoid plate　594, 662
Hand　66
Handle of malleus　685-688, 691
Hard palate　662, 663, 678, 679, 699, 701, 723, 768, 770
Haustra of colon　334-337
Haustrum of colon
Head
　— of caudate nucleus　707, 709-711, 713, 714, 720, 722
　— of epididymis　315
　— of femur　473, 504, 516, 520, 521, 582
　— of fibula　504, 505, 526, 584
　— of humerus　130
　— of malleus　685, 687, 688
　— of mandible　600, 654
　— of pancreas　385
　— of radius　112, 138, 143
　— of rib　207
　— of stapes　687
　— of talus　564, 571, 572
　— of ulna　146, 168
Helix　683

Hemi-azygos vein　48, 274, 275, 277, 279, 285, 373, 384
Hemivertebra　29
Hepatic artery　384, 388
Hepatic artery proper　321, 328, 330, 331, 333, 353
Hepatic branches of anterior vagal trunk　379, 812
Hepatic flexure　336
Hepatic node　380, 382, 383
Hepatic portal vein　249, 321, 325, 326, 350, 351, **358**, 359,
　385, 388
Hepatic veins　347
Hepatocytes　349
Hepatoduodenal ligament　352
Hepatopancreatic ampulla　354
Hepatorenal recess　321, 345, 350
Hernial sac　313
Hesselbach triangle (medial inguinal fossa)　316
Hiatus for greater petrosal nerve　603, 807
Hilum
　— of lung　221, 222
　— of spleen　330
Hip bone　2, 392, 394, 396, 472, 473
Hip joint　472
Hip region　472
Hip pointer　498
Hippocampal sulcus　708, 709
Hippocampus　707, 709, 718, 720, 721
Hook of hamate　152, 165, 180, 181, 183, 184, 191
Horizontal fissure　219
　— of cerebellum　716
Horizontal plate of palatine bone　594, 601, 602, 662, 671
Horner syndrome　632, 781
Housemaid's knee　534
Humeral (lateral) axillary nodes　83
Humeral component of joint　128
Humeral (lateral) nodes　200
Humerus　66, 70, 112, 115, 187
Hyaline end-plate　19
Hyaline plate　22
Hymenal caruncle　447
Hyo-epiglottic ligament　775, 777
Hyoglossus　643, 657, **658**, 660, 661, 746, 759, 760, 764,
　765, 772, 773, 782, 815
Hyoid bone　643, 656, 658, 660, 661, 696, 723, **729**, 730,
　738, 740, 741, 743, 746, 748, 758-761, 764, 772, 784,
　805
Hypogastric nerve　374, 375, 424, 425, 443
Hypogastric sheath　414, 445
Hypoglossal canal　593, 597
Hypoglossal nerve　45, 620, 621, 642, 643, 647, 657, 659,
　661, 700, 740, 742, 743, 746, 754, 758-763, 767, 773,
　788, 789, 793, **815**, 819
Hypoglossal trigone　715
Hypophysial artery　627
Hypophysial fossa　597, 604, 618, 718
Hypophysis (pituitary gland)　676, 720, 722, 789
Hypothalamic sulcus　708
Hypothalamus　703, 722
Hypothenar eminence　154
Hypothenar fascia　155-157
Hypothenar muscles　152, 191

I

Ileal arteries　339, 343
Ileal diverticulum　337
Ileal veins　358
Ileocecal fold　436
Ileocecal orifice　337
Ileocolic artery　337, 338, 339, 343

Ileocolic node　383
Ileocolic vein　325, 358
Ileum　292, 337, 342
Iliac crest　**24**, 30, 31, 34, 367, 392, 393, 395, 396, 472,
　473, 490, 504, 505, 519
Iliac fascia　493
Iliac fossa　24, 394, 395, 473, 504
Iliac nodes　273
Iliac tuberosity　24, 395
Iliacus　370, 444, 461, 495, 497, 499, 502
Ilio-inguinal nerve　297, 300, 301, 305, 306, 308-310, 313,
　370, **371**, 456, 462, 480, 492, 502
Iliococcygeus　400-402, 410, 431, 449, 454, 455
Iliocostalis　35, 40, 63, 212
Iliocostalis cervicis　35, 40
Iliocostalis lumborum　35, 39, 40
Iliocostalis thoracis　35, 40
Iliofemoral ligament　399, 516-518, 520, 521
Iliohypogastric nerve　297, 301, 305, 306, 310, 369-371,
　502
Iliolumbar artery　404, 421
Iliolumbar ligament　26, 27, 38, 399
Iliolumbar vein　275
Iliopectineal arch　493, 499
Iliopectineal bursa　495
Iliopsoas　63, 316, 494, 495, 498, 499
Iliopubic eminence　24, 395, 396, 473, 504
Iliopubic tract　316
Iliotibial tract　**490**, 491, 494, 495, 497, 503, 506-508, 520,
　526, 531, 533, 542, 548, 581, 582
Ilium　24, 394, 505, 519
Incisive branch of inferior alveolar nerve　667
Incisive canal　602
Incisive fossa　589, 594, 662, 663
Incisive papilla　662
Incisors　669
Incudomallear joint　687, 689
Incudostapedial joint　687, 689
Incus　684, 685, 687, 689, 691
Indirect inguinal hernia　313
Inferior alveolar artery　648, 650, 660, 698
Inferior alveolar nerve　648, 649, **651**, 659, 660, 667, 698,
　800, 804, 805
Inferior anal artery　453
Inferior anal nerve　403, 425, 453, 462, 463
Inferior angle of scapula　30, 110, 129
Inferior articular facet　4, 5
　— of atlas　62
Inferior articular process　4, 10, 730
Inferior belly of omohyoid　732, 735, 743, 783
Inferior border
　— of heart　242
　— of lung　228
　— of mandible　588
Inferior cardiac branch of vagus nerve　752
Inferior cerebellar peduncle　714-718
Inferior cervical cardiac branch　245, 280, 812
Inferior cervical cardiac nerve　245, 280
Inferior cervical ganglion　754-756, 763
Inferior check ligament　635
Inferior clunial nerves　462, 480, 511, 514
Inferior colliculus　622, 624, 714, 715, 717
　— of midbrain　818
Inferior concha　602
Inferior conjunctival fornix　635
Inferior conjunctival sac　635
Inferior constrictor　743, 746, 750, 751, **762-765**, 776, 779,
　782, 783, 813
Inferior costal facet　14, 209

Inferior cutaneous crease   196
Inferior deep cervical node   237, 696, 753, 781
Inferior dental branches of inferior dental plexus   804
Inferior dental plexus   651
Inferior diaphragmatic (phrenic) nodes   383
Inferior (lower) eyelid   631
Inferior epigastric artery   **297**, 301, 306, 307, 310, 334, 373, 413, 420, 421, 436, 470, 484, 493
Inferior epigastric vein   306, 307, 421, 437, 485
Inferior epigastric vessels   316
Inferior extensor retinaculum   542, 544, 546, 550
Inferior fascia of pelvic diaphragm   451
Inferior fibular (peroneal) retinaculum   545, 550
Inferior four thoracic vertebrae   14, 15
Inferior frontal gyrus   705
Inferior fronto-occipital fasciculus   706
Inferior ganglion
— of glossopharyngeal nerve   813
— of vagus nerve   813
Inferior gemellus   507, 510, 511, 513
Inferior glenohumeral ligament   127, 128
Inferior gluteal artery   400, 404, 410, 420, 421, 444, 470, 484, 510, 511, **515**
Inferior gluteal line   473, 505, 512, 519
Inferior gluteal nerve   405, 444, 510, 511, 514
Inferior gluteal vein   421, 437, 485
Inferior head of lateral pterygoid   648
Inferior horn
— of lateral ventricle   704, 707, 718, 720, 721
— of thyroid cartilage   774, 779
Inferior hypogastric (pelvic) plexus   374, 375, 412, 424, 425, 440
Inferior ileocecal fold   337
Inferior ileocecal recess   337
Inferior labial artery   612
Inferior labial veins   613
Inferior lacrimal papilla   631
Inferior laryngeal artery   783
Inferior lateral cutaneous nerve of arm   75, 76, 121
Inferior lateral genicular arteries
Inferior lateral genicular artery   484, 515, 524, 533, 536, 537, 561
Inferior lobe
— of left lung   219, 227
— of right lung   219, 226
Inferior longitudinal band of cruciate ligament   11
Inferior longitudinal muscle   657, 658
Inferior meatus   602
Inferior medial genicular artery   484, 515, 524, 532, 536, 537, 560, 561
Inferior medullary velum   715, 716
Inferior mesenteric artery   320, 331, **340**-343, 353, 361, 373, 411, 413, 437
Inferior mesenteric ganglion   59, 374, 376, 377, 424
Inferior mesenteric node   380, 383, 411, 422, 423, 438, 439
Inferior mesenteric plexus   374
Inferior mesenteric vein   320, 325, 331, 343, **358**, 359, 361, 384, 387
Inferior nasal concha   589, 663, 670, 671, **674**, 676, 698-700, 718, 770, 784
Inferior nasal meatus   671, 674, 698, 700
Inferior nuchal line   592
Inferior oblique   631, 634, 636, 677, 797-799
Inferior olivary complex   793
Inferior ophthalmic vein   613, 619, 639, 797
Inferior orbital fissure   602, 630, 645, 649, 679, 680, 799
Inferior orbital septum   635
Inferior palpebral branch of infra-orbital nerve   681, 802
Inferior palpebral nerve   798

Inferior palpebral vein   613
Inferior pancreatic artery   333
Inferior parathyroid gland   750, 762, 776
Inferior parietal lobule   705
Inferior part of duodenum   331, 343
Inferior peroneal (fibular) retinaculum   545, 550
Inferior petrosal sinus   619, 622, 685
Inferior phrenic artery   361, 363, 373
Inferior phrenic vein   373
Inferior pole of kidney   364
Inferior pole of thyroid gland   729, 748
Inferior pubic ligament   403, 406, 426
Inferior pubic ramus   24, 397, 504, 519
Inferior pulmonary vein   276
Inferior recess of omental bursa   317-319
Inferior rectal artery   403, 410, 411, 437
Inferior rectal nerve   403, 453, 462, 463
Inferior rectal vein   359, 411
Inferior rectus   631, 633, 634, 636, 677, 699, 797, 799
Inferior root of ansa cervicalis   743
Inferior sagittal sinus   618-620
Inferior salivatory nucleus   792, 793
Inferior segmental artery   365
Inferior suprarenal artery   363, 365
Inferior tarsus   610
Inferior temporal gyrus   705
Inferior temporal line   591, 592
Inferior temporal retinal arteriole   641
Inferior temporal retinal venule   641
Inferior thyroid artery   271, 744, **745**, 750, 751, 753-755, 762, 763, 767, 776, 783
Inferior thyroid vein   262, 739, 747, 748, 750, 751, 753
Inferior tracheobronchial (carinal) node   237, 282, 283
Inferior transverse rectal fold   411
Inferior trunk of brachial plexus   268
Inferior tubercle   774, 778
Inferior ulnar collateral artery   81, 98, 119, 133, 134, 144, 145
Inferior vena cava   63, **242**, 243, 246, 249, 275, 276, 286, 359, 361, 373, 384, 388, 485
Inferior vermis   716, 718, 720
Inferior vertebral notch   4, 16, 18
Inferior vesical artery   420, 421
Inferior vesical vein   421
Inferior ulnar collateral arteries   80
Inferolateral lobule of prastate   416
Inferoposterior lobule of prastate   416
Infra-orbital artery   634, 648-650, 698, 700
Infra-orbital canal   630
Infra-orbital foramen   589, 590, 630
Infra-orbital groove   630
Infra-orbital margin   589
Infra-orbital nerve   610, 611, 631, 634, 649, 651, 667, 680, 681, 698, 700, 798, 800, **802**
Infra-orbital suture   630
Infra-orbital vein   639
Infraclavicular fossa   89, 196
Infraclavicular nodes   200
Infracolic compartment (of greater sac)   319, 320
Infraglenoid tubercle   112, 113, 130
Infrahyoid node   656, 696
Infrapatellar branch of saphenous nerve   480
Infrapatellar fat pad   528, 540
Infrapatellar synovial fold   528
Infraspinatus   97, 106, 110, 120-122, 128, 129
Infraspinous fossa   113
Infrasternal angle   204
Infratemporal crest   645
Infratemporal fossa   645

Infratemporal surface
— of greater wing of sphenoid   645
— of maxilla   601, 644, 645
Infratrochlear nerve   610, 611, 632, 633, 797, 801
Infundibulum
— of pituitary gland   623, 624, 709, 714, 718, 722, 788, 818
— of uterine tube   430, 431
Inguinal fold   392
Inguinal ligament   304, 305, 313, 399, 490, 492-495, 521
Inguinal lymph nodes   305
Inguinal triangle   313
Inlet of larynx   766
Inner hair cells   695, 809
Inner spiral sulcus   695, 809
Inner layer of eyeball (optic part of retina)   641
Innermost intercostal   44, 211-215, 217, 279
Insula   705, 711, 721
Insular cortex   713, 720, 722
Interalveolar septa   665
Interarytenoid notch   766
Interatrial sulcus   246
Intercarpal joint   154, 183
Intercavernous septum of deep fascia   459
Intercavernous sinus   619
Interchondral joint   206
Interchondral ligament   206
Interchondral part of internal intercostal   218
Interclavicular ligament   124, 206
Intercondylar eminence   473, 538
Intercondylar fossa   505, 530
Intercostal nerve   44, 48, 53, 211, 212, 267, 277-279, **281**, 297, 301
Intercostal nodes   283
Intercostal space   204
Intercostobrachial nerve   76, 90, 96, 103, 105, 195, 203, 298
Intercrural fibers   300, 305, 308
Intergluteal cleft   31, 32, 418, 453, 460, 469
Interior rectus   798
Interlobar artery   365
Interlobular lymphatic vessels   237
Interlobular septum   233
Interlobular vein   365
Intermammary cleft   196
Intermaxillary suture   586, 588, 662
Intermediate bronchus   232, 234, 235, 270
Intermediate hepatic vein   347, 348, 384, 386
Intermediate lumbar node   380
Intermediate nerve   621, 689, 717, 788, 789, 806
Intermediate node   383
Intermediate sacral crest   25
Intermediate tendon
— of digastric   740, 743, 758, 763
— of omohyoid   743
Intermediate (membranous) urethra   407, 415, 417, 419
Intermediolateral cell column   376
Intermesenteric plexus   374, 375, 377
Intermetatarsal joints   576
Intermuscular septum   511
Internal acoustic meatus   597, 603, 684, 685, 692, 718, 808
Internal anal sphincter   407, 409, 454, 455
Internal branch of superior laryngeal nerve   743, 746, 748, 750, 765, 776, 779, 813
Internal capsule   707, 709-711, 720, 721
Internal carotid artery   62, 612, 618, 620, 623, 625-629, 639, 643, 647, 654, 659, 690, 691, 700, 701, 718, 720, **744**-746, 748, 785
Internal carotid peri-arterial plexus   802
Internal carotid plexus   679, 690, 697

Internal cerebral vein 629, 716, 720, 721
Internal ear 685
Internal hemorrhoid 411
Internal iliac artery 50, 63, 361, **373**, 402-404, 410, 413, 420, 421, 436, 437, 468, 470, 484, 500
Internal iliac node 380, 411, 422, 423, 438, 439
Internal iliac vein 63, 373, 404, 421, 437, 468, 485
Internal intercostal 213-217, 279, 212
Internal intercostal membrane 211, 212, 214
Internal jugular vein 62, 82, 95, 613, 643, 647, 659, 690, 691, 696, 700, 701, 718, **728**, 737, 738, 742, 743, 746-748, 750-752, 782, 783, 786
Internal nasal branch 672
— of anterior ethmoidal nerve 803
— of infra-orbital nerve 672, 802, 803
Internal oblique 34, 39, 63, 213, 218, 301, **302**, 305, 306, 309, 367, 368, 502
Internal occipital crest 597
Internal occipital protuberance 596, 597, 723
Internal ostium 429, 433
— of cervical canal 434
Internal pudendal artery 404, 411, 414, 420, 421, 437, 467, 470, 510, 511, **515**
Internal pudendal vein 411, 421, 437, 467, 485
Internal rectal venous plexus 409, 411
Internal (medial) segment of globus pallidus 720
Internal spermatic fascia 310, 311
Internal thoracic artery 98, 123, 202, 214, 216, **217**, 297, 744, 745, 753, 754, 756
Internal thoracic vein 202, 216, 747, 753, 217
Internal urethral orifice 417
Internal urethral sphincter 407, 408, 452
Internal vertebral venous plexus 19, 48, 619, 783
Internasal suture 586, 588
Interosseous border 562
Interosseous membrane
— of forearm 87, 140, 141, 145, 188
— of leg 491, 534, 545, 562, 583, 584
Interosseous part of internal intercostal 218
Interosseous recurrent artery 137, 144
Interosseous sacro-iliac ligament 28
Interosseous tibiofibular ligament 562, 574
Interpectoral nodes 200
Interpeduncular cistern 704, 718, 720
Interpeduncular fossa 718, 818
Interphalangeal digital creases 154
Interphalangeal (IP) joint 146, 576
— of thumb 154, 172
Interphalangeal joint crease 154
Interradicular septum 665
Interscalene groove 786
Interspinales 39, 42
Interspinous ligament 9, 19, 22, 39
Interstitial fluid 273
Intertendinous connection 173
Interthalamic adhesion 703, 716, 721
Intertragic notch 683
Intertransversarius 38, 39, 622, 755
Intertrochanteric crest 505
Intertrochanteric line 473, 504, 516
Intertubercular groove 112
Interureteric crest 417
Interventricular foramen (of Monro) 703, 704, 708-711, 713
Interventricular septum 257, 258, 289
Intervertebral disc 2, 14, 20, 784
Intervertebral foramen 2, 48
Intervertebral vein 51, 52
Intestinal lymphatic trunk 380, 382
Intra-articular ligament 15, 206, 210

Intrabulbar fossa 407, 457
Intramural (preprostatic) urethra 415
Intraneural arterial chain 515
Intraparietal sulcus 705
Intrapulmonary bronchi 265
Intrapulmonary nodes 283
Intrinsic muscles of tongue 658, 698, 699, 782
Investing (deep) fascia 303, 306
— of popliteus 509
Investing layer of deep cervical fascia 727, 734, 738
Iridocorneal angle 641
Iris 630, 631, 640
Ischial spine **24**, 27, 394, 397, 402, 463, 473, 505, 512, 517, 519
Ischial tuberosity **24**, 392, 393, 453-455, 460, 466, 469, 472, 504, 505, 512, 513, 518, 519
Ischio-anal fat pad 451
Ischio-anal fossa 411, 414, 444, 453, 454, 460, 464, 466, 469
Ischiocavernosus 448, 453, 463, 464
Ischiofemoral ligament 399, 517
Ischiopubic ramus 24, **395**-397, 455, 460, 466, 469, 504, 519
Ischium 24, 394, 505, 519
Isthmus 727, 729, 749
— of pharyngotympanic tube 691, 693
— of prostate 416
— of thyroid gland 748, 750, 751
— of uterine tube 430, 431
— of uterus 433

J

Jejunal arteries 333, 343, 339
Jejunal veins 358
Jejunum 292
Joint capsule
— of ankle joint 578
— of atlanto-occipital joint 12
— of lateral atlanto-axial joint 12
— of proximal tibiofibular joint 534
— of zygapophysial (facet) joint 18, 19
Joint of head of rib 15, 209
Jugular foramen 593-595, 597, 690, 693, 813, 814
Jugular fossa 603
Jugular lymphatic trunk 200, 272, 656, 696, 781
Jugular notch 204, 733
Jugular process of occipital bone 595, 622, 754, 755
Jugular tubercle 45, 593, 597
Jugular venous arch 738
Jugular lymphatic trunk 282, 283
Jugular (suprasternal) notch of sternum 206, 739
Jugulo-digastric node 656
Jugulo-omohyoid node 656, 696
Jugulodigastric node 696

K

Kidney 293, 363, 385
Kiesselbach area 673
Knee joint 472
Kupffer cell (sinusoidal macrophage) 349

L

Labial frenulum 666
Labial glands 759
Labial mucosa 666
Labium majus 406, 426, 447, 462, 469

Labium minus 406, 426, 447, 462
Labyrinthine artery 626, 627
Lacrimal artery 632, 639
Lacrimal bone 589, 590, 630, 670
Lacrimal canal 630
Lacrimal canaliculi 631
Lacrimal caruncle 630, 631
Lacrimal foramen 630
Lacrimal fossa 630
Lacrimal gland 610, **631**-634, 677, 680, 697, 699, 797, 798, 801, 802, 807
Lacrimal groove 601
Lacrimal lake (lacus lacrimalis) 630, 631
Lacrimal nerve 610, 611, 624, 625, 632-634, 679, 680, 797, 798, 800, **801**, 807
Lacrimal punctum 631
Lacrimal sac 631
Lactiferous duct 197-199
Lactiferous sinus 198
Lacunar ligament 304, 401, 403, 493-495
Lacus lacrimalis (lacrimal lake) 630, 631
Lambda 590, 592
Lambdoid suture 587, 591, 592
Lamina 731
— of thyroid cartilage 765
— of tragus 683
Laryngeal prominence 729, 738, 749, 774
Laryngocele 776
Laryngopharynx 766, 783, 784
Lateral abdominal cutaneous branches of intercostal nerve 297, 300
Lateral angle of eye 630, 631
Lateral aortic node 380, 383
Lateral aperture of 4th ventricle 788
Lateral arcuate ligament 370, 372
Lateral atlanto-axial joints 11
Lateral band of extensor expansion 166, 175
Lateral bicipital groove 118
Lateral bony ampulla 694
Lateral border
— of saphenous opening 493
— of scapula 112, 126, 129, 130
Lateral caval node 380
Lateral cerebral sulcus 788
Lateral cervical region (posterior triangle) 732, 733
Lateral check ligament 633
Lateral circumflex femoral artery 470, 484, 495, 515, 521
Lateral circumflex femoral vein 485
Lateral compartment of leg 491, 583
Lateral cord of brachial plexus 73, 100, 102, 104
Lateral costotransverse ligament 37, 210, 212
Lateral crico-arytenoid 778
Lateral crura 300
Lateral crus
— of major alar cartilage 670
— of superficial inguinal ring 305, 307, 308, 494
Lateral cuneiform 547, 564, 568, 572, 578
Lateral cutaneous branch 214
— of iliohypogastric nerve 33, 90, 298
— of intercostal nerve 213
— of subcostal nerve 90, 298, 480
Lateral cutaneous nerve
— of forearm 72, 76, 115, 132, 133, 143, 171
— of thigh 361, 370, 371, 480, 493, 494
Lateral cutaneous vein of thigh 486
Lateral dorsal cutaneous nerve of foot 480
Lateral epicondyle 117, 134, 504
— of femur 473, 530, 538
— of humerus 112, 136, 138, 141

Lateral femoral condyle 473, 504, 505, 530, 538
Lateral fibrous septum 156
Lateral funiculus of spinal cord 49
Lateral geniculate body 714, 715
Lateral geniculate nucleus 721, 795, 796
Lateral glosso-epiglottic fold 775
Lateral head
— of gastrocnemius 506, 507, 522-554, 584
— of triceps brachii 120, 122, 187
Lateral incisor 668, 669
Lateral inferior genicular vein 485
Lateral inguinal fossa 316
Lateral intercondylar tubercle 531
Lateral intermuscular septum
— of arm 87, 115, 137, 187
— of leg 491, 524, 533, 582
Lateral lacunae 617
Lateral lemniscus 714, 715, 717
Lateral ligament
— of bladder 445
— of malleus 686, 688
— of temporomandibular joint 647
Lateral malleolus 543, 546, 547, 550, 553, 571-575
Lateral mammary branch
— of lateral pectoral cutaneous branch of intercostal nerve 88, 203
— of lateral cutaneous branches of posterior intercostal arteries 202
— of lateral cutaneous branches of posterior intercostal veins 202
— of lateral pectoral cutaneous branches of intercostal nerves 88, 195
— of lateral thoracic artery 202
— of lateral thoracic vein 202
Lateral mass
— of atlas 62
— of sacrum 28
Lateral membranous ampulla 694
Lateral meniscus 529-531, 533-535, 539
Lateral nasal artery 612
Lateral nasal branch
— of anterior ethmoidal artery 673
— of facial artery 606, 673
— of posterior ethmoidal artery 673
Lateral nasal cartilage 678, 700
Lateral palpebral ligament 610
Lateral part of occipital bone 596
Lateral patellar retinaculum 497, 526, 528, 548
Lateral pectoral nerve 94, 97, 100, 102, 103, 737
Lateral pharyngeal space 659, 693, 700
Lateral plantar artery 484, 558, 560, 561, 566
Lateral plantar nerve 55, 480, 558, 566
Lateral process
— of malleus 686, 687
— of septal nasal cartilage 670
Lateral pterygoid 643, 647, 650-**652**, 654, 700, 701, 718, 804
Lateral pterygoid plate 595, 602, 604, 662, 682, 692, 700, 764
Lateral pterygoid superior head 648
Lateral pubovesical ligaments 445
Lateral rectus **631-634**, 636, 677, 698, 699, 701, 797-799
Lateral root of median nerve 102
Lateral sacral artery 50, 404, 410, 421, 437, 470
Lateral sacral crest 24, 25
Lateral sacral vein 421, 437
Lateral(external) segment of globus pallidus 720
Lateral semicircular canal 685, 690, 694, 808
Lateral semicircular duct 694, 809

Lateral sesamoid bone 559, 579
Lateral stria 794
Lateral sulcus 702, 705, 711, 713, 720
Lateral superior genicular vein 485
Lateral supra-epicondylar ridge 112, 138
Lateral supracondylar line 505
Lateral supracondylar line of femur 473
Lateral sural cutaneous nerve 478-480, 522
Lateral talocalcaneal ligament 572
Lateral tarsal artery 484, 547, 561
Lateral thalamic nucleus 721
Lateral thoracic artery 80, 96, 98, 99, 102, 103, 202
Lateral thoracic vein 82, 202
Lateral tibial condyle 473, 504, 505, 538
Lateral tubercle of talus 553, 575, 576
Lateral umbilical fold 313, 316, 427
Lateral ventricle 704, 713
——, inferior horn 718
——, posterior horn 719
Lateral wall of nasal cavity 671
Latissimus dorsi 32-34, 39, 63, 90, 92, 96, 103, 106, **107**, 117, 120, 187, 298, 367
Least splanchnic nerve 59, 281, 374, 376
Left anterior lateral segment of liver 348
Left atrioventricular orifice 259
Left atrium 243, 249, 258
Left auricle 221, 242, 243, 245, 260
Left border of heart 242
Left brachiocephalic vein 219, 262, 263, 284, 753
Left branch of hepatic portal vein 353, 358
Left bronchomediastinal lymphatic trunk 237, 272, 282, 283
Left colic artery 340, 341, 343
Left colic flexure 317, 812
Left colic nodes 383
Left colic veins 358
Left coronary artery 242, 250, 253, 285
Left coronary trunk 282, 283
Left crus of diaphragm 270, 384
Left cusp
— of aortic valve 259, 260
— of pulmonary valve 260
Left fibrous trigone 255
Left gastric artery 328, 330, 331, 333, 353
Left gastric node 382, 383
Left gastric vein 353, 358, 359
Left gastro-omental(epiploic) artery 323, 324, 327, 328, 330, 333
Left gastro-omental vein 324, 327, 358
Left hepatic duct 352-354, 356, 357
Left hepatic vein 347, 348, 384
Left inferior lobar bronchus 232, 233, 270
Left inferior pulmonary vein 242, 243, 258
Left lateral division of liver 348
Left lobe
— of liver 345, 358
— of thyroid gland 729, 749
Left lower quadrant 295
Left lumbar lymphatic trunk 380, 382
Left lumbar(aortic) node 380
Left lung 284
Left main bronchus 229, 232, 233, 265, 270, 284
Left marginal artery 242, 250
Left marginal vein 251
Left medial division of liver 348
Left medial segment of liver 348
Left posterior lateral segment of liver 348
Left pulmonary artery 235, 243, 245, 264, 284
Left superior intercostal vein 263, 272, 274, 275, 277
Left superior lobar bronchus 232, 233, 270

Left superior pulmonary vein 242, 243, 245, 258, 288
Left suprarenal vein 373
Left triangular ligament 320, 324, 344
Left upper quadrant 295
Left ventricle 245, 249, 258, 286
left brachiocephalic veins 82
Left(hepatic) branch 350, 351, 353
Leg region 472
Lens 640, 701, 718
Lenticular fasciculus 721
Lenticular process of incus 687
Lenticulostriate artery(anterolateral central striate artery) 627, 711
Lentiform nucleus 706, 707, 710, 711, 713, 714, 720, 721
Leptomeninges 616
Lesser curvature of stomach 322, 327
Lesser horn of hyoid 660, 731, 749, 761, 773, 774
Lesser occipital nerve 33, 108, 611, 683, 734, 735, 754
Lesser omentum 318, 319, 322, 324
Lesser palatine artery 663, 664, 769
Lesser palatine canal 679
Lesser palatine foramen 594, 662, 671
Lesser palatine nerve 651, 663, 664, 672, 678, 680, 681, 769, **802**, 803
Lesser pelvis 394
Lesser petrosal nerve 624, 688, 689, 691, 801, 810, 811
Lesser sac(omental bursa) 318
Lesser sciatic foramen 27, 399, 403, 512
Lesser sciatic notch 24, 395, 403, 473, 505, 519
Lesser splanchnic nerve 59, 278, 281, 374, 376
Lesser supraclavicular fossa 732
Lesser trochanter 472, 473, 504, 505, 512, 513, 516
Lesser wing of sphenoid 596, 604, 630, 682
Levator anguli oris 606, 609, 610, 701
Levator ani(puborectalis) 316, 401, **402**, 407, 414, 444, 453, 461, 465, 466, 469
Levator costarum brevis 37
Levator costarum longus 37
Levator labii superioris 606, 608-610
Levator labii superioris alaeque nasi 606, 609, 610
Levator palpebrae superioris 610, 624, 632-634, 677, 698, 699, **797**-799
Levator prostatae 455
Levator scapulae 33-35, 107, 108, 123, 728, 735-737, **757**, 782
Levator veli palatini 654, 663, **664**, 676, 684, 690-693, 764, 765, 767, 769, 771
Levatores costarum 36, 38, 41, 212, 215
Ligament
— of head of femur 518, 520, 521
— of inferior vena cava 344
— of ovary 427, 430-432
Ligamentum arteriosum 242, 243, 245, 249, 265
Ligamentum flavum 9, 11, 18-20, 22, 39
Ligamentum venosum 249, 345, 352
Limbus fossae ovalis(border of oval fossa) 256
Line of Gennari 711
Linea alba 63, 194, 294, 302, 303
Linea aspera 505
Linea semilunaris 91, 294
Linea terminalis(pelvic brim) 399
Lingual artery 643, 647, 657, 660, 661, 667, **745**, 746, 759, 761
Lingual branch
— of glossopharyngeal nerve 810, 811
— of hypoglossal nerve 815
Lingual follicles of lingual tonsil 660, 770
Lingual gyrus 708

Lingual nerve 648, 649, 651, 659, 661, 667, 740, 759, 760, 765, 773, 800, **804**, 806, 807
Lingual papillae 656
Lingual septum 658
Lingual tonsil 656
Lingual vein 740, 747
Lingula 600
— of left lung 227
Liver 292
Liver lobules 349
Lobe of mammary gland 198
Lobule
— of auricle 683
— of mammary gland 198
— of prostate 416
Long ciliary artery 639
Long ciliary nerve 632, 633, 797, 799, 801
Long circumferential branches of basilar artery 718
Long head
— of biceps brachii 116, 187
— of biceps femoris 506, 582
— of triceps brachii 120, 122, 187
Long limb of incus 686, 687
Long plantar ligament 567, 580
Long posterior ciliary artery 641
Long posterior sacro-iliac ligaments 512
Long (great) saphenous vein 558, 575
Long thoracic nerve **90**, 96, 97, 100, 102-105, 203, 298, 735
Longissimus 35, 39, 40, 63, 212
Longissimus capitis 36, 40, 42, 43, 62
Longissimus cervicis 40
Longissimus thoracis 35, 40
Longitudinal cerebral fissure 702, 720
Longitudinal layer of esophagus 409, 779
Longus capitis 62, 659, 701, 753-755, 783, 786
Longus colli 62, 659, 701, 727, 753-755, 783, 786
Loop of Henle (nephron loop) 365
Lower gubernaculum 312
Lower limb of phrenico esophageal ligament 327
Lower subscapular nerve 96, 100, 102-105
Lumbar artery 50, 373
Lumbar cord 49
Lumbar injection for epidural anesthesia 47
Lumbar interspinales 41
Lumbar intertransversarii 41
Lumbar lordosis 3
Lumbar nerves 49
Lumbar nodes 315, 383, 411
Lumbar plexus 53, 370
Lumbar rib 38
Lumbar spinal puncture for spinal anesthesia 47
Lumbar splanchnic nerve 59, 374, **375-377**, 412, 424, 425, 440, 441
Lumbar triangle 34, 108
Lumbar veins 275, 373
Lumbar vertebrae 2, 5
Lumbar enlargement 44
Lumbar (caval/aortic) node 273, 422, 423, 438, 439
Lumbarized 29
Lumbocostal ligament 38
Lumbocostal triangle 372
Lumbosacral trunk 370, 371, 401-405, 410, 424, 425, 514
Lumbricals 158, 192, 559, 565
Lunate 69, 146, 168, 178-184, 190
Lunate (articular) surface of acetabulum 518
Lung 187
Lunule 166
— of aortic valve 261

Lymph node 273
Lymphatic capillaries 273
Lymphatic valvule 273

M

Macula 640, 641, 694, 695, 795, 808
— of saccule 809
— of utricle 809
Main pancreatic duct 331, 354, 355
Major alar cartilage 670
Major calyx 363, 364
Major duodenal papilla 331, 354
Major forceps 709, 713
Mallear fold 689
Malleus 684, 687-689, 691
Mammary branch
— of anterior intercostal artery 202
— of anterior intercostal vein 202
Mammary lobule 199
Mammillary body 621, 708, 709, 713, 714, 722, 788, 818
Mammillothalamic fasciculus 709, 721
Mandible 586, **644**, 652, 657, 661, 662, 699, 718, 723, 736, 741, 784
Mandibular canal 667
Mandibular foramen 600, 645
Mandibular fossa 594, 595, 602, 603, 645, 654, 655
Mandibular nerve 620, 624, 625, 649, **651**, 661, 667, 764, 765, 789, 800, 801, 804, 805, 807
Mandibular notch 590, 600, 644
Mandibular symphysis 586, 587
Mandibular teeth 589, 666, 668
Manubriosternal joint (sternal angle) 204, 206
Manubrium of sternum 204, 206, 244, 284, 730, 738, 784
Marginal artery 339, 340, 341
Marginal mandibular branch 642
— of facial nerve 806, 807
Marginal sulcus 708
Masseter 606, 607, 610, 642, 646, 647, **652**, 659, 698-701, 718, 804
Masseteric artery 647, 648, 650
Masseteric nerve 647-649, 804, 805
Mastoid air cells 622, 718
Mastoid antrum 690, 691, 693
Mastoid cells 690, 692, 811
Mastoid fontanelle 586
Mastoid (retro-auricular) node 696
Mastoid notch 594, 603
Mastoid part of temporal bone 591, 694, 808
Mastoid process of temporal bone 62, 590, 593-595, 603, **644**, 647, 679, 690, 691, 693, 730, 811
Maxilla 586, 587, **589**, 602, 630, 631, 644, 679, 680, 701, 718
Maxillary artery 612, 615, 634, 648, 649, **650**, 654, 700, 744, 745, 764, 765, 805
Maxillary nerve 620, 624, 625, 634, 648, 649, **651**, 667, 672, 679-681, 789, 800-803, 805, 807, 818
Maxillary sinus 677, 678, 680, 681, 698-700, 718, 802
Maxillary teeth 589, 666, 668
Maxillary tuberosity 601
Maxillary vein 613, 619, 728, 747
Medial angle of eye 630
Medial arcuate ligament 370, 372
Medial bicipital groove 115, 119
Medial border of scapula 106, 112, 130, 221
Medial calcaneal branches of tibial nerve 480, 563
Medial circumflex femoral artery 470, 484, 495, 502, 511, 515, 521
Medial circumflex femoral vein 485, 495

Medial clunial nerves 480
Medial collateral artery 80
Medial compartment of thigh 491
Medial cord of brachial plexus 73, 74, 100, 102, 104
Medial crus 300, 305, 494
— of major alar cartilage 670
— of superficial inguinal ring 307, 308
Medial cuneiform 473, 547, 564, 568, 570, 578, 580
Medial cutaneous nerve of forearm 76, 100, 102, 115, 132
Medial cutaneous vein of thigh 486
Medial epicondyle 117, 504
— of femur 473, 530
— of humerus 112, 133, 136, 138, 140
Medial femoral condyle 473, 504, 505, 538, 541
Medial fibrous septum 156
Medial geniculate body 714, 715
Medial geniculate nucleus 721
Medial head
— of gastrocnemius 506, 507, 522, 523, 554, 584
— of triceps brachii 120, 121, 187
Medial inferior genicular vein 485
Medial inferior genicular vessels 555
Medial inguinal fossa (Hesselbach triangle) 316
Medial intercondylar tubercle 531
Medial intermuscular septum 87, 115, 119, 134, 137, 187
Medial ligament
— of ankle 559, 574, 575, 578, 580
— of ankle joint 570
Medial malleolus 543, 546, 547, 553, **559**, 571, 573-575, 580, 584
Medial mammary branches
— of anterior pectoral cutaneous branches of intercostal nerves 88, 195
— of internal thoracic artery 202
Medial mammary veins of internal thoracic vein 202
Medial meniscus 497, 528, 529-532, 535, 539
Medial palpebral ligament 610
Medial patellar retinaculum 497, 526, 528
Medial pectoral nerve 94, 97, 100, 102, 103
Medial plantar artery 484, 558, 560, 561, 566
Medial plantar nerve 55, 480, 558, 566
Medial pterygoid **652**, 654, 661, 700, 759, 763, 773, 804, 805
Medial pterygoid deep head 648
Medial pterygoid plate 595, 602, 605, 662, 663, 671, 676, 678, 682
Medial pterygoid superficial head 648
Medial pubovesical ligaments 445
Medial rectus 631-633, 636, 677, 699, 701, 797-799
Medial root of median nerve 102
Medial sesamoid bone 559, 579
Medial stria 794
Medial subtendinous bursa of gastrocnemius 535
Medial superior genicular vein 485
Medial supra-epicondyler ridge 112, 134, 138
Medial supracondylar line of femur 473, 505
Medial sural cutaneous nerve 478, 480, 522, 523, 554
Medial tarsal artery 484, 547, 561
Medial thalamic nucleus 721
Medial tibial condyle 473, 504, 505, 538, 541
Medial tubercle
— of calcaneus 563
— of talus 553, 575, 576
Medial umbilical fold 313, 316, 414, 427
Medial umbilical ligament 249, 414, 421, 427
Medial (internal) segment of globus pallidus 720
Median antebrachial vein 83
Median aperture 704
Median arcuate ligament 270, 372

Median atlanto-axial joint 11
Median cricothyroid ligament 739, 774, 775, 777, 778
Median cubital vein 83-85, 132
Median eminence 715
Median glosso-epiglottic fold 775, 778
Median nerve 55, **73**, 76, 100, 102, 115, 119, 133, 134, 143, 150, 152, 171, 188, 191
Median nerve injury 73
Median palatine suture 595, 662
Median plane 295
Median raphe 738, 740
— of pharynx 776
Median sacral artery 50, 373, 400, 404, 437
Median sacral crest 25, 31, 393, 392
Median sacral vein 373
Median umbilical fold 313, 316, 414
Median umbilical ligament (urachus) 249, 414
Median vein of forearm 84, 85, 132
Mediastinal node 383
Mediastinal part of parietal pleura 222, 269, 276
Mediastinal surface of lung 219
Medulla oblongata 674, 702, 703, **714**, 717, 718, 722, 723, 784, 788
Medullary (marrow) cavity 475
Membranous atrioventricular septum 255
Membranous fascia 450
Membranous interatrial septum 255
Membranous layer of subcutaneous tissue (scarpa fascia) 303, 304, 308
Membranous part of interventricular septum 255, 259
Meningeal branch
— of maxillary nerve 618, 681
— of mandibular nerve 618
Meningeal layer of dura 616, 617
Mental artery 612
Mental branch 650, 667
Mental foramen 589, 591, 600, 644
Mental nerve 610, 611, 651, 800, 804
Mental protuberance 588, 590, 644
Mental spine 740
— of mandible 658, 660
Mental tubercle 588, 591, 644
Mental vein 613
Mentalis 606, 608, 609, 726
Mesencephalic nucleus of trigeminal nerve 792, 793
Mesenteric node 382
Mesentery of small intestine 318, 319, 335
Meso-appendix 337, 436, 442
Meso-esophagus 269
Mesometrium 430, 431
Mesosalpinx 430, 431
Mesovarium 430
Metacarpal 66, 69, 70, 146, 168, 185
Metacarpophalangeal (MCP) joint 146, 154, 172, 181
— of thumb 172
Metacarpophalangeal joint crease 154
Metatarsal 473, 543, 564, 571
Metatarsophalangeal (MP) joints 576
Meyer loop 706
Midbrain 621, 623, 703, **714**, 716-718, 720, 722, 723, 788
Midcarpal joint 154, 177
Midclavicular lines 224, 295
Middle (hepatic) branches 353
Middle cardiac vein 243, 246, 251
Middle cerebellar peduncle (brachium pontis) 714-718, 788, 792
Middle cerebral artery 626-629, 632, 713, 720, 722
Middle cervical ganglion 267, 751, 752, 754, 763
Middle clunial nerves 514

Middle colic artery 320, 332, 333, 338-341, 343
Middle colic nodes 383
Middle colic vein 358
Middle collateral artery 81, 144
Middle concha 601, 602
Middle constrictor 657, 660, 661, **762-765**, 771-773, 779, 810
Middle cranial fossa 654, 689
Middle cuneiform 547, 564, 570, 572
Middle ear 685
Middle ethmoidal cell 675, 701
Middle facet for calcaneus of talus 576
Middle four thoracic vertebrae 14, 15
Middle frontal gyrus 705
Middle genicular artery 536, 537
Middle glenohumeral ligament 127, 128
Middle layer of thoracolumbar fascia 36, 38, 39
Middle lobe of right lung 219, 226
Middle mediastinum 222, 223
Middle meningeal artery **615**, 620, 624, 639, 650, 651, 691, 692, 764, 765, 789, 804
Middle nasal concha 663, 670, 671, **674**, 676, 698-700, 718, 770
Middle nasal meatus 602, 671, 674
Middle part of trapezius 733
Middle phalanx
— of foot 564
— of hand 69, 185
Middle rectal artery 410, 411, 420, 421, 437
Middle rectal vein 359, 411, 421, 437
Middle sacral artery 470
Middle scalene 216, 218, 735-737, 753-757, 783, 786
Middle superior alveolar artery 650
Middle superior alveolar branch of superior alveolar nerve 667, 681, 800, 802
Middle suprarenal artery 363, 373
Middle talar articular surface of calcaneus 576, 578
Middle temporal gyrus 705
Middle thyroid vein 747, 748, 783
Middle transverse rectal fold 411
Midline groove 656
Midpalmar space 156, 192
Minor calyx 365, 364
Minor duodenal papilla 331, 354
Minor forceps 709, 713
Mitral cells 794
Mitral valve 238, 255
Modiolus 689, 809
Molar tooth 659, 699
Mons pubis 447, 462, 464, 469
Motor nucleus
— of facial nerve 792, 793
— of trigeminal nerve 792, 793
Motor speech area 702
Movements
— at elbow 78
— at glenohumeral joint 78
— at interphalangeal (IP) joints 78
— at metacarpophalangeal (MCP) joints 78
— at radio-ulnar joints 78
— at wrist joints 78
Mucous membrane of mouth 659
Mucus plug of cervical canal 434
Müller muscle 635
Multifidus 38, 39, 41, 63
Multifidus lumborum 36
Multifidus thoracis 36
Muscle of uvula 452

Muscular part
— of diaphagm 269
— of interventricular septum 259
Muscular triangle 732
Musculocutaneous nerve 55, 72, 100, 102, 104, 115, 119, 150
Musculocutaneous nerve injury 72
Musculophrenic artery 217, 297
Musculus uvulae 663, 664, 767, 769, 771
Myenteric plexuses 58
Mylohyoid 643, 647, 657, **658**, 660, 661, 698, 723, 738-741, 743, 746, 758-760, 764, 765, 773, 782, 805
Mylohyoid branch 650
— of inferior alveolar artery 758, 759
Mylohyoid groove 600, 645
Mylohyoid line 645
Myometrium of uterus 426, 429, 434, 468
Myotome 56

N

Naris 670
Nasal bone 589, 590, 601, 630, 670, 680, 701
Nasal branch
— of anterior superior alveolar nerve 672
— of infra-orbital nerve 802
Nasal cavity 589
Nasal crest 601, 671
Nasal margin 670
Nasal part 600
Nasal septal branch of superior labial branch 673
Nasal septum 670, 671, 699, 701, 718, 723, 766, 767, 803
Nasal spine 600, 670
— of frontal bone 671
Nasal vestibule 674, 676
Nasalis 606, 608, 609
Nasion 588, 590
Nasociliary nerve 625, 632-634, 797-801
Nasolabial groove 670
Nasolacrimal duct 631, 700
Nasopalatine nerve 663, 664, 672, 681, 803
Nasopharynx 766, 784
Navicular 473, 543, 564, 571, 578
Navicular bone 580
Navicular fossa 456, 457, 459
Neck
— of femur 444, 505, 517, 521
— of fibula 504, 505
— of gallbladder 354, 357
— of glans 457
— of malleus 687, 688
— of mandible 600, 654, 700
— of pancreas 325
— of radius 138
— of rib 207
— of stapes 687
— of talus 571
— of tooth 665
Nephron loop (Loop of Henle) 365
Nerve
— of pterygoid canal 672, 679, 680, 690, 798, 802, 803, 806, 807
— to lateral pterygoid 805
— to levator ani 408
— to medial pterygoid 649, 805
— to mylohyoid 648, 649, 651, 660, 661, 743, 758, 759, **804**, 805
— to obturator internus 404, 405, 510, 511, 514
— to piriformis 405, 514

Nerve
— to quadratus femoris 404, 405, 514
— to stapedius 690, 807
— to stylohyoid 643
— to subclavius 100
— to thyrohyoid 743, 746, 759, 760
— to piriformis 404
— to temporalis 804
Nerve point of neck 734
Neurocentral joint 3
Neurocentral junction 2
Nipple 194, 196, 198, 199
Node of ligamentum arteriosum 283
Nodule
— of aortic valve 261
— of cerebellum 716, 718
Non-visual part of retina 640
Nuchal groove 31
Nuchal ligament 9, 34, 43, 62, 727, 733, 784
Nucleus ambiguus 792, 793
Nucleus
— of abducent nerve 792, 793
— of hypoglossal nerve 792, 793
— of oculomotor nerve 623, 792, 793
— of solitary tract 792, 793
— of spinal accessory nerve 792, 793
— of trochlear nerve 792, 793
— pulposus 19-21, 39
Nutrient artery of tibia 525, 535

O

Oblique arytenoid 767, 779
Oblique fissure 219, 227
Oblique pericardial sinus 223, 247, 260
Oblique popliteal ligament 507, 525
Oblique vein of left atrium 246, 251
Obliquus capitis inferior 41-43, 62
Obliquus capitis superior 41-43, 62
Obturator artery 400, 410, **420**, 421, 444, 470, 484, 500, 518, 521
Obturator canal 494
Obturator crest 518
Obturator externus 428, 444, 460, 461, 466, 469, 497, 498, **500**, 513, 515, 516, 582
— tendon 511
Obturator fascia 400, 402, 403, 414, 451, 454
Obturator foramen 24, 394-396, 473, 504, 519
Obturator groove 519
Obturator internus 316, 400, 401, 403, 444, 461, 468, 469, 501, 507, **508**, 510, 513
Obturator internus bursa 517
Obturator internus tendon 511, 517
Obturator membrane 399, 403, 444, 494, 518, 521
Obturator nerve 55, 370, **371**, 400-404, 410, 420, 444, 476, 477, 516, 581
Obturator nerve injury 477
Obturator vein 400, 420, 421, 437, 444, 485
Occipital artery 42, 108, **612**, 643, 701, 734, 735, 743-746
Occipital belly of occipitofrontalis 806
Occipital bone 62, 586, 587, 596, 644, 718
Occipital border 603
Occipital condyle 592-595, 679
Occipital diploic vein 614
Occipital groove 594
Occipital lobe 702, 705, 706, 708, 713, 716, 719
Occipital node 33, 108, 696
Occipital pole 708, 722
Occipital sinus 619, 789

Occipital triangle 732
Occipital vein 43, 728, 747
Occipitalis 42, 108, 614
Occipitofrontalis 606, 608
Occipitomastoid suture 592
Oculomotor nerve 620, 621, 623-625, 632, 634, 714, 717, 788, 789, 793, **798**, 799, 801, 818, 820
Odontoid process(dens) 722
Olecranon 113, 120, 136, 138
Olecranon fossa 138
Olfactory bulb 620, 621, 623, 672, 699, 706, 788, 789, **794**, 803, 820
Olfactory epithelium(olfactory part of nasal mucosa) 794
Olfactory nerves 620, 672, 789, 794, 820
Olfactory part of nasal mucosa(olfactory epithelium) 794
Olfactory tract 620, 621, 623, 706, 708, 788, 789, 794
Olive 621, 714, 717
Omental appendices 334
Omental bursa(lesser sac) 318, 319, 322, 325
Omental(epiploic) foramen 321, 322, 360
Omoclavicular(subclavian) triangle 732
Omohyoid 123, 727, 728, 741, 746, 753, 783, 815
Omohyoid fascia 736, 743
Omohyoid portion of pretracheal layer 753
Omotracheal triangle 732
Opening
— of coronary sinus 256
— of frontal sinus 600
— of maxillary sinus 698
— of median aperture(of Magendie) 703
— of pharyngotympanic(auditory) tube 661, 770, 771
— of ducts of palatine glands 664
Opercular part of inferior frontal gyrus 705
Ophthalmic artery 627, 628, 634, 639, 797
Ophthalmic nerve 620, 624, 651, 789, 800, 801
Opponens digiti minimi 150, 151, 161, 164, 179, 192
Opponens pollicis 150, 151, 158, 161, 164, 192
Optic canal 596, 597, 605, 630, 795
Optic chiasm 633, 701, 704, 708, 714, 716, 718, 788, **795**, 796, 818
Optic disc 640, 795
Optic nerve 620, 621, 624, 632, 633, 698, 699, 701, 708, 713, 714, 719, 788, 789, **795**-797, 799, 801, 818
Optic part of retina(inner layer of eyeball) 640, 641
Optic radiations 706, 709, 713, 714, 795, 796
Optic tract 621, 701, 707, 713, 714, 720, 721, 788, **795**, 796, 818
Ora serrata 640, 641
Oral cavity 698
Oral cavity proper 659
Oral vestibule 659, 698
Orbicular zone 517
Orbicularis oculi 606-609, 635, 642, 646, 701, 806
Orbicularis oris 608-610, 701, 806
Orbit 679
Orbital cavity 586, 589
Orbital part 600
— of frontal bone 596, 698
— of inferior frontal gyrus 705
Orbital plate 601
Orbital process of palatine bone 601, 630
Orbital septum 610
Orbital surface
— of frontal bone 602
— of maxilla 601
Orbitomeatal plane 590, 591
Orifice
— of left coronary artery 259
— of right coronary artery 259

— of vermiform appendix 337
Oropharynx 766, 784
Os trigonum 579
Osseous spiral lamina 689, 695, 809
Osteophyte 29
Otic capsule 695, 809
Otic ganglion 651, 661, 697, 800, 804, 811, 816
Outer hair cells 695, 809
Oval window 684, 694
Oval fossa(fossa ovalis) 256
Ovarian artery 427, 429
Ovarian branch of uterine artery 429
Ovarian follicle 468
Ovarian plexus 377, 440
Ovarian vein 427
Ovary 406, 426, 428-430, 468
Oxycephaly 592

P

Palate 698
Palatine aponeurosis 661, 663, 664
Palatine bone 644, 662, 679, 770
Palatine canals 680
Palatine glands 662-664, 769, 770
Palatine mucosa 659
Palatine process of maxilla 594, 602, 662
Palatine raphe 662, 663
Palatine tonsil 656, 659, 662, 664, 692, 696, 767-**769**, 811
Palato-epiglottic fold 766
Palatoglossal arch 656, 659, 662, 664, 768, 770
Palatoglossal fold 760
Palatoglossus 656-659, 662, 664, 701, 769, 771, 772
Palatopharyngeal arch 656, 659, 662, 664, 766, 768, 770
Palatopharyngeus 656, 664, 701, 767, 769, 771, 772
Palmar aponeurosis 87, 148, 155-157, 192
Palmar branch
— of median nerve 73, 153, 171
— of ulnar nerve 74
Palmar carpal arch 80, 81, 164, 167
Palmar carpal branch
— of radial artery 149, 153, 164
— of ulnar artery 80
Palmar carpal ligament 87
Palmar creases 154
Palmar cutaneous branch of median nerve 152
Palmar digital vein 82
Palmar interossei 74, 158
Palmar ligament 165, 183
Palmar metacarpal artery 81, 164, 166, 167
Palmar radiocarpal ligament 150, 165, 183
Palmaris brevis 148, 155, 157, 160
Palmaris longus 147, 148, 160, 188, 191
— tendon 152, 155
Palpebral conjunctiva 635
Palpebral fissure 635
Pampiniform plexus of veins 311, 314, 456
Pancreas 324, 384, 387
Pancreatic duct 356
Pancreaticoduodenal node 351, 382
Pancreaticoduodenal veins 358
Pancreaticosplenic node 382
Papillary duct 365
Papillary muscles 258
Para-esophageal node 283
Para-umbilical vein 316, 359
Paracentral lobule 708
Paracolic gutter 320
Paracolic node 343, 383

Paracolpium　451
Parahippocampal gyrus　708, 709
Paramedian branches of basilar artery　718
Paramesonephric duct　312
Paranephric fat　362, 369
Parapharyngeal fat　719
Pararectal fossa　413, 427
Pararectal node　423, 439
Parasternal node　200, 201, 216, 282, 383
Parasympathetic ganglion　60
Parathyroid gland　749, 751, 776
Paratonsillar vein　771, 772
Paratracheal node　283, 696, 762, 776, 781
Paravertebral lines　31
Paravesical fossa　413, 427
Paravesical space　414
Parietal bone　587, 644
Parietal border　603
Parietal distribution　59
Parietal eminence　586, 587, 591, 592
Parietal layer
　— of serous pericardium　247
　— of tunica vaginalis　311, 314
Parietal lobe　702, 705, 706
Parietal notch　603
Parietal pelvic fascia　414
Parietal perineal fascia　414
Parietal peritoneum　303, 316, 319, 322
Parietal pleura　222
Parieto-occipital sulcus　703, 705, 708, 722, 795
Parietomastoid suture　592
Parotid bed　646
Parotid branch of auriculotemporal nerve　804, 811
Parotid duct　606, **607**, 610, 642, 646-648, 698, 764, 811
Parotid gland　62, 606, **607**, 654, 659, 662, 685, 696, 697, 700, 701, 719, 742, 811
Parotid node　642, 696
Parotid plexus　807
Parotid region　732
Patella　**473**, 496, 497, 504, 526, 528, 534, 538, 540-542, 548
Patellar ligament　496-498, 503, **526**, 528, 529, 531, 534, 540-542, 544
Patellar retinaculum　534
Peau d'orange sign　198
Pecten pubis　24, 396, 397, 504
Pectinate line　409
Pectinate muscles　256
Pectineal fascia　516
Pectineal ligament　403, 494, 516
Pectineal line　505
Pectineus　444, 461, 469, 494, 495, 497, 498, **500**, 502, 515, 516
Pectoral (anterior) axillary nodes　83
Pectoral branch
　— of thoraco-acromial artery　94, 202
　— of thoraco-acromial vein　202
Pectoral fascia　86, 87, 195, 197
Pectoral (anterior) nodes　200
Pectoralis major　92, 96, 187, 197, 203, 216, 298, 736
Pectoralis minor　92, 94, 96, 187, 216, 218, 736, 737
Pedicle　731
Pelvic brim (linea terminalis)　399
Pelvic diaphragm　451
Pelvic inlet　394
Pelvic intra-peritoneal viscera　440
Pelvic kidney　366
Pelvic outlet　394
Pelvic pain line　424, 425, 441

Pelvic plexus　376, 412, 440
Pelvic splanchnic nerves　53, **374**-376, 404, 405, 408, 412, 420, 425, 440, 441, 514
Pelvic sub-peritoneal viscera　440
Perforating arteries　500, 515, 547
Perforating branch
　— of fibular (peroneal) artery　484, 544, 547, 560, 561
　— of internal thoracic artery　202
　— of internal thoracic vein　202
　— of metatarsal arteries　545
Perforating cutaneous nerves　405
Perforating veins　485, 487
Peri-anal skin　409
Peri-articular genicular anastomosis of knee　537
Periarterial plexus　376, 816
Peribiliary arterial plexus　349
Pericardiacophrenic artery　276, 756
Pericardial cavity　223
Pericardial sac　247, 269, 317
Pericardium　244
Pericranium　698, 723
Perimetrium of uterus　429, 434
Perineal artery　403, 437
Perineal body　408, 434, 450, 453, 466
Perineal branch of posterior cutaneous nerve of thigh　414, 453, 462, 463
Perineal fascia (Colles fascia)　450, 451
Perineal membrane　401, 408, 414, **450**, 451, 453, 454, 459, 464, 465, 467, 469
Perineal nerve　403, 425, 457, 463
Perineal raphe　446
Perinephric fat　362, 369, 385
Periorbita　635
Periosteal layer of dura　617
Peripheral nerves　55
Peripheral zone of prostate　419
Perirenal fat　350
Perisinusoidal spaces　349
Peritoneal cavity　407
Peritoneum　406, 414
Peritubular capillaries　365
Permanent teeth　669
Peroneal (fibular) artery　556, 557, 560
Peroneus (fibularis) brevis　542, 545, 548, **549**, 554, 555, 573-575
Peroneus (fibularis) longus　545, 548, **549**, 554, 555, 573-575
Peroneus (fibularis) tertius　543, 546, 548, 550, 575
Perpendicular plate
　— of ethmoid　588, 601, 670
　— of palatine　601, 671
Pes anserinus　501, 532
Pes hippocampi　721
Petrosquamous fissure　602, 694, 808
Petrotympanic fissure　594, 603, 807
Petrous part
　— of internal carotid artery　625
　— of temporal bone　596, 694, 808
Phalanges
　— of foot　474, 551
　— of hand　66, 70, 146, 168
Pharyngeal branch
　— of glossopharyngeal nerve　810, 811
　— of vagus nerve　812, 813
Pharyngeal canal　679, 680
Pharyngeal muscles　727
Pharyngeal nerve　672, 680
　— of nasopalatine nerve　803
Pharyngeal opening of pharyngotympanic tube　674, 691, 693

Pharyngeal recess　693, 700, 766, 770
Pharyngeal tonsil　696, 700, 723, 770, 784
Pharyngeal tubercle　595, 701
Pharyngo-epiglottic fold　767
Pharyngobasilar fascia　663, 762, 767, 771, 779
Pharyngotympanic tube　654, 684, 690, 692, 693, 700
Pharynx　719, 722, 782
Philtrum　670
Phrenic nerve　219, **236**, 263, 269, 276, 277, 735-737, 742, 752, 783
Phrenic node　380
Phrenicocolic ligament　320, 323
Pia mater　48, 49, 616
Pial arterial plexus　51
Pial artery　641
Pial vein　641
Pial venous plexus　51
Pineal body (epithalamus)　703, 704
Pineal gland　708, 709-711, 714-716, 722
Pinna　719
Piriform aperture　591, 602
Piriform fossa (recess)　766, 780, 783
Piriformis　400, 402, 403, 501, 507, 508, 510-512
Pisiform　69, 146, 152, 165, 179-184, 190
Pisohamate ligament　164, 165
Pisometacarpal ligaments　165
Pituitary gland (hypophysis)　625, 676
Placenta　434
Plagiocephaly　592
Plantar aponeurosis　563, 564, 574
Plantar arch　484, 560
Plantar calcaneocuboid (short plantar) ligament　580
Plantar calcaneonavicular ligament　567, 570, 578, 580
Plantar cuboideonavicular ligament　580
Plantar cuneocuboid ligament　580
Plantar cuneonavicular ligaments　580
Plantar digital arteries　484, 566
Plantar digital veins　485
Plantar fascia　563
Plantar interossei　567
Plantar ligament　567
Plantar metatarsal artery　484, 564, 566
Plantar metatarsal ligaments　580
Plantar short plantar (calcaneocuboid) ligament　580
Plantar tarsometatarsal ligaments　580
Plantar vein　487
Plantar venous arch　485
Plantaris　506, 507, 552
　— tendon　523, 524, 583
Platysma　88, 195, **606-610**, 660, 726, 734, 783, 806
Pleural cavity　222
Plica semilunaris　630, 631
Pons　621, 674, 702, 703, **714**, 716, 717, 719, 720-723, 788, 793, 818
Pontocerebellar cistern　704
Popliteal artery　484, 507, 515, 522, 524, 536, 537, 557, 560, **561**
Popliteal nodes　488
Popliteal surface　505
Popliteal vein　485, 487, 507, 522, 524, 555, 557
Popliteus　507, 515, 523-525, 534, 535, 552, 584
Popliteus fascia　524, 532, 556, 557
Popliteus tendon　525, 529, 533, 535
Porta hepatis　345
Portal triad　321, 323, 347
Postaortic node　380
Postcaval node　380
Postcentral gyrus　702, 705
Postcentral sulcus　705

Posterior ampullary nerve 809
Posterior arch of atlas 8, 9, 62, 730
Posterior atlanto-axial membrane 11, 12
Posterior atlanto-occipital membrane 9, 11, 12
Posterior auricular artery 607, 612, 642, 647, 744, 745
Posterior auricular branch 807
Posterior auricular muscle 607, 642, 734
Posterior auricular nerve 607, 642, 806
Posterior auricular node 607, 642
Posterior auricular vein 43, 607, 613, 642, 696, 728, 747
Posterior axillary fold 89, 91, 106, 119, 194
Posterior axillary lines 31
Posterior axillary nodes 273
Posterior belly of digastric 62, 642, 643, 647, 661, 701, **741**, 742, 746, 760, 805
Posterior bony ampulla 694
Posterior border of lung 226
Posterior branch
— of anterior interosseous artery 167
— of lateral abdominal cutaneous nerves 203
— of lateral cutaneous branches of intercostal nerves 90
— of lateral cutaneous branches of thoraco-abdominal nerves 33, 298
— of lateral pectoral cutaneous branch of intercostal nerve 88
— of middle meningeal artery 615
— of obturator artery 521
— of obturator nerve 477
— of posterior intercostal artery 214
Posterior calcaneal articular facet of talus 576
Posterior cerebellar artery 628
Posterior cerebellomedullary cistern (cisterna magna) 704, 716
Posterior cerebral artery 618, 623, 626, 627, 629, 718, 720, 820
Posterior cervical region 732
Posterior chamber 640
Posterior circumflex humeral artery 80, 99, 121, 122, 128
Posterior circumflex humeral vein 82
Posterior clinoid process 593, 596, 597, 605, 624, 625, 682, 801
Posterior commissure 710, 721
— of labia majora 447
Posterior communicating artery 618, 623, 626-629
Posterior communicating vein 629
Posterior compartment
— of leg 583
— of thigh 491
Posterior cord of brachial plexus 75, 100, 103, 104
Posterior costotransverse ligament 37
Posterior crico-arytenoid 767, 779
Posterior crico-arytenoid ligament 777
Posterior cruciate ligament 529-531, 535, 539, 540
Posterior cusp
— of aortic valve 259, 260
— of mitral valve 258, 261
— of tricuspid valve 261
Posterior cutaneous nerve
— of arm 75, 103, 104, 119
— of forearm 75, 76, 115, 121, 171
— of thigh 405, 444, 480, 510, 511, 514, 520
Posterior cystic vein 352
Posterior division of restromandibular vein 728
Posterior drawer sign 530
Posterior ethmoidal artery 632, 639, 673
Posterior ethmoidal cell 632, 633, 675, 701
Posterior ethmoidal foramen 597, 630
Posterior ethmoidal nerve 618, 633, 801
Posterior external vertebral venous plexus 52, 783

Posterior fontanelle 587
Posterior fornix 406
— of vagina 426, 442
Posterior funiculus of spinal cord 49
Posterior gastric artery 328, 333
Posterior gastric branches of posterior vagal trunk 812
Posterior gluteal line 473, 505, 508, 512, 519
Posterior horn (lateral ventricle) 704, 719
— of gray matter 49
— of lateral ventricle 707, 711, 720
Posterior inferior cerebellar artery 50, 626-628, 718, 720
Posterior inferior iliac spine 24, 505, 512, 513, 519
Posterior inferior lateral nasal nerve 803
Posterior inferior pancreaticoduodenal artery 332, 333, 351
Posterior inferior tibiofibular ligament 573
Posterior intercondylar area 531, 528
Posterior intercostal artery 48, 50, 211, 212, **214**, 271, 277-279, 297
Posterior intercostal vein 48, 211, 212, 274, 275, 277-279, 373
Posterior intermuscular septum of leg 491, 557, 582-584
Posterior internal vertebral venous plexus 51, 52
Posterior interosseous artery 80, 81, 144, 145, 167, 170, 188
Posterior interosseous nerve 55, 75, 170, 188
Posterior interosseous veins 82
Posterior interventricular artery 243
Posterior interventricular branch 250
Posterior labial artery 437
Posterior labial nerves 462
Posterior lacrimal crest 630
Posterior lateral nasal arteries 673
Posterior layer of thoracolumbar fascia 38, 39
Posterior ligament
— of fibular head 562
— of incus 689
Posterior limb
— of internal capsule 713
— of stapes 686, 687
Posterior lobe of cerebellum 716, 717
Posterior longitudinal ligament 11, 20-22, 37
Posterior mallear fold 686
Posterior median line 31
Posterior median sulcus 32
Posterior mediastinal node 272, 273, 383
Posterior mediastinum 223
Posterior membranous ampulla 694
Posterior meniscofemoral ligament 531, 535
Posterior nasal spine 594, 662
Posterior (motor) nucleus of vagus nerve 792, 793
Posterior pancreaticoduodenal arch 333, 351
Posterior papillary muscle 257, 259, 261
Posterior perforated substance 714
Posterior radicular artery 50, 51
Posterior ramus
— of spinal nerve 46, 53
— of thoracic nerve 211
Posterior recess of tympanic membrane 688
Posterior sacral foramen 25, 399
Posterior sacro-iliac ligament 27, 28, 399
Posterior sacrococcygeal ligaments 27, 399
Posterior scalene 34, 216, 218, 736, 737, 754, 757
Posterior scrotal artery 453
Posterior scrotal nerves 425, 453, 457
Posterior (caudate) segment of liver 348
Posterior segmental artery 365
Posterior segmental medullary artery 50, 51
Posterior semicircular canal 694, 808
Posterior semicircular duct 694, 809

Posterior septal branch of sphenopalatine artery 663, 673, 681
Posterior spinal artery 50, 51, 718
Posterior spinal veins 51
Posterior superior alveolar artery 648, 650, 681, 692
Posterior superior alveolar branch of superior alveolar nerve 667, 681, 800, 802, 803
Posterior superior alveolar foramen 645
Posterior superior alveolar nerve 648, 649, 651
Posterior superior diaphragmatic nodes 383
Posterior superior iliac spine **24**, 30, 31, 106, 392, 393, 399, 472, 505, 512, 513, 519
Posterior superior lateral nasal artery 803
Posterior superior lateral nasal nerves 803
Posterior superior pancreaticoduodenal artery 332, 333, 351
Posterior superior pancreaticoduodenal vein 352
Posterior talar articular surface of calcaneus 576, 578
Posterior talocalcaneal ligament 578
Posterior talofibular ligament 569, 573-575
Posterior temporal diploic vein 614
Posterior tibial artery 484, 515, 536, 537, 556-558, 560, **561**, 566, 573, 575, 583
Posterior tibial vein 485, 557, 573, 487, 583
Posterior tibiofibular ligament 562, 569
Posterior tibiotalar of deltoid ligament 569
Posterior tibiotalar part 570, 573
Posterior triangle (lateral cervical region) 733
Posterior tubercle 8, 9
— of atlas 13, 62
Posterior ulnar recurrent artery 136, 137, 144, 150
Posterior vagal trunk 267, 281, 379, 812
Posterior vein of left ventricle 251
Posterior wall of rectus sheath 301, 316
Posterolateral central (thalamogeniculate) arteries 627, 711
Posterolateral nasal branches of maxillary nerve 672
Posterolateral tubercle 498
Posteromedial central (thalamoperforating) arteries 627, 711
Posteromedial femoral intermuscular septum 491, 582
Pre-aortic node 315, 380, 383
Precaval node 380
Precentral gyrus 702, 705
Precentral sulcus 705
Prechiasmatic sulcus 597, 604, 623
Precuneus 708
Prelaryngeal node 696, 781
Prepuce 456, 457
— of clitoris 447, 462, 464, 467
Presacral fascia 445
Presacral space 426, 445
Pretracheal node 696, 781
Prevertebral fascia 659, 727, 749, 753
Prevertebral layer of deep cervical fascia 734, 735, 743, 754
Prevertebral nodes 283
Primary curvature 3
Primary fissure of cerebellum 716, 717
Primary maxillary orifice 675
Primordial ovaries 312
Primordial scrotum 312
Primordial testis 312
Princeps pollicis 81, 167
Princeps pollicis artery 155, 166, 192
Principal sensory nucleus of trigeminal nerve 792, 793
Procerus 606, 608-610
Processus cochleariformis 686, 691
Processus vaginalis 312
Profunda brachii artery 80, 81, 98, 99, 104, 121, 144
Profunda brachii vein 82
Profunda femoris artery (deep artery of thigh) 444, **484**, 494, 495, 500, 502, 515, 521, 581, 582

Profunda femoris vein (deep vein of thigh)　485, 495, 581
Prominence
　— of facial canal　688
　— of lateral semicircular canal　688, 689
Promontory　686, 690
　— of sacrum　25, 394
Pronator crest　146
Pronator quadratus　139, 147, 149-151, 165, 182, 189
Pronator teres　116, 133, 139, 143, 147-149, 188, 189
Proper palmar digital artery　155, 157, 160, 164, 166, 167
Proper palmar digital nerve　73, 74, 155, 157, 160, 161, 166, 564
Proper palmar digital veins　82
Prostate　316, 407, 408, 414-419, 421, 455, 460
Prostatic capsule　419
Prostatic ductules　416
Prostatic nerve plexus　424
Prostatic plexus　425
Prostatic rectovesical septum　416
Prostatic sinus　417, 419
Prostatic urethra　407, 415, 416, 419
Prostatic utricle　416, 417, 419
Prostatic venous plexus　417-419, 421, 460
Proximal commissural ligament　155
Proximal convoluted tubule　365
Proximal interphalangeal (PIP) joint　146, 154, 172, 181, 185
Proximal phalanx
　— of foot　473, 543, 564
　— of hand　69, 185
Proximal radio-ulnar joint　138, 139, 143
Proximal wrist crease　154
Psoas　39, 342, 361, 385, 386, 413, 495, 501, 515
Psoas fascia　39, 361, 369, 403, 414, 493
Psoas major　63, 370, 497, 499
Psoas minor　370, 499
Pterion　590, 615
Pterygoid branch　650
Pterygoid canal　595, 605, 679, 680, 682
Pterygoid fossa　594, 605, 682
Pterygoid fovea　600, 645, 655
Pterygoid hamulus　602, 605, 645, 661, 663, 664, 671, **682**, 692, 773
Pterygoid notch　605
Pterygoid process of sphenoid　605, 679, 680
Pterygoid spine　671
Pterygoid venous plexus　613, 619, 639, 747
Pterygomandibular raphe　764, 765, 769, 773
Pterygomaxillary fissure　602, 645, 679, 764, 765
Pterygopalatine fossa　602, 645, 649, 651, 679-682
Pterygopalatine ganglion　649, 651, 663, 672, 681, 697, 798, 800, 802, 803, 806, 807, **816**
Pterygopalatine nerves　679, 681
Pubic　469
Pubic arch　394, 396
Pubic crest　397, 473, 504, 519
Pubic symphysis　392-396, 400, 466, 469, 472, 473, 504
Pubic tubercle　308, 393, **394**, 396, 473, 497, 504, 516, 519, 392
Pubis　24, 394, 519
Pubococcygeus　400-403, 408, 410, 431, 449, 452, 455
Pubofemoral ligament　399
Puboprostatic ligament　407, 408, 455
Puboprostaticus　400, 452
Puborectalis (levator ani)　400-**402**, 407, 408, 410, 444, 452, 455, 460, 469
Pubovaginalis　401, 452, 466
Pubovesicalis　452
Pudendal canal　414, 469

Pudendal nerve　371, 374, 404, 405, 414, 424, 425, 441, 444, 457, 463, 467, 510, 511, **514**
Pudendal nerve block　441
Pulmonary artery　228, 229, 249
Pulmonary infundibulum　285
Pulmonary ligament　228, 229
Pulmonary (intrapulmonary) nodes　237
Pulmonary plexus　236, 267, 280, 812
Pulmonary trunk　235, 242, 246, 249, 264, 284, 286
Pulmonary valve　238, 255, 257
Pulmonary vein　228, 229, 249
Pulp cavity　665
Pulvinar　710, 713, 715
Pupil　630, 631, 640
Putamen　707, 711, 713, 720, 721
Pyloric antrum　327, 329, 384
Pyloric area of liver　345
Pyloric branch of anterior vagal trunk　812
Pyloric canal　322, 327
Pyloric node　382
Pyloric orifice　327
Pylorus　292, 327, 329
Pyramid of medulla oblongata　714, 717, 719, 720
Pyramidal eminence　686, 688, 690
Pyramidal lobe　749
Pyramidal process of palatine bone　601, 645, 662
Pyramidalis　302

Q

Q-angle　527
Quadrangular membrane　777
Quadrangular space　80, 104, 121, 122
Quadrate lobe of liver　345
Quadratus femoris　469, 507, 508, 510-512
Quadratus lumborum　38, 39, 63, 302, 361, 369-371, 385
Quadratus plantae　558, 559, 565, 574
Quadriceps tendon　498
Quadrigeminal cistern　704

R

Radial artery　80, 81, 134, **144**, 148, 150, 152, 153, 160, 165, 167, 188, 191
Radial collateral artery　80, 81, 144
Radial collateral joint　181
Radial collateral ligament　137, 142, 143
Radial fossa　138
Radial groove　113
Radial longitudinal crease　154
Radial nerve　55, **75**, 76, 100, 103, 104, 115, 121, 122, 134, 143, 150, 171
Radial nerve injury　75
Radial recurrent artery　80, 81, 134, 144, 149
Radial recurrent vein　82
Radial veins　82
Radialis indicis　81, 167
Radialis indicis artery　155, 160, 164, 170
Radiate ligament of head of rib　15, 210, 211
Radiocarpal (wrist) joint　154, 181, 183
Radius　66, 70, 112, 146, 168, 189
Rami communicantes　48
Ramus
　— of ischium　24, 395, 397, 504, 519
　— of mandible　62, 586, 588-591, 600, 652, 659, 701, 759
Raphe of bulbospongiosus　448
Rectal ampulla　426
Rectal fascia　450

Rectal venous plexus　411, 421
Recto-uterine fold　406, 427, 442
Recto-uterine pouch　318, 406, 426, 427, 431, 434, 442, 444
Rectovaginal space　445
Rectovesical pouch　319, 407, 413, 420, 460
Rectovesical septum　450, 455
Rectovesicalis　452
Rectum　293, 336, 407, 410, 418, 421, 444, 469
Rectus abdominis　63, 194, 213, 216, 218, 294, 300-**302**, 385
Rectus capitis anterior　754
Rectus capitis lateralis　62, 622, 661, 754, 755
Rectus capitis posterior major　41-43, 62
Rectus capitis posterior minor　42, 43, 62
Rectus femoris　444, 495-**499**, 501-503, 520, 526, 581, 582
Rectus sheath　303
Recurrent branch
　— of deep palmar arch　164
　— of median nerve　73, 152, 155, 157, 160, 161
Recurrent interosseous artery　80, 81
Recurrent laryngeal nerve　236, 245, 263, **267**, 280, 281, 750, 752, 812
Red nucleus　623, 713, 716, 717, 719, 721, 793
Reflected ligament　304, 305
Renal area of liver　330, 345
Renal artery　363, 365, 373, 385
Renal branches of posterior vagal trunk　812
Renal column　364
Renal corpuscle　365
Renal cortex　365
Renal fascia　362, 369
Renal medulla　365
Renal papilla　364, 365
Renal pelvis　363, 364, 385
Renal plexus　374, 375, 377
Renal pyramid　364
Renal sinus　364, 369
Renal surface of spleen　362
Renal vein　362, 373, 384, 385, 387
Respiratory bronchiole　233
Restiform body　714
Rete testis　315
Reticular nuclei　721
Retina　795
Retinacular ligament　175
Retinal arteriole　641
Retinal pigment epithelium　640
Retinal venule　641
Retro-inguinal space　494
Retrobulbar (intraconal) fat　635, 701
Retrolenticular limb of internal capsule　710, 713
Retromammary space (bursa)　197, 199
Retromandibular vein　62, **613**, 642, 659, 696, 700, 701, 728, 738, 747
Retromolar fossa　645
Retroperitoneal fat　385
Retropharyngeal node　656, 696
Retropharyngeal space　62, 659, 727, 749, 783
Retropubic space　414, 450
Retrorectal space　445
Rhomboid major　33, 34, 107, 108, 121
Rhomboid minor　33, 34, 107, 108, 123
Ribs　204
Right anterior lateral segment of liver　348
Right anterior medial segment of liver　348
Right atrioventricular orifice　256
Right atrium　221, 243, 245, 246, 249, 286

Right auricle 242, 245, 260
Right border of heart 242
Right brachiocephalic vein 219, 262, 263, 284, 747, 753
Right branch of hepatic portal vein 353, 358
Right bronchomediastinal lymphatic trunk 237, 272, 282, 283
Right colic artery 338, 339, 343
Right colic flexure 317, 324, 334, 342, 812
Right colic nodes 383
Right colic veins 358
Right coronary artery 242, 243, 245, 246, 250, 253
Right coronary trunk 282, 283
Right crus of diaphragm 270, 381
Right cusp
— of aortic valve 259, 260
— of pulmonary valve 260
Right fibrous trigone 255
Right gastric artery 328, 330, 333
Right gastro-omental artery 328, 330, 332, 333
Right gastro-omental veins 358
Right hepatic branch 353
Right hepatic duct 353, 354, 356, 357
Right hepatic vein 347, 348, 385
Right inferior lobar bronchus 232, 233
Right inferior pulmonary vein 242, 243
Right lateral division of liver 348
Right lobe
— of liver 344, 345, 358, 385
— of thyroid gland 729, 749, 752, 786
Right lower quadrant 295
Right lumbar lymphatic trunk 380-382
Right lumbar(caval) node 380, 381
Right lymphatic duct 200, 201, 237, 272, 273, 282, 283, 382, 696, 781
Right main bronchus 228, 232, 233, 265, 270
Right marginal artery 242
Right marginal branch of RCA 250
Right medial division of liver 348
Right middle lobar bronchus 232, 233
Right posterior lateral segment of liver 348
Right posterior medial segment of liver 348
Right pulmonary artery 235, 242, 243, 264, 284
Right subclavian artery 80
Right subclavian lymphatic trunk 237, 282, 283
Right superior lobar bronchus 232, 233, 270
Right superior pulmonary vein 242, 243, 245, 288
Right suprarenal vein 373
Right triangular ligament 320, 344
Right upper quadrant 295
Right ventricle 243, 245, 249
Rima glottidis 775, 779, 780, 782
Risorius 608, 609
Root apex 665
Root canal 665
Root of mesentery of small intestine 320, 342
Root of nose 670
Root of penis 446, 456-458
Root of tongue 656, 767
Root of tooth 665
Rostrum of corpus callosum 708, 722
Rotatores 41, 63
Rotatores brevis 37
Rotatores longus 37
Round ligament
— of liver 249, 317, 344, 345
— of uterus 308, 309, 406, 426-432, 436, 442
Round window 684, 694
Runner's knee 538

S

SA node 250
Sacciform recess
— of distal radio-ulnar joint 183
— of elbow joint 142
Saccule 694, 695, 808
— of larynx 778
Sacral canal 25, 28, 395, 396
Sacral cord 49
Sacral cornu 392, 393
Sacral foramina 28
Sacral hiatus 25, 31
Sacral nerve root 63
Sacral nerves 49
Sacral node 411, 422, 423, 438, 439
Sacral plexus 53, 405, 412, 440, 514
Sacral splanchnic nerve 375, 425
Sacral triangle 31
Sacral tuberosity 24, 25
Sacro-iliac joint 28, 63, 393, 394, 396, 468
Sacrococcygeal joint 394
Sacrococcygeal kyphosis 3
Sacrococcygeal notch 25
Sacrogenital fold 413
Sacrospinous ligament 26-28, 399, 403, 463, 501, 512, 513, 517
Sacrotuberous ligament 26-28, 399, 403, 410, 454, 455, 466, 510-513, 517
Sacrum 2, 392-394, 396, 472
Sagittal suture 587, 592
Salpingopharyngeal fold 766, 770
Salpingopharyngeus 664, 767, 769, 771
Saphenous artery 502
Saphenous nerve 55, 476, 480, 495, 502, 558, 575
Saphenous opening(falciform margin) 301, 305, 490, 493
Saphenous vein 502
Sartorius 444, 494-499, 501, 502, 509, 520, 522, 526, 581, 582
— tendon 526
Sartorius attachment 498
Scala tympani 695, 809
Scala vestibuli 695, 809
Scalene node 237
Scalene tubercle 207
Scalenus anterior 786
Scalp 614, 698
Scapha 683
Scaphocephaly 593
Scaphoid 69, 146, 168, 178, 180-184, 190
Scaphoid fossa 594, 605, 662
Scapula 66, 70, 112, 205
Scapular component of joint 128
Scapular lines 31
Scarpa fascia 450
Sciatic nerve 55, 370, 371, 374, 404, 405, 410, 414, 424, 444, 478, 506, 507, 510-512, 514, 515, 520, 581, 582
Sclera 635, 640, 641
Scleral venous sinus 640, 641
Scrotal raphe 446
Scrotum 311, 446, 456
Secondary maxillary orifice 675
Secondary tympanic membrane 694
Secondary curvatures 3
Secretory branch to parotid gland 643
Segmental bronchi 233
Sellar diaphragm(diaphragma sellae) 618, 623
Semicircular canal 684, 692, 719, 808

Semicircular duct 695, 808, 809
Semilunar fold 335, 769
Semilunar hiatus 675, 676, 698
Semimembranosus 501, 506, 507, **509**-511, 522-524, 532, 535, 581, 582
Semimembranosus bursa 535
Seminal colliculus 416, 417, 419, 457
Seminal gland 316, 407, 408, 414-416, 418, 457, 461
Seminiferous tubule 315
Semispinalis 212
Semispinalis capitis 34-36, 41-43, 62, 735, 757, 782
Semispinalis cervicis 36, 42, 43, 782
Semispinalis thoracis 36, 41
Semitendinosus 501, 506, 507, **509**-511, 522-524, 581, 582
Sensory nucleus of CN V 792, 793
Sensory speech area 702
Septal cusp of tricuspid valve 261
Septal nasal cartilage 670, 671, 700
Septal papillary muscle 257, 261
Septomarginal trabecula 254, 257
Septum of scrotum 451
Septum pellucidum 703, 704, 707-711, 713, 716, 720, 723
Septum penis 459
Serous pericardium 219, 223
Serratus anterior 34, 90, **91-93**, 96, 103, **105**, 120, 121, 187, 194, 203, 216, 294, 298, 736, 737
Serratus posterior inferior 34, 105, 107, 215, 269, 367
Serratus posterior superior 34, 215, 218
Sesamoid bone 181, 192, 559, 565
Shaft of clavicle 70
Short association fibers 705
Short ciliary nerve 632-634, 797, 799, 801
Short circumferential branches of basilar artery 718
Short gastric arteries 328, 333
Short gastric vein 358
Short head
— of biceps brachii 116, 187
— of biceps femoris 506, 582
Short limb of incus 687
Short posterior ciliary artery 639, 641
Short posterior ciliary vein 641
Short posterior sacro-iliac ligaments 512
Short(small) saphenous vein 486, 522, 575, 584
Shoulder joint 66
Shoulder region 66
Sigmoid arteries 340, 341, 343
Sigmoid colon 293, 334-336, 342, 413
Sigmoid mesocolon 335, 342, 343, 413
Sigmoid sinus 619, 620, 622, 693, 789
Sigmoid veins 358
Simian hand 73
Sinu-atrial(SA) nodal branch 250
Sinu-atrial(SA) node 254
Sinus venarum 256
Sinusoidal macrophage(Kupffer cell) 349
Sinusoids 349
Site of triradiate cartilage 519
Skin(Grayson) ligament 155
Small cardiac vein 242, 243, 251
Small intestine 292, 385
Small(short) saphenous vein 486, 522, 575, 584
Smallest cardiac veins 251
Soft palate **662**, 663, 693, 701, 723, 766, 768, 770, 784, 811
Soleal line 473, 505, 552
Soleus 501, 507, 522-524, 542, 548, **552**, 554-557, 559, 583, 584
Spermatic cord 300, 305, 307, 311, 313, 460

Spheno-ethmoidal recess 602, 674
Sphenoid 587, 596, 630, 644, 701
Sphenoidal crest 596, 671
Sphenoidal margin 600, 603
Sphenoidal sinus 602, 605, 624, **674-676**, 678, 682, 693, 701, 818
Sphenomandibular ligament 648, 649, 654, 661
Sphenopalatine artery 634, 650, 664, 673
Sphenopalatine foramen 602, 645, 671, 675, 679, 680
Sphenoparietal sinus 619, 789
Sphincter pupillae of iris 640, 697, 799
Spinal accessory nerve 620-622, 642, 643, 647, 659, 700, 728, 735, 736, 742, 743, 746, 762, 788, 789, 793, **814**, 819
Spinal block 441
Spinal cord 44, 45, 62, 284, 701, 722, 784, 788
Spinal ganglion 46
Spinal nerve 46, 48, 54, 55
Spinal nucleus of trigeminal nerve 792, 793
Spinal part of deltoid 106, 118
Spinalis 35, 40
Spinalis cervicis 40, 41
Spinalis thoracis 40, 41
Spine
— of helix 683
— of scapula 30, 110, 111, 113, 121, 130, 205, 733
— of sphenoid 594, 605, 645, 654, 682
Spinous process 4, 63, 385, 784
— of axis 13
— of C7 730
— of vertebra 731
— of lumbar vertebrae 31
Spiral bands 155
Spiral ganglion 695, 808, 809
Spiral ligament 695, 809
Spiral line 473, 505
Spiral organ 695
Splanchnic nerve 60, 211, 374
Spleen 292, 362, 385, 386
Splenic artery 323-325, 328, 330, 331, **333**, 353, 362, 385, 386, 388
Splenic branches of splenic artery 328
Splenic flexure 336, 385
Splenic recess 362
Splenic vein 323, 325, 358, 359, 385-388
Splenium of corpus callosum 703, 708, 709, 722
Splenius 34, 728
Splenius capitis 35, 36, 40, 42, 43, 62, 735, 736, **757**, 782
Splenius cervicis 35, 36, 40, 42, 757
Splenorenal ligament 320, 321, 362
Spondylolisthesis 29
Spondylolysis 29
Spongy bone 475
Spongy (penile) urethra 407, 415
Spring ligament 567, 570, 578, 580
Squamous part 600
— of occipital bone 592, 595, 596
— of temporal bone 591, 596, 644, 694, 701, 808
Stapedius tendon 686, 688
Stapes 684, 687, 690
Stellate ganglion 267, 280, 281, 756
Sternal angle (manubriosternal joint) 204, 206
Sternal branches
— of internal thoracic artery 202
— of internal thoracic vein 202
Sternal end of clavicle 70
Sternal facet of clavicle 70
Sternal foramen 208
Sternal head of sternocleidomastoid 728, 732, 733

Sternebrae 206
Sternoclavicular joint 124, 284
Sternocleidomastoid 34, 35, 62, 216, 218, 607, 642, 646, 659, 696, 727, **733**, 735-739, 741-743, 760, 782, 786
Sternocleidomastoid artery 743, 760
Sternocleidomastoid branch 743
— of occipital artery 647, 742
— of superior thyroid artery 742, 761
Sternocleidomastoid region 732
Sternocostal head of pectoralis major 88, 91, 92, 194
Sternocostal joints 206
Sternohyoid 216, 217, 727, 738, 739, **741**-743, 746, 748, 753, 760, 783, 786, 815
Sternothyroid 216, 217, 727, 738, 739, **741**, 743, 746, 748, 750, 753, 783, 786, 815
Sternum 194, 204
Stomach 292, 385-387
Straight gyrus 713
Straight sinus 618-620, 704, 713, 719, 720, 722
Strap muscles 782, 784
Stria medullaris thalami 708
Stria terminalis 709, 711, 721
Styloglossus 62, 657-**658**, 661, 760, 761, 764, 765, 772, 815
Stylohyoid 62, 643, 647, 648, 657, 659, 660, 693, 740, **741**, 743, 758, 760-763, 765
Stylohyoid ligament **658**, 660, 661, 701, 730, 761, 764, 772, 773, 811
Stylohyoid muscle 701
Styloid process 590, 594, 595, 644, 645, 730
— of radius 146, 168, 177, 182
— of temporal bone 603, 647, 690, 692, 693, 811
— of ulna 146, 168, 178, 181, 182
Stylomandibular ligament 654
Stylomastoid foramen 594, 603, 802
Stylopharyngeal branch of glossopharyngeal nerve 810, 811
Stylopharyngeus 62, 659, 661, 693, 700, 761-**764**, 767, 772, 810, 811
Subacromial bursa 97, 125, 128, 131
Subaponeurotic space 192, 698
Subarachnoid hemorrhage 616
Subarachnoid space 47, 616, 704
Subarcuate fossa 603
Subareolar lymphatic plexus 200, 201
Subcallosal area 708, 709
Subclavian artery **98**, 123, 202, 219, 284, 737, 744, 745, 748, 752-756, 785
Subclavian lymphatic trunk 200, 201, 272, 696
Subclavian vein **82**, 95, 202, 219, 696, 728, 737, 742, 747, 752, 753
Subclavian (omoclavicular) triangle 732
Subclavius 92, 103, 216, 736, 737, 753
Subcostal artery 271, 297, 361, 373
Subcostal nerve 53, 267, 281, 297, 301, 361, 368-370
Subcostal plane 295
Subcostal vein 275
Subcostales 211, 215
Subcutaneous calcaneal bursa 575
Subcutaneous infrapatellar bursa 540
Subcutaneous olecranon bursa 143
Subcutaneous prepatellar bursa 534, 540, 528
Subdeltoid bursa 97
Subdural hematoma 616
Subhepatic space 319, 345
Sublenticular limb 710
Sublingual artery 657, 760
Sublingual fold 661
Sublingual fossa 600, 645

Sublingual gland 657, 660, 661, 697-699, **759**, 773, 782, 805-807
Submandibular duct 657, 661, 758-760, 773, 805
Submandibular fossa 600, 645
Submandibular ganglion 657, 697, 759, 760, 800, 805-807, **816**
Submandibular gland 646, 657, 661, 697, 736, 742, 758, **759**, 772, 782, 806, 807
Submandibular node 656, 696, 742
Submandibular triangle 732, 758
Submental artery 743, 758
Submental node 656, 696, 738, 740
Submental triangle 732
Submental vein 613, 747
Submucosal plexuses 58
Suboccipital nerve 43
Suboccipital region 732
Suboccipital triangle 36
Subphrenic recess 345
Subpleural lymphatic plexus 237
Subpopliteal recess 535
Subpubic angle 394
Subscapular artery 80, 81, 98, 99, 103, 123
Subscapular fossa 112, 117
Subscapular (posterior) nodes 83, 200
Subscapular vein 82
Subscapularis 92, 96, 97, 102, 103, **105**, 110, 111, 116, 124, 128, 129, 131, 187
Substantia nigra 716, 717, 719-721
Subtalar joint 550, 576
Subtendinous bursa
— of infraspinatus 97
— of subscapularis 97, 126
Subtrapezial plexus 33, 108
Sulcus limitans 715, 792
Sulcus of corpus callosum 708
Sulcus terminalis (terminal groove) 245
Sulcus (crista) terminalis 254
Superciliary arch 589, 590, 600, 678
Superficial branch
— of medial plantar artery 564, 566
— of radial nerve 75, 174, 188
— of transverse cervical artery 123
— of ulnar nerve 74, 161, 165
Superficial cervical artery 744, 752-755
Superficial cervical node 696
Superficial circumflex iliac artery 297, 300, 484, 492, 494
Superficial circumflex iliac vein 300, 486, 492
Superficial dorsal vein 84, 85
— of penis 457
Superficial epigastric artery 297, 300, 492
Superficial epigastric vein 299, 300, 486, 492
Superficial external pudendal artery 492
Superficial external pudendal vein 486, 492
Superficial fibular (peroneal) nerve 55, 478, 480, 544, 545, 548, 583
Superficial head
— of medial pterygoid 649
— of pronator teres 134
Superficial inguinal nodes 273, 299, 315, 411, 422, 423, 438, 439, 488, **489**, 492
Superficial inguinal ring 300, 304, 305, 308, 313, 314, 494, 495
Superficial lymphatic vessels 273, 489
Superficial nodes 273
Superficial palmar arch 80, 81, 144, 155, 160, 166, 167
Superficial palmar branch of radial artery 149, 153, 160, 164, 167
Superficial parotid node 654, 742

Superficial part of posterior compartment of leg 491
Superficial perineal pouch 450
Superficial peroneal (fibular) nerve 544, 545, 548
Superficial popliteal nodes 273
Superficial temporal artery 606, 607, **612**, 615, 642, 647, 648, 650, 654, 700, 744, 745
Superficial temporal vein 606, 613, 642, 696, 728, 747
Superficial temporal vessels 701
Superficial transverse metacarpal ligament 87, 148, 155
Superficial transverse metatarsal ligament 563
Superficial transverse perineal 448, 453, 464
Superficial ulnar artery 135
Superficial venous palmar arch 82
Superior acromioclavicular ligament 124, 126
Superior alveolar nerves 667, 680, 800
Superior angle of scapula 110
Superior articular facet 4, 5
Superior articular process 4, 10, 730
Superior belly of omohyoid 732, 736, 738-740, 742, 743, 760
Superior border of petrous part of temporal bone 596
Superior bulb of internal jugular vein 691, 693
Superior cerebellar artery 618, 623, 626-628, 718, 720, 820
Superior cerebellar peduncle (brachium conjunctivum) 714-717, 719
Superior cerebral vein 618, 723
Superior cervical cardiac branch of vagus nerve 280, 812
Superior cervical ganglion 754, 762, 763, 816
Superior clunial nerves 480
Superior colliculus of midbrain 623, 624, 710, 711, 714, **715**, 717, 792, 818
Superior concha 601, 602
Superior conjunctival fornix 635
Superior constrictor 659, 664, 692, 693, **762-765**, 767, 769, 771-773
Superior coracobrachialis 135
Superior costal facet 14, 209
Superior costotransverse ligament 15, 37, 210, 211
Superior deep cervical node 696, 781
Superior dental branches of superior alveolar nerve 802
Superior dental plexus 681, 802, 803
Superior diaphragmatic (phrenic) node 282, 283
Superior epigastric artery 217, 297, 301
Superior extensor retinaculum 542, 545, 546
Superior (upper) eyelid 630
Superior fascia of pelvic diaphragm 445, 451
Superior fibular (peroneal) retinaculum 550, 554
Superior four thoracic vertebrae 14, 15
Superior frontal gyrus 705, 708
Superior frontal sulcus 722
Superior ganglion
— of glossopharyngeal nerve 813
— of vagus nerve 813
Superior gemellus 507, 510, 511, 513, 520
Superior gingival branches of superior dental plexus 802
Superior glenohumeral ligament 127, 128
Superior gluteal artery 410, 420, 421, 470, 484, 510, 511, 515
Superior gluteal nerve 404, 405, 511, 514
Superior gluteal vein 421, 437, 485
Superior horn of thyroid cartilage 774
Superior hypogastric plexus 343, **374**, 375, 377, 412, 413, 424, 425, 436, 440
Superior ileocecal recess 337
Superior labial artery 612
Superior labial branch 681
Superior labial nerve of infra-orbital nerve 802
Superior labial veins 613
Superior laryngeal artery 746, 750
Superior laryngeal nerve 763, 764, 812, 813
Superior lateral cutaneous nerve of arm 72, 76, 122
Superior lateral genicular artery 484, 515, 524, 533, 536, 561
Superior lobe of left lung 219, 227
Superior lobe of right lung 219, 226
Superior longitudinal band of cruciate ligament 11
Superior longitudinal fasciculus 705
Superior longitudinal muscle 658, 660
Superior lumbar nodes 383
Superior medial genicular artery 484, 515, 524, 532, 536, 537, 560, 561
Superior mediastinum 223
Superior medullary velum 716, 722
Superior mesenteric artery 278, 320, 325, 332, 333, **338**-340, 343, 353, 361, 373, 385-388
Superior mesenteric ganglion 59, 374, 375, 376, 812
Superior mesenteric node 380, 383
Superior mesenteric vein 320, 325, 332, 343, **358**, 359, 385, 386, 388
Superior nasal concha 663, 671, 674, 676, 698, 699, 719
Superior nasal meatus 602, 671, 674
Superior nuchal line 42, 591, 592, 734
Superior oblique 632, 633, 636, 677, 698, 699, 797-799
Superior ophthalmic vein 613, 619, 639, 797
Superior orbital fissure 597, 605, 624, 630, 680, 682, 797, 799
Superior orbital septum 635
Superior palpebral nerve 798
Superior palpebral vein 613
Superior pancreaticoduodenal artery 328
Superior parathyroid gland 750, 762, 776
Superior parietal lobule 705
Superior part of duodenum 331
Superior peroneal (fibular) retinaculum 550, 554
Superior petrosal sinus 619, 620, 622, 685, 789
Superior phrenic arteries 271
Superior pole
— of kidney 364
— of thyroid gland 729, 748
Superior pubic ramus 24, 395, 396, 473, 504
Superior recess
— of omental bursa 318, 319, 324, 325
— of tympanic membrane 688
Superior rectal artery 340, 341, 411, 437
Superior rectal plexus 412
Superior rectal vein 358, 359, 411
Superior rectus **631**-**634**, 636, 677, 698, 699, 797-799
Superior root of ansa cervicalis 647, 743, 746, 760, 783
Superior sacral notch 25
Superior sagittal sinus 618-620, 698, 704, 719, 720, 723
Superior salivatory nucleus 792, 793
Superior segmental artery 365
Superior suprarenal arteries 363
Superior tarsal muscle 635
Superior tarsus 610, 635
Superior temporal gyrus 705
Superior temporal line 591, 592
Superior temporal retinal arteriole 641
Superior temporal retinal venule 641
Superior temporal sulcus 722
Superior thoracic artery 80, 98, 103
Superior thoracic vein 82
Superior thyroid artery 743-746, 748, 750, 751, 760, 783
Superior thyroid notch 749, 778
Superior thyroid vein 742, 747, 748, 750, 751, 783
Superior tibiofibular joint 530, 539
Superior tracheobronchial node 237, 283
Superior transverse rectal fold 411
Superior transverse scapular ligament 111, 123
Superior tubercle 774, 778
Superior ulnar collateral artery 80, 81, 98, 115, 119, 144
Superior vena cava 82, 219, **242**, 243, 245, 246, 249, 263, 275, 276, 284, 286
Superior vermis 716, 719, 720
Superior vertebral notch 4, 16, 18
Superior vesical artery 420, 421, 437
Superior vesical vein 421, 437
Superior vestibular nerve 689
Supernumerary nipple (polythelia) 196
Superomedial lobule of prastate 416
Supinator 134, 147, 149, 151, 169, 189
Supinator fossa 138
Supra-orbital artery 612, 632, 639
Supra-orbital foramen 600
Supra-orbital margin 589, 600
Supra-orbital nerve 610, 611, 624, 631, 632, 677, 801
Supra-orbital notch 600, 630
Supra-orbital vein 606, 613, 619, 639
Supraclavicular nerve 76, 195, 726, 734-736, 754
Supraclavicular nodes 200, 201, 237
Supracolic compartment (of greater sac) 319, 320
Supracondylar process 135
Supraduodenal artery 328, 332
Supraglenoid tubercle 112, 129, 130
Supramarginal gyrus 705
Supramastoid crest 603, 644
Suprameatal spine 644
Suprapatellar bursa 534, 540, 541
Suprapineal recess 721
Suprarenal area of liver 345
Suprarenal gland 363, 384, 385
Suprarenal plexus 375
Suprascapular artery 80, 81, **98**, 122, 123, 737, 744, 745, 752-755
Suprascapular nerve 100, 103, 104, 122, 123, 737
Suprascapular notch 112, 126
Suprascapular vein 82, 95, 728, 736, 737, 747
Suprasellar cistern 719, 720
Supraspinatus 110, 111, 116, 122, 128, 129
Supraspinous fossa 113
Supraspinous ligament 9, 19, 22, 27, 399
Suprasternal (jugular) notch of sternum 194, 739
Suprasternal space 727, 738
Supratrochlear artery 612, 639
Supratrochlear nerve 610, 611, 624, 631, 632, 801
Supratrochlear vein 613
Supratrochlear nodes 273
Supraventricular crest 257
Supravesical fossa 316, 406, 407
Supreme intercostal artery 271, 277, 744
Sural communicating branch of common fibular nerve 478, 522, 523
Sural nerve 478-480, 523, 550, 575
Surgical neck 112, 113
Suspensory ligament
— of axilla 86
— of breast 197-199
— of clitoris 464
— of ovary 406, 427, 429, 431, 442
— of penis 310, 314, 450, 451, 456
Suspensory muscle 331
Sustentaculum tali 552, **553**, 558, 564, 569-571, 574, 578, 580
Sutural (wormian) bone 591
Sympathetic peri-arterial plexus 781
Sympathetic trunk 44, 48, 276, 700, 404
Synostosis 29

Synovial fold 528
Synovial retinacula 520, 521
Systole 255

T

Taeniae coli 335
Tail
— of caudate nucleus 707, 709, 711, 713, 720, 721
— of helix 683
— of pancreas 323, 333, 385
Talocalcaneal interosseous ligament 568, 572, 574, 576, 578
Talocalcaneal joint 576
Talonavicular joint 576
Talonavicular ligament 572
Talus 473, 543, 547, 550, 553, 571, 574, 575
Tapetum 709
Tarsal anastomosis 484
Tarsal gland 635
Tarsal sinus 571
Tarsometatarsal joints 576
Tectorial membrane 11-13, 695, 809
Tegmen tympani 602, 645, 691, 693
Temporal bone 586, 587, 596
Temporal branch of facial nerve 642, 806, 807
Temporal fascia 606, 614, 646, 698
Temporal fossa 588, 590, 644, 645
Temporal line 588, 600
Temporal lobe 702, 705, 706, 719, 720
Temporal pole 621, 722, 788
Temporal surface 600
— of greater wing of sphenoid 645
Temporalis 614, **646**-649, 652, 654, 698-701, 719
Temporomandibular joint 590, 643, 652
Tendinous arch
— of cubital tunnel 137
— of levator ani 316, 400-402
— of pelvic fascia 400, 414, 445
Tendinous cords 257, 258, 259
Tendinous intersection 300, 302
— of rectus abdominis 294
Tendinous sheath
— of abductor pollicis brevis 162
— of extensor pollicis brevis 162
— of flexor pollicis longus 162
Tendon
— of biceps brachii 116
— of extensor digitorum longus 542
— of extensor hallucis longus 542
— of fibularis brevis 542
— of fibularis (peroneus) longus 580
— of flexor digitorum longus 565
— of flexor hallucis longus 565
— of peroneus (fibularis) longus 580
— of rectus femoris 498
— of tensor tympani 685
— of tibialis anterior 542
Teniae coli 320, 334, 335
Tensor fasciae latae 444, 490, 495, **497**-**499**, 503, 507, 508, 520, 582
Tensor tympani 684, 685, 688, 690, 691, 693
— tendon 686
Tensor veli palatini 661, 663, **664**, 676, 692, 700, 764, 765, 769, 771, 773
Tentorial nerve (recurrent meningeal branch of ophthalmic nerve) 618
Tentorial notch 619
Tentorium cerebelli (cerebellar tentorium) 618-620, 623, 704, 720, 723

Teres major 32, **92**, 96, 103, 106, 107, 110, 116, 117, 120-122, 187
Teres minor 110, 122, 128, 129, 187
Terminal sulcus 656, 766
Testicular artery 311, 314, 315, 361, 413, 420, 456
Testicular plexus 377
Testicular veins 311, 361, 413, 420
Testis 314, 415, 456
Thalamogeniculate (posterolateral central) arteries 711
Thalamoperforating (posteromedial central) arteries 711
Thalamostriate vein 710
Thalamus 703, 708, 710, 711, 713, 715, 720-722
Thenar eminence 154
Thenar fascia 155, 156, 157
Thenar muscles 152, 191
Thenar space 156, 192
Thoracic aorta 248, 249, 270, 271, 277
Thoracic aortic plexus 267, 280, 281
Thoracic cardiac branch 280
Thoracic cord 49
Thoracic duct 48, 237, 270, **272**, 273, 277-279, 282, 283, 380, 382, 750, 781
Thoracic inlet 268
Thoracic kyphosis 3
Thoracic nerves 49
Thoracic vertebrae 2, 5
Thoraco-abdominal nerves 213
Thoraco-acromial artery 80, 94, 98, 99, 102
Thoraco-acromial vein 82
Thoraco-epigastric vein 299
Thoraco-lumbar fascia 302
Thoracodorsal artery 80, 81, 96, 98, 99, 103, 123
Thoracodorsal nerve 96, 100, 102-104
Thoracodorsal vein 82
Thoracolumbar fascia 33, 38, 106, 108, 367
Thymic branch of inferior thyroid artery 753
Thymic vein 262
Thymus 262, 284, 739
Thyro-arytenoid 778
Thyro-epiglottic 778
Thyro-epiglottic ligament 775
Thyrocervical trunk 80, 98, 123, 744, 745, 753-755
Thyrohyoid **741**-743, 746, 748, 758-760, 783, 815
Thyrohyoid branch of ansa cervicalis 758
Thyrohyoid membrane 739, 748-750, 764, 765, 774-777
Thyroid branches of inferior thyroid artery 752
Thyroid cartilage 696, 723, 729, **730**, 734, 739, 741, 748-751, 758, 759, 764, 774, 777, 782, 783
Thyroid gland 696
Thyroid ima artery 751
Thyropharyngeus (inferior constrictor) 763, 776
Tibia 472, 473, 504, 505, 553, 583, 584
Tibial collateral ligament 525, 529, 530, 532, 534, 534, 539, 557
Tibial nerve 55, 371, 405, **479**, 506, 514, 515, 522-524, 554-558, 575, 583, 584
Tibial nerve injury in popliteal fossa 479
Tibial tuberosity 473, 497, 504, 526
Tibialis anterior 542-544, 548, 559, 575, 583, 584
Tibialis posterior 552, 554-559, 567, 573, 575, 583, 584
Tibiocalcaneal of deltoid ligament 569
Tibiocalcaneal part 570, 573
Tibiofibular joint 545
Tibiofibular syndesmosis 545, 568, 571
Tibionavicular of deltoid ligament 568
Tibionavicular part 570
Tongue 657, 659, 699, 719, 723
Tonsil of cerebellum 716, 717

Tonsillar branch
— of ascending palatine artery 769
— of facial artery 760, 769, 771, 772
— of glossopharyngeal nerve 810, 811
Tonsillar fossa 770
Tonsillar sinus 664
Torus tubarius 770
Trabeculae carneae 257, 258, 259
Trachea 232, 233, 262, 265, 270, 284, 696, 730, 784
Tracheal (paratracheal) node 237
Tracheal rings 729
Tracheobronchial nodes 270
Tragus 683
Trans-tubercular plane 295
Transient ischemic attack (TIA) 628
Transumbilical plane 295, 299
Transversalis fascia 297, 301, 303, 306, 307, 309, 310, 316, 493
Transverse acetabular ligament 518, 520, 521
Transverse arytenoid 767, 779
Transverse branch of lateral circumflex femoral artery 521
Transverse carpal ligament (flexor retinaculum) 183
Transverse cerebral fissure 702
Transverse cervical artery 80, 98, 123, 735-737, 744, 745
Transverse cervical ligament 445
Transverse cervical nerve 734, 735, 754
Transverse cervical vein 728, 743, 747
Transverse colon 292, 324, 334-336, 385, 387
Transverse costal facet 14
Transverse facial artery 606, 607, 612, 642, 654, 744
Transverse facial vein 747
Transverse folds of mucous membrane of palate 664
Transverse humeral ligament 110, 117, 124, 126, 131
Transverse intermuscular septum 491, 556-558, 575, 583
Transverse ligament of atlas 11, 13, 62, 701
Transverse mesocolon 317-320, 324, 342, 343
Transverse muscle 658
Transverse palatine folds 662
Transverse pericardial sinus 223, 247, 260
Transverse perineal ligament 459
Transverse process 5, 10, 63
— of atlas (C1) 62, 730
— of coccyx 24, 25
— of vertebra 731
Transverse sinus 619, 620, 722
Transverse tarsal joint 576
Transverse temporal gyri 705
Transverse vesical fold 427
Transverse (middle) part of trapezius 32, 33, 106, 108, 123
Transversospinalis 40
Transversus abdominis 35, 44, 63, 213, 217, 218, **302**, 303, 306, 307, 309, 361, 369, 370
Transversus thoracis 214-217, 269
Trapezium 69, 146, 152, 164, 168, 178, **180**, 181, 183, 184, 191
Trapezius 33, 62, 107, 728, 734, 782
Trapezoid 69, 146, 168, 178, 180, 181, 183, 184, 191
Trapezoid ligament 126
Triangle of auscultation 33, 106, 108
Triangular fold 769
Triangular fossa 683
Triangular interval 104, 122
Triangular part of inferior frontal gyrus 705
Triangular space 122
Triceps brachii 114, 115, 118, 121, 187
Triceps coxae 513
Triceps tendon 121
Tricuspid valve 238, 255, 257

Trigeminal ganglion 620, 624, 651, 667, 697, 789, 793, **800**, 802, 816
Trigeminal nerve 620-623, 625, 667, 714, 717, 788, 789, 793, **800**, 818, 820
Trigone
— of lateral ventricle 713, 720
— of urinary bladder 417, 428, 436
Triquetrum 69, 146, 168, 179-184, 190
Triradiate cartilage 395
Triticeal cartilage 774, 775
Trochanteric bursa 510
Trochanteric fossa 473
Trochlea 138, 143
— of humerus 138
— of superior oblique 797, 799
Trochlear nerve 620-625, 632, 788, 789, 793, 797, 798, 801
Truncus arteriosus 260
Tubal branch
— of glossopharyngeal nerve 810
— of uterine artery 429
Tubal cells 688
Tuber cinereum 713
Tubercle
— of calcaneus 575
— of cricoid cartilage 774
— of rib 207
— of scaphoid 153, 180, 183, 184
— of trapezium 165, 180, 183, 184
— on coronoid process 138
Tuberculum cinereum 715
Tuberculum (tubercle) of iliac crest 31, 473, 490, 504, 505
Tuberculum sellae 597, 605
Tuberosity 138, 578
— of cuboid 564
— of radius 112, 138
— of ulna 112, 138
Tunica albuginea 315
Tunica vaginalis 310
Turricephaly 592
Tympanic air cell 685
Tympanic canaliculus 603
Tympanic cavity 684, 687, 693, 685
Tympanic cells 686, 688
Tympanic membrane 684, 685, 687, 688, 691-693, 802
Tympanic nerve 686, 690, 810, 811
Tympanic opening of pharyngotympanic tube 685, 693
Tympanic part of temporal bone 591, 644
Tympanic plate 594, 645
Tympanic plexus 688, 810, 811
Tympanomastoid fissure 644
Tympanosquamous fissure 594

U

Ulna 66, 70, 112, 146, 168, 189
Ulnar artery 80, 81, 134, **144**, 145, 149, 150, 153, 160, 167, 188, 191
Ulnar collateral ligament 137, 140, 143, 181
Ulnar nerve 55, **74**, 76, 100, 102, 115, 119, 137, 143, 149, 150, 153, 160, 165, 171, 188, 191
Ulnar nerve injury 74
Ulnar notch of radius 181
Ulnar recurrent artery 80, 145
Ulnar recurrent veins 82
Ulnar veins 82
Umbilical artery 249, 316, 410, 437
Umbilical cord 434
Umbilical (prevesical) fascia 445

Umbilical ring 303
Umbilical vein 249
Umbilicus 91, 294, 434
Umbo 686
Uncinate fasciculus 706
Uncinate process
— of body of C6 10
— of pancreas 325, 385
Uncovertebral joint 9, 10, 731
Uncus 708, 709, 719
— of body (uncinate process) 5
Upper gubernaculum 312
Upper limb of phrenico-esophageal ligament 327
Upper subscapular nerve 96, 97, 100, 103-105
Urachus 249, 414, 458
Ureter 316, 363, 384, 420
Ureteric orifice 417
Ureteric plexus 377
Urethra 363, 406, 415, 418, 426, 461, 469
Urethral crest 417
Urethral lacuna 456
Urethrovaginal sphincter 401, 448, 451, 452, 466
Urinary bladder 292, 363, 406, 407, 414, **415**, 418, 421, 426, 427, 444, 461, 582
Urogenital hiatus 400, 449
Urogenital triangle 466
Uterine artery 410, 428, 429, 436, 437
Uterine cavity 429, 433
Uterine plexus 440
Uterine tube 406, 426, 427, 429-431, 433
Uterine vein 437
Uterine venous plexus 437
Uterosacral ligament 442, 445
Uterovaginal plexus 440, 441, 443
Uterus 406, 426, 427, 430-432, 436, 468
Utricle 694, 695, 808
Utriculosaccular duct 694
Uvula 662, 663, 676, 766-768, 770
— of urinary bladder 417

V

Vagal trigone 715
Vagina 406, 426, 433, 468, 469
Vaginal artery 428, 429, 436, 437
Vaginal branch of uterine artery 429, 436
Vaginal fornix 433
Vaginal hysterectomy 430
Vaginal orifice 447, 448
Vaginal process 605, 682
Vaginal speculum 433
Vaginal venous plexus 437
Vaginal wall 452, 465, 466
Vagus nerve 219, 236, 245, 263, 267, 277, 280, 281, 620-622, 642, 643, 647, 659, 700, 746, 748, 750-752, 762, 783, 788, 789, 793, **812**, 813, 819
Vallate papillae 656, 657, 770
Vallecula 660
Valve
— of coronary sinus 256
— of inferior vena cava 256
Vasa recta 338, 339
Vasa recta duodeni 333
Vascular fold of cecum 337
Vascular layer of eyeball (ciliary body) 641
Vascular stria 695, 809
Vastus intermedius 496-499, 502, 581, 582
Vastus lateralis 444, 495-499, 502, 503, 526, 533, 581, 582
Vastus medialis 496-499, 501, 502, 526, 532, 581, 582

Vein of Galen (great cerebral vein) 629
Venous angle 201, 272
Ventral pancreas 355
Ventral tegmental decussation 721
Ventricle of larynx 777, 780
Venule 273
Vermillion border of upper lip 670
Vertebra prominens 8, 30, 106
Vertebral arch 3
Vertebral artery **12**, 50, 62, 123, 618, 620, 622, 626, 627, 701, 718, 720, 744, 754, 756, 782, 783, 785
Vertebral body 4, 784
Vertebral canal 39
Vertebral foramen 3, 4, 731
Vertebral ganglion 751
Vertebral vein 747, 752, 753, 783
Vertical line 473
Vertical muscle 658
Vesical artery 470
Vesical fascia 445
Vesical plexus 425
Vesical venous plexus 417, 421, 437
Vesical (pelvic) nerve plexus 424
Vesico-uterine pouch 406, 426, 427, 431, 434
Vesicocervical space 445
Vesicovaginal space 445
Vestibular aqueduct 694
Vestibular canaliculus 603
Vestibular fold 666, 777, 780, 783
Vestibular ganglion 695, 808, 809
Vestibular ligament 777
Vestibular membrane 695, 809
Vestibular nerve 695, 714, 808, 809
Vestibular nuclei 715, 792, 793
Vestibular perilymph 719
Vestibule 694
— of bony labyrinth 685
— of larynx 783
— of vagina 462, 466, 469
Vestibulocochlear nerve 620-622, 685, 689, 695, 714, 717, 788, 789, 793, **808**, 809, 819
Vincula brevia 175
Vincula longa 175
Viscera pelvic fascia 414
Visceral afferent (pain) fiber 60
Visceral afferent (reflex) fiber 60
Visceral distribution 59
Visceral layer
— of pretracheal layer 738, 749
— of serous pericardium 246
— of tunica vaginalis 311, 314
Visceral para- sympathetic pathway 60
Visceral pelvic fascia 416
Visceral peritoneum 319, 322
Visceral pleura 222
Visceral sympathetic pathway 60
Visual cortex 795
Visual field 796
Visual field defects 796
Vitreous body 701, 719
Vocal fold 723, 777, 780, 782
Vocal ligament 775, 777, 783
Vocal process 774, 775, 777
Vocalis 778
Vomer 588, 589, 594, 595, 662, 670, 700
Vorticose vein 639-641

W

White matter　713, 719, 720, 722
White ramus communicans　48, 53, 60
Winging of scapula　124
Wormian (sutural) bone　591
Wrist drop　75
Wrist joint　66, 177

X

Xiphisternal joint　204, 206, 244
Xiphoid process　194, 204, 206, 244, 294, 385

Z

Zygapophysial (facet) joint　5, 10, 20, 730
Zygomatic　644
Zygomatic arch　588, 590, 594, 646, 652, 679, 698, 699
Zygomatic bone　586, 587, 602, 630, 631, 647, 680
Zygomatic branch of facial nerve　642, 806, 807
Zygomatic nerve　679-681, 798, 800-802, 807
Zygomatic process　595
— of frontal bone　589, 591, 600
— of maxilla　601, 602
— of temporal bone　591, 602, 603, 644, 647
Zygomaticofacial artery　639
Zygomaticofacial foramen　589, 590, 602, 630
Zygomaticofacial nerve　610, 611, 680
Zygomaticotemporal artery　639
Zygomaticotemporal nerve　611, 647, 680
Zygomaticus major　606-610, 642, 701
Zygomaticus minor　608-610

和文索引

INDEX

索引語は，アルファベットで始まる和文索引語，片仮名，平仮名，漢字（1字目の読み）の順に配列し，読みが同じ漢字は画数の少ない順に配列している．
語頭の「—」は，そのすぐ上の索引語と同じであることを示し，「—，」のあとの語句は，索引語の補足のために付している．
ページの**太字**は主要説明箇所を示す．

あ

アキレス腱（踵骨腱） 548, 550, 554-556, **558**, 559, 569, 571, 575, 578, 584
アキレス腱反射 482
アステリオン 590
アダムキーヴィッツ動脈（大前髄節動脈，大前根動脈） 50, 51
アブミ骨 684, 687, 690
— の後脚 686, 687
— の前脚 685, 687
アブミ骨筋神経 690, 807
アブミ骨筋の腱 686, 688
アブミ骨頸 687
アブミ骨底 687
アブミ骨頭 687
足首
— のX線像 571
— の捻挫 572
鞍隔膜 618, 623, 720
鞍結節 597, 605
鞍上槽 719, 720
鞍背 593, **596**, 597, 604, 623, 678, 682, 694, 718, 818

い

胃 292, 327, 385-387
— のX線像 329
— の小弯 322
— の大弯 322, 329
胃圧痕，肝臓の 345
胃横隔間膜 317
胃結腸間膜（大網） 317, 322, 323, 325, 342
胃十二指腸動脈 325, 328, 330, 332, 333, 351, 353, 388
胃膵ヒダ 324
胃体 327
胃体管 327
胃大網リンパ節 382
胃底 327, 329
胃粘膜ヒダ 329
胃脾間膜 317, 321, 323, 327
胃面，脾臓の 330
異所性甲状腺組織（甲状副腺） 748, 749
一次弯曲 3
一過性脳虚血発作 628
一般感覚（体性感覚） 793
咽頭 719, 722, 782
咽頭陥凹 693, 700, 766, 770
咽頭筋 727
咽頭腔 659
咽頭結節 595, 701
咽頭口部 766, 784
咽頭後隙 62, 659, 727, 749, 783
咽頭後リンパ節 656, 696
咽頭喉頭蓋ヒダ 767
咽頭喉頭部 766, 783, 784
咽頭枝
—，舌咽神経の 810, 811
—，鼻口蓋神経の 672, 680, 803
—，迷走神経の 812, 813
咽頭室 777
咽頭周囲脂肪 719
咽頭頭底板 663, 762, 767, 771, 779
咽頭鼻部 766, 784
咽頭扁桃 696, 700, 723, 770, 784
咽頭縫線 776
陰核 466
陰核角 465
陰核亀頭 447, 462, 464, 465
陰核脚 428, 465, 467, 469
陰核小帯 464
陰核深動脈 437
陰核体 465
陰核提靱帯 464
陰核背神経 462, 463, 465, 467
陰核背動脈 437, 465, 467
陰核包皮 447, 462, 464, 467
陰茎海綿体 453, 457, 458, 461
陰茎海綿体神経 425
陰茎海綿体中隔 459
陰茎亀頭 314, 415, 446, 456-458
陰茎脚 454, 458, 459
陰茎根 446, 456-458
陰茎深動脈 459
陰茎体 446, 456, 458
陰茎中隔 459
陰茎提靱帯 310, 314, 450, 451, 456
陰茎背神経 425, 456, 457, 459
陰茎背動脈 456, 457, 459
陰茎ワナ靱帯 305, 451
陰唇小帯 447
陰嚢 311, 446, 456
陰嚢癌 315
陰嚢中隔 451
陰嚢縫線 446
陰部枝，陰部大腿神経の 308, 309, 314, 371, 480
陰部神経 371, 374, 404, 405, 414, 424, 425, 441, 444, 457, 463, 467, 510, 511, **514**
陰部神経管 414, 469
陰部神経ブロック 441
陰部大腿神経 361, 370, 413, 480, 493
— の陰部枝 308, 309, 314, 371, 480
— の大腿枝 307, 310, 371, 480, 492

う

ウィリス動脈輪（大脳動脈輪） 626, 627, 629
うっ血乳頭 641
右胃大網静脈 358
右胃大網動脈 328, 330, 332, 333
右胃動脈 328, 330, 333
右縁，心臓の 242
右縁枝，右冠状動脈の 242, 250
右下肺静脈 242, 243
右下腹部 295
右下葉気管支 232, 233
右外側区，肝臓の 348

右肝管 353, 354, 356, 357
右肝静脈 347, 348, 385
右冠状動脈 242, 243, 245, 246, 250, 253
— の右縁枝 242, 250
— の後室間枝（後下行枝） 243, 250
— の房室結節枝 250
右冠状動脈口 259
右冠状リンパ本幹 282, 283
右気管支縦隔リンパ本幹 237, 272, 282, 283
右脚，横隔膜の 270
右胸管（右リンパ本幹） 200, 201, 237, **272**, 273, 282, 283, 382, 696, 781
右結腸曲 317, 324, 334, 336, 342, 812
右結腸静脈 358
右結腸動脈 338, 339, 343
右結腸リンパ節 383
右後外側区域，肝臓の 348
右後内側区域，肝臓の 348
右鎖骨下動脈 80
右鎖骨下リンパ本幹 237, 282, 283
右三角間膜 320, 344
右主気管支 228, 232, 233, 265, 270
右上肺静脈 242, 243, 245, 288
右上腹部 295
右上葉気管支 232, 233, 270
右心耳 242, 245, 260
右心室 243, 245, 249, 257
右心房 221, 243, 245, 246, 249, 256, 286
右線維三角 255
右前外側区域，肝臓の 348
右前内側区域，肝臓の 348
右中葉気管支 232, 233
右内側区，肝臓の 348
右肺 226
— の下葉 219, 226
— の外側中葉枝 230, 235
— の外側肺底枝 230, 235
— の後上葉枝 230, 235
— の後肺底枝 230, 235
— の上-下葉枝 230, 235
— の上葉 219, 226
— の水平裂 219
— の前上葉枝 230, 235
— の前肺底枝 230, 235
— の中葉 219, 226
— の内側中葉枝 230, 235
— の内側肺底枝 230, 235
— の肺尖枝 230, 235
右肺動脈 235, 242, 243, 264, 284
右半月弁
—，大動脈弁の 259, 260
—，肺動脈弁の 260
右副腎静脈 373
右房室口 256
右葉，肝臓の 344, 345
右腰リンパ節 380, 381
右腰リンパ本幹 380-382
右リンパ本幹（右胸管） 200, 201, 237, **272**, 273, 282, 283, 382, 696, 781

右腕頭静脈 219, 262, 263, 284, 747, 753
烏口肩峰靱帯 100, 111, 117, 124-127, 129
烏口鎖骨靱帯 100, 123, 124, 126
烏口上腕靱帯 111, 129
烏口突起 110-112, 124, 130
烏口腕筋 96, 114-117, 187
齲窩 665
齲歯(う歯) 665
運動性言語野 702
運動性神経支配 60

え

S状結腸 293, 334-336, 342, 413
S状結腸間膜 335, 342, 343, 413
S状結腸静脈 358
S状結腸動脈 340, 341, 343
S状静脈洞 619, 620, 622, 693, 789
S状洞溝 13, 593, 596, 597, 603, 694
X脚 527
エディンガー・ウェストファル核(動眼神経副核) 717, 792, 793, 799
エナメル質 665
会陰
　— の筋膜 450
　— の被覆筋膜 451
会陰横靱帯 459
会陰腱中心 408, 434, 448, 450, 453, 466
会陰枝, 後大腿皮神経の 414, 453, 462, 463
会陰神経 403, 425, 457, 463
　— の深枝 462
会陰動脈 403, 437
会陰皮下層(コリーズ筋膜) 450, 453, 459
会陰縫線 446
会陰膜 401, 408, 414, **450**, 451, 453, 454, 459, 464, 465, 467, 469
永久歯 665, 669
腋窩 91, 119
　— の静脈 95
腋窩窩 194
腋窩筋膜 86
腋窩脂肪体 97, 187
腋窩鞘 96, 97
腋窩静脈 82, 95, 97, 102, 202, 216, 299, 736, 737
腋窩神経 55, 72, 100, 101, 103, 104, 121, 122, 128
　— の損傷 72
腋窩前壁 94
腋窩頂(頸腋窩管) 96
腋窩底 96
腋窩提靱帯 86
腋窩動脈 80, 81, 97, 98, 102, **103**, 202, 216, 736, 737, 744
腋窩突起, 乳房の 197
腋窩リンパ節 97, 299
腋窩リンパ叢 282
円回内筋 116, 133, 139, 143, 147-149, 188, 189
　— の深頭 134
　— の浅頭 134
円蓋, 横隔膜の 221
円錐靱帯 123, 126
延髄 674, 702, 703, **714**, 717, 718, 722, 723, 784, 788
延髄錐体 714, 717, 719, 720
遠位横ヒダ 154
遠位屈曲ヒダ 154
遠位交連靱帯 155
遠位指節間関節 146, 154, 181, 185
遠位手根ヒダ 154
遠位内側線条体動脈 627
遠位尿細管 365

縁溝 708
縁上回 705
嚥下 784

お

O脚 527
オスグッド・シュラッター病 474
オトガイ下三角 732, 740
オトガイ下静脈 613, 747
オトガイ下動脈 743, 758
オトガイ下リンパ節 656, 696, 738, 740
オトガイ棘, 下顎骨の 658, 660, 740
オトガイ筋 606, 608, 609, 726
オトガイ結節 588, 591, 644
オトガイ孔 589, 591, 600, 644
オトガイ静脈 613
オトガイ神経 610, 611, 651, 667, 800, 804
オトガイ舌筋 657, **658**, 660, 661, 698, 699, 759-761, 782, 784, 815
オトガイ舌筋麻痺 660
オトガイ舌骨筋 657, **658**, 660, 661, 698, 723, 740, 741, 759, 760, 761, 815
オトガイ動脈 612, 650
オトガイ隆起 588, 590, 644
オリーブ 621, 714, 717
黄色靱帯 9, 11, 18-20, 22, 39
黄斑 640, 641, 795
横下腿筋間中隔 491, 556-558, 575, 583
横隔胸膜 222, 269
横隔結腸間膜 320, 323
横隔食道膜
　— の下枝 327
　— の上枝 327
横隔神経 219, **236**, 263, 269, 276, 277, 735-737, 742, 752, 783
横隔膜 217, 269, 372, 384
　— の右脚 270, 381
　— の円蓋 221
　— の筋性部 269
　— の腱中心 269
　— の左脚 270, 384
横隔膜下陥凹 345
横隔膜ヘルニア 372
横隔面
　—, 肝臓の 345
　—, 脾臓の 362
横隔リンパ節 380
横筋筋膜 297, 301, **303**, 306, 307, 309, 310, 316, 493
横口蓋ヒダ, 口蓋粘膜の 662, 664
横行結腸 292, 324, 334-336, 385, 387
横行結腸間膜 317-320, 324, 342, 343
横行枝, 外側大腿回旋動脈の 521
横手根靱帯(屈筋支帯) 87, 183
横静脈洞 619, 620, 722
横舌筋 658
横側頭回 705
横足根関節(ショパール関節) 576, 577
横洞溝 596, 597
横突間筋 38, 39, 622, 755
横突起 5, 10
　—, 環椎(第1頸椎)の 62, 730
　—, 椎骨の 731
　—, 尾骨の 24, 25
　—, 腰椎の 63
横突棘筋(群) 36, 40
横突孔, 頸椎の 5, 62, 701, 731
横突肋骨窩 5, 14
横披裂筋 767, 779

横膀胱ヒダ 427

か

カラードップラー法 388
ガレン静脈(大大脳静脈) 629
カロー三角 352
ガングリオン嚢胞 174
下咽頭収縮筋(甲状咽頭筋) 743, 746, 750, 751, **762-765**, 776, 779, 782, 783, 813
下縁
　—, 下顎骨の 588
　—, 心臓の 242
　—, 肺の 228
[下]オリーブ核 793
下横隔静脈 373
下横隔動脈 361, 363, 373
　— の食道枝 271
下横隔リンパ節 383
下下腹神経叢 374, 375, 412, 424, 425, 440
下回盲陥凹 337
下外側枝, 膝静脈の 485
下外側静脈 641
下外側小葉, 前立腺の 416
下外側上腕皮神経 75, 76, 77, 121
下外側動脈 641
下角
　—, 肩甲骨の 30, 110, 129
　—, 甲状軟骨の 774, 779
　—, 側脳室の 704, 707, 718, 720, 721
下角輪状筋 775
下顎縁枝, 顔面神経の 609, 642, 806, 807
下顎窩 594, 595, 602, 603, 645, 654
　—, 側頭骨の 655
下顎角 587, 588, 590, 600, 654, 730, 733
下顎管 667
下顎頸 600, 654, 700
下顎結合 586, 587
下顎孔 600, 645
下顎後静脈 62, **613**, 642, 659, 696, 700, 701, 728, 738, 747
　— の後枝 728
　— の前枝 728, 742
下顎骨 586, 600, **644**, 652, 657, 661, 662, 699, 718, 723, 736, 741, 784
　— のオトガイ棘 658, 660
　— の下縁 588
　— の関節突起 590, 652, 655
　— の筋突起 591, 600, 644, 647, 652, 700
　— の歯槽突起 589, 591
下顎枝 62, 586, 588-**590**, 591, 600, 652, 659, 701, 759
下顎歯 666, 668
下顎小舌 600
下顎神経 620, 624, 625, 649, **651**, 661, 667, 764, 765, 789, 800, 801, 804, 805, 807
　— の硬膜枝 618
下顎切痕 590, 600, 644
下顎体 587, 589, 590, 646, 730, 782
下顎頭 600, 654
下顎の脱臼 655
下陥凹, 網嚢の 317-319
下関節上腕靱帯 127, 128
下関節突起, 椎骨の 4, 10, 730
下関節面
　—, 環椎の 62
　—, 椎骨の 4, 5
下眼窩隔膜 635
下眼窩裂 602, 630, 645, 649, 679, 680, 799
下眼瞼 631

下眼瞼枝，眼窩下神経の　798, 681, 802
下眼瞼静脈　613
下眼静脈　613, 619, 639, 797
下気管気管支リンパ節　237, 282, 283
下丘　622, 624, 714, 715, 717, 818
下丘腕　714, 715
下極，甲状腺の　729, 748
下区，腎臓の　365
下区動脈，腎臓の　365
下頸心臓枝，迷走神経の　245, 280, 752, 812
下頸心臓神経　245, 280
下頸神経節　754-756, 763
下結腸部，大囊の　319, 320
下結膜円蓋　635
下結膜囊　635
下肩甲下神経　96, 100-105
下瞼板　610
下甲状結節　774, 778
下甲状腺静脈　262, 739, 747, 748, 750, 751, 753
下甲状腺動脈　271, 744, **745**, 750, 751, 753-755, 762, 763, 767, 776, 783
　― の胸腺枝　753
　― の甲状腺枝　752
下行結腸　292, 317, 331, 334-336, 342, 384
下行肩甲動脈（肩甲背動脈）　81, 123, 744, 752, 753, 756
下行口蓋動脈　649, 650
下行枝
　―，外側大腿回旋動脈の　502, 521
　―，左結腸動脈の　341
下行膝静脈　485
下行膝動脈　484, 536, 537, 561
下行大動脈　63, 248, 277, 278, 284
下行部，十二指腸の　331
下肛門神経　403, 425, 453, 462, 463
下後鋸筋　34, 105, 107, 215, 269, 367
下後上葉，前立腺の　416
下後腸骨棘　24, 505, 512, 513, 519
下項線　592
下喉頭神経の損傷　776
下喉頭動脈　783
下骨盤隔膜筋膜　451
下根，頸神経ワナの　743
下矢状静脈洞　618-620
下肢の皮膚分節（デルマトーム）　483
下歯枝
　―，下歯神経叢の　804
　―，下歯槽神経（V₃の枝）の　667
下歯神経叢　651
下歯槽神経（V₃の枝）　648, 649, **651**, 659, 660, 667, 698, 800, 804, 805
　― の下歯枝　667
　― の切歯枝　667
下歯槽神経ブロック　651
下歯槽動脈　648, 650, 660, 698
　― の顎舌骨筋枝　660, 758, 759
　― の歯枝　650
下歯列弓　589
下斜筋　631, 634, 636, 677, 797-799
下尺側側副動脈　80, **81**, 98, 99, 119, 133, 134, 144, 145
下縦舌筋　657, 658
下小脳脚（索状体）　714-718
下上皮小体（下副甲状腺）　750, 762, 776
下伸筋支帯　542, 544, 546, 550
下神経幹，腕神経叢の　268
下神経節
　―，舌咽神経の　813
　―，迷走神経の　813
下唇下制筋　606, 608, 609, 726
下唇静脈　613

下唇動脈　612
下深頸リンパ節　237, 696, 753, 781
下垂手　75, 121
下垂足　548
下垂体　625, 676, 720, 722, 789
　― の漏斗　623, 624
下垂体窩　597, 604, 618, 718
下垂体動脈　627
下膵動脈　333
下錐体静脈洞　619, 622, 685
下錐体洞溝　593, 596, 694
下髄帆　715, 716
下制動靱帯　635
下舌枝，左肺の　230, 235
下浅鼠径リンパ節　488, 489
下前区動脈，腎臓の　365
下前腸骨棘　24, 394, 396, 399, 473, 504, 519
下前頭回　705
　― の眼窩部　705
　― の三角部　705
　― の弁蓋部　705
下前頭後頭束　706
下双子筋　507, 508, 510, 511, 513
下側頭回　705
下側頭線　591, 592
下唾液核　792, 793
下腿　472
　― の外側区画　491, 583
　― のコンパートメント感染症　583
　― の後区画　583
　― の後区画の深部　491
　― の後区画の浅部　491
　― の前区画　491, 583
下腿筋膜　490, 548, 556, 558
下腿後面の筋　552
下腿骨間膜　491, 534, 545, 562, 583, 584
下大静脈　63, **242**, 243, 246, 249, 275, 276, 286, 359, 361, 373, 384, 388, 485
　― の枝　373
下大静脈後尿管　366
下大静脈靱帯　344
下大静脈弁　256
下端（下極），腎臓の　364
下恥骨靱帯　403, 406, 426
下腸間膜静脈　320, 325, 331, 343, **358**, 359, 361, 384, 387
下腸間膜神経叢　374
下腸間膜動脈　320, 331, **340**-343, 353, 361, 373, 411, 413, 437
下腸間膜動脈神経節　59, 374, 376, 377, 424
下腸間膜動脈神経叢　375
下腸間膜動脈造影像　341
下腸間膜動脈リンパ節　380, 383
下腸間膜リンパ節　411, 422, 423, 438, 439
下直筋　631, 633, 634, 636, 677, 699, 797-799
下直腸横ヒダ　411
下直腸静脈　359, 411
下直腸神経　403, 453, 462, 463
下直腸動脈　403, 410, 411, 437, 453
下椎切痕　4, 16, 18
下殿筋線　473, 505, 512, 519
下殿静脈　421, 437, 485
下殿神経　405, 444, 510, 511, 514
下殿動脈　400, 404, 410, 420, 421, 444, 470, 484, 510, 511, **515**
下殿皮神経　462, 480, 511, 514
下頭斜筋　41-43, 62
下頭頂小葉　705
下橈尺関節　139, 145, 154

― の嚢状陥凹　181, 183
下内側枝，膝静脈の　485
下肺静脈　276
下腓骨筋支帯　545, 550
下鼻甲介　589, 602, 663, 670, 671, **674**, 676, 698-700, 718, 770, 784
下鼻道　602, 671, 674, 698, 700
下部4胸椎　14, 15
下副甲状腺（下上皮小体）　750, 762, 776
下副腎動脈　363, 365
下腹，肩甲舌骨筋の　732, 735, 743, 783
下腹鞘　414, 445
下腹神経　374, 375, 424, 425, 443
下腹壁静脈　307, 421, 437, 485
下腹壁動静脈　306, 316, 414
下腹壁動脈　**297**, 301, 307, 310, 334, 373, 413, 420, 421, 436, 470, 484, 493
下膀胱静脈　421
下膀胱動脈　420, 421
下葉
　―，右肺の　219, 226
　―，左肺の　219, 227
下卵巣導帯　312
下涙乳頭　631
下肋骨窩　14, 209
家政婦膝　534
過剰腎動脈　362
渦静脈（眼球脈絡膜静脈）　639-641
蝸牛　684, 689, 694, 808, 809
　― の外リンパ　718
　― の構造　695
蝸牛管　684, 694, 695, 808, 809
蝸牛軸　689, 809
蝸牛小管　603, 694
蝸牛神経　689, 695, 714, 808, 809
蝸牛神経核　715, 792, 793
蝸牛神経節　695, 808, 809
蝸牛水管　684
蝸牛窓（正円窓）　684, 694
　― の第二鼓膜　694
蝸牛窓小窩　686, 690
蝸牛底　685, 809
蝸牛ラセン管　689
顆間窩　505, 530
顆間隆起　473, 538
顆管　593, 594
顆上骨折　113, 133
顆上突起，上腕骨の　135
鵞足　501, 532
鵞足包　539
回外筋　134, 147, 149, 151, 169, 189
回外筋窩　138
回結腸静脈　325, 358
回結腸動脈　337-339, 343
回結腸リンパ節　383
回旋筋　37, 41, 63
回旋筋腱板の筋　110
回旋枝，左冠状動脈の　242, 243, 246, 250
回腸　292, 337, 342
回腸憩室　337
回腸静脈　358
回腸動脈　339, 343
回内筋稜　146
回盲口　337
回盲ヒダ　436
灰白結節（三叉神経結節）　715
灰白交通枝　48, 53, 60
灰白質（大脳皮質）　713, 718, 720, 722

灰白質
　— の後角　49
　— の前角　49
灰白隆起　713
海馬　707, 709, 718, 720, 721
海馬溝　708, 709
海馬采　707
海馬足　721
海馬傍回　708, 709
海綿間静脈洞　619
海綿骨　475
海綿静脈洞　613, 619, 622, 639, 654, 720, 789
　— の血栓　639
海綿体部, 尿道の　407, 415
海綿部, 内頸動脈の　625
解剖学的嗅ぎタバコ入れ（タバチエール）　172, 176, 177
解剖頸　112, 113
潰瘍性大腸炎　342
外陰部動脈　300, 437, 484
外果　543, 546, 547, 550, 553, 571-575
外眼角　630, 631
外眼筋　636
　— の解剖学的運動　636
　— の臨床検査　637
外頸静脈　82, 95, 607, 613, 642, 728, 734, 735, 738, 747, 782
　— の皮枝　734
外頸動脈　612, 615, 647, 648, 650, 659, 744-746, 748, 785, 805
外頸動脈神経叢　697
外口蓋静脈（扁桃傍静脈）　771, 772
外肛門括約筋　407-410, 449, 453, 455, 463, 466
外後頭隆起　9, 42, 43, 62, 591, 592, 594, 595, 723, 730
外後頭稜　592, 594
外子宮口　429, 431, 433, 434
外枝, 上喉頭神経の　743, 746, 748, 750, 751, 765, 776, 783, 813
外耳道　590, 602, 603, 646, 679, 684, 685, 692
　— の診察　686
外痔核　411
外終糸　44, 46, 54
外精筋膜　310, 311, 314, 456
外舌筋　658
外鼠径輪　314
外側咽頭隙　659, 693, 700
外側腋窩隙　80, 104, 121, 122
外側[腋窩]リンパ節（上腕リンパ節）　83, 200
外側縁
　—, 肩甲骨の　112, 126, 129, 130
　—, 伏在裂孔の　493
外側顆
　—, 脛骨の　473, 504, 505, 538
　—, 大腿骨の　473, 504, 505, 530, 538
　— の関節面　531
外側顆間結節　531
外側顆上線(粗線の外側唇), 大腿骨の　473, 505
外側顆上稜, 上腕骨の　112, 138
[外側]下後鼻枝, 上顎神経の　672, 803
外側下膝動脈　484, 515, 524, 533, 536, 537, 561
外側塊, 環椎の　62
外側環軸関節　11
　— の関節包　12
外側眼瞼靱帯　610
外側脚
　—, 浅鼠径輪の　300, 304, 305, 307, 308, 494
　—, 大鼻翼軟骨の　670
外側嗅条　794
外側弓状靱帯　370, 372
外側距踵靱帯　572
外側胸筋神経　94, 97, 100-103, 737

外側胸静脈　82, 202
　— の外側乳腺枝　202
外側胸腹動脈　80, 96, 98, 99, 102, 103, 202
　— の外側乳腺枝　202
外側区画, 下腿の　583
外側楔状骨　547, 564, 568, 572, 578
外側結節, 距骨の　553, 575, 576
外側溝　702, 705, 711, 713, 720, 788
外側広筋　444, 495-499, 502, 503, 526, 533, 581, 582
外側後鼻枝, 蝶口蓋動脈の　673
外側骨半規管　685, 690, 694, 808
外側骨膨大部　694
外側臍ヒダ　313, 316, 427
外側枝, 肋間動脈の　214
外側膝蓋支帯　497, 526, 528, 548
外側膝状体　714, 715
外側膝状体核　721, 795, 796
外側種子骨　559, 579
外側上顆
　—, 上腕骨の　112, 117, 134, 136, 138, 141
　—, 大腿骨の　473, 504, 530, 538
外側上後鼻枝　803
外側上後鼻動脈　803
外側上膝動脈　484, 515, 524, 533, 536, 561
外側上腕筋間中隔　87, 115, 137, 187
外側神経束, 腕神経叢の　73, 100, 102, 104
外側靱帯, 顎関節の　647
外側制動靱帯　633
外側舌喉頭蓋ヒダ　775
外側線維性中隔　156
外側仙骨静脈　421, 437
外側仙骨動脈　50, 404, 410, 421, 437, 470
外側仙骨稜　24, 25
外側前鼻枝, 前篩骨動脈の　673
外側前腕皮神経　72, 76, 77, 115, 132, 133, 143, 171
外側鼡径窩　316
外側足根動脈　484, 547, 561
外側足底神経　55, 480, 558, 566
　— の皮枝　563
外側足底動脈　484, 558, 560, 561, 566
　— の皮枝　563
外側足背皮神経　480
外側側副靱帯
　—, 膝関節の　525, 529-531, 533-535, 539, 548
　—, 手根関節の　181
　—, 肘関節の　137, 141-143
外側帯　175
外側大静脈リンパ節　380
外側大腿回旋静脈　485
外側大腿回旋動脈　470, 484, 495, 515, 521
　— の横行枝　521
　— の下行枝　502, 521, 536, 537
　— の上行枝　502, 521
外側大腿筋間中隔　491, 524, 533, 582
外側大腿皮静脈　486
外側大腿皮神経　361, 370, 371, 480, 493, 494
　— の前枝　480
外側大動脈リンパ節　380, 383
外側中葉枝, 右肺の　230, 235
外側直筋　631-634, 636, 677, 698, 699, 701, 797-799
外側ツチ骨靱帯　686, 688
外側頭
　—, 上腕三頭筋の　120, 122, 187
　—, 腓腹筋の　506, 507, 522, 523, 554, 584
外側頭直筋　62, 622, 661, 754, 755
外側突起
　—, ツチ骨の　686, 687
　—, 鼻中隔軟骨の　670
外側二頭筋溝　118

外側乳腺枝
　—, 外側胸静脈の　202
　—, 外側胸腹動脈の　202
　—, 肋間静脈外側枝の　202
　—, 肋間動脈外側枝の　202
外側肺底枝
　—, 右肺の　230, 235
　—, 左肺の　230, 235
外側半規管　694, 809
外側半規管隆起　688, 689
外側半月　529-531, 533-535, 539
外側板, 翼状突起の　602, 604, 662, 682, 692, 700, 764
外側皮枝
　—, 腸骨下腹神経の　90, 298
　—, 肋下神経の　90, 298, 480
　—, 肋間神経の　213
　— の後枝　298
　— の前枝　298
外側腓腹皮神経　478-480, 522
外側鼻枝, 後篩骨動脈の　673
外側鼻軟骨　678, 700
外側部, 後頭骨の　596
外側[膜]膨大部　694
外側毛帯　714, 715, 717
外側翼突筋　643, 647, 650-652, 654, 700, 701, 718, 804
　— の下頭　648
　— の上頭　648
外側翼突筋神経　805
外側輪状披裂筋　778
外側裂孔　617
外側肋横突靱帯　37, 210, 212
外腸骨静脈　309, 361, 373, 402, 403, 413, 420, 421, 437, 461, 468, 485, 493
外腸骨動脈　297, 307, 309, 361, 373, 402-404, 410, 413, 420, 421, 436, 437, 461, 468, 470, 484, 493, 500, 521
外腸骨リンパ節　315, 380, 411, 422, 423, 438, 439, 489
外転神経　620, 621, 624, 625, 632, 634, 788-790, 793, 797, 798, 801, 819
　— の損傷　637
外転神経核　792, 793
外転神経麻痺　817
外尿道括約筋　400, 403, 407, 448, 449, 452
外尿道口　448, 456, 457
外反膝　527
外反母趾　579
外鼻孔　670
外鼻枝
　—, 眼窩下神経の　681, 802
　—, 前篩骨神経の　611, 803
外鼻静脈　613
外鼻の変形　671
外腹斜筋　32-34, 39, 63, 90, 91, 108, 194, 203, 213, 216, 218, 294, 298, 302, 367, 368
　— の腱膜　300, 303
外閉鎖筋　428, 444, 460, 461, 466, 469, 497, 498, 500, 513, 515, 516, 582
　— の腱　511
外包　706, 711, 713, 721
外有毛細胞　695, 809
外肋間筋　37, 44, 211-216, 218, 279
外肋間膜　214, 215
蓋膜　11-13, 695, 809
角回　705
角切痕　327, 329
角膜（眼球線維膜）　635, 640, 641, 701
　— の裂傷　635
角膜縁　630, 641
角膜上皮の剝離　635
拡張期　255

隔膜部，尿道の 407, 415, 417, 419
顎下三角 732, 758
顎下神経節 657, 697, 759, 760, 800, 805-807, **816**
顎下腺 646, 657, 661, 697, 736, 742, 758, **759**, 772, 782, 806, 807
顎下腺窩 600, 645
顎下腺管 657, 661, 758-760, 773, 805
顎下リンパ節 656, 696, 742
顎関節 590, 643, 652, 654
　― の運動 653
　― の外側靱帯 647
　― の手術 648
　― の断面 655
顎静脈 613, 619, 728, 747
顎舌骨筋 643, 647, 657, **658**, 660, 661, 698, 723, 738-741, 743, 746, 758-760, 764, 765, 773, 782, 805
顎舌骨筋枝，下歯槽動脈の 650, 660, 758, 759
顎舌骨筋神経 648, 649, 651, 660, 661, 743, 758, 759, **804**, 805
顎舌骨筋神経溝 600, 645
顎舌骨筋線 645
顎動脈 612, 615, 634, 648-**650**, 654, 700, 744, 745, 764, 765, 805
顎二腹筋 642, 646, 658, 741
　― の筋膜輪 741
　― の後腹 62, 642, 643, 647, 661, 701, **741**, 742, 746, 760, 805
　― の前腹 643, 661, 698, 738, **740-743**, 746, 758, 805
　― の中間腱 740, 743, 758, 763
顎二腹筋三角 732
滑車，上斜筋の 797, 799
滑車下神経 610, 611, 632, 633, 797, 801
滑車上静脈 613
滑車上神経 610, 611, 624, 631, 632, 801
滑車上動脈 612, 639
滑車神経 620-625, 632, 788-790, 793, 797, **798**, 801
滑車神経核 792, 793
滑液包，半膜様筋の 535
滑膜支帯 520, 521
滑膜ヒダ 528
割礼 457
鎌状縁（外側縁），伏在裂孔の 490, 493
肝胃間膜 317
肝円索 249, 317, 344, 345
肝下陥凹 319
肝外胆管 357
肝鎌状間膜 316, 317, 319-321, 324, **344**, 384, 388
肝冠状間膜 318, 320, 344, 360
肝管の変異 357
肝区域 348
肝硬変症 349, 411
肝細胞 349
肝枝，前迷走神経幹の 379, 812
肝十二指腸間膜 352
肝小葉 349
　― の中心静脈 349
肝静脈 347
肝腎陥凹 321, 345, 350
肝生検 345
肝臓 292
　― の胃圧痕 345
　― の右外側区 348
　― の右後外側区域 348
　― の右後内側区域 348
　― の右前外側区域 348
　― の右前内側区域 348
　― の右内側区 348
　― の右葉 344, 345, 358, 385
　― の横隔面 345

― の区分 349
― の結腸圧痕 345
― の後（尾状）区域 348
― の左外側区 348
― の左後外側区域 348
― の左前外側区域 348
― の左内側区 348
― の左内側区域 348
― の左葉 345, 358
― の十二指腸圧痕 345
― の食道圧痕 345
― の腎圧痕 345
― の尾状突起 345
― の尾状葉 345
― の副腎圧痕 345
― の方形葉 345
― の無漿膜野 344, 345
― の幽門圧痕 345
肝動脈の変異 356
肝門 345
　― の三つ組 321, 323, 347, 350
肝リンパ節 380, 382, 383
冠状溝 242
冠状静脈洞 243, 251
冠状静脈洞口 256
冠状静脈弁 256
冠状靱帯 529, 531, 532
冠状動脈 250, 251
　― の分布領域 253
　― の変異 253
冠状動脈疾患 252
冠状動脈造影像 252
冠状縫合 587, 591, 592
陥没骨折 590
貫通枝
　―，内胸静脈の 202
　―，内胸動脈の 202, 214
　―，背側中足動脈の 547
　―，腓骨動脈の 484, 544, 547, 560, 561
貫通静脈 485, 487
貫通動脈 500, 515
間質液 273
間接型鼠径ヘルニア 313
間脳 707, 714
間膜 318
感覚性言語野 702
寛骨 2, 24, 392, 394, 396, 472, 473, 519
寛骨臼 394, 396, 518, 519
　― の月状面 518, 519
寛骨臼縁 504, 518
寛骨臼横靱帯 518, 520, 521
寛骨臼窩 518-520
寛骨臼枝，閉鎖動脈の 521
寛骨臼切痕 518, 519
寛骨三頭筋 513
関節下結節，肩関節の 112, 113, 130
関節窩，肩関節の 127, 129
関節鏡 531
関節結節 603
関節上結節，肩関節の 112, 129, 130
関節唇
　―，肩関節の 127, 129
　―，股関節の 516, 518
関節突起，下顎骨の 590, 652, 655
関節突起柱 9
関節内胸肋靱帯 206
関節内肋骨頭靱帯 15, 210
関節包
　―，外側環軸関節の 12

―，環軸関節の 12
―，環椎後頭関節の 12
―，椎間関節の 18, 19
関連痛 280, 378
環軸関節 11
　― の関節包 12
環椎（第1頸椎） 8, 700, 701, 723, 731
　― の横突起 62, 730
　― の下関節面 62
　― の外側塊 62
　― の後弓 8, 9, 62, 730
　― の後結節 8, 9, 13, 62
　― の骨折 13
　― の前弓 8, 9, 62, 730
　― の前結節 8, 9, 13, 62, 722, 755
環椎横靱帯 11, 13, 62, 701
環椎後頭関節 11, 12, 622
　― の関節包 12
環椎十字靱帯 13
　― の縦束下部 11
　― の縦束上部 11
岩様部
　―，側頭骨の 596, 694, 808
　―，内頸動脈の 625
眼窩 586, 589, 679
　― の筋 633
　― の静脈 639
　― の動脈 639
眼窩下縁 589
眼窩下管 630
眼窩下孔 589, 590, 630
眼窩下溝 630
眼窩下静脈 639
眼窩下神経 610, 611, 631, 634, 649, 651, 667, 680, 681, 698, 700, 798, 800, 802
　― の下眼瞼枝 681, **802**
　― の外鼻枝 681, 802
　― の上唇枝 681, 802
　― の内鼻枝 672, 802, 803
　― の鼻枝 802
眼窩下動脈 634, 648-650, 698, 700
眼窩下縫合 630
眼窩隔膜 610
眼窩骨折 630
眼窩骨膜 635
眼窩脂肪体 635, 701
眼窩腫瘍 638
眼窩上縁 589, 600
眼窩上孔 600
眼窩上静脈 606, 613, 619, 639
眼窩上神経 610, 611, 624, 631, 632, 677, 801
眼窩上切痕 600, 630
眼窩上動脈 612, 632, 639
眼窩尖部 638
眼窩突起，口蓋骨の 601, 630
眼窩板 601
眼窩部 600
　―，下前頭回の 705
　―，前頭骨の 596, 698
眼窩面
　―，上顎骨の 601
　―，前頭骨の 602
眼角静脈 613, 639
眼角動脈 612, 701
眼球 633, 699, 718, 795
　― の血管支配 641
　― の神経支配 799
　― の内部構造 640
眼球陥凹 781

眼球血管膜（毛様体） 641
眼球結膜 631, 635
眼球鞘（テノン鞘） 635
眼球線維膜（角膜） 641
眼球突出 630, 638
眼球内膜（網膜視部） 641
眼球脈絡膜静脈（渦静脈） 639-641
眼瞼 610
— の構造 634
眼瞼下垂 632, 637, 781
眼瞼結膜 635
眼瞼裂 635
眼神経 620, 624, 625, 651, 789, 800, 801
— のテント枝（反回硬膜枝） 618
眼動脈 627, 628, 634, 639, 797
眼房水 640
眼輪筋 606-609, 635, 642, 646, 701, 806
顔面横静脈 747
顔面横動脈 606, 607, 612, 642, 654, 744
顔面筋（表情筋） 606, 608
顔面静脈 606, 607, **613**, 619, 639, 642, 646, 659, 696, 701, 728, 738, 742, 747, 783
顔面神経 620-622, 642, 643, 654, 679, 683, 685, 689, 690, 692, 700, 714, 717, 718, 742, 762, 788-790, 793, 802, **806**, 807, 819
— の下顎縁枝 609, 642, 806, 807
— の頬筋枝 609, 642, 806, 807
— の頬骨枝 609, 642, 806, 807
— の頸枝 609, 642, 734, 806, 807
— の茎突舌骨筋枝 643
— の後耳介枝 609
— の側頭枝 609, 642, 806, 807
顔面神経核 792, 793
顔面神経管隆起 688
顔面神経丘 715, 718
顔面神経膝 689
顔面神経麻痺 817
顔面動脈 606, 607, **612**, 642, 646, 647, 660, 701, 740, 742-746, 758
— の拍動 606
— の鼻外側枝 606, 612, 673
— の扁桃枝 760, 769, 771, 772
顔面の裂傷 610

き

Q角 527
キーセルバッハ部位 673
キヌタ-アブミ関節 687, 689
キヌタ-ツチ関節 687, 689
キヌタ骨 684, 685, 687, 689, 691
— の短脚 687
— の長脚 686, 687
— の豆状突起 687
キヌタ骨窩 689
キヌタ骨体 687
キヌタ骨ヒダ 689
キャンパー筋膜 450
ギヨン管 152
気管 232, 233, 262, 265, 270, 284, 696, 730, 784
気管気管支リンパ節 270
気管支拡張症 234
気管支鏡 233
気管支縦隔リンパ本幹 200, 696, 781
気管支動脈 229, 233, 265, 271
気管支肺（肺門）リンパ節 229, 237, 282, 283
気管支肺区域 230
気管支毛細血管 233
気管切開（術） 729

気管前葉
— の肩甲舌骨筋部 753
— の臓側部 738, 749
気管前リンパ節 696, 781
気管軟骨 729
気管傍リンパ節 237, 283, 696, 762, 776, 781
気管竜骨 232
気胸 222
危険三角 639
奇静脈 48, 271, 272, 274-276, 278, 279, 284, 373, 384
奇静脈弓 243, 270, 276
奇静脈系 274
基靭帯 445
基節骨 69, 185, 473, 543, 564
基底板 695, 809
亀頭冠 446, 456, 457
亀頭頸 457
疑核 792, 793
脚間窩 718, 818
脚間線維，浅鼡径輪の 300, 304, 305, 308
脚間槽 704, 718, 720
脚ブロック 254
逆行性腎盂造影像 363
弓下窩 603
弓状線
—，腸骨の 24, 395, 397
—，腹直筋鞘の 301, 316
弓状動脈 484, 545, 547
弓状隆起 597, 603
臼後窩 645
臼歯 609
急性虫垂炎 338
急性腹症 295
球海綿体筋 407, 408, 414, 448, **449**, 451-453, 463-465
— の縫線 448
球形嚢 694, 695, 808
球形嚢斑 809
嗅球 620, 621, 623, 672, 699, 706, 788, 789, **794**, 803, 820
嗅索 620, 621, 623, 706, 708, 788, 789, 794
嗅上皮（鼻粘膜の嗅部） 794
嗅神経 620, 672, 789, 790, 794, 820
虚血 51
—，指の 166
距骨 473, 543, 547, 550, 553, 571, 574, 575
— の外側結節 553, 575, 576
— の後踵骨関節面 576
— の前踵骨関節面 576
— の中踵骨関節面 576
— の内側結節 553, 575, 576
距骨下関節 576
距骨頸 571
距骨頭 564, 571, 572
距骨動脈網 484
距舟関節 576
距舟靭帯 572
距踵関節 550, 576
距腿関節 472
— の関節包 578
— の関節面 573
鋸状縁 640, 641
狭窄症 255
狭窄性ドゥ・ケルヴァン腱鞘炎 172
狭心痛 280
峡部，前立腺の 416
胸横筋 214-217, 269
胸回旋筋 41
［胸］外側皮枝
— の外側乳腺枝，肋間神経の 88, 195, 203

— の後枝，肋間神経の 88
胸郭
— の冠状断（前頭断）MR像 286
— の矢状断 MR像 287
— の水平断 MR像 284, 285
胸郭上口 205, 268
胸郭出口症候群 205
胸管 48, 237, 270, **272**, 273, 277-279, 282, 283, 380, 382, 750, 781
胸棘筋 40, 41
胸筋間リンパ節 200
胸筋筋膜 86, 87, 195, 197
胸筋枝
—，胸肩峰静脈の 202
—，胸肩峰動脈の 94, 202
胸筋リンパ節（前［腋窩］リンパ節） 83, 200
胸腔穿刺 212
胸肩峰静脈 82
— の胸筋枝 202
— の肩峰枝 94
胸肩峰動脈 80, 94, 98, 99, 102
— の胸筋枝 94, 202
— の肩峰枝 94, 125
— の鎖骨枝 94
— の三角筋枝 94
胸骨 194, 204
— の頸切痕 739
胸骨下角 204
胸骨角（胸骨柄結合） 204, 206
胸骨関節面，鎖骨の 70
胸骨剣結合 204, 206, 244
胸骨孔 208
胸骨甲状筋 216, 217, 727, 738, 739, **741**, 743, 746, 748, 750, 753, 783, 786, 815
胸骨枝
—，内胸静脈の 202
—，内胸動脈の 202
胸骨上隙 727, 738
胸骨正中切開 216
胸骨舌骨筋 216, 217, 727, 738, 739, **741**, 743, 746, 748, 753, 760, 783, 786, 815
胸骨体 91, 204, 206, 244
胸骨端，鎖骨の 70
胸骨頭，胸鎖乳突筋の 728, 732, 733
胸骨分節 206
胸骨柄 204, 206, 244, 284, 730, 738, 784
胸骨柄結合（胸骨角） 204, 206
胸骨傍リンパ節 200, 201, 216, 282, 383
胸鎖関節 124, 284
胸鎖乳突筋 34, 35, 62, 216, 218, 607, 642, 646, 659, 696, 727, **733**, 735-739, 741-743, 760, 782, 786
— の胸骨頭 728, 732, 733
— の鎖骨頭 728, 732, 733
胸鎖乳突筋枝
—，後頭動脈の 647, 742, 743, 760
—，上甲状腺動脈の 742, 743, 761
胸鎖乳突筋部 732
胸最長筋 35, 40
胸心臓枝 280
胸心臓神経 280
胸神経 49
— の後枝 211
— の前枝 211
— の前枝の外側皮枝の後枝 33
胸髄 49, 54
胸腺 262, 284, 739
胸腺枝，下甲状腺動脈の 753
胸腺静脈 262

胸前皮枝
　― , 肋間神経の　214
　― の内側乳腺枝　88, 195
胸多裂筋　36
胸大動脈　248, 249, 270, 271, 277
胸大動脈神経叢　267, 280, 281
胸腸肋筋　35, 40
胸椎　2, 5, 14
　― の冠状断 MR 像　64
　― の骨折　14
胸内筋膜　222, 268, 327
胸背静脈　82
胸背神経　96, 100, 101-104
胸背動脈　80, 81, 96, 98, 99, 103, 123
胸半棘筋　36, 41
胸部
　― の体表解剖　194, 196
　― の単純 X 線像　221
　― のリンパ流路　282
胸部後弯　3
胸腹壁静脈　299
胸膜下リンパ管叢　237
胸膜腔　222
胸膜頂　222, 263
胸腰筋膜　33, 38, 106, 108, 302, 367
　― の後葉　38, 39
　― の前葉　39
　― の中葉　36, 38, 39
胸腰神経系　60
胸肋関節　206
胸肋部, 大胸筋の　88, 92, 194
強膜　635, 640, 641
強膜上静脈　641
強膜上動脈　641
強膜静脈洞　640, 641
境界溝　715, 792
境界細胞　809
頬咽頭筋膜　727
頬筋　606, 607, 609, 610, 642, 646, 648, 649, 659, 664, 692, 698, 701, 764, 765, 773, 805, 806
頬筋枝, 顔面神経の　609, 642, 806, 807
頬骨　586, 587, 602, 630, 631, 644, 647, 680
　― の前頭突起　589, 591
頬骨顔面孔　589, 590, 602, 630
頬骨顔面枝, 頬骨神経の　610, 611, 680
頬骨顔面動脈　639
頬骨弓　588, 590, 594, 646, 652, 679, 698, 699
頬骨枝, 顔面神経の　609, 642, 806, 807
頬骨神経　679-681, 798, 800-802, 807
　― の頬骨顔面枝　611, 680
　― の頬骨側頭枝　611, 647, 680
頬骨側頭枝, 頬骨神経の　611, 647, 680
頬骨側頭動脈　639
頬骨突起
　― , 上顎骨の　601, 602
　― , 前頭骨の　589, 591, 600
　― , 側頭骨の　591, 595, 602, 603, 644, 647
頬脂肪体　700, 782
頬神経　607, 610, 611, 642, 648, 649, 651, 800, **804**, 805
頬腺　648, 659
頬側咬頭　665
頬動脈　648, 650
頬粘膜　659
頬リンパ節　696
橋　621, 674, 702, 703, **714**, 716, 717, 719-723, 788, 793, 818
橋小脳槽　704
橋腕(中小脳脚)　714
棘下窩　113

棘下筋　97, 106, 110, 111, 120-122, 128, 129
　― の腱下包　97
棘間筋　39, 42
棘間靱帯　9, 19, 22, 39
棘筋　35, 40
棘孔　594, 597, 602, 604, 645, 682
棘上窩　113
棘上筋　110, 111, 116, 122, 128, 129
棘上靱帯　9, 19, 22, 27, 399
棘突起　63, 385, 784
　― , 軸椎の　13
　― , 椎骨の　4, 731
　― , 腰椎の　31
　― , 隆椎(第 7 頸椎)の　730
近位横ヒダ　154
近位屈曲ヒダ　154
近位交連靱帯　155
近位指節間(PIP)関節　146, 154, 172, 181, 185
近位手根ヒダ　154
近位尿細管　365
筋横隔動脈　217, 297
筋三角　732
筋性伝導　254
筋性部
　― , 横隔膜の　269
　― , 心室中隔の　259
筋層間神経叢　58
筋突起, 下顎骨の　591, 600, 644, 647, 652, 700
筋皮神経　55, 72, 100-102, 104, 115, 119, 150
　― の損傷　72
筋分節(ミオトーム)　56, 57, 78
筋膜切開　491, 583
筋膜輪, 顎二腹筋の　741

く

クッパー細胞(類洞のマクロファージ)　349
クモ膜　45, 49, 616, 617
クモ膜下腔　47, 616, 704
　― の脳脊髄液　718
クモ膜下出血　616, 626
クモ膜顆粒　616, 704
クモ膜小柱　616
クローン病　342
グレイソン靱帯(みずかき靱帯)　155
区域気管支　230, 233
区域切除術　349
空腸　292
空腸静脈　358
空腸動脈　333, 339, 343
口の断面　659
屈筋支帯
　― 手の(横手根靱帯)　87, 183, 190, 191
　― , 足の　554, 558

け

ゲルディ結節　490, 498, 503, 504, 540
外科頸　112, 113
茎状突起
　― , 尺骨の　146, 168, 178, 181, 182
　― , 側頭骨の　590, 594, 595, 603, **644**, 645, 647, 690, 692, 693, 730, 811
　― , 橈骨の　146, 168, 177, 182
茎突咽頭筋　62, 659, 661, 693, 700, 761-**764**, 767, 772, 810, 811
茎突咽頭筋枝, 舌咽神経の　810, 811
茎突下顎靱帯　654
茎突舌筋　62, 657, **658**, 661, 760, 761, 764, 765, 772, 815

茎突舌骨筋　62, 643, 647, 648, 657, 659, 660, 693, 701, 740, **741**, 743, 758, 760-763, 765
茎突舌骨筋枝, 顔面神経の　643
茎突舌骨靱帯　**658**, 660, 661, 701, 730, 761, 764, 772, 773, 811
茎乳突孔　594, 603, 802
脛距部, 三角靱帯の　568
脛骨　472, 473, 504, 505, 553, 583, 584
　― の外側顆　473, 504, 505, 538
　― の骨間縁　562
　― の水平断面　475
　― の内側顆　473, 504, 505, 538, 541
脛骨栄養動脈　525, 535
脛骨骨折　553
脛骨神経　55, 371, 405, **479**, 506, 514, 515, 522-524, 554-558, 575, 583, 584
　― の踵骨枝　479
　― の損傷　479
　― の内側踵骨枝　480, 563
脛骨粗面　473, 497, 504, 526
脛舟部, 三角靱帯の　570
脛踵部, 三角靱帯の　569, 570, 573
脛腓関節　530, 539, 545, 562
脛腓関節包　534
脛腓靱帯結合　545, 562, 568, 571
経直腸超音波断層像　419
経尿道的前立腺切除術　419
頸腋窩管(腋窩頂)　96
頸横静脈　728, 743, 747
頸横神経　734, 735, 754
　― の枝　726
頸横動脈　80, 98, 123, 735-737, 744, 745
　― の浅枝　123
頸横突間筋　41
頸胸神経節　267, 280, 281, 756
頸棘間筋　41
頸棘筋　40, 41
頸筋膜
　― の浅葉　727, 734, 738
　― の椎前葉　734, 735, 743, 754
頸鼓神経　690
頸最長筋　40
頸枝, 顔面神経の　609, 642, 734, 806, 807
頸静脈窩　603
頸静脈弓　738
頸静脈結節　45, 593, 597
頸静脈肩甲舌骨筋リンパ節　656, 696
頸静脈孔　593, **594**, 595, 597, 621, 690, 693, 813, 814
頸静脈上球　691, 693
頸静脈突起　595, 622, 754, 755
頸静脈二腹筋リンパ節　656, 696
頸心臓枝　236, 264
頸神経　49
頸神経叢　53, 783
　― の感覚神経　735
　― の皮枝　734
頸神経叢ブロック　735
頸神経ワナ　742, 746, 815
　― の下根　743
　― の甲状舌骨筋枝　758
　― の上根　647, 743, 746, 760, 783
頸靱帯　572, 578
頸髄　49, 54
頸切痕, 胸骨の　194, 204, 206, 733, 739
頸長筋　62, 659, 701, 727, 753-755, 783, 786
頸腸肋筋　35, 40
頸椎　2, 5, 8
　― の CT 像　10
　― の X 線像　10

頸椎
　— の運動　6
　— の横突孔　5, 731
　— の冠状断 MR 像　64
頸動脈管　594, 603, 690, 693
頸動脈結節　730, 755
頸動脈溝　597, 604
頸動脈サイホン　629
頸動脈三角　732, 742
頸動脈小体　745, 810, 811
頸動脈鞘　659, 691, 727, 749
頸動脈神経叢　59
頸動脈洞　745, 810, 811, 813
頸動脈洞枝，舌咽神経の　810, 811
頸動脈の拍動　748
頸動脈閉塞　746
頸の基部　752
頸半棘筋　36, 42, 43, 782
頸板状筋　35, 36, 40, 42, 757
頸部
　—，内頸動脈の　625
　— の神経点　734
　— の水平断　783
　— の動脈　744
　— の領域　732
頸部前弯　3
頸部壁側胸膜　756
頸膨大（脊髄）　44
頸リンパ本幹　200, 272, 282, 283, 656, 696, 781
頸肋　208
鶏冠　596, 597, 601, 618, 633, 671, 676, 677, 789, 820
鶏冠翼　601
血管条　695, 809
血管内膜除去術　746
血胸　222
血行性転移　237
血栓性海綿静脈洞炎　639
結合管　694
結合腱（鼡径鎌）　301, 305, 306, 313
結合腕（上小脳脚）　714
結節間溝　112, 131
結腸圧痕，肝臓の　345
結腸憩室　336
結腸静脈　359
結腸上リンパ節　383
結腸内視鏡　336
結腸半月ヒダ　335
結腸ヒモ　320, 334, 335
結腸辺縁動脈　339-341
結腸膨起　334-337
結腸傍溝　320
結腸傍リンパ節　343, 383
結腸面，脾臓の　330
結膜静脈　641
結膜動脈　641
結膜囊　634
結膜半月ヒダ　630, 631
楔舟関節　576, 577
楔状結節　777, 780
楔状骨　473, 543, 571
楔状束　715, 717
楔状束結節　714, 715, 717
楔状軟骨　775
楔前部　708
楔部　708
月状骨　69, 146, 168, 178-184, 190
月状面，寛骨臼の　518, 519
犬歯　668, 669
犬歯窩　589, 591

肩関節　66
　— の運動　78
　— の画像診断　130
　— の関節窩　127, 129
　— の関節下結節　112, 113, 130
　— の関節上結節　112, 129, 130
　— の関節唇　127, 129
　— の肩甲骨成分　128
　— の上腕骨成分　128
　— の線維性関節包　126
肩甲下窩　112, 117
肩甲下筋　92, 96, 97, 102, 103, 105, 110, 111, 116, 124, 128, 129, 131, 187
　— の腱下包　97, 126
肩甲下静脈　82
肩甲下動脈　80, 81, 98, 99, 103, 123
肩甲下リンパ節（後［腋窩］リンパ節）　83, 200
肩甲回旋静脈　82
肩甲回旋動脈　80, 81, 96, 98, 99, 103, 104, 122, 123
肩甲気管三角　732
肩甲挙筋　33-35, 107, 108, 123, 728, 735-737, 757, 782
肩甲棘　30, 110, 111, 113, 121, 130, 205, 733
肩甲棘部，三角筋の　106, 118
肩甲棘稜　123
肩甲骨　66, 70, 112, 205
　— の運動　109
　— の下角　30, 110, 129
　— の外側縁　112, 126, 129, 130
　— の上角　110
　— の内側縁　106, 112, 130, 221
肩甲鎖骨三角（大鎖骨上窩）　732, 737
肩甲上静脈　82, 95, 728, 736, 737, 747
肩甲上神経　100, 101, 103, 104, 122, 123, 737
肩甲上動脈　80, 81, 98, 122, 123, 737, 744, 745, 752-755
　— の肩峰枝　125
肩甲舌骨筋　123, 727, 728, 741, 746, 753, 783, 815
　— の下腹　732, 735, 743, 783
　— の上腹　732, 736, 738-740, 742, 743, 760
　— の中間腱　743
肩甲舌骨筋部，気管前葉の　753
肩甲舌骨筋膜　736, 743
肩甲切痕　112, 126
肩甲線　31
肩甲背静脈（背側肩甲静脈）　82, 95
肩甲背神経　100, 101, 123, 735
肩甲背動脈（下行肩甲動脈）　81, 98, 123, 744, 752, 753, 756
肩鎖関節　124, 130
肩鎖靱帯　125
肩の領域　66
肩峰　30, 112, 113, 123, 126, 130
肩峰下包（三角筋下包）　97, 125, 128, 131
肩峰下包炎　128
肩峰角　111, 113
肩峰枝
　—，胸肩峰静脈の　94
　—，胸肩峰動脈の　94, 125
　—，肩甲上動脈の　125
肩峰端，鎖骨の　70
肩峰部，三角筋の　118
剣状突起　194, 204, 206, 244, 294, 385
腱下包
　—，棘下筋の　97
　—，肩甲下筋の　97, 126
腱画　300, 302
腱間結合　173
腱索　257-259
腱鞘滑膜炎　162
腱中心，横隔膜の　269, 372

腱膜下腔　192, 698
腱膜瘤（バニオン）　579
瞼板腺　635
　— の閉塞　635
原始陰囊　312
原始精巣　312
原始卵巣　312

こ

コールドウェル撮影法　598
コリーズ筋膜　453
　—，会陰皮下層　459
　—，浅会陰筋膜　450
コントルクー損傷（反衝損傷）　591
コンパートメント症候群，下腿の　491, 583
股関節　472, 516
　— の関節唇　516, 518
　— の骨関節炎　517
　— の置換術　517
呼吸筋　218
呼吸細気管支　233
固有肝動脈　321, 328, 330, 331, 333, 353, 384
　— の右枝　353
　— の左枝　350, 351, 353
　— の中枝　353
固有口腔　659
固有掌側指静脈　82
固有掌側指神経　73, 74, 155, 157, 160, 161, 166
固有掌側指動脈　155, 157, 160, 164, 166, 167
　— の背側枝　166
固有底側趾神経　564
固有卵巣索　427, 430, 431, 432
孤束核　792, 793
鼓索神経　649, 651, 661, 679, 688, 691, 773, 800, 802, 804-807
鼓室　684, 685, 687, 693
　— の岬角　686, 690
　— の構造　688
鼓室階　695, 809
鼓室蓋　602, 645, 691, 693
　— の骨髄炎　691
鼓室上陥凹　685, 687, 688, 690, 691
鼓室神経　686, 690, 810, 811
鼓室神経小管　603
鼓室神経叢　688, 810, 811
鼓室乳突裂　644
鼓室板　594, 645
鼓室部，側頭骨の　591, 644
鼓室蜂巣　685, 686, 688
鼓室鱗裂　594
鼓膜　684-688, 691-693, 802
　— の診察　686
鼓膜臍　686
鼓膜張筋　684, 685, 688, 690, 691, 693
　— の腱　685, 686
誤嚥性肺炎　739
口咽頭峡部（口峡部）　768
口蓋　662, 698
口蓋咽頭弓　656, 659, 662, 664, 766, 768, 770
口蓋咽頭筋　656, 664, 701, 767, 769, 771, 772
口蓋管　680
口蓋腱膜　661, 663, 664
口蓋喉頭蓋ヒダ　766
口蓋骨（硬口蓋）　601, 644, 662, 679, 770
　— の眼窩突起　630
　— の錐体突起　645, 662
　— の垂直板　601, 671
　— の水平板　594, 601, 602, 662, 671

和文索引（こ）

口蓋骨鞘突管　679, 680
口蓋垂　662, 663, 676, 766-768, 770
口蓋垂筋　663, 664, 767, 769, 771
口蓋舌弓　656, 659, 662, 664, 768, 770
口蓋舌筋　656-659, 662, 664, 701, 769, 771, 772
口蓋腺　662-664, 769, 770
　─ の導管開口部　664
口蓋突起，上顎骨の　594, 602, 662
口蓋粘膜　659
　─ の横口蓋ヒダ　664
口蓋帆（軟口蓋）　662, 693, 723, 766, 768, 770, 784, 811
口蓋帆挙筋　654, 663, **664**, 676, 684, 690-693, 764, 765, 767, 769, 771
口蓋帆張筋　661, 663, **664**, 676, 692, 700, 764, 765, 769, 771, 773
口蓋扁桃　656, 659, 662, 664, 692, 696, 767-**769**, 811
口蓋縫線　662, 663
口角下制筋　606-610, 642, 726
口角挙筋　606, 609, 610, 701
口角の下垂　610
口峡部（口咽頭峡部）　768
口腔　698
口腔前庭　659, 698
口腔底　661
口腔粘膜　659
口唇腺　759
口唇粘膜　666
口輪筋　608-610, 701, 806
広頸筋　88, 195, **606-610**, 660, 726, 734, 783, 806
広背筋　32-34, 39, 63, 90, 92, 96, 103, **107**, 108, 117, 120, 187, 298, 367
広範前立腺切除術　419
甲状咽頭筋（下咽頭収縮筋）　763, 776
甲状頸動脈　80, 98, 123, 744, 745, 753-755
甲状喉頭蓋筋　778
甲状喉頭蓋靱帯　775
甲状舌骨筋　**741**-743, 746, 748, 758-760, 783, 815
甲状舌骨筋枝　743, 746, 759, 760
　─, 頸神経ワナの　758
甲状舌骨膜　739, 748-750, 764, 765, 774-777
甲状腺　696
　─ の右葉　729, 749, 752, 786
　─ の下極　729, 748
　─ の左葉　729, 749
　─ の上極　729, 748
甲状腺峡部　727, 729, 748-751
甲状腺峡枝，下甲状腺動脈の　752
甲状腺腫　752
甲状腺全摘術　751
甲状腺提靱帯　750
甲状腺部分摘除術　751
甲状軟骨　696, 723, 729, **730**, 734, 739, 741, 748-751, 758, 759, 764, 774, 777, 782, 783
　─ の下角　774, 779
　─ の上角　774
［甲状軟骨］板　765
甲状披裂筋　778
甲状副腺（異所性甲状腺組織）　748, 749
交感神経　60
交感神経幹　44, 48, 276, 404, 700
交感神経性動脈周囲神経叢　781
交感神経線維
　─ の経路　61
　─ の分布　59
交通枝　48
交連尖　261
肛門管　453, 460, 469
肛門挙筋　316, 401, **402**, 407, 414, 444, 453, 461, 465, 466, 469

肛門挙筋腱弓　316, 400-402
肛門挙筋枝　408
肛門三角　466
肛門櫛　409
肛門周囲皮膚　409
肛門柱　407, 409
肛門直腸結合　409
肛門洞　409
肛門尾骨神経　404, 405
肛門尾骨靱帯　402, 426, 444, 450, 453, 454, 466
肛門皮膚線　409
肛門弁　409
岬角　25, 394
　─, 鼓室の　686, 690
後胃枝，後迷走神経幹の　812
後胃動脈　328, 333
後陰唇交連　447
後陰唇神経　462
後陰唇動脈　437
後陰嚢神経　425, 453, 457
後陰嚢動脈　453
後腋窩線　31
後腋窩ヒダ　89, 91, 106, 119, 194
後［腋窩］リンパ節（肩甲下リンパ節）　83, 273
後縁，肺の　226
後下小脳動脈　50, 626-628, 718, 720
後下膵十二指腸動脈　332, 333, 351
後下腿筋間中隔　491, 557, 583, 584
後顆間区　528, 531
後外側結節　498
後外側中心（視床膝状体）動脈　627, 711
後外側椎骨静脈叢　52, 783
後角
　─, 灰白質の　49
　─, 側脳室の　704, 707, 711, 719, 720
後環軸膜　11, 12
後環椎後頭膜　9, 11, 12
後眼房　640
後キヌタ骨靱帯　689
後脚，アブミ骨の　686, 687
後弓，環椎の　8, 9, 62, 730
後距骨関節面，踵骨の　576, 578
後距踵靱帯　578
後距腓靱帯　569, 573-575
後区，腎臓の　365
後区画，下腿の　583
後区動脈，腎臓の　365
後脛距部，三角靱帯の　569, 570, 573
後脛骨筋　552, 554-558, 567, 573, 575, 583, 584
　─ の腱　559
　─ の深筋膜　491
後脛骨静脈　485, 487, 557, 573, 583
後脛骨動脈　484, 515, 536, 537, 556-558, 560, **561**, 566, 573, 575, 583
　─ の踵骨枝　563, 566
　─ の拍動　558
後脛腓靱帯　562, 569, 573
後頸三角（側頸部）　733
後頸部　732
後結節
　─, 環椎の　8, 9, 13, 62
　─, 椎骨の　9
後鼓膜陥凹　688
後交通静脈　629
後交通動脈　618, 623, 626-629
後交連　710, 721
後骨間静脈　82
後骨間神経　55, 75, 170, 188
後骨間動脈　80, 81, 144, 145, 167, 170, 188

後骨半規管　694, 808
後骨膨大部　694
後根動脈　50, 51
後索, 脊髄の　49
後枝
　─, 胸神経の　211
　─, 脊髄神経の　46, 53
　─, 前骨間動脈の　167
　─, 腹外側皮枝の　203
　─, 閉鎖神経の　477
　─, 閉鎖動脈の　521
後篩骨孔　597, 630
後篩骨神経　618, 633, 801
後篩骨動脈　632, 673
　─ の外側鼻枝　673
後篩骨蜂巣　632, 633, 675, 701
後耳介筋　607, 642, 734
後耳介枝，顔面神経の　609
後耳介静脈　43, 607, 613, 642, 696, 728, 747
後耳介神経　607, 642, 806, 807
後耳介動脈　607, 612, 642, 647, 744, 745
後室間枝（後下行枝），右冠状動脈の　243, 250
後斜角筋　34, 216, 218, 736, 737, 754, 757
後尺側反回動脈　144, 150, 136, 137
後十字靱帯　529-531, 535, 539, 540
後縦隔　223
後縦隔リンパ節　272, 273, 383
後縦靱帯　11, 20-22, 37
後小脳延髄槽（大槽）　704, 716
後床突起　593, 596, 597, 605, 624, 625, 682, 801
後踵骨関節面，距骨の　576
後上横隔リンパ節　383
後上歯槽枝，上歯槽神経の　648, 649, 651, 667, 681, 800, 802, 803
後上歯槽動脈　648, 650, 681, 692
後上膵十二指腸静脈　352
後上膵十二指腸動脈　332, 333, 351
後上葉枝
　─, 右肺の　230, 235
　─, 左肺の　230, 235
後上腕回旋静脈　82
後上腕回旋動脈　80, 99, 121, 122, 128
後上腕皮神経　75, 77, 103, 104, 119
後神経束，腕神経叢の　75, 100, 103, 104
後深側頭動脈の翼突筋枝　650
後膵十二指腸動脈弓　333, 351
後膵動脈　333
後髄節動脈　50, 51
後正中溝　32
後正中線　31
後脊髄静脈　51
後脊髄動脈　50, 51, 718
後節骨動脈　639
後仙骨孔　25, 399
後仙腸靱帯　27, 28, 399
後仙尾靱帯　27, 399
後尖
　─, 三尖弁の　261
　─, 僧帽弁の　258, 261
後前腕皮神経　75-77, 115, 121, 171
後側頭泉門　586
後側頭板間静脈　614
後大腿筋間中隔　582
後大腿皮神経　405, 444, 480, 510, 511, 514, 520
　─ の会陰枝　414, 453, 462, 463
後大脳動脈　618, 623, 626-629, 718, 720, 820
後胆嚢静脈　352
後腟円蓋　406, 426, 442
後ツチ骨ヒダ　686

後天性鼠径ヘルニア　313
後殿筋線　473, 505, 508, 512, 519
後頭縁　603
後頭顆　592-595, 679
後頭下三角　36
後頭下神経　43
後頭下穿刺　716
後頭下部　732
後頭蓋窩　621
後頭極　708, 722
後頭筋　42, 108, 614
　—, 後頭前頭筋の　806
後頭骨　62, 586, 587, 596, 644, 718
　— の外側部　596
　— の頸静脈突起　622
　— の底部　596
　— の鱗部（後頭鱗）　596
後頭三角　732
後頭静脈　43, 728, 747
後頭静脈洞　619, 789
後頭前頭筋　606, 608
　— の後頭筋　806
　— の前頭筋　609, 610, 806
後頭前頭法撮影　598
後頭動脈　42, 108, **612**, 643, 701, 734, 735, 743-746
　— の胸鎖乳突筋枝　647, 742, 743, 760
後頭動脈溝　594
後頭乳突縫合　592
後頭板間静脈　614
後頭葉　702, 705, 706, 708, 713, 716, 719
後頭リンパ節　33, 108, 696
後頭鱗（後頭骨の鱗部）　592, 595, 596
後内側大腿筋間中隔　491, 582
後内側中心（視床貫通）動脈　627, 711
後内椎骨静脈叢　51, 52
後乳頭筋　257, 259, 261
後肺底枝
　—, 右肺の　230, 235
　—, 左肺の　230, 235
後半規管　694, 809
後半月大腿靱帯　531, 535
後半月弁, 大動脈弁の　259, 260
後腓骨頭靱帯　562
後鼻棘　594, 662
後鼻孔　594, 602, 766
後（尾状）区域, 肝臓の　348
後腹, 顎二腹筋の　62, 642, 643, 647, 661, 701, **741**, 742, 746, 760, 805
後腹膜脂肪組織　385
後方引き出し試験　530
後膝大部神経　809
後［膜］膨大部　694
後迷走神経幹　267, 281, 379, 812
　— の後胃枝　812
　— の腎枝　812
　— の腹腔枝　379
後有孔質　714
後輪状披裂筋　767, 779
後輪状披裂靱帯　777
後涙囊稜　630
後肋横突靱帯　37
咬筋　607, 610, 642, 646, 647, **652**, 659, 698-701, 718, 804
咬筋神経　647-649, 804, 805
咬筋動脈　647, 648, 650
咬節　606
虹彩　630, 631, 640
　— の瞳孔括約筋　697
　— の瞳孔散大筋　697

虹彩角膜角　641
鉤　708, 709, 719
鉤状束　706
鉤状突起
　—, 尺骨の　143
　—, 膵臓の　325, 385
　—, 椎体鉤　5
鉤椎関節　9, 10, 731
鉤突窩　138
鉤突結節　138
項窩　31
項靱帯　9, 34, 43, 62, 727, 733, 784
硬口蓋（口蓋骨）　**662**, 663, 678, 679, 699, 701, 723, 768, 770
硬膜　45, 46, 49, 616, 618, 698
　— の外葉　617
　— の内葉　616, 617
硬膜下血腫　616
硬膜外血腫　615, 616
硬膜外脂肪組織　48
硬膜外静脈叢　19
硬膜外麻酔　46
　— のための腰椎注射　47
硬膜枝
　—, 下顎神経の　618
　—, 上顎神経の　618, 681
硬膜上腔　47
硬膜静脈　641
硬膜静脈洞　619
硬膜動脈　641
硬膜囊　46
喉頭蓋　656, 660, 723, **766**, 767, 770, 772, 774-777, 780, 783, 784
喉頭蓋結節　780
喉頭蓋谷　660
喉頭蓋軟骨　749, 775, 777
喉頭気腫　776
喉頭鏡検査　780
喉頭筋群　778
喉頭口　766
喉頭室　780
喉頭小囊　778
喉頭前庭　783
喉頭前リンパ節　696, 781
喉頭隆起　729, 738, 749, 774
黒質　716, 717, 719-721
骨化　68
骨間縁
　—, 脛骨の　562
　—, 腓骨の　562
骨間距踵関節　576
骨間距踵靱帯　568, 572, 574, 578
骨間脛腓靱帯　562, 574
骨間仙腸靱帯　28
骨棘　8, 29
骨結合　29
骨性胸郭　204
骨増殖体　29
骨端　68
骨端部　68
骨半規管　684, 692, 719, 808
骨盤　23, 519
　—, 女性の　397
　—, 男性の　396
　— のX線像　398
　— の性差　396
骨盤（膀胱）神経叢　424
骨盤円蓋膜　468
骨盤下口　394

骨盤隔膜　451
骨盤筋膜腱弓　400, 414, 445
骨盤上口　394
　—（分界線）　399
骨盤神経叢　376, 412, 440
骨盤腎　366
骨盤痛覚線　441
骨盤痛線　424, 425
骨盤内筋膜　442
骨盤内臓神経　53, **374**-376, 404, 405, 408, 412, 420, 425, 440, 441, 514
骨盤部　472
　— の体表解剖　392, 393
骨鼻中隔　670
骨迷路　694
　— の前庭　685
骨ラセン板　689, 695, 809
根間中隔　665
根治的頸部郭清術　781

さ

3次気管支　230
サジ状突起　686, 691
左胃静脈　353, 358, 359
　— の食道枝　358
左胃大網静脈　324, 327, 358
左胃大網動脈　323, 324, 327, 328, 330, 333
左胃動脈　328, 330, 331, 333, 353
　— の食道枝　271
左胃リンパ節　382, 383
左縁, 心臓の　242
左縁枝, 左冠状動脈の　242, 250
左下肺静脈　242, 243, 258
左下腹部　295
左下葉気管支　232, 233, 270
左外側区, 肝臓の　348
左肝管　352-354, 356, 357
左肝静脈　347, 348, 384
左冠状動脈　242, 250, 253, 285
　— の回旋枝　242, 243, 246, 250
　— の左縁枝　242, 250
　— の前室間枝（前下行枝）　242, 243, 245, 250
左冠状動脈口　259
左冠状リンパ本幹　282, 283
左気管支縦隔リンパ本幹　237, 272, 282, 283
左脚, 横隔膜の　270
左結腸曲（脾弯曲部）　317, 336, 385, 812
左結腸静脈　358
左結腸動脈　340, 341, 343
　— の下行枝　341
　— の上行枝　341
左結腸リンパ節　383
左後外側区域, 肝臓の　348
左三角間膜　320, 324, 344
左主気管支　229, 232, 233, 265, 270, 284
左上肺静脈　242, 243, 245, 258, 288
左上腹部　295
左上葉気管支　232, 233, 270
左上肋間静脈　263, 272, 274, 275, 277
左心耳　221, 242, 243, 245, 260
左心室　245, 249, 258, 259, 286
左心室後静脈　243, 251
左心房　243, 249, 258
左心房斜静脈　243, 246, 251
左線維三角　255
左前外側区域, 肝臓の　348
左内側区域, 肝臓の　348
左肺　284

和文索引(さ, し)

― の下舌枝 230, 235
― の下葉 219, 227
― の外側肺底枝 230, 235
― の後上葉枝 230, 235
― の後肺底枝 230, 235
― の斜裂 227
― の小舌 227
― の上-下葉枝 230, 235
― の上舌枝 230, 235
― の上葉 219, 227
― の心切痕 220
― の前上葉枝 230, 235
― の前内側肺底枝 230, 235
― の前肺底枝 230, 235
― の内側肺底枝 230, 235
― の肺尖後枝 230, 235
― の肺尖枝 230, 235
左肺動脈 235, 243, 245, 264, 284
左半月弁
　―, 大動脈弁の 259, 260
　―, 肺動脈弁の 260
左副腎静脈 373
左辺縁静脈 251
左葉, 肝臓の 345
左腰リンパ節 380
左腰リンパ本幹 380, 382
左腕頭静脈 82, 219, 262, 263, 284, 753
鎖胸三角(三角筋胸筋三角) 88, 195
鎖骨 10, 66, 70, 194, 730
― の胸骨関節面 70
― の肩峰端 70
― の骨折 112
鎖骨下窩 89, 196
鎖骨下筋 92, 93, 103, 216, 736, 737, 753
鎖骨下筋神経 100, 101
鎖骨下静脈 82, 95, 202, 219, 696, 728, 737, 742, 747, 752, 753
鎖骨下静脈溝 207
鎖骨下動脈 98, 123, 202, 219, 284, 737, 744, 745, 748, 752-756, 785
鎖骨下動脈溝 207
鎖骨下リンパ節 200
鎖骨下リンパ本幹 200, 201, 272, 696
鎖骨下ワナ 268, 754-756
鎖骨間靱帯 124, 206
鎖骨胸筋筋膜(肋骨烏口膜) 86, 94
鎖骨枝, 胸肩峰動脈の 94
鎖骨上神経 76, 77, 195, 726, 734-736, 754
鎖骨上リンパ節 200, 201, 237
鎖骨切痕 206
鎖骨体 70
鎖骨中線 224, 295
鎖骨頭, 胸鎖乳突筋の 728, 732, 733
鎖骨部
　―, 三角筋の 118
　―, 大胸筋の 88, 92, 194
坐骨 24, 394, 505, 519
坐骨海綿体筋 448, 449, 453, 463, 464
坐骨棘 24, 27, 394, 397, 402, 463, 473, 505, 512, 517, 519
坐骨結節 24, 392, 393, 453-455, 460, 466, 469, 472, 504, 505, 512, 513, 518, 519
坐骨肛門窩(坐骨直腸窩) 411, 414, 444, 453, 454, 460, 464, 466, 469
坐骨肛門窩脂肪体 451
坐骨枝 24, 395, 397, 504, 519
坐骨神経 55, 370, 371, 374, 404, 405, 410, 414, 424, 444, 478, 506, 507, 510-512, 514, 515, 520, 581, 582

坐骨神経ブロック 512
坐骨体 24, 395, 519
坐骨大腿靱帯 399, 517
坐骨恥骨枝 24, 395-397, 455, 460, 466, 469, 504, 519
坐骨包, 内閉鎖筋の 517
坐骨包炎 507
細静脈 273
細動脈 273
最下甲状腺動脈 751
最下内臓神経 59, 281, 374, 376
最外包 711, 713, 721
最後野 715
最小心[臓]静脈 251
最上胸静脈 82
最上胸動脈 80, 98, 99, 103
最上肋間動脈 271, 277, 744
最長筋 35, 39, 40, 63, 212
最内肋間筋 44, 211-215, 217, 279
載距突起 552, **553**, 558, 564, 569-571, 574, 578, 580
催吐反射 656
臍 91, 294
臍筋膜 445
臍静脈 249
臍帯 434
臍通過平面 295, 299
臍動脈 249, 316, 410, 421, 437
臍動脈索 414, 421, 427
臍部 434
臍ヘルニア 298
臍傍静脈 316, 359
臍輪 303
鰓弓運動 792
索状体(下小脳脚) 714
猿手 73
三角窩 683
三角筋 32, 94, 107, **111**, 117, 118, 120, 187, 194, 736
― の萎縮 118
― の肩甲棘部 106, 118
― の肩峰部 118
― の鎖骨部 118
三角筋下包(肩峰下包) 97
三角筋胸筋溝 89, 119
三角筋胸筋三角(鎖胸三角) 88, 195
三角筋胸筋リンパ節 83
三角筋枝, 胸肩峰動脈の 94
三角筋膜 86, 87
三角筋粗面, 上腕骨の 112, 187
三角隙 104, 122
三角骨 69, 146, 168, 179-184, 190
　―, 足根三角骨 579
三角靱帯 559, 568, 570, 574, 575, 578, 580
― の脛距部 568
― の脛舟部 570
― の脛踵部 569, 570, 573
― の後脛距部 569, 570, 573
― の前脛距部 568
三角ヒダ 769
三角部, 下前頭回の 705
三叉神経 620-623, 625, 667, 714, 717, 788-790, 793, **800**, 818, 820
三叉神経運動核 792, 793
三叉神経感覚核 792, 793
三叉神経結節(灰白結節) 715
三叉神経主感覚核 792, 793
三叉神経脊髄路核 792, 793
三叉神経節 620, 624, 651, 667, 697, 789, 793, **800**, 802, 816
三叉神経中脳路核 792, 793
三尖弁 238, 255, 257

― の後尖 261
― の線維輪 255
― の前尖 261
― の中隔尖 261
霰粒腫 635

し

シュレム管 640
シュワン細胞 622
ショパール関節(横足根関節) 576, 577
ジェンナリ線条 711
ジャンパー膝(膝蓋靱帯炎) 496
子宮 406, 426, 427, 430-432, 436, 468
― の双手触診 427
子宮円索 308, 309, 406, 426-432, 436, 442
子宮円索動脈 308
子宮外膜 429, 434
子宮間膜 430, 431
子宮峡部 433
子宮筋層 426, 429, 434, 468
子宮腔 429, 433
子宮頸 406, 426, 429, 431-434
子宮頸横靱帯 445
子宮頸管 429, 433
― の粘液栓 434
子宮広間膜 406, 426-430, 432, 436, 468
子宮静脈 437
子宮静脈叢 437
子宮神経叢 440
子宮仙骨靱帯 442, 445
子宮体 426, 432, 433
子宮腟神経叢 440, 441, 443
子宮底 427-429, 431-434, 468
子宮摘出術 430
子宮動脈 410, 428, 429, 436, 437
― の腟枝 429, 436
― の卵管枝 429
― の卵巣枝 429
子宮内膜 426, 429, 468
子宮付属器の双手触診 427
子宮卵管造影法 433
支帯靱帯 175
四角膜 777
四丘体 718, 722
四丘体槽(大大脳静脈槽) 704, 713
矢状縫合 587, 592
糸球体包 365
糸状乳頭 656
刺激伝導系 254
指骨(指節骨) 66, 70, 146, 168
指状脂肪塊 462, 464
指節間(IP)関節 146
　―, 母指の 172
― の運動 78
― の側副靱帯 185
指節間指(関節)ヒダ 154
指節骨(指骨) 66, 70, 146, 168
指背腱膜 169, 173, 174, 175
― の外側帯 166
脂肪吸引 299
脂肪層, 皮下組織の 450
脂肪被膜(腎周囲脂肪) 362, 368, 369, 385
視覚皮質 795
視交叉 704
[視]交叉槽 704
視索 621, 701, 707, 713, 714, 720, 721, 788, **795**, 796, 818
視床 703, 708, 710, 711, 713, 715, 720-722

視床下溝 708
視床下部（松果体）703, 722
視床外側核 721
視床間橋 703, 716, 721
視床貫通（後内側中心）動脈 711
視床膝状体（後外側中心）動脈 711
視床髄条 708
視床線条体静脈 710
視床前核 721
視床前結節 710
視床枕 710, 713, 715
視床内側核 721
視床網様核 721
視神経 620, 621, 624, 632, 633, 698, 699, 701, 708, 713, 714, 719, 788-790, 795-797, 799, 801, 818
視神経炎 677
視神経円板（乳頭）640, 795
視神経管 596, 597, 605, 621, 630, 795
視[神経]交叉 633, 701, 708, 714, 716, 718, 788, 795, 796, 818
視放線 706, 709, 713, 714, 795, 796
視野 796
視野狭窄（両耳側半盲）796
視野欠損 796
趾骨 543
趾節間関節 576
趾背腱膜（伸筋腱膜）546
歯冠 665
歯頸 665
歯根 665
歯根管 665
歯根尖 665
歯根尖孔 665
歯枝，下歯槽動脈の 650
歯周炎 667
歯状回 709, 721
歯状核 717, 720
歯状靭帯 44, 45, 815
歯状線 409
歯髄炎 665
歯髄腔 665
歯尖靭帯 11
歯槽孔 645
歯槽突起 644
　—，下顎骨の 589, 591
　—，上顎骨の 589, 591, 701
歯槽粘膜 659, 666
歯突起 8, 722, 784
　—，軸椎の 13, 62, 701, 723, 730
篩骨 596, 601, 630
　— の篩板 723
　— の垂直板 588, 601, 670
篩骨棘 597, 604
篩骨切痕 600
篩骨洞の感染 677
篩骨胞 601, 675, 676
篩骨蜂巣 676-678, 680, 698, 699
　—，篩骨迷路 601
　— の感染 677
篩骨稜，上顎骨の 674
篩骨漏斗 677
篩状筋膜 492
篩板，篩骨の 596, 597, 601, 671, 675, 723
篩板孔 597, 621
示指伸筋 169, 170, 173, 174, 188
示指橈側動脈 81, 155, 160, 164, 167, 170
示指の背側指動脈 167, 192
耳下腺 62, 606, 607, 654, 659, 662, 685, 696, 697, 700, 701, 719, 742, 811

耳下腺炎 607
耳下腺管 606, 607, 610, 642, 646-648, 698, 764, 811
耳下腺咬筋部 732
耳下腺枝，耳介側頭神経の 643, 804, 811
耳下腺（耳介前）リンパ節 642, 696
耳下腺床 646
耳下腺神経叢 807
耳下腺切除術 607
耳下腺摘除術 643
耳下腺領域 642
耳介 683, 719
　— の舟状窩 683
耳介筋 609
耳介結節 683
耳介後リンパ節 607, 642
耳介枝，迷走神経の 643, 647, 683, 813
耳介側頭神経 607, 611, 642, 643, 648, 649, 651, 654, 683, 800, 804, 805, 811
　— の耳下腺枝 643, 804, 811
耳介軟骨 683
耳管 654, 684, 690, 692, 693, 700
耳管咽頭筋 664, 767, 769, 771
耳管咽頭口 661, 674, 691, 693, 770, 771
耳管咽頭ヒダ 766, 770
耳管峡 691, 693
耳管鼓室口 685, 693
耳管骨部 594
耳管枝，舌咽神経の 810
耳管軟骨（部）664, 676, 691, 767, 771
耳管蜂巣 688
耳管隆起 770
耳眼面 590, 591
耳甲介 683, 685
耳珠 683
耳珠板 683
耳珠裂 683
耳小骨 684
耳状面
　—，仙骨の 24
　—，腸骨の 24, 395
耳神経節 651, 661, 697, 800, 804, 811, 816
耳垂 683
耳輪 683
耳輪脚 683
耳輪棘 683
耳輪尾 683
茸状乳頭 656
痔核 411
磁気共鳴胆管膵管造影像 354
軸椎（第2頸椎）8, 723, 731
　— の棘突起 13
　— の歯突起 13, 62, 701, 723, 730
室間孔（モンロー孔）703, 704, 708-711, 713
室上稜 257
室頂核延髄路 717
室ヒダ（前庭ヒダ）777, 783
膝
　— の外側面 533
　— の内側面 532
膝窩筋 507, 515, 523-525, 534, 535, 552, 584
　— の腱 529, 533, 535
膝窩筋下陥凹 535
膝窩筋筋膜 509
膝窩筋腱 525
膝窩筋膜 524, 532, 556, 557
膝窩腱筋群（ハムストリングス）506, 507
　— の損傷 506
膝窩静脈 485, 487, 507, 522, 524, 555, 557

膝窩動脈 484, 507, 515, 522, 524, 536, 537, 557, 560, 561
　— の拍動 522
膝窩動脈造影像 560
膝窩動脈瘤 524
膝窩面 505
膝蓋下滑膜ヒダ 528
膝蓋下枝，伏在神経の 480
膝蓋下脂肪体 528, 540
膝蓋下皮下包 540
膝蓋腱反射 482
膝蓋骨 473, 496, 497, 504, 526, 528, 534, 538, 540-542, 548
膝蓋骨尖 529
膝蓋骨底 529
膝蓋支帯 534
膝蓋上包 534, 540, 541
膝蓋靭帯 496-498, 503, 526, 528, 529, 531, 534, 540-542, 544
膝蓋靭帯炎（ジャンパー膝）496
膝蓋前皮下包 528, 534, 540
膝蓋大腿症候群 538
膝関節 472
　— の外側側副靭帯 525, 529-531, 533-535, 539, 548
　— の靭帯 530
　— の内側側副靭帯 525, 529, 530, 532, 534, 539
膝関節筋 534
膝関節腔 540
膝関節周囲動脈網 537
膝関節穿刺 540
膝関節包
　— の線維層 528
　— の線維膜 540
膝周囲の血管網 536
膝静脈
　— の下外側枝 485
　— の下内側枝 485
　— の上外側枝 485
　— の上内側枝 485
膝神経節 689, 690, 802, 806, 807
膝部の吻合枝 484
櫛状筋 256
射精管 415, 416, 419
斜角筋リンパ節 237
斜膝窩靭帯 507, 525
斜台 593, 597
斜頭蓋 592
斜披裂筋 767, 779
斜裂，左肺の 219, 227
尺側手根屈筋 137, 143, 147-153, 160, 162, 165, 188, 189
尺側手根伸筋 169, 170, 173, 174, 179, 188, 189, 191
尺側反回静脈 82
尺側反回動脈 80, 145
尺側皮静脈 82-85, 95, 115, 132, 133, 187, 188
尺骨 66, 70, 112, 146, 168, 189
　— の茎状突起 146, 168, 178, 181, 182
　— の鉤状突起 143
尺骨静脈 82
尺骨神経 55, 74, 76, 77, 100-102, 115, 119, 131, 143, 149, 150, 153, 160, 165, 171, 188, 191
　— の手背枝（皮枝）74, 149, 150, 153, 160, 174, 179
　— の掌枝 74
　— の深枝 74, 161, 164, 165
　— の浅枝 74, 161, 165
　— の背側手根枝 150
尺骨神経管 152
尺骨神経管症候群 164
尺骨神経溝 113

尺骨神経損傷 74
尺骨切痕，橈骨の 181
尺骨粗面 112, 138
尺骨頭 146, 168
尺骨動脈 80, 81, 134, **144**, 145, 149, 150, 153, 160, 167, 188, 191
— の掌側手根枝 80
— の深枝 161, 164
— の背側手根枝 81, 149, 160, 167, 179
手 66
— の屈筋支帯 87
— の皮神経 171
手根管 182, 183, 190, 191
手根管開放術 161
手根管症候群 161
手根間関節 154, 183
手根関節 66, 177
— の運動 78
— の外側側副靱帯 181
— の内側側副靱帯 181
手根骨 66, 70
— の骨化 69
手根中央関節 154, 177, 183
手掌
— の滑液鞘 162
— の筋層 158
手掌腔 192
手掌腱膜 87, 148, 155-157, 192
手掌動脈弓の断裂 160
手背 172
手背筋膜 156
手背枝（皮枝）
—，尺骨神経の 74, 149, 150, 153, 160, 174, 179
—，正中神経の 73
手背静脈網 82, 84, 172
珠間切痕 683
種子骨 181, 192, 559, 565
収縮期 255
舟状窩 594, 605, 662
—，耳介の 683
舟状骨，足の 473, 543, 564, 571, 578, 580
舟状骨，手の 69, 146, 168, 178, 180-184, 190
舟状骨結節 153, 180, 183, 184
舟状骨粗面 578
舟状頭蓋 593
周辺帯，前立腺の 419
集合管 365
十二指腸 292, 331, 387
— のX線像 329
— の下行部 331, 343
— の下部 343
— の上行部 331
— の上部 331
— の水平部 331
十二指腸圧痕，肝臓の 345
十二指腸潰瘍 332
十二指腸球部 329
十二指腸空腸曲 320, 335, 342, 343
十二指腸上動脈 328, 332
十二指腸直血管 333
十二指腸提筋 331
柔膜 616
縦隔 276
縦隔胸膜 222, 269, 276
縦隔面，肺の 219
縦隔リンパ節 383
縦筋層
—，食道の 779
—，直腸の 409

縮瞳 632, 781
処女膜痕 447
女性
— の会陰 462
— の骨盤 397
— の生殖器 428
鋤骨 588, 589, 594, 595, 662, 670, 700
小陰唇 406, 426, 447, 462
小円筋 110, 111, 122, 128, 129, 187
小角，舌骨の 660, 731, 749, 761, 773, 774
小角結節 777, 780
小角軟骨 774, 775, 777
小鉗子 709, 713
小胸筋 92-94, 96, 187, 216, 218, 736, 737
小頬骨筋 608-610
小結節稜 112
小口蓋管 679
小口蓋孔 594, 662, 671
小口蓋神経 651, 663, 664, 672, 678, 680, 681, 769, **802**, 803
小口蓋動脈 663, 664, 769
小後頭神経 33, 108, 611, 683, 734, 735, 754
小後頭直筋 42, 43, 62
小骨盤 394
小鎖骨上窩 732
小坐骨孔 27, 399, 403, 512
小坐骨切痕 24, 395, 403, 473, 505, 519
小指外転筋 150, 151, 157-161, 164, 179, 192
小指球筋 152, 191
小指球筋膜 155-157
小指球ヒダ 154
小指伸筋 169, 170, 173, 174, 188, 191
小指対立筋 150, 151, 159, 161, 164, 179, 192
小趾外転筋 550, 564, 566, 567, 574
小十二指腸乳頭 331, 354
小心[臓]静脈 242, 243, 251
小腎杯 364, 365
小錐体神経 624, 688, 689, 691, 801, 810, 811
小錐体神経溝 596
小節 716
小舌，左肺の 227
小舌下腺管 759
小泉門 587
小腸 292, 385
小転子 472, 473, 504, 505, 512, 513, 516
小殿筋 63, 497, 507, 511
小内臓神経 59, 278, 281, 374, 376
小児の頭蓋 586
小脳 621, 623, 702, 703, **716**, 720, 722, 723, 784, 788, 818
— の水平裂 716
— の第一裂 716
— の剖出 717
小脳窩 597
小脳鎌 618, 619, 723
小脳後葉 716, 717
小脳小節 718
小脳前葉 716, 717
小脳テント 618-620, 623, 704, 720, 723
小脳半球 718
小脳扁桃 716, 717, 720, 722, 723, 784
小嚢（網嚢） 318
小伏在静脈 486, 522, 575, 584
小網 318, 319, 322, 324
小葉，前立腺の 416
小葉間静脈 365
小腰筋 370, 499
小翼，蝶形骨の 596, 604, 630, 682
小菱形筋 33, 34, 107, 108, 123

小菱形骨 69, 146, 168, 178, 180, 181, 183, 184, 191
小弯，胃の 322, 327
松果体（視床下部） 703, 704, 708-711, 714-716, 722
松果[体]上陥凹 721
消化器系 326
笑筋 608, 609
硝子体 701, 719
硝子軟骨板 19, 22
掌枝
—，尺骨神経の 74
—，正中神経の 73, 153, 171
掌側骨間筋 158, 159
掌側指静脈 82
掌側手根枝
—，尺骨動脈の 80
—，橈骨動脈の 80, 149, 153, 164
掌側手根靱帯 87
掌側手根動脈弓 81, 164, 167
掌側靱帯 165, 183
掌側中手動脈 81, 164, 166, 167
掌側橈骨手根靱帯 150, 165, 183
掌側皮枝，正中神経の 152
掌側ヒダ 154
睫毛腺 635
漿膜性心膜 219, 223
— の臓側板 246
— の壁側板 247
踵骨 472, 473, 543, 550, 552, **553**, 559, 564, 570-572, 574, 578
— の後距骨関節面 576, 578
— の前距骨関節面 576, 578
— の中距骨関節面 576, 578
踵骨結節 575
踵骨腱（アキレス腱） 548, 550, 552, 554-556, **558**, 559, 569, 571, 575, 578, 584
— の滑液包 569, 575
— の断裂 555
踵骨腱炎 555
踵骨腱反射 482
踵骨腱包炎 569
踵骨溝 576
踵骨骨折 578
踵骨枝
—，脛骨神経の 479
—，後脛骨動脈の 563, 566
踵骨皮下包 575
踵骨隆起 564
— の内側突起 563
踵舟靱帯 572
踵腓靱帯 550, 569, 572, 573, 578
踵立方関節 550, 576
踵立方靱帯（二分靱帯） 568, 572, 578
鞘状突起 605, 682
上-下葉枝
—，右肺の 230, 235
—，左肺の 230, 235
上咽頭収縮筋 659, 664, 692, 693, **762-765**, 767, 769, 771-773
上烏口腕筋 135
上[腋窩]リンパ節 83, 200, 781
上横隔動脈 271
上横隔リンパ節 282, 283
上下腹神経叢 343, **374**, 375, 377, 412, 413, 424, 425, 436, 440
上回盲陥凹 337
上外側枝，膝静脈の 485
上外側静脈 641
上外側上腕皮神経 72, 76, 77, 122
上外側浅鼡径リンパ節 489

上外側動脈 641
上角
　一，肩甲骨の 110
　一，甲状軟骨の 774
上顎間縫合 586, 588, 662
上顎結節 601
上顎骨 586, 587, **589**, 601, 602, 630, 631, 644, 679, 680, 701, 718
　一の眼窩面 601
　一の頬骨突起 601, 602
　一の口蓋突起 594, 602, 662
　一の篩骨稜 674
　一の歯槽突起 589, 591, 701
　一の前頭突起 589, 591, 601, 670, 701
　一の前頭突起稜 630
　一の前鼻棘 670
　一の前面 601, 644
　一の側頭下面 601, 644, 645
上顎歯 666, 668
上顎神経 620, 624, 625, 634, 648, 649, **651**, 667, 672, 679-681, 789-803, 805, 807, 818
　一の[外側]下後鼻枝 672
　一の硬膜枝 618, 681
上顎洞 677, 678, 680, 681, 698-700, 718, 802
　一の開口部 698
上顎洞炎 678
上陥凹，網嚢の 318, 319, 324, 325
上関節上腕靱帯 127, 128
上関節突起，椎骨の 4, 10, 730
上関節面，椎骨の 4, 5
上眼窩隔膜 635
上眼窩裂 597, 605, 621, 624, 630, 680, 682, 797, 799
上眼瞼 630
上眼瞼挙筋 610, 624, 632-634, 677, 698, 699, **797**-799
上眼瞼枝 798
上眼瞼静脈 613
上眼静脈 613, 619, 639, 797
上気管気管支リンパ節 237, 283
上丘 623, 624, 710, 711, **715**-717, 792, 818
上丘腕 715
上極，甲状腺の 729, 748
上区，腎臓の 365
上区動脈，腎臓の 365
上頚神経節 754, 762, 763, 816
上頚心臓枝，迷走神経の 280, 812
[上]頚心臓神経 756
上結腸部，大嚢の 319, 320
上結腸リンパ節 383
上結膜円蓋 635
上肩甲横靱帯 111, 123
上肩甲下神経 96, 97, 100, 101, 103-105
上肩鎖靱帯 124, 126
上瞼板 610, 635
上瞼板筋 635
上鼓膜陥凹 688
上後鋸筋 34
上後腸骨棘 24, 30, 31
上甲状結節 774, 778
上甲状切痕 774, 778
上甲状腺静脈 742, 747, 748, 750, 751, 783
上甲状腺動脈 743, 744-746, 748, 750, 751, 760, 783
　一の胸鎖乳突筋枝 742, 743, 761
　一の輪状甲状枝 761
上行咽頭静脈 747
上行咽頭動脈 643, 744, 745, 762
上行頚動脈 50, 744, 751, 752, 754, 755
上行結腸 292, 293, 317, 331, 334, 336, 342, 384
上行口蓋動脈 663, 673, 773
　一の扁桃枝 769

上行枝
　一，外側大腿回旋動脈の 502, 521
　一，左結腸動脈の 341
上行大動脈 242, 245, 249, 253, 263, 284, 286
上行部，十二指腸の 331
上行腰静脈 52, 275, 373
上後鋸筋 215, 218
上後腸骨棘 **24**, 106, 392, 393, 399, 472, 505, 512, 513, 519
上項線 42, 591, 592, 734
上喉頭神経 763, 764, 812, 813
　一の外枝 743, 746, 748, 750, 751, 765, 776, 783, 813
　一の内枝 743, 746, 748, 750, 765, 776, 779, 813
上喉頭動脈 746, 750
上骨盤隔膜筋膜 445, 451
上根，頚神経ワナの 743, 746, 760, 783
上矢状静脈洞 618-620, 698, 704, 719, 720, 723
上矢状洞溝 596
上肢帯 124
上歯枝，上歯槽神経の 802
上歯神経叢 681, 802, 803
　一の上歯肉枝 802
上歯槽神経 667, 680, 800
　一の後上歯槽枝 648, 649, 651, 667, 681, 800, 802, 803
　一の上歯枝 802
　一の前上歯槽枝 667, 681, 800, 802, 803
　一の中上歯槽枝 667, 681, 800, 802
上肢の皮膚分節（デルマトーム） 79
上歯肉枝，上歯神経叢の 802
上歯列弓 589
上耳介筋 606, 607
上斜筋 632, 633, 636, 677, 698, 699, 797-799
　一の滑車 797, 799
上尺側側副動脈 80, 81, 98, 99, 115, 119, 144
上縦隔 223
上縦舌筋 658, 660
上縦束 705
上小脳脚（結合腕） 714-717, 719
上小脳動脈 618, 623, 626-628, 718, 720, 820
上上皮小体（上副甲状腺） 750, 762, 776
上伸筋支帯 542, 545, 546
上神経節
　一，舌咽神経の 813
　一，迷走神経の 813
上唇挙筋 606, 608-610
上唇枝，眼窩下神経の 681, 802
上唇小帯 666
上唇静脈 613
上唇動脈 612
　一の鼻中隔枝 673
上唇鼻翼挙筋 606, 609, 610
上深頚リンパ節 696, 781
上膵十二指腸動脈 328
上錐体静脈洞 619, 620, 622, 685, 789
上錐体洞溝 593, 596, 603
上髄帆 716, 722
上舌枝，左肺の 230, 235
上仙骨切痕 25
上浅鼠径リンパ節 488
上前区動脈，腎臓の 365
上前腸骨棘 **24**, 301, 392-396, 399, 472, 473, 490, 504, 519
上前頭回 705, 708
上前頭溝 722
上双子筋 507, 508, 510, 511, 513, 520
上側頭回 705
上側頭溝 722
上側頭線 591, 592

上唾液核 792, 793
上大静脈 82, 219, **242**, 243, 245, 246, 263, 275, 276, 284, 286
上大脳静脈 618, 723
上端（上極），腎臓の 364
上腸間膜静脈 320, 325, 332, 343, **358**, 359, 385, 386, 388
上腸間膜動脈 278, 320, 325, 332, 333, **338**-340, 343, 353, 361, 373, 385-388
上腸間膜動脈神経節 59, 374-376, 812
上腸間膜動脈造影像 339
上腸間膜動脈リンパ節 380, 383
上直筋 **631**-634, 636, 677, 698, 699, 797-799
上直腸横ヒダ 411
上直腸静脈 358, 359, 411
上直腸動脈 340, 341, 411, 437
上直腸動脈神経叢 412
上椎切痕 4, 16, 18
上殿静脈 421, 437, 485
上殿神経 404, 405, 511, 514
上殿動脈 410, 420, 421, 470, 484, 510, 511, 515
上殿皮神経 480
上頭斜筋 41, 42, 43, 62
上頭頂小葉 705
上橈尺関節 138, 139, 143
上内側枝，膝静脈の 485
上内側小葉，前立腺の 416
上内側浅鼠径リンパ節 489
上皮小体（副甲状腺） 749, 751, 776
上腓骨筋支帯 550, 554
上鼻甲介 601, 602, 663, 671, 674, 676, 698, 699, 719
上鼻道 602, 671, 674
上部，十二指腸の 331
上部 4 胸椎 14, 15
上副甲状腺（上上皮小体） 750, 762, 776
上副腎動脈 363
上腹，肩甲舌骨筋の 732, 736, 738-740, 742, 743, 760
上腹壁動脈 217, 297, 301
上膀胱静脈 421, 437
上膀胱動脈 420, 421, 437
上葉
　一，右肺の 219, 226
　一，左肺の 219, 227
上腰リンパ節 383
上卵巣導帯 312
上肋横突靱帯 15, 37, 210, 211
上肋骨窩 14, 209
上腕 66
上腕横靱帯 110, 117, 124, 126, 131
上腕回旋動脈 98
上腕筋 114-118, 133, 143, 150, 187
上腕筋膜 86, 87, 115, 132, 133
上腕骨 66, 70, 112, 115, 187
　一の顆上突起 135
　一の外側顆上稜 112, 138
　一の外側上顆 112, 117, 134, 136, 138, 141
　一の三角筋粗面 112
　一の大結節 30, 116
　一の内側顆上稜 112, 134, 138
　一の内側上顆 112, 117, 133, 136, 138, 140
上腕骨滑車 138, 143
[上腕骨]滑車上リンパ節 273
上腕骨外科頸の骨折 113
上腕骨骨幹部の骨折 113
上腕骨小頭 112, 143
上腕骨頭 130
　一の脱臼 127
上腕三頭筋 114, 115, 118, 121, 187
　一の外側頭 120, 122, 187

和文索引（し，す）

― の腱　121
― の長頭　120, 122, 187
― の内側頭　120, 121, 187
― の内側頭への枝　121
上腕尺骨頭，浅指屈筋の　149
上腕静脈　82, 95
上腕深静脈　82
上腕深動脈　80, 81, 98, 99, 104, 121, 144
上腕動脈　80, 81, 98, 115, 119, 134, 143-145, 150
上腕動脈造影像　145
上腕二頭筋　114-116, 118, 187, 189
― の腱　116
― の第3頭　135
― の短頭　116, 187
― の長頭　116, 187
上腕二頭筋腱炎　117
上腕二頭筋腱膜　87, 116, 132, 133, 143
上腕リンパ節（外側［腋窩］リンパ節）　83
静脈角　201, 272
静脈管　249
静脈管索　249, 345, 352
静脈グラフト　486
静脈穿刺　85
静脈洞交会　704
静脈瘤　487
食道　248, 262, 263, 270, 284, 384, 784
― のX線像　329
― の縦筋層　779
― の生理的狭窄部位　270
― の輪筋層　779
食道圧痕，肝臓の　345
食道胃接合部　327, 387
食道間膜　269
食道狭窄　329
食道枝
―，下横隔動脈の　271
―，左胃静脈の　358
―，左胃動脈の　271
食道静脈　359
食道静脈瘤　359
食道神経叢　236, 248, 267, 276, 281, 812
食道動脈　248, 271
食道傍リンパ節　283
食道裂孔　270, 323, 370, 372
食道裂孔ヘルニア　329, 372
心圧痕，肺の　228, 229
心室中隔　257, 258, 289
― の筋性部　259
― の膜性部　255, 259
心室中隔欠損　257
心周期　255
心切痕，左肺の　220, 222, 227
心尖　220, 242, 250
心臓
― の右縁　242
― の下縁　242
― の左縁　242
心臓骨格　255
心臓十字　250, 254
心臓静脈　251
心臓神経　281, 754
心臓神経叢　264, 267, 280, 812
心臓弁　260
心臓マッサージ　244
心タンポナーデ　223, 247
心囊血腫　223, 247
心肺感覚核　792
心不全　257
心房中隔欠損　256

心房中隔の膜性部　255
心膜　244
心膜横隔動脈　276, 756
心膜横洞　223, 247, 260
心膜腔　223
心膜斜洞　223, 247, 260
心膜嚢　244, 247, 269, 317
伸筋腱膜（趾背腱膜）　546
伸筋支帯　169, 170, 490
神経間平面　89
神経根損傷　482
神経鞘細胞　622
神経内動脈吻合　515
深陰茎筋膜　450, 451, 455, 457
深陰茎背静脈　314, 421, 456, 457, 459
深会陰横筋　400, 401, 448, 449
深会陰神経　414
深横中手靱帯　165
深横中足靱帯　566
深顔面静脈　613, 747
深筋膜　491
深頸静脈　42, 747
深頸動脈　50, 271, 744, 745, 752
深頸リンパ節　283, 656
深後肛門隙　450
深枝
―，会陰神経の　462
―，尺骨神経の　74, 161, 164, 165
―，尺骨動脈の　161, 164
―，橈骨神経の　75
―，内側足底動脈の　566
深指屈筋　137, **147**, 149-151, 158, 164, 165, 188, 189, 191, 192
― の腱　162
深耳下腺リンパ節　654
深耳介動脈　650
深膝窩リンパ節　273
深膝蓋下包　540
深掌静脈弓　82
深掌動脈弓　80, 81, 144, 164, 166, 167
― の反回枝　164
深錐体神経　679, 802, 806, 807
深前頸リンパ節　273
深鼠径リンパ節　273, 411, 422, 423, 438, 439, 488, **489**, 493
深鼠径輪　307, 309, 313, 316, 427
深足底動脈　484, 547
深足底動脈弓　566
深側頭神経　648, 649, 651, 800, 804, 805
深側頭動静脈溝　644
深側頭動脈　648, 650
深中大脳静脈　629
深腸骨回旋静脈　307, 421, 437, 485
深腸骨回旋動脈　297, 307, 373, 421, 470, 484, 493, 494
深頭，円回内筋の　134
深背筋　384
深腓骨神経　55, **478**, 480, 544-546, 575, 583, 584
深部腱反射　78, 482
深リンパ管　273
人中　670
腎圧痕，肝臓の　345
腎移植　363
腎盂（腎盤）　363, 364, 385
腎筋膜　362, 369
腎区域　365
腎糸球体　365
腎枝，後迷走神経幹の　812
腎周囲脂肪（脂肪被膜）　350, 362, 368, 369, 385
腎小体　365

腎静脈　362, 373, 384, 385, 387
腎神経叢　374, 375, 377
腎錐体　364
腎髄質　365
腎臓　293, 363, 385
― の下区　365
― の下区動脈　365
― の下前区　365
― の下前区動脈　365
― の下端（下極）　364
― の後区　365
― の後区動脈　365
― の構造　364
― の上区　365
― の上区動脈　365
― の上前区　365
― の上前区動脈　365
― の上端（上極）　364
腎柱　364
腎洞　364, 369
腎動脈　363, 365, 373, 385
腎動脈造影像　365
腎乳頭　364, 365
腎盤（腎盂）　363, 364, 385
腎皮質　365
腎傍脂肪体　362, 368, 369
腎面，脾臓の　330, 362

す

スカルパ筋膜　450
スキーヤーの親指　185
頭痛　617
水晶体　640, 701, 718
水頭症　704
水平板，口蓋骨の　594, 601, 602, 662, 671
水平部，十二指腸の　331
水平裂
―，右肺の　219
―，小脳の　716
垂直舌筋　658
垂直板
―，口蓋骨の　601, 671
―，篩骨の　588, 601, 670
膵管　356
― の発生と変異　355
膵頸　325
膵十二指腸静脈　358
膵十二指腸リンパ節　351, 382
膵臓　324, 384, 387
― の鉤状突起　325, 385
膵体　323, 384
膵頭　385
膵尾　323, 333, 385
膵尾動脈　333
膵リンパ節・脾リンパ節　382
錐体筋　302
錐体鼓室裂　594, 603, 807
錐体交叉　714
錐体上縁，側頭骨の　596
錐体突起，口蓋骨の　601, 645, 662
錐体葉　749
錐体隆起　686, 688, 690
錐体鱗裂　602, 694, 808
髄液漏　596
髄核　19-21, 39
髄腔　475
髄膜　616
皺眉筋　606, 608-610

せ

セメント質　665
センチネルリンパ節　237
正円孔　597, 604, 621, 624, 634, 679, 680, 682
正円窓（蝸牛窓）　684, 694
正中環軸関節　11
　― の前関節腔　11
正中弓状靱帯　270, 372
正中口蓋縫合　595, 662
正中臍索（尿膜管索）　249, 414
正中臍ヒダ　313, 316, 414
正中神経　55, **73**, 76, 77, 100-102, 115, 119, 133, 134, 143, 150, 152, 171, 188, 191
　― の外側根　102
　― の手背枝　73
　― の傷害　153
　― の掌枝　73, 153, 171
　― の掌側皮枝　152
　― の損傷　73
　― の内側根　102
　― の反回枝　73, 152, 155, 157, 160, 161
正中舌喉頭蓋ヒダ　775, 778
正中仙骨静脈　373
正中仙骨動脈　50, 373, 400, 404, 437, 470
正中仙骨稜　25, 31, 392, 393
正中側副動脈　81, 144
正中帯　175
正中縫線　738, 740
正中面　295
正中輪状甲状靱帯　739, 774, 775, 777, 778
生理的狭窄部位，食道の　270
成体循環　249
声帯筋　778
声帯靱帯　775, 777, 783
声帯突起　774, 775, 777
声帯の麻痺　752
声帯ヒダ　723, 777, 780, 782
声門裂　775, 779, 780, 782
性腺の下降　312
制動靱帯　677
星状神経節　267, 280, 281, 756
星状神経節ブロック　756
精管　311, 314, 316, 413-416, 418, 420, 456
精管切除術　415
精管動脈　315, 420, 421
精管膨大部　415, 416, 419
精丘　416, 417, 419, 457
精細管　315
精索　300, 305, 307, 311, 313, 314, 460
精巣　314, 415, 456
　― の白膜　315
精巣癌　315
精巣挙筋　305, 306, 310, 314
精巣挙筋静脈　306
精巣挙筋動脈　306, 310, 315
精巣挙筋膜　310
精巣鞘膜　310
　― の臓側板　311, 314
　― の壁側板　311, 314
精巣上体　310, 311, 314, 415, 456
精巣上体垂　314
精巣上体頭　315
精巣静脈　311, 361, 413, 420
精巣神経叢　377
精巣垂　314
精巣導帯　312
精巣動脈　311, 314, 315, 361, 413, 420, 421, 456

精巣網　315
精巣輸出管　311, 315, 415
精嚢　316, 407, 408, 414-416, 418, 457, 461
赤核　623, 713, 716, 717, 719, 721, 793
赤唇縁　670
脊髄　45, 62, 284, 701, 722, 784, 788
　―，頸膨大　44
　― の後索　49
　― の前索　49
　― の側索　49
　― の中心管　49, 703, 704, 716, 793
脊髄円錐　44, 47, 50
脊髄神経　46, 48, 54, 55
　― の後枝　46, 53
　― の後枝の皮枝　33
　― の前枝　46, 53
脊髄神経溝　8, 9, 731
脊髄神経節　46
脊髄麻酔　441
　― のための腰椎穿刺　47
脊柱
　― の概観　2
　― の弯曲　3
脊柱管　39
脊柱起立筋　32, 35, 40, 63, 369
　― の起始腱膜　38
　― の腱膜　38
脊椎すべり症　29
脊椎前リンパ節　283
脊椎分離症　29
切歯　665, 669
切歯窩　589, 594, 662, 663
切歯管　602
切歯枝，下歯槽神経（V₃の枝）の　667
切歯乳頭　662
石灰性滑液包炎　128
舌　657, 659, 699, 719, 723
舌咽神経　45, 620-622, 643, 657, 659, 661, 690, 700, 714, 746, 761-765, 772, 788-790, 793, **810**, 811, 813, 819
　― の咽頭枝　810, 811
　― の下神経節　813
　― の頸動脈洞枝　810, 811
　― の茎突咽頭筋枝　810, 811
　― の耳管枝　810
　― の上神経節　813
　― の舌枝　810, 811
　― の扁桃枝　810, 811
舌下神経　45, 620, 621, 642, 643, 647, 657, 659, 661, 700, 740, 742, 743, 746, 754, 758-763, 767, 773, 788-790, 793, **815**, 819
　― の舌筋枝　815
舌下神経核　792, 793
舌下神経管　593, 597, 621
舌下神経三角　715
舌下神経障害　817
舌下神経麻痺　643
舌下腺　657, 660, 661, 697-699, **759**, 773, 782, 805-807
舌下腺窩　600, 645
舌下動脈　757, 760
舌下ヒダ　661
舌癌　656
舌筋群　658
舌筋枝，舌下神経の　815
舌骨　643, 656, 658, 660, 661, 696, 723, **729**, 730, 738, 740, 741, 743, 746, 748, 758-761, 764, 772, 784, 805
　― の骨折　739
　― の小角　660, 731, 749, 761, 773, 774
　― の大角　660, 731, 746, 749, 761, 763, 765, 773, 774
舌骨下筋群　738, 782, 784

舌骨下リンパ節　656, 696
舌骨喉頭蓋靱帯　775, 777
舌骨上筋群　738
舌骨舌筋　643, 657, **658**, 660, 661, 746, 759, 760, 764, 765, 772, 773, 782, 815
舌骨体　660, 731, 739, 774, 775
舌根　656, 767
舌枝，舌咽神経の　810, 811
舌小胞，舌扁桃の　660, 770
舌状回　708
舌静脈　740, 747
舌神経　648, 649, 651, 659, 661, 667, 740, 759, 760, 765, 773, 800, **804**, 806, 807
舌深動脈　657
舌尖　656, 658, 660
舌体　656
舌中隔　658
舌動脈　643, 647, 657, 660, 661, **745**, 746, 759, 761
　― の舌背枝　657
舌乳頭　656
舌背　656, 701, 768
舌背枝，舌動脈の　657, 761
舌扁桃　656
　― の舌小胞　660, 770
舌盲孔　656, 660, 766
仙棘靱帯　**26-28**, 399, 403, 463, 501, 512, 513, 517
仙結節靱帯　**26-28**, 399, 403, 410, 454, 455, 466, 510-513, 517
仙結節靱帯貫通皮神経　405
仙骨　2, 24, 392-394, 396, 472
　― の外側部　28
　― の耳状面　24
仙骨角　24, 392, 393
仙骨管　25, 28, 395, 396
仙骨孔　28
仙骨硬膜外麻酔　441
仙骨三角　31
仙骨神経　49
仙骨神経根　63
仙骨神経叢　53, 404, 405, 412, 440, 514
仙骨生殖器ヒダ　413
仙骨尖　25
仙骨前筋膜　445
仙骨前隙　445
仙骨粗面　24, 25
仙骨体　395
仙骨内臓神経　375, 425
仙骨翼　25, 28, 395
仙骨リンパ節　411, 422, 423, 438, 439
仙骨裂孔　25, 31
仙髄　49, 54
仙腸関節　28, 63, 393, 394, 396, 468
仙尾関節　394
仙尾骨部後弯　3
仙尾切痕　25
先天性鼡径ヘルニア　313
尖頭症　592
浅陰茎背静脈　457
浅会陰横筋　448, 449, 453, 464
浅会陰筋膜（コリーズ筋膜）　450, 451
浅会陰隙　450
浅横中手靱帯　87, 148, 155
浅横中足靱帯　563
浅外陰部静脈　486, 492
浅外陰部動脈　492
浅頸動脈　744, 752-755
浅頸リンパ節　696
浅枝
　―，頸横動脈の　123

和文索引（せ）

　―，尺骨神経の　74, 161, 165
　―，橈骨神経の　75, 174, 188
　―，内側足底脈の　564, 566
浅指屈筋　137, **147**, 149, 152, 160, 164, 165, 188, 189, 191, 192
　― の腱　162
　― の上腕尺骨頭　149
浅耳下腺リンパ節　654, 742
浅膝窩リンパ節　273, 488
浅尺骨動脈　135
浅手背静脈　84, 85
浅掌枝，橈骨動脈の　149, 153, 155, 160, 164, 167
浅掌静脈弓　82
浅掌動脈弓　80, 81, 144, 155, 160, 166, 167
浅前頸リンパ節　273
浅鼠径リンパ節　273, 299, 315, 411, 422, 423, 438, 439, **489**, 492
浅鼠径輪　300, 304, 305, 308, 313, 314, 494, 495
　― の外側脚　300, 304, 305, 307, 308, 494
　― の脚間線維　300, 304, 305
　― の内側脚　300, 304, 305, 307, 308, 494
浅側頭静脈　606, 613, 642, 696, 701, 728, 747
浅側頭動脈　606, 607, **612**, 615, 642, 647, 648, 650, 654, 700, 701, 744, 745
　― の前頭枝　606
　― の拍動　606
浅腸骨回旋静脈　300, 486, 492
浅腸骨回旋動脈　297, 300, 484, 492, 494
浅頭，円回内筋の　134
浅腓骨神経　55, 478, 480, 544, 545, 548, 583
浅腹壁静脈　299, 300, 486, 492
浅腹壁動脈　297, 300, 492
浅葉，頸筋膜の　727, 734, 738
浅リンパ管　273, 489
腺癌　467
線維性関節包，肩関節の　126
線維性心膜　219, 223, 247, 248
線維輪　18-21, 39
　―，三尖弁の　255
　―，僧帽弁の　255
　―，大動脈の　255
　―，椎間円板の　18
　―，肺動脈弁の　255
線状骨折　590
前胃枝，前迷走神経幹の　812
前陰唇交連　447
前陰唇神経　462
前陰唇動脈　437
前陰嚢神経　315
前腋窩ヒダ　89, 91, 119, 194, 196
前[腋窩]リンパ節（胸筋リンパ節）　83, 273
前縁，肺の　226
前下脛腓靱帯　550
前下小脳動脈　50, 626-628, 718
前下膵十二指腸動脈　332, 333
前下腿筋間中隔　491, 583, 584
前顆間区　528, 531
前外果動脈　484, 545, 547
前外側中心(レンズ核線条体)動脈　627, 711
前外椎骨静脈叢　52
前角
　―，灰白質の　49
　―，側脳室の　704, 707, 711, 713, 720, 722
前関節腔，正中環軸関節の　11
前環軸膜　12
前環椎後頭膜　11, 12
前眼房　640, 701
前脚，アブミ骨の　685, 687
前弓，環椎の　8, 9, 62, 730

前距骨関節面，踵骨の　576, 578
前距腓靱帯　550, 568, 572
前鋸筋　34, 90-93, 96, 103, **105**, 120, 121, 187, 194, 203, 216, 294, 298, 736, 737
　― の麻痺　124
前胸鎖靱帯　124, 206, 751, 753
前区画，下腿の　583
前脛距部，三角靱帯の　568
前脛骨筋　542-544, 548, 575, 583, 584
　― の腱　542, 559
前脛骨静脈　485, 557, 583
前脛骨動脈　484, 515, 525, 534-537, 544, **545**, 547, 557, 560, 561, 575, 583
前脛骨反回動脈　484, 534, 536, 537, 545, 561
前脛腓靱帯　562, 568, 572
前頸三角(前頸部)　732, 733
前頸静脈　696, 728, 738, 739, 743, 747
前頸部（前頸三角）　732, 733
前結節
　―，環椎の　8, 9, 13, 62, 722, 755
　―，第6頸椎の　730
　―，椎骨の　9
前コンパートメント症候群　542
前鼓室動脈　650
前鼓膜陥凹　688
前交通静脈　629
前交通動脈　626, 627, 629, 632, 720
前交連　703, 707-709, 713, 714, 716, 720
前硬膜枝，前篩骨神経の　618
前骨間静脈　82
前骨間神経　73, 150, 151, 188
前骨間動脈　80, 81, 144, 145, 150, 151, 167, 188
　― の後枝　167
前骨半規管　685, 689, 694, 808
前骨膨大部　694
前根動脈　50, 51
前索，脊髄の　49
前枝
　―，外側大腿皮神経の　480
　―，胸神経の　211
　―，脊髄神経の　46, 49, 53
　―，腹外側皮枝の　203
　―，閉鎖神経の　477
　―，閉鎖動脈の　521
前視交叉溝　597, 604, 623
前篩骨孔　597, 630
前篩骨神経　632, 633, 672, 801, 803
　― の外鼻枝　611, 803
　― の前硬膜枝　618
　― の内鼻枝　672, 803
前篩骨動脈　632, 673
　― の外側前鼻枝　673
前篩骨蜂巣　632, 633, 675, 701
前耳介筋　607
前室間枝，左冠状動脈の　242, 243, 245, 250
前斜角筋　216, 218, 735-737, 753-757, 783, 786
前斜角筋結節　207
前尺側反回動脈　144
前十字靱帯　529-531, 539, 540
前上歯槽動脈　650
前縦隔　223
前縦隔リンパ節　282
前縦靱帯　9, 11, 12, **20**, 22, 48, 210, 211, 399, 727, 754
前床突起　**596**, 597, 604, 623-625, 632, 633, 682, 789, 795, 801
前障　706, 711, 713, 721
前踵骨関節面，距骨の　576
前上横隔リンパ節　383

前上歯槽枝
　―，上歯槽神経の　667, 681, 800, 802, 803
　― の鼻枝　672
前上膵十二指腸動脈　332, 333, 343
前上葉枝
　―，右肺の　230, 235
　―，左肺の　230, 235
前上腕回旋静脈　82
前上腕回旋動脈　80, 99
前心[臓]静脈　242, 245, 251
前膵十二指腸動脈弓　333
前髄節動脈　50, 51
前脊髄静脈　51
前脊髄動脈　50, 51, 626, 627, 718
前節骨動脈　639
前舌腺　660
前仙骨隙　426
前仙骨孔　25, 399
前仙腸靱帯　26, 28, 399
前仙尾靱帯　26, 399, 400, 401
前尖
　―，三尖弁の　261
　―，僧帽弁の　258, 259, 261
前側頭泉門　586
前側頭板間静脈　614
前大脳静脈　629
前大脳動脈　618, 626-629, 632, 713, 720, 722, 723
前胆嚢静脈　352
前ツチ骨靱帯　688
前ツチ骨ヒダ　686
前椎骨静脈　753
前庭，骨迷路の　685, 694
　― の外リンパ　719
前庭階　695, 809
前庭階壁（前庭膜）　695, 809
前庭球　465, 467
前庭小管　603
前庭神経　695, 714, 808, 809
　― の上枝　689
前庭神経核　715, 792, 793
前庭神経節　695, 808, 809
前庭靱帯（室靱帯）　777
前庭水管　694
前庭窓（卵円窓）　684, 694
前庭ヒダ（室ヒダ）　666, 777, 780, 783
前庭膜（前庭階壁）　695, 809
前殿筋線　473, 505, 508, 512, 519
前頭蓋窩　621, 789
　― の骨折　596
前頭極　708, 722
前頭筋，後頭前頭筋の　609, 610, 614, 806
前頭結節　586, 587, 589, 591
前頭骨　586, 587, 600, 630, 631, 644, 680
　― の眼窩部　596, 698
　― の眼窩面　602
　― の頬骨突起　589, 591, 600
　― の鼻棘　670, 671
前頭枝
　―，浅側頭動脈の　606
　―，中硬膜静脈の　617
　―，中硬膜動脈の　615, 617
前頭神経　624, 625, 632, 634, 797, 798, 800, 801
前頭直筋　754
前頭洞　618, 632, 671, 674, 677, 678, 680, 723
前頭洞口　600
前頭突起
　―，頬骨の　589, 591
　―，上顎骨の　589, 591, 601, 670, 701
前頭突起稜，上顎骨の　630

前頭板間静脈 614
前頭鼻骨縫合 670
前頭縫合 586, 587
前頭葉 699, 702, 705, 706, 713, 716
前頭稜 597
前頭鱗 600
前突起, ツチ骨の 687, 688
前内果動脈 484, 545, 547
前内側小葉, 前立腺の 416
前内側大腿筋間中隔 491, 582
前内側中心動脈 627, 711
前内側肺底枝, 左肺の 230, 235
前内椎骨静脈叢 51, 52
前乳頭筋 254, 257, 259, 261
前肺神経叢 245, 264
前肺底枝
　―, 右肺の 230, 235
　―, 左肺の 230, 235
前半規管 694, 809
前半月大腿靱帯 530
前半月弁, 肺動脈弁の 260
前皮枝, 大腿神経の 476, 480
前腓骨頭靱帯 562
前鼻棘 588, 590, 601, 671
　―, 上顎骨の 670
前腹, 顎二腹筋の 643, 661, 698, 738, **740-743**, 746, 758, 805
前腹壁 300
前放線状胸肋靱帯 206
前方引き出し試験 530
前[膜]膨大部 694
前脈絡叢動脈 627
前迷走神経幹 267, 281, 379, 812
　― の肝枝 379, 812
　― の前胃枝 812
　― の幽門枝 812
前面, 上顎骨の 601
前毛様体静脈 641
前毛様体動脈 639, 641
前有孔質 714, 788
前立腺 316, 407, 408, 414-419, 421, 455, 460
　― の下外側小葉 416
　― の下後上葉 416
　― の峡部 416
　― の周辺帯 419
　― の小葉 416
　― の上内側小葉 416
　― の前内側小葉 416
　― の中央帯 419
前立腺管 416
前立腺挙筋 455
前立腺小室 416, 417, 419
前立腺静脈叢 417-419, 421, 460
前立腺神経叢 424, 425
前立腺前部(尿道の壁内部) 415
前立腺洞 417, 419
前立腺肥大症 417, 419
前立腺被膜 419
前立腺部, 尿道の 407, 415, 416, 419
前肋剣靱帯 206
前肋間枝
　―, 内胸静脈の 216, 217
　―, 内胸動脈の 214, 216, 217
　― の乳腺枝 202
前肋間静脈の乳腺枝 202
前腕 66
前腕筋膜 87, 132, 133, 143, 188
前腕骨間膜 87, 140, 141, 145, 188
前腕正中皮静脈 83-85, 132

そ

鼡径鎌(結合腱) 301
鼡径溝 392
鼡径後隙 494
鼡径三角 313
鼡径靱帯 304, 305, 313, 399, 490, 492-495, 521
　― の反転靱帯 304, 305
　― の裂孔靱帯 304, 401
鼡径ヘルニア 313
鼡径リンパ節 305, 489
咀嚼筋 652
粗線 505
　― の外側唇(外側顆上線) 505
　― の内側唇(内側顆上線) 505
爪半月 166
双角子宮 433
双手触診
　―, 子宮の 427
　―, 子宮付属器の 427
双頭肋骨 208
走者膝 538
僧帽筋 33, 62, 107, 728, 734, 782
　― の横行部(中部) 106, 108, 123
　― の下行部(上部) 32, 33, 106, 108, 120, 123, 733
　― の上行部(下部) 32, 33, 108, 123, 733
　― の水平部(中部) 32, 33, 733
僧帽筋下神経叢 33, 108
僧帽細胞 794
僧帽弁 238, 255
　― の後尖 258, 261
　― の線維輪 255
　― の前尖 258, 259, 261
総肝管 350, 351, 352, 354, 356, 357, 384
総肝動脈 324, 325, 328, 330, 333, 351, **353**, 384, 388
総顔面静脈 613, 728, 738, 742, 747
総脚, 半規管の 694, 809
総頸動脈 80, 263, 284, 612, 718, **744**-746, 748, 750-752, 754, 755, 782, 783, 785, 786
総頸動脈分岐部 782
総骨間動脈 80, 81, 144, 145, 151
[総]指伸筋 169, 170, 173, 174, 188, 189
総掌側指伸神経 73, 74, 160, 161, 166
総掌側指動脈 81, 155, 164, 166, 167
総胆管 350-352, 354, 356, 357
総腸骨静脈 275, 373, 421, 437, 461, 485
総腸骨動脈 **373**, 404, 413, 421, 437, 461, 470, 484, 500
総腸骨リンパ節 315, 380, 381, 411, 422, 423, 438, 439
総底側趾神経 564
総背側趾静脈 486
総腓骨神経 55, 371, **405**, 478, 506, 514, 515, 522-524, 544, 545, 548, 554, 555
　― の障害 548
　― の損傷 479
　― の腓側交通枝 478, 522
槽間中隔 665
象牙質 665
臓性運動 793
臓性遠心性神経支配 60
臓性感覚 793
臓性求心線維 60
臓性交感神経路 60
臓性副交感神経路 60
臓側胸膜 222, 322
臓側骨盤筋膜 414, 416
臓側支配 59
臓側板
　―, 漿膜性心膜の 246
　―, 精巣鞘膜の 311, 314
臓側部, 気管前葉の 738, 749
臓側腹膜 319, 322
足 472
　― のX線像 571
足底
　― の筋群 564
　― の靱帯 580
足底筋 506, 507, 552
　― の腱 523, 524, 583
足底筋膜 563
足底腱膜 563, 564, 574
足底腱膜炎 563
足底静脈 487
足底静脈弓 485
足底動脈弓 484, 560
足底方形筋 558, 559, 565, 574
足背 546
足背静脈弓 485-487
足背動脈 484, 545-547, 560, 561
　― の拍動 546
　― の変異 560
足根管症候群 556
足根三角骨(三角骨) 579
足根中足関節 576, 577
足根洞 571
側頸部(後頸三角) 732, 733
側索, 脊髄の 49
側切歯 668, 669
側頭窩 588, 590, 644, 645
側頭下窩 644, 645
　― の脂肪 718
側頭下面, 上顎骨の 601
側頭下稜 645
側頭下領域 648
側頭極 621, 722, 788
側頭筋 614, **646**-649, 652, 654, 698-701, 719
側頭筋膜 606, 614, 646, 698
側頭骨 586, 587, 596, 603
　― の下顎窩 655
　― の岩様部 596, 694, 808
　― の頰骨突起 591, 595, 602, 603, 644, 647
　― の茎状突起 590, 594, 595, 603, **644**, 645, 647, 690, 692, 693, 730, 811
　― の鼓室部 591, 644
　― の錐体上縁 596
　― の乳突部 591, 694, 808
　― の乳様突起 62, 590, 593-595, 603, **644**, 647, 679, 690, 691, 693, 730, 811
　― の鱗部 591, 596, 644, 694, 701, 808
側頭枝, 顔面神経の 609, 642, 806, 807
側頭線 588, 600
側頭面 600
側頭葉 702, 705, 706, 719, 720
側脳室 704, 713
　― の下角 704, 707, 718, 720, 721
　― の後角 704, 707, 711, 719, 720
　― の前角 704, 707, 711, 713, 720, 722
　― の中心部 707, 720-722
側脳室脈絡叢 704, 709
側副血行路 484
側副溝 708
側副三角 707, 713, 720
側副枝, 肋間神経の 212
側副靱帯
　―, 指節間関節の 185
　―, 中手指節関節の 185
側方靱帯 445

和文索引（た）

た

タバチエール　176
ダグラス窩（直腸子宮窩）　444
ダンサー骨折（中足骨骨折）　577
手綱核　711
手綱交連　713, 715
手綱三角　710, 715
多乳頭症　196
多乳房症　196
多裂筋　38, 39, 41, 63
唾液腺造影　657
対珠　683
対輪　683
対輪脚　683
体性運動　792
体性感覚（一般感覚）　793
体表解剖
　―，胸部の　194, 196
　―，骨盤部の　392, 393
　―，背部の　30, 106
　―，腹部の　294
胎児循環　249
胎盤　434
帯状回　708, 722
帯状溝　708, 722
帯状束　708
大陰唇　406, 426, 447, 462, 469
大円筋　32, **92**, 96, 103, 106, 107, 110, 111, 116, 117, 120-122, 187
大角，舌骨の　660, 731, 746, 749, 761, 763, 765, 773, 774
大鉗子　709, 713
大臼歯　659, 665
大胸筋　92, 93, 96, 187, 197, 203, 216, 298, 736
　― の胸肋部　88, 91, 92, 194
　― の鎖骨部　88, 92, 194
　― の腹部　88, 92
大頬骨筋　606-610, 642, 701
大結節，上腕骨の　30, 116
大結節稜　112
大口蓋管　679, 700
大口蓋孔　594, 662, 671
大口蓋静脈　663
大口蓋神経　651, 663, 664, 667, 672, 678, 680, 681, 769, **802**, 803
　― の麻酔　663
大口蓋動脈　663, 664, 673, 769, 805
大後頭孔（大孔）　44, 62, 593, **595**, 597, 621, 679, 694, 722, 723, 808, 814
大後頭神経　33, 42, 43, 108, 611, 734, 735
大後頭直筋　41-43, 62
大骨盤　394
大鎖骨上窩（肩甲鎖骨三角）　737
大坐骨孔　26, 27, 399, 403, 512, 513
大坐骨切痕　24, 395, 473, 505, 519
大耳介神経　607, 611, 642, 647, 683, 734, 735, 742, 754
大十二指腸乳頭（ファーター乳頭）　331, 354
大静脈孔　372
大静脈後リンパ節　380
大静脈前リンパ節　380
大静脈洞　256
大心[臓]静脈　243, 245, 246, 251
大腎杯　363, 364
大膵動脈　332, 333
大錐体神経　624, 679, 689, 690, 801, 802, 806, 807
大錐体神経管裂孔　603, 807
大錐体神経溝　596, 597

大泉門　586, 587
大前根動脈（大前髄節動脈，アダムキーヴィッツ動脈）　50, 51
大前庭腺　465, 467
大前庭腺炎　467
大槽（後小脳延髄槽）　704, 716
大腿　472
　― のMR像　581
　― の後区画　491
　― の水平断面　581
　― の前区画　491
　― の内側区画　491
大腿管　316, 493
大腿筋間中隔　511
大腿筋膜　304, 307, 310, 451, 464, 467, **490**-493, 497, 581, 582
大腿筋膜張筋　444, 490, 495, **497-499**, 503, 507, 508, 520, 582
大腿骨　472, 473, 504, 505, 524, 553, 581, 582
　― の外側顆　473, 504, 505, 530, 538
　― の外側顆上線　473
　― の外側上顆　473, 504, 530, 538
　― の水平断面　475
　― の内側顆　473, 504, 505, 530, 538, 541
　― の内側顆上線　473
　― の内側上顆　473, 504, 530
大腿骨頸　444, 505, 517, 521
　― の骨折　521
大腿骨頭　473, 504, 516, 520, 521, 582
　― の骨端脱臼　474
大腿骨頭窩　521
大腿骨頭靱帯　518, 520, 521
大腿骨頭靱帯動脈　521
大腿三角　494
大腿枝，陰部大腿神経の　307, 310, 371, 480, 492
大腿四頭筋の腱　498
大腿鞘　492, 493, 495
大腿静脈　299, 401, 444, 469, **485**, 486, 493-495, 502, 582
大腿静脈伏在神経　581
大腿神経　55, 316, 361, 370, 371, 410, 444, **476**, 493-495, 502
　― の前皮枝　476, 480
　― の損傷　477
大腿深静脈　485, 495, 581
大腿深動脈　444, **484**, 494, 495, 500, 502, 515, 521, 581, 582
大腿前面の筋群　499
大腿直筋　444, 495-**499**, 501-503, 520, 526, 581, 582
　― の腱　498
大腿動脈　297, 401, 437, 444, 469, 470, **484**, 494, 495, 502, 515, 537, 560, 561, 581, 582
大腿内側の筋群　500
大腿二頭筋　503, 506, 507, 509, 522, 523, 581, 582
　― の腱　548
　― の短頭　506, 582
　― の長頭　506, 582
大腿方形筋　469, 507, 508, 510-512
大腿方形筋神経　405
大腿輪　316, 401, 493, 494
大腿輪中隔　493
大大脳静脈（ガレン静脈）　618, 619, 629, 713, 716, 720, 723
大大脳静脈槽（四丘体槽）　713
大腸内視鏡像　336
大転子　472, 473, 504, 505, 507, 511-513, 516
大殿筋　32-34, 63, 108, 403, 444, 453, 454, 460, 463, 466, 469, 501, 503, **506-508**, 510, 511, 515, 520, 581, 582
　― の転子包　510

大動脈　48, 246, 384, 387, 484
　― の線維輪　255
大動脈弓　219, 221, **242**, 243, 245, 249, 253, 263-265, 270, 277, 286
　― の枝　266
大動脈弓リンパ節　237
大動脈後リンパ節　380
大動脈縮窄症　266
大動脈神経叢　424
大動脈腎動脈神経節　59, 374-377
大動脈前庭　259
大動脈前リンパ節　315, 380, 383
大動脈弁　238, 255
　― の右半月弁　259, 260
　― の後半月弁　259, 260
　― の左半月弁　259, 260
　― の半月弁　253, 285
　― の半月弁結節　261
　― の半月弁半月　261
大動脈瘤　262
大動脈裂孔　370, 372, 373
大内臓神経　59, 267, 269, 276-279, 281, 374, 376
大内転筋　**497**, **500**-502, 506, 507, 509-511, 515, 532, 581, 582
大脳横裂　702
大脳鎌　618, 619, 632, 698, 713, 723
大脳脚　707, 709, 713-715, 717, 718, 721, 722, 818
大脳縦裂　702, 720, 788
大脳動脈輪（ウィリス動脈輪）　626, 627, 629
大脳の血管造影像　628
大脳半球　702
大脳皮質（灰白質）　722
大脳部，内頸動脈の　625
大嚢　318, 322
　― の下結腸部　319, 320
　― の上結腸部　319, 320
大鼻翼軟骨　670
　― の外側脚　670
　― の内側脚　670
大伏在静脈　300, 301, **485-487**, 492-494, 502, 558, 575, 582, 584
　― の確保　486
大網（胃結腸間膜）　317-319
大腰筋　39, 63, 342, 361, 370, 385, 413, 495, 497, **499**, 501, 515
大翼，蝶形骨の　591, 596, 602, 604, 630, 644, 682, 698, 701
大菱形筋　33, 34, 107, 108, 121
大菱形骨　69, 146, 152, 164, 168, 178, **180**, 181, 183, 184, 191
大菱形骨結節　165, 180, 183, 184
大弯，胃の　322, 327, 329
第1頸椎（環椎）　8
　― の横突起　730
第1上顎洞口　675
第1中手骨　178
第1乳臼歯　668
第2頸椎（軸椎）　8, 731
第2上顎洞口　675
第2乳臼歯　668
第3後頭神経　33, 108, 611, 735
第3脳室　674, 703, **704**, 708, 710, 711, 713, 715, 716, 720, 721
第3脳室脈絡叢　704
第3腓骨筋　542, 543, 546, 548-550, 575, 583
第4脳室　674, 703, **704**, 716, 718, 722, 723, 793, 818
第4脳室外側口　788
第4脳室正中口（マジャンディー孔）　703, 704
第4脳室底　622

第4脳室脈絡叢　621, 704, 788
第5中手骨　179
第6頸椎の前結節　730
第7頸椎（隆椎）　8
　─の棘突起　730
第一裂，小脳の　716, 717
第二鼓膜，蝸牛窓（正円窓）の　694
胆肝三角（カロー三角）　352
胆管　321
胆管周囲動脈網　349
胆管造影像　356
胆膵管膨大部　354
胆石　352
胆嚢　324, 344, 350, 352, 354, 357, 384
　─の変異　357
胆嚢窩　352
胆嚢管　350-352, 354, 357, 384
　─の変異　357
胆嚢頸　354, 357
胆嚢静脈　352, 358
胆嚢体　354, 357
胆嚢底　292, 317, 354, 357
胆嚢摘出術　352, 353
胆嚢動脈　328, 352, 353
　─の深枝　353
　─の変異　356
胆嚢リンパ節　380, 383
単純性腎嚢胞　364
淡蒼球　707, 711, 713, 721
淡蒼球外節　720
淡蒼球内節　720
短胃静脈　358
短胃動脈　328, 333
短回旋橋枝，脳底動脈の　718
短回旋筋　37
短脚，キヌタ骨の　687
短後仙腸靱帯　512
短後毛様体静脈　641
短後毛様体動脈　639, 641
短趾屈筋　564, 574
短趾伸筋　542, 545, 548, 550
　─の腱　546
短小指屈筋　158, 159, 161, 164
短小趾屈筋　566, 567
短掌筋　148, 155, 157, 160
短頭
　─，上腕二頭筋の　116, 187
　─，大腿二頭筋の　506, 582
短橈側手根伸筋　134, 150, 169, 170, 173, 174, 177, 188, 189
短内転筋　497, 498, 500, 502, 581, 582
短腓骨筋　542, 545, 548-**549**, 554, 555, 573-575, 583, 584
　─の腱　542
短母指外転筋　150, 155, 158-161, 164, 192
短母指屈筋　150, 155, 157-159, 161, 164, 192
短母指伸筋　169, 170, 172-174, 176, 177, 188, 189
　─の腱鞘　162
短母趾屈筋　566, 567
短母趾伸筋　542, 546, 548
短毛様体神経　632-634, 797, 799, 801
短連合線維　705
短肋骨挙筋　37
男性
　─の会陰　453
　─の骨盤　396
弾性円錐　775

ち

恥丘　447, 462, 464, 469
恥垢　457
恥骨　24, 394, 469, 519
恥骨下角　394
恥骨下枝　24, 397, 504, 519
恥骨弓　394, 396
恥骨筋　444, 461, 469, 494, 495, 497, 498, **500**, 502, 515, 516
恥骨筋線　505
恥骨筋膜　516
恥骨結節　308, 392-**394**, 396, 473, 497, 504, 516, 519
恥骨結合　392-396, 400, 466, 469, 472, 473, 504
恥骨後隙　414, 450
恥骨櫛　24, 396, 397, 504
恥骨櫛靱帯　403, 494, 516
恥骨上枝　24, 395, 396, 473, 504
恥骨前立腺筋　400, 452
恥骨前立腺靱帯　407, 408, 455
恥骨体　24, 473, 504, 521
恥骨大腿靱帯　399
恥骨腟筋　401, 452, 466
恥骨直腸筋　400, 401, **402**, 407, 408, 410, 444, 452, 455, 460, 469
恥骨尾骨筋　400-403, 408, 410, 431, 449, 452, 455
恥骨膀胱外側靱帯　445
恥骨膀胱筋　452
恥骨膀胱内側靱帯　445
恥骨稜　397, 473, 504, 519
緻密骨　475
腟　406, 426, 433, 468, 469
腟円蓋　433
腟鏡　433
腟口　447, 448
腟子宮括約筋　449
腟枝，子宮動脈の　429, 436
腟式子宮摘出術　430
腟静脈叢　437
腟前庭　462, 466, 469
腟前庭球動脈　437
腟動脈　428, 429, 436, 437
腟壁　452, 465, 466
腟傍結合組織　451
中咽頭収縮筋　657, 660, 661, **762-765**, 771-773, 779, 810
中央帯，前立腺の　419
中隔縁柱　254, 257
中隔後鼻枝，蝶口蓋動脈の　663, 673, 681
中隔尖，三尖弁の　261
中隔乳頭筋　257, 261
中肝静脈　347, 348, 384, 386
中間外側細胞柱　376
中間気管支　232, 234, 235, 270
中間楔状骨　547, 564, 570, 572
中間広筋　496-499, 502, 581, 582
中間神経　621, 689, 717, 788-790, 806
中間仙骨稜　25
中間腸間膜リンパ節　383
中間腰リンパ節　380
中関節上腕靱帯　127, 128
中距骨関節面，踵骨の　576, 578
中屈曲ヒダ　154
中頸神経節　267, 751, 752, 754, 763
中結腸静脈　358
中結腸動脈　320, 332, 333, 338-341, 343
中結腸リンパ節　383
中甲状腺静脈　747, 748, 783

中硬膜静脈の前頭枝　617
中硬膜動脈　**615**, 620, 624, 639, 650, 651, 691, 692, 764, 765, 789, 804
　─の前頭枝　615, 617
　─の頭頂枝　615
　─の副硬膜枝　650
中硬膜動脈溝　596, 603
中篩骨蜂巣　675, 701
中耳　685, 689
　─の耳小骨　687
中耳炎　687
中膝動脈　536, 537
中斜角筋　216, 218, 735-737, 753-757, 783, 786
中手腔　156, 192
中手骨　66, 69, 70, 146, 168, 185
中手指節（MCP）関節　146, 154, 181
　─，母指の　172
　─の運動　78
　─の側副靱帯　185
中手指節関節ヒダ　154
中縦隔　222, 223
中小脳脚（橋腕）　714-718, 788, 792
中踵骨関節面，距骨の　576
中上歯槽枝，上歯槽神経の　667, 681, 800, 802
中上歯槽動脈　650
中心［腋窩］リンパ節　83, 200, 273
中心窩　641
中心管，脊髄の　49, 703, 704, 716, 793
中心溝　702, 705
中心後回　702, 705
中心後溝　705
中心静脈，肝小葉の　349
中心静脈カテーテル　737
中心前回　702, 705
中心前溝　705
中心［臓］静脈　243, 246, 251
中心部，側脳室の　707, 720-722
中心傍小葉　708
中腎傍管　312
中切歯　668, 669
中節骨　69, 185, 564
中前頭回　705
中足間関節　576
中足骨　473, 543, 564, 571
中足骨骨折（ダンサー骨折）　577
中足趾節関節　576
中側頭回　705
中側副動脈　80
中大脳動脈　626-629, 632, 713, 720, 722
中直腸横ヒダ　411
中直腸静脈　359, 411, 421, 437
中直腸動脈　410, 411, 420, 421, 437
中殿筋　32, 63, 403, 506-508, 510, 511, 520
中殿皮神経　480, 514
中頭蓋窩　621, 654, 689
中橈尺関節　139
中脳　621, 623, 703, **714**, 716-718, 720, 722, 723, 788
　─の下丘　818
　─の上丘　818
中脳水道　703, 704, 709, 716, 718, 722, 818
中脳水道口　623
中ヒダ　154
中鼻甲介　601, 602, 663, 670, 671, **674**, 676, 698-700, 718, 770
中鼻道　602, 671, 674
中鼻道前房　674, 676
中部4胸椎　14, 15
中副腎動脈　363, 373
中葉，右肺の　219, 226

虫垂　293, 334, 337, 442
虫垂間膜　337, 436, 442
虫垂口　337
虫垂静脈　358
虫垂切除術　305
虫垂動脈　337, 338
虫垂リンパ節　383
虫部後葉　716, 718, 720
虫部前葉　716, 719, 720
虫様筋　158, 159, 192, 559, 565
肘窩　119, 132
肘関節　66
　— の運動　78
　— の外側側副靱帯　137, 141-143
　— の関節面　143
　— の内側側副靱帯　137, 140, 143
　— の囊状陥凹　142
肘筋　114, 136, 137, 143, 189
肘正中皮静脈　83-85, 132
肘頭　113, 120, 136, 138
肘頭窩　138
肘頭腱下包炎　138
肘頭皮下包　143
肘内障　142
肘部管　137
　— の腱弓　137
肘部管症候群　137
肘リンパ節　83, 132, 273
長回旋橋枝, 脳底動脈の　718
長回旋筋　37
長脚, キヌタ骨の　686, 687
長胸神経　90, 96, 97, 100-105, 203, 298, 735
長後仙腸靱帯　512
長後毛様体動脈　641
長趾屈筋　552, 554-558, 573-575, 583, 584
　— の腱　559, 565
長趾伸筋　542-544, 546, 548-550, 575, 583, 584
　— の腱　542
長掌筋　147, 148, 160, 188, 191
　— の腱　152, 155
長足底靱帯　567, 580
長頭
　—, 上腕三頭筋の　120, 122, 187
　—, 上腕二頭筋の　116, 187
　—, 大腿二頭筋の　506, 582
長橈側手根伸筋　118, 121, 134, 136, 143, 150, 169, 170, 173, 174, 177, 188, 189
長内転筋　494-498, 500-502, 515, 581, 582
長腓骨筋　542, 545, 548, 549, 552, 554, 555, 567, 573-575, 583, 584
　— の腱　549, 580
長母指外転筋　160, 161, 169, 170, 173, 174, 176, 177, 188, 189
　— の腱鞘　162
長母指屈筋　147, 149-151, 153, 188, 189, 191, 192
　— の腱鞘　162
長母指伸筋　169, 170, 172-174, 176, 177, 188, 189, 191, 192
長母趾外転筋　574
長母趾屈筋　552, 555-559, 573-575, 583, 584
　— の腱　565
長母趾屈筋腱溝　569, 570, 576, 578, 580
長母趾伸筋　542-544, 546, 548, 575, 583, 584
　— の腱　542, 546
長毛様体神経　632, 633, 797, 799, 801
長毛様体動脈　639
長肋骨挙筋　37
重複子宮　433
重複胆囊　357

重複尿管(二分尿管)　366
鳥距　707
鳥距溝　703, 708, 709, 711, 722, 795
超音波検査, 頭頸部の　786
腸間膜　318, 319, 335
腸間膜根　320, 342
腸間膜動脈間神経叢　374, 375, 377
腸間膜リンパ節　382
腸管神経系　58, 376
腸脛靱帯　490, 491, 494, 495, 497, 503, 506-508, 520, 526, 531, 533, 542, 548, 581, 582
腸脛靱帯症候群　490
腸骨　24, 394, 505, 519
　— の弓状線　24, 395, 397
　— の耳状面　24, 395
腸骨窩　24, 394, 395, 473, 504
腸骨下腹神経　297, 301, 305, 306, 310, 369-371, 502
　— の外側皮枝　33, 90, 298
腸骨筋　370, 444, 461, 495, 497, 499, 502
腸骨筋膜　493
腸骨結節　31, 473, 490, 504, 505
腸骨結節横断平面　295
腸骨鼠径神経　297, 300, 301, 305, 306, 308-310, 313, 370, 371, 456, 462, 480, 492, 502
腸骨粗面　24, 395
腸骨体　63
腸骨大腿靱帯　399, 516-518, 520, 521
腸骨恥骨靱帯　316
腸骨尾骨筋　400-402, 410, 431, 449, 454, 455
腸骨リンパ節　273
腸骨稜　24, 30, 31, 34, 367, 392, 393, 395, 396, 472, 473, 490, 504, 505, 519
　— の打撲傷　498
腸恥筋膜弓　493, 499
腸恥包　495
腸恥隆起　24, 395, 396, 473, 504
腸腰筋　63, 316, 494, 495, 498, 499
腸腰静脈　275
腸腰靱帯　26, 27, 38, 399
腸腰動脈　404, 421
腸リンパ本幹　380, 382
腸肋筋　35, 40, 63, 212
跳躍靱帯　567, 570, 578, 580
蝶下顎靱帯　648, 649, 654, 661
蝶形骨　587, 596, 604, 630, 644, 701
　— の小翼　596, 604, 630, 682
　— の大翼　591, 596, 602, 604, 630, 644, 682, 698, 701
　— の大翼の側頭下面　645
　— の大翼の側頭面　645
　— の翼状突起　679
蝶形骨縁　600, 603
蝶形骨棘　594, 605, 645, 654, 682
蝶形[骨]頭頂静脈洞　619, 789
蝶形骨洞　602, 605, 624, 674-676, 678, 682, 693, 701, 818
蝶形骨稜　596, 671
蝶口蓋孔　602, 645, 671, 675, 679, 680
蝶口蓋動脈　634, 650, 664, 673
　— の外側後鼻枝　673
　— の中隔後鼻枝　663, 673, 681
蝶篩陥凹　602, 674
聴神経腫瘍　622
聴診, 肺の　224
聴診三角　33, 106, 108
聴診部位　238
直回　713
直血管　338, 339
直静脈洞　618-620, 704, 713, 719, 720, 722
直接型鼠径ヘルニア　313

直腸　293, 336, 407, 410, 418, 421, 444, 469
　— の縦筋層　409
　— の輪筋層　409
直腸筋膜　450
直腸後隙　445
直腸子宮窩(ダグラス窩)　318, 406, 426, 427, 431, 434, 442, 444
直腸子宮ヒダ　406, 427, 442
直腸指診　418
直腸静脈叢　411, 421
直腸腟隙　445
直腸傍窩　413, 427
直腸傍リンパ節　423, 439
直腸膀胱窩　319, 407, 413, 420, 460
直腸膀胱筋　452
直腸膀胱中隔　450, 455
　— の前立腺部　416
直腸膨大部　426

つ

ツチ骨　684, 687-689, 691
　— の外側突起　686, 687
　— の前突起　687, 688
ツチ骨頸　687, 688
ツチ骨頭　685, 687, 688
ツチ骨ヒダ　689
ツチ骨柄　685-688, 691
椎間円板　2, 14, 20, 784
　— の線維輪　18
椎間関節　5, 10, 20, 730
　— の関節包　18, 19
椎間孔　2, 48
椎間静脈　51, 52
椎弓　3
椎弓根　731
椎弓切除　17
椎弓椎体連結　2, 3
椎弓板　731
椎孔　3, 4, 731
椎骨
　— の横突起　731
　— の下関節突起　4, 10, 730
　— の下関節面　4, 5
　— の棘突起　4, 731
　— の後結節　9
　— の上関節突起　4, 10, 730
　— の上関節面　4, 5
　— の前結節　9
　— の相同部分　2
　— の発達　3
椎骨静脈　747, 752, 753, 783
椎骨静脈叢　52
椎骨動脈　12, 50, 62, 123, 618, 620, 622, 626, 627, 701, 718, 720, 744, 754, 756, 782, 783, 785
椎骨動脈溝　12, 13
椎骨動脈神経節　751
椎骨動脈造影像　628
椎骨傍線　31
椎心　3
椎前筋膜　659
椎前葉, 頸筋膜の　727, 734, 735, 743, 749, 753, 754
椎前領域　754
椎体　3, 4, 784
椎体鈎　10
椎体鈎鈎状突起　5
椎体静脈　51, 52
椎体静脈管　22
蔓状静脈叢　311, 314, 456

て

テタニー 751
テニス脚（腓腹筋の肉離れ） 554
テノン鞘（眼球鞘） 635
テント枝（反回硬膜枝），眼神経の 618
テント切痕 619, 623
テントヘルニア 623
デュプイトラン拘縮 155
デルマトーム（皮膚分節） 56, 296
底側楔舟靱帯 580
底側楔立方靱帯 580
底側骨間筋 567
底側趾静脈 485
底側趾動脈 484, 566
底側踵舟靱帯 567, 570, 578, 580
底側踵立方靱帯 580
底側靱帯 567
底側足根中足靱帯 580
底側中足靱帯 580
底側中足動脈 484, 564, 566
底側立方舟靱帯 580
底部，後頭骨の 596
転子窩 473
転子間線 473, 504, 516
転子間稜 505
転子包，大殿筋の 510
転子包炎 507
殿筋筋膜 33, 34, 503
殿筋粗面 473, 505
殿筋大腿包 510
殿筋膜 108
殿溝 393
殿部の筋 508
殿裂 31, 32, 418, 453, 460, 469

と

トレンデレンブルグ徴候 511
豆鉤靱帯 164, 165
豆状骨 69, 146, 152, 165, 179-184, 190
豆状突起，キヌタ骨の 687
豆中手靱帯 165
島 705, 711, 721
島皮質 713, 720, 722
透明中隔 703, 704, 707-711, 713, 716, 720, 723
透明中隔腔 711
塔状頭蓋 592
頭蓋
　— のX線像 598
　— の側面像 599
頭蓋窩 621
頭蓋冠 616, 704
頭蓋腔 692
頭蓋骨膜 698, 723
頭蓋底 755
頭頸部
　— の超音波画像 786
　— のリンパ流路 696
頭最長筋 36, 40, 42, 43, 62
頭仙神経系 60
頭長筋 62, 659, 701, 753-755, 783, 786
頭頂縁 603
頭頂間溝 705
頭頂結節 586, 587, 591, 592
頭頂後頭溝 703, 705, 708, 722, 795
頭頂骨 587, 644
頭頂枝，中硬膜動脈の 615

頭頂切痕 603
頭頂乳突縫合 592
頭頂葉 702, 705, 706
頭半棘筋 34-36, 41-43, 62, 735, 757, 782
頭板状筋 35, 36, 40, 42, 43, 62, 735, 736, **757**, 782
頭皮 614, 698
頭部の自律神経支配 697
橈骨 66, 70, 112, 146, 168, 189
　— の茎状突起 146, 168, 177, 182
　— の尺骨切痕 181
　— の背側結節 168, 178, 182
橈骨窩 138
橈骨頸 138
橈骨手根関節 154, 181-183
橈骨静脈 82
橈骨神経 55, **75**, 76, 100, 101, 103, 104, 115, 121, 122, 134, 143, 150, 171
　— の深枝 75
　— の浅枝 75, 77, 174, 188
　— の背側指神経 166
橈骨神経溝 113
橈骨神経損傷 75
橈骨粗面 112, 138
橈骨頭 112, 138, 143
橈骨動脈 80, 81, 134, **144**, 148, 150, 152, 153, 160, 165, 167, 188, 191
　— の掌側手根枝 80, 149, 153, 164
　— の浅掌枝 149, 153, 155, 160, 164, 167
　— の背側手根枝 81, 167
橈骨輪状靱帯 139-142, 145
橈尺関節の運動 78
橈側手根屈筋 134, **147**, 148, 152, 153, 164, 165, 177, 188, 189, 191
橈側縦ヒダ 154
橈側側副動脈 80, 81, 144
橈側反回静脈 82
橈側反回動脈 80, 81, 134, 144, 149
橈側皮静脈 82-**84**, 88, 94, 95, 115, 132, 187-189, 195
橙皮様皮膚 198
同名半盲 796
洞房結節 250, 254
洞房結節枝 250
動眼神経 620, 621, 623-625, 632, 634, 714, 717, 788-790, 793, 797, **798**, 801, 818, 820
動眼神経核 623, 792, 793
動眼神経副核（エディンガー・ウェストファル核） 77, 792, 793, 799
動眼神経麻痺 817
動脈アーケード 338
動脈円錐 257
動脈幹 260
動脈管 249
動脈管索 242, 243, 245, 249, 265
動脈管索リンパ節 283
動脈周囲神経叢 376, 816
動脈の閉塞 81
道上棘 644
瞳孔 630, 631, 640
瞳孔括約筋 640, 799
　—，虹彩の 697
瞳孔散大筋 640, 799
　—，虹彩の 697
特殊感覚 793

な

ナジオン 588, 590
内陰部静脈 411, 421, 437, 467, 485

内陰部動脈 404, 411, 414, 420, 421, 437, 467, 470, 510, 511, **515**
内果 543, 546, 547, 553, **559**, 571, 573-575, 580, 584
内眼角 630
内胸静脈 202, 216, 217, 747, 753
　— の貫通枝 202
　— の胸骨枝 202
　— の前肋間枝 216, 217
　— の内側乳腺枝 202
内胸動脈 98, 123, 202, 214, **216**, 217, 297, 744, 745, 753, 754, 756
　— の貫通枝 202, 214
　— の胸骨枝 202
　— の前肋間枝 214, 216, 217
　— の内側乳腺枝 202
内頸静脈 62, 82, 95, 613, 643, 647, 659-691, 696, 700, 701, 718, **728**, 737, 738, 742, 743, 746-748, 750-752, 782, 783, 786
内頸動脈 62, 612, 618, 620, 623, 625-629, 639, 643, 647, 654, 659, 690, 691, 700, 701, 718, 720, **744**-746, 748, 785
　— の海綿部 625
　— の岩様部 625
　— の頸部 625
　— の穿刺 747
　— の走行 625
　— の大脳部 625
内頸動脈神経叢 679, 690, 697, 802
内頸動脈造影像 628
内肛門括約筋 407, 409, 454, 455
内後頭隆起 596, 597, 723
内後頭稜 597
内子宮口 429, 433, 434
内枝，上喉頭神経の 743, 746, 748, 750, 765, 776, 779, 813
内視鏡的逆行性胆管膵管造影 357
内耳 685, 689
内耳神経 620-622, 685, 689, 695, 714, 717, 718, 788-790, 793, **808**, 809, 819
内耳道 597, 603, 621, 684, 685, 692, 718, 808
内痔核 411
内終糸 47, 54
内精筋膜 310, 311
内舌筋 658, 698, 699, 782
内臓神経 60, 211, 374
内側腋窩隙 122
内側縁，肩甲骨の 112, 130, 221
内側顆
　—，脛骨の 473, 504, 505, 538, 541
　—，大腿骨の 473, 504, 505, 530, 538, 541
　— の関節面 531
内側顆間結節 531
内側顆上線（粗線の内側唇） 505
　—，大腿骨の 473
内側顆上稜，上腕骨の 112, 134, 138
内側下膝静脈 555
内側下膝動脈 484, 515, 524, 532, 536, 537, 555, 560, 561
内側眼瞼靱帯 610
内側脚
　—，浅鼡径輪の 300, 304, 305, 307, 308, 494
　—，大鼻翼軟骨の 670
内側嗅条 794
内側弓状靱帯 370, 372
内側胸筋神経 94, 97, 100-103
内側楔状骨 473, 547, 564, 568, 570, 578, 580
内側結節，距骨の 553, 575, 576
内側腱下包，腓腹筋の 535
内側広筋 496-499, 501, 502, 526, 532, 581, 582

内側臍索 249
内側臍ヒダ 313, 316, 414, 427
内側膝蓋支帯 497, 526, 528
内側膝状体 714, 715
内側膝状体核 721
内側種子骨 559, 579
内側踵骨枝, 脛骨神経の 480, 563
内側上顆
　—, 上腕骨の 112, 117, 133, 136, 138, 140
　—, 大腿骨の 473, 504, 530
内側上膝動脈 484, 515, 524, 532, 536, 537, 560, 561
内側上腕筋間中隔 87, 115, 119, 134, 137, 187
内側上腕皮神経 76, 77, 100, 101
内側神経束, 腕神経叢の 73, 74, 100, 102, 104
内側靱帯 559, 570, 574, 575, 578, 580
内側線維性中隔 156
内側前腕皮神経 76, 77, 100-102, 115, 132
内側鼠径窩(ヘッセルバッハ三角) 316
内側足根動脈 484, 547, 561
内側足底神経 55, 480, 558, 566
　— の皮枝 563
内側足底動脈 484, 558, 560, 561, 566
　— の深枝 566
　— の浅枝 564, 566
　— の皮枝 563
内側側副靱帯 557
　—, 膝関節の 525, 529, 530, 532, 534, 539
　—, 手根関節の 181
　—, 肘関節の 137, 140, 143
内側大腿回旋静脈 485, 495
内側大腿回旋動脈 470, 484, 495, 502, 511, 515, 521
内側大腿皮神経 486
内側中葉枝, 右肺の 230, 235
内側直筋 631-633, 636, 677, 699, 701, 797-799
内側頭
　—, 上腕三頭筋の 120, 121, 187
　—, 腓腹筋の 506, 507, 522, 523, 554, 584
内側突起, 踵骨隆起の 563
内側二頭筋溝 115, 119
内側乳腺枝
　—, 内胸静脈の 202
　—, 内胸動脈の 202
内側肺底枝
　—, 右肺の 230, 235
　—, 左肺の 230, 235
内側板, 翼状突起の 602, 605, 662, 663, 671, 676, 678, 682
内側半月 497, 528-532, 535, 539
内側腓腹皮神経 478, 480, 522-554
内側翼突筋 652, 654, 661, 700, 759, 763, 773, 804, 805
　— の深頭 648, 649
　— の浅頭 648, 649
内側翼突筋神経 649, 805
内側隆起 715
内大脳静脈 629, 716, 720, 721
内腸骨静脈 63, 373, 404, 421, 437, 468, 485
内腸骨動脈 50, 63, 361, 373, 402-404, 410, 413, 420, 421, 436-468, 470, 484, 500
内腸骨リンパ節 380, 411, 422, 423, 438, 439
内直腸静脈叢 409, 411
内椎骨静脈叢 19, 48, 619, 783
内転筋管 495
内転筋結節 495, 504, 505, 507, 538, 553
内転筋腱裂孔 495, 500, 515, 561
内頭蓋底 596
内尿道括約筋 407, 408, 452
内尿道口 417
内反膝 527

内鼻枝
　—, 眼窩下神経の 672, 802, 803
　—, 前篩骨神経の 672, 803
内腹斜筋 34, 39, 63, 213, 218, 301, **302**, 305, 306, 309, 367, 368, 502
　— の腱膜 303
内閉鎖筋 316, 400, 401, 403, 444, 461, 468, 469, 501, 507, **508**, 510, 513
　— の腱 511, 517
　— の坐骨包 517
内閉鎖筋神経 404, 405
内包 707, 709-711, 720, 721
　— のレンズ核後部 713
内包後脚 713
内包膝 713
内包前脚 713
内有毛細胞 695, 809
内ラセン溝 695, 809
内リンパ管 684
内リンパ嚢 684, 694, 695, 808
内肋間筋 212-217, 279
　— の骨間部 218
　— の軟骨間部 218
内肋間膜 211, 212, 214
長いヒモ 175
軟口蓋(口蓋帆) **662**, 663, 693, 701, 723, 766, 768, 770, 784, 811
　— の筋 664
軟骨間関節 206
軟骨間靱帯 206
軟性結腸鏡 336
軟膜 48, 49, 616
軟膜静脈 641
軟膜静脈叢 51
軟膜動脈 641
軟膜動脈網 51

に

二次弯曲 3
二頭筋橈骨包 151
二腹筋窩 645
二分膝蓋骨 579
二分靱帯(踵立方靱帯) 568, 572, 578
二分腎盤 366
二分尿管(重複尿管) 366
二分肋骨 208
肉柱 257-259
肉様膜 450, 451
乳管 197-199
乳管造影像 198
乳管洞 198
乳癌 197
乳歯 668, 669
乳腺後隙(嚢) 197, 199
乳腺枝
　—, 前肋間枝の 202
　—, 前肋間静脈の 202
乳腺小葉 198, 199
乳腺組織 199
乳腺葉 198
乳頭 194, 196, 198, 199
　—, 視神経円板 640
乳頭管 365
乳頭筋 258
乳頭体 621, 708, 709, 713, 714, 722, 788, 818
乳頭[体]視床束 709, 721
乳突炎 691
乳突(耳介後)リンパ節 696

乳突上稜 603, 644
乳突切痕 594, 603
乳突洞 690, 691, 693
乳突洞口 687, 688, 690, 691, 693
乳突部, 側頭骨の 591, 694, 808
乳突蜂巣 622, 690, 692, 718, 811
乳ビ槽 270, 272, 273, 279, 283, 315, 380-382
乳房
　— の4領域 197
　— の腋窩突起 197
　— の四分円 197
乳房下溝 196
乳房間溝 196
乳房提靱帯 197-199
乳様突起, 側頭骨の 62, 590, 593-595, 603, **644**, 647, 679, 690, 691, 693, 730, 811
乳輪 194, 196
乳輪下リンパ管叢 200
乳輪下リンパ叢 201
乳輪結節 196
尿意切迫 417
尿管 316, 363, 384, 420
尿管間ヒダ 417
尿管口 417
尿管神経叢 377
尿細管周囲毛細血管 365
尿生殖三角 466
尿生殖裂孔 400, 449
尿道 363, 406, 415, 418, 426, 461, 469
　— の海綿体部 407, 415
　— の隔膜部 407, 415, 417, 419
　— の前立腺部 407, 415, 416, 419
　— の壁内部(前立腺前部) 415
尿道圧迫筋 400, 401, 403, 448, 449, 451, 452
尿道凹窩 456
尿道海綿体 415, 453, 457, 458, 461
尿道球 407, 415, 454, 458-460
尿道球腺 415
尿道球腺管 415
尿道球動脈 414, 459
尿道球内窩 407
尿道舟状窩 456, 457, 459
尿道腟括約筋 401, 448, 451, 452, 466
尿道膨大窩 457
尿道稜 417
尿膜管 249, 414, 458
尿膜管索(正中臍索) 249
妊娠子宮 434

ね

ネフロン 365
　— の構造 365
粘液栓, 子宮頸管の 434
粘膜下神経叢 58

の

乗り物酔い 695
脳 702
　— の動脈 627
脳幹 703, 714
脳弓 703, 708-711, 713, 714, 716, 720-723
脳弓脚 707
脳弓柱 707
脳虚血発作 626
脳血栓 626
脳挫傷 702
脳室系 704

脳出血　626
脳出血発作　626
脳神経核　792
脳神経障害　817
脳神経の概観　790
脳脊髄液　64
脳塞栓　626
脳底　626
脳底静脈　629
脳底静脈叢　619, 676
脳底動脈　12, 50, 618, 620, 626-629, 674, 718, 722, 785, 818, 820
　― の短回旋橋枝　718
　― の長回旋橋枝　718
　― の傍正中橋枝　718
脳梁　674, 708-711, 716, 720, 721, 723
脳梁幹　703, 708, 709, 722
脳梁溝　708
脳梁膝　703, 708, 709, 722
脳梁吻　708, 722
脳梁膨大　703, 708, 709, 722
嚢状陥凹
　―, 下橈尺関節の　181, 183
　―, 肘関節の　142
嚢胞性腎疾患　364

は

ハイムリック法　780
ハムストリングス(膝窩腱筋群)　506, 507
バック筋膜　450, 455
バニオン(腱膜瘤)　579
バリウム造影　329
バルトリン嚢胞　467
パントモグラフィー像　665
破裂孔　594, 597, 602, 694
歯の神経支配　667
馬蹄腎　366
馬尾　44, 47, 49, 63
肺　187
　― の下縁　228
　― の後縁　226
　― の縦隔面　219
　― の心圧痕　229
　― の神経支配　236
　― の前縁　226
　― の聴診　224
　― の肋骨面　219
肺癌　237
肺間膜　228, 229
肺区域　230
肺区域切除術　231
肺高血圧症　257
肺根　219
肺小葉間中隔　233
肺上大静脈　249
肺静脈　228, 229, 249
肺神経叢　236, 267, 280, 812
肺切除術　231
肺尖　227
肺尖後枝, 左肺の　230, 235
肺尖枝
　―, 右肺の　230, 235
　―, 左肺の　230, 235
肺底　228
肺動脈　228, 229, 249
肺動脈幹　235, 242, 246, 249, 264, 284, 286
肺動脈塞栓　235
肺動脈弁　238, 255, 257

　― の右半月弁　260
　― の左半月弁　260
　― の線維輪　255
　― の前半月弁　260
肺動脈漏斗部　285
肺内リンパ節　237, 283
肺胞管　233
肺胞囊　233
肺胞毛細血管網　233
肺門　221, 222, 228
肺葉切除術　231
背枝, 肋間動脈の　214
背側距舟靱帯　568, 570
背側楔舟靱帯　568
背側結節, 橈骨の　168, 178, 182
背側肩甲静脈(肩甲背静脈)　95
背側骨間筋　158, 159, 567
　― と掌側骨間筋　74
背側枝, 固有掌側指動脈の　166
背側指動脈　84, 174
背側指静脈弓　84
背側指神経　75, 76
　―, 橈骨神経の　166
背側指動脈　81, 166, 167, 170
　―, 示指の　167, 192
　―, 母指の　166, 167, 192
背側趾動脈　484, 545, 547
背側手根枝
　―, 尺骨神経の　150
　―, 尺骨動脈の　81, 149, 160, 167, 179
　―, 橈骨動脈の　81, 167
背側手根動脈弓　81, 170
背側手根動脈網　167
背側踵立方靱帯　572
背側膵　355
背側足根中足靱帯　568
背側中手動脈　81, 166, 170
背側中足靱帯　568
背側中足動脈　545, 547
　― の貫通枝　545, 547
背部
　― の基準線　31
　― の体表解剖　30, 106
背部深層の筋　35
背部損傷　50
背部中間層の筋　34
背部表層の筋　33
排出管, 涙腺の　634
排尿筋　417
排尿困難　417
白交通枝　48, 53, 60
白質　713, 719, 720, 722
白線　63, 194, 294, 302, 303
白膜, 精巣の　315
剥離骨折　498
薄筋　495, 497, 498, 500-502, 506, 509, 511, 522-524, 581, 582
　― の停止　498
薄束　715, 792
薄束結節　714, 715
麦粒腫　635
麦粒軟骨　774, 775
抜歯　589
反回骨間動脈　80, 81, 137, 144
反回枝
　―, 深掌動脈弓の　164
　―, 正中神経の　73, 152, 155, 157, 160, 161
反回神経　236, 245, 263, 267, 280, 281, 750, 752, 812
反衝損傷(コントルクー損傷)　591

反跳痛　325, 378
反転靱帯, 鼡径靱帯の　304, 305
半奇静脈　48, 274, 275, 277, 279, 285, 373, 384
半規管　695, 808, 809
　― の総脚　694, 809
半棘筋　212
半月線　91, 294
半月ヒダ　769
半月弁, 大動脈弁の　253, 285
半月弁結節, 大動脈弁の　261
半月弁半月, 大動脈弁の　261
半月裂孔　675, 676, 698
半腱様筋　501, 506, 507, 509-511, 522-524, 581, 582
半椎　29
半膜様筋　501, 506, 507, 509, 510, 511, 522-524, 532, 535, 581, 582
半膜様筋の滑液包　535
斑状出血　614
伴行静脈　485
板間静脈　614
板間層　614, 698
板状筋　34, 728
板状硬　295

ひ

ヒラメ筋　501, 507, 522-524, 542, 548, 552, 554-557, 559, 583, 584
ヒラメ筋線　473, 505, 552
皮下組織
　― の脂肪層　303, 304, 308, 450
　― の膜状層(スカルパ筋膜)　303, 304, 308, 450
皮枝, 閉鎖神経の　477, 480
皮質脊髄路　720
皮膚分節(デルマトーム)　56
披裂間切痕　766
披裂筋　777, 778, 783
披裂喉頭蓋筋　767, 778
披裂喉頭蓋ヒダ　766, 777, 779, 780
披裂軟骨　774, 775, 777, 783, 784
被殻　707, 711, 713, 720, 721
被覆筋膜　303, 306
腓骨　472, 473, 504, 505, 553, 583, 584
　― の骨間縁　562
　― の水平断面　475
腓骨回旋静脈　485
腓骨関節面　562
腓骨頸　504, 505
腓骨骨折　553
腓骨静脈　485, 487, 583
腓骨頭　504, 505, 526, 584
腓骨頭尖　504, 505
腓骨動脈　556, 557, 560, 561, 583
　― の貫通枝　484, 544, 547, 560, 561
腓側交通枝, 総腓骨神経の　478, 522, 523
腓腹筋　501, 503, 524, 552, 555
　― の外側頭　506, 507, 522, 523, 554, 584
　― の内側腱下包　535
　― の内側頭　506, 507, 522, 523, 554, 584
　― の肉離れ(テニス脚)　554
腓腹筋腱膜　583, 584
腓腹神経　478-480, 523, 550, 575
脾陥凹　362
脾枝, 脾動脈の　328
脾静脈　325, 358, 359, 385-388
脾腎短絡　362
脾腎ヒダ　320, 321, 362
脾臓　292, 330, 362, 385, 386
　― の胃面　330

― の横隔面　362
― の結腸面　330
― の腎面　330, 362
脾静脈　323
脾動脈　323-325, 328, 330, 331, **333**, 353, 362, 385, 386, 388
― の脾枝　328
脾門　330
脾弯曲部（左結腸曲）　385
尾骨　2, 24, 31, 392-394, 396
― の横突起　24, 25
尾骨角　24
尾骨筋　400-403, 410, 449, 455, 466, 501
尾骨神経　49
尾骨神経叢　53, 404, 405
尾骨尖　25
尾骨底　25
尾状核　709, 710, 713, 714, 721
尾状核体　707, 709, 720
尾状核頭　707, 709-711, 713, 714, 720, 722
尾状核尾　707, 709, 711, 713, 720, 721
尾状突起，肝臓の　345
尾状葉，肝臓の　345, 384
尾髄　54
眉弓　589, 590, 600, 678
鼻炎　675
鼻外側枝，顔面動脈の　606, 612, 673
鼻棘，前頭骨の　600, 670, 671
鼻筋　606, 608, 609
鼻腔　589, 677
鼻腔外側壁　671
鼻口蓋神経　663, 664, 667, 672, 681, 803
― の咽頭枝　672, 680, 803
― の麻酔　663
鼻骨　589, 590, 601, 630, 670, 680, 701
鼻骨縁　670
鼻骨間縫合　586, 588
鼻根　670
鼻根筋　606, 608-610
鼻枝
　―，眼窩下神経の　802
　―，前上歯槽枝の　672
鼻出血　673
鼻唇溝　670
鼻尖　670
鼻前庭　674, 676
鼻中隔　670, 671, 699, 701, 718, 723, 766, 767, 803
― の偏位　699
鼻中隔枝，上唇動脈の　673
鼻中隔軟骨　670, 671, 700
― の外側突起　670
鼻粘膜の嗅部（嗅上皮）　794
鼻背動脈　639
鼻部　600
鼻毛様体神経　625, 632-634, 797-801
鼻稜　601, 671
鼻涙管　630, 631, 700
膝→「しつ」を見よ
肘→「ちゅう」を見よ
表情筋（顔面筋）　606, 608

ふ

ファーター乳頭（大十二指腸乳頭）　331
ファベラ　579
ブレグマ　590, 592
プテリオン　590, 615
浮遊肋　205
伏在静脈　502

伏在神経　55, 476, 480, 495, 502, 558, 575
― の膝蓋下枝　480
伏在動脈　502
伏在裂孔（鎌状縁）　301, 305, 490, 493
― の外側縁　493
副横隔神経　736, 737
副肝管　357
副環軸靱帯　13
副甲状腺（上皮小体）　749, 751
副交感神経節　60
副交感神経線維の分布　58
副硬膜枝，中硬膜動脈の　650
副神経　620-622, 642, 643, 647, 659, 700, 728, 735, 736, 742, 743, 746, 762, 788-790, 793, **814**, 819
副神経核　792, 793
副神経障害　817
副腎　363, 384, 385
副腎圧痕，肝臓の　345
副腎神経叢　375
副膵管　331, 354, 355
副中結腸動脈　325
副乳頭　196
副尿道球動脈　459
副半奇静脈　274, 275, 277
副鼻腔　677
副鼻軟骨　670
腹横筋　35, 44, 63, 213, 217, 218, **302**, 303, 306, 307, 309, 361, 369, 370
― の起始腱膜　369
腹外側皮枝，肋間神経の　297, 300
― の後枝　203
― の前枝　203
腹腔枝，後迷走神経幹の　379
腹腔神経節　59, 267, 281, 361, 375-377, 379, 812
腹腔神経叢　375, 812
腹腔動脈　271, 278, 321, 325, **328**, 330, 331, 333, 353, 361, 373, 384, 386-388
腹腔動脈造影像　330
腹腔リンパ節　380, 382, 383
腹式子宮摘出術　430
腹水　321
腹前皮枝，肋間神経の　297, 300
腹側膵　355
腹側被蓋交叉　721
腹大動脈　249, 270, 321, 331, 361, 373, 388, 411
― の枝　373
腹大動脈神経叢　412, 413
腹大動脈瘤　373
腹大腰筋　386
腹直筋　63, 194, 213, 216, 218, 294, 300-**302**, 385
― の腱画　294
腹直筋枝　213
腹直筋鞘　303
― の弓状線　301, 316
― の後葉　301, 316
― の前葉　300, 301
腹部
― ，大胸筋の　88, 92
― の冠状断（前頭断）MR像　386
― の矢状断 MR像　387
― の水平断 MR像　384
― の体表解剖　294
― の超音波断層像　388
腹部内臓のリンパ流路　382
腹部膨満（腹満）　295
腹膜　406, 414
― の炎症　325
腹膜炎　321
腹膜下臓器　440

腹膜外筋膜　351
腹膜外脂肪組織　303
腹膜腔　407
― の区分　319
腹膜後器官　360
腹膜鞘状突起　312
腹膜垂　334, 342
腹膜穿刺　321
腹膜内臓器　440
粉砕骨折　590
噴門　327
噴門口　327
噴門切痕　327
分界溝（分界稜），右心房の　245, 254, 256
分界溝，舌の　656, 766
分界条　709, 711, 721
分界線（骨盤上口）　399

へ

ヘッセルバッハ三角（内側鼡径窩）　316
ヘルニア嚢　313
ヘンゼンの細胞　695
ヘンレのループ　365
ベル麻痺　610, 817
平衡砂　695
平衡斑　694, 695, 808
閉鎖管　494
閉鎖筋膜　400, 402, 403, 414, 451, 454
閉鎖孔　24, 394-396, 473, 504, 519
閉鎖溝　519
閉鎖静脈　400, 420, 421, 437, 444, 485
閉鎖神経　55, 370, **371**, 400-404, 410, 420, 444, 476, 477, 516, 581
― の後枝　477
― の前枝　477
― の損傷　477
― の皮枝　477, 480
閉鎖動脈　400, 410, **420**, 421, 444, 470, 484, 500, 518, 521
― の寛骨臼枝　521
― の後枝　521
― の前枝　521
― の変異　420
閉鎖不全症　255
閉鎖膜　399, 403, 444, 494, 518, 521
閉鎖稜　518
壁側会陰筋膜　414
壁側胸膜　222
壁側骨盤筋膜　414
壁側支配　59
壁側板
― ，漿膜性心膜の　247
― ，精巣鞘膜の　311, 314
壁側腹膜　303, 316, 319, 322
壁内部（前立腺前部），尿道の　415
壁板　709
片葉　716-718
片葉小節葉　716
扁桃窩　664, 770
― の口蓋扁桃　662
扁桃核（扁桃体）　706, 707, 709, 710, 721
扁桃枝
― ，顔面動脈の　760, 769, 771, 772
― ，上行口蓋動脈の　769
― ，舌咽神経の　810, 811
扁桃体（扁桃核）　706, 707, 709, 710, 721
扁桃摘出　769
扁桃傍静脈　771, 772

扁平足 571
弁蓋部，下前頭回の 705
弁形成術 255
弁疾患 255

ほ

ホルネル症候群 632, 781
ポットの脱臼骨折 568
母指
— の運動 168
— の指節間(IP)関節 154, 172
— の手根中手関節 154, 181
— の中手指節(MCP)関節 172
— の背側指動脈 166, 167, 192
母指球 154
母指球筋 152, 191
母指球筋膜 155-157
母指球腔 156
母指球ヒダ 154
母指主動脈 81, 155, 166, 167, 192
母指対立筋 150, 151, 158, 159, 161, 164, 192
母指内転筋 158-161, 164, 192
母趾外転筋 564, 566, 567, 573
母趾内転筋 566
母趾の中足趾節関節 579
方形回内筋 139, 147, 149-151, 165, 182, 189
方形葉，肝臓の 345
包茎 457
包皮 456, 457
包皮小帯 456, 457
放線冠 705, 706
放線状肋骨頭靱帯 15, 210, 211
縫工筋 444, **494-499**, 501, 502, 509, 520, 522, 526, 581, 582
— の腱 526
— の停止 498
縫合骨 591
房間溝 246
房室間溝 242
房室結節(田原結節) 250, 254
房室結節枝，右冠状動脈の 250
房室束 250, 254
房室中隔の膜性部 255
房室ブロック 254
帽状腱膜 42, 609, 614, 698, 723
傍正中橋枝，脳底動脈の 718
傍大動脈神経叢 441
膀胱 292, 363, 406, 407, 414, **415**, 418, 421, 426, 427, 444, 461, 582
膀胱筋膜 445
膀胱(骨盤)神経叢 424
膀胱三角 417, 428, 436
膀胱子宮窩 406, 426, 427, 431, 434
膀胱子宮頸隙 445
膀胱上窩 316, 406, 407
膀胱静脈叢 417, 421, 437
膀胱神経叢 425
膀胱垂 417
— の筋 452
膀胱腔隙 445
膀胱動脈 470
膀胱傍窩 413, 427
膀胱傍陥凹 414
膨大部稜 694

ま

マイヤーループ 706

マジャンディー孔(第4脳室正中口) 703
摩擦性肘頭皮下包炎 138
膜状層，皮下組織の 450
膜性部
—，心室中隔の 255, 259
—，心房中隔の 255
—，房室中隔の 255
膜迷路 694
末梢神経 55
末節骨 69, 185, 473, 543, 564

み

ミオトーム(筋分節) 57
ミュラー筋 635
味覚核 792
眉間 588, 590, 600
短いヒモ 175
脈絡叢 703, 707, 711, 713, 720
脈絡膜 640, 641
脈絡毛細管板 641

む

無汗症 632
無気肺 222
無漿膜野，肝臓の 318, 344, 345

め

メッケル憩室 337
メドゥーサの頭 359
迷走神経 219, 236, 245, 263, 267, 277, 280, 281, 620-622, 642, 643, 647, 659, 700, 746, 748, 750-752, 762, 783, 788-790, 793, **812**, 813, 819
— の咽頭枝 812, 813
— の下頸心臓枝 752, 812
— の下神経節 813
— の耳介枝 643, 647, 683, 813
— の上頸心臓枝 812
— の上神経節 813
迷走神経三角 715
迷走神経背側(運動)核 792, 793
迷路骨包 694, 695, 809
迷路動脈 626, 627

も

モンロー孔(室間孔) 703
毛細胆管 349
毛細リンパ管 273
毛様体 640, 718, 799
—，眼球血管膜 641
毛様体筋 697
毛様体神経節 632-634, 697, 797-801, 816
毛様体突起 640
盲孔 597
盲腸 292, 334, 336, 337, 342
盲腸血管ヒダ 337
網嚢(小嚢) 318, 319, 322, 325
— の下陥凹 318, 319
— の上陥凹 318, 319, 324, 325
網嚢孔 321, 322, 360
網膜 795
網膜視部(眼球内膜) 640, 641
網膜色素上皮 640
網膜静脈 641
網膜中心静脈 640, 641
— の閉塞 639

網膜中心動脈 639-641
— の閉塞 639
網膜動脈 641
網膜盲部 640
門脈 249, 321, 325, 326, 350, 351, **358**, 359, 385, 388
— の右枝 353, 358
— の左枝 353, 358
門脈圧亢進症 351, 359, 411
門脈系 358
— の側副路 359
門脈造影像 387
門脈流路 326

や・ゆ

夜間頻尿 417
輸出細動脈 365
輸入細動脈 365
有郭乳頭 656, 657, 770
有鉤骨 69, 146, 168, 179, 183, 184, 191
有鉤骨鉤 152, 165, 180, 181, 183, 184, 191
有頭骨 69, 146, 168, 180, 181, 183, 184, 191
幽門 292, 327, 329
幽門圧痕，肝臓の 345
幽門管 322, 327
幽門口 327
幽門枝，前迷走神経幹の 812
幽門洞 327, 329, 384
幽門リンパ節 382
指の虚血 166
指の線維鞘 155, 162, 163

よ

羊膜腔 434
葉間動脈 365
葉間リンパ管 237
葉状乳頭 656
葉切除術 349
腰横突間筋 41
腰棘間筋 41
腰筋筋膜 39, 361, 369, 403, 414, 493
腰三角 34, 108
腰静脈 275, 373
腰神経 49
腰神経叢 53, 370
腰髄 49, 54
腰仙骨神経幹 370, 371, 401-405, 410, 424, 425, 514
腰多裂筋 36, 41
腰腸肋筋 35, 39, 40
腰椎 2, 5, 16
— の運動 7
— の棘突起 31
腰椎化 29
腰痛 39
腰動脈 50, 373
腰内臓神経 59, **375-377**, 412, 424, 425, 440, 441
腰部前弯 3
腰方形筋 38, 39, 63, 302, 361, 369-371, 385
腰膨大 44
腰リンパ節 273, 315, 383, 411
—，大静脈/大動脈 422, 423, 438, 439
腰肋 38, 208
腰肋三角 372
腰肋靱帯 38
翼棘突起 671
翼口蓋窩 602, 645, 649, 651, 679-682
— の神経 680
翼口蓋神経 679, 681, 802

和文索引（よ，ら-ろ，わ）

翼口蓋神経節　649, 651, 663, 672, 681, 697, 798, 800, 802, 803, 806, 807, **816**
翼上顎裂　602, 645, 679, 764, 765
翼状筋膜　727
翼状肩甲　105, 124
翼状靱帯　13
翼状突起
　― ，蝶形骨の　605, 679, 680
　― の外側板　595, 602, 604, 662, 682, 692, 700, 764
　― の内側板　595, 602, 605, 662, 663, 671, 676, 678, 682
　― の内側板の翼突鈎　594
翼突窩　594, 605, 682
翼突下顎縫線　764, 765, 769, 773
翼突管　595, 605, 679, 680, 682
翼突管神経　672, 679, 680, 690, 798, 802, 803, 806, 807
翼突管動脈　650, 690
翼突筋窩　600, 645, 655
翼突筋枝，後深側頭動脈の　650
翼突筋静脈叢　613, 619, 639, 747
翼突鈎　602, 605, 645, 661-664, 671, **682**, 692, 773
　― ，翼状突起内側板の　594
翼突切痕　605

ら

ラセン器　695
ラセン状線　473, 505
ラセン神経節　695, 808, 809
ラセン靱帯　695, 809
ラセン帯　155
ラムダ縫合　587, 590-592
卵円窩　256, 258
卵円窩縁　256
卵円孔　594, 597, 602, 604, 621, 624, 645, 679, 694
卵円窓（前庭窓）　684, 694
卵管　406, 426, 427, 429, 430, 431, 433
卵管間膜　430, 431
卵管峡部　430, 431
卵管采　430, 431
卵管枝，子宮動脈の　429
卵管腹腔口　429, 431
卵管膨大部　430, 431
卵管漏斗　430, 431
卵形嚢　694, 695, 808
卵形嚢斑　809
卵巣　406, 426, 428-430, 468
卵巣間膜　430
卵巣枝，子宮動脈の　429
卵巣静脈　427
卵巣神経叢　377
卵巣提索（卵巣提靱帯）　406, 427, 429, 431, 442
卵巣動脈　427, 429
卵巣動脈神経叢　440
卵胞　468

り

リンパ管弁　273
リンパ節　273
　― の腫脹　488
リンパ浮腫　198
梨状陥凹　766, 780, 783
梨状筋　400, 402, 403, 501, 507, 508, 510-512
梨状筋神経　404, 405, 514
梨状口　591, 602
立方骨　473, 543, 552, 564, 568, 571, 572, 578, 580
立方骨粗面　564
立方舟関節　577

流行性耳下腺炎　607
隆椎（第7頸椎）　8, 30, 106
　― の棘突起　730
両眼域　796
両耳側半盲（視野狭窄）　796
梁下野　708, 709
菱形靱帯　126
緑内障　640
輪筋層
　― ，食道の　779
　― ，直腸の　409
輪状咽頭筋　763, 776, 779
輪状気管靱帯　749, 750, 775
輪状甲状筋　739, 748, 750, 751, 764, 765, 778, 813
輪状甲状枝，上甲状腺動脈の　761
輪状甲状靱帯　748-750, 775, 777
輪状甲状靱帯切開　729
輪状声帯靱帯　775, 777
輪状軟骨　729, 730, 748-751, 764, 765, **774**, 782, 784
［輪状軟骨］弓　739, 774, 775
輪状軟骨結節　774
輪帯　517
鱗部（後頭鱗），側頭骨の　591, 596, 644, 694, 701, 808

る

涙器　631
涙丘　630, 631
涙湖　630, 631
涙骨　589, 590, 630, 670
涙骨稜　591
涙小管　631
涙腺　610, **631**-634, 677, 680, 697, 699, 797, 798, 801, 802, 807
　― の排出管　634
涙腺窩　600
涙腺神経　610, 611, 624, 625, 632-634, 679, 680, 797, 798, 800, **801**, 807
涙腺動脈　632, 639
涙腺動脈孔　630
涙点　631
涙嚢　631
涙嚢窩　630
涙嚢溝　601
類洞　349
　― のマクロファージ（クッパー細胞）　349
類洞周囲腔　349

れ

レイノー症候群　166
レイノー病　166
レンズ核　706, 707, 710, 711, 713, 714, 720, 721
レンズ核下部　710
レンズ核後部　710
　― ，内包の　713
レンズ核線条体（前外側中心）動脈　711
レンズ核束　721
裂孔靱帯　403, 493-495
　― ，鼡径靱帯の　304, 401
連嚢管　694

ろ

漏斗　709, 714, 718, 722, 788, 818
　― ，下垂体の　623, 624
肋横突関節　15, 209, 210
肋横突靱帯　37, 210
肋鎖靱帯　100, 124, 206

肋椎関節　209
肋軟骨　204, 206, 218, 384
肋下筋　211, 215
肋下静脈　275
肋下神経　53, 267, 281, 297, 301, 361, 368-370
　― の外側皮枝　90, 298, 480
肋下動脈　271, 297, 361, 373
肋間隙　204
肋間静脈　48, 211, 212, 274, 275, 277-279, 373
　― の外側枝の外側乳腺枝　202
肋間上腕神経　76, 77, 90, 96, 103, 105, 195, 203, 298
肋間神経　44, 48, 53, 211, 212, 267, 277-279, **281**, 297, 301
　― の外側皮枝　213
　― の外側皮枝の前枝　90
　― の［胸］外側皮枝の外側乳腺枝　88, 195, 203
　― の［胸］外側皮枝の後枝　88, 90
　― の胸前皮枝　214
　― の［胸］前皮枝の内側乳腺枝　88, 195
　― の側副枝　212
　― の腹外側皮枝　297, 300
　― の腹前皮枝　297, 300
肋間神経ブロック　203
肋間動脈　48, 50, 211, 212, **214**, 271, 277-279, 297
　― の外側枝　214
　― の外側枝の外側乳腺枝　202
　― の背枝　214
肋間リンパ節　283
肋頸動脈　271, 744, 745, 755
肋骨　204
肋骨烏口膜　86
肋骨横隔洞　221, 222, 269, 286, 316, 317, 321, 323
肋骨下平面　295
肋骨解離　204
肋骨角　207
肋骨弓　204, 218
肋骨挙筋　36, 38, 41, 212, 215
肋骨胸膜　222, 269
肋骨頸　207
肋骨頸稜　207
肋骨結節　207
肋骨溝　207, 221
肋骨骨折　207
肋骨鎖骨症候群　205
肋骨縦隔洞　223, 269
肋骨切痕　206
肋骨脱臼　204
肋骨頭　207
肋骨頭関節　15, 209
肋骨頭関節面　207
肋骨頭稜　207
肋骨突起（横突起）　63
肋骨面，肺の　219
肋骨肋軟骨連結　204, 220

わ

Y字軟骨　395, 519
腕神経叢　53, 100, 216, 735-737, 756, 783
　― の下神経幹　268
　― の外側神経束　73, 100, 102, 104
　― の後神経束　75, 100, 103, 104
　― の内側神経束　73, 74, 100, 102, 104
腕神経叢ブロック鎖骨上アプローチ　736
腕橈骨筋　116, 118, 120, 121, 133, 134, 136, 140, 143, 147, 148, 150, 153, 165, **169**, 170, 177, 187-189
腕頭静脈　217, 728, 737
腕頭動脈　80, 270, 284, 744, 745, 748, 785
腕頭リンパ節　282